Leabhar Mór Bhriathra na Gaeilge

The Great Irish Verb Book

A.J. Hughes MA, MèsL, PhD

Clólann Bheann Mhadagáin 2008
Ben Madigan Press 2008

Teideal: Title — **Leabhar Mór Bhriathra na Gaeilge**

Fotheideal: Subtitle — *The Great Irish Verb Book*

Foilsitheoir: Publisher

Clólann Bheann Mhadagáin
516 Bóthar Aontroma
Béal Feirste
BT15 5GG

Ben Madigan Press
516 Antrim Road
Belfast
BT15 5GG

An chéad eagrán:
First edition — 2008

Clúdach: Cover — Tony Bell

Portráid chúil:
Back portrait — Neil Shawcross

ISBN: 0-9542834-2-2

Do mo mhuirníní dílse

Anna

Marie-Claire

agus

Oisín.

Rath, bláth agus beannú oraibh.

‘Ní thuigeann siad mo chanúint agus ní labhraim leo Béarla’

Amhrán Shéamais Mhic Mhurchaidh,
Co. Ard Mhacha, 18ú céad.

« Celui qui ne connaît pas ses dialectes ne connaît pas sa langue »

Joseph Vendryes *Le Langage*.

‘The man who “avoids provincialisms” simply avoids the language’.

Peadar Ua Laoghaire/P. O’Leary 1902.

Leabhar Mór Bhriathra na Gaeilge

The Great Irish Verb Book

Clár — Contents

Buíochas

Ba mhian liom buíochas a ghabháil le cuid mhór daoine a thug cuidiú agus comhairle domh agus mé ag tabhairt faoin leabhar seo. Leis an Ollamh Cathair Ó Dochartaigh a chuir ar fáil domh liosta de ghasanna na mbriathra as *Foclóir Gaeilge-Béarla* le Niall Ó Dónaill. Le John McMillen, Ollscoil Uladh, agus le Tony agus Pauline Bell, *Solas Nua,* a chuidigh liom le dearadh na dtáblaí. Bhí daoine eile ann a léigh píosaí den obair ag staideanna áirithe: An tOllamh Máirtín Ó Murchú, Institiúid Ard-Léinn Bhaile Átha Cliath; An tOllamh Roibéard Ó Maolalaigh, Ollscoil Ghlaschú, An tOllamh Seosamh Watson, Coláiste na hOllscoile, Baile Átha Cliath; An Dochtúir Seán Ua Súilleabháin, Coláiste na hOllscoile Corcaigh, Micheál Ó Catháin, Co. na Gaillimhe, Máirtín Mac Grianna, Béal Feirste, Nioclás Mac Cathmhaoil, Peadar Ó Catháin, Máirtín Mac Cathmhaoil agus an tAthair Anraí Mac Giolla Comhaill. Caithfear buíochas a ghabháil le Foras na Gaeilge agus le hOllscoil Uladh as deontas a thabhairt le cuid de na costais a ghlanadh agus le mo chomhghleacaithe An tOllamh Bernie Hannigan agus An tOllamh Séamas Mac Mathúna, beirt a thug tacaíocht mhór domh.

Aon locht ná lúb ar lár a fhanann ar an tsaothar seo is liom féin amháin a bhaineas.

An Dr A.J. Hughes

Ollscoil Uladh
Béal Feirste, Samhain 2007.

Acknowledgements

I wish to thank all those who helped and advised me while engaged in the preparation of this project. Professor Cathair Ó Dochartaigh who provided me with a list of the stems of all the verbs in N. Ó Dónaill's *Irish-English Dictionary*. John McMillen, University of Ulster at Belfast, and Tony and Pauline Bell, *Solas Nua*, who helped with the design of the verb tables. Others read portions of the work at various stages of its preparation: Prof. Máirtín Ó Murchú, Dublin Institute for Advanced Studies; Prof. Roibéard Ó Maolalaigh, University of Glasgow, Prof. Seosamh Watson, University College Dublin; Dr Seán Ua Súilleabháin, University College Cork, Micheál Ó Catháin, County Galway, Máirtín Mac Grianna, Belfast, Nioclás Mac Cathmhaoil, Peter Kane, Máirtín Mac Cathmhaoil and Father Harry Coyle. Foras na Gaeilge and The University of Ulster are to be thanked for support to cover parts of the publishing costs and I am particularly indebted for the support and encouragement of my colleagues in UU, Prof. Bernie Hannigan and Prof. Séamas Mac Mathúna.

Any fault or shortcomings in the work are my own responsibility.

Dr A.J. Hughes

University of Ulster
Belfast, November 2007.

Na hEochairbhriathra: Key Verbs

1 **abair**
2 **aithin**
3 **aithris**
4 **amharc**
5 **at**
6 **athraigh**
7 **báigh**
8 **bailigh** = cruinnigh
9 **bain**
10 **beannaigh**
11 **beir**
12 **bí**
13 **bog**
14 **bris**
15 **brúigh**
16 **caill**
17 **caith**
18 **cas**
19 **ceangail**
20 **ceannaigh**
21 **cloígh**
22 **clois = cluin**
23 **codail**
24 **coinnigh**
25 **cruaigh**
26 **cuir**
27 **dathaigh**
28 **déan**
29 **díol**
30 **dírigh**
31 **dóigh**
32 **druid = dún**
33 **eagraigh**
34 **éirigh**
35 **éist**
36 **fág**
37 **faigh**
38 **fan**
39 **fás**
40 **feic**
41 **feoigh**
42 **fiafraigh**
43 **fill = pill**
44 **fliuch**
45 **foghlaim**
46 **foilsigh**
47 **freagair**
48 **freastail**
49 **géill**
50 **glan**
51 **goirtigh**
52 **gortaigh**
53 **iarr**
54 **imigh**
55 **imir**
56 **inis**
57 **iompair**
58 **ionsaigh**
59 **ith**
60 **labhair**
61 **las**
62 **léigh**
63 **lig**
64 **maraigh**
65 **meath**
66 **mill**
67 **mínigh**
68 **mionnaigh**
69 **mol**
70 **múscail = dúisigh**
71 **neartaigh**
72 **nigh**
73 **oil**
74 **ól**
75 **ordaigh**
76 **oscail = foscail**
77 **pacáil**
78 **pós**
79 **rith**
80 **roinn = rann**
81 **sábháil**
82 **scanraigh**
83 **scaoil**
84 **scríobh**
85 **seachain**
86 **seas**
87 **sín**
88 **sínigh**
89 **siúil**
90 **smaoinigh**
91 **socraigh**
92 **stampáil**
93 **suigh**
94 **tabhair**
95 **tagair**
96 **taispeáin**
97 **taistil**
98 **taitin**
99 **tar**
100 **tarraing**
101 **teann**
102 **téigh**
103 **tiomáin**
104 **tit**
105 **tóg**
106 **tosaigh**
107 **trácht**
108 **triomaigh**
109 **tuig**
110 **tuirsigh**
111 **ullmhaigh**

112 **is** *an chopail*

	Noda do na táblaí	*Abbreviations for the tables*
*	**Is féidir leagan an Chaighdeáin a úsáid.**	Standard form may also be used
C	**Is féidir an leagan Connachtach a úsáid.**	Connaught form may also be used.
M	**Is féidir an leagan Muimhneach a úsáid.**	Munster form may also be used.
U	**Is féidir an leagan Ultach a úsáid.**	Ulster form may also be used.
†	**Is féidir *sinn(e)* a chur in áit *muid.***	*sinn(e)* may be used for *muid.*
‡	**Is féidir an 3ú pearsa uatha a úsáid don 1ú iolra ach *sinn(e)* a chur in áit *sé.***	the form of the 3 sg may be used as 1 pl by replacing *sé* with *sinn(e).*
indep	**foirm neamhspleách**	independent form
dep	**foirm spleách**	dependent form
var	**foirm mhalartach**	variant

Leabhar Mór Bhriathra na Gaeilge

Bunaidhmeanna an tsaothair seo
Cuireadh an leabhar seo le chéile chun uirlis tagartha a sholáthar don Ghaeilgeoir, bíodh sé ina ghlanfhoghlaimeoir nó ina chainteoir líofa. Is é bunaidhm na huirlise céanna, ná samplaí de na haicmí is coitianta de na briathra (rialta agus mírialta) a réimniú ina n-iomláine. Chuige sin, déantar na briathra atá ar fáil i dtáblaí an leabhair seo a réimniú sna príomhaimsirí agus sna príomh-mhodhanna a leanas:

- an aimsir chaite
- an aimsir láithreach
- an aimsir fháistineach
- an modh coinníollach
- an aimsir ghnáthchaite
- an modh ordaitheach
- an modh foshuiteach, aimsir láithreach

Ag tús gach briathair agus ar bharr gach leathanaigh sna táblaí tugtar:

- an gas nó an fhréamh (.i. an dara pearsa uatha den mhodh ordaitheach)
- an t-ainm briathartha
- an aidiacht bhriathartha

Tugtar samplaí de na briathra i ndiaidh na míreanna **níor**, **ar**, **gur**, **nár** nó **ní**, **an**, **go**, **nach** srl. agus pléitear an fáth atá taobh thiar de sin sa **Treoir don Innéacs (§§21-6)**. San Innéacs féin beidh teacht ag an léitheoir ar thagairt do gach briathar in *Foclóir Gaeilge-Béarla* le Niall Ó Dónaill (*FGB*).

An Caighdeán Oifigiúil agus na canúintí
Cuirtear leagan de gach briathar ar fáil do na ceithre phríomhleagan a leanas:

- An Caighdeán Oifigiúil
- Gaeilge Chúige Uladh
- Gaeilge Chonnacht
- Gaeilge na Mumhan

Cúlra na Gaeilge
Is teanga Cheilteach í an Ghaeilge agus is brainse de na teangacha Ind-Eorpacha atá sna teangacha Ceilteacha. Baistear 'Ceiltis na nOileán' ar na teangacha Ceilteacha a labhraítí (nó a labhraítear go fóill) ar an dá oileán Éire agus an Bhreatain. Ranntar Ceiltís na nOileán in dhá phríomhghrúpa. Baineann an Ghaeilge, Gaeilge na hAlban agus an Mhanainnis leis an Q-Cheiltis (nó na teangacha Gaelacha) agus baineann an Bhreatnais, an Bhriotáinis agus an Chornais leis an P-Cheiltis (nó na teangacha Briotánacha).[1] Ní fios go díreach cá huair a tháinig an Ghaeilge go hÉirinn ach is féidir a rá go bhfuil sí á labhairt ar an oileán seo le amach is isteach ar dhá mhíle bliain – agus cé go bhfuil fianaise againn de lonnú daonna in Éirinn comh fada siar le timpeall 6,600 RC, nílthear cinnte cad é an teanga (nó na teangacha) a bhíodh á labhairt ag na lonnaitheoirí réamhstairiúla seo. Bíodh go bhfuil léarscáil Ptolemy againn ón 2ú céad AC, glactar leis an 5ú aois AC mar thúsphointe do ré na staire in Éirinn agus luaitear 432 mar dháta do chéad mhisiún Naomh Pádraig. Léiríonn an fhianaise gurb í an Ghaeilge a bhí mar phríomhtheanga ar an oileán ag teacht ann do Naomh Pádraig. In ainneoin theacht na Laidne mar phríomhtheanga eaglasta ag an am sin,

The Great Irish Verb Book

Broad aims of this work:
The aim of this book is to provide a substantial reference tool for the student of Irish, ranging from the absolute beginner to the fluent speaker. This same tool provides fully conjugated representative samples of the main types of verbs (regular and irregular) in the verb tables for the following main tenses and moods:

- the past tense
- the present tense
- the future tense
- the conditional mood
- the imperfect tense
- the imperative mood
- the subjunctive mood, present tense

The following are provided at the start of each verb and the top of each page:

- the stem (= 2nd singular of the imperative mood)
- the verbal noun
- the verbal adjective

Examples are also provided of the verbs following the particles **níor**, **ar**, **gur**, **nár** or **ní**, **an**, **go**, **nach** etc. and the rationale behind this is discussed in **§§21-6** of **Guide to the Index**. In the Index, itself, the reader will have access to a reference for every verb contained in Niall Ó Dónaill's *Irish-English Dictionary/Foclóir Gaeilge-Béarla* (*FGB*).

Standard Irish and the dialects
Verbal forms are provided for the four main varieties:

- The Official Standard
- Ulster Irish
- Connaught Irish
- Munster Irish

A brief outline history of the Irish language
Irish is a Celtic language, and the Celtic languages are a sub-branch of Indo-European. The Celtic languages which used to be (or which still are) spoken in the two islands of Ireland and Britain are called 'Insular Celtic'. Insular Celtic is subdivided into two main groups. Irish, Scottish Gaelic and Manx are Q-Celtic (or Gaelic) languages, while Welsh, Breton and Cornish are P-Celtic (or Brittonic) languages.[1]
It is not known just exactly when the Irish, or Gaelic, language came to Ireland but it can be safely said that it is has been spoken here for 2,000 years or so – and although we have evidence for human settlement in Ireland as far back as *c.* 6,600 BC, it is not known for certain what language (or languages) these prehistoric settlers spoke. Despite the existence of Ptolemy's map of Ireland from the 2nd century AD, it is more widely accepted that the historical period begins for Ireland in the 5th century AD, with 432 being the traditional date linked with St Patrick's first mission. All the evidence shows that St Patrick arrived into an island where Irish was the dominant language. In spite of the arrival of Latin as the main ecclesiastical language at that time, the arrival of the Norse-speaking Vikings in the 8/9th

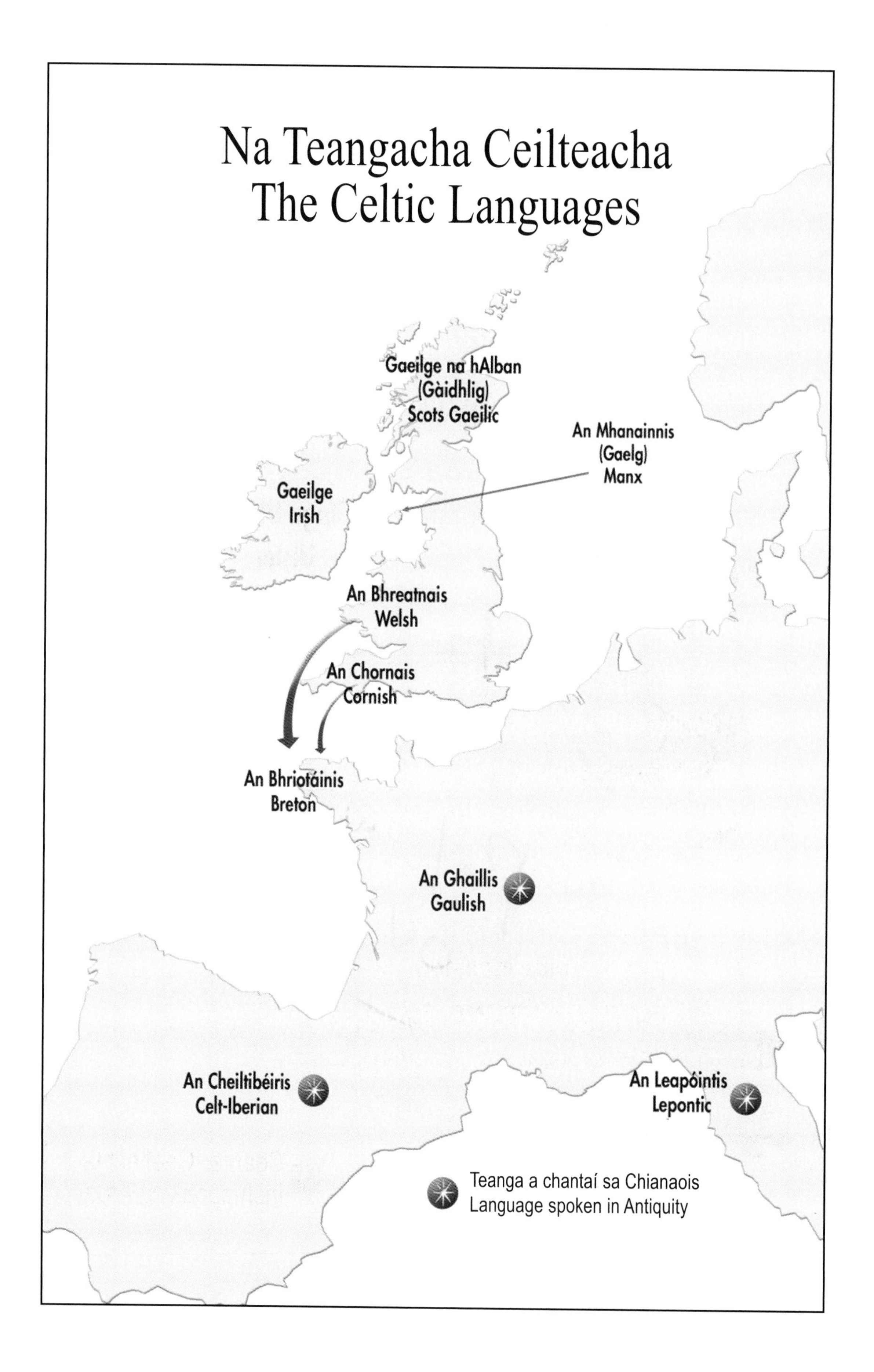
Na Teangacha Ceilteacha
The Celtic Languages
Gaeilge na hAlban
(Gàidhlig)
Scots Gaeilic
An Mhanainnis
(Gaelg)
Manx
Gaeilge
Irish
An Bhreatnais
Welsh
An Chornais
Cornish
An Bhriotáinis
Breton
An Ghaillis
Gaulish
An Cheiltibéiris
Celt-Iberian
An Leapóintis
Lepontic
Teanga a chantaí sa Chianaois
Language spoken in Antiquity

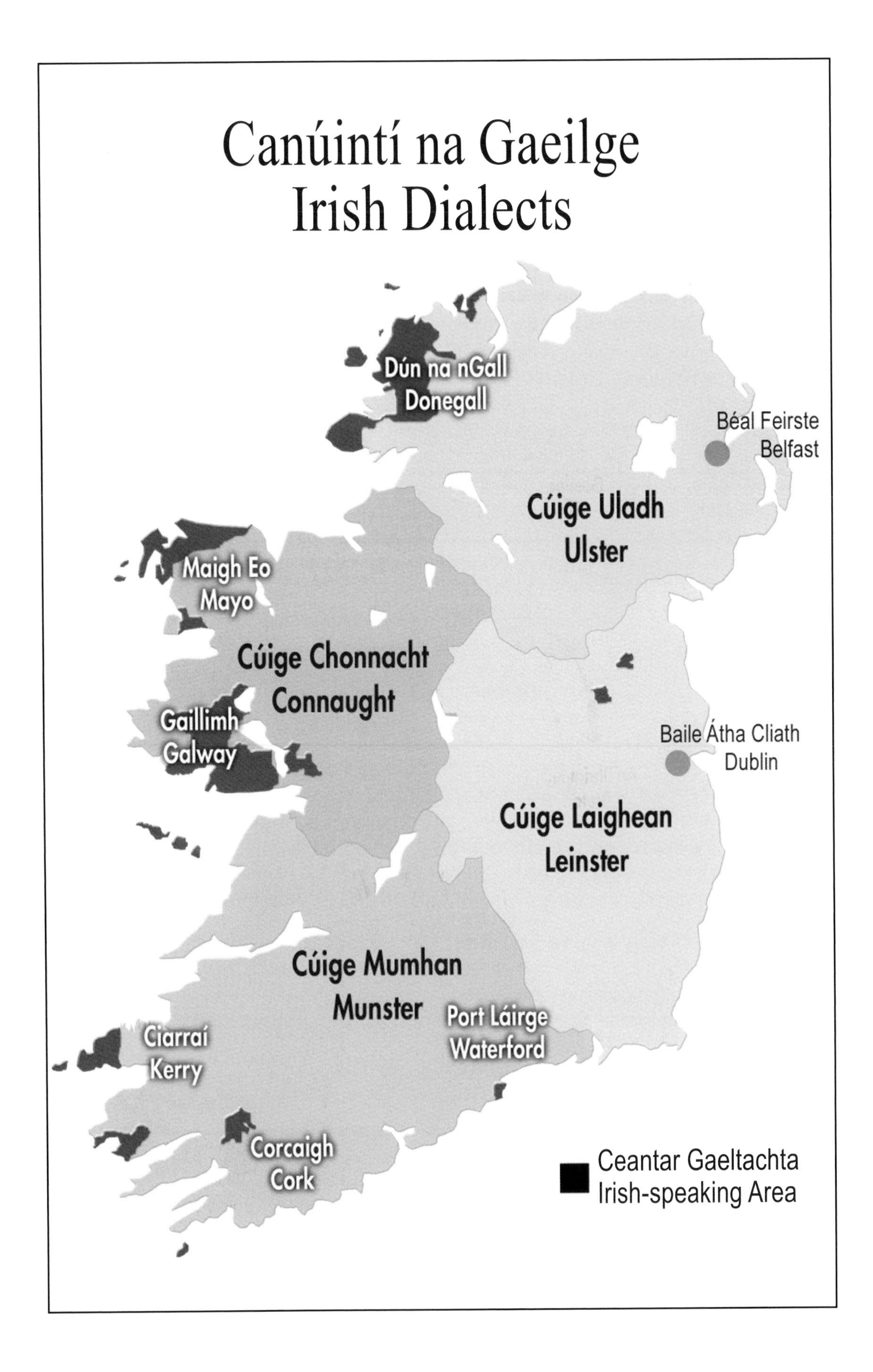
Canúintí na Gaeilge
Irish Dialects
Dún na nGall
Donegall
Béal Feirste
Belfast
Cúige Uladh
Ulster
Maigh Eo
Mayo
Cúige Chonnacht
Connaught
Gaillimh
Galway
Baile Átha Cliath
Dublin
Cúige Laighean
Leinster
Cúige Mumhan
Munster
Port Láirge
Waterford
Ciarraí
Kerry
Corcaigh
Cork
Ceantar Gaeltachta
Irish-speaking Area

agus theacht na Lochlannach san 8ú/9ú aois, gan trácht ar theacht na nAngla-Normánach sa 12ú aois, mhair an Ghaeilge mar phríomhtheanga labhartha in Éirinn go dtí an 17ú aois – agus suas go lár an 19ú céad déag fiú.

Ón 6ú céad ar aghaidh tá fianaise againn ar fhás agus ar fhorbairt 'Sean-Ghaeilge na lamhscríbhinní' – córas scríbhneoireachta do theanga na Gaeilge a bhí bunaithe ar chóras scríbhneoireachta na Laidne.[2] Le linn an ama seo bhí athruithe ag titim amach i dteanga na Gaeilge (go háirithe idir an tSean-Ghaeilge, 6ú-9ú céad, agus an Nua-Ghaeilge Mhoch 12ú-17ú céad)[3] ach in ainneoin na n-athruithe sa bhunteanga agus sa chóras scríbhneoireachta, bhí an Ghaeilge i mbarr a réime ar feadh breis agus míle bliain – nó go dtí gur briseadh ar sheanchóras polaitíochta na nGael. Nuair a tháinig deireadh le seanchóras na nGael sa 17ú aois, b'ionann seo agus céim ar gcúl don Ghaeilge. Roimhe sin, bhíodh sí in úsáid mar phríomhtheanga riaracháin, reachtaíochta agus gnó i ngach gné den tsaol phoiblí, idir uasal agus íseal. Le titim an tseanchórais Ghaelaigh, chaill sí a príomháit i rialú na tíre agus mhair sí, féadtar a rá, i measc na mbocht taobh amuigh de na bailte móra. Cé gur deireadh ré don Ghaeilge a bhí sa 17ú céad, ó thaobh oifigiúlachta agus riaracháin de, ba líonmhar iad lucht a canta i measc an ghnáthphobail tuaithe go cionn fada go leor i ndiaidh an 17ú céad. Roimh an Ghorta Mhór (1847), bhí 8.5 milliún duine ina gcónaí in Éirinn agus meastar go raibh Gaeilge ag (ar a laghad) 50% den daonra sin, bíodh gur leis an chosmhuintir a bhain a mbunús. B'iomaí buille a buaileadh ar an Ghaeilge mar theanga leitheadach labhartha le linn an 19ú aois – na Scoileanna Náisiúnta, an Gorta Mór, an imirce agus úsáid an Bhéarla i saol na polaitíochta agus saol an ghnó ina measc. Ba é an deireadh agus an réiteach a bhí ar go leor de na himeachtaí seo, ná go raibh meon lucht canta na Gaeilge in ísle brí. In ainneoin iarrachtaí cróga ag dreamanna cosúil le *Cuideacht Ghaeilge Uladh* (sna 1830í), *The Society for the Preservation of the Irish Language* (1876) nó *Conradh na Gaeilge* (1893), bhí an teanga á cailleadh go tiubh agus ag deireadh an 19ú céad meastar nach raibh an Ghaeilge á labhairt ach ag 14% de phobal na hÉireann.[4]

Le himeacht ama, d'éirigh Conradh na Gaeilge ní ba láidre, sna luathbhlianta ach go háirithe (m.sh. bhí tuairim is 600 craobh ann i dtrátha 1900). I ndiaidh Éirí Amach na Cásca, 1916, bhí go leor Conraitheoirí a raibh baint acu leis an Stát nua (Saorstát Éireann, 1922 agus Poblacht na hÉireann 1937) agus mar léiriú air seo, d'fhéadfaí a lua gurb é Dúghlas de hÍde, duine de na daoine a bhunaigh Conradh na Gaeilge, a bhí mar chéad Uachtarán ar Éirinn.[5] Féadtar a rá, fosta, gurb iad aidhmeanna Chonradh na Gaeilge a bhí mar dhúshraith do pholasaí teanga an Stáit. Ní bréag a rá gur tugadh an-stádas oifigiúil don teanga, nó bhíothas ag súil (go teoiriciúil ar aon nós), sa Stát nua, an Ghaeilge a fhorbairt ar na bealaí a leanas:

(a) an Ghaeilge a bheith mar ghnáthchuid den Rialtas agus den Riarachán Phoiblí
(b) insealbhú na Gaeilge a bheith mar chuid lárnach den chóras oideachais
(c) an Ghaeltacht a fhorbairt agus a neartú
(d) an Ghaeilge a chur chun cinn mar ghnáthmheán cumarsáide fríd an Stát

An Ghaeilge lenár linn féin agus sa todhchaí

Bhí pointí (a)-(d) thuas mar chuid den chur síos a rinne Máirtín Ó Murchú (1993: 476) ar an chosaint a bhí ag an Ghaeilge sa Bhunreacht, mar 'phríomhtheanga oifigiúil' - an t-aon teanga Cheilteach a bhfuil an stádas sin aici - ach is léir go raibh bearna mhór idir na mianta thuasluaite a chur gos ard agus iad a chur i gcrích. Maidir le (a) mar shampla, úsáid na Gaeilge i nDáil Éireann, ní mó ná go ndearnadh 2% de ghnó na Dála fríd mheán na Gaeilge sna 1960í, in ainneoin go ndúirt an Taoiseach, Éamann de Valera, ag feis, i Luimneach sa bhliain 1956, nár 'mhór an Béarla a ruaigeadh as saol na hÉireann agus an Ghaeilge a chur i réim ina áit'.[6] Maidir le (c), léiríonn Ó Danachair (1969) go dtáinig laghdú 50% ar dhaonra na Gaeltachta le gach glún dá dtáinig ó bunaíodh an Saorstát in 1922. In 1990 d'fhoilsigh Reg

centuries, not forgetting the Anglo-Norman Invasion in the 12th century, Irish remained as the main spoken language in Ireland down to the 17th – and even as far into the mid 19th century. We have evidence from the 6th century onwards for the development of 'manuscript Old Irish' – a writing system for the Irish language which was based on the Latin alphabet.[2] During this period changes were occurring in the Irish language all the while (especially between the period of 'Old Irish', 6th-9th centuries, and 'Early Modern Irish', 12th to 17th centuries)[3] but in spite of the changes in the structure of the language and in its spelling system, Irish remained the predominant written and spoken language for more than one thousand years – up until the defeat of the age-old political system of Gaelic government. The passing of the old Gaelic Order in the 17th century represented a body blow to the Irish language. Previous to this Irish was used as the main administrative, legal and commercial language in all walks of life and levels of society. The break up of the Old Gaelic order saw Irish lose its place as the language of the ruling classes and it would subsequently survive, in the main, among the Irish-speaking labouring classes in rural Ireland. Although the 17th century marked the end of Irish as the main administrative and official language, its use as a spoken tongue at grass roots level remained widespread until long after. Before the Great Famine (1847), approximately 8.5 million people inhabited Ireland and it is estimated that Irish was spoken by (at least) half of that number, although most of these would have belonged to the lower socio-economic classes. The position of Irish as an everyday spoken tongue was greatly undermined during the 19th century owing to a wide range of factors – including the National Schools, the Great Famine, emigration and the use of English as the principal language of political agitation and trade. In spite of valiant efforts by groups such as the *Ulster Gaelic Society* (in the 1830s), *The Society for the Preservation of the Irish Language* (1876) or *The Gaelic League* (1893), the language was waning at an alarming rate, so much so, that by the end of the 19th century it is estimated that only 14% of the population of Ireland spoke Irish.[4]

Through time, the Gaelic League grew in strength, especially in the first decade of its existence (e.g. 600 branches by 1900). After the Easter Rising of 1916, many Leaguers held office in the new State (The Irish Free State, 1922, and the Irish Republic, 1937), a case best borne out, perhaps, by Douglas Hyde, a founding father of the Gaelic League, who became first President of Ireland.[5] It can be claimed that the broad aims of the Gaelic League laid the foundation for the language policy of the fledgling State. The language was afforded a very high status – officially and theoretically at least - for it was hoped that Irish would be developed in the new State in the following ways:

(a) to use Irish as a normal part of Government and Public Administration
(b) to make the acquisition of Irish a central aim of the education system
(c) to maintain and develop the Irish-speaking communities of the Gaeltacht
(d) to promote Irish as an ordinary means of communication throughout the State

Irish today and in the future

Points (a)-(d) above were how Máirtín Ó Murchú (1993: 476) summed up the protection afforded to the Irish language in the Constitution as 'the first official language' – the only living Celtic language to enjoy such a status – but it is blatantly obvious that a gulf exists between expressing the wishes listed above and actually bringing them to fruition. As regards (a), for example, i.e. the use of Irish in the Irish Parliament, barely 2% of the business of the House (or *Dáil*) was conducted through Irish in the 1960s, despite calls from the then *Taoiseach* ('Prime Minister') Éamann de Valera at a *feis* ('festival') in Limerick, in 1956, that 'English must be driven out of Irish life and Irish must be instated in its stead.'[6] As regards (c), Ó Danachair (1969) reminds us that the Gaeltacht population has halved every generation since the foundation of the Free State in 1922. In 1990 Reg Hindley published a very

Hindley leabhar an-chonspóideach *The Death of the Irish Language: A Qualified Obituary*. Ba é an teideal an chuid a ba chonspóidí den tsaothar, mar i gcorp an leabhair féin pléitear fíricí crua agus is léir, cé nach bhfuil an teanga marbh, go bhfuil cúram, olliarracht agus tarraingt le chéile de dhíth le long na Gaeilge a stiúradh ó na carraigeacha. Tá an Ghaeltacht fíorthábhachtach sa scéal agus níor mhór don Stát a bheith dáiríribh fá chúrsaí eacnamaíochta sna ceantair seo. In ainneoin na n-ileachtraí stairiúla agus sóisialta a bhain den Ghaeilge leis na céadta bliain anuas, maireann ceantair Ghaeltachta go fóill sna trí chúige, ach tá an tobar seo á thrá in áiteacha.
Ó 1972 ar aghaidh, is mór a thacaigh Raidió na Gaeltachta le craoladh na Gaeilge agus tá an stáisiún teilifíse, *TnaG* (*TG4* anois), barrthábhachtach ar fad. Beidh, gan aon amhras, baint lárnach ag na meáin le slánú na teanga. Brathann cuid mhór de thodhchaí na teanga, fosta, ar an earnáil oideachais, idir oideachas lán-Ghaeilge, agus (go speisialta) áit na Gaeilge mar ábhar sa ghnáthchóras oideachais, fríd an tír ar fad, idir Ghaeltacht agus Ghalltacht. Ba cheart go raibh faill ag gach páiste scoile in Éirinn an Ghaeilge a fhoghlaim agus níor mhór fiosrúchán agus athmhachnamh a dhéanamh, láithreach lom, ar cad é mar is féidir feabhas a chur ar mhodhanna agus áiseanna teagaisc. Cé gurbh fhéidir níb fhearr a dhéanamh ná mar a rinneadh le 80 bliain anuas, maidir le teagasc na Gaeilge sa chóras oideachais de, níor dhochar cuimhneamh go bhfuil dea-íomhá den teanga i measc phobal na hÉireann i gcoitinne, mar i suirbhé margaíochta, a rinneadh in 1988, mheas suas le 68% den phobal go raibh tábhacht ag baint leis an Ghaeilge. Sa daonáireamh maíonn suas le 1.3 milliún duine go bhfuil eolas nó cur amach acu ar an teanga.[7]
Tá cuid mhór inimirceach ag teacht a chónaí go hÉirinn le blianta beaga anuas as roinnt mhaith tíortha eile (daoine a bhfuil teangacha agus cultúir éagsúla ag a mbunús) agus ba cheart féachái chuige fáilte a chur roimh na daoine seo isteach i dteanga agus i ndomhan na Gaeilge, agus saibhreas theanga agus chultúr na Gaeilge a rann leo. Caithfidh, fosta, rialtas na hÉireann stádas a éileamh don Ghaeilge mar theanga oibre san Eoraip, ní a chuirfeadh an teanga chun cinn cuid mhór.[8] Níl, ar an dea-uair, an Ghaeilge imithe go fóill; tá stair fhada ar a cúl agus, guímis, todhchaí fada roimpi. Tá údar an leabhair seo ag súil go mbeidh páirt bheag ag foilseachán mar seo i gcur chun cinn, leathnú agus neartú na teanga amach anseo.

Athruithe i litriú na Gaeilge sa 20ú aois, *An Caighdeán Oifigiuil* 1958

Cé go raibh níos mó ná 4 milliún Gaeilgeoir sa tír roimh an Ghorta Mhór, 1847, ba bheag acu siúd a bhí ábalta an teanga a léamh ná a scríobh. Is iomaí plé agus díospóireacht a rinneadh (go háirithe ón am ar bunaíodh Conradh na Gaeilge in 1893 agus Saorstát Éireann in 1922 agus ar aghaidh go dtí lár an 20ú céad) maidir le theacht ar chóras litrithe a bheadh inghlactha mar chaighdeán don teanga scríofa.[9] Bhí, ar ndóigh, bearna mhór idir An Nua-Ghaeilge Mhoch – nó ré na Gaeilge Clasaicí (12ú-17ú céad) - agus aimsir Chonradh na Gaeilge. Ba teanga labhartha í an Ghaeilge, seachas teanga scríofa, ag tromlach na gcainteoirí a chan í idir an 17ú agus an 19ú céad. B'fhíor do Declan Kiberd nuair a mhaígh sé gur éirigh le Conradh na Gaeilge stádas na Gaeilge mar theanga scríofa a ardú[10] ach is iomaí argóint agus achrann a d'éirigh le linn an turais seo. Taobh amuigh de chúrsaí airgid agus dháiliúcháin, bhí ceisteanna conspóideacha eile le réiteach - litriú, cló agus canúnachas ina measc.
Idir an 12ú agus an 17ú céad bhí teanga mheasartha sheasta agus sholúbtha, ó thaobh na scríbhneoireachta de, in úsáid in Éirinn agus in Albain i ré na Nua-Ghaeilge Moiche (nó i dtréimhse na Gaeilge Cománta, mar ab fhearr le K. Jackson, 1951). Sampla gleoite den Nua-Ghaeilge Mhoch is ea *Foras Feasa ar Éirinn*, na ceithre imleabhar de sheanchas agus de stair na hÉireann a thiomsaigh an scoláire Seathrún Céitinn (*c* 1570-1649), sagart as Tiobrad Árann, i lár an 17ú céad. Baineann sé le hábhar fosta gur foilsíodh eagrán den téacs seo (mar aon le haistriúchán Béarla) idir 1902 agus 1912 ag Dáibhí Ó Coimín agus ag an Athair Pádraig Ua Duinnín, beirt a raibh baint lárnach acu le foilsiú na Gaeilge i luathlaetha

controversial work *The Death of the Irish Language: A Qualified Obituary*. The title was beyond doubt the most controversial aspect of the work, as the main portion of the book discusses some sobering home truths and, despite the fact that Irish is not dead, it is evident that care, coupled with a colossal and unified effort, is needed if the ship is to be steered away from the rocks. The Gaeltacht is of the utmost importance in this regard and the State must address economic issues in these areas. Despite the many historical and social upheavals that have occurred over the centuries, there are still Irish-speaking areas in the three provinces but that well is draining in places.

Since 1972 Raidió na Gaeltachta has been a great support to Irish-language broadcasting and the television station (*TnaG* now *TG4*) is also crucial. It is beyond any shadow of a doubt that the collective media will have a key role to play in helping Irish survive. A lot of the language's future also hinges on the education sector – both Irish-medium and, more particularly, in regard to the position of Irish as a subject in the education system generally, on an island-wide basis. Every school child in Ireland should have the right to learn Irish and it is an absolute necessity that an investigation and rethink is carried out as to how teaching methods and resources might be improved. Although it can be freely admitted that a better job could have been made of teaching Irish in the education system over the past 80 years, it would do no harm to point out that the people of Ireland are, by and large, favourably disposed towards Irish. In a marketing survey, conducted in 1988, up to 68% of the population stated they felt Irish was important, while in the census 1.3 million people claim to have a knowledge of, or competence in, the language.[7]

Many immigrants from other lands, languages and cultures are now settling to make a new life in Ireland and an extra effort should be made to welcome them into, and share with them, the richness which the Irish language and its culture has to offer. The Irish Government must also demand that Irish be afforded the status of a working language within the European Community, a recognition which would help consolidate the language.[8] Fortunately, if not remarkably, Irish has not disappeared. It has a long and illustrious history behind it and (we hope) a long, bright future ahead of it. The author of this work hopes that this book can play a part in promoting, broadening the appeal of and supporting Irish.

Changes in Irish spelling during the 20th century: *The Official Standard* 1958

Despite the fact that there were more than four million Irish speakers in the country before the Great Famine, 1847, relatively few of this number could read or write Irish. The debate as to what was orthographically acceptable to represent modern Irish has been both ongoing and, at times, heated (especially in the period from the foundation of the Gaelic League, 1893, to the founding of the Irish Free State, 1922 and beyond).[9] There had been, of course, a sizeable time lapse between the period of Early Modern Irish - or Classical Irish (12-17th centuries) - and the Gaelic League in the 1890s. Irish was almost exclusively an oral, rather than a written, language for the majority of its speakers between the 17th and 19th centuries. Declan Kiberd has perceptively remarked that one of the main achievements of the Gaelic League was that it managed to make Irish 'the language of print',[10] but the road to this goal has been beset by argument and controversy. Leaving aside issues such as funding and distribution, there were other hotly contested issues to consider, namely: spelling, print face and dialect variation.

Between the 12th and 17th centuries there had been a fairly stable, durable yet flexible written standard, used both in Gaelic Ireland and Scotland in the period of Early Modern Irish (or what Jackson 1951 preferred to describe as 'Classical Common Gaelic'). *Foras Feasa ar Éirinn* (or 'Keating's *History of Ireland*') was compiled in the 17th century by Tipperary ecclesiastic Geoffery Keating (*c* 1570-1649). The text is a shining example of Early Modern Irish. It is also significant that an edition of this text was edited and published, between 1902

Chonradh na Gaeilge agus beirt fosta a nocht barúlacha láidre i dtaobh litriú na Gaeilge lena linn. Ba duine é Ó Coimín a bhí seanaimseartha go leor ó thaobh an chórais litrithe de, agus é ina eagarthóir ar *Irisleabhar na Gaeidhlge.*[11] Tá cliú agus cáil tuillte ag an Duinnníneach mar fhoclóirí, agus ní bréag a rá gur sheas *Foclóir Gaedhilge-Béarla*[12] an fód ar feadh leithchéad bliain glan mar dhúshraith d'fhoclóireacht na Gaeilge idir 1927 agus foilsiú *Foclóir Gaeilge-Béarla* (*FGB*) le Niall Ó Dónaill in 1977.
Ba mhór idir na haimsiribh, ar ndóigh, nó bhí rudaí suntasacha ag titim amach idir 1927 agus 1977 ó thaobh scríobh na Gaeilge de. Is é an réiteach is mó a moladh, ná an Caighdeán Oifigiúil. Foilsíodh láimhleabhar an Chaighdeáin, *Gramadach na Gaeilge agus Litriú na Gaeilge: An Caighdeán Oifigiúil* (*CO*), sa bhliain 1958. Tá glactha, ó shin i leith, le bunchoinbinsiúin an chaighdeáin seo sna mórshaothair thagartha, m.sh. in:

English-Irish Dictionary le Tomás de Bhaldraithe (1959)
Gramadach Gaeilge na mBráithre Críostaí (*GGBC*, 1960)
Foclóir Gaeilge-Béarla le Niall Ó Dónaill (*FGB*, 1977)

'Caint na nDaoine'

Níorbh fhéidir, ar ndóigh, cur síos ar an Ghaeilge gan aird a thabhairt ar chaint na ndaoine sna mórchanúintí. Ní hí an teanga scríofa an t-aon mheán amháin ag teanga bheo ar bith (barrthábhachtach agus mar atá an ghné sin) nó tá labhairt na teanga, go háirithe i gcás minteangacha, lán comh tábhachtach le meán ar bith eile agus, leoga, tá siad ann a deir gur beatha teanga í a labhairt. Bhí deacrachtaí ollmhóra le sárú ag dream ar bith a bhí le tabhairt faoi aithbhreithniú a dhéanamh ar litriú na Gaeilge ach chuidigh an díospóireacht idir úsáid 'caint na ndaoine' agus úsáid an chaighdeáin scríofa litrithe a bhíodh i bhfeidhm sa 17ú aois leis an phróiséas a éascú.
Cuireann Ó Háinle (1994) síos ar stair an litrithe agus na gramadaí sa Ghaeilge - agus ar go leor den díospóireacht a d'éirigh as na pointí seo - ó aimsir Chonradh na Gaeilge (1893) go foilsiú an Chaighdeáin Oifigiúil in 1958. Bhí na trí ghné ann, ar ndóigh:

(i) athrú ón tseanchló 'Ghaelach' go dtí an cló Rómhánach
(ii) athrú ón tseanlitriú go dtí an litriú úr
(iii) bogadh i dtreo rialacha dochta an Chaighdeáin

Caithfear an Háinleach a mholadh as an mhéid atá tugtha chun solais aige maidir leis an Chaighdeán a thabhairt ar an tsaol, ó dheireadh an 19ú go lár an 20ú céad, ach is eagal liom nach bhfuil an t-aitheantas ceart tugtha aige don olc a chuir doichte an Chaighdeáin ar bhunadh na Gaeltachta. Luann Ó Háinle (1994: 792) gur nocht Máirtín Ó Cadhain, scríbhneoir Gaeilge as Contae na Gaillimhe, a mhíshástacht maidir le caighdeánú na Gaeilge, ach níl aon rud luaite ag Ó Háinle mar gheall ar na tuairimí a nochtadh fud fad na tíre maidir leis an iliomad coisc a bhraith daoine sna Cúigí eile a bhí á chur go neamhchothrom ar bhun-Ghaeilge nádúrtha na Gaeltachta. I gCúige Uladh, mar shampla, mhothaigh go leor daoine nach raibh meas ná urraim ar a gcanúint. Is léir nach leathshásta a bhí Séamas Ó Grianna, nó 'Máire' - duine de mhórúdair Chúige Uladh - leis an treo ina raibh an caighdeánú ag dul:

B'fhearr liom an Ghaeilge a fheiceáil marbh ná gan a bheith againn ach *standard* an Rialtais agus culaith de litriú simplí air'.[13]

and 1912, by David Comyn and Rev. Patrick Dinneen, both of whom also played a key role in the early publishing career of the Gaelic League and who also took up a strong stance as to how Irish should be spelt for contemporary purposes. Comyn's inclination towards a conservative form of spelling is well evidenced from his time as editor of *The Gaelic Journal.*[11] Dinneen has, of course, earned notoriety and acclaim for his work as a lexicographer, and it would be true to say that his *Irish-English Dictionary*[12] was the most widely used dictionary in the country until the publication of Niall Ó Dónaill's *Irish-English Dictionary* (*FGB*) in 1977.
Many significant changes had taken root in the intervening half century between 1920s and 1970s, as to how Irish would be written. The most substantial work on the matter was the Irish Government's Official Standard, published as a handbook in 1958, *Gramadach na Gaeilge agus Litriú na Gaeilge: An Caighdeán Oifigiúil* (= *CO,* i.e. 'The Grammar and Orthography of the Irish Language: The Official Standard'). The primary conventions, as laid out in this work have, by and large, held sway in all major reference sources since, including:

T. de Bhaldraithe's *English-Irish Dictionary*	(1959)
The Christian Brothers Irish Grammar	(*GGBC* 1960)
N. Ó Dónaill's *Irish-English Dictionary*	(*FGB* 1977)

'The People's Speech'
One could hardly expect to furnish a description of Modern Irish without some reference to the language as spoken in the main dialects. No single living language can be confined to the written medium (important as that aspect may be) owing to the fact that the oral medium is equally important as any other, particularly so in the case of lesser used languages, with some going as far as to say that 'it is speaking a language which ensures its survival.' Any group attempting to revise the orthography of Irish was bound to run into difficulties but the debate between those in favour of 'the people's speech', on the one hand, and those advocating the adaptation of the written standard of the 17th century, on the other, helped move things forward.
Ó Háinle (1994) has provided a résumé of the key developments which were to unfold in the formulation of the orthography and grammar of Irish – plus details of the debate which ensued – from the time of the Gaelic League 1893 until the publication of *The Official Standard* in 1958. There were three major areas to be revised:

(i) the change from the old 'Gaelic' script to the Roman alphabet
(ii) the change from the old to a new, simplified spelling
(iii) the move towards a strict enforcement of the Official Standard

Ó Háinle deserves praise for his work in illuminating the key developments in the field of Irish orthography and spelling from the late 19th to the mid-20th century, but I suspect that he has failed to fully recognise the strength of feeling which the strict imposition of the Standard provoked within the Gaeltacht community. Ó Háinle (1994: 792) mentions that Máirtín Ó Cadhain, a Gaelic writer from County Galway, was disgruntled by certain aspects of the new Standard, but Ó Háinle fails to report on the sizeable disaffection felt throughout Gaelic-speaking Ireland where people in the three Provinces outside Leinster expressed strong opinions against the incessant subjugation of the rich everyday idiomatic language of the Gaeltacht. In Ulster, for example, many people felt that their own dialect was not fairly represented or respected. A leading Ulster writer, 'Máire', or Séamas Ó Grianna, had evidently grave reservations as to the direction in which standardisation was heading:

> I would prefer to see Irish dead if we were only to have the Government's *standard* dressed in a suit of simplified spelling.[13]

Ní leis féin a bhí 'Máire', ar ndóigh, nó nocht scríbhneoir eile Conallach, .i. Seán Bán Mac Meanman, barúlacha láidre in éadan an impiriúlachais teanga seo. Scríobh Mac Meanman léirmheas ar *Irish Dialects Past and Present* le T.F. O'Rahilly (1932) agus mhaígh an Meanmanach nach raibh ar bun ag O'Rahilly ach 'a mhór a dheanamh de Ghaedhilg Chúigidh Mumhan agus a bheag a dheánamh de Ghaedhilg Chúigidh Uladh'[14] agus, níos moille sa bhliain chéanna, bhí eagla air go raibh sé i gceist, i mBaile Átha Cliath, Gaeilge an Iarthair agus an Tuaiscirt a bhrú faoi chois agus caighdeán a dhéanamh de Ghaeilge na Mumhan.[15]
Cé gur tuairimí an-ghéara a bhí nochta ag na húdair Ultacha seo, b'fhiú dearcadh ar na fáthanna a bhí taobh thiar den fhearg chéanna, mar is léir gur mothaíodh go láidir agus go leitheadach go rabhthas ag caitheamh dímheasa ar Ghaeilge Chúige Uladh. Níor ghá, áfach, atmaisféar mar sin a chruthú an chéad lá riamh, nó b'fhearr i bhfad féacháil chuige an fhearg agus an imreasain gan chúis sin a sheachaint, rud ab fhéidir a dhéanamh ach solúbthacht chiallmhar a chur i bhfeidhm.
Taobh istigh den Chaighdeán Oifigiúil cruthaíodh an spás, má b'fhíor, d'fhoirmeacha canúnacha:

'Tugann an caighdeán seo aitheantas ar leith d'fhoirmeacha agus do rialacha áirithe ach ní chuireann sé **ceartfhoirmeacha eile** ó bhail ná teir ná toirmeasc ar a n-úsáid'.[16]

Ní dhéantar, faraor, leath a sháith úsáide den spás chéanna, ar an drochuair don Ghaeltacht ach go háirithe. Nocht Niall Ó Dónaill barúil an-láidir i dtreo na rialtachta agus an chaighdeánaithe ina shaothar *Forbairt na Gaeilge* (1951) ach, le himeacht ama, tháinig maolú agus apú iontach i bhfealsúnacht Uí Dhónaill. Tá buntáiste ollmhór ag baint leis an fhoclóir a d'fhoilsigh sé, lá is faide anonn, sa mhéid is go ndéanann *FGB* tagairt do chuid mhór de na ceartfhoirmeacha canúnacha atá le fáil sa teanga – agus thig na samplaí a leanas a lua:

1	**feiceann**	'sees'	*FGB* **cí, cíonn, chí, tchí, tchíonn, tí**
2	**tugann**	'gives'	*FGB* **bheir, bheireann, tabhrann** *var. dep. pres.*
3	**déanann**	'does'	*FGB* **dein, déin, ghní, ghníonn, ní, níonn**[17]
4	**faigheann**	'gets'	*FGB* **gheibh, gheibheann**
5	**tagann**	'comes'	*FGB* **tarann, teagann, tig**

Tá ardmholadh agus buíochas tuillte ag Ó Dónaill as na foirmeacha seo a bheith ina fhoclóir aige agus shílfeá gur beag a chuirfeadh in éadan a leithéid de chur chuige thuigseanach – ach ní mar a shíltear a bítear. Ó foilsíodh *Gramadach na Gaeilge agus Litriú na Gaeilge: An Caighdeán Oifigiúil*, (*CO*), in 1958, tá barraíocht eagarthóirí ag cur in éadan leithéidí:

ghní sé	**bheir sé**	**tchí sé**	**gheibh sé**	**tig sé**
'he does'	'he gives'	'he sees'	'he gets'	'he comes'

Is foirmeacha iad seo atá i mbéal na ndaoine i gCúige Uladh, ach scríobhtar ina n-áit:

déanann sé **tugann sé** **feiceann sé** **faigheann sé** **tagann sé**

Tá, dar liom, a leithéid d'eagarthóireacht (nó 'forcheartú' nó fiú 'gortghlanadh') a dhéantar 'in ainm an Chaighdeáin' ag cur in éadan spiorad an Chaighdeáin chéanna, nó luaitear linn i réamhrá *CO*:

Seo iad na buntreoracha a ndearnadh an caighdeánú dá réir:-

1. Chomh fada agus ab fhéidir sin gan glacadh le foirm ná riail nach bhfuil údarás maith di i mbeotheanga na Gaeltachta;
2. Rogha a dhéanamh de na leaganacha is forleithne atá in úsáid sa Ghaeltacht;

Ó Grianna was by no means alone in this regard, as another Donegal author, Seán Bán Mac Meanman, voiced strong disapproval of what he saw as this linguistic imperialism. In a review of T.F. O'Rahilly's 1932 work *Irish Dialects Past and Present*, Mac Meanman claimed that O'Rahilly merely sought to 'extol the virtues of Munster Irish while at the same time deride the Irish of Ulster',[14] and, later on in the same year, Mac Meanman feared that plans were afoot, in Dublin, to eradicate the Irish of Connaught and Ulster and base the Standard on Munster Irish.[15]

While the views expressed by these Ulster authors appear embittered in the extreme, it might be wise to examine the reasons for the anger lying behind them, as it is evident that a strong notion persisted that Ulster Irish was being unfairly treated. There was, of course, no good reason for creating such an atmosphere in the first place, as it would have been much more productive to have sought ways to avoid and diffuse such anger and needless strife; goals easily achievable by the use of sensible, pluralistic flexibility.

Within the terms laid out by the Official Standard space was created (in theory at least) for dialect forms:

> This standard affords particular recognition to certain forms and rules but it does not deny the validity of, nor prevent nor proscribe the use of other **correct forms**.[16]

Unfortunately, in the current author's view, this scope for flexibility has been much underused with disastrous consequences, in particular, for the Gaeltacht. Niall Ó Dónaill expressed a very strong view in favour of a rigid *status quo* in his 1951 work *Forbairt na Gaeilge* ('The Development of the Irish Language'), yet the dictionary he would later publish, in 1977, was a remarkable work in as much as it included many of the traditional variant dialect forms which abound in the spoken language, as the following demonstrate:

1	**feiceann**	'sees'	*FGB* **cí, cíonn, chí, tchí, tchíonn, tí**
2	**tugann**	'gives'	*FGB* **bheir, bheireann, tabhrann** *var. dep. pres.*
3	**déanann**	'does'	*FGB* **dein, déin, ghní, ghníonn, ní, níonn**[17]
4	**faigheann**	'gets'	*FGB* **gheibh**, **gheibheann**
5	**tagann**	'comes'	*FGB* **tarann, teagann, tig**

Ó Dónaill deserves great praise and credit for having the foresight to include these variants in his dictionary and one would have imagined that such an understanding and balanced treatment would have followed on from his inclusive tendency but this, sadly, has not always proven to be the case. Since the publication of the *Official Standard* (*CO*) in 1958, too many editors have unnecessarily censored verbal forms such as the following:

ghní sé	**bheir sé**	**tchí sé**	**gheibh sé**	**tig sé**
'he does'	'he gives'	'he sees'	'he gets'	'he comes'

These forms are in widespread use in Ulster, but they mostly always seem to be edited to:

déanann sé	**tugann sé**	**feiceann sé**	**faigheann sé**	**tagann sé**

Such editorial practice (or 'hypercorrection', or 'eradication') presumably carried out 'in the name of the Standard' contravenes the spirit of the same Standard, for we are told in the introduction to *CO*:

> The following have been used as basic guidelines for the process of standardisation:-
>
> 1 Not to accept, as far as was possible, any form or rule which has not got a solid basis in the living language of the Gaeltacht
>
> 2 To chose from the most widely attested forms in use in the Gaeltacht

3 An tábhacht is dual a thabhairt do stair agus litríocht na Gaeilge;
4 An rialtacht agus an tsimplíocht a lorg.[18]

Nuair a bhrúitear foirmeacha mar *ghní sé* 'déanann sé', *bheir sé* 'tugann sé' srl. faoi chois, táthar ag déanamh leatroim ar 'bheotheanga na Gaeltachta' (1), ag déanamh neamhshuime 'de na leaganacha is forleithne atá in úsáid sa Ghaeltacht' (2), agus táthar beag beann ar fad ar 'an tábhacht is dual a thabhairt do stair agus litríocht na Gaeilge' (3), rud a léiríonn an tábla a leanas:

An tSean-Ghaeilge[19]	An Nua-Ghaeilge Mhoch	Canúintí na Nua-Ghaeilge	
do-gní	**do-ghní, do-ní**	**ghní sé, ní sé** U	'he does'
do-beir	**do-bheir**	**bheir sé** U	'he gives'
at-c(h)í, ad-c(h)í	**at-chí,** **do chí**	**tchí sé, tchíonn sé** U, **chí/cí sé, c(h)íonn sé** M	'he sees'
fo-gaib, fo-geib	**do gheibh**	**gheibh sé** U, corruair M	'he gets'
do-icc, -tic	**tig**	**tig sé** U	'he comes'

Léiríonn an fhianaise seo gur cheart spás a dhéanamh do *ghní* 'déanann', *bheir* 'tugann' srl. agus gan 'ceartfhoirmeacha' a chur 'ó bhail' ná 'teir ná toirmeasc' a chur 'ar a n-úsáid' (*CO* viii).

Cé go mb'fhéidir go sílfeadh daoine as Cúige Chonnacht agus as Cúige Uladh go raibh tús áite tugtha do Ghaeilge na Mumhan i dtaca leis an Chaighdeán de, bhí go leor de na Muimhnigh a mhothaigh gonta go leor fá chúrsaí. In 1945 san iris *An Músgraidheach* (a bhí lonnaithe i nGaeltacht Chorcaí) bhíothas den bharúil go raibh loit á déanamh ar Ghaeilge na Mumhan sa Chaighdeán[20] agus b'iomaí áit ar léirigh Donncha Ó Cróinín a mhíshástacht leis an 'chinsireacht' chéanna.[21] Ba cheist í seo, ar ndóigh, a hardaíodh ó Chúige Mumhan ar an ardán náisiúnta sna glúnta roimhe sin, ag mórlaoch 'chaint na ndaoine', An tAthair Peadar Ua Laoghaire, agus é ag trácht ar úsáid na bhfoirmeacha 'táite' agus 'scartha' i scríobh na Gaeilge. Níorbh aon ionadh é go raibh an tAthair Peadar ag cosaint foirmeacha a chluineadh sé féin sa bhaile ar nós: *táim, bhíos, bhíodar* - in áit *tá mé, bhí mé, bhí siad.*[22] I mo bharúil féin, níor ghá 'teir ná toirmeasc' a chur ar úsáid cheachtar de na leaganacha seo. Ba cheart fáilte a chur roimh an éagsúlacht chéanna agus caomhnú agus cosaint a dhéanamh uirthi.

Sular cuireadh *Gramadach na Gaeilge agus Litriú na Gaeilge: An Caighdeán Oifigiúil* i gcló in 1958, bhí leabhar in úsáid ag aistritheoirí a bhí ag obair ag Rialtas na hÉireann dar teideal *Gramadach na Gaeilge: Caighdeán Rannóg an Aistriúcháin* (= *CRA*, 1953). Sa tsaothar seo rinneadh iarracht chróga, fhadradharcach theacht ar réiteach idir foirmeacha 'táite' agus foirmeacha 'scartha' de na briathra. Tráchtadh air seo sa Réamhrá (vii) agus ansin cuireadh táblaí ar fáil i gcorp an leabhair d'idir fhoirmeacha táite agus fhoirmeacha scartha, ach níor ghlac Ó Háinle leis seo mar réiteach,[23] cé go n-amharcfainn féin air mar sháriarracht sa treo cheart le theacht ar chomhréiteach i scríobh na Gaeilge do dhifríochtaí mar *bhí muid* nó *bhíomar*, *bhí siad* nó *bhíodar* srl. Níor chóir cosc a chur ar aon fhoirm acu seo, agus ba cheart a leithéid de sholúbthacht agus scaoilteacht a chleachtadh níos minice – díreach mar a chruthaítear an spás in *CO* do dhúblóga mar *táim* taobh le *tá mé*[24] agus *cloiseann* taobh le *cluineann*,[25] gan trácht ar an dóigh inmholta a láimhseáiltear an chontárthacht idir *ar an fhear mhór* agus *ar an bhfear mór* in *GGBC*.[26] Níor cheart a shílstean ach oiread gur ag comhlíonadh *An Caighdeán Oifigiúil* atáthar lena leithéid de thíorántacht teanga nach ligeann ach d'aon fhoirm amháin seasamh. Nocht de Bhaldraithe dúinn sa réamhrá a scríobh sé don *English-Irish Dictionary* go bhféadfaí an éagsúlacht taobh istigh den Chaighdeán Oifigiúil a léiriú – agus béim á leagan ar na briathra aige:

The Standard Grammar and Spelling have been used throughout, **except for certain synthetic verbal forms**, which occur in the dictionary but not in the Standard Grammar. The alteration of these would

3 To accord due importance to the history and literary corpus of Irish
4 To seek regularity and simplicity.[18]

When forms such as *ghní sé* 'he does', *bheir sé* 'he gives' etc. are 'weeded out', this: does a great injustice to 'the living language of the Gaeltacht' (1), ignores some of 'the most widely attested forms in use in the Gaeltacht' (2), and runs rough-shod over the 'due importance to the history and literary corpus of Irish' (3), a point borne out by the following table:

Old Irish[19]	Early Modern Irish - or Classical Gaelic	Modern Irish dialects	
do-gní	**do-ghní, do-ní**	**ghní sé**, **ní sé** U	'he does'
do-beir	**do-bheir**	**bheir sé** U	'he gives'
at-c(h)í, ad-c(h)í	**at-chí,** **do chí**	**tchí sé**, **tchíonn sé** U, **chí/cí sé**, **c(h)íonn sé** M	'he sees'
fo-gaib, fo-geib	**do gheibh**	**gheibh sé** U, occasional M	'he gets'
do-icc, -tic	**tig**	**tig sé** U	'he comes'

The evidence above, clearly shows that space should be made for *ghní* 'does', *bheir* 'gives' etc. and that 'correct forms' such as these should not have their 'validity' denied or their use 'prevented nor proscribed' (*CO* viii).
Although speakers from Connaught and Ulster might be under the illusion that preference is given to Munster Irish in the Official Standard, a lot of hurt and disenchantment has been felt in Munster. In a 1945 edition of the periodical *An Músgraidheach* (named after the Cork barony of Muskerry) it was felt that the Standard was detracting from Munster Irish[20] and Cork scholar Donncha Ó Cróinín aired, in several places, his resentment of what he saw as 'censorship'.[21] Several generations earlier, many of these problems had been raised at a national level by Fr Peter O'Leary - the Munster author, and champion of 'the speech of the ordinary people' (*caint na ndaoine*). Commenting on the use of 'synthetic' versus 'analytic' forms of the verb, it was hardly surprising that Fr O'Leary would defend the (synthetic) forms he had heard in his native dialect such as: *táim* 'I am', *bhíos* 'I was', *bhíodar* 'they were' instead of (analytic) *tá mé* 'I am', *bhí mé* 'I was' *bhí siad* 'they were'.[22] I would contest than none of the six forms listed above need be 'prevented nor proscribed'. What in fact should happen is that this same diversity, as demonstrated in variant forms such as these, be embraced, safeguarded and respected.
Prior to the publication of the *Official Standard* of 1958, the translation staff for the Irish Government had their own grammar handbook (*CRA*, 1953). In the latter book, a courageous, far-sighted attempt was made to reconcile the gulf between 'synthetic' and 'analytic' forms of the verb. Mention was made of this in the Preface (*CRA* viii) and then, in the main body of the book, tables were provided for both synthetic and analytic forms, yet Ó Háinle rejected this as a resolution of the problem,[23] unlike myself, who would view this as an admirable effort in the right direction to reaching a much-needed compromise in establishing conventions for writing Irish and to legislate for differences such as *bhí muid* or *bhíomar* 'we were', *bhí siad* or *bhíodar* 'they were' etc. None of the variant verbal forms listed above should be censored and, indeed, a similar flexibility and pluralistic approach should be employed more often – just in the same way that space has been made in *The Official Standard* for double forms such as *tá mé* and *táim*[24] 'I am' and *cloiseann* alongside *cluineann*[25] 'hears', whilst we could also cite from the *Christian Brothers Grammar* the way in which the difference between *ar an fhear mhór* 'on the big man' and *ar an bhfear mór* have been admirably handled.[26] It should not be imagined for a second that any such linguistic tyranny which only permits one single form is fulfilling the spirit of the *Official Standard.* In the preface to his *English-Irish*

have entailed re-writing the articles on some of the pronouns and many emendations to the final proofs. Some few alterations and additions to the Standard Grammar and Spelling, which have been made by the Dáil Translation Staff since its publication, are included.[27]

Meas ar an Chaighdeán Oifigiúil agus ar na canúintí

Lena cheart a thabhairt don Háinleach luann sé (1994: 792) an tábhacht atá le foirmeacha canúnacha sa litríocht, idir fhilíocht agus phrós. Tugann sé samplaí de bhriathra táite a chruthaíonn 'gontacht Chlasaiceach' i saothar Thomais Uí Chriomhthain:

Cá raghairse?	(= 'Cá rachaidh tusa? *CO*)
Bead in éineacht leat.	(= 'Beidh mé in éineacht leat' *CO*).

Bíonn, ar ndóigh, gnéithe eile le cur sa reicneáil nuair a athraítear an bhunchanúint as éadan ar mhaithe le riail a chur i bhfeidhm, nó is minic dlúthcheangal an-láidir inmheánach idir an cainteoir agus an chanúint. Sa Chaighdeán mar shampla is *labhraíonn* a mholtar ach *labhrann* a chleachtar go forleathan i gCúige Mumhan (agus i gCúige Uladh). Breathnaítear an dóigh ar chuir an caighdeánú olc ar Sheán Ó Cróinín:

Ní raibh rud ba lú air ná meon na Muimhneach úd atá ag tabhairt cúil le cine agus le dúchas, ag glacadh le *feiceáil* agus *cloisteáil* agus *labhraím* agus an chuid eile den libhré `caighdeánach.'[28]

Is léir gur bhraith an Cróiníneach míchompordach agus na focail *feiscint*, *clos* agus *labhraim* á mbaint amach as a bhéal agus as béal a phobail. Os a choinne sin, níor cuireadh an Caighdeán i bhfeidhm comh docht sin ar fhilíocht Nuala Ní Dhomhnaill, nó dá ndéantaí, mhillfí dúchas agus dlúthchaidreamh na línte a leanas - mar a ndéanann sí comhrá le leathinis an Daingin ina ceantar dúchais:

Labhrann *gach cúinne den leathinis liom*
ina teanga ***féinig***, *teanga a thuigim*[29]

Is féidir léiriú eile a fháil ar an fheidhm atá le solúbthacht ó thaobh na litríochta réigiunaí de má scrúdaítear na hatheagráin a d'ullmhaigh Niall Ó Dónaill de shaothar 'Máire', mar a ligtear d'fhoirmeacha stairiúla mar *bheir*, *bhéarfaidh*, *bhéarfadh* (= 'tugann, tabharfaidh, thabharfadh' *CO*).[30]
Labhrann an tAthair Peadar ó chroí linn nuair a deir sé:

Agus mura mbeadh gur díbríodh amach i measc na gcnoc seanBharnabí agus a bheirt mhac, Diarmaid agus Peadar, ní bheadh Gaeilge agam, nó ní bheadh sí ar aon slacht agam, agus ní bheinn á scríobh anseo anois mar atáim. Táim ag déanamh mo dhíchill ar í a chur síos i mo scríbhinn díreach mar a fuair mo chluas í ó dhaoine mar sheanDiarmaid Ó Laoghaire agus mar Mhícheal Dubh, agus mar Mháire Rua, agus mar a hiníon, .i. Peig.[31]

Bhí, ar ndóigh, údair eile – agus clann Mhic Grianna as Tír Chonaill ina measc – ag iarraidh cur síos a dhéanamh ar an Ghaeilge mar a chuala siadsan sa bhaile í. Maíonn Seosamh Mac Grianna an méid a leanas agus é ag cur síos, sa bhliain 1926, ar an dúchas Gaeilge a bhí i nDálaigh Rinn na Feirste, .i. Aodh, Séamas agus Peadar Ó Dónaill, filí – agus gaolta dá chuid féin ar thaobh na máthara – a mhair timpeall na bliana 1800:

Ach ní mó ná go dtig linn i gceart a thuigbheáil cad é an saibhreas Gaeilge a bhí acu. Sinne a chuala seandaoine a bhí leathchéad nó trí scór bliain níos sine ná muid féin ag caint Gaeilge, tá a fhios againn go bhfuil oiread Gaeilge acu de bharraíocht orainne agus atá againne de bharraíocht ar lucht na "nua-Ghaeilge". Smaoiníodh gach aon duine dó féin ar na daoine a bhí ann leathchéad bliain roimh na seandaoine seo, agus an teanga a chaithfeadh a bheith acu![32]

Dictionary, de Bhaldraithe employed a degree of flexibility to cater for variability within the *Official Standard* – with particular emphasis on the verb:

The Standard Grammar and Spelling have been used throughout, **except for certain synthetic verbal forms**, which occur in the dictionary but not in the Standard Grammar. The alteration of these would have entailed re-writing the articles on some of the pronouns and many emendations to the final proofs. Some few alterations and additions to the Standard Grammar and Spelling, which have been made by the Dáil Translation Staff since its publication, are included.[27]

Respect for the *Official Standard* and the dialects

Ó Háinle (1994: 792) comments, in a praiseworthy fashion, on the importance of dialect forms for literary purposes, in both poetry and prose. By way of illustration of this point he cites how synthetic forms of the verb add a 'Classical conciseness' to the work of Kerry author Tomás Ó Criomhthain (Thomas O'Crohan):

Cá raghairse?	'Where will you go?'	(= 'Cá rachaidh tusa? *CO*)
Bead in éineacht leat.	'I shall accompany you.'	(= 'Beidh mé in éineacht leat' *CO*).

Many other factors must, of course, be taken into account when one's native dialect is changed beyond all recognition simply to comply with a rule. There is often a strong emotional, internal bond between speaker and dialect. In Standard Irish *labhraíonn* is proposed for 'speaks' although *labhrann* is widespread in Munster (and Ulster). Let us examine how such fastidious standardisation upset Cork folklorist Seán Ó Cróinín:

'There was nothing he loathed more than the mentality of those natives of Munster who were turning away from their own kind and their native speech, accepting forms such as *feiceáil* 'to see' and *cloisteáil* 'to hear' and *labhraím* 'I speak' and the rest of the 'standardised' litany'.[28]

The extreme discomfort experienced by Ó Cróinín is quite evident, feeling that forms such as *feiscint* 'to see', *clos* 'to hear' and *labhraim* 'I speak' were being literally taken from his mouth and the mouth of his people. In contradistinction to this, the Standard was not so rigidly applied in the poetry of Nuala Ní Dhomhnaill, for had it, it would have totally destroyed the natural intimacy of her conversation with the Dingle peninsula in Co. Kerry:

***Labhrann** gach cúinne den leathinis liom*	Every nook and cranny of this peninsula talks to me
*ina teanga **féinig**, teanga a thuigim*	in its own tongue, a tongue I understand[29]

Another insight into the need for flexibility in relation to regional literature may be gleaned from an examination of the revised editions Niall Ó Dónaill prepared of the works of Ulster writer 'Máire' or Séamas Ó Grianna. In these revised editions the orthography has been updated but, even so, historical forms such as *bheir* 'gives', *bhéarfaidh* 'will give' and *bhéarfadh* 'would give' are retained instead of being replaced by the Official forms *tugann*, *tabharfaidh* and *thabharfadh*.[30]

Cork author Father Peter O'Leary, speaks from the heart as to the value of his native dialect:

And were it not that old Barnaby and his two sons, Dermot and Peter, had been banished to the hills, I would not have had Gaelic, or I would not have had it with such polish and I would not be writing it here as I am now. I am doing my best to put it down in manuscript exactly as my ear got it from people like old Jeremiah O'Leary, my grand-uncle, and from the likes of Michael Dubh and Maire Ruadh and her, daughter, Peg'.[31]

Other authors, of course – including the Mac/Ó Grianna family from Rannafast in Donegal – endeavoured to adapt the Irish they had heard at home to writing. In 1926, Seosamh Mac Grianna made the following comments as to the prowess of the native Gaelic spoken by the

Is léir, mar sin de, gur bhraith scríbhneoirí as an Ghaeltacht go raibh tábhacht ag baint leis an Ghaeilge a chuala agus a chleacht siad as a n-óige agus, má chruthaítear an spás do na mórdhifríochtaí canúna i gcóras na mbriathra, ní bheadh aon fheidhm le cuid ar bith den oidhreacht seo a scrios nó a ruaigeadh le géar-eagarthóireacht.[33]

Cuireann *Leabhar Mór Bhriathra na Gaeilge* roimhe meas a bheith aige ar an Chaighdeán Oifigiúil, ach san am chéanna a oiread measa a thabhairt do chaint na Gaeltachta, ó tharla gurb í buntobar na teanga í. Táthar ag súil go dtógfaidh an leabhar seo droichead idir an Caighdeán agus na canúintí. Is léir gur chuidigh an Caighdeán ar go leor bealtaí leis an Ghaeilge a chur chun cinn i bhfoirm scríofa ach níor dhochar, mar sin féin, í a leathnú (agus a fheabhsú de bharr an leathnaithe chéanna) le go mothódh daoine sna Gaeltachtaí éagsúla go bhfuil siad rannpháirteach sa phleanáil teanga. Lena chois siúd, osclóidh *Leabhar Mór Bhriathra na Gaeilge*, cosán don fhoghlaimeoir isteach i ndomhan saibhir na litríochta reigiúnaí agus i mbeochaint na Gaeltachta, nó is iomaí dream a chuir saothar mór orthu féin an Caighdeán a fhoghlaim ar scoil ach a bhraitheann nach dtugtar aird ná meas ar 'Gaeilge na leabhar' sa Ghaeltacht,[34] agus beidh an leabhar seo mar uirlis ag na daoine seo le teagmháil níos fearr a bheith acu le bunadh na Gaeltachta. Iarracht atá i *Leabhar Mór Bhriathra na Gaeilge* le riar a dhéanamh ar riachtanais dhifriúla ar dhóigh thuigseanach nó tá barúil láidir agam nach raibh dul amú an-mhór ar Eoin Mac Néill nuair a dúirt, comh fada siar le 1895:

> Irish literature ... must strike its roots into the living vernacular ... the absolute necessity of basing all literature on living usage ... the standard must be based on the language actually spoken, or it will miss its aim ... I plead for a quite modern standard, in close accord with popular usage ... [35]

Riachtanais an Chaighdeáin agus an chanúnachais

Bhí, ar ndóigh, gá le caighdeánú i gcúrsaí teagaisc agus caithfear a admháil gur mhór a d'éascaigh agus a chabhraigh An Caighdeán Oifigiúil ar go leor slite leis an phróiseas sin. Mar sin féin, má amharctar ar riachtanais na gcainteoirí Gaeilge mar phobal ilghnéitheach tchífear go bhfuil feidhm fosta le tuilleadh eolais a thabhairt don fhoghlaimeoir agus don úsáideoir (agus an cainteoir dúchais san áireamh) ar leithne agus éagsúlacht na teanga. Bliain i ndiaidh na bliana, mar shampla, téann na mílte mac léinn as scoileanna agus ollscoileanna chun na Gaeltachta – gan trácht ar dhaoine fásta as Éirinn agus ón choigríoch. Táthar ag súil, mar sin de, go n-osclóidh an leabhar seo, bealach isteach chun na Gaeltachta. Lena chois siúd, bíonn muintir na Gaeltachta ag dul i dtreo an oideachais (ag na trí leibhéal) agus i ngleic leis na meáin. Éascóidh an leabhar seo an turas sin dóibh óna gcanúint féin i dtreo an Chaighdeáin Oifigiúil gan trácht ar na príomhchanúintí eile. Cuidíonn leithéidí *Raidió na Gaeltachta* agus *TG4* leis an Ghaeilge a scabadh fud fad na tíre (agus ar an idirlíon) agus gheobhaidh léitheoirí *Leabhar Mór Bhriathra na Gaeilge* léargas ar na príomhfhoirmeacha malartacha a bheas in úsáid ar na meáin seo.

Nuair a bhí na Gaeil féin i mbun an chaighdeánaithe, i dtrátha an 12ú/13ú céad, bhí an éagsúlacht fite fuaite fríd an chaighdeán sin sna seanscoileanna filíochta, mar a léiríonn Ó Cuív (1973).[36] Tá i gceist i *Leabhar Mór Bhriathra na Gaeilge* an éagsúlacht agus an tsolúbthacht chéanna a chur i bhfeidhm do riachtanais phobal na Gaeilge, idir scríbhneoirí agus chainteoirí, sa 3ú mílaois.

Na trí mhórchanúint

I dtáblaí den tseort a chuirtear ar fáil sa leabhar seo, ní féidir ach samplaí ginearálta a sholáthar do na príomhchanúintí agus ní féidir gach mindifríocht atá le fáil i ngach cúige a liostáil ná a phlé. Níor mhaith a mhór a dhéanamh de cheantar amháin thar cheantar eile agus ní dhéantar sin. Bíodh sin mar atá, b'éigean rogha samplach a dhéanamh do gach ceann de na trí chúige a maireann Gaeltachtaí iontu go dtí an lá atá inniu ann, .i. Gaeilge Chúige Uladh,

O'Donnell poets from Rannafast, who flourished around 1800, .i.e. Hugh, James and Peter (all related to Mac Grianna on his mother's side):

But we can barely properly comprehend just what wealth of Irish they possessed. We have heard old people, fifty or sixty years older than ourselves, speaking Irish, we know full well that their Irish far outweighs our own in the same way that our own far outweighs "learners' Irish". Let us pause for a while to reflect on the people who lived fifty or sixty years before the time of these old people, and on the language they must surely have had![32]

It is abundantly clear, then, that Gaeltacht authors felt there was an intrinsic value in the Irish they heard and spoke in their childhood and, provided space is created for the sizeable dialect variation that exists within the verbal system of Irish, we can avoid destroying or distorting any of this valuable heritage through editing in an overly fastidious and/or severe manner.[33]
The Great Irish Verb Book seeks to accord equal respect to the Official Standard and Gaeltacht speech, as the latter is the living wellspring of the language. It is hoped that this book will build a bridge between the Standard and the dialects. It is evident that the Official Standard has helped in many ways to promote the Irish language as a written medium, nevertheless, one can always try to widen (and, by so doing, enrich) the language so that people in the various Gaeltacht areas can feel that they, too, have a stake in language planning and that a pathway may be opened for the learner into the rich world of regional literature and contemporary, vibrant Gaeltacht speech. On the other hand, there are also a substantial number of people who have diligently learned Standard Irish at school yet who may feel that 'book Irish' is shunned or unfairly disparaged in the Gaeltacht areas.[34] A book such as *The Great Irish Verb Book* will also play a role in preparing this constituency for a more favourable interaction with native speakers of the language in Gaeltacht areas. In attempting, then, to arrive at a wide-ranging accommodation of different parties and needs in this broad-based and pluralistic approach, one is reminded of the prudent advice offered by Eoin MacNéill as far back as 1895:

Irish literature … must strike its roots into the living vernacular … the absolute necessity of basing all literature on living usage … the standard must be based on the language actually spoken, or it will miss its aim … I plead for a quite modern standard, in close accord with popular usage … [35]

The need for *Official Standard* and dialect variation

Standardisation has, of course, played a significant part in teaching and it must be acknowledged how the Official Standard has facilitated and helped in a wide range of ways with this process. That said, however, if the needs of the Gaelic-speaking community are looked at, and their diversity as a community is considered, it will be seen that more information should be provided for the learner and everyday user (native speaker included) as to the breadth and variety contained within the language. Year after year, for example, thousands of students from schools and universities go to the Gaeltacht – not to mention adults from Ireland and overseas. It is hoped that this book will open up a highway into the Gaeltacht. In addition to the aforementioned array of learners, people from the Gaeltacht are accessing education (at all three levels) and are also encountering an expanding Irish-language media. This book will ease the journey from their own dialect into both the Standard and the other two main dialects. The Irish-language radio station, *Raidió na Gaeltachta*, and the television channel, *TG4*, help broadcast the language throughout the country (and on the internet) and readers of *The Great Irish Verb Book* will be able to equip themselves with the majority variant forms which they will encounter in these media.
Ó Cuív, among others, has shown that when the Gaels themselves undertook to standardise the language in the 12/13th centuries, variety was woven throughout the fabric of that standard which persisted in the medieval schools of bardic poetry.[36] One aim of *The Great Irish Verb*

Gaeilge Chonnacht agus Gaeilge na Mumhan[36a]. Tabharfar eolas ginearálta ar na samplaí do na trí chúige sna paragraif a leanas – agus gheofar tagairtí níos grinne d'fhoinsí scríofa sna rannóga den leabhar seo dar teideal *Nótaí ar na Briathra* agus *An Litríocht Reigiúnach.*

Gaeilge Chúige Uladh

I gcás Chúige Uladh, is é Contae Dhún na nGall an t-aon chontae amháin a maireann Gaeltacht thraidisiúnta ann. B'fhusa, mar sin de, 'ionadaí' do Chúige Uladh a thoghadh seachas an dá chúige eile. Mar sin féin, tá difríochtaí nach beag idir na canúintí difriúla atá ar fáil i gContae Dhún na nGall, mar shampla úsáid **char** agus **cha/chan** mar mhíreanna diúltacha i dtuaisceart Chontae Dhún na nGall (in áiteacha mar Ghort an Choirce, Ros Goill agus Oileán Thoraí) seachas **níor** agus **ní** i lár agus i ndeisceart an Chontae. Tugtar, mar sin féin, samplaí de **char** agus **cha/chan** sna táblaí, msh. **níor chuir** (**char chuir**), **ní chuireann** (**cha chuireann**), **ní fhaca** (**chan fhaca**) *srl.*

D'fhéadfaí úsáid **sinn** seachas **muid** sa Ghaeltacht Láir agus in iardheisceart an chontae a lua[37] agus déantar iarracht sin a chlúdach leis na siombail † agus ‡ i ndiaidh na bhfoirmeacha den 1ú phearsa, uimhir iolra sna táblaí, msh. cuireann macasamhail **chuir muid**† 'we put', in iúl gur féidir seachfhoirm mar **chuir sinn** a chluinstean agus cuireann leathbhreac **chuirfimis**‡ 'we would put' in iúl go dtig seachfhoirm mar **chuirfeadh sinn(e)** a chluinstean i roinnt canúintí de chuid Chúige Uladh.

Gaeilge Chonnacht

Éiríonn deacrachtaí (agus muid buíoch ar a son) ó thaobh an roghnaithe de i gCúige Chonnacht sa mhéid is go bhfuil ceantair Ghaeltachta i gContae na Gaillimhe agus i gContae Mhaigh Eo. Sa chás seo, bunaítear an chuid is mó de na samplaí de Ghaeilge Chúige Chonnacht ar Chois Fharraige (i gContae na Gaillimhe), ó tharla saothar comh cuimsitheach sin a bheith curtha ar fáil ag de Bhaldraithe ar an chanúint sin agus ó tharla an oiread sin daonra san áit áirithe sin.[38] Ní ag caitheamh anuas ar Ghaeilge Mhaigh Eo atáthar, ar ndóigh, agus gheobhaidh an té ar suim leis Gaeilge Mhaigh Eo tagairt d'fhoinsí a phléann canúintí na háite sin sna rannóga *Nótaí ar na Briathra* agus *An Litríocht Reigiúnach.* Is cinnte, i gcás ar bith, go dtabharfaidh leaganacha Chois Fharraige barúil níos fearr don léitheoir de Ghaeilge Chontae Mhaigh Eo (agus de Chontae na Gaillimhe i gcoitinne) ná mar a thabharfaidh leaganacha an Chaighdeáin Oifigiúil. D'fhéadfaí foirmeacha scartha sa 3ú iolra mar **chuirfeadh siad** 'they would put' a lua i nGaeilge Mhaigh Eo (seachas **chuirfidís** i gCois Fharraige).

Gaeilge na Mumhan

I gCúige Mumhan caithfear trí chontae a chur sa reicneáil, mar atá: Ciarraí, Corcaigh agus Port Láirge. Sa chás seo, is ar leithinis Dhaingean Uí Chúis (Corca Dhuibhne) i gContae Chiarraí atá na samplaí sna táblaí bunaithe. Arís eile, tá teacht ar dhá mhonagraf shubstainteacha ar an chanúint seo (.i. Sjoestedt-Jonval agus Ó Sé) ach is léir gur fearr i bhfad a fheidhmeoidh leaganacha Dhaingean Uí Chúis mar intreoir do Ghaeilge Phort Láirge agus Chorcaí seachas leaganacha an Chaighdeáin Oifigiúil. Bhí an Corcaíoch Peadar Ó/Ua Laoghaire ar dhuine de mhórscríbhneoirí na Gaeilge sa 20ú aois. D'fhéadfaí a rá gur chuidigh a shaothar (go háirithe agus béim comh mor sin á leagan ar 'chaint na ndaoine' aige) le scríbhneoir eile a thabhairt chun cinn, mar a bhí Tomás Ó Criomhthain ón Bhlascaod Mhór, an t-údar a d'fhág, i measc rudaí eile, *An tOileánach* (1929) mar oidhreacht againn. Sa bhliain 1907 thug an scoláire Ioruach Carl Marstrander (1883-1965) cuairt ar an Bhlascaod Mhór. Le linn na cuarta sin chaitheadh Marstrander trí huaire an chloig in aghaidh an lae ag foghlaim na Gaeilge i gcuideachta Thomáis Uí Chriomhthain. Thug Marstrander leis cóip den úrscéal *Niamh* le Peadar Ua Laoghaire[39] agus bheinn féin cinnte dearfa de gur chuidigh an saothar Muimhneach seo leis an Chriomhthanach theacht isteach ar an dóigh leis an Ghaeilge a

Book is to provide a similar degree of variety and flexibility which will meet the practical needs of the Irish-speaking community, written and oral, in the third millennium.

The three main dialects

In the tabular paradigms presented in a book of this sort, one can only hope to propose general, broad examples of regional variants rather than list and discuss each minor dialect variation. In selecting a given dialect to represent a province, it would be unwise to place one area above another. That said, it will be necessary to choose representative samples for the three main provinces where Irish-speaking areas persist in the modern era, i.e. Ulster, Connaught and Munster[36a]. Some background information as to the nature of the samples for each of the three provinces is provided below - and more detailed bibliographical references are provided in the sections of the book entitled *Notes to the Verbs* and *Regional Literature*.

Ulster Irish

In the case of Ulster, County Donegal is the only county where a traditional Gaeltacht or Irish-speaking area exists. It was easier, thus, to select a representative for Ulster in comparison to the other two provinces. Nevertheless, considerable variation exists within the various dialects of County Donegal – for example the use of the negative particles **char** and **cha/chan** in north Donegal (in areas such as Gortahork, Rosguill and Tory Island) as opposed to **níor** and **ní** in middle and south Donegal. Examples of **char** and **cha/chan** are provided in the paradigms, e.g. **níor chuir** (**char chuir**) 'did not put', **ní chuireann** (**cha chuireann**) 'does not put', **ní fhaca** (**chan fhaca**) 'did not see' *etc.*

The use of **sinn**, as opposed to **muid**, in mid- and south Donegal[37] could also be mentioned, and an attempt to cover this variation has been made by the use of the symbols † and ‡ after the forms of the 1st plural in the tables, e.g. **chuir muid**† 'we put', indicates that a by-form **chuir sinn** may also be heard, while **chuirfimis**‡ 'we would put' indicates that **chuirfeadh sinn(e)** may also be heard in certain Ulster dialects.

Connaught Irish

In the Province of Connaught, the choice (thankfully) becomes more complicated in that Gaeltacht areas survive in two counties, i.e. Counties Galway and Mayo. In this case, most of the examples selected to represent Connaught Irish are based on the district of Cois Fharraige in County Galway, firstly, due to the fact that de Bhaldraithe has provided such an extensive morphology of the Irish spoken here and, secondly, because of the high density of population here.[38] The choice does not mean one disdains the Irish of County Mayo (far from it) and anyone particularly interested in Mayo Irish will be able to consult a list of sources for here in the sections *Notes to the Verbs* and *Regional Literature*. One can also be sure that the versions cited in the tables from Cois Fharraige will afford the reader a much readier feel for the Irish of Co. Mayo (and any other County Galway dialects) than the forms of the Official Standard. One could cite the preference for analytic forms in the 3rd plural in Mayo, such as **chuirfeadh siad** 'they would put' (as opposed to synthetic **chuirfidís** in Conamara).

Munster Irish

In the Province of Munster, three counties must be considered, *viz* Kerry, Cork and Waterford. In this case the Dingle peninsula (Corca Dhuibhne) in County Kerry has been selected for the paradigms. One consideration for this is due to the fact that two substantial monographs exist for this area (Sjoestedt-Jonval and Ó Sé) and it is abundantly clear that the versions for Dingle Irish will provide a smoother introduction for the Irish of Cork and Waterford, rather than the forms proposed in the Official Standard. County Cork-born author Peter O'Leary (Peadar Ó/Ua Laoghaire) was one of the most influential writers of the 20th century. One could go as far to say that the dialectal nature of his work (especially in the light

scríobh ina chanúint féin lán comh maith agus a chuidigh sé le Marstrander an Nua-Ghaeilge a fhoghlaim.
Is léir, mar sin, nach bhfuil bealach iomlán sásúil ann lena ceart a thabhairt do gach mionchanúint i ngach cúige i bhfoirm leabhair den tseort seo ach, sin ráite, táthar ag súil go dtabharfaidh *Leabhar Mór Bhriathra na Gaeilge* osradharc measartha iomlán ar na príomhfhoirmeacha de na briathra atá le cluinstean i mbéal na ndaoine sna trí chúige.

Roinnt de na príomhshaintréithe canúna

foirmeacha táite agus *foirmeacha scartha* den bhriathar

Tráchtadh thuas, beagán, ar an scoilt i gcóras bhriathra na Gaeilge idir foirmeacha táite agus foirmeacha scartha, ach níor dhochar súil a chaitheamh ar an dáileadh seo fad agus a bhaineann sé le córas na mbriathra go hiomlán.
Baistear ***foirm tháite*** ar fhoirm den bhriathar a mbíonn an briathar agus an tsuibíocht (i bhfoirm foircinn) 'táite', nó ceangailte le chéile, mar aon aonad amháin, m.sh. *chuireas* 'I put' agus *chuireadar* 'they put'.
Baistear ***foirm scartha*** ar fhoirm a mbíonn an briathar agus forainm neamhspleách (nó 'scartha') ag teacht ina diaidh mar shuibíocht, m.sh. *chuir mé* 'I put' agus *chuir siad* 'they put'.
Is mar analach ar na foirmeacha sa 3ú pearsa uimhir uatha (*chuir sé/sí*) a shíolraíonn an téarma *analytic* sa Bhéarla do leithéidí *chuir mé* agus *chuir siad* ó tharla go n-úsáidtear foirmeacha an 3ú pearsa uatha mar bhunmhúnla do réimniú na bpearsaí eile i gcóras scartha.
Má amharctar ar chanúintí na Gaeilge, feicfear go n-úsáidtear foirmeacha táite de na briathra i bhfad níos minice i nGaeilge na Mumhan ná aon chanúint eile[40] ach go dtagann maolú ar na foirmeacha táite seo de réir mar a théitear ó thuaidh, áit a bhfuilthear níos tugtha d'fhoirmeacha scartha.[41] Tá léiriú suntasach le fáil air seo ó na foirmeacha gníomhacha san **aimsir chaite**:

An Caighdeán	G. na Mumhan	G. Chonnacht[42]	Cúige Uladh	
bhog mé	***(do) bhogas***	*bhog mé*[M]	*bhog mé*	I moved
bhog tú	***(do) bhogais***	*bhog tú*[M]	*bhog tú*	you moved
bhog sé	*(do) bhog sé*	*bhog sé*	*bhog sé*	he moved
bhog sí	*(do) bhog sí*	*bhog sí*	*bhog sí*	she moved
bhogamar	***(do) bhogamair***[43]	*bhog muid*	*bhog muid*[†44]	we moved
bhog sibh	***(do) bhogabhair***	*bhog sibh*	*bhog sibh*	you moved
bhog siad	***(do) bhogadar***	***bhogadar***	*bhog siad*	they moved

Tábla I: ***An aimsir chaite***

ní stairiúil *versus níor* analach san aimsir chaite de na briathra mírialta

I gcás na mbriathra mírialta, tá briathra sa Chaighdeán nach gcuirtear **níor** rompu ach a chloíonn le **ní** stairiúil,[45] m.sh. **ní raibh**, **ní fhaca**, **ní bhfuair**, **ní dhearna** agus **ní dheachaigh**. Bíodh go moltar **níor thug**, **níor tháinig** agus **níor chuala** sa Chaighdeán,[46] caomhnaítear seanfhoirmeacha le **ní** stairiúil i gCúige Chonnacht agus i gCúige Uladh: **ní thug**, **ní tháinig** agus **ní chuala** – cé go gcluintear an fhoirm analach **níor úirt** sna canúintí sin in áit **ní dúirt** sa Chaighdeán agus sa Mhumhain (foirm níos stairiúla).

of his 'people's speech' approach) assisted in shaping the writing career of Tomás Ó Criomhthain from the Great Blasket, off the Kerry coast, an author who has left us a valuable literary legacy, including his 1929 work *An tOileánach* ('The Islandman'). In 1907, Norse scholar Carl Marstrander (1883-1965) visited the Great Blasket. During his visit Marstrander spent three hours a day learning Irish in the company of Tomás Ó Criomhthain. Marstrander brought with him Ó/Ua Laoghaire's book *Niamh*[39] and I remain convinced that this work, written in Munster Irish, helped Ó Criomhthain to write his own native dialect of Irish every bit as much as it helped Marstrander to learn Modern Irish.

It can be seen, then, that it is not possible in a work of this nature to provide totally exhaustive coverage for each sub-dialect of each province but, having said that, it is hoped that *The Great Irish Verb Book* will furnish the reader with a fairly comprehensive overview of the main verbal forms he/she will hear spoken in the three main provinces.

Some key dialect variations

synthetic **and** ***analytic*** **forms of the verb**

Brief mention has been made above to the differences in Irish between synthetic and analytic forms of the verb but it will not be out of place here to look at the distribution of this phenomenon in the verbal system as a whole.
A verbal form is said to be ***synthetic*** if the verb and the subject (in the form of a suffix) are 'welded' together (Irish *táite*) as a single unit, e.g. *chuireas* 'I put' and *chuireadar* 'they put'.
A verbal form is said to be ***analytic*** if the verb is followed by an independent pronoun as its subject, e.g. *chuir mé* 'I put' and *chuir siad* 'they put'. The independent pronoun is termed *scartha* 'separated' in Irish. It is by analogy of the forms of the third singular (*chuir sé/sí* 'he/she put') that the English term *analytic* is used to describe forms such as *chuir mé* and *chuir siad* owing to the fact that the form of the third singular is used as a basic model for the conjugation of the other persons in an analytic system.
If one looks at Irish dialects, it will be seen that synthetic forms of the verb occur much more frequently in Munster than any other Irish dialect,[40] and that the use of these forms decreases the more northerly one proceeds, where the tendency is towards an analytic system.[41] A striking illustration of this can be gleaned from the active forms of the verb in **the past tense**:

Standard Irish	Munster	Connaught[42]	Ulster	
bhog mé	***(do) bhogas***	*bhog mé*[M]	*bhog mé*	I moved
bhog tú	***(do) bhogais***	*bhog tú*[M]	*bhog tú*	you moved
bhog sé	*(do) bhog sé*	*bhog sé*	*bhog sé*	he moved
bhog sí	*(do) bhog sí*	*bhog sí*	*bhog sí*	she moved
bhogamar	***(do) bhogamair***[43]	*bhog muid*	*bhog muid*[†44]	we moved
bhog sibh	***(do) bhogabhair***	*bhog sibh*	*bhog sibh*	you moved
bhog siad	***(do) bhogadar***	***bhogadar***	*bhog siad*	they moved

Table I: ***The past tense***

historic ***ní versus*** **analogical** ***níor*** **in the past tense of irregular verbs**

In the case of irregular verbs, some of them are not prefixed by **níor** in Standard Irish,[45] but retain historical **ní**, e.g. **ní raibh** 'was not', **ní fhaca** 'did not see', **ní bhfuair** 'did not get', **ní dhearna** 'did not do' and **ní dheachaigh** 'did not go'. Although forms with analogical **níor** are recommended in Standard Irish[46] for **níor thug** 'did not give', **níor tháinig** 'did not come' and **níor chuala** 'did not hear', the old forms with historic **ní** are preserved in Connaught and Ulster: **ní thug**, **ní tháinig** and **ní chuala** – although the analogical form **níor úirt** is heard in

***níor* > *ní* sa chaite rialta i gCúige Mumhan (agus go hannamh sna canúintí eile)**

Cé gur **níor** an mhír dhiúltach is coitianta sa Ghaeilge do bhriathra rialta san aimsir chaite (**níor bhog** 'did not move', **níor ól** 'did not drink') tá claonadh láidir i gcanúintí na Mumhan **ní** a chur in áit **níor**, msh. **ní bhog** 'did not move'. Tá an claonadh céanna seo le tabhairt faoi deara i nGaeilge Chonnacht[47] agus i gCúige Uladh[48] , ach i gcás **níor** + (**f**)guta, cluinfear **ní dh'ól** (taobh le **níor ól**) i gCúige Mumhan, áit a gcluinfí (corruair) leithéidí **ní ól** i gConnachtaibh.[49]

muid* forainm neamhspleách i gConnachtaibh agus in Ultaibh; *muid* v *sinn

Tabharfar faoi deara gur foirmeacha scartha is mó a úsáidtear sa chéad phearsa uimhir iolra i gCúige Chonnacht agus i gCúige Uladh, mar a mbíonn *muid* mar fhorainm neamhspleách, m.sh. *bhog muid* 'we moved', *bogann muid* 'we move', *bogfaidh muid* 'we shall move' in ionad na bhfoirmeacha táite *bhogamar*, *bogaimid* agus *bogfaimid*.[50] Bhí stádas mar fhorainm neamhspleách dlite do *muid* in *CRA* (1953) agus bíodh nach ndearnadh a leithéid in *CO* (1958) - cé gur cheart glacadh leis mar 'cheartfhoirm' - tá siad ann, ó shin, a d'iarr aitheantas do *muid*[51] agus tá mé féin den bharúil gur mithid glacadh leis an tuairim seo. Níor dhochar a lua ach oiread gur minic *muid* agus *sinn* ag malartú le chéile i roinnt mhaith canúintí.

Foirmeacha Muimhneacha den 1ú iolra in *-míd*, *-f(a)imíd*, *-f(a)imís(t)*

Cluintear *-í-* i bhfoircinn den 1ú iolra i nGaeilge na Mumhan, áit a mbíonn guta gearr in *CO* (*-mid*, *-f(a)imid*, *-f(a)imis*). Cluintear leithéidí *bogaimid* 'we move', *bogfaimid* 'we shall move', *bhogfaimis* 'we would move' agus *bhogaimis* 'we used to move' (*CO*), mar: *bogaimíd*, *bogfaimíd*, *bhogfaimís(t)*, *bhogaimíst* srl i nGaeilge na Mumhan.

San **aimsir láithreach** bíonn foirm tháite in úsáid go forleathan don 1ú phearsa uatha:[52]

An Caighdeán	G. na Mumhan	G. Chonnacht	Cúige Uladh	
bogaim	***bogaim***	***bogaim***	***bogaim***[53]	I move
bogann tú	*bogann tú*	*bogann tú*	*bogann tú*	you move
bogann sé	*bogann sé*	*bogann sé*	*bogann sé*	he moves
bogann sí	*bogann sí*	*bogann sí*	*bogann sí*	she moves
bogaimid	***bogaimíd***	*bogann muid*	*bogann muid*	we move
bogann sibh	*bogann sibh*	*bogann sibh*	*bogann sibh*	you move
bogann siad	***bogaid*** *(siad)*	*bogann siad*	*bogann siad*	they move

Tábla II: ***An aimsir láithreach***

Nótaí

Léiríonn an malartú idir foirm tháite **bogaid** 'they move' agus foirm mar **bogaid siad** 'they move', go mbíonn claonadh i dtreo an chórais scartha i gCúige Mumhan féin.

Is féidir foirmeacha dar críoch **–i(n)s, í(n)s** (agus **–ir**, **-ír**) a chluinstean sa 2ú pearsa uatha i gConnachtaibh in abairtí mar:

''***Bhfuilis*** *ann?*	= *An bhfuil tú ann?* CO
Tá tú in ann sin a inseacht, nach ***bhfuilir****?*	= *..., nach bhfuil tú?* CO[54]

San **aimsir fháistineach** bíonn leaganacha scartha in úsáid i gConnachtaibh agus in Ultaibh de ghnách. Ní bhíonn ach foirm tháite amháin ann sa Chaighdeán (.i. 1ú iolra) ach cluintear roinnt foirmeacha táite i nGaeilge na Mumhan:

these latter two dialects as opposed to a more historically correct **ní dúirt** in Standard and Munster Irish.

níor > ní in the past regular for Munster (and occasionally in other dialects)

Although **níor** is the most common negative particle for regular past tense verbs in Irish (**níor bhog** 'did not move', **níor ól** 'did not drink'), there is a strong tendency in Munster Irish to replace **níor** with **ní**, e.g. **ní bhog** 'did not move'. This same tendency may also be observed (but less frequently) in Connaught[47] and Ulster[48], but in the case of **níor** + (**f**)vowel, **ní dh'ól** (as well as **níor ól**) will be heard in Munster, as opposed to (occasional) **ní ól** in Connaught.[49]

muid as an independent pronoun in Connaught and Ulster; *muid* v *sinn*

It will be noticed that analytic forms are most commonly used for the 1st person plural in Connaught and Ulster Irish, where *muid* has the status of an independent pronoun, e.g. *bhog muid* 'we moved', *bogann muid* 'we move, *bogfaidh muid* 'we shall move', as opposed to synthetic forms *bhogamar*, *bogaimid* and *bogfaimid*.[50] In *CRA* (1953), *muid* was recognised as an independent pronoun and although the same status was not afforded - in so many words - in the Standard (*CO* 1958), many have since called for the recognition of *muid*[51] and I think it is high time this viewpoint was endorsed. It would also not be out of place to mention how *muid* and *sinn* alternate in a number of dialects.

1st plural forms with long *í* in Munster, *-míd*, *-f(a)imíd*, *-f(a)imís(t)*

In Munster Irish the suffixes for the 1st plural suffixes *-mid*, *-f(a)imid*, *-f(a)imis* may more often be heard with long *í*, hence *CO bogaimid* 'we move', *bogfaimid* 'we shall move', *bhogfaimis* 'we would move' and *bhogaimis* 'we used to move', may be heard in Munster Irish as *bogaimíd*, *bogfaimíd*, *bhogfaimís(t), bhogaimíst* etc.

In **the present tense**, a synthetic form is widely used for the 1st singular:[52]

Standard Irish	Munster	Connaught	Ulster	
bogaim	***bogaim***	***bogaim***	***bogaim***[53]	I move
bogann tú	*bogann tú*	*bogann tú*	*bogann tú*	you move
bogann sé	*bogann sé*	*bogann sé*	*bogann sé*	he moves
bogann sí	*bogann sí*	*bogann sí*	*bogann sí*	she moves
bogaimid	***bogaimíd***	*bogann muid*	*bogann muid*	we move
bogann sibh	*bogann sibh*	*bogann sibh*	*bogann sibh*	you move
bogann siad	***bogaid*** *(siad)*	*bogann siad*	*bogann siad*	they move

Table II: ***The present tense***

Notes

The variation **bogaid** and **bogaid siad** 'they move' shows a movement towards the analytic system on the part of Munster Irish.

Forms ending in **–i(n)s**, **–i(n)s** (and **–ir** and **–ír**) may be heard in the 2nd singular in Connaught Irish:

*'**Bhfuilis** ann?* = *An bhfuil tú ann?* CO 'Are you there?'
*Tá tú in ann sin a inseacht, **nach bhfuilir**?* = *nach bhfuil tú?* CO[54] 'You can tell that, can't you?'[54]

In **the future tense**, analytic forms are the norm in Ulster and Connaught. The Standard only has one synthetic form (i.e. the 1st plural) but several are heard in Munster:

An Caighdeán	G. na Mumhan	G. Chonnacht	Cúige Uladh	
bogfaidh mé	***bogfad****[55]	*bogfaidh mé*	*bogfaidh mé*	I shall move
bogfaidh tú	****bogfair***	*bogfaidh tú*	*bogfaidh tú*	you will move
bogfaidh sé	*bogfaidh sé*	*bogfaidh sé*	*bogfaidh sé*	he will move
bogfaidh sí	*bogfaidh sí*	*bogfaidh sí*	*bogfaidh sí*	she will move
bogfaimid	****bogfam***[56]	*bogfaidh muid*	*bogfaidh muid*	we shall move
bogfaidh sibh	*bogfaidh sibh*	*bogfaidh sibh*	*bogfaidh sibh*	you will move
bogfaidh siad	***bogfaid** (siad)*	*bogfaidh siad*	*bogfaidh siad*	they will move

Tábla III: ***An aimsir fháistineach***

Léiríonn léarscáil 51 de *LASID* i, 'I shall buy', go gcluintear an fhoirm tháite *ceannód* i nGaeilge na Mumhan, ach foirmeacha scartha, *ceannóidh mé* i gConnachtaibh agus *ceannóchaidh mé* in Ultaibh.[57] Is féidir a lua, go gcluintear foirmeacha mar *ceannód* agus *ceannóchad* sa dá chanúint eile sa litríocht bhéil nó i bhfreagraí:

> ***Rachad** go Gaillimh go Gaillimh is **rachad** go Gaillimh le Páidín.*[58]
>
> *An maithfidh tú a chuid fiacha dhó? **Ní mhaithfead**.*[59]
>
> ***Stadfad** de mo ghéarghol is **dhéanfad** mo ghearán le cách.*[60]
>
> *'... béidh mé an-bhuidheach duit-se, má cheolann tú domh é!'*
> *'**Ceolfad** agus fáilte' arsa sise.'*[61]

Téann cuid de na malartacha seo idir foirmeacha táite agus foirmeacha scartha i bhfad siar sa teanga, m.sh. an fhianaise atá againn as Leabhar Laighneach, a cuireadh le chéile sa 12ú céad, do mhalartú idir leithéidí **rachad** agus **rachaidh mé**.[62]
Tugtar faoi deara, fosta, gur féidir foirmeacha táite a bheith ann sa 2ú uatha den fháistineach, msh. *bogfair*, i bhfreagraí agus i bhfoirmeacha macalla i nGaeilge Chonnacht.[63]

Foirmeacha scartha don chuid is mó a úsáidtear **sa mhodh fhoshuiteach, aimsir láithreach** – cé go gcluintear seachfhoirmeacha táite i gcanúintí Muimhneacha:

An Caighdeán	G. na Mumhan	G. Chonnacht	Cúige Uladh	
go mboga mé	***go mbogad****	*go mboga mé*	*go mbogaidh mé*	may I move
go mboga tú	***go mbogair****	*go mboga tú*	*go mbogaidh tú*	may you move
go mboga sé	*go mboga sé*	*go mboga sé*	*go mbogaidh sé*	may he move
go mboga sí	*go mboga sí*	*go mboga sí*	*go mbogaidh sí*	may she move
go mbogaimid	***go mbogam****	*go mboga muid*	*go mbogaidh muid*	may we move
go mboga sibh	*go mboga sibh*	*go mboga sibh*	*go mbogaidh sibh*	may you move
go mboga siad	***go mbogaid****	*go mboga siad*	*go mbogaidh siad*	may they move

Tábla IV: ***An modh foshuiteach, aimsir láithreach***

Bíonn foirmeacha táite níos forleithne sa mhodh choinníollach agus san aimsir ghnáthchaite (go háirid sa 1ú agus 2ú uatha) ach tá claonadh i dtreo foirmeacha scartha le tabhairt faoi deara in Ultaibh sa 3ú iolra agus, ar uairibh, i nGaeilge Chonnacht:

Standard Irish	Munster	Connaught	Ulster	
bogfaidh mé	***bogfad****[55]	*bogfaidh mé*	*bogfaidh mé*	I shall move
bogfaidh tú	****bogfair***	*bogfaidh tú*	*bogfaidh tú*	you will move
bogfaidh sé	*bogfaidh sé*	*bogfaidh sé*	*bogfaidh sé*	he will move
bogfaidh sí	*bogfaidh sí*	*bogfaidh sí*	*bogfaidh sí*	she will move
bogfaimid	****bogfam***[56]	*bogfaidh muid*	*bogfaidh muid*	we shall move
bogfaidh sibh	*bogfaidh sibh*	*bogfaidh sibh*	*bogfaidh sibh*	you will move
bogfaidh siad	***bogfaid*** *(siad)*	*bogfaidh siad*	*bogfaidh siad*	they will move

Table III: ***The future tense***

Map 52 of *LASID* i, 'I shall buy', shows that the synthetic form *ceannód* is commonly heard in Munster Irish, and analytic forms, *ceannóidh mé* in Connaught and *ceannóchaidh mé* in Ulster.[57] It could also be mentioned that forms such as *ceannód* and *ceannóchad* can be heard in the latter two dialects in oral literature and in responses:

Rachad *go Gaillimh go Gaillimh is* ***rachad*** *go Gaillimh le Páidín.*[58]
'I shall go to Galway, Galway and I shall go to Galway with Páidín.'

An maithfidh tú a chuid fiacha dhó? ***Ní mhaithfead****.*[59]
'Will you waive his debts? I shall not.'

Stadfad *de mo ghéarghol is* ***dhéanfad*** *mo ghearán le cách.*[60]
'I shall cease my bitter lamentation and make my complaint heard by all.'

'... béidh mé an-bhuidheach duit-se, má cheolann tú domh é!' *'**Ceolfad** agus fáilte' arsa sise.*[61]
' ... I'll be very grateful to you, if you sing it for me!' '**I shall** and welcome' said she.

The variation between synthetic and analytic forms of the 1st singular in the future go back a long way in the language, as may be witnessed from the Book of Leinster, compiled in the 12th century, where forms such as **rachad** and **rachaidh mé** are found for 'I shall go'.[62]
It is also noteworthy that synthetic forms for the 2 sg, such as *bogfair*, may also be heard in responses and as echo forms in Connaught.[63]

In **the present subjunctive** analytic forms, by and large, hold sway, although Munster does have variant synthetic forms for several persons:

Standard Irish	Munster	Connaught	Ulster	
go mboga mé	***go mbogfad***	*go mboga mé*	*go mbogaidh mé*	may I move
go mboga tú	***go mbogair****	*go mboga tú*	*go mbogaidh tú*	may you move
go mboga sé	*go mboga sé*	*go mboga sé*	*go mbogaidh sé*	may he move
go mboga sí	*go mboga sí*	*go mboga sí*	*go mbogaidh sí*	may she move
go mbogaimid	***go mbogam****	*go mboga muid*	*go mbogaidh muid*	may we move
go mboga sibh	*go mboga sibh*	*go mboga sibh*	*go mbogaidh sibh*	may you move
go mboga siad	***go mbogaid****	*go mboga siad*	*go mbogaidh siad*	may they move

Table IV: ***The subjunctive mood, present tense***

Synthetic forms are much more prevalent in **the conditional mood** and **the imperfect tense** (especially in the 1st and 2nd singular) but Ulster Irish tends towards analytic forms in the 3rd plural while variation exists in Connaught:

An Caighdeán	G. na Mumhan	G. Chonnacht	Cúige Uladh	
bhogfainn	***(do) bhogfainn***	***bhogfainn***	***bhogfainn***	I would move
bhogfá	***(do) bhogfá***	***bhogfá***	***bhogfá***	you would move
bhogfadh sé	*(do) bhogfadh sé*	*bhogfadh sé*	*bhogfadh sé*	he would move
bhogfadh sí	*(do) bhogfadh sí*	*bhogfadh sí*	*bhogfadh sí*	she would move
bhogfaimis	***(do) bhogfaimíst***	*bhogfadh muid*	***bhogfaimis***[64]	we would move
bhogfadh sibh	*(do) bhogfadh sibh*	*bhogfadh sibh*	*bhogfadh sibh*	you would move
bhogfaidís	***(do) bhogfaidís(t)***	***bhogfaidís***[U65]	*bhogfadh siad*	they would move

Tábla V: ***An modh coinníollach***

An Caighdeán	G. na Mumhan	G. Chonnacht	Cúige Uladh	
bhogainn	***(do) bhogainn***	***bhogainn***	***bhogainn***	I used to move
bhogtá	***(do) bhogtá***[66]	***bhogtá***	***bhogthá***	you used to move
bhogadh sé	*(do) bhogadh sé*	*bhogadh sé*	*bhogadh sé*	he used to move
bhogadh sí	*(do) bhogadh sí*	*bhogadh sí*	*bhogadh sí*	she used to move
bhogaimis	***(do) bhogaimíst***	*bhogadh muid*	***bhogaimis***	we used to move
bhogadh sibh	*(do) bhogadh sibh*	*bhogadh sibh*	*bhogadh sibh*	you used to move
bhogaidís	***(do) bhogaidís(t)***	***bhogaidís***[U]	*bhogadh siad*	they used to move

Tábla VI: ***An aimsir ghnáthchaite***

Ba ghnách leis … gnáthchaite timchainteach i gCúige Uladh

I gCúige Uladh is féidir foirmeacha infhillte a bheith ann den aimsir ghnáthchaite (m.sh. **shiúladh sé** 'he used to walk' *CO*) ach is féidir an struchtúr timchainteach **ba ghnách** + ***le*** + an t-ainm briathartha a úsáid:

Ba ghnách leis siúl. He used to walk.[67]

In Ultaibh agus i gConnachtaibh, is féidir an modh coinníollach a bheith in úsáid in áit na haimsire gnáthchaite.[68]

Sa **mhodh ordaitheach**, bíonn claonadh i dtreo foirmeacha scartha sa 3ú iolra in Ultaibh:

An Caighdeán	G. na Mumhan	G. Chonnacht	Cúige Uladh	
bogaim	***bogaim***	***bogaim***	***bogaim***	let me move
bog	***bog***	***bog***	***bog***	move
bogadh sé	*bogadh sé*	*bogadh sé*	*bogadh sé*	let him move
bogadh sí	*bogadh sí*	*bogadh sí*	*bogadh sí*	let her move
bogaimis	***bogaimíst***[69]	***bogaimis***	***bogaimis***[fut.]	let us move
bogaigí	***bogaig***[=C]	****bogaidh***	***bogaigí***	move
bogaidís	***bogaidíst***	***bogaidís***[U]	*bogadh siad*	let them move

Tábla VII: ***An modh ordaitheach***

Sa 2ú iolra bíonn síormhalartú idir *cuirigí* agus na seanleaganacha *cuiridh* i ngach canúint.[70] Toghadh na seanleaganacha do Chúige Mumhan (litrithe *curig/cuiríg*[71]) agus do Chonnachtaibh, ach b'fhiú cuimhneamh go gcluintear seanleaganacha, ar nós *cuiridh*, go measartha minic in Ultaibh fosta.

modh ordaitheach timchainteach i gCúige Uladh

I gCúige Uladh, comh maith leis an fhoirm infhillte den mhodh ordaitheach sa tríú pearsa (m.sh. **imíodh sé** 'let him leave'), baintear úsáid as **c(h)ead** + **ag** + an t-ainm briathartha:

Standard Irish	Munster	Connaught	Ulster	
bhogfainn	***(do) bhogfainn***	***bhogfainn***	***bhogfainn***	I would move
bhogfá	***(do) bhogfá***	***bhogfá***	***bhogfá***	you would move
bhogfadh sé	*(do) bhogfadh sé*	*bhogfadh sé*	*bhogfadh sé*	he would move
bhogfadh sí	*(do) bhogfadh sí*	*bhogfadh sí*	*bhogfadh sí*	she would move
bhogfaimis	***(do) bhogfaimíst***	*bhogfadh muid*	***bhogfaimis***[64]	we would move
bhogfadh sibh	*(do) bhogfadh sibh*	*bhogfadh sibh*	*bhogfadh sibh*	you would move
bhogfaidís	***(do) bhogfaidís(t)***	***bhogfaidís***[U65]	*bhogfadh siad*	they would move

Table V: *The conditional mood*

Standard Irish	Munster	Connaught	Ulster	
bhogainn	***(do) bhogainn***	***bhogainn***	***bhogainn***	I used to move
bhogtá	***(do) bhogtá***[66]	***bhogtá***	***bhogthá***	you used to move
bhogadh sé	*(do) bhogadh sé*	*bhogadh sé*	*bhogadh sé*	he used to move
bhogadh sí	*(do) bhogadh sí*	*bhogadh sí*	*bhogadh sí*	she used to move
bhogaimis	***(do) bhogaimíst***	*bhogadh muid*	***bhogaimis***	we used to move
bhogadh sibh	*(do) bhogadh sibh*	*bhogadh sibh*	*bhogadh sibh*	you used to move
bhogaidís	***(do) bhogaidís(t)***	***bhogaidís***[U]	*bhogadh siad*	they used to move

Table VI: *The imperfect tense*

Periphrastic imperfect in Ulster Irish

Although inflected forms may be heard for the imperfect in Ulster Irish (e.g. **shiúladh sé** 'he used to walk'), the periphrastic construction **ba ghnách** ('it was customary') + **le** + verbal noun (as infinitive) is used:

Ba ghnách leis siúl. He used to walk.[67]

In Ulster Irish, and in Connaught, the conditional may appear for the imperfect.[68]

In **the imperative mood** Ulster Irish tends towards analytic forms for the 3rd plural:

Standard Irish	Munster	Connaught	Ulster	
bogaim	***bogaim***	***bogaim***	***bogaim***	let me move
bog	***bog***	***bog***	***bog***	move
bogadh sé	*bogadh sé*	*bogadh sé*	*bogadh sé*	let him move
bogadh sí	*bogadh sí*	*bogadh sí*	*bogadh sí*	let her move
bogaimis	***bogaimíst***[69]	***bogaimis***	***bogaimis***[fut.]	let us move
bogaigí	***bogaig***[= C]	****bogaidh***	***bogaigí***	move
bogaidís	***bogaidíst***	***bogaidís***[U]	*bogadh siad*	let them move

Table VII: *The imperative mood*

The 2nd plural can fluctuate between *cuirigí* and older *cuiridh* in all dialects.[70] The latter forms have been chosen for Munster (spelt *curig, cuiríg*[71]) and Connaught but it should be noted that older forms (such as *cuiridh)* are frequently heard in Ulster as well.

Periphrastic imperative in Ulster Irish

In addition to the inflected form of the 3rd person of the imperative in Ulster (e.g. **imíodh sé** 'let him leave' *CO*), use is made of the periphrastic structure **c(h)ead** 'permission' + **ag** + verbal noun (as infinitive):

C(h)ead aige imeacht.	Let him leave.[72]

I gCúige Uladh bíonn claonadh láidir ann an 1ú iolra den aimsir fháistineach a úsáid don 1ú iolra den mhodh ordaitheach, rud atá le sonrú fosta i gConnachtaibh.[73] Cé go dtugann de Bhaldraithe foirmeacha mar *cuirimid* 'let us put', cuireann sé síos fosta ar fhoirmeacha scartha, .i. *cuireadh muid*, agus cluintear an foirceann *-amaist* in leagan sioctha mar *feiceamaist* 'let us see'.[74]

seanfhoirmeacha neamhspleácha de na briathra mírialta in Ultaibh

Caomhnaítear samplaí den tseanidirdhealú idir foirmeacha neamhspleácha agus foirmeacha spleácha go forleathan sna canúintí (agus in *CO*) san aimsir fháistineach den bhriathar **faigh**:

foirm neamhspleách		***foirm spleách***	
gheobhaidh sé	he will get	**ní bhfaighidh sé**	he will not get

I gCúige Uladh (mar a chonacthas thuas) caomhnaítear cuid mhaith samplaí den idirdhealú chéanna do na briathra mírialta san aimsir láithreach:

CO	**tugann**	**déanann**	**feiceann**	**faigheann**
	ní thugann	**ní dhéanann**	**ní fheiceann**	**ní fhaigheann**
	gives	does	sees	gets
	does not give	does not do	does not see	does not get
U	**bheir** gives	**ghní** does	**tchí** sees	**gheibh** gets
	ní thugann	**ní theán**	**ní fheiceann**	**ní fhaghann**

Mar an gcéanna san aimsir fháistineach, sa mhodh choinníollach agus san aimsir ghnáthchaite:

CO	**tabharfaidh**	**déanfaidh**	**feicfidh**	**gheobhaidh**
	ní thabharfaidh	**ní dhéanfaidh**	**ní fheicfidh**	**ní bhfaighidh**
	will give	will do	will see	will get
	will not give	will not do	will not see	will not get
U	**bhéarfaidh**	**ghéanfaidh**	**tchífidh**	**gheobhaidh**
	ní thabharfaidh	**ní theánfaidh**	**ní fheicfidh**	**ní bhfuighidh**
CO	**thabharfadh**	**dhéanfadh**	**d'fheicfeadh**	**gheobhadh**
	ní thabharfadh	**ní dhéanfadh**	**ní fheicfeadh**	**ní bhfaigheadh**
	would give	would do	would see	would get
	would not give	would not do	would not see	would not get
U	**bhéarfadh**	**ghéanfadh**	**tchífeadh**	**gheobhadh**
	ní thabharfadh	**ní theánfadh**	**ní fheicfeadh**	**ní bhfuigheadh**
CO	**thugadh**	**dhéanadh**	**d'fheiceadh**	**d'fhaigheadh**
	ní thugadh	**ní dhéanadh**	**ní fheiceadh**	**ní fhaigheadh**
	used to give	used to do	used to see	used to get
	used not to give	used not to do	used not to see	used not to get
U	**bheireadh**	**ghníodh**	**tchíodh**	**gheibheadh**
	ní thugadh	**ní theánadh**	**ní fheiceadh**	**ní fhaghadh**[75]

ceannóchaidh **agus** *cheannóchadh* **san fháistineach agus sa choinníollach**

Do bhriathra as an 2ú réimniú (leathan) is iad **–óidh** agus **–ódh** na foircinn á úsáidtear sa Chaighdeán agus i nGaeilge Chonnacht agus na Mumhan[76], m.sh. **ceannóidh** 'will buy', **cheannódh** 'would buy'. Ach cluintear seanfhoirmeacha mar **ceannóchaidh** agus **cheannóchadh** i gCúige Uladh – agus *éir**eochaidh*** 'will get up' agus *d'éir**eochadh*** 'would get up', in áit *éir**eoidh*** agus *d'éir**eodh***.

C(h)ead aige imeacht.	Let him leave.[72]

In Ulster the tendency to use the 1st plural of the future for the 1st plural of the imperative is also found in Conamara.[73] While de Bhaldraithe lists forms such as *cuirimid* 'let us put', he also notes an analytic form *cuireadh muid* and rare use of *–amaist* in *feiceamaist* 'let us see'.[74]

Old independent forms of the irregular verb in Ulster

A classic example of the old distinction between independent and dependent forms of the verb is fairly well preserved in most dialects, and *CO*, for the future tense of the verb 'to get':

independent form		***dependent form***	
gheobhaidh sé	he will get	**ní bhfaighidh sé**	he will not get

In Ulster Irish (as had been seen above) quite a few irregular verbs preserve this old distinction in the present tense:

CO	**tugann**	**déanann**	**feiceann**	**faigheann**
	ní thugann	**ní dhéanann**	**ní fheiceann**	**ní fhaigheann**
	gives	does	sees	gets
	does not give	does not do	does not see	does not get
U	**bheir** gives	**ghní** does	**tchí** sees	**gheibh** gets
	ní thugann	**ní theán**	**ní fheiceann**	**ní fhaghann**

Similar examples of older independent forms are found in the future, conditional and the imperfect:

CO	**tabharfaidh**	**déanfaidh**	**feicfidh**	**gheobhaidh**
	ní thabharfaidh	**ní dhéanfaidh**	**ní fheicfidh**	**ní bhfaighidh**
	will give	will do	will see	will get
	will not give	will not do	will not see	will not get
U	**bhéarfaidh**	**ghéanfaidh**	**tchífidh**	**gheobhaidh**
	ní thabharfaidh	**ní theánfaidh**	**ní fheicfidh**	**ní bhfuighidh**
CO	**thabharfadh**	**dhéanfadh**	**d'fheicfeadh**	**gheobhadh**
	ní thabharfadh	**ní dhéanfadh**	**ní fheicfeadh**	**ní bhfaigheadh**
	would give	would do	would see	would get
	would not give	would not do	would not see	would not get
U	**bhéarfadh**	**ghéanfadh**	**tchífeadh**	**gheobhadh**
	ní thabharfadh	**ní theánfadh**	**ní fheicfeadh**	**ní bhfuigheadh**
CO	**thugadh**	**dhéanadh**	**d'fheiceadh**	**d'fhaigheadh**
	ní thugadh	**ní dhéanadh**	**ní fheiceadh**	**ní fhaigheadh**
	used to give	used to do	used to see	used to get
	used not to give	used not to do	used not to see	used not to get
U	**bheireadh**	**ghníodh**	**tchíodh**	**gheibheadh**
	ní thugadh	**ní theánadh**	**ní fheiceadh**	**ní fhaghadh**[75]

ceannóchaidh and *cheannóchadh* in the future and conditional

For verbs of the 2nd conjugation (broad) **–óidh** and **–ódh** are the suffixes used in the Standard, Connaught and Munster,[76] e.g. **ceannóidh** 'will buy' and **cheannódh** 'would buy'. In Ulster old forms **ceannóchaidh** 'will buy' and **cheannóchadh** 'would buy' are heard – as well as *éir**eochaidh*** 'will get up' and *d'éir**eochadh*** 'would get up', instead of *éir**eoidh*** and *d'éir**eodh***.

foirmeacha coibhneasta *a bhriseas* agus *a bhrisfeas*

I bhfoirmeacha díreacha coibhneasta (.i. i bhfoirmeacha neamhspleácha amháin) maireann seanfhoirmeacha in **–s** in Ultaibh agus i gConnachtaibh san aimsir láithreach agus san aimsir fháistineach:

C, U	**an fear a bhriseas** (... **a bhriseanns** *C*)	the man who breaks
M, CO	**an fear a bhriseann**	
C, U	**an fear a bhrisfeas**	the man who will break
M, CO	**an fear a bhrisfidh**	

Do bhriathra as an 2ú reimniú bíonn difríocht idir Gaeilge Chonnacht agus Gaeilge Chúige Uladh:

C, U	**an té a cheannós** *C* (**... a cheannóchas** *U*)	the one who will buy
M, CO	**an té a cheannóidh**	

***do* roimh an bhriathar neamhspleách i gCúige Mumhan**

Cuirtear **d'** san fhoirm neamhspleách roimh gach briathar a thosaíonn le guta, nó le **f-** (seachas **fl-**) san aimsir chaite, sa mhodh choinníollach agus san aimsir ghnáthchaite, m.sh.

d'ól	drank	**d'ólfadh**	would drink	**d'óladh**	used to drink
d'fhan	waited	**d'fhanfadh**	would wait	**d'fhanadh**	used to wait

Is ó **do** a shíolraíonn an **d'** sna cásanna seo. Chuirtí an **do** seo roimh idir ghutaí agus chonsain anallód, ach i bhfoirmeacha dar tús consan sa Chaighdeán, i gConnachtaibh agus in Ultaibh ba leor an séimhiú san fhoirm neamhspleách agus ligeadh don **do** imeacht roimh chonsain, .i. **do bhris** > **bhris**. I gCúige Mumhan is féidir an **do** a bheith ann (nó fágtha ar lár) roimh chonsain:[77]

CO, C, U	**bhris**	broke	**bhrisfeadh**	would break	**bhriseadh**	used to break
M	**(do) bhris**		**(do) bhrisfeadh**		**(do) bhriseadh**	

Rud eile de, is minic séimhiú ar an **d'** roimh ghuta nó roimh **f-** i nGaeilge na Mumhan:[78]

CO, C, U	**d'ól**	drank	**d'ólfadh**	would drink	**d'óladh**	used to drink
M	**dh'ól**		**dh'ólfadh**		**dh'óladh**	

Forbairt eile i gCúige Mumhan maidir le **d'** roimh ghuta nó **f-** (seachas **fl-**), ná na seachfhoirmeacha a leanas in **ní(or) dh'** agus **ní dh'**, msh.

Std: **níor ól**	**ní ólann**	**ní ólfaidh**	**ní ólfadh**	**ní óladh**
did not drink	does not drink	will not drink	would not drink	used not to drink
M: **ní(or) dh'ól**[79]	**ní dh'ólann**	**ní dh'ólfaidh**	**ní dh'ólfadh**	**ní dh'óladh**

***ná* i nGaeilge na Mumhan agus *nach* in áiteacha eile**

Úsáidtear an mhír *nach* (+ urú) i gConnachtaibh agus in Ultaibh ach i gCúige Mumhan is í an fhoirm is sine *ná* (+ *h* roimh ghuta) a úsáidtear:[80]

CO, C, U	**An fear *nach* mbriseann**	**Dúirt sé *nach* n-ólann sé tae.**
	The man who does not break	He said that he does not drink tea.
M	**An fear *ná* briseann**	**Dúirt sé *ná* hólann sé tae.**

relative forms *a bhriseas* and *a bhrisfeas* in present and future

In the independent, or 'direct' relative, special **–s** forms persist in Ulster and Connaught in the present and future:

C, U	**an fear a bhriseas** (… **a bhriseanns** *C*)	the man who breaks
M, CO	**an fear a bhriseann**	
C, U	**an fear a bhrisfeas**	the man who will break
M, CO	**an fear a bhrisfidh**	

For 2nd conjugation, the future varies between Ulster and Connaught:

C, U	**an té a cheannós** *C* (… **a cheannóchas** *U*)	the one who will buy
M, CO	**an té a cheannóidh**	

do before the independent stem in Munster

D' is placed before the independent form of every verb beginning with a vowel, or **f-** (apart from **fl-**) in the past tense, conditional mood and imperfect tense e.g.

d'ól	drank	**d'ólfadh**	would drink	**d'óladh**	used to drink
d'fhan	waited	**d'fhanfadh**	would wait	**d'fhanadh**	used to wait

In all of these examples **d'** is a contracted form of **do**. This **do** was prefixed before vowels and consonants in earlier times, but in independent forms which begin with a consonant the aspiration caused by **do** now suffices and the **do** is dropped in Standard, Connaught and Ulster, i.e. **do bhris** > **bhris** 'broke'. In Munster, however, the **do** may still be heard before consonants (or disappear):[77]

CO, C, U	**bhris**	broke	**bhrisfeadh**	would break	**bhriseadh**	used to break
M	**(do) bhris**		**(do) bhrisfeadh**		**(do) bhriseadh**	

One may also note that **d'** before a vowel, or **f-**, is often aspirated in Munster Irish:[78]

CO, C, U	**d'ól**	drank	**d'ólfadh**	would drink	**d'óladh**	used to drink
M	**dh'ól**		**dh'ólfadh**		**dh'óladh**	

One further point of interest as regards **d'** in Munster is that for verbs beginning in a vowel of **f-** (except **fl-**), one hears by-forms as **níor dh'** and **ní dh'**. e.g.

Std: **níor ól**	**ní ólann**	**ní ólfaidh**	**ní ólfadh**	**ní óladh**
did not drink	does not drink	will not drink	would not drink	used not to drink
M: **ní(or) dh'ól**[79]	**ní dh'ólann**	**ní dh'ólfaidh**	**ní dh'ólfadh**	**ní dh'óladh**

ná in Munster Irish and *nach* elsewhere

The particle *nach* (plus eclipsis) is used in Connaught and Ulster but in Munster, older, *ná* (plus *h* before a vowel) is used:[80]

CO, C, U	**An fear *nach* mbriseann**	**Dúirt sé *nach* n-ólann sé tae.**
	The man who does not break	He said that he does not drink tea.
M	**An fear *ná* briseann**	**Dúirt sé *ná* hólann sé tae.**

cha i nGaeilge Chúige Uladh[81]

Feicfear ó na táblaí sa leabhar seo gurb iad **ní** agus **níor** is mó a chluintear ar fud na hÉireann mar mhíreanna diúltacha. I gcuid de na canúintí Ultacha baintear úsáid as **cha** agus **char**:[82]

CO, C, M agus cuid d'*U*		Canúintí áirithe i gCúige Uladh
níor chuir sé	he did not put	**char chuir sé**
ní chuireann sé	he does not put	**cha chuireann sé**
ní chuirfidh sé	he will not put	**cha chuireann sé**
ní chuirfeadh sé	he would not put	**cha chuirfeadh sé**
ní chuireadh sé	he used not to put	**cha chuireadh sé**
= **níor ghnách leis cur**		= **char ghnách leis cur**

Má tharlaíonn **cha** roimh ghuta (nó roimh **fh-** + guta), cluintear **chan**:

CO, C, M agus cuid d'*U*		Canúintí áirithe i gCúige Uladh
ní ólann sé	he does not drink	**chan ólann sé**
ní fhaca sé	he did not see	**chan fhaca sé**

Tugtar faoi deara, fosta, nach n-úsáidtear an aimsir fháistineach i ndiaidh **cha** ach go n–úsáidtear **cha** + aimsir láithreach le ciall na haimsire fáistiní a chur in iúl:

ní bhrisfidh sé	he will not break	**cha bhriseann sé**
ní phósfaidh sí	she will not marry	**cha phósann sí**
ní bheidh mé	I shall not be	**cha bhím**
ní rachaidh siad	they shall not go	**chá dtéann siad**

Sna táblaí a chuirtear ar fáil sa leabhar seo, baintear úsáid as na claochluithe tosaigh a leanas i ndiaidh **cha:**

séimhiú ar **b-, c-, f-, g-, m-, p-**

urú ar **d-** agus **t-**, msh. *cha ndíolann* 'ní dhíolann/ní dhíolfaidh',
cha dtógann 'ní thógann/ní thógfaidh' [83]

an aimsir láithreach stairiúil *-idh*

Ní chuirtear an aimsir láithreach stairiúil os comhair an léitheora sna táblaí. Is annamh a chluintear a leithéid ar na saolta seo, ach seo a leanas na foircinn a bhíonn i gceist don 1ú agus don 2ú réimniú (leathan agus caol):

*tóg**aidh sé***	*cui**ridh sé***	*ceann**aídh** siad*	*éi**rídh sí***
he lifts	he puts	they buy	he gets up

Bhíodh an foirceann *–idh* mar chríoch den fhoirm neamhspleách den aimsir láithreach ag an chuid is mó de na briathra rialta sa Mheán-Ghaeilge agus sa Ghaeilge Chlasaiceach:

molaidh 'molann sé' ach *ní mhol* nó *ní mholann* 'ní mholann sé',
an mol?/an molann?[84]

I nGaeilge na hÉireann spréigh an foirceann *–ann* isteach san fhoirm neamhspleách (.i. *molann* in áit *molaidh*)[85] ach cluintear *–idh*, an seanfhoirceann neamhspleách, go fóill - go háirithe i dTír Chonaill:

(a) i mbriathra mar *sílidh sé* 'síleann/ceapann sé',[86] *féadaidh sé* 'it could be'
(b) i seanfhocail
(c) mar aimsir scéalaíochta:

Bídh *súil le muir, ní bhíonn súil le huaigh.* [Bíonn …][87]

cha in Ulster Irish[81]

It will emerge from the paradigms presented in the tables of this book that **ní** and **níor** are the most commonly used negative particles throughout Ireland. In some Ulster dialects **cha** and **char** are used:[82]

CO, C, M and parts of Ulster		Certain Ulster dialects
níor chuir sé	he did not put	**char chuir sé**
ní chuireann sé	he does not put	**cha chuireann sé**
ní chuirfidh sé	he will not put	**cha chuireann sé**
ní chuirfeadh sé	he would not put	**cha chuirfeadh sé**
ní chuireadh sé	he used not to put	**cha chuireadh sé**
= **níor ghnách leis cur**		= **char ghnách leis cur**

If **cha** comes before a vowel (or **fh-** + vowel), **chan** is heard:

CO, C, M and parts of Ulster		Certain Ulster dialects
ní ólann sé	he does not drink	**chan ólann sé**
ní fhaca sé	he did not see	**chan fhaca sé**

It should also be noted that the future tense is not used after **cha**, but that **cha** + present tense are used to convey the future:

ní bhrisfidh sé	he will not break	**cha bhriseann sé**
ní phósfaidh sí	she will not marry	**cha phósann sí**
ní bheidh mé	I shall not be	**cha bhím**
ní rachaidh siad	they shall not go	**chá dtéann siad**

In the paradigms presented in this book, the following mutations are used following **cha:**

aspiration (or lenition) — **b-, c-, f-, g-, m-, p-**
eclipsis — **d-** and **t-**, e.g. *cha ndíolann* 'does/will not sell'
cha dtógann 'does/will not lift' [83]

The present historic, or 'storytelling tense', *-idh*:

The present historic is not included among the paradigms. It is seldom used nowadays, but the suffixes for the 1st and 2nd conjugation are provided below:

*tóg**aidh** sé*	*cuir**idh** sé*	*ceann**aídh** siad*	*éir**ídh** sí*
he lifts	he puts	they buy	he gets up

The ending *–idh* was formerly the dominant ending for the present tense of the independent form of the majority of verbs in Middle and Early Modern Irish, e.g.

molaidh 'he praises' yet — *ní mhol* or *ní mholann* 'he does not praise',
an mol?/an molann? 'does he praise?'[84]

In Modern Irish the ending *–ann* spread into the independent (i.e. *molann* instead of *molaidh*)[85] but the old independent ending *–idh* is still heard, especially in Donegal:

(a) in verbs such as *sílidh* 'thinks' (= *síleann*)[86] and *féadaidh sé* 'it could be', *féadann*
(b) in proverbs
(c) as a present historic or storytelling tense:

***Bídh** súil le muir, ní bhíonn súil le huaigh.* [Bíonn][87] 'There is hope with the sea, none with the grave'.

Sgreadaidh *gach éan fána nead.* [Screadann] 'Every mother mourns her own.'[88]

An ùair a ghlaodhas a sean choileach, foghlumaidh an t-òg.

'When the old cock crows, the young one learns'.

[*Nuair a ghlaos (= ghlaonn) an seanchoileach, foghlaimídh (= foghlaimíonn) an t-óg.*][89]

'... ***tugaidh*** *Conall ruball a shúile síos gleann* ...['tugann'] 'Conall glances sideways down a glen'

'... ***beiridh*** *sé ar chloich mhóir ...'* ['beireann sé'] '... he grabs hold of a large stone ...'

'***Tógaidh*** *Fionn an tsleagh agus chaith.'* [Tógann ...][90] 'Fionn lifts the javelin and threw it ...'

Cluintear fosta leaganacha mar *tigidh* 'tagann' agus *gheibhidh* 'faigheann'.

an t-ainm briathartha

Is foirm an-leitheadach é an t-ainm briathartha (go háirithe mar infinideach) ó thaobh choimhréir agus struchtúr na Gaeilge de.[91] I dtaca leis na briathra rialta de, is minic a bhíonn an t-ainm briathartha bunaithe ar an ghas + foirceann. I measc na bhfoirceann is coitianta tá *–(e)adh* don 1ú réimniú agus *–(i)ú* don 2ú réimniú:

Samplaí de *–(e)adh* á chur le briathra den 1ú réimniú

Is minic a chuirtear an foirceann ***–(e)adh*** le gas briathair as an 1ú réimniú le foirm an ainm bhriathartha a chruthú:

bogadh 'to move', *briseadh* 'to break', *cailleadh* 'to lose', *casadh* 'to twist', *dúnadh* 'to shut', *filleadh* 'to return' (*pilleadh, U*), *fliuchadh* 'to wet', *glanadh* 'to clean', *lasadh* 'to light', *milleadh* 'to destroy', *moladh* 'to praise', *pósadh* 'to marry', *scaoileadh* 'to shoot', *síneadh* 'to stretch', *teannadh* 'to tighten'

an foirceann *–(e)amh*

caitheamh 'to throw', *déanamh* 'to do', *léamh* 'to read', *seasamh* 'to stand', *smaoineamh* 'to think', *taitneamh* 'to shine'.

Samplaí de *–(i)ú* á chur le gas gearr bhriathra an 2ú réimniú

Is minic a chuirtear an foirceann ***–(i)ú*** le 'gas gearr'[92] briathair as an 2ú réimniú le foirm an ainm bhriathartha a chruthú:

athrú 'to change', *bailiú/cruinniú* 'to gather', *beannú* 'to bless', *dathú* 'to colour', *díriú* 'to straighten', *eagrú* 'to organise', *foilsiú* 'to publish', *goirtiú* 'to pickle', *gortú* 'to hurt', *marú* 'to kill', *míniú* 'to explain', *mionnú* 'to swear', *neartú* 'to strengthen', *ordú* 'to order', *scanrú* 'to frighten', *síniú* 'to sign', *socrú* 'to arrange', *triomú* 'to dry', *tuirsiú* 'to tire', *ullmhú* 'to prepare'.

an foirceann *-(e)áil*

Cé go mbíonn ***–(e)áil*** i mbriathra mar *pacáil* 'pack', *páirceáil* 'to park' srl. (.i. mar a mbíonn an t-ainm briathartha agus an gas ar aon dul le chéile) cuirtear ***-(e)áil*** mar fhoirceann i roinnt bhriathra eile:

coinneáil 'to keep', *fágáil* 'to leave', *tógáil* 'to lift', *tuigbheáil* 'to undertsand' (*U*)

Is iondúil fosta go gcuirtear ***–(e)áil*** mar fhoirceann le cuid mhór briathra a thugtar isteach ón Bhéarla, m.sh. *ag mixeáil* 'mixing', *ag buildeáil* 'building' srl. Tá léiriú iontach air seo i bhfilíocht Chathail Uí Shearcaigh:

Rinne sé an t-árasán a ***hoover****áil,* He had the place all hoovered,
na bocsaí bruscair a ***jeyes-fluide****áil,* the bins jeyes-fluided,
an ***loo*** *a* ***harpic****áil, an* ***bath*** *a* ***vim****eáil.* the loo harpicked, the bath vimmed.
Ansin rinne sé an t-urlár a ***flash****áil* Then he flashed the mop over
na fuinneoga a ***windowlene****áil* the floor, windowlened the windows
agus na leapacha a ***eau-de-cologne****áil*[93] and eau-de-cologned the beds.

***Sgreadaidh** gach éan fána nead.* [Screadann] 'Every mother mourns her own.'[88]
An ùair a ghlaodhas a sean choileach, foghlumaidh an t-òg.
'When the old cock crows, the young one learns'.
[*Nuair a ghlaos (= ghlaonn) an seanchoileach, foghlaimídh (= foghlaimíonn) an t-óg.*][89]
'... ***tugaidh** Conall ruball a shúile síos gleann* ...['tugann'] 'Conall glances sideways down a glen'
'... ***beiridh** sé ar chloich mhóir ...'* ['beireann sé'] '... he grabs hold of a large stone ...'
'***Tógaidh** Fionn an tsleagh agus chaith.'* [Tógann ...][90] 'Fionn lifts the javelin and threw it ...'

Forms such as *tigidh* 'comes' and *gheibhidh* 'gets' are also heard.

the verbal noun

The verbal noun is a widely used form (especially as an infinitive) in the basic syntax and structure of the Irish language.[91] As regards the regular verb, the verbal noun is usually based on the stem + a suffix. The most common suffixes are *–(e)adh* and *–(i)ú* for the 1st and 2nd conjugations, respectively:

examples of *–(e)adh* as verbal noun ending for verbs of the 1st conjugation

–(e)adh is often added to stems of 1st conjugation verbs to form the verbal noun:

bogadh 'to move', *briseadh* 'to break', *cailleadh* 'to lose', *casadh* 'to twist', *dúnadh* 'to shut', *filleadh* 'to return' (*pilleadh, U*), *fliuchadh* 'to wet', *glanadh* 'to clean', *lasadh* 'to light', *milleadh* 'to destroy', *moladh* 'to praise', *pósadh* 'to marry', *scaoileadh* 'to shoot', *síneadh* 'to stretch', *teannadh* 'to tighten'

the suffix *–(e)amh*

caitheamh 'to throw', *déanamh* 'to do', *léamh* 'to read', *seasamh* 'to stand', *smaoineamh* 'to think', *taitneamh* 'to shine'.

examples of *–(i)ú* as verbal noun ending for verbs of the 2nd conjugation

The suffix***–(i)ú*** is often added to short stems[92] of 2nd conjugation verbs to form the verbal noun:

athrú 'to change', *bailiú/cruinniú* 'to gather', *beannú* 'to bless', *dathú* 'to colour', *díriú* 'to straighten', *eagrú* 'to organise', *foilsiú* 'to publish', *goirtiú* 'to pickle', *gortú* 'to hurt', *marú* 'to kill', *míniú* 'to explain', *mionnú* 'to swear', *neartú* 'to strengthen', *ordú* 'to order', *scanrú* 'to frighten', *síniú* 'to sign', *socrú* 'to arrange', *triomú* 'to dry', *tuirsiú* 'to tire', *ullmhú* 'to prepare'.

the suffix *-(e)áil*

Although ***–(e)áil*** occurs in verbs such as *pacáil* 'pack', *páirceáil* 'to park' etc. (i.e. where the stem and the verbal noun are identical), *–(e)áil* is added as a suffix to other verbs:

coinneáil 'to keep', *fágáil* 'to leave', *tógáil* 'to lift', *tuigbheáil* 'to undertsand' (*U*)

–(e)áil is also used as a highly productive suffix for many verbs borrowed from English, e.g. *ag mixeáil* 'mixing', *ag buildeáil* 'building' etc. A fine insight into this is found in the poetry of Cathal Ó Searcaigh:

*Rinne sé an t-árasán a **hoover**áil,*	He had the place all hoovered,
*na bocsaí bruscair a **jeyes-fluide**áil,*	the bins jeyes-fluided,
*an **loo** a **harpic**áil, an **bath** a **vim**eáil.*	the loo harpicked, the bath vimmed.
*Ansin rinne sé an t-urlár a **flash**áil*	Then he flashed the mop over
*na fuinneoga a **windowlene**áil*	the floor, windowlened the windows
*agus na leapacha a **eau-de-cologne**áil*[93]	and eau-de-cologned the beds.

an foirceann *-í*
éirí 'to get up', *fiafraí* 'to ask', *ionsaí* 'to attack', *luí* 'to lie down', *ní* 'to wash', *suí* 'to sit'

an foirceann *–(e)acht*
dúiseacht 'to awaken', *éisteacht* 'to listen', *fanacht* 'to wait', *imeacht* 'to leave', *teacht/theacht/thíocht* 'to come'

an foirceann *–t*
aithint 'to recognise', *baint* 'to cut, win', *freagairt* 'to answer', *imirt* 'to play', *labhairt* 'to speak', *múscailt/muscailt* 'to awaken', *(f)oscailt* 'to open', *roinnt* 'to divide', *seachaint* 'to avoid', *tabhairt* 'to give', *tagairt* 'to refer', *taispeáint* 'to show', *tarraingt* 'to pull', *tiomáint* 'to drive'

Sna canúintí cluintear *–t* mar fhoirceann i gcásanna mar:

fáilt 'to get' (*fáil, CO*); *feiceáilt* 'to see' (*feiceáil/feiscint, CO*);[94] *ráit* 'to say' (*rá, CO*);[95] *ceannacht* 'to buy' (*ceannach, CO*); *coinneáilt* 'to keep' (*coinneáil, CO*).

an gas agus an t-ainm briathartha ar aon dul le chéile
In amanna bíonn an gas agus an t-ainm briathartha ar aon dul le chéile, m.sh.

amharc 'look', 'to look', *at* 'swell', 'to swell', *díol* 'sell', 'to sell', *fás* 'grow' 'to grow', *foghlaim* 'learn', 'to learn', *meath* 'decay', 'to decay', *ól* 'drink', 'to drink', *rith* 'run', 'to run', *pacáil* 'pack', 'to pack', *sábháil* 'save', 'to save', *scríobh* 'write', 'to write'.

leathnú an ghais mar fhoirceann
Corruair fosta déantar deireadh an ghais a leathnú, m.sh

ceangail 'tie', *ceangal* 'to tie'; *cuir* 'put', *cur* 'to put'; *freastail* 'serve', *freastal* 'to serve'; *iompair* 'carry', *iompar* 'to carry'; *siúil* 'walk', *siúl* 'to walk'; *taistil* 'travel', *taisteal* 'to travel'

leaganacha malartacha den ainm briathartha sna canúintí
I measc na mbriathra rialta thig leaganacha malartacha a chluinstean san canúintí. Níor cheart go raibh deacracht ollmhór ag éirí as seo, nó bíonn gas an bhriathair le haithint mar bhunchloch sa chuid is mó de na cásanna. Seo a leanas roinnt samplaí:

casadh/castáil 'to twist', *inse/insint/inseach(t)/nisint* 'to tell', *tógáil/tógaint* 'to lift', *creidiúint/creidbheáil* 'to believe', *tuiscint/tuigbheáil* 'to undertand', *cuardach/cuartú* 'to search', *fanacht/fanúint* 'to wait',[96] *cailleadh/cailliúint* 'to lose', *athrú/athrach* 'to change', *roinnt/rann* 'to divide', *géilleadh/géillstean* 'to yield', *maireachtáil/mairstean* 'to last', *rith/reathaigh/reachtáil/rithe*[97] 'to run', *tosú/tosnú/toiseacht/túiseacht* 'to start', *blí/bleaghan* 'to milk' (*crú, M*),[98] *tochailt/tachailt* (*C, CO/U*), *tóch* (*M*) 'to dig'[99] etc.

I gcásanna eile baintear úsáid, sna canúintí, as briathra difriúla nó foirmeacha malartacha de bhriathar amháin:

amharc 'to look' (*U, C*) – also *amhanc*, verb no. **4** – yet *dearcadh, breathnú* (*C*), *féachaint* (*C, M*).[100]
dúnadh 'to close, shut' (*C, M*), *druid* (*U, C*) – verb no. **32**.[101]
filleadh 'to fold, return' (*C, M*), *pilleadh* (*U*) – verb no. **43**.[102]
múscail 'wake up' (ach *muscail* sa chaint, *U*), *dúisigh* (*C*, M) – verb no. **70**.[103]
oscail 'open (*C, M*), *foscail* (*U*) – verb no. **76**.[104]
rann 'to divide' (*U, C*), *roinnt/roinn* (C), *roinnt* (*M*) – verb no. **80**.[105]

I gCúige Uladh is minic seanfhoirmeacha den tabharthach infhillte le cluinstean don iarmhír bhaininscneach *–(e)ach* i leithéidí: *ag scairtigh* 'shouting', *ag brionglóidigh* 'dreaming', *ag léimnigh* 'jumping', srl.[106]

the suffix -í

éirí 'to get up', *fiafraí* 'to ask', *ionsaí* 'to attack', *luí* 'to lie down', *ní* 'to wash', *suí* 'to sit'

the suffix –*(e)acht*

dúiseacht 'to awaken', *éisteacht* 'to listen', *fanacht* 'to wait', *imeacht* 'to leave', *teacht/theacht/thíocht* 'to come'

the suffix –*t*

aithint 'to recognise', *baint* 'to cut, win', *freagairt* 'to answer', *imirt* 'to play', *labhairt* 'to speak', *múscailt/muscailt* 'to awaken', *(f)oscailt* 'to open', *roinnt* 'to divide', *seachaint* 'to avoid', *tabhairt* 'to give', *tagairt* 'to refer', *taispeáint* 'to show', *tarraingt* 'to pull', *tiomáint* 'to drive'

In the dialects –*t* can be heard as a suffix, as in the following:

fáilt 'to get' (*fáil, CO*); *feiceáilt* 'to see' (*feiceáil/feiscint, CO*);[94] *ráit* 'to say' (*rá, CO*);[95] *ceannacht* 'to buy' (*ceannach, CO*); *coinneáilt* 'to keep' (*coinneáil, CO*).

some verbs with identical stems and verbal nouns

Sometimes the stem and the verbal noun happen to be identical in form, e.g.

amharc 'look', 'to look', *at* 'swell', 'to swell', *díol* 'sell', 'to sell', *fás* 'grow' 'to grow', *foghlaim* 'learn', 'to learn', *meath* 'decay', 'to decay', *ól* 'drink', 'to drink', *rith* 'run', 'to run', *pacáil* 'pack', 'to pack', *sábháil* 'save', 'to save', *scríobh* 'write', 'to write'.

broadening the stem to form the verbal noun

Occasionally the end of the stem is broadened to form the verbal noun, e.g.:

ceangail 'tie', *ceangal* 'to tie'; *cuir* 'put', *cur* 'to put'; *freastail* 'serve', *freastal* 'to serve'; *iompair* 'carry', *iompar* 'to carry'; *siúil* 'walk', *siúl* 'to walk'; *taistil* 'travel', *taisteal* 'to travel'

variant forms of the verbal noun in the dialects

Among the regular verbs, variant forms of the verbal noun may be heard in the dialects. This should not present a major problem as the stem of the verb is recognisable as the corner-stone in most cases. Examples include:

casadh/castáil 'to twist', *inse/insint/inseac(h)t/nisint* 'to tell', *tógáil/tógaint* 'to lift', *creidiúint/creidbheáil* 'to believe', *tuiscint/tuigbheáil* 'to undertand', *cuardach/cuartú* 'to search', *fanacht/fanúint* 'to wait',[96] *cailleadh/cailliúint* 'to lose', *athrú/athrach* 'to change', *roinnt/rann* 'to divide', *géilleadh/géillstean* 'to yield', *maireachtáil/mairstean* 'to last', *rith/reathaigh/reachtáil/rithe*[97] 'to run', *tosú/tosnú/toiseacht/túiseacht* 'to start', *blí/bleaghan* 'to milk' (*crú, M*),[98] *tochailt/tachailt* (*C, CO/U*), *tóch* (*M*) 'to dig'[99] etc.

In other instances we find that different verbs, or variant forms of the same verb, are used in the dialects:

amharc 'to look' (*U, C*) – also *amhanc*, verb no. **4** – yet *dearcadh, breathnú* (*C*), *féachaint* (*C, M*).[100]
dúnadh 'to close, shut' (*C, M*), *druid* (*U, C*) – verb no. **32**.[101]
filleadh 'to fold, return' *(C, M)*, *pilleadh* (*U*) – verb no. **43**.[102]
múscail 'wake up' (prounced *muscail, U*), *dúisigh* (*C*, M) – verb no. **70**.[103]
oscail 'open (*C, M*), *foscail* (*U*) – verb no. **76**.[104]
rann 'to divide' (*U, C*), *roinnt/roinn* (C), *roinnt* (*M*) – verb no. **80**.[105]

In Ulster old forms of the inflected dative for the feminine suffix –*(e)ach* are heard in the forms such as: *ag scairtigh* 'shouting', *ag brionglóidigh* 'dreaming', *ag léimnigh* 'jumping', etc.[106]

roinnt nótaí ar an ainm briathartha sna briathra mírialta:

***ag teacht, ag dul** M,C,U* **ach** ***teacht/dul** M,* ***theacht/dhul (ghoil)** U* **thíocht/ghoil** *C*

Is gnách gur séimhiú a bhíonn ar lomfhoirm an ainm briathartha don dá bhriathar *tar/gabh* 'come' agus *téigh/gabh* 'go': *theacht* (*U*) agus *thíocht* (*C*) 'to come' agus *dhul/ghoil* 'to go'. Ach má bhíonn *ag* rompu is gan séimhiu a bhíonn siad: *ag teacht* (*U*) agus *ag tíocht* (*C*) 'coming',[107] *ag dul/ag goil* 'going'.

Bíonn (mar a luadh thuas) roinnt foirmeacha malartacha ann: *cloisint, clos* (M), *cloisteáil* (*C*), *cluinstean* 'to hear',[108] *'rá/ráit* 'to say' (*C, U*) *fáil/fáilt* (*C, M*), *déanamh/díonamh* 'to do, make', *f(e)iscint* (*M*), *feiceil(t)* (*C, U*) 'to see'.

an aidiacht bhriathartha *–t(h)a, -t(h)e, -(a)ithe*

Bíonn úsáid ag an aidiacht bhriathartha mar aidiacht agus mar rangabháil chaite (agus is gnách go mbíonn an fhoirm amháin acu beirt).[109]

an chéad réimniú

Sa 1ú réimniú, is gnách gur **–tha** (nó **–the**) a bhíonn mar fhoirceann do ghasanna leathana (agus caola) a chríochnaíonn le **-b**, **-c**, **-f**, **-g**, **-m**, **-p** agus **-r**:

lúbtha 'bent', (*coirbthe* 'corrupted'), *íoctha* 'paid', (*loiscthe* 'burned'), *bogtha* 'moved', (*ligthe* 'let'), *cumtha* 'composed', (*léimthe* 'jumped'), *alptha* 'devoured' (*scaipthe* 'scattered'), *scartha* 'separated', (*gairthe* 'invoked').

Do bhriathra a críochnaíonn le **-ch**, **-d**, **-l**, **-n**, **-s** is gnách gur **–ta** (nó **–te**) a bhíonn mar fhoirceann do ghasanna leathana (agus caola):[110]

crochta 'hung', (*sroichte* 'reached'), *stadta* 'stopped', (*druidte* 'closed'), *díolta* 'sold' (*millte* 'desroyed'), *glanta* 'cleaned' (*bainte* 'cut, won'), *casta* 'twisted', (*briste* 'broken').

Do bhriathra a chríochnaíonn in **-t** (nó **-th**) scríobhtar mar **-ta** nó **-te** iad:

ata 'swollen' (< *atta*), *meata* 'withered' (< *meathta*), *scoilte* 'split' (< *scoiltte*), *caite* 'spent' (< *caithte*).

Do bhriathra a chríochnaíonn in **–bh** nó **–mh** scríobhtar **–fa**:

scríofa 'written' (< *scríobhtha*), *naofa* 'holy' (< *naomhtha*).

Sa **dara réimniú** is gnách gur **-(a)ithe** a bhíonn mar fhoirceann ar an ghas ghearr:[111]

ceannaithe 'bought' (*coinnithe* 'kept'), *triomaithe* 'dried' (*imithe* 'left'), *athraithe* 'changed' (*dírithe* 'straightened') srl.

leaganacha malartacha den aidiacht bhriathartha sna canúintí

I gCúige Uladh, is iondúil go gcluintear leaganacha den 2ú réimniú mar *-ídh*, msh. *athraídh* 'changed' (in áit *athraithe*, *CO*) agus *tiontaídh* 'turned' (in áit *tiontaithe*, *CO*).[112] Is dócha gur cheart breathnú orthu seo go stairiúil mar *athraídh* (.i. *athruighidh*, ginideach malartach ar *athrughadh* > *athrú*, *CO,* in áit an tseanghinidigh de *athrughadh* .i. *athraighthe* > *athraithe*, *CO*).

Sna trí chúige is féidir foirceann an 2ú réimniú a chluinstean le briathra as an 1ú réimniú, msh. i gCúige Mumhan cluintear leithéidí: *ceapaithe* 'thought' (*ceaptha, CO*), *fágthaithe* 'left' (*fágtha*, *CO*). I gConnachtaibh agus in Ultaibh is minic a chluintear *í* ag deireadh na haidiachta briathartha (a shíolraíonn, b'fhéidir, ó *–idh*), m.sh. *cleachtaí/cleachtaidh* 'accustomed' (*cleachta*, *CO*), *tugthaí/tugthaidh* 'given' (*tugtha*, *CO*).[113]

some notes on the verbal noun in the irregular verbs

ag teacht, ag dul *M,C,U* **but *teacht/dul*** *M*, ***theacht/dhul (ghoil)*** *U* **thíocht/ghoil** *C*

The bare forms of the verbal noun (as infinitives) are usually aspirated for the two verbs *tar/ gabh* 'come' and *téigh/gabh* 'go', i.e. *theacht* (*U*) and *thíocht* (*C*) 'to come' and *dhul/ghoil* 'to go'. If *ag* comes before them, they are unaspirated: *ag teacht* (*U*) and *ag tíocht* (*C*) 'coming',[107] *ag dul/ag goil* 'going'.

Some variant forms (as mentioned above) include: *cloisint, clos* (M), *cloisteáil* (*C*), *cluinstean* 'to hear',[108] '*rá/ráit* 'to say' (*C, U*), *fáil/fáilt* (*C, M*), *déanamh/díonamh* 'to do, make', *f(e)iscint* (*M*), *feiceáil(t)* (*C, U*) 'to see'.

the verbal adjective *-t(h)a, -t(h)e, -(a)ithe*

The verbal adjective may be used as an adjective and as a past participle (and both are, usually, the same in form).[109]

the first conjugation

In the 1st conjugation–**tha** (or –**the**) are added to the broad (and slender) stems of verbs ending in –**b**, **-c**, **-f**, **-g**, **-m**, **-p** and –**r**:

lúbtha 'bent', (*coirbthe* 'corrupted'), *íoctha* 'paid', (*loiscthe* 'burned'), *bogtha* 'moved', (*ligthe* 'let'), *cumtha* 'composed', (*léimthe* 'jumped'), *alptha* 'devoured' (*scaipthe* 'scattered'), *scartha* 'separated', (*gairthe* 'invoked').

For verbs ending in **-ch, –d**, **-l**, **-n**, **-s** the suffixes–**ta** (or –**te**) are added to broad (and slender) stems:[110]

crochta 'hung', (*sroichte* 'reached'), *stadta* 'stopped', (*druidte* 'closed'), *díolta* 'sold' (*millte* 'desroyed'), *glanta* 'cleaned' (*bainte* 'cut, won'), *casta* 'twisted', (*briste* 'broken').

For verbs ending in **-t** (or –**th**) the verbal adjective is written as –**ta** nó **-te**:

ata 'swollen' (< *atta*), *meata* 'withered' (< *meathta*), *scoilte* 'split' (< *scoiltte*), *caite* 'spent' (< *caithte*).

For verbs ending in–**bh** or –**mh** the verbal adjective becomes –**fa**:

scríofa 'written' (< *scríobhtha*), *naofa* 'holy' (< *naomhtha*).

In **the second conjugation** the norm is to add the suffix **-(a)ithe** to the short stem:[111]

ceannaithe 'bought' (*coinnithe* 'kept'), *triomaithe* 'dried' (*imithe* 'left'), *athraithe* 'changed' (*dírithe* 'straightened') etc.

variant forms of the verbal adjective in the dialects

In Ulster forms of the verbal adjective for the 2nd conjugation are usually pronounced *–ídh* e.g. *athraídh* 'changed' (as opposed to *athraithe* Std Irish), and *tiontaídh* 'turned' (as opposed to *tiontaithe* Std Irish).[112] These are probably best viewed historically as *athraídh* (i.e. *athruighidh*, a variant genitive of *athrughadh* > *athrú, CO,* instead of the older genitive of *athrughadh*, i.e. *athraighthe* > *athraithe, CO*).

In the three provinces the ending of the second conjugation can be heard used with 1st conjugation verbs, e.g. in Munster *ceapaithe* 'thought' (*ceaptha, CO*), *fágthaithe* 'left' (*fágtha, CO*) are heard. In Connaught and Ulster *-í* is often heard at the end of the verbal adjective (probably *–idh*, historically), e.g. *cleachtaí/cleachtaidh* 'accustomed' (*cleachta, CO*), *tugthaí/ tugthaidh* 'given' (*tugtha, CO*).[113]

I gCúige Uladh, is féidir *–iste* a bheith ann sa 2ú réimniu, m.sh. *ceannaiste* 'bought', *cóiriste* 'fixed' (*ceannaithe, cóirithe, CO*).

Roinnt samplaí do na briathra mírialta i gCúige Mumhan: *fachta* 'got' (*faighte, CO*) *feicithe* 'seen' (*feicthe, CO*) - *feiscithe* fosta -, *tag(th)aithe* 'come' (*tagtha, CO*), *tug(th)aithe* 'given' (*tugtha*, CO). I gConnachtaibh, cluintear *díontaí* 'done' (*déanta, CO*), *tugthaí* 'given', (*tugtha, CO*), *teagtha(í), tigthí, tiocaithe* 'come', (*tagtha, CO*). I gCuige Uladh úsáidtear *ar shiúl* 'gone' in áit *imithe* (*CO*).[114]

Is minic a chuirtear *-áilte* mar fhoirceann in iasachtaí Béarla mar: *landáilte* 'landed, arrived', *supposeáilte* 'supposed' srl. – agus is féidir breathnú air seo mar an foirceann *–te* á chur leis an ainm briathartha *–áil.*

---

[1] Déantar idirdhealú idir *Q*- agus *P*-Cheiltis de bhrí go mbíonn *c*- sna teangacha Gaelacha agus *p*- sna teangacha Briotánacha (an Bhreatnais, an Chornais agus an Bhriotáinis), m.sh. *ceathair, crann, ceann* sa Ghaeilge ach *pedwar* 'four', *prenn* 'tree', *pen* 'head' sa Bhreatnais. An té ar suim leis cúlra na dteangacha Ceilteacha, breathnaíodh sé/sí ar na foinsí a leanas: Ball (1993), Price (1984), Green (1995), Mac Cana (1968). Do theanga na Gaeilge, breathnaítear ar Ó Cuív (1969), Mac Cana (1980), Ó Murchú (1985), Leerssen (1996) Williams & Ford (1992) agus Ó hUallachain (1994).

[2] Tá, fosta, inscríbhinní againn ón 4ú-8ú aois san 'Ogham', fch McManus (1991).

[3] Is féidir breathnú ar an Mheán-Ghaeilge (10ú-12ú aois) mar idirthréimhse idir an tSean- agus an Nua-Ghaeilge, nó 'the quagmire of Middle Irish' mar a bhaist B. Ó Cuív uirthi.

[4] Do labhairt na Gaeilge i measc phobal na hÉireann, fch. de Fréine (1978), Fitzgerald (1984), Hindley (1990) agus Hughes (2001).

[5] Dunleavy & Dunleavy (1991), Ó Glaisne (1991) & (1993).

[6] Luaite ag Ó hEithir (1990: 8).

[7] Tagairtí in Hughes (2001: 125-6).

[8] Éileamh atá bainte amach ar na mallaibh.

[9] Fch, mar shampla Ó Baoill & Ó Riagáin (1990), Ó Háinle (1994) agus Ahlqvist (1994: 46-54 & 57-9).

[10] Kiberd (1995: 137). Cé go raibh leabhair Ghaeilge i gcló i bhfad roimh 1893, is cinnte gur mhéadaigh agus gur chuir Conradh na Gaeilge cuid mhór mhaith le stádas na Gaeilge mar theanga scríofa.

[11] Pléann Ó Háinle (1994: 755-6) an stíl Chlasaiceach a chleachtadh Ó Coimín in *Irisleabhar na Gaedhilge* agus an stíl níos nua-aimseartha a chleachtadh Fleming.

[12] Foilsíodh eagráin dhifriúla den tsaothar seo idir 1904 agus 1927. Do thionchar an Chéitinnigh ar Ó Duinnín, fch. Ó hUallacháin (1994: 112).

[13] Luaite ag Mac Congáil (1990: 23).

[14] Mac Meanman *An tUltach* Bealtaine 1932, luaite ag Ó Dochartaigh (1987: 210).

[15] 'Gaedhealg an Iarthair agus an Tuaisceart [*sic.*] do ghlanadh amach as an tír agus "standard" a dhéanamh de chanamhain na Mumhan' *An tUltach* Meán Fómhair 1932, luaite ag Ó Dochartaigh (1987: 211).

[16] *CO* viii, liom féin an cló trom.

[17] Cé gur *ní* (nó *níonn*) a deirtear, tá claonadh ag údair Chonallacha na foirmeacha *ghní* (nó *ghníonn*) a úsáid do *déanann.*

[18] *CO* viii.

[19] Seo roinnt tagairtí d'fhoirmeacha na Sean-Ghaeilge (as *DIL*, .i. Royal Irish Academy's *Dictionary of the Irish Language*) atá le fáil i ngluaiseanna Würzburg (8ú céad) agus Milan (9ú céad) agus i bhfoinsí luatha eile nach iad:

dogní *Wb*6ᵃb, **dugní** *Ml*39ᵇ2
dobeir *Wb*21ᵃ3
adchí *Wb*4ᵃ25, **adcíi** *Wb*12ᶜ11, **adchí** *Wb*4ᵃ25, **adcíi** *Wb*12ᶜ11.
fogaib Laws iv 194.20, **fogeib** *LU* 2126, *Mon. Tall.* 72, *PH* 7080.
tic *SR* 8117.

Dóibh siúd atá ag teacht i dtreo na Nua-Ghaeilge ón tSean-Ghaeilge (agus/nó ón Teangeolaíocht Chomparáideach), b'fhiú, le droichead a dhéanamh idir an tSean- agus an Nua-Ghaeilge, dearcadh ar Thurneysen (1946), McCone (1987 & 1994) agus McManus (1994).

In Ulster *–iste* may be heard for 2nd conjugation verbs, e.g. *ceannaiste* 'bought', *cóiriste* 'fixed' (*ceannaithe*, *cóirithe*, *CO*).

Some examples of verbal adjective forms for the irregular verbs in Munster include: *fachta* 'got' (*faighte, CO*), *feicithe* 'seen' (*feicthe, CO*) - *feiscithe* also -, *tag(th)aithe* 'come' (*tagtha, CO*), *tug(th)aithe* 'given' (*tugtha*, CO). In Connaught: *díontaí* 'done' (*déanta, CO*), *tugthaí* 'given', (*tugtha, CO*), *teagtha(í), tigthí, tiocaithe* 'come', (*tagtha, CO*). In Ulster *ar shiúl* 'gone' is used in place of *imithe, CO.*[114]

The suffix *-áilte* is often used in English borrowings: *landáilte* 'landed, arrived', *supposeáilte* 'supposed' etc – and this can be seen as the suffix *–te* being addd to the verbal noun ending - *áil.*

---

[1] The distinction between *Q-* and *P*-Celtic, is based on the fact that Irish (and the Gaelic languages) have a *c-*, where the Brittonic – or Brythonic - languages (Welsh, Cornish and Breton) have a *p-*, e.g. *ceathair, crann, ceann* in Irish, yet *pedwar* 'four', *prenn* 'tree', *pen* 'head' in Welsh. Those interested in the background of the Celtic languages should consult the following soruces: Ball (1993), Price (1984), Green (1995), Mac Cana (1968). For the Irish language, see: Ó Cuív (1969), Mac Cana (1980), Ó Murchú (1985), Leerssen (1996), Williams and Ford (1992) and Ó hUallachain (1994).

[2] We also have a corpus of Ogham inscriptions, 4-8th century AD, cf. McManus (1991).

[3] The period of Middle Irish (10th-12th centuries) may be regarded as a transition period between Old and Early Modern Irish, or what B. Ó Cuív would describe as 'the quagmire of Middle Irish'.

[4] For the demographics of Irish-speaking within Ireland, see de Fréine (1978), Fitzgerald (1984), Hindley (1990) and Hughes (2001).

[5] Dunleavy & Dunleavy (1991), Ó Glaisne (1991) & (1993).

[6] Cited Ó hEithir (1990: 8), my translation.

[7] References in Hughes (2001: 125-6).

[8] This has been recently granted.

[9] See, for example, Ó Baoill & Ó Riagáin (1990), Ó Háinle (1994) and Ahlqvist (1994: 46-54 & 57-9).

[10] Kiberd (1995: 137). One could, of course, qualify by stating that there were Irish books in print well before 1893, but the Gaelic League was clearly instrumental in solidifying, consolidating and expanding the status of Irish as a printed medium.

[11] Ó Háinle (1994: 755-6) discusses the Classical style favoured by Comyn as editor of *Irisleabhar na Gaedhilge* and contrasted this with the more modern style advocated by Fleming.

[12] Various editions of this work were published between 1904 and 1927. For the influence of Keating on Dinneen, see Ó hUallacháin (1994: 112).

[13] Cited Mac Congáil (1990: 23), my translation.

[14] *An tUltach* May 1932, cited by Ó Dochartaigh (1987: 210), my translation.

[15] 'To rid the Country of Northern [Ulster] and Western [Connaught] Irish and make a *standard* of the Munster dialect' *An tUltach* September 1932, cited Ó Dochartaigh (1987: 211), my translation.

[16] *CO* viii, my translation and emphasis.

[17] Although pronounced *ní* (or *níonn*), Donegal authors tend to use the forms *ghní* (or *ghníonn*) for *déanann* 'does, makes'.

[18] *CO* viii, my translation.

[19] The following are references from Old Irish (cited in *DIL*, i.e The Royal Irish Academy's *Dictionary of the Irish Language*) which are found in the Würzburg Glosses (8th century) and Milan Glosses (9th century) plus other early sources: **dogní** *Wb*6ab, **dugní** *Ml*39b2
dobeir *Wb*21a3
adchí *Wb*4a25, **adcíi** *Wb*12c11, **adchí** *Wb*4a25, **adcíi** *Wb*12c11.
fogaib Laws iv 194.20, **fogeib** *LU* 2126, *Mon. Tall.* 72, *PH* 7080.
tic *SR* 8117.

Those approaching Modern Irish from Old Irish (and/or Comparative Linguistics) should, in order to bridge the gap between Old and Modern Irish, consult Thurneysen (1946), McCone (1987 & 1994) and McManus (1994).

[20] 'measaimíd go ndeinean an Caighdeán leath-chumaig ar Ghaeluinn Mhúsgraí' *An Músgraigheach* 8 (Samhradh, 1945) lch 3.

[21] Ag caint, sa Réamhrá den eagrán *Scéalaíocht Amhlaoibh Í Luínse*, maíonn Ó Cróinín gur dheacair do pháistí scoile tuiscint cheart a bheith acu ar Ghaeilge na Gaeltachta 'ón uair is nár bhlaiseadar di ach an méid a hordaíodh dóibh sna téacsanna scoile, agus é sin féin sciotaithe, cinseartha, "caighdeánaithe".' Ó Cróinín (1971: xxii). In nóta iarbháis i gcuimhne ar a dheartháir Seán Ó Cróinín - fear a raibh cion fir déanta aige le caomhnú bhéaloideas Chorcaí – cáineann Ó Cróinín (1964: 16) go gcailltear barraíocht d'oidhreacht na Gaeilge, nuair nach smaoinítear ach ar pháistí scoile agus chaipéisí rialtais: "Ach an saobhnós go léir a bheir do dhaoine caighdeán a ceapadh i dtómas páistí scoile nó cáipéasaí rialtais a sháirsingiú ar an saol mór, is baolach gur chomáin sé chun seirthin é [Seán Ó Cróinín], agus chun cloí níos dlúithe ná riamh leis an seanachaint.'

[22] *Mo Scéal Féin* Peadar Ó/Ua Laoghaire (1915) caibidil 5.

[23] 'In áit í [an "fhadhb" idir foirmeacha scartha agus foirmeacha táite] a réiteach is amhlaidh a tugadh táblaí de na briathra, idir rialta agus mhírialta, inar cláraíodh foirm scartha le haghaidh gach pearsa i ngach aimsir agus gach modh, seachas an modh ordaitheach; agus foirm tháite le haghaidh gach pearsa i ngach aimsir agus gach modh, fág an tríú pearsa, uatha, tríd síos agus an dara pearsa, iolra, ach amháin san aimsir chaite, tascach.' Ó Háinle (1994: 784). Luann Ó Háinle, áfach, nár tugadh aitheantas do leithéidí *do-ghní, do-bheir* in *CRA* (= *ghní, bheir* U), rud atá, dar liom, ina fhadhb.

[24] *CO* 70.

[25] *CO* 62.

[26] Fch. *faoin ngarda cróga* (*faoin gharda chróga*) *GGBC* **213**, córas atá le moladh – agus, má scrúdaítear *CO* xi-xii, tchífear nach bhfuilthear ag iarraidh a bheith ródhocht faoin mhalartú seo idir urú agus séimhiú sa Chaighdeán.

[27] de Bhaldraithe (1959: vi, §4), is liom féin an cló trom.

[28] Daithí Ó Cróinín ag trácht ar Sheán Ó Cróinín in *Béalaoideas* 32 (1964/5) 16.

[29] Nuala Ní Dhomhnaill as an dán *Ag tiomáint siar* sa chnuasach *Pharaoh's Daughter* (Gallery Books, Meath, 1990), liom féin an cló trom

[30] Fch *Caisleáin Óir* Séamas Ó Grianna 'Máire', Niall Ó Dónaill a chuir in eagar (Cló Mercier, Corcaigh agus Baile Átha Cliath, 1976) lgh 156-7.

[31] *Mo Scéal Féin* Peadar Ó Laoghaire, leagan Caighdeánaithe (Longman, Brún agus Ó Nualláin, Tta, gan dáta, Baile Átha Cliath) 29.

[32] Seosamh Mac Grianna 'Iolann Fionn' *Filí gan Iomrá* lgh 135-60 (lch 137) de *Athchló Uladh* Gearóid Mac Giolla Domhnaigh agus Gearóid Stockman a chuir in eagar (Comhaltas Uladh 1991, an chéad chló de *Filí gan Iomrádh*, 1926). Fch fosta 'Litir de chuid Mháire' A.J. Hughes (eag.) *An tUltach* Iúil 1985, 17-9, mar a gcuireann 'Máire' síos ar an tsaibhreas teanga a bhí ag a thuismitheoirí agus a mháthair mhór.

[33] Léiríonn Ó Cróinín (1961-3) a mhíshástacht fá cheartfhoirmeacha a bheith dá ruaigeadh as an téacs Mhuimhneach *Caoineadh Airt Uí Laoghaire*: ('Más san eagarthóireacht a deineadh an 'leasú,' níl an cheard le moladh.') agus ó thaithí an údair seo, tá siad ann i roinnt eagraíochtaí oideachais (ag gach leibhéal) sna Sé Chontae a bíos i bhfad róghéar agus rófhonnmhar tréithe stairiúla Ultacha a ruaigeadh agus a fhorcheartú as téacsanna scoile agus ollscoile – ach 'is fann guth an éin **a labhras** leis féin'.

[34] Tráchtann Hindley (1990: 164) ar 'Gaeltacht chauvinism' agus diúltú don Chaighdeán sa Ghaeltacht comh maith le ' "Anti-Dublin" feeling'.

[35] Luaite ag Ó Háinle (1994: 757).

[36] 'The principal of variant forms and structures, both in morphology and syntax, was not only accepted but was put into practice consistently by the poets throughout the succeeding period' Ó Cuív (1973: 117). Níos faide ar aghaidh (135) maíonn sé 'the inclusion in the standard of literary language of the main dialectal variants was an obvious consequence of the acceptance of current speech'. Do chur síos ar Ghaeilge na scoileanna seo, fch McManus (1994). Thig a rá fosta go raibh claonadh ann i dtreo cosc a chur ar roinnt foirmeacha agus lipéad mar *lochtach* á úsáid sna tráchtais.

[36a] Baineann Gaeltacht na Mí le lonnú ó Chúige Chonnacht agus ó Chúige Mumhan (sa chuid is mó) sa 20[ú] céad.

[37] Fch, m.sh., *LASID* i 297 '(we will wash) ourselves' do *muid féin* sa chuid is mó de Chúige Uladh agus i gConnachtaibh, ach *sinn féin* i lár agus in iardheisceart Cho. Dhún na nGall agus i gCúige Mumhan.

[20] 'We feel that the Standard disadvantages the Irish of Muskerry' (my translation) - 'measaimíd go ndeinean an Caighdeán leath-chumaig ar Ghaeluinn Mhúsgraí' *An Músgraigheach* 8 (Samhradh, 1945) 3.
[21] In the Introduction to the collection of folklore of Cork storyteller Amhlaoibh Ó Luínse, Ó Cróinín felt that schoolchildren were all too often prevented form gaining an understanding into the language and mentality of the Gaeltacht 'as they could only taste what had been filtered to them from school editions which had been cut up, censored and "standardised"' Ó Cróinín (1971: xxii), my translation. In an obituary of his brother Seán Ó Cróinín (who had performed heroics in his quest to preserve the Gaelic folklore and language of Co. Cork) D. Ó Cróinín (1964: 16) complains – and not without justification – that 'too much of the heritage of the Irish language is lost if schoolchildren and official documents are the sole considerations and that these are then foisted on all other walks of life' – my translation.
[22] *Mo Scéal Féin* Peadar Ó/Ua Laoghaire (1915) chapter 5. *My Own Story* Peter O'Leary (1915) Chapter 5.
[23] 'Instead of resolving it [i.e. the "problem" between analytic and synthetic forms of the verb] paradigms were provided for the verbs, regular and irregular, in which an analytic form was recorded for each person in each tense and mood, apart from the imperative; and a synthetic form was listed for every person in each tense and mood, excepting the third person, singular, in all instances, and the second person, plural, except for the past tense.' Ó Háinle (1994: 784), my translation. Ó Háinle, however, mentions that no recognition was given to the likes of *do-ghní* 'does', and *do-bheir* 'gives' in *CRA* (= *ghní*, *bheir* U) but this, in my view, was a problem.
[24] *CO* 70.
[25] *CO* 62.
[26] Cf. eclipsed *faoin ngarda cróga* ['under the brave guard'] and aspirated (*faoin gharda chróga*) in *GGBC* **213**, a praiseworthy system of reflecting such variation – and, if *CO* pp xi-xii are examined, one can see the architects of the Official Standard did not wish to be overly-prescriptive regarding the alternation between eclipsis and aspiration.
[27] de Bhaldraithe (1959: vi, §4), my emphasis.
[28] Daithí Ó Cróinín on his brother Seán Ó Cróinín in *Béalaoideas* 32 (1964/5) 16, my translation.
[29] Nuala Ní Dhomhnaill from the opening lines of her poem *Ag tiomáint siar* ('Driving West') in the collection *Pharaoh's Daughter* (Gallery Books, Meath, 1990) – my translation, and emphasis.
[30] See *Caisleáin Óir* Séamas Ó Grianna 'Máire', Niall Ó Dónaill (ed.) (Cló Mercier, Corcaigh agus Baile Átha Cliath, 1976) pp. 156-7.
[31] *MyOS* 42-3.
[32] Seosamh Mac Grianna *Filí gan Iomrá* p. 137, my translation. See also a letter by his brother Séamas Ó Grianna, or 'Máire' ('Litir de chuid Mháire', A.J. Hughes (eag.) *An tUltach* Iúil 1985, 17-9) where 'Máire' also describes the wealth of lore their parents and grandmother had.
[33] Ó Cróinín (1961-3) expresses his dissatisfaction at how proper historical forms (*ceartfhoirmeacha*) were being weeded out of an edition of the Munster text *Caoineadh Airt Uí Laoghaire* 'The Lament of Art Ó Laoghaire' ('If these "improvements" are part of the editorial process, it is not a praiseworthy art.'); and it is the experience of the current author that some educational bodies in the North of Ireland have a very negative attitude towards automatically and unfairly removing historical Ulster traits from school or university texts.
[34] Hindley (1990: 164) detects an element of 'Gaeltacht chauvinism' and a resistance to the standard, or 'Anti-Dublin' feeling.
[35] Cited Ó Háinle (1994: 757).
[36] 'The principal of variant forms and structures, both in morphology and syntax, was not only accepted but was put into practice consistently by the poets throughout the succeeding period' Ó Cuív (1973: 117). He comments, further on (135): 'the inclusion in the standard of literary language of the main dialectal variants was an obvious consequence of the acceptance of current speech'. For a fuller description of the language of these schools, see McManus (1994), plus references. We may also note that an element of prescription was also in evidence with terms such as *lochtach* 'faulty'.
[36a] The Gaeltacht area in Co. Meath is a 20th century one with speakers from Connacht and Munster in the main.
[37] See, for example, *LASID* i 297 '(we will wash) ourselves' for *muid féin* in most of Ulster and Connaught, yet *sinn féin* in central and SW Donegal and Munster.

[38] Is cúis áthais a lua go bhfuil ceithre imleabhar de shárshaothar ar Ghaeilge na Gaillimhe curtha ar fáil ar na mallaibh ag Ó Curnáin (2007). Bhí *Leabhar Mór Bhriathra na Gaeilge* réidh le dhul chuig an chlódóir sula bhfuarthas seans tabhairt faoi shaothar Uí Churnáin mar is ceart, ach tá cur síos mion aige ar chóras na mbriathra - Ó Curnáin (2007: II, 980-1256) – agus b'fhiú do léitheoir ar bith ar suim leis Gaeilge Chonnacht an cur síos substainteach sin a léamh.

[39] Mac Conghail (1987:135).

[40] Ua Súilleabháin (1994: 515, **8.2**), Ó Sé (2000: 310-12).

[41] D'fhoirmeacha scartha i gConnachtaibh agus in Ultaibh, fch Ó hUiginn (1994: 479-82, **5.3**) agus Hughes (1994: 637, **7.2**).

[42] Caomhnaítear foirmeacha táite den 1ú agus 2ú uatha san aimsir chaite mar fhoirmeacha 'macalla' nó mar fhreagraí i nGaeilge Chonnacht (samplaí agus tagairtí ag de Bhaldraithe (1953: 67-8) agus Ó hUiginn (1994: **5.4**)). Baintear úsáid as an tsiombail **M** i dtáblaí na mbriathra le seo a chur in iúl. Don 1ú iolra den chaite, is iad na foirmeacha scartha amháin a thugann de Bhaldraithe don ghnáthchaint (msh. *bhuail muid, d'isligh muid* agus *bhí muid* 1953: 71, 84, 108) bíodh go gcuireann Ó hUiginn (1994: 580) in iúl go gcaomhnaítí foirmeacha táite (mar *rinneamar, chuamar* srl.) in amhráin agus i bhfilíocht. Is féidir an *-r* deiridh a bheith caol fosta, msh. *–amair* taobh le *–amar*.

[43] Is minic a chluintear an foirceamm seo caol i gcanúintí na Mumhan: *bhogamair* 'we moved', *cheannaíomair* 'we bought' srl. – ach leathan i nGaeilge Phort Láirge, *bhogamar*.

[44] Is féidir *bhog sinn* a bheith mar mhalairt ar *bhog muid.*

[45] Is é sin mar chuid den tsraith de na míreanna réamhbhriathartha *ní, an, go* agus *nach* in áit na sraithe *níor, ar, gur* agus *nár* (< *ní + ro, an + ro, go + ro* agus *ná + ro*) - Hughes (1997).

[46] Foirmeacha atá mar analach ar ***níor*** na mbriathra rialta (*níor bhris, níor mhol* srl.).

[47] Fch, msh. Ó Curnáin (2007: iii, 1538, **8.97**).

[48] Chuala an t-údar go leor samplaí de seo ar obair pháirce i nGaeilge Cho. Dhún na nGall.

[49] Ó Curnáin (2007: iii, 1538, **8.97**).

[50] Fch, m.sh.: *LASID* i 50 'we bought' do *cheannaigh muid* (*U, C* – corruair *cheannaigh sinn*) agus *cheannaíoma(i)r* (*M*); *LASID* i 83 'we get' do *gheibh muid/faghann muid* (*U*), *faghann muid* (*C*) ach *faighimid* (*M*); *LASID* i 137 'we shall wash' do *nighfidh muid* (*U, C*) ach *nighfimid* (*M*).

[51] M.sh. Séamas Ó Murchú (1987). Fiú i nDéisibh Mumhan cuireann Ua Súilleabháin (1994 521, **8.29**, 522 **8.39**) síos ar *míd* mar fhorainm neamhspleách.

[52] Mar sin féin, taobh amuigh den eisceacht stairiúil *tá mé*, bíonn claonadh in áiteacha ar fhoirmeacha nua scartha cosúil le *bogann mé* a úsáid, fch Ó hUiginn (1994: 579, **5.3**) do Chonnachtaibh agus Ó Baoill (1986) do Ghaoth Dobhair, i dTír Chonaill.

[53] Leathnaítear an foirceann *-(a)im*, sa 1ú uatha den aimsir láithreach i gCúige Uladh, msh. *tógam* 'tógaim' agus *briseam* (*brisiom*) 'brisim'. Dar le Quiggin (1906) gur faoi thionchar na bhforainmneacha réamhfhoclacha (*orm, agam* srl.) a tháinig a leitheid. Sin ráite is *tógaim, brisim* srl. is mó a scríobhtar.

[54] Fch *GCF* §163, *Airneán* II p. 21 ff, Ó hUiginn (1994: 581-2) agus Ó Curnáin (2007: II, 967 ff.) Do Chúige Mumhan, fch Sjoestedt Jonval §167.

[55] Cuireann an siombal * in iúl gur féidir an fhoirm atá sa Chaighdeán Oifigiúil a chluinstean fosta. Má chuirtear * roimh fhoirm mhalartach de bhriathar, iarracht atá ann a chur in iúl gur dóiche gurb í foirm an Chaighdeáin is minice a úsáidtear ná an fhoirm mhalartach, ach má thagann * i ndiaidh foirm ar bith de bhriathar, iarracht atá ann a chur in iúl gurb í an fhoirm mhalartach a úsáidtear níos minice ná foirm an Chaighdeáin.

[56] Nuair a chuireann an siombal '*' in iúl go bhfuil malartú ann d'fhoirm an Chaighdeáin don 1ú iolra i gCúige Mumhan, tuigeadh an léitheoir gur *bogfaimíd* srl. (in áit *bogfaimid* srl.) a bheas i gceist sna cásanna seo leis na hiarmhíreanna - *míd* agus - *míst*.

[57] Fch fosta *LASID* i 15 'I shall tie', 123 'I shall see' agus 155 'I shall sit'.

[58] As *Bean Pháidín*, amhrán traidisiúnta as Connachtaibh (ceantar Charna, Co. na Gaillimhe).

[59] *Airneán* II, 21. (Co. na Gaillimhe).

[60] As amhrán dar teideal *An Chéad Mháirt d'Fhómhar* a cumadh i Rinn na Feirste (Co. Dún na nGall) go gairid i ndiaidh 1800.

[61] Wagner (1959: 252), Teileann, Co. Dhún na nGall.

[38] A marvellous four-volume work has recently been published by Ó Curnáin (2007) on a Galway dialect. *The Great Irish Verb Book* was at press when Ó Curnáin's work appeared and it has not been possible to go into his work in detail, but there is a detailed description of the verbal system – Ó Curnáin (2007: II, 980-1256) – and any reader interested in Connaught Irish is advised to consult this informative account.

[39] Mac Conghail (1987:135).

[40] Ua Súilleabháin (1994: 515, **8.2**), Ó Sé (2000: 310-12).

[41] For synthetic forms in Connaught and Ulster, see Ó hUiginn (1994: 479-82, **5.3**) and Hughes (1994: 637, **7.2**).

[42] Synthetic forms for the 1st and 2nd singular of the past tense are common in Connaught Irish as 'echo' and 'answer' forms (examples and references in de Bhaldraithe (1953: 67-8) and Ó hUiginn (1994: **5.4**)). This is indicated in the paradigms by the symbol M. For the 1st pl. de Bhaldraithe cites analytic forms almost exclusively (e.g. *bhuail muid*, *d'ísligh muid* and *bhí muid* 1953: 71, 84, 108) although Ó hUiginn (1994: 580) points out that synthetic forms of the 1st plural survive in songs or poetry, e.g. *rinneamar*, *chuamar* etc. It should also be noted that a palatalised ending may heard, e,g, *-amair* for *–amar*.

[43] This suffix is most often heard palatalized in Munster dialects: *bhogamair* 'we moved', *cheannaíomair* 'we bought' etc., with broad *bhogamar* in Waterford.

[44] *Bhog sinn* 'we moved' may occur instead of *bhog muid.*

[45] I.e. as part of the series of the preverbal particles: *ní*, *an*, *go* and *nach* as opposed to the series *níor*, *ar*, *gur* and *nár* (< *ní* + *ro*, *an* + *ro*, *go* + *ro* and *ná* + *ro*) – Hughes (1997).

[46] Forms formed by analogy with *níor* of the regular verb (*níor bhris* 'did not break', *níor mhol* 'did not praise' etc.).

[47] E.g. Ó Curnáin (2007: iii, 1538, **8.97**).

[48] The author has heard quite a few examples of this during fieldwork in County Donegal.

[49] Ó Curnáin (2007: iii, 1538, **8.97**).

[50] See, for example: *LASID* i 50 'we bought' for *cheannaigh muid* (*U*, *C* – occasionally *cheannaigh sinn*) and *cheannaíoma(i)r* (*M*); *LASID* i 83 'we get' for *gheibh muid/faghann muid* (*U*), *faghann muid* (*C*) yet *faighimid* (*M*); *LASID* i 137 'we shall wash' for *nighfidh muid* (*U*, *C*) yet *nighfimid* (*M*).

[51] E.g. Séamas Ó Murchú (1987). Ua Súilleabháin (1994 521, **8.29**, 522 **8.39**) describes *míd* as an independent pronoun in Waterford Irish (SE Munster).

[52] Even so, apart from the historical exception *tá mé* 'I am', there is a tendency in some places to use synthetic forms such as *bogann mé*, see Ó hUiginn (1994: 579, **5.3**) for Connaught and Ó Baoill (1986) for Gweedore, in Ulster.

[53] The 1sg present tense ending *–(a)im* is in fact broad in Ulster, thus *tógam* and *briseam* (*brisiom*) for 'I lift' and 'I break', probably due to the influence of prepositional pronouns *orm* 'on me', *agam* 'at me' etc. - as Quiggin (1906) has suggested. Nevertheless these are spelt *togaim* and *brisim.*

[54] See *GCF* §163, *Airneán* II p. 21 ff, Ó hUiginn (1994: 581-2) and Ó Curnáin (2007: II, 967 ff.) For Munster, see Sjoestedt Jonval §167.

[55] The symbol * indicates that the form recommended in the Official Standard may also be heard. If * is placed before a variant form, this is meant to indicate that the Standard form is more likely to be heard, whereas if * comes after the variant form, then the variant form is more likely to be heard more commonly than the Standard from.

[56] When the symbol '*' indicates an exchange for the Standard form for the 1st pl in Munster Irish, the reader should understand that these forms will be heard as *bogfaimíd* etc. (instead of *bogfaimid* srl.) for *-míd* and *–míst.*

[57] See also *LASID* i 15 'I shall tie', 123 'I shall see' and 155 'I shall sit'.

[58] From *Bean Pháidín* ('The wife of Páidín'), a traditional Co. Galway song (from Carna area).

[59] *Airneán* II, 21, Co. Galway.

[60] From a song entitled *An Chéad Mháirt d'Fhómhar* ('The First Tuesday in Autumn'), written in Rannafast, Co. Donegal, shortly after 1800.

[61] Wagner (1959: 252), Teelin, Co. Donegal.

[62] *Ragaid missi* LL 38872, *ragatsa* LL 38883, luaite ag Ó Cuív (1973: 129, n. 48), .i. *rachaidh mise* agus *rachadsa* sa Chaighdeán (C agus U), ach tugtar faoi deara go gcaomhnaítear na seanfhoirmeacha den ghas mar *raghadsa*, nó *raghaidh mise* i nGaeilge na Mumhan.
[63] Fch an plé faoi **Tábla II** san aimsir láithreach (thuas).
[64] Bíonn il-leaganacha den 1ú uatha le fáil in Ultaibh, *bhogfadh sinn(e)* agus *bhogfas muid* ina measc, fch Hughes (1994: 643).
[65] I gcás Chúige Chonnacht is féidir foirmeacha scartha a bheith ann sa 3ú iolra sa choinníollach, ghnáthchaite agus ordaitheach (*bhogfadh siad, bhogadh siad, bogadh siad*) cé gur coitianta foirmeacha táite (*bhogfaidís, bhogaidís, bogaidís*). Sna táblaí do Ghaeilge Chonnacht cuirtear *U* i ndiaidh na bhfoirmeacha táite. I gcás briathra as an 2ú réimniú cuimhníodh an léitheoir gur *cheannódh siad, cheannaíodh siad, ceannaíodh siad* a bheadh ann i gConnachtaibh, seachas *cheannóchadh siad, cheannadh siad, ceannadh siad* a bheadh i gCúige Uladh.
[66] Maidir leis 2ú pearsa uatha den aimsir ghnáthchaite sa 2ú réimniú, cluintear *(do) bheannaítheá* – comh maith leis an leagan Chaighdeánach *(do) bheannaíteá* agus *(do) bheannaíotá* i gCúige Mumhan. Sa 1ú réimniú is féidir foirmeacha a chluinstean ar nós: *thógthá* agus *chuirtheá* in áit *thógtá* 'you used to lift' agus *chuirteá* 'you used to put'.
[67] Fch, m.sh., *LASID* i 296 'he used to come' *Ba ghnách leis (a) theacht* (*U*) ach *theagadh sé/thagadh sé* (*C*, *M*) - ach do chaomhnú ar an tseanaimsir ghnáthchaite sa chaint bheo i gCo. Dhún na nGall, fch Hughes (1994: 645).
[68] Hughes (1994: 644), Ó hUiginn (1994: 579).
[69] I gCúige Mumhan, is féidir leaganacha den 1ú iolra a chluinstean ar nós *bogam* 'let us move', *deineam* 'let us do' *srl.*
[70] Ua Súilleabháin (1994: 522, **8.35** – ach d'fhoirmeacha *luígis* 'luígí' fch **8.19**), Ó hUiginn (1994: 581, **5.3**) agus Hughes (1994: 645, **7.14**). Creideann Ua Súilleabháin (comhfhreagras príobháideach) gur *bogaigí* a chluintear sna Déise (Co. Phort Láirge), seachas *bogaidh/bogaig* sa chuid eile den Mhumhain.
[71] Fch Ó Sé (2000: 251).
[72] Hughes (1994: 645), Ó Searcaigh (1939: 210).
[73] *Airneán* II, 29-30. Fch Ó Corráin (1992).
[74] *GCF* 71.
[75] Gheofar eolas níos grinne an an idirdhealú seo idir foirmeacha neamhspleácha agus foirmeacha spleácha sna briathra mírialta ach amharc ar na táblaí (agus ar na nótaí atá ceangailte leo) faoi *tabhair* 'give', '*déan* 'do', *feic* 'see', agus *faigh* 'get'.
[76] Ach tugtar faoi deara gur *ceannóig* a chluintear i gCúige Mumhan do *ceannóidh* (mar fhoirm gan forainm pearsanta nó lomfhoirm).
[77] Fch, m.sh. Ua Súilleabháin (1994: 525, **8.54**). Do léiriú cartógrafach air seo, fch *LASID* i 1 'I sold', 37 'killed', 50 'we bought' agus 241 'he made'.
[78] Séimhítear *d'*+(*f*)guta, do na leaganacha Muimhneacha sna táblaí. Bíonn an-éagsúlacht le cluinstean, má tá: . *dh'ól mé* agus *dh'ólas* 'I drank', comh maith le *d'ól mé* agus *d'ólas* – gan trácht ar *do dh'ól mé* agus *do dh'ólas*. Dóibh siúd atá ag tabhairt faoi Ghaeilge na Mumhan is féidir rogha a dhéanamh idir *d'* agus *dh'* sna foirmeacha gníomhacha neamhspleácha sa chaite, sa choinníollach agus sa ghnáthchaite. Don tsaorbhriathar san aimsir chaite bíonn éagsúlacht níos leithne le fáil ná mar is féidir a chur in iúl sna táblaí: *do hóladh, hóladh, d'óladh, dh'óladh* 'was drunk', agus *do fágadh, fágad*h, *d'fhágadh, dh'fhágadh* 'was left' srl.
[79] Comh maith leis na foirmeacha Caighdeánacha: *níor ól, ar ól?, gur ól, nár ól* cluintear, in Iarthar na Mumhan, leithéidí: *go n-ól, nár dh'ól, ná dh'ól.*
[80] Ua Súilleabháin (1994: 527, **8.63**). Fch *LASID* i 157 'that he will not come' – agus 291.
[81] Hughes (1997).
[82] Fch, m.sh. *LASID* i, maps 198 '(people) did not go', 254 'the shoes do not fit' agus 285 'I did not notice'
[83] I gcás **s-** scríobhtar sa leabhar seo *cha seasann* 'does/will not stand', cé gur féidir *cha sheasann* a chluinstean fosta.

[62] *Ragaid missi* LL 38872, *ragatsa* LL 38883 – both meaning 'I shall go' - cited by Ó Cuív (1973: 129, n. 48), i.e. Modern Irish *rachaidh mise* (*CO*, *C* and *U*) and synthetic variant *rachadsa* – note the older forms of the stem, *raghadsa* and *raghaidh mise,* are preserved in Munster Irish.
[63] See discussion on present tense below **Table II** (above).
[64] Many variant forms are heard in Ulster in addition to *bhogfaimis* 'we would move', including: *bhogfadh sinn(e)* and *bhogfas muid* see Hughes (1994: 643).
[65] In the case of Connaught Irish, analytic forms may be heard in the 3rd plural of the conditional, imperfect and imperative (*bhogfadh siad, bhogadh siad, bogadh siad*) although the synthetic forms are more widespread (*bhogfaidís, bhogaidís, bogaidís*). In the verb tables *U* is placed after the synthetic forms. In the case of verbs from the 2nd conjugation the reader is asked to remember that the Connaught forms would resemble: *cheannódh siad, cheannaíodh siad, ceannaíodh siad,* rather than the Ulster forms *cheannóchadh siad, cheannadh siad,* and *ceannadh siad.*
[66] As regards the 2nd person singular of 2nd conjugation verbs in the imperfect the form *(do) bheannaítheá* 'you used to bless' may also be heard in Munster alongside the forms cited in the tables, i.e. Standard *(do) bheannaíteá* and *(do) bheannaíotá.* In verbs of the 1st conjugation, forms such as *thógthá* and *chuirtheá* may be heard alongside *thógtá* 'you used to lift' and *chuirteá* 'you used to put'.
[67] See, for example, *LASID* i 296 'he used to come' *Ba ghnách leis (a) theacht* (*U*) yet *theagadh sé/ thagadh sé* (*C*, *M*) - but for preservations of the old imperfect in Donegal, see Hughes (1994: 645).
[68] Hughes (1994: 644), Ó hUiginn (1994: 579).
[69] In Munster 1st plural forms may be heard as: *bagam* 'let us move', *deineam* 'let us do' *etc.*
[70] Ua Súilleabháin (1994: 522, **8.35** – but variant 2 pl. forms *luígis* 'luígí', see **8.19**), Ó hUiginn (1994: 581, **5.3**) and Hughes (1994: 645, **7.14**). Ua Súilleabháin believed (private communication to the author) that 2 pl. *bogaigí* is heard in Waterford Irish, as opposed to *bogaidh/bogaig* in other Munster dialects.
[71] See Ó Sé (2000: 251).
[72] Hughes (1994: 645), Ó Searcaigh (1939: 210).
[73] *Airneán* II, 29-30. See Ó Corráin (1992).
[74] *GCF* 71.
[75] More information will be found on the distinction between independent and dependent forms of the irregular verbs if one consults the tables for *tabhair* 'give', '*déan* 'do', *feic* 'see', and *faigh* 'get' (and the notes accompanying these verbs).
[76] Notice *ceannóig* is heard in Munster for *ceannóidh* (as a pausa, or bare, form).
[77] See, for example, Ua Súilleabháin (1994: 525, **8.54**). For cartographic distributions of this, see *LASID* i 1 'I sold', 37 'killed', 50 'we bought' and 241 'he made'.
[78] *D'*+(*f*)vowel, is represented as *dh'* for the Munster forms in the verb tables. Great variety exists however, as one hears *dh'ól mé* and *dh'ólas* 'I drank', as well as *d'ól mé* and *d'ólas* – not to mention *do dh'ól mé* and *do dh'ólas*. For those learning Munster Irish aspiration of *d'* to *dh'* may be seen as optional in the independent active forms of the verb in the past, conditional and imperfect. For the past autonomous variation exists in addition to those indicated in the verb tables: *do hóladh, hóladh, d'óladh, dh'óladh* 'was drunk', and *do fágadh, fágadh, d'fhágadh, dh'fhágadh* 'was left' etc.
[79] In addition to Std Ir past tense *níor ól, ar ól?, gur ól, nár ól* in West Munster one may hear: *ní dh'ól, an ól?, go n-ól, nár dh'ól, ná dh'ól.*
[80] Ua Súilleabháin (1994: 527, **8.63**). See *LASID* i 157 'that he will not come' – and 291.
[81] Hughes (1997).
[82] See, for example, *LASID* i, maps 198 '(people) did not go', 254 'the shoes do not fit' and 285 'I did not notice'.
[83] In the case of **s-**, eclipsis is used, i.e. *cha seasann* 'does/will not stand', although aspiration may also be heard *cha sheasann.*

[84] I nGaeilge Chonamara caomhnaítear an seanfhoirceann –Ø, sa dul cainte *(an) meas tú?* 'an dóigh leat?' Ó hUiginn (1994: 581, **5.3**) – in áit *an measann tú?* in áiteacha eile. Tugtar faoi deara go maireann na seanfhoirmeacha neamhspleácha in *–id[h]* ó aimsir na Sean-Ghaeilge mar *molaidh* 'praises', *brisidh* 'breaks' (*an mol e?* 'does he praise?', *am bris e?* 'does he break?') srl. i nGaeilge na hAlban, áit nár tugadh isteach foirmeacha mar *molann*, *briseann* srl. (Cuimhnítear fosta, ar ndóigh, go bhfuil ciall na haimsire fáistiní in Albain le *molaidh* agus *brisidh* 'molfaidh/molann' agus 'brisfidh/briseann'.)
[85] Hughes (1994: 640).
[86] Fch, m.sh., *LASID* i 73 'he thinks' do chúig fhoirm de *sílidh* i dTír Chonaill.
[87] Seanfhocal as Cúige Uladh.
[88] Ó Corráin (1989: 157.7).
[89] Hughes (1988: no. 280).
[90] Ná trí shampla seo luaite ag Ó Searcaigh (1939: 222).
[91] Fch *GGBC* 242-62, *NIG* 126-30. Don ainm briathartha sna canúintí fch: Hughes (1994: 646-7), *GCF* 74-5, Ó hUiginn (1994: 585-6), Ua Súilleabháin (1994: 524-5), Ó Sé (2000: 312-16).
[92] Don choicheap 'gas gearr' agus do liosta de na gasanna gearra do bhriathra as an 2ú réimniú agus do bhriathra coimrithe fch. **Treoir don Innéacs §8** agus **§11**.
[93] Ó Searcaigh (1997: 134-5), aistriúchán Béarla le F. Sewell.
[94] *LASID* i 125.
[95] *LASID* i 206.
[96] *LASID* i 238. Le cois *ag fanacht/fanúint*, fch fosta *ag feitheamh* agus *ag fuireacht.*
[97] *LASID* i 55.
[98] *LASID* i 119.
[99] *LASID* i 33. Fch fosta: *creiteáil/cniotáil* 'to knit', 64; *cumailt/cuimilt* 'to rub' 60.
[100] *LASID* i 126.
[101] *LASID* i 144.
[102] *LASID* i 278.
[103] *LASID* i 152.
[104] *LASID* i 146.
[105] *LASID* i 274. D'fhéadfaí tuilleadh samplaí a lua, ar nós: *cuntas* 'to count' (*U*) ach *comhaireamh* (*C*, *M*), *LASID* i 274; *ag éagaoin(t)*, *ag éileamh* 'complaining' (*U*), *ag éagcaoint/casaoid* (*C*), *ag gearán* (*M*), *LASID* i 115, *ag airneál* 'night visiting' (*U*), *ag cuartaíocht* (*U*, *C*), *ag cuardaíocht*, *bothántaíocht*, *scóraíocht* (*M*), *LASID* i 188.
[106] Fch *LASID* i 17 *ag scairtigh*; 79 *ag brionglóidigh*; *ag srannfaigh* 'snoring' 128.
[107] *LASID* i 241.
[108] Do mhalartú idir briathra eile agus *clois/cluin* 'hear', fch **notes to verbs**.
[109] Don aidiacht bhriathartha, fch: *GGBC* 263-7, Hughes (1994: 646-7), *GCF* 73-4, Ó hUiginn (1994: 586-7), Ua Súilleabháin (1994: 520-1), Ó Sé (2000: 316-19).
[110] I gcuid de chanúintí na Mumhan, is féidir séimhiú a bheith ar na foircinn ***-ta***, ***-te***, m.sh. *ceangailthe* 'tied' (*ceangailte*, *CO*), *LASID* i 14, *oscailthe* 'open' (*oscailte*, *CO*), *LASID* i 146.
[111] Do chur síos ar an ghas ghearr, fch **An tInnéacs§8**.
[112] *LASID* i 178.
[113] Fch, m.sh., *LASID* i 14 *ceangailte (ceangailtidh, ceanglaídh)*, 135 *costarnocht (cosnochta, cosnochtaidh, cosnochtaighthe)*, 141 *(f)oscailte, oscailtidh*, 181 *bruite, bruitidh, beirfe/beirfithe.*
[114] *LASID* i 225.

[84] In Conamara the old zero suffix is preserved in the set phrase *(an) meas tú?* 'do you think?' Ó hUiginn (1994: 581, **5.3**) – as opposed to *an measann tú?* elsewhere. It should also be noted that the old independent endings, Old Irish *–id[h]*, survive as *molaidh* 'praises', *brisidh* 'breaks' (*am mol e?* 'does he praise?', *am bris e?* 'does he break?') etc. in Scottish Gaelic, where the forms *molann, briseann* etc. never took root. (We should also note how Scottish Gaelic *molaidh* 'praises' and *brisidh* 'breaks' also have future meanings, 'will praise' and 'will break'.)
[85] Hughes (1994: 640).
[86] See, for example, *LASID* i 73 'he thinks' for five forms of *sílidh* in Donegal.
[87] A proverb from Ulster Irish.
[88] Ó Corráin (1989: 157.7).
[89] Hughes (1988: no. 280).
[90] These last three examples cited by Ó Searcaigh (1939: 222).
[91] See *GGBC* 242-62, *NIG* 126-30. For the verbal noun in the dialects, see: Hughes (1994: 646-7), *GCF* 74-5, Ó hUiginn (1994: 585-6), Ua Súilleabháin (1994: 524-5), Ó Sé (2000: 312-16).
[92] For the concept 'short stem' and for a list of the short stems for 2nd conjugation and syncopated verbs see **Guide to the Index §8** and **§11**.
[93] Ó Searcaigh (1997: 134-5), translation F. Sewell.
[94] *LASID* i 125.
[95] *LASID* i 206.
[96] *LASID* i 238, as well as *ag fanacht/fanúint*, note also *ag feitheamh* and *ag fuireacht.*
[97] *LASID* i 55.
[98] *LASID* i 119.
[99] *LASID* i 33. Also *creiteáil/cniotáil* 'to knit', 64; *cumailt/cuimilt* 'to rub' 60.
[100] *LASID* i 126.
[101] *LASID* i 144.
[102] *LASID* i 278.
[103] *LASID* i 152.
[104] *LASID* i 146.
[105] *LASID* i 274. Other examples could be mentioned such as: *cuntas* 'to count' (*U*) yet *comhaireamh* (*C, M*), *LASID* i 274; *ag éagaoin(t), ag éileamh* 'complaining' (*U*), *ag éagcaoint/casaoid* (*C*), *ag gearán* (*M*), *LASID* i 115, *ag airneál* 'night visiting' (*U*), *ag cuartaíocht* (*U, C*), *ag cuardaíocht, bothántaíocht, scóraíocht* (*M*), *LASID* i 188.
[106] See *LASID* i 17 *ag scairtigh*; 79 *ag brionglóidigh*; *ag srannfaigh* 'snoring' 128.
[107] *LASID* i 241.
[108] For other verbs varying with the verb *clois/cluin* 'hear', see **Notes to Verbs**.
[109] For the verbal adjective, see: *GGBC* 263-7, Hughes (1994: 646-7), *GCF* 73-4, Ó hUiginn (1994: 586-7), Ua Súilleabháin (1994: 520-1), Ó Sé (2000: 316-19).
[110] In some Munster dialects the suffixes *-ta, -te* may be aspirated, e.g. *ceangailthe* 'tied' (*ceangailte, CO*), *LASID* i 14, *oscailthe* 'open' (*oscailte, CO*), *LASID* i 146.
[111] For a discussion of 'short stem', see **§8** of **Guide to the Index.**
[112] *LASID* i 178.
[113] See, for examples, *LASID* i 14 *ceangailte (ceangailtidh, ceanglaídh*), 135 *costarnocht (cosnochta, cosnochtaidh, cosnochtaighthe*), 141 *(f)oscailte, oscailtidh*, 181 *bruite, bruitidh, beirfe/beirfithe.*
[114] *LASID* i 225.

1 **abair** 'say' v.n. **rá** v.adj. **ráite**

Standard Irish: An Caighdeán Oifigiúil

THE PAST TENSE	An Aimsir Chaite		
dúirt mé	an ndúirt mé?	ní dúirt mé	
dúirt tú	an ndúirt tú?	ní dúirt tú	go ndúirt
dúirt sé	an ndúirt sé?	ní dúirt sé	
dúirt sí	an ndúirt sí?	ní dúirt sí	nach ndúirt
dúramar	an ndúramar?	ní dúramar	
dúirt sibh	an ndúirt sibh?	ní dúirt sibh	
dúirt siad	an ndúirt siad?	ní dúirt siad	go ndúradh
dúradh	an ndúradh?	ní dúradh	nach ndúradh

Ulster Irish: Gaeilge Chúige Uladh

THE PAST TENSE	An Aimsir Chaite		
dúirt mé	ar úirt mé?	níor úirt mé	
dúirt tú	ar úirt tú?	níor úirt tú	char úirt
dúirt sé	ar úirt sé?	níor úirt sé	gur úirt
dúirt sí	ar úirt sí?	níor úirt sí	nár úirt
dúirt muid†	ar úirt muid?†	níor úirt muid†	
dúirt sibh	ar úirt sibh?	níor úirt sibh	*vn* rá/ráit
dúirt siad	ar úirt siad?	níor úirt siad	gur húradh
húradh	ar húradh?	níor húradh	nár húradh

Connaught Irish: Gaeilge Chonnacht

THE PAST TENSE	An Aimsir Chaite		
dúirt mé /dúras	ar úirt mé? /ar úras?	níor úirt mé /úras	
dúirt tú /dúrais	ar úirt tú? /ar úrais?	níor úirt tú /úrais	gur úirt
dúirt sé	ar úirt sé?	níor úirt sé	
dúirt sí	ar úirt sí?	níor úirt sí	nár úirt
dúirt muid	ar úirt muid?	níor úirt muid	
dúirt sibh	ar úirt sibh?	níor úirt sibh	
dúradar	ar úradar?	níor úradar	gur húradh
húradh	ar húradh?	níor húradh	nár húradh

Munster Irish: Gaeilge na Mumhan

THE PAST TENSE	An Aimsir Chaite		
dúrt, dúras	an ndúrt?	ní dúrt, ní dúras	dúirt *var* duairt
dúrais, dúrais	an ndúrais? an ndúrais?	ní dúrais, ní dúrais	go ndúirt
dúirt sé	an ndúirt sé?	ní dúirt sé	
dúirt sí	an ndúirt sí?	ní dúirt sí	ná dúirt
dúramair*	an ndúramair?*	ní dúramair*	
dúrabhair	an ndúrabhair?	ní dúrabhair	
dúradar	an ndúradar?	ní dúradar	*go ndúrthas
*dúrthas	*an ndúrthas?	*ní dúrthas	*ná dúrthas

1 **abair** 'say' v.n. **rá** v.adj. **ráite**

Standard Irish: An Caighdeán Oifigiúil

THE PRESENT TENSE	An Aimsir Láithreach		
deirim	an ndeirim?	ní deirim	
deir tú	an ndeir tú?	ní deir tú	go ndeir
deir sé	an ndeir sé?	ní deir sé	
deir sí	an ndeir sí?	ní deir sí	nach ndeir
deirimid	an ndeirimid?	ní deirimid	
deir sibh	an ndeir sibh?	ní deir sibh	a deir
deir siad	an ndeir siad?	ní deir siad	go ndeirtear
deirtear	an ndeirtear?	ní deirtear	nach ndeirtear

Ulster Irish: Gaeilge Chúige Uladh

THE PRESENT TENSE	An Aimsir Láithreach		
deirim	an abraim?*	ní abraim /ní theirim	chan abrann/cha ndeir
deir tú	an abrann tú?*	ní abrann tú ní their tú	go n-abrann *var*
deir sé deireann sé *etc.*	an abrann sé?*	ní abrann sé ní their sé	go ndeir(eann)
deir sí	an abrann sí?*	ní abrann sí *etc.*	nach n-abrann *var*
deir muid†	an abrann muid†?*	ní abrann muid†	nach ndeir(eann)
deir sibh	an abrann sibh?*	ní abrann sibh	a deir
deir siad	an abrann siad?*	ní abrann siad	go n-abartar*
deirtear	an abartar?	ní abartar /ní theirtear	nach n-abartar*

Connaught Irish: Gaeilge Chonnacht

THE PRESENT TENSE	An Aimsir Láithreach		
deirim	an abraím?	ní abraím	deir sé *var* abraíonn sé
deir tú	an abraíonn tú?	ní abraíonn tú	*var* deireann sé
deir sé	an abraíonn sé?	ní abraíonn sé	go n-abraíonn
deir sí	an abraíonn sí?	ní abraíonn sí	nach n-abraíonn
deir muid	an abraíonn muid?	ní abraíonn muid	
deir sibh	an abraíonn sibh?	ní abraíonn sibh	a deir
deir siad	an abraíonn siad?	ní abraíonn siad	go n-abraítear
deirtear	an abraítear?	ní abraítear	nach n-abraítear

Munster Irish: Gaeilge na Mumhan

THE PRESENT TENSE	An Aimsir Láithreach		
deirim	an ndeirim?[U]	ní deirim, ní abraim	deir sé / deireann sé
deir(eann) tú	an ndeir tú?[U]	ní deir tú, ní abrann tú	
deir(eann) sé	an ndeir sé?[U]	ní deir sé, ní abrann sé	go ndeir(eann)
deir(eann) sí	an ndeir sí?[U]	ní deir sí *etc.*	nach ndeir(eann)
deirimíd	an ndeirimíd?	ní deirimíd	
deir(eann) sibh	an ndeir sibh?[U]	ní deir sibh	a deir
*deir(id) siad, deireann	*an ndeir(id) siad?[U]	ní deir(id) siad	go ndeirtear
deirtear	an ndeirtear?[C]	ní deirtear ní abartar	nach ndeirtear

Standard Irish: An Caighdeán Oifigiúil

THE FUTURE TENSE	An Aimsir Fháistineach		
déarfaidh mé	an ndéarfaidh mé?	ní déarfaidh mé	
déarfaidh tú	an ndéarfaidh tú?	ní déarfaidh tú	go ndéarfaidh
déarfaidh sé	an ndéarfaidh sé?	ní déarfaidh sé	
déarfaidh sí	an ndéarfaidh sí?	ní déarfaidh sí	nach ndéarfaidh
déarfaimid	an ndéarfaimid?	ní déarfaimid	
déarfaidh sibh	an ndéarfaidh sibh?	ní déarfaidh sibh	a déarfaidh
déarfaidh siad	an ndéarfaidh siad?	ní déarfaidh siad	go ndéarfar
déarfar	an ndéarfar?	ní déarfar	nach ndéarfar

Ulster Irish: Gaeilge Chúige Uladh

THE FUTURE TENSE	An Aimsir Fháistineach		
déarfaidh mé	an abróchaidh mé?	ní abróchaidh mé	chan abrann/ cha ndeir
déarfaidh tú	an abróchaidh tú?	ní abróchaidh tú	*var.* ní theirfidh
déarfaidh sé	an abróchaidh sé?	ní abróchaidh sé	go n-abróchaidh
déarfaidh sí	an abróchaidh sí?	ní abróchaidh sí	nach n-abróchaidh
déarfaidh muid†	an abróchaidh muid?†	ní abróchaidh muid†	*var* abóraidh
déarfaidh sibh	an abróchaidh sibh?	ní abróchaidh sibh	a déarfas
déarfaidh siad	an abróchaidh siad?	ní abróchaidh siad	go n-abróchar
déarfar	an abróchar?	ní abróchar	nach n-abróchar

Connaught Irish: Gaeilge Chonnacht

THE FUTURE TENSE	An Aimsir Fháistineach		
déarfaidh mé[M]	*an abróidh mé?	*ní abróidh mé	déarfaidh *var* abróidh
déarfaidh tú[M]	*an abróidh tú?	*ní abróidh tú	
déarfaidh sé	*an abróidh sé?	*ní abróidh sé	*go n-abróidh
déarfaidh sí	*an abróidh sí?	*ní abróidh sí	*nach n-abróidh
déarfaidh muid	*an abróidh muid?	*ní abróidh muid	
déarfaidh sibh	*an abróidh sibh?	*ní abróidh sibh	a déarfas / a abrós
déarfaidh siad	*an abróidh siad?	*ní abróidh siad	*go n-abrófar
déarfar	*an abrófar?	*ní abrófar	*nach n-abrófar

Munster Irish: Gaeilge na Mumhan

THE FUTURE TENSE	An Aimsir Fháistineach		
*déarfad	*an ndéarfad?	*ní déarfad	déarfaidh *var* abróidh
*déarfair	*an ndéarfair?	ní déarfaidh tú	
déarfaidh sé	an ndéarfaidh sé?	ní déarfaidh sé	go ndéarfaidh
déarfaidh sí	an ndéarfaidh sí?	ní déarfaidh sí	ná déarfaidh
déarfaimíd	an ndéarfaimíd?	ní déarfaimíd	
déarfaidh sibh	an ndéarfaidh sibh?	ní déarfaidh sibh	a déarfaidh
*déarfaid (siad)	*an ndéarfaid siad?	*ní déarfaid siad	go ndéarfar
déarfar	an ndéarfar?	ní déarfar	ná déarfar

1 **abair** 'say' v.n. **rá** v.adj. **ráite**

Standard Irish: An Caighdeán Oifigiúil

THE CONDITIONAL MOOD	An Modh Coinníollach		
déarfainn	an ndéarfainn?	ní déarfainn	
déarfá	an ndéarfá?	ní déarfá	go ndéarfadh
déarfadh sé	an ndéarfadh sé?	ní déarfadh sé	
déarfadh sí	an ndéarfadh sí?	ní déarfadh sí	nach ndéarfadh
déarfaimis	an ndéarfaimis?	ní déarfaimis	
déarfadh sibh	an ndéarfadh sibh?	ní déarfadh sibh	
déarfaidís	an ndéarfaidís?	ní déarfaidís	go ndéarfaí
déarfaí	an ndéarfaí?	ní déarfaí	nach ndéarfaí

Ulster Irish: Gaeilge Chúige Uladh

THE CONDITIONAL MOOD	An Modh Coinníollach		
déarfainn	*an abróchainn?	ní abróchainn	chan abróchadh
déarfá	*an abrófá?	ní abrófá	/cha ndéarfadh
déarfadh sé	*an abróchadh sé?	ní abróchadh sé	ní théarfadh
déarfadh sí	*an abróchadh sí?	ní abróchadh sí	*go n-abróchadh
déarfaimis†	*an abróchaimis?†	ní abróchaimis†	*nach n-abróchadh
déarfadh sibh	*an abróchadh sibh?	ní abróchadh sibh	*var* abóradh
déarfadh siad	*an abróchadh siad?	ní abróchadh siad	go n-abróchaí
déarfaí	*an abrófaí?	ní abrófaí	nach n-abrófaí

Connaught Irish: Gaeilge Chonnacht

THE CONDITIONAL MOOD	An Modh Coinníollach		
*d'abróinn	*an abróinn?	*ní abróinn	
*d'abrófá	*an abrófá?	*ní abrófá	*go n-abródh
*d'abródh sé	*an abródh sé?	*ní abródh sé	
*d'abródh sí	*an abródh sí?	*ní abródh sí	*nach n-abródh
*d'abródh muid	*an abródh muid?	*ní abródh muid	
*d'abródh sibh	*an abródh sibh?	*ní abródh sibh	
*d'abróidís	*an abróidís?	*ní abróidís	*go n-abrófaí
*d'abrófaí	*an abrófaí?	*ní abrófaí	*nach n-abrófaí

Munster Irish: Gaeilge na Mumhan

THE CONDITIONAL MOOD	An Modh Coinníollach		
déarfainn	an ndéarfainn?	ní déarfainn	
déarfá	an ndéarfá?	ní déarfá	go ndéarfadh
déarfadh sé	an ndéarfadh sé?	ní déarfadh sé	
déarfadh sí	an ndéarfadh sí?	ní déarfadh sí	ná déarfadh
*déarfaimíst	*an ndéarfaimíst?	*ní déarfaimíst	
déarfadh sibh	an ndéarfadh sibh?	ní déarfadh sibh	
*déarfaidíst	*an ndéarfaidíst?	*ní déarfaidíst	go ndéarfaí
déarfaí	an ndéarfaí?	ní déarfaí	ná déarfaí

Standard Irish: An Caighdeán Oifigiúil

THE IMPERFECT TENSE	An Aimsir Ghnáthchaite	The Imperative Mood	The Present Subjunctive
deirinn		abraim	go ndeire mé
deirteá	ní deireadh	abair	go ndeire tú
deireadh sé	an ndeireadh?	abradh sé	go ndeire sé
deireadh sí	go ndeireadh	abradh sí	go ndeire sí
deirimis	nach ndeireadh	abraimis	go ndeirimid
deireadh sibh		abraigí	go ndeire sibh
deiridís		abraidís	go ndeire siad
deirtí		abairtear	go ndeirtear
		ná habair	nár deire

Ulster Irish: Gaeilge Chúige Uladh

THE IMPERFECT TENSE	An Aimsir Ghnáthchaite	An Modh Ordaitheach	An Foshuiteach Láithreach
deirinn ní abradh		abraim	go n-abraidh mé
deirtheá	(chan abradh)	abair	go n-abraidh tú
deireadh sé	an abradh?	abradh sé	go n-abraidh sé
deireadh sí	go n-abradh	abradh sí	go n-abraidh sí
deirimis‡	nach n-abradh	abraimis‡	go n-abraidh muid†
deireadh sibh		abraigí, abraidh	go n-abraidh sibh
deireadh siad	Ba ghnách le …	abradh siad	go n-abraidh siad
deirtí		abartar	go n-abartar
		ná habair	nár abraidh

Connaught Irish: Gaeilge Chonnacht

THE IMPERFECT TENSE	An Aimsir Ghnáthchaite	The Imperative Mood	The Present Subjunctive
*d'abraínn		abraím / deirim	*go n-abraí mé
*d'abraíteá	*ní abraíodh	abair,	*go n-abraí tú
*d'abraíodh sé	*an abraíodh?	abraíodh sé/deireadh	*go n-abraí sé
*d'abraíodh sí	*go n-abraíodh	abraíodh sí	*go n-abraí sí
*d'abraímis	*nach n-abraíodh	abraímis	*go n-abraí muid
*d'abraíodh sibh		abraigí, abraidh	*go n-abraí sibh
*d'abraídís	*var* ní eireadh	abraidís*	go n-abraídis
*d'abraítí		abairtear	*go n-abairtear
		ná habair	*nár abraí

Munster Irish: Gaeilge na Mumhan

THE IMPERFECT TENSE	An Aimsir Ghnáthchaite	An Modh Ordaitheach	An Foshuiteach Láithreach
deirinn		abraím, abraim	go ndeiread* go n-abrad
deirteá	ní deireadh	abair	go ndeirir* go n-abrair
deireadh sé	an ndeireadh?	abraíodh sé, abradh sé	go ndeire sé go n-abra sé
deireadh sí	go ndeireadh	abraíodh sí, abradh sí	go ndeire sí go n-abra sí
deirimís(t)	ná deireadh	abraímís, abraimis	go ndeiream* go n-abram
deireadh sibh		abraídh, abraigí	go ndeire/n-abra sibh
deiridís(t)		abraídís, abraidís	go ndeirid* go n-abraid
deirtí		abraítear, abartar	go ndeirtear go n-abartar
		ná habair	nár deire, nár abra

2 **aithin** 'recognise' v.n. **aithint** v.adj. **aitheanta**

Standard Irish: An Caighdeán Oifigiúil

THE PAST TENSE	An Aimsir Chaite	THE PRESENT TENSE	An Aimsir Láithreach
d'aithin mé	níor aithin	aithním	
d'aithin tú	ar aithin?	aithníonn tú	ní aithníonn
d'aithin sé	gur aithin	aithníonn sé	an aithníonn?
d'aithin sí	nár aithin	aithníonn sí	go n-aithníonn
d'aithníomar	níor aithníodh	aithnímid	nach n-aithníonn
d'aithin sibh	ar aithníodh?	aithníonn sibh	
d'aithin siad	gur aithníodh	aithníonn siad	a aithníonn
aithníodh	nár aithníodh	aithnítear	

Ulster Irish: Gaeilge Chúige Uladh

THE PAST TENSE	An Aimsir Chaite	THE PRESENT TENSE	An Aimsir Láithreach
d'aithin mé	níor aithin	aithnim	ní aithneann
d'aithin tú	(char aithin)	aithneann tú	(chan aithneann)
d'aithin sé	ar aithin?	aithneann sé	an aithneann?
d'aithin sí	gur aithin	aithneann sí	go n-aithneann
d'aithin muid[†]	nár aithin	aithneann muid[†]	nach n-aithneann
d'aithin sibh		aithneann sibh	
d'aithin siad	níor/ar haithneadh	aithneann siad	a aithneas
haithneadh	gur/nár haithneadh	aitheantar	

Connaught Irish: Gaeilge Chonnacht

THE PAST TENSE	An Aimsir Chaite	THE PRESENT TENSE	An Aimsir Láithreach
d'aithin mé [M]	níor aithin	aithním	
d'aithin tú [M]	ar aithin?	aithníonn tú	ní aithníonn
d'aithin sé	gur aithin	aithníonn sé	an aithníonn?
d'aithin sí	nár aithin	aithníonn sí	go n-aithníonn
d'aithin muid	níor haithníodh	aithníonn muid	nach n-aithníonn
d'aithin sibh	ar haithníodh?	aithníonn sibh	
d'aithníodar[U]	gur haithníodh	aithníonn siad	a aithníonns
haithníodh [U]	nár haithníodh	aithníthear	

Munster Irish: Gaeilge na Mumhan

THE PAST TENSE	An Aimsir Chaite	THE PRESENT TENSE	An Aimsir Láithreach
*dh'aithníos	*ní(or) dh'aithin	aithním	ní aithníonn
*dh'aithnís	ar aithin?	aithníonn tú	(ní dh'aithníonn)
*dh'aithin sé	gur aithin	aithníonn sé	an aithníonn?
*dh'aithin sí	nár aithin	aithníonn sí	go n-aithníonn
*dh'aithníomair	níor haithníodh*	aithnímid	ná haithníonn
*dh'aithníobhair	ar haithníodh?*	aithníonn sibh	
*dh'aithníodar	gur haithníodh*	*aithníd	a aithníonn
(do) haithníodh* d(h)'aithníodh	nár haithníodh*	aithníotar*	

2 **aithin** 'recognise' a.br. **aithint** aid.bhr. **aitheanta**

Standard Irish: An Caighdeán Oifigiúil

THE FUTURE TENSE	An Aimsir Fháistineach
aithneoidh mé	
aithneoidh tú	ní aithneoidh
aithneoidh sé	an aithneoidh?
aithneoidh sí	go n-aithneoidh
aithneoimid	nach n-aithneoidh
aithneoidh sibh	
aithneoidh siad	a aithneoidh
aithneofar	

THE CONDITIONAL MOOD	An Modh Coinníollach
d'aithneoinn	
d'aithneofá	ní aithneodh
d'aithneodh sé	an aithneodh?
d'aithneodh sí	go n-aithneodh
d'aithneoimis	nach n-aithneodh
d'aithneodh sibh	
d'aithneoidís	
d'aithneofaí	

Ulster Irish: Gaeilge Chúige Uladh

THE FUTURE TENSE	An Aimsir Fháistineach
aithneochaidh mé	ní aithneochaidh
aithneochaidh tú	(chan aithneann)
aithneochaidh sé	an aithneochaidh?
aithneochaidh sí	go n-aithneochaidh
aithneochaidh muid[†]	nach n-aithneochaidh
aithneochaidh sibh.	
aithneochaidh siad	a aithneochas
aithneofar	

THE CONDITIONAL MOOD	An Modh Coinníollach
d'aithneochainn	
d'aithneofá	ní aithneochadh
d'aithneochadh sé	(chan aithneochadh)
d'aithneochadh sí	an aithneochadh?
d'aithneochaimis[‡]	go n-aithneochadh
d'aithneochadh sibh	nach n-aithneochadh
d'aithneochadh siad	
d'aithneofaí	

Connaught Irish: Gaeilge Chonnacht

THE FUTURE TENSE	An Aimsir Fháistineach
aithneoidh mé [M]	
aithneoidh tú[M]	ní aithneoidh
aithneoidh sé	an aithneoidh?
aithneoidh sí	go n-aithneoidh
aithneoidh muid	nach n-aithneoidh
aithneoidh sibh	
aithneoidh siad	a aithneos
aithneofar	

THE CONDITIONAL MOOD	An Modh Coinníollach
d'aithneoinn	
d'aithneofá	ní aithneodh
d'aithneodh sé	an aithneodh?
d'aithneodh sí	go n-aithneodh
d'aithneodh muid	nach n-aithneodh
d'aithneodh sibh	
d'aithneoidís[U]	
d'aithneofaí[M]	

Munster Irish: Gaeilge na Mumhan

THE FUTURE TENSE	An Aimsir Fháistineach
aithneod*	ní aithneoidh
*aithneoir	(ní dh'aithneoidh)
aithneoidh sé	an aithneoidh?
aithneoidh sí	go n-aithneoidh
*aithneom	ná haithneoidh
aithneoidh sibh	
*aithneoid	a aithneoidh
aithneofar	

THE CONDITIONAL MOOD	An Modh Coinníollach
*dh'aithneoinn	ní aithneodh
*dh'aithneofá	(ní dh'aithneodh)
*dh'aithneodh sé	an aithneodh?
*dh'aithneodh sí	go n-aithneodh
*dh'aithneoimíst	ná haithneodh
*dh'aithneodh sibh	
*dh'aithneoidíst	
*(do) haithneofaí	

2 **aithin** ‘recognise’ v.n. **aithint** v.adj. **aitheanta**

Standard Irish: An Caighdeán Oifigiúil

THE IMPERFECT TENSE	An Aimsir Ghnáthchaite	The Imperative Mood	The Present Subjunctive
d’aithnínn		aithním	go n-aithní mé
d’aithníteá	ní aithníodh	aithin	go n-aithní tú
d’aithníodh sé	an aithníodh?	aithníodh sé	go n-aithní sé
d’aithníodh sí	go n-aithníodh	aithníodh sí	go n-aithní sí
d’aithnímis	nach n-aithníodh	aithnímis	go n-aithnímid
d’aithníodh sibh		aithnígí	go n-aithní sibh
d’aithnídís		aithnídís	go n-aithní siad
d’aithnítí		aithnítear	go n-aithnítear
		ná haithin	nár aithní

Ulster Irish: Gaeilge Chúige Uladh

THE IMPERFECT TENSE	An Aimsir Ghnáthchaite	An Modh Ordaitheach	An Foshuiteach Láithreach
d’aithninn		aithnim	go n-aithní mé
d’aithnitheá	ní aithneadh	aithin	go n-aithní tú
d’aithneadh sé	(chan aithneadh)	aithneadh sé	go n-aithní sé
d’aithneadh sí	an aithneadh?	aithneadh sí	go n-aithní sí
d’aithnimis[‡]	go n-aithneadh	aithnimis[‡/fut]	go n-aithní muid[†]
d’aithneadh sibh	nach n-aithneadh	aithnigí[C]	go n-aithní sibh
d’aithneadh siad	Ba ghnách le …	aithneadh siad	go n-aithní siad
d’aithnithí		aithníthear	go n-aithníthear
		ná haithin	nár aithní

Connaught Irish: Gaeilge Chonnacht

THE IMPERFECT TENSE	An Aimsir Ghnáthchaite	The Imperative Mood	The Present Subjunctive
d’aithnínn		aithním	go n-aithní mé
d’aithníteá[M]	ní aithníodh	aithin	go n-aithní tú
d’aithníodh sé	an aithníodh?	aithníodh sé	go n-aithní sé
d’aithníodh sí	go n-aithníodh	aithníodh sí	go n-aithní sí
d’aithníodh muid	nach n-aithníodh	aithnímid	go n-aithní muid
d’aithníodh sibh		*aithnighidh	go n-aithní sibh
d’aithnídís[U]		aithnídís	go n-aithní siad
d’aithnítí[M]		aithníthear	go n-aithníthear
		ná haithin	nár aithní

Munster Irish: Gaeilge na Mumhan

THE IMPERFECT TENSE	An Aimsir Ghnáthchaite	An Modh Ordaitheach	An Foshuiteach Láithreach
*dh’aithnínn	ní aithníodh	aithním	go n-aithníod*
*dh’aithníotá	(ní dh’aithníodh)	aithin	go n-aithnír*
*dh’aithníodh sé	an aithníodh?	aithníodh sé	go n-aithní sé
*dh’aithníodh sí	go n-aithníodh	aithníodh sí	go n-aithní sí
*dh’aithnímíst	ná haithníodh	aithnímíst	go n-aithníom*
*dh’aithníodh sibh		aithníg[=C]*	go n-aithní sibh
*dh’aithnídís(t)		aithníotar*	go n-aithníd*
*(do) haithníotaí		aithníotar*	go n-aithníotar*
		ná haithin	nár aithní

3 **aithris** 'imitate' v.n. **aithris** v.adj. **aithriste**

Standard Irish: An Caighdeán Oifigiúil

THE PAST TENSE	An Aimsir Chaite
d'aithris mé	níor aithris
d'aithris tú	ar aithris?
d'aithris sé	gur aithris
d'aithris sí	nár aithris
d'aithrisíomar	níor aithrisíodh
d'aithris sibh	ar aithrisíodh?
d'aithris siad	gur aithrisíodh
aithrisíodh	nár aithrisíodh

THE PRESENT TENSE	An Aimsir Láithreach
aithrisím	
aithrisíonn tú	ní aithrisíonn
aithrisíonn sé	an aithrisíonn?
aithrisíonn sí	go n-aithrisíonn
aithrisímid	nach n-aithrisíonn
aithrisíonn sibh	
aithrisíonn siad	a aithrisíonn
aithrisítear	

Ulster Irish: Gaeilge Chúige Uladh

THE PAST TENSE	An Aimsir Chaite
d'aithris mé	níor aithris
d'aithris tú	(char aithris)
d'aithris sé	ar aithris?
d'aithris sí	gur aithris
d'aithris muid[†]	nár aithris
d'aithris sibh	
d'aithris siad	níor/ar haithriseadh
haithriseadh	gur/nár haithriseadh

THE PRESENT TENSE	An Aimsir Láithreach
aithrisim	ní aithriseann
aithriseann tú	(chan aithriseann)
aithriseann sé	an aithriseann?
aithriseann sí	go n-aithriseann
aithriseann muid[†]	nach n-aithriseann
aithriseann sibh	
aithriseann siad	a aithriseas
aithrisíthear	

Connaught Irish: Gaeilge Chonnacht

THE PAST TENSE	An Aimsir Chaite
d'aithris mé [M]	níor aithris
d'aithris tú [M]	ar aithris?
d'aithris sé	gur aithris
d'aithris sí	nár aithris
d'aithris muid	níor haithrisíodh
d'aithris sibh	ar haithrisíodh?
d'aithrisíodar[U]	gur haithrisíodh
haithrisíodh [U]	nár haithrisíodh

THE PRESENT TENSE	An Aimsir Láithreach
aithrisím	
aithrisíonn tú	ní aithrisíonn
aithrisíonn sé	an aithrisíonn?
aithrisíonn sí	go n-aithrisíonn
aithrisíonn muid	nach n-aithrisíonn
aithrisíonn sibh	
aithrisíonn siad	a aithrisíonns
aithrisíthear	

Munster Irish: Gaeilge na Mumhan

THE PAST TENSE	An Aimsir Chaite
*dh'aithrisíos	*ní(or) dh'aithris
*dh'aithrisís	ar aithris?
*dh'aithris sé	gur aithris
*dh'aithris sí	nár aithris
*dh'aithrisíomair	níor haithrisíodh*
*dh'aithrisíobhair	ar haithrisíodh?*
*dh'aithrisíodar	gur haithrisíodh*
(do) haithrisíodh* d(h)'aithrisíodh	nár haithrisíodh*

THE PRESENT TENSE	An Aimsir Láithreach
aithrisím	ní aithrisíonn
aithrisíonn tú	(ní dh'aithrisíonn)
aithrisíonn sé	an aithrisíonn?
aithrisíonn sí	go n-aithrisíonn
aithrisímíd	ná haithrisíonn
aithrisíonn sibh	
*aithrisíd	a aithrisíonn
aithrisíotar*	

3 **aithris** 'imitate' a.br. **aithris** aid.bhr. **aithriste**

Standard Irish: An Caighdeán Oifigiúil

THE FUTURE TENSE	An Aimsir Fháistineach	THE CONDITIONAL MOOD	An Modh Coinníollach
aithriseoidh mé		d'aithriseoinn	
aithriseoidh tú	ní aithriseoidh	d'aithriseofá	ní aithriseodh
aithriseoidh sé	an aithriseoidh?	d'aithriseodh sé	an aithriseodh?
aithriseoidh sí	go n-aithriseoidh	d'aithriseodh sí	go n-aithriseodh
aithriseoimid	nach n-aithriseoidh	d'aithriseoimis	nach n-aithriseodh
aithriseoidh sibh		d'aithriseodh sibh	
aithriseoidh siad	a aithriseoidh	d'aithriseoidís	
aithriseofar		d'aithriseofaí	

Ulster Irish: Gaeilge Chúige Uladh

THE FUTURE TENSE	An Aimsir Fháistineach	THE CONDITIONAL MOOD	An Modh Coinníollach
aithriseochaidh mé	ní aithriseochaidh	d'aithriseochainn	
aithriseochaidh tú	(chan aithriseann)	d'aithriseofá	ní aithriseochadh
aithriseochaidh sé	an aithriseochaidh?	d'aithriseochadh sé	(chan aithriseochadh)
aithriseochaidh sí	go n-aithriseochaidh	d'aithriseochadh sí	an aithriseochadh?
aithriseochaidh muid†	nach n-aithriseochaidh	d'aithriseochaimis‡	go n-aithriseochadh
aithriseochaidh sibh.		d'aithriseochadh sibh	nach n-aithriseochadh
aithriseochaidh siad	a aithriseochas	d'aithriseochadh siad	
aithriseofar		d'aithriseofaí	

Connaught Irish: Gaeilge Chonnacht

THE FUTURE TENSE	An Aimsir Fháistineach	THE CONDITIONAL MOOD	An Modh Coinníollach
aithriseoidh mé [M]		d'aithriseoinn	
aithriseoidh tú[M]	ní aithriseoidh	d'aithriseofá	ní aithriseodh
aithriseoidh sé	an aithriseoidh?	d'aithriseodh sé	an aithriseodh?
aithriseoidh sí	go n-aithriseoidh	d'aithriseodh sí	go n-aithriseodh
aithriseoidh muid	nach n-aithriseoidh	d'aithriseodh muid	nach n-aithriseodh
aithriseoidh sibh		d'aithriseodh sibh	
aithriseoidh siad	a aithriseos	d'aithriseoidís[U]	
aithriseofar		d'aithriseofaí[M]	

Munster Irish: Gaeilge na Mumhan

THE FUTURE TENSE	An Aimsir Fháistineach	THE CONDITIONAL MOOD	An Modh Coinníollach
aithriseod*	ní aithriseoidh	*dh'aithriseoinn	ní aithriseodh
*aithriseoir	(ní dh'aithriseoidh)	*dh'aithriseofá	(ní dh'aithriseodh)
aithriseoidh sé	an aithriseoidh?	*dh'aithriseodh sé	an aithriseodh?
aithriseoidh sí	go n-aithriseoidh	*dh'aithriseodh sí	go n-aithriseodh
*aithriseom	ná haithriseoidh	*dh'aithriseoimíst	ná haithriseodh
aithriseoidh sibh		*dh'aithriseodh sibh	
*aithriseoid	a aithriseoidh	*dh'aithriseoidíst	
aithriseofar		*(do) haithriseofaí	

Standard Irish: An Caighdeán Oifigiúil

THE IMPERFECT TENSE	An Aimsir Ghnáthchaite	The Imperative Mood	The Present Subjunctive
d'aithrisínn		aithrisím	go n-aithrisí mé
d'aithrisíteá	ní aithrisíodh	aithris	go n-aithrisí tú
d'aithrisíodh sé	an aithrisíodh?	aithrisíodh sé	go n-aithrisí sé
d'aithrisíodh sí	go n-aithrisíodh	aithrisíodh sí	go n-aithrisí sí
d'aithrisímis	nach n-aithrisíodh	aithrisímis	go n-aithrisímid
d'aithrisíodh sibh		aithrisígí	go n-aithrisí sibh
d'aithrisídís		aithrisídís	go n-aithrisí siad
d'aithrisítí		aithrisítear	go n-aithrisítear
		ná haithris	nár aithrisí

Ulster Irish: Gaeilge Chúige Uladh

THE IMPERFECT TENSE	An Aimsir Ghnáthchaite	An Modh Ordaitheach	An Foshuiteach Láithreach
d'aithrisinn		aithrisim	go n-aithrisí mé
d'aithristheá	ní aithriseadh	aithris	go n-aithrisí tú
d'aithriseadh sé	(chan aithriseadh)	aithriseadh sé	go n-aithrisí sé
d'aithriseadh sí	an aithriseadh?	aithriseadh sí	go n-aithrisí sí
d'aithrisimis‡	go n-aithriseadh	aithrisimis‡/fut	go n-aithrisí muid†
d'aithriseadh sibh	nach n-aithriseadh	aithrisigí	go n-aithrisí sibh
d'aithriseadh siad	Ba ghnách le …	aithriseadh siad	go n-aithrisí siad
d'aithristhí		aithrisíthear	go n-aithrisíthear
		ná haithris	nár aithrisí

Connaught Irish: Gaeilge Chonnacht

THE IMPERFECT TENSE	An Aimsir Ghnáthchaite	The Imperative Mood	The Present Subjunctive
d'aithrisínn		aithrisím	go n-aithrisí mé
d'aithrisíteá[M]	ní aithrisíodh	aithris	go n-aithrisí tú
d'aithrisíodh sé	an aithrisíodh?	aithrisíodh sé	go n-aithrisí sé
d'aithrisíodh sí	go n-aithrisíodh	aithrisíodh sí	go n-aithrisí sí
d'aithrisíodh muid	nach n-aithrisíodh	aithrisímid	go n-aithrisí muid
d'aithrisíodh sibh		*aithrisidh	go n-aithrisí sibh
d'aithrisídís[U]		aithrisídís	go n-aithrisí siad
d'aithrisítí[M]		aithrisíthear	go n-aithrisíthear
		ná haithris	nár aithrisí

Munster Irish: Gaeilge na Mumhan

THE IMPERFECT TENSE	An Aimsir Ghnáthchaite	An Modh Ordaitheach	An Foshuiteach Láithreach
*dh'aithrisínn	ní aithrisíodh	aithrisím	go n-aithrisíod*
*dh'aithrisíotá	(ní dh'aithrisíodh)	aithris	go n-aithrisír*
*dh'aithrisíodh sé	an aithrisíodh?	aithrisíodh sé	go n-aithrisí sé
*dh'aithrisíodh sí	go n-aithrisíodh	aithrisíodh sí	go n-aithrisí sí
*dh'aithrisímíst	ná haithrisíodh	aithrisímíst	go n-aithrisíom*
*dh'aithrisíodh sibh		aithrisíg[=C]*	go n-aithrisí sibh
*dh'aithrisídíst		aithrisídíst	go n-aithrisíd*
*(do) haithrisíotaí		aithrisíotar*	go n-aithrisíotar*
		ná haithris	nár aithrisí

4 **amharc** 'look' v.n. **amharc** v.adj. **amharctha**

Standard Irish: An Caighdeán Oifigiúil

THE PAST TENSE	An Aimsir Chaite	THE PRESENT TENSE	An Aimsir Láithreach
d'amharc mé	níor amharc	amharcaim	
d'amharc tú	ar amharc?	amharcann tú	ní amharcann
d'amharc sé	gur amharc	amharcann sé	an amharcann?
d'amharc sí	nár amharc	amharcann sí	go n-amharcann
d'amharcamar	níor amharcadh	amharcaimid	nach n-amharcann
d'amharc sibh	ar amharcadh?	amharcann sibh	
d'amharc siad	gur amharcadh	amharcann siad	a amharcann
amharcadh	nár amharcadh	amharctar	

Ulster Irish: Gaeilge Chúige Uladh

THE PAST TENSE	An Aimsir Chaite	THE PRESENT TENSE	An Aimsir Láithreach
d'amharc mé	níor amharc	amharcaim	ní amharcann
d'amharc tú	(char amharc)	amharcann tú	(chan amharcann)
d'amharc sé	ar amharc?	amharcann sé	an amharcann?
d'amharc sí	gur amharc	amharcann sí	go n-amharcann
d'amharc muid[†]	nár amharc	amharcann muid[†]	nach n-amharcann
d'amharc sibh		amharcann sibh	*var pron.* amhanc
d'amharc siad	níor/ar hamharcadh	amharcann siad	a amharcas
hamharcadh	gur/nár hamharcadh	amharctar	

Connaught Irish: Gaeilge Chonnacht

THE PAST TENSE	An Aimsir Chaite	THE PRESENT TENSE	An Aimsir Láithreach
bhreathnaigh mé	níor bhreathnaigh	breathnaím	
bhreathnaigh tú	ar bhreathnaigh?	breathnaíonn tú	ní bhreathnaíonn
bhreathnaigh sé	gur bhreathnaigh	breathnaíonn sé	an mbreathnaíonn?
bhreathnaigh sí	nár bhreathnaigh	breathnaíonn sí	go mbreathnaíonn
bhreathnaigh muid	níor breathnaíodh	breathnaíonn muid	nach mbreathnaíonn
bhreathnaigh sibh	ar breathnaíodh?	breathnaíonn sibh	
bhreathnaíodar[U]	gur breathnaíodh	breathnaíonn siad	a bhreathnaíonns
breathnaíodh[U]	nár breathnaíodh	breathnaít(h)ear	*vn* breathnú
			vadj breathnaithe

Munster Irish: Gaeilge na Mumhan

THE PAST TENSE	An Aimsir Chaite	THE PRESENT TENSE	An Aimsir Láithreach
dh'fhéachas*	níor fhéach, níor dh'fh.	féachaim	ní fhéachann
dh'fhéachais*	ar fhéach?	féachann tú	(ní dh'fhéachann)
*dh'fhéach sé	gur fhéach	féachann sé	an bhféachann?
*dh'fhéach sí	nár fhéach	féachann sí	go bhféachann
dh'fhéachamair*	níor féachadh	féachaimíd	ná féachann
dh'fhéachabhair*	ar féachadh?	féachann sibh	
dh'fhéachadar	gur féachadh	*féachaid	a fhéachann
(do) féachadh	nár féachadh	féachtar	*vn* féachaint
d(h)'fhéachadh			*vadj* féachta

4 **amharc** 'look' a.br. **amharc** aid.bhr. **amharctha**

Standard Irish: An Caighdeán Oifigiúil

THE FUTURE TENSE	An Aimsir Fháistineach	THE CONDITIONAL MOOD	An Modh Coinníollach
amharcfaidh mé		d'amharcfainn	
amharcfaidh tú	ní amharcfaidh	d'amharcfá	ní amharcfadh
amharcfaidh sé	an amharcfaidh?	d'amharcfadh sé	an amharcfadh?
amharcfaidh sí	go n-amharcfaidh	d'amharcfadh sí	go n-amharcfadh
amharcfaimid	nach n-amharcfaidh	d'amharcfaimis	nach n-amharcfadh
amharcfaidh sibh		d'amharcfadh sibh	
amharcfaidh siad	a amharcfaidh	d'amharcfaidís	
amharcfar		d'amharcfaí	

Ulster Irish: Gaeilge Chúige Uladh

THE FUTURE TENSE	An Aimsir Fháistineach	THE CONDITIONAL MOOD	An Modh Coinníollach
amharcóchaidh mé	ní amharcóchaidh	d'amharcóchainn	
amharcóchaidh tú	(chan amharcann)	d'amharcófá	ní amharcóchadh
amharcóchaidh sé	an amharcóchaidh?	d'amharcóchadh sé	(chan amharcóchadh)
amharcóchaidh sí	go n-amharcóchaidh	d'amharcóchadh sí	an amharcóchadh?
amharcóchaidh muid[†]	nach n-amharcóchaidh	d'amharcóchaimis[‡]	go n-amharcóchadh
amharcóchaidh sibh		d'amharcóchadh sibh	nach n-amharcóchadh
amharcóchaidh siad	a amharcóchas	d'amharcóchadh siad	
amharcófar		d'amharcófaí	

Connaught Irish: Gaeilge Chonnacht

THE FUTURE TENSE	An Aimsir Fháistineach	THE CONDITIONAL MOOD	An Modh Coinníollach
breathnóidh mé *var.* breathnód		bhreathnóinn	
breathnóidh tú *var.* breathnóir		bhreathnófá	ní bhreathnódh
breathnóidh sé	ní bhreathnóidh	bhreathnódh sé	an mbreathnódh?
breathnóidh sí	an mbreathnóidh?	bhreathnódh sí	go mbreathnódh
breathnóidh muid	go mbreathnóidh	bhreathnódh muid	nach mbreathnódh
breathnóidh sibh	nach mbreathnóidh	bhreathnódh sibh	
breathnóidh siad	a bhreathnós	bhreathnóidís	
breathnófar		bhreathnófaí	

Munster Irish: Gaeilge na Mumhan

THE FUTURE TENSE	An Aimsir Fháistineach	THE CONDITIONAL MOOD	An Modh Coinníollach
féachfad*	ní fhéachfaidh	*dh'fhéachfainn	ní fhéachfadh
*féachfair	(ní dh'fhéachfaidh)	*dh'fhéachfá	(ní dh'fhéachfadh)
féachfaidh sé	an bhféachfaidh?	*dh'fhéachfadh sé	an bhféachfadh?
féachfaidh sí	go bhféachfaidh	*dh'fhéachfadh sí	go bhféachfadh
*féachfam	ná féachfaidh	*dh'fhéachfaimist	ná féachfadh
féachfaidh sibh		*dh'fhéachfadh sibh	
*féachfaid (siad)	a fhéachfaidh	*dh'fhéachfaidíst	
féachfar		*(do) féachfaí	

Standard Irish: An Caighdeán Oifigiúil

THE IMPERFECT TENSE	An Aimsir Ghnáthchaite	The Imperative Mood	The Present Subjunctive
d'amharcainn		amharcaim	go n-amharca mé
d'amharctá	ní amharcadh	amharc	go n-amharca tú
d'amharcadh sé	an amharcadh?	amharcadh sé	go n-amharca sé
d'amharcadh sí	go n-amharcadh	amharcadh sí	go n-amharca sí
d'amharcaimis	nach n-amharcadh	amharcaimis	go n-amharcaimid
d'amharcadh sibh		amharcaigí	go n-amharca sibh
d'amharcaidís		amharcaidís	go n-amharca siad
d'amharctaí		amharctar	go n-amharctar
		ná hamharc	nár amharca

Ulster Irish: Gaeilge Chúige Uladh

THE IMPERFECT TENSE	An Aimsir Ghnáthchaite	An Modh Ordaitheach	An Foshuiteach Láithreach
d'amharcainn		amharcaim	go n-amharcaidh mé
d'amharctha	ní amharcadh	amharc	go n-amharcaidh tú
d'amharcadh sé	(chan amharcadh)	amharcadh sé	go n-amharcaidh sé
d'amharcadh sí	an amharcadh?	amharcadh sí	go n-amharcaidh sí
d'amharcaimis‡	go n-amharcadh	amharcaimis‡/fut	go n-amharcaidh muid†
d'amharcadh sibh	nach n-amharcadh	amharcaigí	go n-amharcaidh sibh
d'amharcadh siad	Ba ghnách le …	amharcadh siad	go n-amharcaidh siad
d'amharctaí		amharctar	go n-amharctar
		ná hamharc	nár amharcaidh

Connaught Irish: Gaeilge Chonnacht

THE IMPERFECT TENSE	An Aimsir Ghnáthchaite	The Imperative Mood	The Present Subjunctive
bhreathnaínn		breathnaím	go mbreathnaí mé
bhreathnaíteáM	ní bhreathnaíodh	breathnaigh	go mbreathnaí tú
bhreathnaíodh sé	an mbreathnaíodh?	breathnaíodh sé	go mbreathnaí sé
bhreathnaíodh sí	go mbreathnaíodh	breathnaíodh sí	go mbreathnaí sí
bhreathnaíodh muid	nach mbreathnaíodh	breathnaímid	go mbreathnaí muid
bhreathnaíodh sibh		breathnaighidh	go mbreathnaí sibh
bhreathnaídísU		breathnaídís	go mbreathnaí siad
bhreathnaítíM		breathnaít(h)ear	go mbreathnaít(h)ear
		ná breathnaigh	nár bhreathnaí

Munster Irish: Gaeilge na Mumhan

THE IMPERFECT TENSE	An Aimsir Ghnáthchaite	An Modh Ordaitheach	An Foshuiteach Láithreach
*dh'fhéachainn	ní fhéachadh	féachaim	go bhféachad*
*dh'fhéachtá	(ní dh'fhéachadh)	féach	go bhféachair*
*dh'fhéachadh sé	an bhféachadh?	féachadh sé	go bhféacha sé
*dh'fhéachadh sí	go bhféachadh	féachadh sí	go bhféacha sí
*dh'fhéachaimíst	ná féachadh	féachaimíst	go bhféacham*
*dh'fhéachadh sibh		féachaig=C*	go bhféacha sibh
*dh'fhéachaidíst		féachaidíst	go bhféachaid*
*(do) féachtaí		féachtar	go bhféachtar
		ná féach	nár fhéacha

5 **at** 'swell' v.n. **at** v.adj. **ata**

Standard Irish: An Caighdeán Oifigiúil

THE PAST TENSE	An Aimsir Chaite	THE PRESENT TENSE	An Aimsir Láithreach
d'at mé	níor at	ataim	
d'at tú	ar at?	atann tú	ní atann
d'at sé	gur at	atann sé	an atann?
d'at sí	nár at	atann sí	go n-atann
d'atamar	níor atadh	ataimid	nach n-atann
d'at sibh	ar atadh?	atann sibh	
d'at siad	gur atadh	atann siad	a atann
atadh	nár atadh	atar	

Ulster Irish: Gaeilge Chúige Uladh

THE PAST TENSE	An Aimsir Chaite	THE PRESENT TENSE	An Aimsir Láithreach
d'at mé	níor at	ataim	ní atann
d'at tú	(char at)	atann tú	(chan atann)
d'at sé	ar at?	atann sé	an atann?
d'at sí	gur at	atann sí	go n-atann
d'at muid[†]	nár at	atann muid[†]	nach n-atann
d'at sibh		atann sibh	
d'at siad	níor/ar hatadh	atann siad	a atas
hatadh	gur/nár hatadh	atar	

Connaught Irish: Gaeilge Chonnacht

THE PAST TENSE	An Aimsir Chaite	THE PRESENT TENSE	An Aimsir Láithreach
d'at mé [M]	níor at	ataim	
d'at tú [M]	ar at?	atann tú	ní atann
d'at sé	gur at	atann sé	an atann?
d'at sí	nár at	atann sí	go n-atann
d'at muid	níor hatadh	atann muid	nach n-atann
d'at sibh	ar hatadh?	atann sibh	
d'atadar[U]	gur hatadh	atann siad	a atanns
hatadh	nár hatadh	atar	

Munster Irish: Gaeilge na Mumhan

THE PAST TENSE	An Aimsir Chaite	THE PRESENT TENSE	An Aimsir Láithreach
dh'atas*	níor at, ní(or) dh'at	ataim	ní atann
dh'atais*	ar at?	atann tú	(ní dh'atann)
*dh'at sé	gur at	atann sé	an atann?
*dh'at sí	nár at	atann sí	go n-atann
*dh'atamair	níor hatadh*	ataimíd	ná hatann
dh'atabhair*	ar hatadh?*	atann sibh	
dh'atadar	gur hatadh*	*ataid	a atann
(do) hatadh*	nár hatadh*	atar	

5 **at** 'swell' a.br. **at** aid.bhr. **ata**

Standard Irish: An Caighdeán Oifigiúil

THE FUTURE TENSE	An Aimsir Fháistineach
atfaidh mé	
atfaidh tú	ní atfaidh
atfaidh sé	an atfaidh?
atfaidh sí	go n-atfaidh
atfaimid	nach n-atfaidh
atfaidh sibh	
atfaidh siad	a atfaidh
atfar	

THE CONDITIONAL MOOD	An Modh Coinníollach
d'atfainn	
d'atfá	ní atfadh
d'atfadh sé	an atfadh?
d'atfadh sí	go n-atfadh
d'atfaimis	nach n-atfadh
d'atfadh sibh	
d'atfaidís	
d'atfaí	

Ulster Irish: Gaeilge Chúige Uladh

THE FUTURE TENSE	An Aimsir Fháistineach
atóchaidh mé	ní atóchaidh
atóchaidh tú	(chan atann)
atóchaidh sé	an atóchaidh?
atóchaidh sí	go n-atóchaidh
atóchaidh muid[†]	nach n-atóchaidh
atóchaidh sibh	
atóchaidh siad	a atóchas
atófar	

THE CONDITIONAL MOOD	An Modh Coinníollach
d'atóchainn	
d'atófá	ní atóchadh
d'atóchadh sé	(chan atóchadh)
d'atóchadh sí	an atóchadh?
d'atóchaimis[‡]	go n-atóchadh
d'atóchadh sibh	nach n-atóchadh
d'atóchadh siad	
d'atófaí	

Connaught Irish: Gaeilge Chonnacht

THE FUTURE TENSE	An Aimsir Fháistineach
atfaidh mé[M]	
atfaidh tú[M]	ní atfaidh
atfaidh sé	an atfaidh?
atfaidh sí	go n-atfaidh
atfaidh muid	nach n-atfaidh
atfaidh sibh	
atfaidh siad	a atfas
atfar	

THE CONDITIONAL MOOD	An Modh Coinníollach
d'atfainn	
d'atfá	ní atfadh
d'atfadh sé	an atfadh?
d'atfadh sí	go n-atfadh
d'atfadh muid	nach n-atfadh
d'atfadh sibh	
d'atfaidís[U]	
d'atfaí[M]	

Munster Irish: Gaeilge na Mumhan

THE FUTURE TENSE	An Aimsir Fháistineach
atfad*	ní atfaidh
*atfair	(ní dh'atfaidh)
atfaidh sé	an atfaidh?
atfaidh sí	go n-atfaidh
*atfam	ná hatfaidh
atfaidh sibh	
*atfaid	a atfaidh
atfar	

THE CONDITIONAL MOOD	An Modh Coinníollach
*dh'atfainn	ní atfadh
*dh'atfá	(ní dh'atfadh)
*dh'atfadh sé	an atfadh?
*dh'atfadh sí	go n-atfadh
*dh'atfaimíst	ná hatfadh
*dh'atfadh sibh	
*dh'atfaidíst	
*(do) hatfaí	

Standard Irish: An Caighdeán Oifigiúil

THE IMPERFECT TENSE	An Aimsir Ghnáthchaite	The Imperative Mood	The Present Subjunctive
d'atainn		ataim	go n-ata mé
d'atá	ní atadh	at	go n-ata tú
d'atadh sé	an atadh?	atadh sé	go n-ata sé
d'atadh sí	go n-atadh	atadh sí	go n-ata sí
d'ataimis	nach n-atadh	ataimis	go n-ataimid
d'atadh sibh		ataigí	go n-ata sibh
d'ataidís		ataidís	go n-ata siad
d'ataí		atar	go n-atar
		ná hat	nár ata

Ulster Irish: Gaeilge Chúige Uladh

THE IMPERFECT TENSE	An Aimsir Ghnáthchaite	An Modh Ordaitheach	An Foshuiteach Láithreach
d'atainn		ataim	go n-ataidh mé
d'atá	ní atadh	at	go n-ataidh tú
d'atadh sé	(chan atadh)	atadh sé	go n-ataidh sé
d'atadh sí	an atadh?	atadh sí	go n-ataidh sí
d'ataimis[‡]	go n-atadh	ataimis[‡/fut]	go n-ataidh muid[†]
d'atadh sibh	nach n-atadh	ataigí	go n-ataidh sibh
d'atadh siad	Ba ghnách le …	atadh siad	go n-ataidh siad
d'ataí		atar	go n-atar
		ná hat	nár ataidh

Connaught Irish: Gaeilge Chonnacht

THE IMPERFECT TENSE	An Aimsir Ghnáthchaite	The Imperative Mood	The Present Subjunctive
d'atainn		ataim	go n-ata mé
d'atá	ní atadh	at	go n-ata tú
d'atadh sé	an atadh?	atadh sé	go n-ata sé
d'atadh sí	go n-atadh	atadh sí	go n-ata sí
d'atadh muid	nach n-atadh	ataimid	go n-ata muid
d'atadh sibh		*ataidh	go n-ata sibh
d'ataidís[U]		ataidís	go n-ata siad
d'ataí[M]		atar	go n-atar
		ná hat	nár ata

Munster Irish: Gaeilge na Mumhan

THE IMPERFECT TENSE	An Aimsir Ghnáthchaite	An Modh Ordaitheach	An Foshuiteach Láithreach
*dh'atainn	ní atadh	ataim	go n-atad*
*dh'atá	(ní dh'atadh)	at	go n-atair*
*dh'atadh sé	an atadh?	atadh sé	go n-ata sé
*dh'atadh sí	go n-atadh	atadh sí	go n-ata sí
*dh'ataimíst	ná hatadh	ataimíst	go n-atam*
*dh'atadh sibh		ataíg[=C]*	go n-ata sibh
*dh'ataidíst		ataidíst	go n-ataid*
*(do) hataí		atar	go n-atar
		ná hat	nár ata

6 **athraigh** 'change' v.n. **athrú** v.adj. **athraithe**

Standard Irish: An Caighdeán Oifigiúil

THE PAST TENSE	An Aimsir Chaite
d'athraigh mé	níor athraigh
d'athraigh tú	ar athraigh?
d'athraigh sé	gur athraigh
d'athraigh sí	nár athraigh
d'athraíomar	níor athraíodh
d'athraigh sibh	ar athraíodh?
d'athraigh siad	gur athraíodh
athraíodh	nár athraíodh

THE PRESENT TENSE	An Aimsir Láithreach
athraím	ní athraíonn
athraíonn tú	an athraíonn?
athraíonn sé	go n-athraíonn
athraíonn sí	nach n-athraíonn
athraímid	
athraíonn sibh	a athraíonn
athraíonn siad	
athraítear	

Ulster Irish: Gaeilge Chúige Uladh

THE PAST TENSE	An Aimsir Chaite
d'athraigh mé	níor athraigh
d'athraigh tú	(char athraigh)
d'athraigh sé	ar athraigh?
d'athraigh sí	gur athraigh
d'athraigh muid[†]	nár athraigh
d'athraigh sibh	
d'athraigh siad	níor/ar hathradh
hathradh	gur/nár hathradh

THE PRESENT TENSE	An Aimsir Láithreach
athraim	ní athrann
athrann tú	(chan athrann)
athrann sé	an athrann?
athrann sí	go n-athrann
athrann muid[†]	nach n-athrann
athrann sibh	
athrann siad	a athras
athraíthear	*vn* athrach

Connaught Irish: Gaeilge Chonnacht

THE PAST TENSE	An Aimsir Chaite
d'athraigh mé[M]	níor athraigh
d'athraigh tú[M]	ar athraigh?
d'athraigh sé	gur athraigh
d'athraigh sí	nár athraigh
d'athraigh muid	níor hathraíodh
d'athraigh sibh	ar hathraíodh?
d'athraíodar[U]	gur hathraíodh
hathraíodh[U]	nár hathraíodh

THE PRESENT TENSE	An Aimsir Láithreach
athraím	ní athraíonn
athraíonn tú	an athraíonn?
athraíonn sé	go n-athraíonn
athraíonn sí	nach n-athraíonn
athraíonn muid	
athraíonn sibh	a athraíonns
athraíonn siad	
athraíthear	

Munster Irish: Gaeilge na Mumhan

THE PAST TENSE	An Aimsir Chaite
dh'athraíos*	*ní(or) dh'athraigh
dh'athraís*	ar athraigh?
*dh'athraigh sé	gur athraigh
*dh'athraigh sí	nár athraigh
dh'athraíomair*	níor hathraíodh*
dh'athraíobhair*	ar hathraíodh?*
*dh'athraíodar	gur hathraíodh*
(do) hathraíodh* d(h)'athraíodh	nár hathraíodh*

THE PRESENT TENSE	An Aimsir Láithreach
athraím	ní athraíonn
athraíonn tú	(ní dh'athraíonn)
athraíonn sé	an athraíonn?
athraíonn sí	go n-athraíonn
athraímíd	ná hathraíonn
athraíonn sibh	
*athraíd	a athraíonn
athraíotar*	

6 **athraigh** 'change' a.br. **athrú** aid.bhr. **athraithe**

Standard Irish: An Caighdeán Oifigiúil

THE FUTURE TENSE	An Aimsir Fháistineach
athróidh mé	
athróidh tú	ní athróidh
athróidh sé	an athróidh?
athróidh sí	go n-athróidh
athróimid	nach n-athróidh
athróidh sibh	
athróidh siad	a athróidh
athrófar	

THE CONDITIONAL MOOD	An Modh Coinníollach
d'athróinn	
d'athrófá	ní athródh
d'athródh sé	an athródh?
d'athródh sí	go n-athródh
d'athróimis	nach n-athródh
d'athródh sibh	
d'athróidís	
d'athrófaí	

Ulster Irish: Gaeilge Chúige Uladh

THE FUTURE TENSE	An Aimsir Fháistineach
athróchaidh mé	ní athróchaidh
athróchaidh tú	(chan athrann)
athróchaidh sé	an athróchaidh?
athróchaidh sí	go n-athróchaidh
athróchaidh muid†	nach n-athróchaidh
athróchaidh sibh	
athróchaidh siad	a athróchas
athrófar	

THE CONDITIONAL MOOD	An Modh Coinníollach
d'athróchainn	
d'athrófá	ní athróchadh
d'athróchadh sé	(chan athróchadh)
d'athróchadh sí	an athróchadh?
d'athróchaimis‡	go n-athróchadh
d'athróchadh sibh	nach n-athróchadh
d'athróchadh siad	
d'athrófaí	

Connaught Irish: Gaeilge Chonnacht

THE FUTURE TENSE	An Aimsir Fháistineach
athróidh mé [M]	
athróidh tú[M]	ní athróidh
athróidh sé	an athróidh?
athróidh sí	go n-athróidh
athróidh muid	nach n-athróidh
athróidh sibh	
athróidh siad	a athrós
athrófar	

THE CONDITIONAL MOOD	An Modh Coinníollach
d'athróinn	
d'athrófá	ní athródh
d'athródh sé	an athródh?
d'athródh sí	go n-athródh
d'athródh muid	nach n-athródh
d'athródh sibh	
d'athróidís[U]	
d'athrófaí[M]	

Munster Irish: Gaeilge na Mumhan

THE FUTURE TENSE	An Aimsir Fháistineach
athród*	ní athróidh
*athróir	(ní dh'athróidh)
athróidh sé	an athróidh?
athróidh sí	go n-athróidh
*athróm	ná hathróidh
athróidh sibh	
*athróid	a athróidh
athrófar	

THE CONDITIONAL MOOD	An Modh Coinníollach
*dh'athróinn	ní athródh
*dh'athrófá	(ní dh'athródh)
*dh'athródh sé	an athródh?
*dh'athródh sí	go n-athródh
*dh'athróimist	ná hathródh
*dh'athródh sibh	
*dh'athróidíst	
*do hathrófaí	

6 **athraigh** 'change' v.n. **athrú** v.adj. **athraithe**

Standard Irish: An Caighdeán Oifigiúil

THE IMPERFECT TENSE	An Aimsir Ghnáthchaite	The Imperative Mood	The Present Subjunctive
d'athraínn		athraím	go n-athraí mé
d'athraíteá	ní athraíodh	athraigh	go n-athraí tú
d'athraíodh sé	an athraíodh?	athraíodh sé	go n-athraí sé
d'athraíodh sí	go n-athraíodh	athraíodh sí	go n-athraí sí
d'athraímis	nach n-athraíodh	athraímis	go n-athraímid
d'athraíodh sibh		athraigí	go n-athraí sibh
d'athraídís		athraídís	go n-athraí siad
d'athraítí		athraítear	go n-athraítear
		ná hathraigh	nár athraí

Ulster Irish: Gaeilge Chúige Uladh

THE IMPERFECT TENSE	An Aimsir Ghnáthchaite	An Modh Ordaitheach	An Foshuiteach Láithreach
d'athrainn*		athraim	go n-athraí mé
d'athraítheá	ní athradh	athraigh	go n-athraí tú
d'athradh sé*	(chan athradh)	athradh sé	go n-athraí sé
d'athradh sí*	an athradh?	athradh sí	go n-athraí sí
d'athraimis[‡*]	go n-athradh	athraimis[‡/fut]	go n-athraí muid[†]
d'athradh sibh*	nach n-athradh	athraigí	go n-athraí sibh
d'athradh siad*	Ba ghnách le …	athradh siad	go n-athraí siad
d'athraíthí		athraíthear	go n-athraíthear
		ná hathraigh	nár athraí

Connaught Irish: Gaeilge Chonnacht

THE IMPERFECT TENSE	An Aimsir Ghnáthchaite	The Imperative Mood	The Present Subjunctive
d'athraínn		athraím	go n-athraí mé
d'athraíteá[M]	ní athraíodh	athraigh	go n-athraí tú
d'athraíodh sé	an athraíodh?	athraíodh sé	go n-athraí sé
d'athraíodh sí	go n-athraíodh	athraíodh sí	go n-athraí sí
d'athraíodh muid	nach n-athraíodh	athraímid	go n-athraí muid
d'athraíodh sibh		*athraighidh	go n-athraí sibh
d'athraídís[U]		athraídís	go n-athraí siad
d'athraítí[M]		athraíthear	go n-athraíthear
		ná hathraigh	nár athraí

Munster Irish: Gaeilge na Mumhan

THE IMPERFECT TENSE	An Aimsir Ghnáthchaite	An Modh Ordaitheach	An Foshuiteach Láithreach
*dh'athraínn	ní athraíodh	athraím	go n-athraíod*
*dh'athraíotá	(ní dh'athraíodh)	athraigh	go n-athraír*
*dh'athraíodh sé	an athraíodh?	athraíodh sé	go n-athraí sé
*dh'athraíodh sí	go n-athraíodh	athraíodh sí	go n-athraí sí
*dh'athraímíst	ná hathraíodh	athraímíst	go n-athraíom*
*dh'athraíodh sibh		athraig[=C*]	go n-athraí sibh
*dh'athraídíst		athraídíst	go n-athraíd*
*do hathraíotaí		athraíotar*	go n-athraíotar*
		ná hathraigh	nár athraí

7 báigh 'drown' v.n. bá v.adj. báite

Standard Irish: An Caighdeán Oifigiúil

THE PAST TENSE	An Aimsir Chaite
bháigh mé	níor bháigh
bháigh tú	ar bháigh?
bháigh sé	gur bháigh
bháigh sí	nár bháigh
bhámar	níor bádh
bháigh sibh	ar bádh?
bháigh siad	gur bádh
bádh	nár bádh

THE PRESENT TENSE	An Aimsir Láithreach
báim	
bánn tú	ní bhánn
bánn sé	an mbánn?
bánn sí	go mbánn
báimid	nach mbánn
bánn sibh	
bánn siad	a bhánn
báitear	

Ulster Irish: Gaeilge Chúige Uladh

THE PAST TENSE	An Aimsir Chaite
bháith mé	níor bháith
bháith tú	(char bháith)
bháith sé	ar bháith?
bháith sí	gur bháith
bháith muid†	nár bháith
bháith sibh	
bháith siad	níor/ar báitheadh
báitheadh	gur/nár báitheadh

THE PRESENT TENSE	An Aimsir Láithreach
báithim	ní bháitheann
báitheann tú	(cha bháitheann)
báitheann sé	an mbáitheann?
báitheann sí	go mbáitheann
báitheann muid†	nach mbáitheann
báitheann sibh	
báitheann siad	a bháitheas
báitear	*vn* báthadh

Connaught Irish: Gaeilge Chonnacht

THE PAST TENSE	An Aimsir Chaite
bháidh mé [M]	níor bháidh
bháidh tú [M]	ar bháidh?
bháidh sé	gur bháidh
bháidh sí	nár bháidh
bháidh muid	níor bádh
bháidh sibh	ar bádh?
bhádar[U]	gur bádh
bádh	nár bádh

THE PRESENT TENSE	An Aimsir Láithreach
báidhim	
báidheann tú	ní bháidheann
báidheann sé	an mbáidheann?
báidheann sí	go mbáidheann
báidheann muid	nach mbáidheann
báidheann sibh	
báidheann siad	a bháidheanns
báitear	

Munster Irish: Gaeilge na Mumhan

THE PAST TENSE	An Aimsir Chaite
(do) bhás*	ní(or) bháigh
(do) bháis*	ar bháigh?
(do) bháigh sé	gur bháigh
(do) bháigh sí	nár bháigh
(do) bhámair*	*níor bhádh
(do) bhábhair*	*ar bhádh?
(do) bhádar	*gur bhádh
*(do) bhádh	*nár bhádh

THE PRESENT TENSE	An Aimsir Láithreach
báim	
bánn tú	ní bhánn
bánn sé	an mbánn?
bánn sí	go mbánn
báimíd	ná bánn
bánn sibh	
*báid	a bhánn
báitear	

7 **báigh** ‘drown’ a.br. **bá** aid.bhr. **báite**

Standard Irish: An Caighdeán Oifigiúil

THE FUTURE TENSE	An Aimsir Fháistineach
báfaidh mé	
báfaidh tú	ní bháfaidh
báfaidh sé	an mbáfaidh?
báfaidh sí	go mbáfaidh
báfaimid	nach mbáfaidh
báfaidh sibh	
báfaidh siad	a bháfaidh
báfar	

THE CONDITIONAL MOOD	An Modh Coinníollach
bháfainn	
bháfá	ní bháfadh
bháfadh sé	an mbáfadh?
bháfadh sí	go mbáfadh
bháfaimis	nach mbáfadh
bháfadh sibh	
bháfaidís	
bháfaí	

Ulster Irish: Gaeilge Chúige Uladh

THE FUTURE TENSE	An Aimsir Fháistineach
báifidh mé	
báifidh tú	ní bháifidh
báifidh sé	(cha bháitheann)
báifidh sí	an mbáifidh?
báifidh muid[†]	go mbáifidh
báifidh sibh	nach mbáifidh
báifidh siad	a bháifeas
báifear	

THE CONDITIONAL MOOD	An Modh Coinníollach
bháifinn	
bháifeá	ní bháifeadh
bháifeadh sé	(cha bháifeadh)
bháifeadh sí	an mbáifeadh?
bháifimis[‡]	go mbáifeadh
bháifeadh sibh	nach mbáifeadh
bháifeadh siad	
bháifí	

Connaught Irish: Gaeilge Chonnacht

THE FUTURE TENSE	An Aimsir Fháistineach
báifidh mé [M]	
báifidh tú[M]	ní bháifidh
báifidh sé	an mbáifidh?
báifidh sí	go mbáifidh
báifidh muid	nach mbáifidh
báifidh sibh	
báifidh siad	a bháifeas
báifear	

THE CONDITIONAL MOOD	An Modh Coinníollach
bháifinn	
bháifeá	ní bháifeadh
bháifeadh sé	an mbáifeadh?
bháifeadh sí	go mbáifeadh
bháifeadh muid	nach mbáifeadh
bháifeadh sibh	
bháifidís[U]	
bháifí[M]	

Munster Irish: Gaeilge na Mumhan

THE FUTURE TENSE	An Aimsir Fháistineach
báfad*	
*báfair	ní bháfaidh
báfaidh sé	an mbáfaidh?
báfaidh sí	go mbáfaidh
*báfam	ná báfaidh
báfaidh sibh	
*báfaid	a bháfaidh
báfar	

THE CONDITIONAL MOOD	An Modh Coinníollach
(do) bháfainn	
(do) bháfá	ní bháfadh
(do) bháfadh sé	an mbáfadh?
(do) bháfadh sí	go mbáfadh
(do) bháfaimíst	ná báfadh
(do) bháfadh sibh	
(do) bháfaidíst	
*(do) báfaí	

7 **báigh** 'drown' v.n. **bá** v.adj. **báite**

Standard Irish: An Caighdeán Oifigiúil

THE IMPERFECT TENSE	An Aimsir Ghnáthchaite	The Imperative Mood	The Present Subjunctive
bháinn		báim	go mbá mé
bháiteá	ní bhádh	báigh	go mbá tú
bhádh sé	an mbádh?	bádh sé	go mbá sé
bhádh sí	go mbádh	bádh sí	go mbá sí
bháimis	nach mbádh	báimis	go mbáimid
bhádh sibh		báigí	go mbá sibh
bháidís		báidís	go mbá siad
bháití		báitear	go mbáitear
		ná báigh	nár bhá

Ulster Irish: Gaeilge Chúige Uladh

THE IMPERFECT TENSE	An Aimsir Ghnáthchaite	An Modh Ordaitheach	An Foshuiteach Láithreach
bháithinn		báithim	go mbáithidh mé
bháiththeá	ní bháitheadh	báith	go mbáithidh tú
bháitheadh sé	(cha bháitheadh)	báitheadh sé	go mbáithidh sé
bháitheadh sí	an mbáitheadh?	báitheadh sí	go mbáithidh sí
bháithimis[‡]	go mbáitheadh	báithimis[‡/fut]	go mbáithidh muid[†]
bháitheadh sibh	nach mbáitheadh	báithigí[C]	go mbáithidh sibh
bháitheadh siad	Ba ghnách le …	báitheadh siad	go mbáithidh siad
bháití		báitear	go mbáitear
		ná báith	nár bháithidh

Connaught Irish: Gaeilge Chonnacht

THE IMPERFECT TENSE	An Aimsir Ghnáthchaite	The Imperative Mood	The Present Subjunctive
bháidhinn		báidhim	go mbáidhe mé
bháidhteá	ní bháidheadh	báidh	go mbáidhe tú
bháidheadh sé	an mbáidheadh?	báidheadh sé	go mbáidhe sé
bháidheadh sí	go mbáidheadh	báidheadh sí	go mbáidhe sí
bháidheadh muid	nach mbáidheadh	báidhimid	go mbáidhe muid
bháidheadh sibh		*báidhidh	go mbáidhe sibh
bháidhidís[U]		báidhidís	go mbáidhe siad
bháidhtí[M]		báidhtear	go mbáitear
		ná báidh	nár bháidhe

Munster Irish: Gaeilge na Mumhan

THE IMPERFECT TENSE	An Aimsir Ghnáthchaite	An Modh Ordaitheach	An Foshuiteach Láithreach
(do) bháinn		báim	go mbád*
(do) bháiteá	ní bhádh	báigh	go mbáir*
(do) bhádh sé	an mbádh?	bádh sé	go mbá sé
(do) bhádh sí	go mbádh	bádh sí	go mbá sí
(do) bháimíst	ná bádh	báimíst	go mbám*
(do) bhádh sibh		báig[=C*]	go mbá sibh
(do) bháidíst		báidíst	go mbáid*
*(do) báití		báitear	go mbáitear
		ná báigh	nár bhá

Standard Irish: An Caighdeán Oifigiúil

THE PAST TENSE	An Aimsir Chaite
bhailigh mé	níor bhailigh
bhailigh tú	ar bhailigh?
bhailigh sé	gur bhailigh
bhailigh sí	nár bhailigh
bhailíomar	níor bailíodh
bhailigh sibh	ar bailíodh?
bhailigh siad	gur bailíodh
bailíodh	nár bailíodh

THE PRESENT TENSE	An Aimsir Láithreach
bailím	
bailíonn tú	ní bhailíonn
bailíonn sé	an mbailíonn?
bailíonn sí	go mbailíonn
bailímid	nach mbailíonn
bailíonn sibh	
bailíonn siad	a bhailíonn
bailítear	

Ulster Irish: Gaeilge Chúige Uladh

THE PAST TENSE	An Aimsir Chaite
chruinnigh mé	níor chruinnigh
chruinnigh tú	(char chruinnigh)
chruinnigh sé	ar chruinnigh?
chruinnigh sí	gur chruinnigh
chruinnigh muid†	nár chruinnigh
chruinnigh sibh	
chruinnigh siad	níor/ar cruinneadh
cruinneadh	gur/nár cruinneadh

THE PRESENT TENSE	An Aimsir Láithreach
cruinnim	ní chruinneann
cruinneann tú	(cha chruinneann)
cruinneann sé	an gcruinneann?
cruinneann sí	go gcruinneann
cruinneann muid†	nach gcruinneann
cruinneann sibh	
cruinneann siad	a chruinneas
cruinnítear	*vn* cruinniú

Connaught Irish: Gaeilge Chonnacht

THE PAST TENSE	An Aimsir Chaite
bhailigh mé [M]	níor bhailigh
bhailigh tú [M]	ar bhailigh?
bhailigh sé	gur bhailigh
bhailigh sí	nár bhailigh
bhailigh muid	níor bailíodh
bhailigh sibh	ar bailíodh?
bhailíodar[U]	gur bailíodh
bailíodh / baileadh	nár bailíodh

THE PRESENT TENSE	An Aimsir Láithreach
bailím	
bailíonn tú	ní bhailíonn
bailíonn sé	an mbailíonn?
bailíonn sí	go mbailíonn
bailíonn muid	nach mbailíonn
bailíonn sibh	
bailíonn siad	a bhailíonns
bailíthear	

Munster Irish: Gaeilge na Mumhan

THE PAST TENSE	An Aimsir Chaite
(do) bhailíos*	ní(or) bhailigh
(do) bhailís*	ar bhailigh?
(do) bhailigh sé	gur bhailigh
(do) bhailigh sí	nár bhailigh
(do) bhailíomair*	*níor bhailíodh
(do) bhailíobhair*	*ar bhailíodh?
(do) bhailíodar	*gur bhailíodh
*(do) bhailíodh	*nár bhailíodh

THE PRESENT TENSE	An Aimsir Láithreach
bailím	
bailíonn tú	ní bhailíonn
bailíonn sé	an mbailíonn?
bailíonn sí	go mbailíonn
bailímíd	ná bailíonn
bailíonn sibh	
*bailíd	a bhailíonn
bailíotar*	

Standard Irish: An Caighdeán Oifigiúil

THE FUTURE TENSE	An Aimsir Fháistineach
baileoidh mé	
baileoidh tú	ní bhaileoidh
baileoidh sé	an mbaileoidh?
baileoidh sí	go mbaileoidh
baileoimid	nach mbaileoidh
baileoidh sibh	
baileoidh siad	a bhaileoidh
baileofar	

THE CONDITIONAL MOOD	An Modh Coinníollach
bhaileoinn	
bhaileofá	ní bhaileodh
bhaileodh sé	an mbaileodh?
bhaileodh sí	go mbaileodh
bhaileoimis	nach mbaileodh
bhaileodh sibh	
bhaileoidís	
bhaileofaí	

Ulster Irish: Gaeilge Chúige Uladh

THE FUTURE TENSE	An Aimsir Fháistineach
cruinneochaidh mé	ní chruinneochaidh
cruinneochaidh tú	(cha chruinneann)
cruinneochaidh sé	an gcruinneochaidh?
cruinneochaidh sí	go gcruinneochaidh
cruinneochaidh muid[†]	nach gcruinneochaidh
cruinneochaidh sibh.	
cruinneochaidh siad	a chruinneochas
cruinneofar	

THE CONDITIONAL MOOD	An Modh Coinníollach
chruinneochainn	
chruinneofá	ní chruinneochadh
chruinneochadh sé	(cha chruinneochadh)
chruinneochadh sí	an gcruinneochadh?
chruinneochaimis[‡]	go gcruinneochadh
chruinneochadh sibh	nach gcruinneochadh
chruinneochadh siad	
chruinneofaí	

Connaught Irish: Gaeilge Chonnacht

THE FUTURE TENSE	An Aimsir Fháistineach
baileoidh mé[M]	
baileoidh tú[M]	ní bhaileoidh
baileoidh sé	an mbaileoidh?
baileoidh sí	go mbaileoidh
baileoidh muid	nach mbaileoidh
baileoidh sibh	
baileoidh siad	a bhaileos
baileofar	

THE CONDITIONAL MOOD	An Modh Coinníollach
bhaileoinn	
bhaileofá	ní bhaileodh
bhaileodh sé	an mbaileodh?
bhaileodh sí	go mbaileodh
bhaileodh muid	nach mbaileodh
bhaileodh sibh	
bhaileoidís[U]	
bhaileofaí[M]	

Munster Irish: Gaeilge na Mumhan

THE FUTURE TENSE	An Aimsir Fháistineach
baileod*	
*baileoir	ní bhaileoidh
baileoidh sé	an mbaileoidh?
baileoidh sí	go mbaileoidh
*baileom	ná baileoidh
baileoidh sibh	
*baileoid	a bhaileoidh
baileofar	

THE CONDITIONAL MOOD	An Modh Coinníollach
(do) bhaileoinn	
(do) bhaileofá	ní bhaileodh
(do) bhaileodh sé	an mbaileodh?
(do) bhaileodh sí	go mbaileodh
(do) bhaileoimíst	ná baileodh
(do) bhaileodh sibh	
(do) bhaileoidíst	
*(do) baileofaí	

Standard Irish: An Caighdeán Oifigiúil

THE IMPERFECT TENSE	An Aimsir Ghnáthchaite	The Imperative Mood	The Present Subjunctive
bhailínn		bailím	go mbailí mé
bhailíteá	ní bhailíodh	bailigh	go mbailí tú
bhailíodh sé	an mbailíodh?	bailíodh sé	go mbailí sé
bhailíodh sí	go mbailíodh	bailíodh sí	go mbailí sí
bhailímis	nach mbailíodh	bailímis	go mbailímid
bhailíodh sibh		bailígí	go mbailí sibh
bhailídís		bailídís	go mbailí siad
bhailítí		bailítear	go mbailítear
		ná bailigh	nár bhailí

Ulster Irish: Gaeilge Chúige Uladh

THE IMPERFECT TENSE	An Aimsir Ghnáthchaite	An Modh Ordaitheach	An Foshuiteach Láithreach
chruinninn	ní chruinneadh	cruinnim	go gcruinní mé
chruinnítheá	(cha chruinneadh)	cruinnigh	go gcruinní tú
chruinneadh sé	an gcruinneadh?	cruinneadh sé	go gcruinní sé
chruinneadh sí	go gcruinneadh	cruinneadh sí	go gcruinní sí
chruinnimis[‡]	nach gcruinneadh	cruinnimis[‡/fut]	go gcruinní muid[†]
chruinneadh sibh		cruinnigí	go gcruinní sibh
chruinneadh siad	Ba ghnách le …	cruinneadh siad	go gcruinní siad
chruinníthí		cruinníthear	go gcruinníthear
		ná cruinnigh	nár chruinní

Connaught Irish: Gaeilge Chonnacht

THE IMPERFECT TENSE	An Aimsir Ghnáthchaite	The Imperative Mood	The Present Subjunctive
bhailínn		bailím	go mbailí mé
bhailíteá[M]	ní bhailíodh	bailigh	go mbailí tú
bhailíodh sé	an mbailíodh?	bailíodh sé	go mbailí sé
bhailíodh sí	go mbailíodh	bailíodh sí	go mbailí sí
bhailíodh muid	nach mbailíodh	bailímid	go mbailí muid
bhailíodh sibh		*bailighidh	go mbailí sibh
bhailídís[U]		bailídís	go mbailí siad
bhailítí[M]		bailíthear	go mbailíthear
		ná bailigh	nár bhailí

Munster Irish: Gaeilge na Mumhan

THE IMPERFECT TENSE	An Aimsir Ghnáthchaite	An Modh Ordaitheach	An Foshuiteach Láithreach
(do) bhailínn		bailím	go mbailíod*
*(do) bhailíotá	ní bhailíodh	bailigh	go mbailír*
(do) bhailíodh sé	an mbailíodh?	bailíodh sé	go mbailí sé
(do) bhailíodh sí	go mbailíodh	bailíodh sí	go mbailí sí
(do) bhailímíst	ná bailíodh	bailímíst	go mbailíom*
(do) bhailíodh sibh		bailíg[=C*]	go mbailí sibh
(do) bhailídíst		bailídíst	go mbailíd*
*(do) bailíotaí		bailíotar*	go mbailíotar*
		ná bailigh	nár bhailí

9 **bain** 'win, cut, take, reap' v.n. **baint** v.adj. **bainte**

Standard Irish: An Caighdeán Oifigiúil

THE PAST TENSE	An Aimsir Chaite
bhain mé	níor bhain
bhain tú	ar bhain?
bhain sé	gur bhain
bhain sí	nár bhain
bhaineamar	níor baineadh
bhain sibh	ar baineadh?
bhain siad	gur baineadh
baineadh	nár baineadh

THE PRESENT TENSE	An Aimsir Láithreach
bainim	
baineann tú	ní bhaineann
baineann sé	an mbaineann?
baineann sí	go mbaineann
bainimid	nach mbaineann
baineann sibh	
baineann siad	a bhaineann
baintear	

Ulster Irish: Gaeilge Chúige Uladh

THE PAST TENSE	An Aimsir Chaite
bhain mé	níor bhain
bhain tú	(char bhain)
bhain sé	ar bhain?
bhain sí	gur bhain
bhain muid[†]	nár bhain
bhain sibh	
bhain siad	níor/ar baineadh
baineadh	gur/nár baineadh

THE PRESENT TENSE	An Aimsir Láithreach
bainim	ní bhaineann
baineann tú	(cha bhaineann)
baineann sé	an mbaineann?
baineann sí	go mbaineann
baineann muid[†]	nach mbaineann
baineann sibh	
baineann siad	a bhaineas
baintear	

Connaught Irish: Gaeilge Chonnacht

THE PAST TENSE	An Aimsir Chaite
bhain mé [M]	níor bhain
bhain tú [M]	ar bhain?
bhain sé	gur bhain
bhain sí	nár bhain
bhain muid	níor baineadh
bhain sibh	ar baineadh?
bhaineadar[U]	gur baineadh
baineadh	nár baineadh

THE PRESENT TENSE	An Aimsir Láithreach
bainim	
baineann tú	ní bhaineann
baineann sé	an mbaineann?
baineann sí	go mbaineann
baineann muid	nach mbaineann
baineann sibh	
baineann siad	a bhaineanns
baintear	

Munster Irish: Gaeilge na Mumhan

THE PAST TENSE	An Aimsir Chaite
(do) bhaineas*	ní(or) bhain
(do) bhainis*	ar bhain?
(do) bhain sé	gur bhain
(do) bhain sí	nár bhain
(do) bhaineamair*	*níor bhaineadh
(do) bhaineabhair*	*ar bhaineadh?
(do) bhaineadar	*gur bhaineadh
*(do) bhaineadh	*nár bhaineadh

THE PRESENT TENSE	An Aimsir Láithreach
bainim	
baineann tú	ní bhaineann
baineann sé	an mbaineann?
baineann sí	go mbaineann
bainimíd	ná baineann
baineann sibh	
*bainid	a bhaineann
baintear	

9 **bain** 'win, cut, take, reap' a.br. **baint** aid.bhr. **bainte**

Standard Irish: An Caighdeán Oifigiúil

THE FUTURE TENSE	An Aimsir Fháistineach
bainfidh mé	
bainfidh tú	ní bhainfidh
bainfidh sé	an mbainfidh?
bainfidh sí	go mbainfidh
bainfimid	nach mbainfidh
bainfidh sibh	
bainfidh siad	a bhainfidh
bainfear	

THE CONDITIONAL MOOD	An Modh Coinníollach
bhainfinn	
bhainfeá	ní bhainfeadh
bhainfeadh sé	an mbainfeadh?
bhainfeadh sí	go mbainfeadh
bhainfimis	nach mbainfeadh
bhainfeadh sibh	
bhainfidís	
bhainfí	

Ulster Irish: Gaeilge Chúige Uladh

THE FUTURE TENSE	An Aimsir Fháistineach
bainfidh mé	
bainfidh tú	ní bhainfidh
bainfidh sé	(cha bhaineann)
bainfidh sí	an mbainfidh?
bainfidh muid[†]	go mbainfidh
bainfidh sibh	nach mbainfidh
bainfidh siad	a bhainfeas
bainfear	

THE CONDITIONAL MOOD	An Modh Coinníollach
bhainfinn	
bhainfeá	ní bhainfeadh
bhainfeadh sé	(cha bhainfeadh)
bhainfeadh sí	an mbainfeadh?
bhainfimis[‡]	go mbainfeadh
bhainfeadh sibh	nach mbainfeadh
bhainfeadh siad	
bhainfí	

Connaught Irish: Gaeilge Chonnacht

THE FUTURE TENSE	An Aimsir Fháistineach
bainfidh mé [M]	
bainfidh tú[M]	ní bhainfidh
bainfidh sé	an mbainfidh?
bainfidh sí	go mbainfidh
bainfidh muid	nach mbainfidh
bainfidh sibh	
bainfidh siad	a bhainfeas
bainfear	

THE CONDITIONAL MOOD	An Modh Coinníollach
bhainfinn	
bhainfeá	ní bhainfeadh
bhainfeadh sé	an mbainfeadh?
bhainfeadh sí	go mbainfeadh
bhainfeadh muid	nach mbainfeadh
bhainfeadh sibh	
bhainfidís[U]	
bhainfí[M]	

Munster Irish: Gaeilge na Mumhan

THE FUTURE TENSE	An Aimsir Fháistineach
bainfead*	
*bainfir	ní bhainfidh
bainfidh sé	an mbainfidh?
bainfidh sí	go mbainfidh
*bainfeam	ná bainfidh
bainfidh sibh	
*bainfid	a bhainfidh
bainfear	

THE CONDITIONAL MOOD	An Modh Coinníollach
(do) bhainfinn	
(do) bhainfeá	ní bhainfeadh
(do) bhainfeadh sé	an mbainfeadh?
(do) bhainfeadh sí	go mbainfeadh
(do) bhainfimíst	ná bainfeadh
(do) bhainfeadh sibh	
(do) bhainfidíst	
*(do) bainfí	

Standard Irish: An Caighdeán Oifigiúil

THE IMPERFECT TENSE	An Aimsir Ghnáthchaite	The Imperative Mood	The Present Subjunctive
bhaininn		bainim	go mbaine mé
bhainteá	ní bhaineadh	bain	go mbaine tú
bhaineadh sé	an mbaineadh?	baineadh sé	go mbaine sé
bhaineadh sí	go mbaineadh	baineadh sí	go mbaine sí
bhainimis	nach mbaineadh	bainimis	go mbainimid
bhaineadh sibh		bainigí	go mbaine sibh
bhainidís		bainidís	go mbaine siad
bhaintí		baintear	go mbaintear
		ná bain	nár bhaine

Ulster Irish: Gaeilge Chúige Uladh

THE IMPERFECT TENSE	An Aimsir Ghnáthchaite	An Modh Ordaitheach	An Foshuiteach Láithreach
bhaininn		bainim	go mbainidh mé
bhaintheá	ní bhaineadh	bain	go mbainidh tú
bhaineadh sé	(cha bhaineadh)	baineadh sé	go mbainidh sé
bhaineadh sí	an mbaineadh?	baineadh sí	go mbainidh sí
bhainimis‡	go mbaineadh	bainimis‡/fut	go mbainidh muid†
bhaineadh sibh	nach mbaineadh	bainigí[C]	go mbainidh sibh
bhaineadh siad	Ba ghnách le …	baineadh siad	go mbainidh siad
bhaintí		baintear	go mbaintear
		ná bain	nár bhainidh

Connaught Irish: Gaeilge Chonnacht

THE IMPERFECT TENSE	An Aimsir Ghnáthchaite	The Imperative Mood	The Present Subjunctive
bhaininn		bainim	go mbaine mé
bhainteá	ní bhaineadh	bain	go mbaine tú
bhaineadh sé	an mbaineadh?	baineadh sé	go mbaine sé
bhaineadh sí	go mbaineadh	baineadh sí	go mbaine sí
bhaineadh muid	nach mbaineadh	bainimid	go mbaine muid
bhaineadh sibh		*bainidh	go mbaine sibh
bhainidís[U]		bainidís	go mbaine siad
bhaintí[M]		baintear	go mbaintear
		ná bain	nár bhaine

Munster Irish: Gaeilge na Mumhan

THE IMPERFECT TENSE	An Aimsir Ghnáthchaite	An Modh Ordaitheach	An Foshuiteach Láithreach
(do) bhaininn		bainim	go mbainead*
(do) bhainteá	ní bhaineadh	bain	go mbainir*
(do) bhaineadh sé	an mbaineadh?	baineadh sé	go mbaine sé
(do) bhaineadh sí	go mbaineadh	baineadh sí	go mbaine sí
(do) bhainimíst	ná baineadh	bainimíst	go mbaineam*
(do) bhaineadh sibh		bainíg =C*	go mbaine sibh
(do) bhainidíst		bainidíst	go mbainid*
*(do) baintí		baintear	go mbaintear
		ná bain	nár bhaine

10 **beannaigh** 'bless' v.n. **beannú** v.adj. **beannaithe**

Standard Irish: An Caighdeán Oifigiúil

THE PAST TENSE	An Aimsir Chaite
bheannaigh mé	níor bheannaigh
bheannaigh tú	ar bheannaigh?
bheannaigh sé	gur bheannaigh
bheannaigh sí	nár bheannaigh
bheannaíomar	níor beannaíodh
bheannaigh sibh	ar beannaíodh?
bheannaigh siad	gur beannaíodh
beannaíodh	nár beannaíodh

THE PRESENT TENSE	An Aimsir Láithreach
beannaím	
beannaíonn tú	ní bheannaíonn
beannaíonn sé	an mbeannaíonn?
beannaíonn sí	go mbeannaíonn
beannaímid	nach mbeannaíonn
beannaíonn sibh	
beannaíonn siad	a bheannaíonn
beannaítear	

Ulster Irish: Gaeilge Chúige Uladh

THE PAST TENSE	An Aimsir Chaite
bheannaigh mé	níor bheannaigh
bheannaigh tú	(char bheannaigh)
bheannaigh sé	ar bheannaigh
bheannaigh sí	gur bheannaigh
bheannaigh muid[†]	nár bheannaigh
bheannaigh sibh	
bheannaigh siad	níor/ar beannadh
beannadh	gur/nár beannadh

THE PRESENT TENSE	An Aimsir Láithreach
beannaim	ní bheannann
beannann tú	(cha bheannann)
beannann sé	an mbeannann?
beannann sí	go mbeannann
beannann muid[†]	nach mbeannann
beannann sibh	
beannann siad	a bheannas
beannaíthear	

Connaught Irish: Gaeilge Chonnacht

THE PAST TENSE	An Aimsir Chaite
bheannaigh mé [M]	níor bheannaigh
bheannaigh tú [M]	ar bheannaigh?
bheannaigh sé	gur bheannaigh
bheannaigh sí	nár bheannaigh
bheannaigh muid	níor beannaíodh
bheannaigh sibh	ar beannaíodh?
bheannaíodar[U]	gur beannaíodh
beannaíodh [U]	nár beannaíodh

THE PRESENT TENSE	An Aimsir Láithreach
beannaím	
beannaíonn tú	ní bheannaíonn
beannaíonn sé	an mbeannaíonn?
beannaíonn sí	go mbeannaíonn
beannaíonn muid	nach mbeannaíonn
beannaíonn sibh	
beannaíonn siad	a bheannaíonns
beannaíthear	

Munster Irish: Gaeilge na Mumhan

THE PAST TENSE	An Aimsir Chaite
(do) bheannaíos*	ní(or) bheannaigh
(do) bheannaís*	ar bheannaigh?
(do) bheannaigh sé	gur bheannaigh
(do) bheannaigh sí	nár bheannaigh
(do) bheannaíomair*	*níor bheannaíodh
(do) bheannaíobhair*	*ar bheannaíodh?
(do) bheannaíodar	*gur bheannaíodh
*(do) bheannaíodh	*nár bheannaíodh

THE PRESENT TENSE	An Aimsir Láithreach
beannaím	
beannaíonn tú	ní bheannaíonn
beannaíonn sé	an mbeannaíonn?
beannaíonn sí	go mbeannaíonn
beannaímíd	ná beannaíonn
beannaíonn sibh	
*beannaíd	a bheannaíonn
beannaíotar*	

10 **beannaigh** 'bless' a.br. **beannú** aid.bhr. **beannaithe**

Standard Irish: An Caighdeán Oifigiúil

THE FUTURE TENSE	An Aimsir Fháistineach
beannóidh mé	
beannóidh tú	ní bheannóidh
beannóidh sé	an mbeannóidh?
beannóidh sí	go mbeannóidh
beannóimid	nach mbeannóidh
beannóidh sibh	
beannóidh siad	a bheannóidh
beannófar	

THE CONDITIONAL MOOD	An Modh Coinníollach
bheannóinn	
bheannófá	ní bheannódh
bheannódh sé	an mbeannódh?
bheannódh sí	go mbeannódh
bheannóimis	nach mbeannódh
bheannódh sibh	
bheannóidís	
bheannófaí	

Ulster Irish: Gaeilge Chúige Uladh

THE FUTURE TENSE	An Aimsir Fháistineach
beannóchaidh mé	ní bheannóchaidh
beannóchaidh tú	(cha bheannann)
beannóchaidh sé	an mbeannóchaidh?
beannóchaidh sí	go mbeannóchaidh
beannóchaidh muid†	nach mbeannóchaidh
beannóchaidh sibh	
beannóchaidh siad	a bheannóchas
beannófar	

THE CONDITIONAL MOOD	An Modh Coinníollach
bheannóchainn	
bheannófá	ní bheannóchadh
bheannóchadh sé	(cha bheannóchadh)
bheannóchadh sí	an mbeannóchadh?
bheannóchaimis‡	go mbeannóchadh
bheannóchadh sibh	nach mbeannóchadh
bheannóchadh siad	
bheannófaí	

Connaught Irish: Gaeilge Chonnacht

THE FUTURE TENSE	An Aimsir Fháistineach
beannóidh mé [M]	
beannóidh tú[M]	ní bheannóidh
beannóidh sé	an mbeannóidh?
beannóidh sí	go mbeannóidh
beannóidh muid	nach mbeannóidh
beannóidh sibh	
beannóidh siad	a bheannós
beannófar	

THE CONDITIONAL MOOD	An Modh Coinníollach
bheannóinn	
bheannófá	ní bheannódh
bheannódh sé	an mbeannódh?
bheannódh sí	go mbeannódh
bheannódh muid	nach mbeannódh
bheannódh sibh	
bheannóidís[U]	
bheannófaí[M]	

Munster Irish: Gaeilge na Mumhan

THE FUTURE TENSE	An Aimsir Fháistineach
beannód*	
*beannóir	ní bheannóidh
beannóidh sé	an mbeannóidh?
beannóidh sí	go mbeannóidh
*beannóm	ná beannóidh
beannóidh sibh	
*beannóid	a bheannóidh
beannófar	

THE CONDITIONAL MOOD	An Modh Coinníollach
(do) bheannóinn	
(do) bheannófá	ní bheannódh
(do) bheannódh sé	an mbeannódh?
(do) bheannódh sí	go mbeannódh
(do) bheannóimíst	ná beannódh
(do) bheannódh sibh	
(do) bheannóidíst	
*(do) beannófaí	

10 beannaigh 'bless' v.n. **beannú** v.adj. **beannaithe**

Standard Irish: An Caighdeán Oifigiúil

THE IMPERFECT TENSE	An Aimsir Ghnáthchaite	The Imperative Mood	The Present Subjunctive
bheannaínn		beannaím	go mbeannaí mé
bheannaíteá	ní bheannaíodh	beannaigh	go mbeannaí tú
bheannaíodh sé	an mbeannaíodh?	beannaíodh sé	go mbeannaí sé
bheannaíodh sí	go mbeannaíodh	beannaíodh sí	go mbeannaí sí
bheannaímis	nach mbeannaíodh	beannaímis	go mbeannaímid
bheannaíodh sibh		beannaígí	go mbeannaí sibh
bheannaídís		beannaídís	go mbeannaí siad
bheannaítí		beannaítear	go mbeannaítear
		ná beannaigh	nár bheannaí

Ulster Irish: Gaeilge Chúige Uladh

THE IMPERFECT TENSE	An Aimsir Ghnáthchaite	An Modh Ordaitheach	An Foshuiteach Láithreach
bheannainn*		beannaim	go mbeannaí mé
bheannaítheá	ní bheannadh	beannaigh	go mbeannaí tú
bheannadh sé*	(cha bheannadh)	beannadh sé	go mbeannaí sé
bheannadh sí*	an mbeannadh?	beannadh sí	go mbeannaí sí
bheannaimis[‡]	go mbeannadh	beannaimis[‡/fut]	go mbeannaí muid[†]
bheannadh sibh*	nach mbeannadh	beannaigí[C]	go mbeannaí sibh
bheannadh siad*	Ba ghnách le …	beannadh siad	go mbeannaí siad
bheannaíthí		beannaíthear	go mbeannaíthear
		ná beannaigh	nár bheannaí

Connaught Irish: Gaeilge Chonnacht

THE IMPERFECT TENSE	An Aimsir Ghnáthchaite	The Imperative Mood	The Present Subjunctive
bheannaínn		beannaím	go mbeannaí mé
bheannaíteá[M]	ní bheannaíodh	beannaigh	go mbeannaí tú
bheannaíodh sé	an mbeannaíodh?	beannaíodh sé	go mbeannaí sé
bheannaíodh sí	go mbeannaíodh	beannaíodh sí	go mbeannaí sí
bheannaíodh muid	nach mbeannaíodh	beannaímid	go mbeannaí muid
bheannaíodh sibh		*beannaighidh	go mbeannaí sibh
bheannaídís[U]		beannaídís	go mbeannaí siad
bheannaítí[M]		beannaíthear	go mbeannaíthear
		ná beannaigh	nár bheannaí

Munster Irish: Gaeilge na Mumhan

THE IMPERFECT TENSE	An Aimsir Ghnáthchaite	An Modh Ordaitheach	An Foshuiteach Láithreach
(do) bheannaínn		beannaím	go mbeannaíod*
*(do) bheannaíotá	ní bheannaíodh	beannaigh	go mbeannaír*
(do) bheannaíodh sé	an mbeannaíodh?	beannaíodh sé	go mbeannaí sé
(do) bheannaíodh sí	go mbeannaíodh	beannaíodh sí	go mbeannaí sí
(do) bheannaímíst	ná beannaíodh	beannaímíst	go mbeannaíom*
(do) bheannaíodh sibh		beannaíg[=C*]	go mbeannaí sibh
(do) bheannaídíst		beannaídíst	go mbeannaíd*
*(do) beannaíotaí		beannaíotar*	go mbeannaíotar*
		ná beannaigh	nár bheannaí

11 **beir** 'give birth' a.br. **breith** aid.bhr. **beirthe**

Standard Irish: An Caighdeán Oifigiúil

THE PAST TENSE	An Aimsir Chaite
rug mé	níor rug
rug tú	ar rug?
rug sé	gur rug
rug sí	nár rug
rugamar	níor rugadh
rug sibh	ar rugadh?
rug siad	gur rugadh
rugadh	nár rugadh

THE PRESENT TENSE	An Aimsir Láithreach
beirim	
beireann tú	ní bheireann
beireann sé	an mbeireann?
beireann sí	go mbeireann
beirimid	nach mbeireann
beireann sibh	
beireann siad	a bheireann
beirtear	

Ulster Irish: Gaeilge Chúige Uladh

THE PAST TENSE	An Aimsir Chaite
rug mé	níor rug
rug tú	(char rug)
rug sé	ar rug?
rug sí	gur rug
rug muid[†]	nár rug
rug sibh	*var.* bheir mé *etc.*
rug siad	níor/ar rugadh
rugadh	gur/nár rugadh

THE PRESENT TENSE	An Aimsir Láithreach
beirim	ní bheireannn
beireann tú	(cha bheireann)
beireann sé	an mbeireann?
beireann sí	go mbeireann
beireann muid[†]	nach mbeireann
beireann sibh	
beireann siad	a bheireas
beirtear	

Connaught Irish: Gaeilge Chonnacht

THE PAST TENSE	An Aimsir Chaite
rug mé [M]	níor rug
rug tú [M]	ar rug?
rug sé	gur rug
rug sí	nár rug
rug muid	níor rugadh
rug sibh	ar rugadh?
rugadar[U]	gur rugadh
rugadh /rugas	nár rugadh

THE PRESENT TENSE	An Aimsir Láithreach
beirim	
beireann tú	ní bheireann
beireann sé	an mbeireann?
beireann sí	go mbeireann
beireann muid	nach mbeireann
beireann sibh	
beireann siad	a bheireanns
beirtear	

Munster Irish: Gaeilge na Mumhan

THE PAST TENSE	An Aimsir Chaite
(do) rugas*	ní(or) rug
(do) rugais*	ar rug?
(do) rug sé	gur rug
(do) rug sí	nár rug
(do) rugamair*	níor rugadh
(do) rugabhair*	ar rugadh?
(do) rugadar	gur rugadh
(do) rugadh	nár rugadh

THE PRESENT TENSE	An Aimsir Láithreach
beirim	
beireann tú	ní bheireann
beireann sé	an mbeireann?
beireann sí	go mbeireann
beirimíd	ná beireann
beireann sibh	
*beirid	a bheireann
beirtear	

Standard Irish: An Caighdeán Oifigiúil

THE FUTURE TENSE	An Aimsir Fháistineach
béarfaidh mé	
béarfaidh tú	ní bhéarfaidh
béarfaidh sé	an mbéarfaidh?
béarfaidh sí	go mbéarfaidh
béarfaimid	nach mbéarfaidh
béarfaidh sibh	
béarfaidh siad	a bhéarfaidh
béarfar	

THE CONDITIONAL MOOD	An Modh Coinníollach
bhéarfainn	
bhéarfá	ní bhéarfadh
bhéarfadh sé	an mbéarfadh?
bhéarfadh sí	go mbéarfadh
bhéarfaimis	nach mbéarfadh
bhéarfadh sibh	
bhéarfaidís	
bhéarfaí	

Ulster Irish: Gaeilge Chúige Uladh

THE FUTURE TENSE	An Aimsir Fháistineach
béarfaidh mé	
béarfaidh tú	ní bhéarfaidh
béarfaidh sé	(cha bheireann)
béarfaidh sí	an mbéarfaidh?
béarfaidh muid†	go mbéarfaidh
béarfaidh sibh	nach mbéarfaidh
béarfaidh siad	a bhéarfas
béarfar	

THE CONDITIONAL MOOD	An Modh Coinníollach
bhéarfainn	
bhéarfá	ní bhéarfadh
bhéarfadh sé	(cha bhéarfadh)
bhéarfadh sí	an mbéarfadh?
bhéarfaimis‡	go mbéarfadh
bhéarfadh sibh	nach mbéarfadh
bhéarfadh siad	
bhéarfaí	

Connaught Irish: Gaeilge Chonnacht

THE FUTURE TENSE	An Aimsir Fháistineach
béarfaidh mé[M]	
béarfaidh tú[M]	ní bhéarfaidh
béarfaidh sé	an mbéarfaidh?
béarfaidh sí	go mbéarfaidh
béarfaidh muid	nach mbéarfaidh
béarfaidh sibh	
béarfaidh siad	a bhéarfas
béarfar	

THE CONDITIONAL MOOD	An Modh Coinníollach
bhéarfainn	
bhéarfá	ní bhéarfadh
bhéarfadh sé	an mbéarfadh?
bhéarfadh sí	go mbéarfadh
bhéarfadh muid	nach mbéarfadh
bhéarfadh sibh	
bhéarfaidís[U]	
bhéarfaí[M]	

Munster Irish: Gaeilge na Mumhan

THE FUTURE TENSE	An Aimsir Fháistineach
béarfad*	
*béarfair	ní bhéarfaidh
béarfaidh sé	an mbéarfaidh?
béarfaidh sí	go mbéarfaidh
*béarfam	ná béarfaidh
béarfaidh sibh	
*béarfaid	a bhéarfaidh
béarfar	

THE CONDITIONAL MOOD	An Modh Coinníollach
(do) bhéarfainn	
(do) bhéarfá	ní bhéarfadh
(do) bhéarfadh sé	an mbéarfadh?
(do) bhéarfadh sí	go mbéarfadh
(do) bhéarfaimíst	ná béarfadh
(do) bhéarfadh sibh	
(do) bhéarfaidíst	
*(do) béarfaí	

11 **beir** 'give birth' a.br. **breith** aid.bhr. **beirthe**

Standard Irish: An Caighdeán Oifigiúil

THE IMPERFECT TENSE	An Aimsir Ghnáthchaite	The Imperative Mood	The Present Subjunctive
bheirinn		beirim	go mbeire mé
bheirteá	ní bheireadh	beir	go mbeire tú
bheireadh sé	an mbeireadh?	beireadh sé	go mbeire sé
bheireadh sí	go mbeireadh	beireadh sí	go mbeire sí
bheirimis	nach mbeireadh	beirimis	go mbeirimid
bheireadh sibh		beirigí	go mbeire sibh
bheiridís		beiridís	go mbeire siad
bheirtí		beirtear	go mbeirtear
		ná beir	nár bheire

Ulster Irish: Gaeilge Chúige Uladh

THE IMPERFECT TENSE	An Aimsir Ghnáthchaite	An Modh Ordaitheach	An Foshuiteach Láithreach
bheirinn	ní bheireadh	beirim	go mbeiridh mé
bheirtheá	(cha bheireadh)	beir	go mbeiridh tú
bheireadh sé	an mbeireadh?	beireadh sé	go mbeiridh sé
bheireadh sí	go mbeireadh	beireadh sí	go mbeiridh sí
bheirimis[‡]	nach mbeireadh	beirimis[‡/fut]	go mbeiridh muid[†]
bheireadh sibh		beirigí	go mbeiridh sibh
bheireadh siad	Ba ghnách le …	beireadh siad	go mbeiridh siad
bheirtí		beirtear	go mbeirtear
		ná beir	nár bheiridh

Connaught Irish: Gaeilge Chonnacht

THE IMPERFECT TENSE	An Aimsir Ghnáthchaite	The Imperative Mood	The Present Subjunctive
bheirinn		beirim	go mbeire mé
bheirteá	ní bheireadh	beir	go mbeire tú
bheireadh sé	an mbeireadh?	beireadh sé	go mbeire sé
bheireadh sí	go mbeireadh	beireadh sí	go mbeire sí
bheireadh muid	nach mbeireadh	beirimid	go mbeire muid
bheireadh sibh		*beiridh	go mbeire sibh
bheiridís[U]		beiridís	go mbeire siad
bheirtí[M]		beirtear	go mbeirtear
		ná beir	nár bheire

Munster Irish: Gaeilge na Mumhan

THE IMPERFECT TENSE	An Aimsir Ghnáthchaite	An Modh Ordaitheach	An Foshuiteach Láithreach
(do) bheirinn		beirim	go mbeiread
(do) bheirteá	ní bheireadh	beir	go mbeirir*
(do) bheireadh sé	an mbeireadh?	beireadh sé	go mbeire sé
(do) bheireadh sí	go mbeireadh	beireadh sí	go mbeire sí
(do) bheirimíst	ná beireadh	beirimíst	go mbeiream*
(do) bheireadh sibh		beiríg[=C]*	go mbeire sibh
(do) bheiridíst		beiridíst	go mbeirid*
*(do) beirtí		beirtear	go mbeirtear
		ná beir	nár bheire

Standard Irish: An Caighdeán Oifigiúil

PAST TENSE	An Aimsir Chaite		
bhí mé	an raibh mé?	ní raibh mé	
bhí tú	an raibh tú?	ní raibh tú	go raibh
bhí sé	an raibh sé?	ní raibh sé	
bhí sí	an raibh sí?	ní raibh sí	nach raibh
bhíomar	an rabhamar?	ní rabhamar	
bhí sibh	an raibh sibh?	ní raibh sibh	
bhí siad	an raibh siad?	ní raibh siad	go rabhthas
bhíothas	an rabhthas?	ní rabhthas	nach rabhthas

Ulster Irish: Gaeilge Chúige Uladh

PAST TENSE	An Aimsir Chaite		
bhí mé	an rabh mé?	ní rabh mé	cha rabh
bhí tú	an rabh tú?	ní rabh tú	
bhí sé	an rabh sé?	ní rabh sé	go rabh
bhí sí	an rabh sí?	ní rabh sí	
bhí muid†	an rabh muid?†	ní rabh muid†	nach rabh
bhí sibh	an rabh sibh?	ní rabh sibh	
bhí siad	an rabh siad?	ní rabh siad	go rabhthar
bhíothar	an rabhthar?	ní rabhthar	nach rabhthar

Connaught Irish: Gaeilge Chonnacht

PAST TENSE	An Aimsir Chaite		
bhí mé,bhíos	an raibh mé, an rabhas?	ní raibh mé, ní rabhas	
bhí tú, bhís / bhír	an raibh tú, an rabhais? rabhair?	ní rabhais, rabhair*	go raibh
bhí sé	an raibh sé?	ní raibh sé	
bhí sí	an raibh sí?	ní raibh sí	nach raibh
bhí muid	an raibh muid?	ní raibh muid	
bhí sibh	an raibh sibh?	ní raibh sibh	
bhíodar	an rabhadar?	ní rabhadar	go rabhú
bhíú	an rabhú?	ní rabhú	nach rabhú

Munster Irish: Gaeilge na Mumhan

PAST TENSE	An Aimsir Chaite		
(do) bhíos*	an rabhas?*	ní rabhas*	
(do) bhís*	an rabhais?*	ní rabhais*	go raibh
(do) bhí sé	an raibh sé?	ní raibh sé	
(do) bhí sí	an raibh sí?	ní raibh sí	ná raibh
(do) bhíomair*	an rabhamar?	ní rabhamar	
(do) bhíobhair	an rabhabhair?	ní rabhabhair	
(do) bhíodar	an rabhadar?	ní rabhadar	*go rabhthars
*(do) bhíothars bhíodh	*an rabhthars?	*ní rabhthars	ná rabhtha(r)s

Standard Irish: An Caighdeán Oifigiúil

THE PRESENT TENSE	An Aimsir Láithreach		
tá mé / táim	an bhfuil mé?/an bhfuilim?	níl mé /nílim	go bhfuil
tá tú	an bhfuil tú?	níl tú	
tá sé	an bhfuil sé?	níl sé	nach bhfuil
tá sí	an bhfuil sí?	níl sí	
táimid	an bhfuilimid?	nílimid	
tá sibh	an bhfuil sibh?	níl sibh	atá
tá siad	an bhfuil siad?	níl siad	go bhfuiltear
táthar	an bhfuiltear?	níltear	nach bhfuiltear

Ulster Irish: Gaeilge Chúige Uladh

THE PRESENT TENSE	An Aimsir Láithreach		
tá mé	an bhfuil mé?	níl mé	chan fhuil
tá tú	an bhfuil tú?	níl tú	
tá sé	an bhfuil sé?	níl sé	go bhfuil
tá sí	an bhfuil sí?	níl sí	nach bhfuil
tá muid†	an bhfuil muid? †	níl muid†	
tá sibh	an bhfuil sibh?	níl sibh	atá
tá siad	an bhfuil siad?	níl siad	go bhfuilthear
táthar	an bhfuilthear?	nílthear	nach bhfuilthear

Connaught Irish: Gaeilge Chonnacht

THE PRESENT TENSE	An Aimsir Láithreach		
táim / tá mé	an bhfuilim?*	nílim*	
tá tú / táis / táir	an bhfuil tú? an bhfuilir?	níl tú/ nílir	go bhfuil
tá sé	an bhfuil sé?	níl sé	
tá sí	an bhfuil sí?	níl sí	nach bhfuil
tá muid	an bhfuil muid?	níl muid	
tá sibh	an bhfuil sibh	níl sibh	atá
tá siad /tádar	an bhfuileadar?*	níl siad / níleadar	go bhfuiltear
táthar / táú	an bhfuiltear? /bhfuiliú	níltear / níliú	nach bhfuiltear

Munster Irish: Gaeilge na Mumhan

THE PRESENT TENSE	An Aimsir Láithreach		
táim	an bhfuilim?	nílim*	tá *var* thá, thánn
tánn tú/táir/taoi	an bhfuileann tú?*	níleann tú*	
tánn sé*	an bhfuileann sé?*	níleann sé*	
tánn sí*	an bhfuileann sí?*	níleann sí*	go bhfuil
táimíd	an bhfuilimíd?	nílimíd	ná fuil
tánn sibh*	an bhfuileann sibh?*	níleann sibh*	atá / athá
tánn siad*/ táid (siad)	*an bhfuilid?	níleann siad* / nílid	go bhfuiltear
táthar	an bhfuiltear?	níltear	ná fuiltear

Standard Irish: An Caighdeán Oifigiúil

PRESENT HABITUAL TENSE	An Aimsir Ghnáthláithreach		
bím	an mbím?	ní bhím	go mbíonn
bíonn tú	an mbíonn tú?	ní bhíonn tú	
bíonn sé	an mbíonn sé?	ní bhíonn sé	nach mbíonn
bíonn sí	an mbíonn sí?	ní bhíonn sí	
bímid	an mbímid?	ní bhímid	a bhíonn
bíonn sibh	an mbíonn sibh?	ní bhíonn sibh	
bíonn siad	an mbíonn siad?	ní bhíonn siad	go mbítear
bítear	an mbítear?	ní bhítear	nach mbítear

Ulster Irish: Gaeilge Chúige Uladh

PRESENT HABITUAL TENSE	An Aimsir Ghnáthláithreach		
bím	an mbím?	ní bhím	go mbíonn
bíonn tú	an mbíonn tú?	ní bhíonn tú	
bíonn sé	an mbíonn sé?	ní bhíonn sé	nach mbíonn
bíonn sí	an mbíonn sí?	ní bhíonn sí	
bíonn muid†	an mbíonn muid†?	ní bhíonn muid†	a bíos
bíonn sibh	an mbíonn sibh?	ní bhíonn sibh	
bíonn siad	an mbíonn siad?	ní bhíonn siad	go mbíthear
bíthear	an mbíthear?	ní bhíthear	nach mbíthear

Connaught Irish: Gaeilge Chonnacht

PRESENT HABITUAL TENSE	An Aimsir Ghnáthláithreach		
bím / bíonn mé	an mbím?	ní bhím	go mbíonn
bíonn tú / bíns	an mbíonn tú?	ní bhíonn tú	
bíonn sé	an mbíonn sé?	ní bhíonn sé	nach mbíonn
bíonn sí	an mbíonn sí?	ní bhíonn sí	
bíonn muid	an mbíonn muid?	ní bhíonn muid	a bhíonns
bíonn sibh	an mbíonn sibh?	ní bhíonn sibh	
bíonn siad	an mbíonn siad?	ní bhíonn siad	go mbítear
bítear	an mbítear?	ní bhítear	nach mbítear

Munster Irish: Gaeilge na Mumhan

PRESENT HABITUAL TENSE	An Aimsir Ghnáthláithreach		
bím	an mbím?	ní bhím	go mbíonn
bíonn tú	an mbíonn tú?	ní bhíonn tú	
bíonn sé	an mbíonn sé?	ní bhíonn sé	ná bíonn
bíonn sí	an mbíonn sí?	ní bhíonn sí	
bímíd	an mbímíd?	ní bhímíd	a bhíonn
bíonn sibh	an mbíonn sibh?	ní bhíonn sibh	
bíonn siad	an mbíonn siad?	ní bhíonn siad	
/bíd	/an mbíd (siad)?	/ní bhíd (siad)	go mbítear
bítear	an mbítear?	ní bhítear	ná bítear

Standard Irish: An Caighdeán Oifigiúil

THE FUTURE TENSE	An Aimsir Fháistineach
beidh mé	
beidh tú	ní bheidh
beidh sé	an mbeidh?
beidh sí	go mbeidh
beimid	nach mbeidh
beidh sibh	
beidh siad	a bheidh
beifear	

THE CONDITIONAL MOOD	An Modh Coinníollach
bheinn	
bheifeá	ní bheadh
bheadh sé	an mbeadh?
bheadh sí	go mbeadh
bheimis	nach mbeadh
bheadh sibh	
bheidís	
bheifí	

Ulster Irish: Gaeilge Chúige Uladh

THE FUTURE TENSE	An Aimsir Fháistineach
beidh mé	
beidh tú	ní bheidh
beidh sé	(cha bhíonn)
beidh sí	an mbeidh?
beidh muid[†]	go mbeidh
beidh sibh	nach mbeidh
beidh siad	a bheas
beifear	

THE CONDITIONAL MOOD	An Modh Coinníollach
bheinn	
bheifeá	ní bheadh
bheadh sé	(cha bheadh)
bheadh sí	an mbeadh?
bheimis[‡]	go mbeadh
bheadh sibh	nach mbeadh
bheadh siad	
bheifí	

Connaught Irish: Gaeilge Chonnacht

THE FUTURE TENSE	An Aimsir Fháistineach
beidh mé / bead	
beidh tú/ beidhir /beis	ní bheidh
beidh sé	an mbeidh?
beidh sí	go mbeidh
beidh muid	nach mbeidh
beidh sibh	
beidh siad	a bheas
beifear	

THE CONDITIONAL MOOD	An Modh Coinníollach
bheinn	
bheifeá	ní bheadh
bheadh sé	an mbeadh?
bheadh sí	go mbeadh
bheadh muid	nach mbeadh
bheadh sibh	
bheidís[U]	
bheifí[M]	

Munster Irish: Gaeilge na Mumhan

THE FUTURE TENSE	An Aimsir Fháistineach
bead / beidh mé	
beidh tú / beir	ní bheidh
beidh sé	an mbeidh?
beidh sí	go mbeidh
beimíd / beam	ná beidh
beidh sibh	
beidh siad, beid (siad)	a bheidh
beifear	

THE CONDITIONAL MOOD	An Modh Coinníollach
(do) bheinn	
(do) bheifeá	ní bheadh
(do) bheadh sé	an mbeadh?
(do) bheadh sí	go mbeadh
(do) bheimíst	ná beadh
(do) bheadh sibh	
(do) bheidíst	
*(do) beifí	

Standard Irish: An Caighdeán Oifigiúil

IMPERFECT An Aimsir Ghnáthchaite		Imperative	Present Subjunctive	
bhínn		bím	go raibh mé	go mbí mé
bhíteá	ní bhíodh	bí	go raibh tú	go mbí tú
bhíodh sé	an mbíodh?	bíodh sé	go raibh sé	go mbí sé
bhíodh sí	go mbíodh	bíodh sí	go raibh sí	go mbí sí
bhímis	nach mbíodh	bímis	go rabhaimid	go mbímid
bhíodh sibh		bígí	go raibh sibh	go mbí sibh
bhídís		bídís	go raibh siad	go mbí siad
bhítí		bítear	go rabhthar	go mbítear
		ná bí	ná raibh	nár bhí

Ulster Irish: Gaeilge Chúige Uladh

IMPERFECT An Aimsir Ghnáthchaite		Imperative	Present Subjunctive	
bhínn		bím	go rabh mé	go mbí mé
bhítheá	ní bhíodh	bí	go rabh tú	go mbí tú
bhíodh sé	an mbíodh?	bíodh sé	go rabh sé	go mbí sé
bhíodh sí	go mbíodh	bíodh sí	go rabh sí	go mbí sí
bhímist‡	nach mbíodh	bímist‡	go rabh muid‡	go mbí muid‡
bhíodh sibh		bígí	go rabh sibh	go mbí sibh
bhíodh siad	Ba ghnách liom	bíodh siad	go rabh siad	go mbí siad
bhíthí	(a) bheith	bíthear	go rabhthar	go mbíthear
		ná bí	ná rabh	nár bhí

Connaught Irish: Gaeilge Chonnacht

IMPERFECT An Aimsir Ghnáthchaite		Imperative	Present Subjunctive	
bhínn		bím	go raibh mé	go mbí mé
bhíteá / bhítheá	ní bhíodh	bí	go raibh tú	go mbí tú
bhíodh sé	an mbíodh?	bíodh sé	go raibh sé	go mbí sé
bhíodh sí	go mbíodh	bíodh sí	go raibh sí	go mbí sí
bhíodh muid	nach mbíodh	bíodh muid*	go raibh muid	go mbí muid
bhíodh sibh		bígí	go raibh sibh	go mbí sibh
bhídís		bídís	go raibh siad	go mbí siad
bhítí / bhíthí		bítear	go rabhthar	go mbítear
		ná bí	ná raibh	nár bhí

Munster Irish: Gaeilge na Mumhan

IMPERFECT An Aimsir Ghnáthchaite		Imperative	Present Subjunctive	
(do) bhínn		bím	go raibh mé	go mbí mé
(do) bhíteá, bhítheá	ní bhíodh	bí	*go rabhair	*go mbír
(do) bhíodh sé	an mbíodh?	bíodh sé	go raibh sé	go mbí sé
(do) bhíodh sí	go mbíodh	bíodh sí	go raibh sí	go mbí sí
(do) bhímís(t)	ná bíodh	bímís(t)	go rabhaimíd/rabham	go mbímid/mbíom
(do) bhíodh sibh		*bíg/ bídhidh	go raibh sibh	go mbí sibh
(do) bhídís(t)		bídís(t)	*go rabhaid	*go mbíd
(do) bhítí / bítí		bítear	go rabhthar	go mbítear
		ná bí	ná raibh	nár bhí

13 **bog** 'move' v.n. **bogadh** v.adj. **bogtha**

Standard Irish: An Caighdeán Oifigiúil

THE PAST TENSE	An Aimsir Chaite	THE PRESENT TENSE	An Aimsir Láithreach
bhog mé	níor bhog	bogaim	
bhog tú	ar bhog?	bogann tú	ní bhogann
bhog sé	gur bhog	bogann sé	an mbogann?
bhog sí	nár bhog	bogann sí	go mbogann
bhogamar	níor bogadh	bogaimid	nach mbogann
bhog sibh	ar bogadh?	bogann sibh	
bhog siad	gur bogadh	bogann siad	a bhogann
bogadh	nár bogadh	bogtar	

Ulster Irish: Gaeilge Chúige Uladh

THE PAST TENSE	An Aimsir Chaite	THE PRESENT TENSE	An Aimsir Láithreach
bhog mé	níor bhog	bogaim	ní bhogann
bhog tú	(char bhog)	bogann tú	(cha bhogann)
bhog sé	ar bhog?	bogann sé	an mbogann?
bhog sí	gur bhog	bogann sí	go mbogann
bhog muid[†]	nár bhog	bogann muid[†]	nach mbogann
bhog sibh		bogann sibh	
bhog siad	níor/ar bogadh	bogann siad	a bhogas
bogadh	gur/nár bogadh	bogtar	

Connaught Irish: Gaeilge Chonnacht

THE PAST TENSE	An Aimsir Chaite	THE PRESENT TENSE	An Aimsir Láithreach
bhog mé [M]	níor bhog	bogaim	
bhog tú [M]	ar bhog?	bogann tú	ní bhogann
bhog sé	gur bhog	bogann sé	an mbogann?
bhog sí	nár bhog	bogann sí	go mbogann
bhog muid	níor bogadh	bogann muid	nach mbogann
bhog sibh	ar bogadh?	bogann sibh	
bhogadar[U]	gur bogadh	bogann siad	a bhoganns
bogadh	nár bogadh	bogtar	

Munster Irish: Gaeilge na Mumhan

THE PAST TENSE	An Aimsir Chaite	THE PRESENT TENSE	An Aimsir Láithreach
(do) bhogas*	ní(or) bhog	bogaim	
(do) bhogais*	ar bhog?	bogann tú	ní bhogann
(do) bhog sé	gur bhog	bogann sé	an mbogann?
(do) bhog sí	nár bhog	bogann sí	go mbogann
(do) bhogamair*	*níor bhogadh	bogaimíd	ná bogann
(do) bhogabhair*	*ar bhogadh?	bogann sibh	
(do) bhogadar	*gur bhogadh	*bogaid	a bhogann
*(do) bhogadh	*nár bhogadh	bogtar	

Standard Irish: An Caighdeán Oifigiúil

THE FUTURE TENSE	An Aimsir Fháistineach
bogfaidh mé	
bogfaidh tú	ní bhogfaidh
bogfaidh sé	an mbogfaidh?
bogfaidh sí	go mbogfaidh
bogfaimid	nach mbogfaidh
bogfaidh sibh	
bogfaidh siad	a bhogfaidh
bogfar	

THE CONDITIONAL MOOD	An Modh Coinníollach
bhogfainn	
bhogfá	ní bhogfadh
bhogfadh sé	an mbogfadh?
bhogfadh sí	go mbogfadh
bhogfaimis	nach mbogfadh
bhogfadh sibh	
bhogfaidís	
bhogfaí	

Ulster Irish: Gaeilge Chúige Uladh

THE FUTURE TENSE	An Aimsir Fháistineach
bogfaidh mé	
bogfaidh tú	ní bhogfaidh
bogfaidh sé	(cha bhogann)
bogfaidh sí	an mbogfaidh?
bogfaidh muid[†]	go mbogfaidh
bogfaidh sibh	nach mbogfaidh
bogfaidh siad	a bhogfas
bogfar	

THE CONDITIONAL MOOD	An Modh Coinníollach
bhogfainn	
bhogfá	ní bhogfadh
bhogfadh sé	(cha bhogfadh)
bhogfadh sí	an mbogfadh?
bhogfaimis[‡]	go mbogfadh
bhogfadh sibh	nach mbogfadh
bhogfadh siad	
bhogfaí	

Connaught Irish: Gaeilge Chonnacht

THE FUTURE TENSE	An Aimsir Fháistineach
bogfaidh mé [M]	
bogfaidh tú[M]	ní bhogfaidh
bogfaidh sé	an mbogfaidh?
bogfaidh sí	go mbogfaidh
bogfaidh muid	nach mbogfaidh
bogfaidh sibh	
bogfaidh siad	a bhogfas
bogfar	

THE CONDITIONAL MOOD	An Modh Coinníollach
bhogfainn	
bhogfá	ní bhogfadh
bhogfadh sé	an mbogfadh?
bhogfadh sí	go mbogfadh
bhogfadh muid	nach mbogfadh
bhogfadh sibh	
bhogfaidís[U]	
bhogfaí[M]	

Munster Irish: Gaeilge na Mumhan

THE FUTURE TENSE	An Aimsir Fháistineach
bogfad*	
*bogfair	ní bhogfaidh
bogfaidh sé	an mbogfaidh?
bogfaidh sí	go mbogfaidh
*bogfam	ná bogfaidh
bogfaidh sibh	
*bogfaid	a bhogfaidh
bogfar	

THE CONDITIONAL MOOD	An Modh Coinníollach
(do) bhogfainn	
(do) bhogfá	ní bhogfadh
(do) bhogfadh sé	an mbogfadh?
(do) bhogfadh sí	go mbogfadh
(do) bhogfaimíst	ná bogfadh
(do) bhogfadh sibh	
(do) bhogfaidíst	
*(do) bogfaí	

Standard Irish: An Caighdeán Oifigiúil

THE IMPERFECT TENSE	An Aimsir Ghnáthchaite	The Imperative Mood	The Present Subjunctive
bhogainn		bogaim	go mboga mé
bhogtá	ní bhogadh	bog	go mboga tú
bhogadh sé	an mbogadh?	bogadh sé	go mboga sé
bhogadh sí	go mbogadh	bogadh sí	go mboga sí
bhogaimis	nach mbogadh	bogaimis	go mbogaimid
bhogadh sibh		bogaigí	go mboga sibh
bhogaidís		bogaidís	go mboga siad
bhogtaí		bogtar	go mbogtar
		ná bog	nár bhoga

Ulster Irish: Gaeilge Chúige Uladh

THE IMPERFECT TENSE	An Aimsir Ghnáthchaite	An Modh Ordaitheach	An Foshuiteach Láithreach
bhogainn	ní bhogadh	bogaim	go mbogaidh mé
bhogthá	(cha bhogadh)	bog	go mbogaidh tú
bhogadh sé	an mbogadh?	bogadh sé	go mbogaidh sé
bhogadh sí	go mbogadh	bogadh sí	go mbogaidh sí
bhogaimis[‡]	nach mbogadh	bogaimis[‡/fut]	go mbogaidh muid[†]
bhogadh sibh		bogaigí[C]	go mbogaidh sibh
bhogadh siad	Ba ghnách le …	bogadh siad	go mbogaidh siad
bhogtaí		bogtar	go mbogtar
		ná bog	nár bhogaidh

Connaught Irish: Gaeilge Chonnacht

THE IMPERFECT TENSE	An Aimsir Ghnáthchaite	The Imperative Mood	The Present Subjunctive
bhogainn		bogaim	go mboga mé
bhogtá	ní bhogadh	bog	go mboga tú
bhogadh sé	an mbogadh?	bogadh sé	go mboga sé
bhogadh sí	go mbogadh	bogadh sí	go mboga sí
bhogadh muid	nach mbogadh	bogaimid	go mboga muid
bhogadh sibh		*bogaidh	go mboga sibh
bhogaidís[U]		bogaidís	go mboga siad
bhogtaí[M]		bogtar	go mbogtar
		ná bog	nár bhoga

Munster Irish: Gaeilge na Mumhan

THE IMPERFECT TENSE	An Aimsir Ghnáthchaite	An Modh Ordaitheach	An Foshuiteach Láithreach
(do) bhogainn		bogaim	go mbogad*
(do) bhogtá	ní bhogadh	bog	go mbogair*
(do) bhogadh sé	an mbogadh?	bogadh sé	go mboga sé
(do) bhogadh sí	go mbogadh	bogadh sí	go mboga sí
(do) bhogaimíst	ná bogadh	bogaimíst	go mbogam*
(do) bhogadh sibh		bogaíg[=C]*	go mboga sibh
(do) bhogaidíst		bogaidíst	go mbogaid*
*(do) bogtaí		bogtar	go mbogtar
		ná bog	nár bhoga

Standard Irish: An Caighdeán Oifigiúil

THE PAST TENSE	An Aimsir Chaite	THE PRESENT TENSE	An Aimsir Láithreach
bhris mé	níor bhris	brisim	
bhris tú	ar bhris?	briseann tú	ní bhriseann
bhris sé	gur bhris	briseann sé	an mbriseann?
bhris sí	nár bhris	briseann sí	go mbriseann
bhriseamar	níor briseadh	brisimid	nach mbriseann
bhris sibh	ar briseadh?	briseann sibh	
bhris siad	gur briseadh	briseann siad	a bhriseann
briseadh	nár briseadh	bristear	

Ulster Irish: Gaeilge Chúige Uladh

THE PAST TENSE	An Aimsir Chaite	THE PRESENT TENSE	An Aimsir Láithreach
bhris mé	níor bhris	brisim	ní bhriseann
bhris tú	(char bhris)	briseann tú	(cha bhriseann)
bhris sé	ar bhris?	briseann sé	an mbriseann?
bhris sí	gur bhris	briseann sí	go mbriseann
bhris muid†	nár bhris	briseann muid†	nach mbriseann
bhris sibh		briseann sibh	
bhris siad	níor/ar briseadh	briseann siad	a bhriseas
briseadh	gur/nár briseadh	bristear	

Connaught Irish: Gaeilge Chonnacht

THE PAST TENSE	An Aimsir Chaite	THE PRESENT TENSE	An Aimsir Láithreach
bhris mé [M]	níor bhris	brisim	
bhris tú [M]	ar bhris?	briseann tú	ní bhriseann
bhris sé	gur bhris	briseann sé	an mbriseann?
bhris sí	nár bhris	briseann sí	go mbriseann
bhris muid	níor briseadh	briseann muid	nach mbriseann
bhris sibh	ar briseadh?	briseann sibh	
bhriseadar[U]	gur briseadh	briseann siad	a bhriseanns
briseadh	nár briseadh	bristear	

Munster Irish: Gaeilge na Mumhan

THE PAST TENSE	An Aimsir Chaite	THE PRESENT TENSE	An Aimsir Láithreach
(do) bhriseas*	ní(or) bhris	brisim	
(do) bhrisis*	ar bhris?	briseann tú	ní bhriseann
(do) bhris sé	gur bhris	briseann sé	an mbriseann?
(do) bhris sí	nár bhris	briseann sí	go mbriseann
(do) bhriseamair*	*níor bhriseadh	brisimíd	ná briseann
(do) bhriseabhair*	*ar bhriseadh?	briseann sibh	
(do) bhriseadar	*gur bhriseadh	*brisid	a bhriseann
*(do) bhriseadh	*nár bhriseadh	bristear	

Standard Irish: An Caighdeán Oifigiúil

THE FUTURE TENSE	An Aimsir Fháistineach	THE CONDITIONAL MOOD	An Modh Coinníollach
brisfidh mé		bhrisfinn	
brisfidh tú	ní bhrisfidh	bhrisfeá	ní bhrisfeadh
brisfidh sé	an mbrisfidh?	bhrisfeadh sé	an mbrisfeadh?
brisfidh sí	go mbrisfidh	bhrisfeadh sí	go mbrisfeadh
brisfimid	nach mbrisfidh	bhrisfimis	nach mbrisfeadh
brisfidh sibh		bhrisfeadh sibh	
brisfidh siad	a bhrisfidh	bhrisfidís	
brisfear		bhrisfí	

Ulster Irish: Gaeilge Chúige Uladh

THE FUTURE TENSE	An Aimsir Fháistineach	THE CONDITIONAL MOOD	An Modh Coinníollach
brisfidh mé		bhrisfinn	
brisfidh tú	ní bhrisfidh	bhrisfeá	ní bhrisfeadh
brisfidh sé	(cha bhriseann)	bhrisfeadh sé	(cha bhrisfeadh)
brisfidh sí	an mbrisfidh?	bhrisfeadh sí	an mbrisfeadh?
brisfidh muid†	go mbrisfidh	bhrisfimis‡	go mbrisfeadh
brisfidh sibh	nach mbrisfidh	bhrisfeadh sibh	nach mbrisfeadh
brisfidh siad	a bhrisfeas	bhrisfeadh siad	
brisfear		bhrisfí	

Connaught Irish: Gaeilge Chonnacht

THE FUTURE TENSE	An Aimsir Fháistineach	THE CONDITIONAL MOOD	An Modh Coinníollach
brisfidh mé [M]		bhrisfinn	
brisfidh tú[M]	ní bhrisfidh	bhrisfeá	ní bhrisfeadh
brisfidh sé	an mbrisfidh?	bhrisfeadh sé	an mbrisfeadh?
brisfidh sí	go mbrisfidh	bhrisfeadh sí	go mbrisfeadh
brisfidh muid	nach mbrisfidh	bhrisfeadh muid	nach mbrisfeadh
brisfidh sibh		bhrisfeadh sibh	
brisfidh siad	a bhrisfeas	bhrisfidís[U]	
brisfear		bhrisfí[M]	

Munster Irish: Gaeilge na Mumhan

THE FUTURE TENSE	An Aimsir Fháistineach	THE CONDITIONAL MOOD	An Modh Coinníollach
brisfead*		(do) bhrisfinn	
*brisfir	ní bhrisfidh	(do) bhrisfeá	ní bhrisfeadh
brisfidh sé	an mbrisfidh?	(do) bhrisfeadh sé	an mbrisfeadh?
brisfidh sí	go mbrisfidh	(do) bhrisfeadh sí	go mbrisfeadh
*brisfeam	ná brisfidh	(do) bhrisfimíst	ná brisfeadh
brisfidh sibh		(do) bhrisfeadh sibh	
*brisfid	a bhrisfidh	(do) bhrisfidíst	
brisfear		*(do) brisfí	

Standard Irish: An Caighdeán Oifigiúil

THE IMPERFECT TENSE	An Aimsir Ghnáthchaite	The Imperative Mood	The Present Subjunctive
bhrisinn		brisim	go mbrise mé
bhristeá	ní bhriseadh	bris	go mbrise tú
bhriseadh sé	an mbriseadh?	briseadh sé	go mbrise sé
bhriseadh sí	go mbriseadh	briseadh sí	go mbrise sí
bhrisimis	nach mbriseadh	brisimis	go mbrisimid
bhriseadh sibh		brisigí	go mbrise sibh
bhrisidís		brisidís	go mbrise siad
bhristí		bristear	go mbristear
		ná bris	nár bhrise

Ulster Irish: Gaeilge Chúige Uladh

THE IMPERFECT TENSE	An Aimsir Ghnáthchaite	An Modh Ordaitheach	An Foshuiteach Láithreach
bhrisinn		brisim	go mbrisidh mé
bhristheá	ní bhriseadh	bris	go mbrisidh tú
bhriseadh sé	(cha bhriseadh)	briseadh sé	go mbrisidh sé
bhriseadh sí	an mbriseadh?	briseadh sí	go mbrisidh sí
bhrisimis[‡]	go mbriseadh	brisimis[‡/fut]	go mbrisidh muid[†]
bhriseadh sibh	nach mbriseadh	brisigí[C]	go mbrisidh sibh
bhriseadh siad	Ba ghnách le …	briseadh siad	go mbrisidh siad
bhristí		bristear	go mbristear
		ná bris	nár bhrisidh

Connaught Irish: Gaeilge Chonnacht

THE IMPERFECT TENSE	An Aimsir Ghnáthchaite	The Imperative Mood	The Present Subjunctive
bhrisinn		brisim	go mbrise mé
bhristeá	ní bhriseadh	bris	go mbrise tú
bhriseadh sé	an mbriseadh?	briseadh sé	go mbrise sé
bhriseadh sí	go mbriseadh	briseadh sí	go mbrise sí
bhriseadh muid	nach mbriseadh	brisimid	go mbrise muid
bhriseadh sibh		*brisidh	go mbrise sibh
bhrisidís[U]		brisidís	go mbrise siad
bhristí[M]		bristear	go mbristear
		ná bris	nár bhrise

Munster Irish: Gaeilge na Mumhan

THE IMPERFECT TENSE	An Aimsir Ghnáthchaite	An Modh Ordaitheach	An Foshuiteach Láithreach
(do) bhrisinn		brisim	go mbrisead*
(do) bhristeá	ní bhriseadh	bris	go mbrisir*
(do) bhriseadh sé	an mbriseadh?	briseadh sé	go mbrise sé
(do) bhriseadh sí	go mbriseadh	briseadh sí	go mbrise sí
(do) bhrisimíst	ná briseadh	brisimíst	go mbriseam*
(do) bhriseadh sibh		brisíg[=C*]	go mbrise sibh
(do) bhrisidíst		brisidíst	go mbrisid*
*(do) bristí		bristear	go mbristear
		ná bris	nár bhrise

15 **brúigh** 'push, press' v.n. **brú** v.adj. **brúite**

Standard Irish: An Caighdeán Oifigiúil

THE PAST TENSE	An Aimsir Chaite
bhrúigh mé	níor bhrúigh
bhrúigh tú	ar bhrúigh?
bhrúigh sé	gur bhrúigh
bhrúigh sí	nár bhrúigh
bhrúmar	níor brúdh
bhrúigh sibh	ar brúdh?
bhrúigh siad	gur brúdh
brúdh	nár brúdh

THE PRESENT TENSE	An Aimsir Láithreach
brúim	
brúnn tú	ní bhrúnn
brúnn sé	an mbrúnn?
brúnn sí	go mbrúnn
brúimid	nach mbrúnn
brúnn sibh	
brúnn siad	a bhrúnn
brúitear	

Ulster Irish: Gaeilge Chúige Uladh

THE PAST TENSE	An Aimsir Chaite
bhrúgh mé	níor bhrúgh
bhrúgh tú	(char bhrúgh)
bhrúgh sé	ar bhrúgh?
bhrúgh sí	gur bhrúgh
bhrúgh muid†	nár bhrúgh
bhrúgh sibh	
bhrúgh siad	níor/ar brúdh
brúdh	gur/nár brúdh

THE PRESENT TENSE	An Aimsir Láithreach
brúim	ní bhrúnn
brúnn tú	(cha bhrúnn)
brúnn sé	an mbrúnn?
brúnn sí	go mbrúnn
brúnn muid†	nach mbrúnn
brúnn sibh	
brúnn siad	a bhrús
brúitear	

Connaught Irish: Gaeilge Chonnacht

THE PAST TENSE	An Aimsir Chaite
bhrúigh mé[M]	níor bhrúigh
bhrúigh tú[M]	ar bhrúigh?
bhrúigh sé	gur bhrúigh
bhrúigh sí	nár bhrúigh
bhrúigh muid	níor brúdh
bhrúigh sibh	ar brúdh?
bhrúdar[U]	gur brúdh
brúdh	nár brúdh

THE PRESENT TENSE	An Aimsir Láithreach
brúim	
brúnn tú	ní bhrúnn
brúnn sé	an mbrúnn?
brúnn sí	go mbrúnn
brúnn muid	nach mbrúnn
brúnn sibh	
brúnn siad	a bhrúnns
brúitear	

Munster Irish: Gaeilge na Mumhan

THE PAST TENSE	An Aimsir Chaite
(do) bhrús*	ní(or) bhrúigh
(do) bhrúis*	ar bhrúigh?
(do) bhrúigh sé	gur bhrúigh
(do) bhrúigh sí	nár bhrúigh
(do) bhrúmair*	*níor bhrúdh
(do) bhrúbhair*	*ar bhrúdh?
(do) bhrúdar	*gur bhrúdh
*(do) bhrúdh	*nár bhrúdh

THE PRESENT TENSE	An Aimsir Láithreach
brúim	
brúnn tú	ní bhrúnn
brúnn sé	an mbrúnn?
brúnn sí	go mbrúnn
brúimíd	ná brúnn
brúnn sibh	
*brúid	a bhrúnn
brúitear	

15 brúigh 'push, press' a.br. brú aid.bhr. brúite

Standard Irish: An Caighdeán Oifigiúil

THE FUTURE TENSE	An Aimsir Fháistineach	THE CONDITIONAL MOOD	An Modh Coinníollach
brúfaidh mé		bhrúfainn	
brúfaidh tú	ní bhrúfaidh	bhrúfá	ní bhrúfadh
brúfaidh sé	an mbrúfaidh?	bhrúfadh sé	an mbrúfadh?
brúfaidh sí	go mbrúfaidh	bhrúfadh sí	go mbrúfadh
brúfaimid	nach mbrúfaidh	bhrúfaimis	nach mbrúfadh
brúfaidh sibh		bhrúfadh sibh	
brúfaidh siad	a bhrúfaidh	bhrúfaidís	
brúfar		bhrúfaí	

Ulster Irish: Gaeilge Chúige Uladh

THE FUTURE TENSE	An Aimsir Fháistineach	THE CONDITIONAL MOOD	An Modh Coinníollach
brúfaidh mé		bhrúfainn	
brúfaidh tú	ní bhrúfaidh	bhrúfá	ní bhrúfadh
brúfaidh sé	(cha bhrúnn)	bhrúfadh sé	(cha bhrúfadh)
brúfaidh sí	an mbrúfaidh?	bhrúfadh sí	an mbrúfadh?
brúfaidh muid†	go mbrúfaidh	bhrúfaimis‡	go mbrúfadh
brúfaidh sibh	nach mbrúfaidh	bhrúfadh sibh	nach mbrúfadh
brúfaidh siad	a bhrúfas	bhrúfadh siad	
brúfar		bhrúfaí	

Connaught Irish: Gaeilge Chonnacht

THE FUTURE TENSE	An Aimsir Fháistineach	THE CONDITIONAL MOOD	An Modh Coinníollach
brúfaidh mé[M]		bhrúfainn	
brúfaidh tú[M]	ní bhrúfaidh	bhrúfá	ní bhrúfadh
brúfaidh sé	an mbrúfaidh?	bhrúfadh sé	an mbrúfadh?
brúfaidh sí	go mbrúfaidh	bhrúfadh sí	go mbrúfadh
brúfaidh muid	nach mbrúfaidh	bhrúfadh muid	nach mbrúfadh
brúfaidh sibh		bhrúfadh sibh	
brúfaidh siad	a bhrúfas	bhrúfaidís[U]	
brúfar		bhrúfaí[M]	

Munster Irish: Gaeilge na Mumhan

THE FUTURE TENSE	An Aimsir Fháistineach	THE CONDITIONAL MOOD	An Modh Coinníollach
brúfad*		(do) bhrúfainn	
*brúfair	ní bhrúfaidh	(do) bhrúfá	ní bhrúfadh
brúfaidh sé	an mbrúfaidh?	(do) bhrúfadh sé	an mbrúfadh?
brúfaidh sí	go mbrúfaidh	(do) bhrúfadh sí	go mbrúfadh
*brúfam	ná brúfaidh	(do) bhrúfaimíst	ná brúfadh
brúfaidh sibh		(do) bhrúfadh sibh	
*brúfaid	a bhrúfaidh	(do) bhrúfaidíst	
brúfar		*(do) brúfaí	

15 **brúigh** 'push, press' v.n. **brú** v.adj. **brúite**

Standard Irish: An Caighdeán Oifigiúil

THE IMPERFECT TENSE	An Aimsir Ghnáthchaite	The Imperative Mood	The Present Subjunctive
bhrúinn		brúim	go mbrú mé
bhrúiteá	ní bhrúdh	brúigh	go mbrú tú
bhrúdh sé	an mbrúdh?	brúdh sé	go mbrú sé
bhrúdh sí	go mbrúdh	brúdh sí	go mbrú sí
bhrúimis	nach mbrúdh	brúimis	go mbrúimid
bhrúdh sibh		brúigí	go mbrú sibh
bhrúidís		brúidís	go mbrú siad
bhrúití		brúitear	go mbrúitear
		ná brúigh	nár bhrú

Ulster Irish: Gaeilge Chúige Uladh

THE IMPERFECT TENSE	An Aimsir Ghnáthchaite	An Modh Ordaitheach	An Foshuiteach Láithreach
bhrúinn		brúim	go mbrúidh mé
bhrúitheá	ní bhrúdh	brúgh	go mbrúidh tú
bhrúdh sé	(cha bhrúdh)	brúdh sé	go mbrúidh sé
bhrúdh sí	an mbrúdh?	brúdh sí	go mbrúidh sí
bhrúimis‡	go mbrúdh	brúimis‡/fut	go mbrúidh muid†
bhrúdh sibh	nach mbrúdh	brúigí	go mbrúidh sibh
bhrúdh siad	Ba ghnách le …	brúdh siad	go mbrúidh siad
bhrúití		brúitear	go mbrúitear
		ná brúgh	nár bhrúidh

Connaught Irish: Gaeilge Chonnacht

THE IMPERFECT TENSE	An Aimsir Ghnáthchaite	The Imperative Mood	The Present Subjunctive
bhrúinn		brúim	go mbrú mé
bhrúiteá	ní bhrúdh	brúigh	go mbrú tú
bhrúdh sé	an mbrúdh?	brúdh sé	go mbrú sé
bhrúdh sí	go mbrúdh	brúdh sí	go mbrú sí
bhrúdh muid	nach mbrúdh	brúimid	go mbrú muid
bhrúdh sibh		*brúídh	go mbrú sibh
bhrúidísU		brúidís	go mbrú siad
bhrúitíM		brúitear	go mbrúitear
		ná brúigh	nár bhrú

Munster Irish: Gaeilge na Mumhan

THE IMPERFECT TENSE	An Aimsir Ghnáthchaite	An Modh Ordaitheach	An Foshuiteach Láithreach
(do) bhrúinn		brúim	go mbrúd*
(do) bhrúiteá	ní bhrúdh	brúigh	go mbrúir*
(do) bhrúdh sé	an mbrúdh?	brúdh sé	go mbrú sé
(do) bhrúdh sí	go mbrúdh	brúdh sí	go mbrú sí
(do) bhrúimíst	ná brúdh	brúimíst	go mbrúm*
(do) bhrúdh sibh		brúíg=C*	go mbrú sibh
(do) bhrúidíst		brúidíst	go mbrúid*
*(do) brúití		brúitear	go mbrúitear
		ná brúigh	nár bhrú

Standard Irish: An Caighdeán Oifigiúil

THE PAST TENSE	An Aimsir Chaite
chaill mé	níor chaill
chaill tú	ar chaill?
chaill sé	gur chaill
chaill sí	nár chaill
chailleamar	níor cailleadh
chaill sibh	ar cailleadh?
chaill siad	gur cailleadh
cailleadh	nár cailleadh

THE PRESENT TENSE	An Aimsir Láithreach
caillim	
cailleann tú	ní chailleann
cailleann sé	an gcailleann?
cailleann sí	go gcailleann
caillimid	nach gcailleann
cailleann sibh	
cailleann siad	a chailleann
cailltear	

Ulster Irish: Gaeilge Chúige Uladh

THE PAST TENSE	An Aimsir Chaite
chaill mé	níor chaill
chaill tú	(char chaill)
chaill sé	ar chaill?
chaill sí	gur chaill
chaill muid†	nár chaill
chaill sibh	
chaill siad	níor/ar cailleadh
cailleadh	gur/nár cailleadh

THE PRESENT TENSE	An Aimsir Láithreach
caillim	ní chailleann
cailleann tú	(cha chailleann)
cailleann sé	an gcailleann?
cailleann sí	go gcailleann
cailleann muid†	nach gcailleann
cailleann sibh	
cailleann siad	a chailleas
cailltear	

Connaught Irish: Gaeilge Chonnacht

THE PAST TENSE	An Aimsir Chaite
chaill mé [M]	níor chaill
chaill tú [M]	ar chaill?
chaill sé	gur chaill
chaill sí	nár chaill
chaill muid	níor cailleadh
chaill sibh	ar cailleadh?
chailleadar[U]	gur cailleadh
cailleadh	nár cailleadh

THE PRESENT TENSE	An Aimsir Láithreach
caillim	
cailleann tú	ní chailleann
cailleann sé	an gcailleann?
cailleann sí	go gcailleann
cailleann muid	nach gcailleann
cailleann sibh	
cailleann siad	a chailleanns
cailltear	

Munster Irish: Gaeilge na Mumhan

THE PAST TENSE	An Aimsir Chaite
(do) chailleas*	ní(or) chaill
(do) chaillis*	ar chaill?
(do) chaill sé	gur chaill
(do) chaill sí	nár chaill
(do) chailleamair*	*níor chailleadh
(do) chailleabhair*	*ar chailleadh?
(do) chailleadar	*gur chailleadh
*(do) chailleadh	*nár chailleadh

THE PRESENT TENSE	An Aimsir Láithreach
caillim	
cailleann tú	ní chailleann
cailleann sé	an gcailleann?
cailleann sí	go gcailleann
caillimíd	ná cailleann
cailleann sibh	
*caillid	a chailleann
cailltear	

Standard Irish: An Caighdeán Oifigiúil

THE FUTURE TENSE	An Aimsir Fháistineach	THE CONDITIONAL MOOD	An Modh Coinníollach
caillfidh mé		chaillfinn	
caillfidh tú	ní chaillfidh	chaillfeá	ní chaillfeadh
caillfidh sé	an gcaillfidh?	chaillfeadh sé	an gcaillfeadh?
caillfidh sí	go gcaillfidh	chaillfeadh sí	go gcaillfeadh
caillfimid	nach gcaillfidh	chaillfimis	nach gcaillfeadh
caillfidh sibh		chaillfeadh sibh	
caillfidh siad	a chaillfidh	chaillfidís	
caillfear		chaillfí	

Ulster Irish: Gaeilge Chúige Uladh

THE FUTURE TENSE	An Aimsir Fháistineach	THE CONDITIONAL MOOD	An Modh Coinníollach
caillfidh mé		chaillfinn	
caillfidh tú	ní chaillfidh	chaillfeá	ní chaillfeadh
caillfidh sé	(cha chailleann)	chaillfeadh sé	(cha chaillfeadh)
caillfidh sí	an gcaillfidh?	chaillfeadh sí	an gcaillfeadh?
caillfidh muid†	go gcaillfidh	chaillfimis‡	go gcaillfeadh
caillfidh sibh	nach gcaillfidh	chaillfeadh sibh	nach gcaillfeadh
caillfidh siad	a chaillfeas	chaillfeadh siad	
caillfear		chaillfí	

Connaught Irish: Gaeilge Chonnacht

THE FUTURE TENSE	An Aimsir Fháistineach	THE CONDITIONAL MOOD	An Modh Coinníollach
caillfidh mé M		chaillfinn	
caillfidh túM	ní chaillfidh	chaillfeá	ní chaillfeadh
caillfidh sé	an gcaillfidh?	chaillfeadh sé	an gcaillfeadh?
caillfidh sí	go gcaillfidh	chaillfeadh sí	go gcaillfeadh
caillfidh muid	nach gcaillfidh	chaillfeadh muid	nach gcaillfeadh
caillfidh sibh		chaillfeadh sibh	
caillfidh siad	a chaillfeas	chaillfidísU	
caillfear		chaillfíM	

Munster Irish: Gaeilge na Mumhan

THE FUTURE TENSE	An Aimsir Fháistineach	THE CONDITIONAL MOOD	An Modh Coinníollach
caillfead*		(do) chaillfinn	
*caillfir	ní chaillfidh	(do) chaillfeá	ní chaillfeadh
caillfidh sé	an gcaillfidh?	(do) chaillfeadh sé	an gcaillfeadh?
caillfidh sí	go gcaillfidh	(do) chaillfeadh sí	go gcaillfeadh
*caillfeam	ná caillfidh	(do) chaillfimíst	ná caillfeadh
caillfidh sibh		(do) chaillfeadh sibh	
*caillfid	a chaillfidh	(do) chaillfidíst	
caillfear		*(do) caillfí	

Standard Irish: An Caighdeán Oifigiúil

THE IMPERFECT TENSE	An Aimsir Ghnáthchaite	The Imperative Mood	The Present Subjunctive
chaillinn		caillim	go gcaille mé
chaillteá	ní chailleadh	caill	go gcaille tú
chailleadh sé	an gcailleadh?	cailleadh sé	go gcaille sé
chailleadh sí	go gcailleadh	cailleadh sí	go gcaille sí
chaillimis	nach gcailleadh	caillimis	go gcaillimid
chailleadh sibh		cailligí	go gcaille sibh
chaillidís		caillidís	go gcaille siad
chailltí		cailltear	go gcailltear
		ná caill	nár chaille

Ulster Irish: Gaeilge Chúige Uladh

THE IMPERFECT TENSE	An Aimsir Ghnáthchaite	An Modh Ordaitheach	An Foshuiteach Láithreach
chaillinn		caillim	go gcaillidh mé
chaillltheá	ní chailleadh	caill	go gcaillidh tú
chailleadh sé	(cha chailleadh)	cailleadh sé	go gcaillidh sé
chailleadh sí	an gcailleadh?	cailleadh sí	go gcaillidh sí
chaillimis[‡]	go gcailleadh	caillimis[‡/fut]	go gcaillidh muid[†]
chailleadh sibh	nach gcailleadh	cailligí[C]	go gcaillidh sibh
chailleadh siad	Ba ghnách le …	cailleadh siad	go gcaillidh siad
chailltí		cailltear	go gcailltear
		ná caill	nár chaillidh

Connaught Irish: Gaeilge Chonnacht

THE IMPERFECT TENSE	An Aimsir Ghnáthchaite	The Imperative Mood	The Present Subjunctive
chaillinn		caillim	go gcaille mé
chaillteá	ní chailleadh	caill	go gcaille tú
chailleadh sé	an gcailleadh?	cailleadh sé	go gcaille sé
chailleadh sí	go gcailleadh	cailleadh sí	go gcaille sí
chailleadh muid	nach gcailleadh	caillimid	go gcaille muid
chailleadh sibh		*caillidh	go gcaille sibh
chaillidís[U]		caillidís	go gcaille siad
chailltí[M]		cailltear	go gcailltear
		ná caill	nár chaille

Munster Irish: Gaeilge na Mumhan

THE IMPERFECT TENSE	An Aimsir Ghnáthchaite	An Modh Ordaitheach	An Foshuiteach Láithreach
(do) chaillinn		caillim	go gcaillead*
(do) chaillteá	ní chailleadh	caill	go gcaillir*
(do) chailleadh sé	an gcailleadh?	cailleadh sé	go gcaille sé
(do) chailleadh sí	go gcailleadh	cailleadh sí	go gcaille sí
(do) chaillimíst	ná cailleadh	caillimíst	go gcailleam*
(do) chailleadh sibh		caillíg[=C*]	go gcaille sibh
(do) chaillidíst		caillidíst	go gcaillid*
*(do) caillltí		cailltear	go gcailltear
		ná caill	nár chaille

17 **caith** 'spend, wear, throw' v.n. **caitheamh** v.adj. **caite**

Standard Irish: An Caighdeán Oifigiúil

THE PAST TENSE	An Aimsir Chaite
chaith mé	níor chaith
chaith tú	ar chaith?
chaith sé	gur chaith
chaith sí	nár chaith
chaitheamar	níor caitheadh
chaith sibh	ar caitheadh?
chaith siad	gur caitheadh
caitheadh	nár caitheadh

THE PRESENT TENSE	An Aimsir Láithreach
caithim	
caitheann tú	ní chaitheann
caitheann sé	an gcaitheann?
caitheann sí	go gcaitheann
caithimid	nach gcaitheann
caitheann sibh	
caitheann siad	a chaitheann
caitear	

Ulster Irish: Gaeilge Chúige Uladh

THE PAST TENSE	An Aimsir Chaite
chaith mé	níor chaith
chaith tú	(char chaith)
chaith sé	ar chaith?
chaith sí	gur chaith
chaith muid[†]	nár chaith
chaith sibh	
chaith siad	níor/ar caitheadh
caitheadh	gur/nár caitheadh

THE PRESENT TENSE	An Aimsir Láithreach
caithim	ní chaitheann
caitheann tú	(cha chaitheann)
caitheann sé	an gcaitheann?
caitheann sí	go gcaitheann
caitheann muid[†]	nach gcaitheann
caitheann sibh	
caitheann siad	a chaitheas
caitear	

Connaught Irish: Gaeilge Chonnacht

THE PAST TENSE	An Aimsir Chaite
chaith mé [M]	níor chaith
chaith tú [M]	ar chaith?
chaith sé	gur chaith
chaith sí	nár chaith
chaith muid	níor caitheadh
chaith sibh	ar caitheadh?
chaitheadar[U]	gur caitheadh
caitheadh	nár caitheadh

THE PRESENT TENSE	An Aimsir Láithreach
caithim	
caitheann tú	ní chaitheann
caitheann sé	an gcaitheann?
caitheann sí	go gcaitheann
caitheann muid	nach gcaitheann
caitheann sibh	
caitheann siad	a chaitheanns
caitear	

Munster Irish: Gaeilge na Mumhan

THE PAST TENSE	An Aimsir Chaite
(do) chaitheas*	ní(or) chaith
(do) chaithis*	ar chaith?
(do) chaith sé	gur chaith
(do) chaith sí	nár chaith
(do) chaitheamair*	*níor chaitheadh
(do) chaitheabhair*	*ar chaitheadh?
(do) chaitheadar	*gur chaitheadh
*(do) chaitheadh	*nár chaitheadh

THE PRESENT TENSE	An Aimsir Láithreach
caithim	
caitheann tú	ní chaitheann
caitheann sé	an gcaitheann?
caitheann sí	go gcaitheann
caithimíd	ná caitheann
caitheann sibh	
*caithid	a chaitheann
caitear	

17 **caith** 'spend, wear, throw' a.br. **caitheamh** aid.bhr. **caite**

Standard Irish: An Caighdeán Oifigiúil

THE FUTURE TENSE	An Aimsir Fháistineach	THE CONDITIONAL MOOD	An Modh Coinníollach
caithfidh mé		chaithfinn	
caithfidh tú	ní chaithfidh	chaithfeá	ní chaithfeadh
caithfidh sé	an gcaithfidh?	chaithfeadh sé	an gcaithfeadh?
caithfidh sí	go gcaithfidh	chaithfeadh sí	go gcaithfeadh
caithfimid	nach gcaithfidh	chaithfimis	nach gcaithfeadh
caithfidh sibh		chaithfeadh sibh	
caithfidh siad	a chaithfidh	chaithfidís	
caithfear		chaithfí	

Ulster Irish: Gaeilge Chúige Uladh

THE FUTURE TENSE	An Aimsir Fháistineach	THE CONDITIONAL MOOD	An Modh Coinníollach
caithfidh mé		chaithfinn	
caithfidh tú	ní chaithfidh	chaithfeá	ní chaithfeadh
caithfidh sé	(cha chaitheann)	chaithfeadh sé	(cha chaithfeadh)
caithfidh sí	an gcaithfidh?	chaithfeadh sí	an gcaithfeadh?
caithfidh muid†	go gcaithfidh	chaithfimis‡	go gcaithfeadh
caithfidh sibh	nach gcaithfidh	chaithfeadh sibh	nach gcaithfeadh
caithfidh siad	a chaithfeas	chaithfeadh siad	
caithfear		chaithfí	

Connaught Irish: Gaeilge Chonnacht

THE FUTURE TENSE	An Aimsir Fháistineach	THE CONDITIONAL MOOD	An Modh Coinníollach
caithfidh mé [M]		chaithfinn	
caithfidh tú[M]	ní chaithfidh	chaithfeá	ní chaithfeadh
caithfidh sé	an gcaithfidh?	chaithfeadh sé	an gcaithfeadh?
caithfidh sí	go gcaithfidh	chaithfeadh sí	go gcaithfeadh
caithfidh muid	nach gcaithfidh	chaithfeadh muid	nach gcaithfeadh
caithfidh sibh		chaithfeadh sibh	
caithfidh siad	a chaithfeas	chaithfidís[U]	
caithfear		chaithfí[M]	

Munster Irish: Gaeilge na Mumhan

THE FUTURE TENSE	An Aimsir Fháistineach	THE CONDITIONAL MOOD	An Modh Coinníollach
caithfead*		(do) chaithfinn	
*caithfir	ní chaithfidh	(do) chaithfeá	ní chaithfeadh
caithfidh sé	an gcaithfidh?	(do) chaithfeadh sé	an gcaithfeadh?
caithfidh sí	go gcaithfidh	(do) chaithfeadh sí	go gcaithfeadh
*caithfeam	ná caithfidh	(do) chaithfimíst	ná caithfeadh
caithfidh sibh		(do) chaithfeadh sibh	
*caithfid	a chaithfidh	(do) chaithfidíst	
caithfear		*(do) caithfí	

17 caith 'spend, wear, throw' v.n. caitheamh v.adj. caite

Standard Irish: An Caighdeán Oifigiúil

THE IMPERFECT TENSE	An Aimsir Ghnáthchaite	The Imperative Mood	The Present Subjunctive
chaithinn		caithim	go gcaithe mé
chaiteá	ní chaitheadh	caith	go gcaithe tú
chaitheadh sé	an gcaitheadh?	caitheadh sé	go gcaithe sé
chaitheadh sí	go gcaitheadh	caitheadh sí	go gcaithe sí
chaithimis	nach gcaitheadh	caithimis	go gcaithimid
chaitheadh sibh		caithigí	go gcaithe sibh
chaithidís		caithidís	go gcaithe siad
chaití		caitear	go gcaitear
		ná caith	nár chaithe

Ulster Irish: Gaeilge Chúige Uladh

THE IMPERFECT TENSE	An Aimsir Ghnáthchaite	An Modh Ordaitheach	An Foshuiteach Láithreach
chaithinn		caithim	go gcaithidh mé
chaitheá	ní chaitheadh	caith	go gcaithidh tú
chaitheadh sé	(cha chaitheadh)	caitheadh sé	go gcaithidh sé
chaitheadh sí	an gcaitheadh?	caitheadh sí	go gcaithidh sí
chaithimis[‡]	go gcaitheadh	caithimis[‡/fut]	go gcaithidh muid[†]
chaitheadh sibh	nach gcaitheadh	caithigí[C]	go gcaithidh sibh
chaitheadh siad	Ba ghnách le …	caitheadh siad	go gcaithidh siad
chaití		caitear	go gcaitear
		ná caith	nár chaithidh

Connaught Irish: Gaeilge Chonnacht

THE IMPERFECT TENSE	An Aimsir Ghnáthchaite	The Imperative Mood	The Present Subjunctive
chaithinn		caithim	go gcaithe mé
chaiteá	ní chaitheadh	caith	go gcaithe tú
chaitheadh sé	an gcaitheadh?	caitheadh sé	go gcaithe sé
chaitheadh sí	go gcaitheadh	caitheadh sí	go gcaithe sí
chaitheadh muid	nach gcaitheadh	caithimid	go gcaithe muid
chaitheadh sibh		*caithidh	go gcaithe sibh
chaithidís[U]		caithidís	go gcaithe siad
chaití[M]		caitear	go gcaitear
		ná caith	nár chaithe

Munster Irish: Gaeilge na Mumhan

THE IMPERFECT TENSE	An Aimsir Ghnáthchaite	An Modh Ordaitheach	An Foshuiteach Láithreach
(do) chaithinn		caithim	go gcaithead*
(do) chaiteá	ní chaitheadh	caith	go gcaithir*
(do) chaitheadh sé	an gcaitheadh?	caitheadh sé	go gcaithe sé
(do) chaitheadh sí	go gcaitheadh	caitheadh sí	go gcaithe sí
(do) chaithimíst	ná caitheadh	caithimíst	go gcaitheam*
(do) chaitheadh sibh		caithíg[=C]*	go gcaithe sibh
(do) chaithidíst		caithidíst	go gcaithid*
*(do) caití		caitear	go gcaitear
		ná caith	nár chaithe

Standard Irish: An Caighdeán Oifigiúil

THE PAST TENSE	An Aimsir Chaite	THE PRESENT TENSE	An Aimsir Láithreach
chas mé	níor chas	casaim	
chas tú	ar chas?	casann tú	ní chasann
chas sé	gur chas	casann sé	an gcasann?
chas sí	nár chas	casann sí	go gcasann
chasamar	níor casadh	casaimid	nach gcasann
chas sibh	ar casadh?	casann sibh	
chas siad	gur casadh	casann siad	a chasann
casadh	nár casadh	castar	

Ulster Irish: Gaeilge Chúige Uladh

THE PAST TENSE	An Aimsir Chaite	THE PRESENT TENSE	An Aimsir Láithreach
chas mé	níor chas	casaim	ní chasann
chas tú	(char chas)	casann tú	(cha chasann)
chas sé	ar chas?	casann sé	an gcasann?
chas sí	gur chas	casann sí	go gcasann
chas muid†	nár chas	casann muid†	nach gcasann
chas sibh		casann sibh	
chas siad	níor/ar casadh	casann siad	a chasas
casadh	gur/nár casadh	castar	

Connaught Irish: Gaeilge Chonnacht

THE PAST TENSE	An Aimsir Chaite	THE PRESENT TENSE	An Aimsir Láithreach
chas mé [M]	níor chas	casaim	
chas tú [M]	ar chas?	casann tú	ní chasann
chas sé	gur chas	casann sé	an gcasann?
chas sí	nár chas	casann sí	go gcasann
chas muid	níor casadh	casann muid	nach gcasann
chas sibh	ar casadh?	casann sibh	
chasadar[U]	gur casadh	casann siad	a chasanns
casadh	nár casadh	castar	

Munster Irish: Gaeilge na Mumhan

THE PAST TENSE	An Aimsir Chaite	THE PRESENT TENSE	An Aimsir Láithreach
(do) chasas*	ní(or) chas	casaim	
(do) chasais*	ar chas?	casann tú	ní chasann
(do) chas sé	gur chas	casann sé	an gcasann?
(do) chas sí	nár chas	casann sí	go gcasann
(do) chasamair*	*níor chasadh	casaimíd	ná casann
(do) chasabhair*	*ar chasadh?	casann sibh	
(do) chasadar	*gur chasadh	*casaid	a chasann
*(do) chasadh	*nár chasadh	castar	

Standard Irish: An Caighdeán Oifigiúil

THE FUTURE TENSE	An Aimsir Fháistineach
casfaidh mé	
casfaidh tú	ní chasfaidh
casfaidh sé	an gcasfaidh?
casfaidh sí	go gcasfaidh
casfaimid	nach gcasfaidh
casfaidh sibh	
casfaidh siad	a chasfaidh
casfar	

THE CONDITIONAL MOOD	An Modh Coinníollach
chasfainn	
chasfá	ní chasfadh
chasfadh sé	an gcasfadh?
chasfadh sí	go gcasfadh
chasfaimis	nach gcasfadh
chasfadh sibh	
chasfaidís	
chasfaí	

Ulster Irish: Gaeilge Chúige Uladh

THE FUTURE TENSE	An Aimsir Fháistineach
casfaidh mé	
casfaidh tú	ní chasfaidh
casfaidh sé	(cha chasann)
casfaidh sí	an gcasfaidh?
casfaidh muid†	go gcasfaidh
casfaidh sibh	nach gcasfaidh
casfaidh siad	a chasfas
casfar	

THE CONDITIONAL MOOD	An Modh Coinníollach
chasfainn	
chasfá	ní chasfadh
chasfadh sé	(cha chasfadh)
chasfadh sí	an gcasfadh?
chasfaimis‡	go gcasfadh
chasfadh sibh	nach gcasfadh
chasfadh siad	
chasfaí	

Connaught Irish: Gaeilge Chonnacht

THE FUTURE TENSE	An Aimsir Fháistineach
casfaidh mé [M]	
casfaidh tú[M]	ní chasfaidh
casfaidh sé	an gcasfaidh?
casfaidh sí	go gcasfaidh
casfaidh muid	nach gcasfaidh
casfaidh sibh	
casfaidh siad	a chasfas
casfar	

THE CONDITIONAL MOOD	An Modh Coinníollach
chasfainn	
chasfá	ní chasfadh
chasfadh sé	an gcasfadh?
chasfadh sí	go gcasfadh
chasfadh muid	nach gcasfadh
chasfadh sibh	
chasfaidís[U]	
chasfaí[M]	

Munster Irish: Gaeilge na Mumhan

THE FUTURE TENSE	An Aimsir Fháistineach
casfad*	
*casfair	ní chasfaidh
casfaidh sé	an gcasfaidh?
casfaidh sí	go gcasfaidh
*casfam	ná casfaidh
casfaidh sibh	
*casfaid	a chasfaidh
casfar	

THE CONDITIONAL MOOD	An Modh Coinníollach
(do) chasfainn	
(do) chasfá	ní chasfadh
(do) chasfadh sé	an gcasfadh?
(do) chasfadh sí	go gcasfadh
(do) chasfaimíst	ná casfadh
(do) chasfadh sibh	
(do) chasfaidíst	
*(do) casfaí	

Standard Irish: An Caighdeán Oifigiúil

THE IMPERFECT TENSE An Aimsir Ghnáthchaite		The Imperative Mood	The Present Subjunctive
chasainn		casaim	go gcasa mé
chastá	ní chasadh	cas	go gcasa tú
chasadh sé	an gcasadh?	casadh sé	go gcasa sé
chasadh sí	go gcasadh	casadh sí	go gcasa sí
chasaimis	nach gcasadh	casaimis	go gcasaimid
chasadh sibh		casaigí	go gcasa sibh
chasaidís		casaidís	go gcasa siad
chastaí		castar	go gcastar
		ná cas	nár chasa

Ulster Irish: Gaeilge Chúige Uladh

THE IMPERFECT TENSE An Aimsir Ghnáthchaite		An Modh Ordaitheach	An Foshuiteach Láithreach
chasainn	ní chasadh	casaim	go gcasaidh mé
chasthá	(cha chasadh)	cas	go gcasaidh tú
chasadh sé	an gcasadh?	casadh sé	go gcasaidh sé
chasadh sí	go gcasadh	casadh sí	go gcasaidh sí
chasaimis[‡]	nach gcasadh	casaimis[‡/fut]	go gcasaidh muid[†]
chasadh sibh		casaigí[C]	go gcasaidh sibh
chasadh siad	Ba ghnách le …	casadh siad	go gcasaidh siad
chastaí		castar	go gcastar
		ná cas	nár chasaidh

Connaught Irish: Gaeilge Chonnacht

THE IMPERFECT TENSE An Aimsir Ghnáthchaite		The Imperative Mood	The Present Subjunctive
chasainn		casaim	go gcasa mé
chastá	ní chasadh	cas	go gcasa tú
chasadh sé	an gcasadh?	casadh sé	go gcasa sé
chasadh sí	go gcasadh	casadh sí	go gcasa sí
chasadh muid	nach gcasadh	casaimid	go gcasa muid
chasadh sibh		*casaidh	go gcasa sibh
chasaidís[U]		casaidís	go gcasa siad
chastaí[M]		castar	go gcastar
		ná cas	nár chasa

Munster Irish: Gaeilge na Mumhan

THE IMPERFECT TENSE An Aimsir Ghnáthchaite		An Modh Ordaitheach	An Foshuiteach Láithreach
(do) chasainn		casaim	go gcasad*
(do) chastá	ní chasadh	cas	go gcasair*
(do) chasadh sé	an gcasadh?	casadh sé	go gcasa sé
(do) chasadh sí	go gcasadh	casadh sí	go gcasa sí
(do) chasaimíst	ná casadh	casaimíst	go gcasam*
(do) chasadh sibh		casaíg[=C]*	go gcasa sibh
(do) chasaidíst		casaidíst	go gcasaid*
*(do) castaí		castar	go gcastar
		ná cas	nár chasa

19 **ceangail** 'tie' v.n. **ceangal** v.adj. **ceangailte**

Standard Irish: An Caighdeán Oifigiúil

THE PAST TENSE	An Aimsir Chaite
cheangail mé	níor cheangail
cheangail tú	ar cheangail?
cheangail sé	gur cheangail
cheangail sí	nár cheangail
cheanglaíomar	níor ceanglaíodh
cheangail sibh	ar ceanglaíodh?
cheangail siad	gur ceanglaíodh
ceanglaíodh	nár ceanglaíodh

THE PRESENT TENSE	An Aimsir Láithreach
ceanglaím	
ceanglaíonn tú	ní cheanglaíonn
ceanglaíonn sé	an gceanglaíonn?
ceanglaíonn sí	go gceanglaíonn
ceanglaímid	nach gceanglaíonn
ceanglaíonn sibh	
ceanglaíonn siad	a cheanglaíonn
ceanglaítear	

Ulster Irish: Gaeilge Chúige Uladh

THE PAST TENSE	An Aimsir Chaite
cheangail mé	níor cheangail
cheangail tú	(char cheangail)
cheangail sé	ar cheangail?
cheangail sí	gur cheangail
cheangail muid[†]	nár cheangail
cheangail sibh	
cheangail siad	níor/ar ceangladh
ceangladh	gur/nár ceangladh

THE PRESENT TENSE	An Aimsir Láithreach
ceanglaim	ní cheanglann
ceanglann tú	(cha cheanglann)
ceanglann sé	an gceanglann?
ceanglann sí	go gceanglann
ceanglann muid[†]	nach gceanglann
ceanglann sibh	
ceanglann siad	a cheanglas
ceangaltar	

Connaught Irish: Gaeilge Chonnacht

THE PAST TENSE	An Aimsir Chaite
cheangail mé [M]	níor cheangail
cheangail tú [M]	ar cheangail?
cheangail sé	gur cheangail
cheangail sí	nár cheangail
cheangail muid	níor ceanglaíodh
cheangail sibh	ar ceanglaíodh?
cheanglaíodar[U]	gur ceanglaíodh
ceanglaíodh [U]	nár ceanglaíodh

THE PRESENT TENSE	An Aimsir Láithreach
ceanglaím	
ceanglaíonn tú	ní cheanglaíonn
ceanglaíonn sé	an gceanglaíonn?
ceanglaíonn sí	go gceanglaíonn
ceanglaíonn muid	nach gceanglaíonn
ceanglaíonn sibh	
ceanglaíonn siad	a cheanglaíonns
ceanglaíthear	

Munster Irish: Gaeilge na Mumhan

THE PAST TENSE	An Aimsir Chaite
(do) cheanglaíos*	ní(or) cheangail
(do) cheanglaís*	ar cheangail?
(do) cheangail sé	gur cheangail
(do) cheangail sí	nár cheangail
(do) cheanglaíomair*	*níor cheanglaíodh
(do) cheanglaíobhair*	*ar cheanglaíodh?
(do) cheanglaíodar	*gur cheanglaíodh
*(do) cheanglaíodh	*nár cheanglaíodh

THE PRESENT TENSE	An Aimsir Láithreach
ceanglaím	
ceanglaíonn tú	ní cheanglaíonn
ceanglaíonn sé	an gceanglaíonn?
ceanglaíonn sí	go gceanglaíonn
ceanglaímíd	ná ceanglaíonn
ceanglaíonn sibh	
*ceanglaíd	a cheanglaíonn
ceanglaíotar*	

Standard Irish: An Caighdeán Oifigiúil

THE FUTURE TENSE	An Aimsir Fháistineach	THE CONDITIONAL MOOD	An Modh Coinníollach
ceanglóidh mé		cheanglóinn	
ceanglóidh tú	ní cheanglóidh	cheanglófá	ní cheanglódh
ceanglóidh sé	an gceanglóidh?	cheanglódh sé	an gceanglódh?
ceanglóidh sí	go gceanglóidh	cheanglódh sí	go gceanglódh
ceanglóimid	nach gceanglóidh	cheanglóimis	nach gceanglódh
ceanglóidh sibh		cheanglódh sibh	
ceanglóidh siad	a cheanglóidh	cheanglóidís	
ceanglófar		cheanglófaí	

Ulster Irish: Gaeilge Chúige Uladh

THE FUTURE TENSE	An Aimsir Fháistineach	THE CONDITIONAL MOOD	An Modh Coinníollach
ceanglóchaidh mé	ní cheanglóchaidh	cheanglóchainn	
ceanglóchaidh tú	(cha cheanglann)	cheanglófá	ní cheanglóchadh
ceanglóchaidh sé	an gceanglóchaidh?	cheanglóchadh sé	(cha cheanglóchadh)
ceanglóchaidh sí	go gceanglóchaidh	cheanglóchadh sí	an gceanglóchadh?
ceanglóchaidh muid†	nach gceanglóchaidh	cheanglóchaimis‡	go gceanglóchadh
ceanglóchaidh sibh		cheanglóchadh sibh	nach gceanglóchadh
ceanglóchaidh siad	a cheanglóchas	cheanglóchadh siad	
ceanglófar		cheanglófaí	

Connaught Irish: Gaeilge Chonnacht

THE FUTURE TENSE	An Aimsir Fháistineach	THE CONDITIONAL MOOD	An Modh Coinníollach
ceanglóidh méᴹ		cheanglóinn	
ceanglóidh túᴹ	ní cheanglóidh	cheanglófá	ní cheanglódh
ceanglóidh sé	an gceanglóidh?	cheanglódh sé	an gceanglódh?
ceanglóidh sí	go gceanglóidh	cheanglódh sí	go gceanglódh
ceanglóidh muid	nach gceanglóidh	cheanglódh muid	nach gceanglódh
ceanglóidh sibh		cheanglódh sibh	
ceanglóidh siad	a cheanglós	cheanglóidísᵁ	
ceanglófar		cheanglófaíᴹ	

Munster Irish: Gaeilge na Mumhan

THE FUTURE TENSE	An Aimsir Fháistineach	THE CONDITIONAL MOOD	An Modh Coinníollach
ceanglód*		(do) cheanglóinn	
*ceanglóir	ní cheanglóidh	(do) cheanglófá	ní cheanglódh
ceanglóidh sé	an gceanglóidh?	(do) cheanglódh sé	an gceanglódh?
ceanglóidh sí	go gceanglóidh	(do) cheanglódh sí	go gceanglódh
*ceanglóm	ná ceanglóidh	(do) cheanglóimíst	ná ceanglódh
ceanglóidh sibh		(do) cheanglódh sibh	
*ceanglóid	a cheanglóidh	(do) cheanglóidíst	
ceanglófar		*(do) ceanglófaí	

19 **ceangail** 'tie' v.n. **ceangal** v.adj. **ceangailte**

Standard Irish: An Caighdeán Oifigiúil

THE IMPERFECT TENSE	An Aimsir Ghnáthchaite	The Imperative Mood	The Present Subjunctive
cheanglaínn		ceanglaím	go gceanglaí mé
cheanglaíteá	ní cheanglaíodh	ceangail	go gceanglaí tú
cheanglaíodh sé	an gceanglaíodh?	ceanglaíodh sé	go gceanglaí sé
cheanglaíodh sí	go gceanglaíodh	ceanglaíodh sí	go gceanglaí sí
cheanglaímis	nach gceanglaíodh	ceanglaímis	go gceanglaímid
cheanglaíodh sibh		ceanglaígí	go gceanglaí sibh
cheanglaídís		ceanglaídís	go gceanglaí siad
cheanglaítí		ceanglaítear	go gceanglaítear
		ná ceangail	nár cheanglaí

Ulster Irish: Gaeilge Chúige Uladh

THE IMPERFECT TENSE	An Aimsir Ghnáthchaite	An Modh Ordaitheach	An Foshuiteach Láithreach
cheanglainn	ní cheangladh	ceanglaim	go gceanglaí mé
cheanglaítheá	(cha cheangladh)	ceangail	go gceanglaí tú
cheangladh sé	an gceangladh?	ceangladh sé	go gceanglaí sé
cheangladh sí	go gceangladh	ceangladh sí	go gceanglaí sí
cheanglaimis[‡]	nach gceangladh	ceanglaimis[‡/fut]	go gceanglaí muid[†]
cheangladh sibh		ceanglaigí	go gceanglaí sibh
cheangladh siad	Ba ghnách le …	ceangladh siad	go gceanglaí siad
cheanglaíthí		ceangaltar	go gceangaltar
		ná ceangail	nár cheanglaí

Connaught Irish: Gaeilge Chonnacht

THE IMPERFECT TENSE	An Aimsir Ghnáthchaite	The Imperative Mood	The Present Subjunctive
cheanglaínn		ceanglaím	go gceanglaí mé
cheanglaíteá[M]	ní cheanglaíodh	ceangail	go gceanglaí tú
cheanglaíodh sé	an gceanglaíodh?	ceanglaíodh sé	go gceanglaí sé
cheanglaíodh sí	go gceanglaíodh	ceanglaíodh sí	go gceanglaí sí
cheanglaíodh muid	nach gceanglaíodh	ceanglaímid	go gceanglaí muid
cheanglaíodh sibh		*ceangailidh	go gceanglaí sibh
cheanglaídís[U]		ceanglaídís	go gceanglaí siad
cheanglaítí[M]		ceanglaíthear	go gceanglaíthear
		ná ceangail	nár cheanglaí

Munster Irish: Gaeilge na Mumhan

THE IMPERFECT TENSE	An Aimsir Ghnáthchaite	An Modh Ordaitheach	An Foshuiteach Láithreach
(do) cheanglaínn		ceanglaím	go gceanglaíod*
(do) *cheanglaíotá	ní cheanglaíodh	ceangail	go gceanglaír*
(do) cheanglaíodh sé	an gceanglaíodh?	ceanglaíodh sé	go gceanglaí sé
(do) cheanglaíodh sí	go gceanglaíodh	ceanglaíodh sí	go gceanglaí sí
(do) cheanglaímíst	ná ceanglaíodh	ceanglaímíst	go gceanglaíom*
(do) cheanglaíodh sibh		ceanglaíg[=C]*	go gceanglaí sibh
(do) cheanglaídíst		ceanglaídíst	go gceanglaíd*
*(do) ceanglaíotaí		ceanglaíotar*	go gceanglaíotar*
		ná ceangail	nár cheanglaí

20 **ceannaigh** 'buy' v.n. **ceannach** v.adj. **ceannaithe**

Standard Irish: An Caighdeán Oifigiúil

THE PAST TENSE	An Aimsir Chaite
cheannaigh mé	níor cheannaigh
cheannaigh tú	ar cheannaigh?
cheannaigh sé	gur cheannaigh
cheannaigh sí	nár cheannaigh
cheannaíomar	níor ceannaíodh
cheannaigh sibh	ar ceannaíodh?
cheannaigh siad	gur ceannaíodh
ceannaíodh	nár ceannaíodh

THE PRESENT TENSE	An Aimsir Láithreach
ceannaím	
ceannaíonn tú	ní cheannaíonn
ceannaíonn sé	an gceannaíonn?
ceannaíonn sí	go gceannaíonn
ceannaímid	nach gceannaíonn
ceannaíonn sibh	
ceannaíonn siad	a cheannaíonn
ceannaítear	

Ulster Irish: Gaeilge Chúige Uladh

THE PAST TENSE	An Aimsir Chaite
cheannaigh mé	níor cheannaigh
cheannaigh tú	(char cheannaigh)
cheannaigh sé	ar cheannaigh?
cheannaigh sí	gur cheannaigh
cheannaigh muid[†]	nár cheannaigh
cheannaigh sibh	
cheannaigh siad	níor/ar ceannadh
ceannadh	gur/nár ceannadh

THE PRESENT TENSE	An Aimsir Láithreach
ceannaim	ní cheannann
ceannann tú	(cha cheannann)
ceannann sé	an gceannann?
ceannann sí	go gceannann
ceannann muid[†]	nach gceannann
ceannann sibh	
ceannann siad	a cheannas
ceannaíthear	*vn* ceannacht

Connaught Irish: Gaeilge Chonnacht

THE PAST TENSE	An Aimsir Chaite
cheannaigh mé [M]	níor cheannaigh
cheannaigh tú [M]	ar cheannaigh?
cheannaigh sé	gur cheannaigh
cheannaigh sí	nár cheannaigh
cheannaigh muid	níor ceannaíodh
cheannaigh sibh	ar ceannaíodh?
cheannaíodar[U]	gur ceannaíodh
ceannaíodh [U]	nár ceannaíodh

THE PRESENT TENSE	An Aimsir Láithreach
ceannaím	
ceannaíonn tú	ní cheannaíonn
ceannaíonn sé	an gceannaíonn?
ceannaíonn sí	go gceannaíonn
ceannaíonn muid	nach gceannaíonn
ceannaíonn sibh	
ceannaíonn siad	a cheannaíonns
ceannaíthear	

Munster Irish: Gaeilge na Mumhan

THE PAST TENSE	An Aimsir Chaite
(do) cheannaíos*	ní(or) cheannaigh
(do) cheannaís*	ar cheannaigh?
(do) cheannaigh sé	gur cheannaigh
(do) cheannaigh sí	nár cheannaigh
(do) cheannaíomair*	*níor cheannaíodh
(do) cheannaíobhair*	*ar cheannaíodh?
(do) cheannaíodar	*gur cheannaíodh
*(do) cheannaíodh	*nár cheannaíodh

THE PRESENT TENSE	An Aimsir Láithreach
ceannaím	
ceannaíonn tú	ní cheannaíonn
ceannaíonn sé	an gceannaíonn?
ceannaíonn sí	go gceannaíonn
ceannaímíd	ná ceannaíonn
ceannaíonn sibh	
*ceannaíd	a cheannaíonn
ceannaíotar*	

Standard Irish: An Caighdeán Oifigiúil

THE FUTURE TENSE	An Aimsir Fháistineach
ceannóidh mé	
ceannóidh tú	ní cheannóidh
ceannóidh sé	an gceannóidh?
ceannóidh sí	go gceannóidh
ceannóimid	nach gceannóidh
ceannóidh sibh	
ceannóidh siad	a cheannóidh
ceannófar	

THE CONDITIONAL MOOD	An Modh Coinníollach
cheannóinn	
cheannófá	ní cheannódh
cheannódh sé	an gceannódh?
cheannódh sí	go gceannódh
cheannóimis	nach gceannódh
cheannódh sibh	
cheannóidís	
cheannófaí	

Ulster Irish: Gaeilge Chúige Uladh

THE FUTURE TENSE	An Aimsir Fháistineach
ceannóchaidh mé	ní cheannóchaidh
ceannóchaidh tú	(cha cheannann)
ceannóchaidh sé	an gceannóchaidh?
ceannóchaidh sí	go gceannóchaidh
ceannóchaidh muid†	nach gceannóchaidh
ceannóchaidh sibh	
ceannóchaidh siad	a cheannóchas
ceannófar	

THE CONDITIONAL MOOD	An Modh Coinníollach
cheannóchainn	
cheannófá	ní cheannóchadh
cheannóchadh sé	(cha cheannóchadh)
cheannóchadh sí	an gceannóchadh?
cheannóchaimis‡	go gceannóchadh
cheannóchadh sibh	nach gceannóchadh
cheannóchadh siad	
cheannófaí	

Connaught Irish: Gaeilge Chonnacht

THE FUTURE TENSE	An Aimsir Fháistineach
ceannóidh mé [M]	
ceannóidh tú[M]	ní cheannóidh
ceannóidh sé	an gceannóidh?
ceannóidh sí	go gceannóidh
ceannóidh muid	nach gceannóidh
ceannóidh sibh	
ceannóidh siad	a cheannós
ceannófar	

THE CONDITIONAL MOOD	An Modh Coinníollach
cheannóinn	
cheannófá	ní cheannódh
cheannódh sé	an gceannódh?
cheannódh sí	go gceannódh
cheannódh muid	nach gceannódh
cheannódh sibh	
cheannóidís[U]	
cheannófaí[M]	

Munster Irish: Gaeilge na Mumhan

THE FUTURE TENSE	An Aimsir Fháistineach
ceannód*	
*ceannóir	ní cheannóidh
ceannóidh sé	an gceannóidh?
ceannóidh sí	go gceannóidh
*ceannóm	ná ceannóidh
ceannóidh sibh	
*ceannóid	a cheannóidh
ceannófar	

THE CONDITIONAL MOOD	An Modh Coinníollach
(do) cheannóinn	
(do) cheannófá	ní cheannódh
(do) cheannódh sé	an gceannódh?
(do) cheannódh sí	go gceannódh
(do) cheannóimíst	ná ceannódh
(do) cheannódh sibh	
(do) cheannóidíst	
*(do) ceannófaí	

20 **ceannaigh** 'buy' v.n. **ceannach** v.adj. **ceannaithe**

Standard Irish: An Caighdeán Oifigiúil

THE IMPERFECT TENSE	An Aimsir Ghnáthchaite	The Imperative Mood	The Present Subjunctive
cheannaínn		ceannaím	go gceannaí mé
cheannaíteá	ní cheannaíodh	ceannaigh	go gceannaí tú
cheannaíodh sé	an gceannaíodh?	ceannaíodh sé	go gceannaí sé
cheannaíodh sí	go gceannaíodh	ceannaíodh sí	go gceannaí sí
cheannaímis	nach gceannaíodh	ceannaímis	go gceannaímid
cheannaíodh sibh		ceannaígí	go gceannaí sibh
cheannaídís		ceannaídís	go gceannaí siad
cheannaítí		ceannaítear	go gceannaítear
		ná ceannaigh	nár cheannaí

Ulster Irish: Gaeilge Chúige Uladh

THE IMPERFECT TENSE	An Aimsir Ghnáthchaite	An Modh Ordaitheach	An Foshuiteach Láithreach
cheannainn*		ceannaim	go gceannaí mé
cheannaítheá	ní cheannadh	ceannaigh	go gceannaí tú
cheannadh sé*	(cha cheannadh)	ceannadh sé	go gceannaí sé
cheannadh sí*	an gceannadh?	ceannadh sí	go gceannaí sí
cheannaimis‡	go gceannadh	ceannaimis‡/fut	go gceannaí muid†
cheannadh sibh*	nach gceannadh	ceannaigí	go gceannaí sibh
cheannadh siad*	Ba ghnách le …	ceannadh siad	go gceannaí siad
cheannaíthí		ceannaíthear	go gceannaíthear
		ná ceannaigh	nár cheannaí

Connaught Irish: Gaeilge Chonnacht

THE IMPERFECT TENSE	An Aimsir Ghnáthchaite	The Imperative Mood	The Present Subjunctive
cheannaínn		ceannaím	go gceannaí mé
cheannaíteá[M]	ní cheannaíodh	ceannaigh	go gceannaí tú
cheannaíodh sé	an gceannaíodh?	ceannaíodh sé	go gceannaí sé
cheannaíodh sí	go gceannaíodh	ceannaíodh sí	go gceannaí sí
cheannaíodh muid	nach gceannaíodh	ceannaímid	go gceannaí muid
cheannaíodh sibh		*ceannaighidh	go gceannaí sibh
cheannaídís[U]		ceannaídís	go gceannaí siad
cheannaítí[M]		ceannaíthear	go gceannaíthear
		ná ceannaigh	nár cheannaí

Munster Irish: Gaeilge na Mumhan

THE IMPERFECT TENSE	An Aimsir Ghnáthchaite	An Modh Ordaitheach	An Foshuiteach Láithreach
(do) cheannaínn		ceannaím	go gceannaíod*
*(do) cheannaíotá	ní cheannaíodh	ceannaigh	go gceannaír*
(do) cheannaíodh sé	an gceannaíodh?	ceannaíodh sé	go gceannaí sé
(do) cheannaíodh sí	go gceannaíodh	ceannaíodh sí	go gceannaí sí
(do) cheannaímíst	ná ceannaíodh	ceannaímíst	go gceannaíom*
(do) cheannaíodh sibh		ceannaíg =C*	go gceannaí sibh
(do) cheannaídíst		ceannaídíst	go gceannaíd*
*(do) ceannaíotaí		ceannaíotar*	go gceannaíotar*
		ná ceannaigh	nár cheannaí

Standard Irish: An Caighdeán Oifigiúil

THE PAST TENSE	An Aimsir Chaite
chloígh mé	níor chloígh
chloígh tú	ar chloígh?
chloígh sé	gur chloígh
chloígh sí	nár chloígh
chloíomar	níor cloíodh
chloígh sibh	ar cloíodh?
chloígh siad	gur cloíodh
cloíodh	nár cloíodh

THE PRESENT TENSE	An Aimsir Láithreach
cloím	
cloíonn tú	ní chloíonn
cloíonn sé	an gcloíonn?
cloíonn sí	go gcloíonn
cloímid	nach gcloíonn
cloíonn sibh	
cloíonn siad	a chloíonn
cloítear	

Ulster Irish: Gaeilge Chúige Uladh

THE PAST TENSE	An Aimsir Chaite
chloígh mé	níor chloígh
chloígh tú	(char chloígh)
chloígh sé	ar chloígh?
chloígh sí	gur chloígh
chloígh muid[†]	nár chloígh
chloígh sibh	
chloígh siad	níor/ar cloíodh
cloíodh	gur/nár cloíodh

THE PRESENT TENSE	An Aimsir Láithreach
cloím	ní chloíonn
cloíonn tú	(cha chloíonn)
cloíonn sé	an gcloíonn?
cloíonn sí	go gcloíonn
cloíonn muid[†]	nach gcloíonn
cloíonn sibh	
cloíonn siad	a chloíos
cloítear	

Connaught Irish: Gaeilge Chonnacht

THE PAST TENSE	An Aimsir Chaite
chloígh mé [M]	níor chloígh
chloígh tú [M]	ar chloígh?
chloígh sé	gur chloígh
chloígh sí	nár chloígh
chloígh muid	níor cloíodh
chloígh sibh	ar cloíodh?
chloíodar[U]	gur cloíodh
cloíodh	nár cloíodh

THE PRESENT TENSE	An Aimsir Láithreach
cloím	
cloíonn tú	ní chloíonn
cloíonn sé	an gcloíonn?
cloíonn sí	go gcloíonn
cloíonn muid	nach gcloíonn
cloíonn sibh	
cloíonn siad	a chloíonns
cloítear	

Munster Irish: Gaeilge na Mumhan

THE PAST TENSE	An Aimsir Chaite
(do) chloíos*	ní(or) chloígh
(do) chloís*	ar chloígh?
(do) chloígh sé	gur chloígh
(do) chloígh sí	nár chloígh
(do) chloíomair*	*níor chloíodh
(do) chloíobhair*	*ar chloíodh?
(do) chloíodar	*gur chloíodh
*(do) chloíodh	*nár chloíodh

THE PRESENT TENSE	An Aimsir Láithreach
cloím	
cloíonn tú	ní chloíonn
cloíonn sé	an gcloíonn?
cloíonn sí	go gcloíonn
cloímid	ná cloíonn
cloíonn sibh	
*cloíd	a chloíonn
cloítear	

21 **cloígh** 'defeat' a.br. **cloí** aid.bhr. **cloíte**

Standard Irish: An Caighdeán Oifigiúil

THE FUTURE TENSE	An Aimsir Fháistineach	THE CONDITIONAL MOOD	An Modh Coinníollach
cloífidh mé		chloífinn	
cloífidh tú	ní chloífidh	chloífeá	ní chloífeadh
cloífidh sé	an gcloífidh?	chloífeadh sé	an gcloífeadh?
cloífidh sí	go gcloífidh	chloífeadh sí	go gcloífeadh
cloífimid	nach gcloífidh	chloífimis	nach gcloífeadh
cloífidh sibh		chloífeadh sibh	
cloífidh siad	a chloífidh	chloífidís	
cloífear		chloífí	

Ulster Irish: Gaeilge Chúige Uladh

THE FUTURE TENSE	An Aimsir Fháistineach	THE CONDITIONAL MOOD	An Modh Coinníollach
cloífidh mé		chloífinn	
cloífidh tú	ní chloífidh	chloífeá	ní chloífeadh
cloífidh sé	(cha chloíonn)	chloífeadh sé	(cha chloífeadh)
cloífidh sí	an gcloífidh?	chloífeadh sí	an gcloífeadh?
cloífidh muid†	go gcloífidh	chloífimis‡	go gcloífeadh
cloífidh sibh	nach gcloífidh	chloífeadh sibh	nach gcloífeadh
cloífidh siad	a chloífeas	chloífeadh siad	
cloífear		chloífí	

Connaught Irish: Gaeilge Chonnacht

THE FUTURE TENSE	An Aimsir Fháistineach	THE CONDITIONAL MOOD	An Modh Coinníollach
cloífidh mé M		chloífinn	
cloífidh túM	ní chloífidh	chloífeá	ní chloífeadh
cloífidh sé	an gcloífidh?	chloífeadh sé	an gcloífeadh?
cloífidh sí	go gcloífidh	chloífeadh sí	go gcloífeadh
cloífidh muid	nach gcloífidh	chloífeadh muid	nach gcloífeadh
cloífidh sibh		chloífeadh sibh	
cloífidh siad	a chloífeas	chloífidísU	
cloífear		chloífíM	

Munster Irish: Gaeilge na Mumhan

THE FUTURE TENSE	An Aimsir Fháistineach	THE CONDITIONAL MOOD	An Modh Coinníollach
cloífead*		(do) chloífinn	
*cloífir	ní chloífidh	(do) chloífeá	ní chloífeadh
cloífidh sé	an gcloífidh?	(do) chloífeadh sé	an gcloífeadh?
cloífidh sí	go gcloífidh	(do) chloífeadh sí	go gcloífeadh
*cloífeam	ná cloífidh	(do) chloífimíst	ná cloífeadh
cloífidh sibh		(do) chloífeadh sibh	
*cloífid	a chloífidh	(do) chloífidíst	
cloífear		*(do) cloífí	

Standard Irish: An Caighdeán Oifigiúil

THE IMPERFECT TENSE	An Aimsir Ghnáthchaite	The Imperative Mood	The Present Subjunctive
chloínn		cloím	go gcloí mé
chloíteá	ní chloíodh	cloígh	go gcloí tú
chloíodh sé	an gcloíodh?	cloíodh sé	go gcloí sé
chloíodh sí	go gcloíodh	cloíodh sí	go gcloí sí
chloímis	nach gcloíodh	cloímis	go gcloímid
chloíodh sibh		cloígí	go gcloí sibh
chloídís		cloídís	go gcloí siad
chloítí		cloítear	go gcloítear
		ná cloígh	nár chloí

Ulster Irish: Gaeilge Chúige Uladh

THE IMPERFECT TENSE	An Aimsir Ghnáthchaite	An Modh Ordaitheach	An Foshuiteach Láithreach
chloínn		cloím	go gcloídh mé
chloítheá	ní chloíodh	cloígh	go gcloídh tú
chloíodh sé	(cha chloíodh)	cloíodh sé	go gcloídh sé
chloíodh sí	an gcloíodh?	cloíodh sí	go gcloídh sí
chloímis[‡]	go gcloíodh	cloímis[‡/fut]	go gcloídh muid[†]
chloíodh sibh	nach gcloíodh	cloígí[C]	go gcloídh sibh
chloíodh siad	Ba ghnách le …	cloíodh siad	go gcloídh siad
chloítí		cloítear	go gcloítear
		ná cloígh	nár chloídh

Connaught Irish: Gaeilge Chonnacht

THE IMPERFECT TENSE	An Aimsir Ghnáthchaite	The Imperative Mood	The Present Subjunctive
chloínn		cloím	go gcloí mé
chloíteá	ní chloíodh	cloígh	go gcloí tú
chloíodh sé	an gcloíodh?	cloíodh sé	go gcloí sé
chloíodh sí	go gcloíodh	cloíodh sí	go gcloí sí
chloíodh muid	nach gcloíodh	cloímid	go gcloí muid
chloíodh sibh		*cloídh	go gcloí sibh
chloídís[U]		cloídís	go gcloí siad
chloítí[M]		cloítear	go gcloítear
		ná cloígh	nár chloí

Munster Irish: Gaeilge na Mumhan

THE IMPERFECT TENSE	An Aimsir Ghnáthchaite	An Modh Ordaitheach	An Foshuiteach Láithreach
(do) chloínn		cloím	go gcloíod*
*(do) chloíotá	ní chloíodh	cloígh	go gcloír*
(do) chloíodh sé	an gcloíodh?	cloíodh sé	go gcloí sé
(do) chloíodh sí	go gcloíodh	cloíodh sí	go gcloí sí
(do) chloímíst	ná cloíodh	cloímíst	go gcloíom*
(do) chloíodh sibh		cloig[=C*]	go gcloí sibh
(do) chloídíst		cloídíst	go gcloíd*
*(do) cloítí		cloítear	go gcloítear
		ná cloígh	nár chloí

Standard Irish: An Caighdeán Oifigiúil

THE PAST TENSE	An Aimsir Chaite
chuala mé	níor chuala
chuala tú	ar chuala?
chuala sé	gur chuala
chuala sí	nár chuala
chualamar	níor chualathas
chuala sibh	ar chualathas?
chuala siad	gur chualathas
chualathas	nár chualathas

THE PRESENT TENSE	An Aimsir Láithreach
cloisim = cluinim *etc*	
cloiseann tú	ní chloiseann
cloiseann sé	an gcloiseann?
cloiseann sí	go gcloiseann
cloisimid	nach gcloiseann
cloiseann sibh	
cloiseann siad	a chloiseann
cloistear	= a chluineann

Ulster Irish: Gaeilge Chúige Uladh

THE PAST TENSE	An Aimsir Chaite
chuala mé	ní chuala
chuala tú	(char chuala)
chuala sé	an gcuala?
chuala sí	go gcuala
chuala muid†	nach gcuala
chuala sibh	ní chualas
chuala siad	an/go/nach gcualas
chualas/cluineadh	níor/gur/nár cluineadh

THE PRESENT TENSE	An Aimsir Láithreach
cluinim	ní chluineann
cluineann tú	(cha chluineann)
cluineann sé	an gcluineann?
cluineann sí	go gcluineann
cluineann muid†	nach gcluineann
cluineann sibh	*var indep* c(h)luin; *dep* an gcluin *etc*
cluineann siad	a chluineas
cluintear	*vn* cluinstean

Connaught Irish: Gaeilge Chonnacht

THE PAST TENSE	An Aimsir Chaite
chuala mé [M]	níor chuala
chuala tú [M]	ar chuala?
chuala sé	gur chuala
chuala sí	nár chuala
chuala muid	níor cloiseadh
chuala sibh	ar cloiseadh?
chualadar[U]	gur cloiseadh
cloiseadh[U]	nár cloiseadh

THE PRESENT TENSE	An Aimsir Láithreach
cloisim	
cloiseann tú	ní chloiseann
cloiseann sé	an gcloiseann?
cloiseann sí	go gcloiseann
cloiseann muid	nach gcloiseann
cloiseann sibh	
cloiseann siad	a chloiseanns
cloistear	*var.* cluinim *etc.*

Munster Irish: Gaeilge na Mumhan

THE PAST TENSE	An Aimsir Chaite
(do) chuala*	ní(or) chuala
(do) chualais* chualaís	ar chuala?
(do) chuala sé	gur chuala
(do) chuala sí	nár chuala
(do) chualamair*	níor chualatha(r)s
(do) chualabhair*	ar chualatha(r)s?
(do) chualadar	gur chualatha(r)s
(do) chualatha(r)s	nár chualatha(r)s

THE PRESENT TENSE	An Aimsir Láithreach
cloisim	
cloiseann tú	ní chloiseann
cloiseann sé	an gcloiseann?
cloiseann sí	go gcloiseann
cloisimíd	ná cloiseann
cloiseann sibh	
*cloisid	a chloiseann
cloistear	*vn* clos, cloisint

Standard Irish: An Caighdeán Oifigiúil

THE FUTURE TENSE	An Aimsir Fháistineach
cloisfidh mé	*var* cluinfidh mé *etc*
cloisfidh tú	ní chloisfidh
cloisfidh sé	an gcloisfidh?
cloisfidh sí	go gcloisfidh
cloisfimid	nach gcloisfidh
cloisfidh sibh	
cloisfidh siad	a chloisfidh
cloisfear/cluinfear	

THE CONDITIONAL MOOD	An Modh Coinníollach
chloisfinn	*var* chluinfinn *etc*
chloisfeá	ní chloisfeadh
chloisfeadh sé	an gcloisfeadh?
chloisfeadh sí	go gcloisfeadh
chloisfimis	nach gcloisfeadh
chloisfeadh sibh	
chloisfidís	
chloisfí	

Ulster Irish: Gaeilge Chúige Uladh

THE FUTURE TENSE	An Aimsir Fháistineach
cluinfidh mé	ní chluinfidh
cluinfidh tú	(cha chluineann)
cluinfidh sé	an gcluinfidh?
cluinfidh sí	go gcluinfidh
cluinfidh muid†	nach gcluinfidh
cluinfidh sibh	
cluinfidh siad	a chluinfeas
cluinfear	

THE CONDITIONAL MOOD	An Modh Coinníollach
chluinfinn	
chluinfeá	ní chluinfeadh
chluinfeadh sé	(cha chluinfeadh)
chluinfeadh sí	an gcluinfeadh?
chluinfimis‡	go gcluinfeadh
chluinfeadh sibh	nach gcluinfeadh
chluinfeadh siad	
chluinfí	

Connaught Irish: Gaeilge Chonnacht

THE FUTURE TENSE	An Aimsir Fháistineach
cloisfidh mé [M]	
cloisfidh tú[M]	ní chloisfidh
cloisfidh sé	an gcloisfidh?
cloisfidh sí	go gcloisfidh
cloisfidh muid	nach gcloisfidh
cloisfidh sibh	
cloisfidh siad	a chloisfeas
cloisfear	*var* cluinfidh

THE CONDITIONAL MOOD	An Modh Coinníollach
chloisfinn	
chloisfeá	ní chloisfeadh
chloisfeadh sé	an gcloisfeadh?
chloisfeadh sí	go gcloisfeadh
chloisfeadh muid	nach gcloisfeadh
chloisfeadh sibh	
chloisfidís[U]	
chloisfí[M]	

Munster Irish: Gaeilge na Mumhan

THE FUTURE TENSE	An Aimsir Fháistineach
cloisfead*	
*cloisfir	ní chloisfidh
cloisfidh sé	an gcloisfidh?
cloisfidh sí	go gcloisfidh
*cloisfeam	ná cloisfidh
cloisfidh sibh	
*cloisfid	a chloisfidh
cloisfear	

THE CONDITIONAL MOOD	An Modh Coinníollach
(do) chloisfinn	
(do) chloisfeá	ní chloisfeadh
(do) chloisfeadh sé	an gcloisfeadh?
(do) chloisfeadh sí	go gcloisfeadh
(do) chloisfimíst	ná cloisfeadh
(do) chloisfeadh sibh	
(do) chloisfidíst	
*(do) cloisfí	

22 **clois/cluin** 'hear' v.n. **cloisteáil** v.adj. **cloiste/cluinte**

Standard Irish: An Caighdeán Oifigiúil

THE IMPERFECT TENSE	An Aimsir Ghnáthchaite	The Imperative Mood	The Present Subjunctive
chloisinn	*var* chluininn *etc*	cloisim	go gcloise mé = gcluine
chloisteá	ní chloiseadh	clois *var* cluin *etc.*	go gcloise tú
chloiseadh sé	an gcloiseadh?	cloiseadh sé	go gcloise sé
chloiseadh sí	go gcloiseadh	cloiseadh sí	go gcloise sí
chloisimis	nach gcloiseadh	cloisimis	go gcloisimid
chloiseadh sibh		cloisigí	go gcloise sibh
chloisidís		cloisidís	go gcloise siad
chloistí		cloistear	go gcloistear
		ná clois	nár chloise

Ulster Irish: Gaeilge Chúige Uladh

THE IMPERFECT TENSE	An Aimsir Ghnáthchaite	An Modh Ordaitheach	An Foshuiteach Láithreach
chluininn		cluinim	go gcluinidh mé
chluintheá	ní chluineadh	cluin	go gcluinidh tú
chluineadh sé	(cha chluineadh)	cluineadh sé	go gcluinidh sé
chluineadh sí	an gcluineadh?	cluineadh sí	go gcluinidh sí
chluinimis‡	go gcluineadh	cluinimis[‡/fut]	go gcluinidh muid[†]
chluineadh sibh	nach gcluineadh	cluinigí[C]	go gcluinidh sibh
chluineadh siad	Ba ghnách le …	cluineadh siad	go gcluinidh siad
chluintí		cluintear	go gcluintear
		ná cluin	nár chluinidh

Connaught Irish: Gaeilge Chonnacht

THE IMPERFECT TENSE	An Aimsir Ghnáthchaite	The Imperative Mood	The Present Subjunctive
chloisinn		cloisim	go gcloise mé
chloisteá	ní chloiseadh	clois	go gcloise tú
chloiseadh sé	an gcloiseadh?	cloiseadh sé	go gcloise sé
chloiseadh sí	go gcloiseadh	cloiseadh sí	go gcloise sí
chloiseadh muid	nach gcloiseadh	cloisimid	go gcloise muid
chloiseadh sibh		*cloisidh	go gcloise sibh
chloisidís[U]		cloisidís	go gcloise siad
chloistí[M]		cloistear	go gcloistear
		ná clois	nár chloise

Munster Irish: Gaeilge na Mumhan

THE IMPERFECT TENSE	An Aimsir Ghnáthchaite	An Modh Ordaitheach	An Foshuiteach Láithreach
(do) chloisinn		cloisim	go gcloisead*
(do) chloisteá	ní chloiseadh	clois	go gcloisir*
(do) chloiseadh sé	an gcloiseadh?	cloiseadh sé	go gcloise sé
(do) chloiseadh sí	go gcloiseadh	cloiseadh sí	go gcloise sí
(do) chloisimíst	ná cloiseadh	cloisimíst	go gcloiseam*
(do) chloiseadh sibh		cloisíg[=C*]	go gcloise sibh
(do) chloisidíst		cloisidíst	go gcloisid*
*(do) cloistí		cloistear	go gcloistear
		ná clois	nár chloise

Standard Irish: An Caighdeán Oifigiúil

THE PAST TENSE	An Aimsir Chaite
chodail mé	níor chodail
chodail tú	ar chodail?
chodail sé	gur chodail
chodail sí	nár chodail
chodlaíomar	níor codlaíodh
chodail sibh	ar codlaíodh?
chodail siad	gur codlaíodh
codlaíodh	nár codlaíodh

THE PRESENT TENSE	An Aimsir Láithreach
codlaím	
codlaíonn tú	ní chodlaíonn
codlaíonn sé	an gcodlaíonn?
codlaíonn sí	go gcodlaíonn
codlaímid	nach gcodlaíonn
codlaíonn sibh	
codlaíonn siad	a chodlaíonn
codlaítear	

Ulster Irish: Gaeilge Chúige Uladh

THE PAST TENSE	An Aimsir Chaite
chodlaigh mé	níor chodlaigh
chodlaigh tú	(char chodlaigh)
chodlaigh sé	ar chodlaigh?
chodlaigh sí	gur chodlaigh
chodlaigh muid†	nár chodlaigh
chodlaigh sibh	
chodlaigh siad	níor/ar codladh
codladh	gur/nár codladh

THE PRESENT TENSE	An Aimsir Láithreach
codlaim	ní chodlann
codlann tú	(cha chodlann)
codlann sé	an gcodlann?
codlann sí	go gcodlann
codlann muid†	nach gcodlann
codlann sibh	
codlann siad	a chodlas
codaltar	

Connaught Irish: Gaeilge Chonnacht

THE PAST TENSE	An Aimsir Chaite
chodail mé [M]	níor chodail
chodail tú [M]	ar chodail?
chodail sé	gur chodail
chodail sí	nár chodail
chodail muid	níor codlaíodh
chodail sibh	ar codlaíodh?
chodlaíodar[U]	gur codlaíodh
codlaíodh [U]	nár codlaíodh

THE PRESENT TENSE	An Aimsir Láithreach
codlaím	
codlaíonn tú	ní chodlaíonn
codlaíonn sé	an gcodlaíonn?
codlaíonn sí	go gcodlaíonn
codlaíonn muid	nach gcodlaíonn
codlaíonn sibh	
codlaíonn siad	a chodlaíonns
codlaíthear	

Munster Irish: Gaeilge na Mumhan

THE PAST TENSE	An Aimsir Chaite
(do) chodlaíos*	ní(or) chodail
(do) chodlaís*	ar chodail?
(do) chodail sé	gur chodail
(do) chodail sí	nár chodail
(do) chodlaíomair*	*níor chodlaíodh
(do) chodlaíobhair*	*ar chodlaíodh?
(do) chodlaíodar	*gur chodlaíodh
*(do) chodlaíodh	*nár chodlaíodh

THE PRESENT TENSE	An Aimsir Láithreach
codlaím	
codlaíonn tú	ní chodlaíonn
codlaíonn sé	an gcodlaíonn?
codlaíonn sí	go gcodlaíonn
codlaímíd	ná codlaíonn
codlaíonn sibh	
*codlaíd	a chodlaíonn
codlaíotar*	

23 **codail** 'sleep' a.br. **codladh** aid.bhr. **codalta**

Standard Irish: An Caighdeán Oifigiúil

THE FUTURE TENSE	An Aimsir Fháistineach
codlóidh mé	
codlóidh tú	ní chodlóidh
codlóidh sé	an gcodlóidh?
codlóidh sí	go gcodlóidh
codlóimid	nach gcodlóidh
codlóidh sibh	
codlóidh siad	a chodlóidh
codlófar	

THE CONDITIONAL MOOD	An Modh Coinníollach
chodlóinn	
chodlófá	ní chodlódh
chodlódh sé	an gcodlódh?
chodlódh sí	go gcodlódh
chodlóimis	nach gcodlódh
chodlódh sibh	
chodlóidís	
chodlófaí	

Ulster Irish: Gaeilge Chúige Uladh

THE FUTURE TENSE	An Aimsir Fháistineach
codlóchaidh mé	ní chodlóchaidh
codlóchaidh tú	(cha chodlann)
codlóchaidh sé	an gcodlóchaidh?
codlóchaidh sí	go gcodlóchaidh
codlóchaidh muid†	nach gcodlóchaidh
codlóchaidh sibh	
codlóchaidh siad	a chodlóchas
codlófar	

THE CONDITIONAL MOOD	An Modh Coinníollach
chodlóchainn	
chodlófá	ní chodlóchadh
chodlóchadh sé	(cha chodlóchadh)
chodlóchadh sí	an gcodlóchadh?
chodlóchaimis‡	go gcodlóchadh
chodlóchadh sibh	nach gcodlóchadh
chodlóchadh siad	
chodlófaí	

Connaught Irish: Gaeilge Chonnacht

THE FUTURE TENSE	An Aimsir Fháistineach
codlóidh mé[M]	
codlóidh tú[M]	ní chodlóidh
codlóidh sé	an gcodlóidh?
codlóidh sí	go gcodlóidh
codlóidh muid	nach gcodlóidh
codlóidh sibh	
codlóidh siad	a chodlós
codlófar	

THE CONDITIONAL MOOD	An Modh Coinníollach
chodlóinn	
chodlófá	ní chodlódh
chodlódh sé	an gcodlódh?
chodlódh sí	go gcodlódh
chodlódh muid	nach gcodlódh
chodlódh sibh	
chodlóidís[U]	
chodlófaí[M]	

Munster Irish: Gaeilge na Mumhan

THE FUTURE TENSE	An Aimsir Fháistineach
codlód*	
*codlóir	ní chodlóidh
codlóidh sé	an gcodlóidh?
codlóidh sí	go gcodlóidh
*codlóm	ná codlóidh
codlóidh sibh	
*codlóid	a chodlóidh
codlófar	

THE CONDITIONAL MOOD	An Modh Coinníollach
(do) chodlóinn	
(do) chodlófá	ní chodlódh
(do) chodlódh sé	an gcodlódh?
(do) chodlódh sí	go gcodlódh
(do) chodlóimíst	ná codlódh
(do) chodlódh sibh	
(do) chodlóidíst	
*(do) codlófaí	

23 **codail** 'sleep' v.n. **codladh** v.adj. **codalta**

Standard Irish: An Caighdeán Oifigiúil

THE IMPERFECT TENSE	An Aimsir Ghnáthchaite	The Imperative Mood	The Present Subjunctive
chodlaínn		codlaím	go gcodlaí mé
chodlaíteá	ní chodlaíodh	codail	go gcodlaí tú
chodlaíodh sé	an gcodlaíodh?	codlaíodh sé	go gcodlaí sé
chodlaíodh sí	go gcodlaíodh	codlaíodh sí	go gcodlaí sí
chodlaímis	nach gcodlaíodh	codlaímis	go gcodlaímid
chodlaíodh sibh		codlaígí	go gcodlaí sibh
chodlaídís		codlaídís	go gcodlaí siad
chodlaítí		codlaítear	go gcodlaítear
		ná codail	nár chodlaí

Ulster Irish: Gaeilge Chúige Uladh

THE IMPERFECT TENSE	An Aimsir Ghnáthchaite	An Modh Ordaitheach	An Fhoshuiteach Láithreach
chodlainn	ní chodladh	codlaim	go gcodlaí mé
chodlaítheá	(cha chodladh)	codlaigh	go gcodlaí tú
chodladh sé	an gcodladh?	codladh sé	go gcodlaí sé
chodladh sí	go gcodladh	codladh sí	go gcodlaí sí
chodlaimis‡	nach gcodladh	codlaimis‡/fut	go gcodlaí muid†
chodladh sibh		codlaigíC	go gcodlaí sibh
chodladh siad	Ba ghnách le …	codladh siad	go gcodlaí siad
chodlaíthí		codalltar	go gcodalltar
		ná codlaigh	nár chodlaí

Connaught Irish: Gaeilge Chonnacht

THE IMPERFECT TENSE	An Aimsir Ghnáthchaite	The Imperative Mood	The Present Subjunctive
chodlaínn		codlaím	go gcodlaí mé
chodlaíteáM	ní chodlaíodh	codail	go gcodlaí tú
chodlaíodh sé	an gcodlaíodh?	codlaíodh sé	go gcodlaí sé
chodlaíodh sí	go gcodlaíodh	codlaíodh sí	go gcodlaí sí
chodlaíodh muid	nach gcodlaíodh	codlaímid	go gcodlaí muid
chodlaíodh sibh		*codailidh	go gcodlaí sibh
chodlaídísU		codlaídís	go gcodlaí siad
chodlaítíM		codlaíthear	go gcodlaíthear
		ná codail	nár chodlaí

Munster Irish: Gaeilge na Mumhan

THE IMPERFECT TENSE	An Aimsir Ghnáthchaite	An Modh Ordaitheach	An Fhoshuiteach Láithreach
(do) chodlaínn		codlaím	go gcodlaíod*
(do) *chodlaíotá	ní chodlaíodh	codail	go gcodlaír*
(do) chodlaíodh sé	an gcodlaíodh?	codlaíodh sé	go gcodlaí sé
(do) chodlaíodh sí	go gcodlaíodh	codlaíodh sí	go gcodlaí sí
(do) chodlaímíst	ná codlaíodh	codlaímíst	go gcodlaíom*
(do) chodlaíodh sibh		codlaíg=C*	go gcodlaí sibh
(do) chodlaídíst		codlaídíst	go gcodlaíd*
*(do) codlaíotaí		codlaíotar*	go gcodlaíotar*
		ná codail	nár chodlaí

Standard Irish: An Caighdeán Oifigiúil

THE PAST TENSE	An Aimsir Chaite
choinnigh mé	níor choinnigh
choinnigh tú	ar choinnigh?
choinnigh sé	gur choinnigh
choinnigh sí	nár choinnigh
choinníomar	níor coinníodh
choinnigh sibh	ar coinníodh?
choinnigh siad	gur coinníodh
coinníodh	nár coinníodh

THE PRESENT TENSE	An Aimsir Láithreach
coinním	
coinníonn tú	ní choinníonn
coinníonn sé	an gcoinníonn?
coinníonn sí	go gcoinníonn
coinnímid	nach gcoinníonn
coinníonn sibh	
coinníonn siad	a choinníonn
coinnítear	

Ulster Irish: Gaeilge Chúige Uladh

THE PAST TENSE	An Aimsir Chaite
choinnigh mé	níor choinnigh
choinnigh tú	(char choinnigh)
choinnigh sé	ar choinnigh?
choinnigh sí	gur choinnigh
choinnigh muid†	nár choinnigh
choinnigh sibh	
choinnigh siad	níor/ar coinneadh
coinneadh	gur/nár coinneadh

THE PRESENT TENSE	An Aimsir Láithreach
coinnim	ní choinneann
coinneann tú	(cha choinneann)
coinneann sé	an gcoinneann?
coinneann sí	go gcoinneann
coinneann muid†	nach gcoinneann
coinneann sibh	
coinneann siad	a choinneas
coinníthear	

Connaught Irish: Gaeilge Chonnacht

THE PAST TENSE	An Aimsir Chaite
choinnigh mé [M]	níor choinnigh
choinnigh tú [M]	ar choinnigh?
choinnigh sé	gur choinnigh
choinnigh sí	nár choinnigh
choinnigh muid	níor coinníodh
choinnigh sibh	ar coinníodh?
choinníodar[U]	gur coinníodh
coinníodh[U]	nár coinníodh

THE PRESENT TENSE	An Aimsir Láithreach
coinním	
coinníonn tú	ní choinníonn
coinníonn sé	an gcoinníonn?
coinníonn sí	go gcoinníonn
coinníonn muid	nach gcoinníonn
coinníonn sibh	
coinníonn siad	a choinníonns
coinníthear	

Munster Irish: Gaeilge na Mumhan

THE PAST TENSE	An Aimsir Chaite
(do) choinníos*	ní(or) choinnigh
(do) choinnís*	ar choinnigh?
(do) choinnigh sé	gur choinnigh
(do) choinnigh sí	nár choinnigh
(do) choinníomair*	*níor choinníodh
(do) choinníobhair*	*ar choinníodh?
(do) choinníodar	*gur choinníodh
*(do) choinníodh	*nár choinníodh

THE PRESENT TENSE	An Aimsir Láithreach
coinním	
coinníonn tú	ní choinníonn
coinníonn sé	an gcoinníonn?
coinníonn sí	go gcoinníonn
coinnímíd	ná coinníonn
coinníonn sibh	
*coinníd	a choinníonn
coinníotar*	

Standard Irish: An Caighdeán Oifigiúil

THE FUTURE TENSE	An Aimsir Fháistineach
coinneoidh mé	
coinneoidh tú	ní choinneoidh
coinneoidh sé	an gcoinneoidh?
coinneoidh sí	go gcoinneoidh
coinneoimid	nach gcoinneoidh
coinneoidh sibh	
coinneoidh siad	a choinneoidh
coinneofar	

THE CONDITIONAL MOOD	An Modh Coinníollach
choinneoinn	
choinneofá	ní choinneodh
choinneodh sé	an gcoinneodh?
choinneodh sí	go gcoinneodh
choinneoimis	nach gcoinneodh
choinneodh sibh	
choinneoidís	
choinneofaí	

Ulster Irish: Gaeilge Chúige Uladh

THE FUTURE TENSE	An Aimsir Fháistineach
coinneochaidh mé	ní choinneochaidh
coinneochaidh tú	(cha choinneann)
coinneochaidh sé	an gcoinneochaidh?
coinneochaidh sí	go gcoinneochaidh
coinneochaidh muid[†]	nach gcoinneochaidh
coinneochaidh sibh	
coinneochaidh siad	a choinneochas
coinneofar	

THE CONDITIONAL MOOD	An Modh Coinníollach
choinneochainn	
choinneofá	ní choinneochadh
choinneochadh sé	(cha choinneochadh)
choinneochadh sí	an gcoinneochadh?
choinneochaimis[‡]	go gcoinneochadh
choinneochadh sibh	nach gcoinneochadh
choinneochadh siad	
choinneofaí	

Connaught Irish: Gaeilge Chonnacht

THE FUTURE TENSE	An Aimsir Fháistineach
coinneoidh mé[M]	
coinneoidh tú[M]	ní choinneoidh
coinneoidh sé	an gcoinneoidh?
coinneoidh sí	go gcoinneoidh
coinneoidh muid	nach gcoinneoidh
coinneoidh sibh	
coinneoidh siad	a choinneos
coinneofar	

THE CONDITIONAL MOOD	An Modh Coinníollach
choinneoinn	
choinneofá	ní choinneodh
choinneodh sé	an gcoinneodh?
choinneodh sí	go gcoinneodh
choinneodh muid	nach gcoinneodh
choinneodh sibh	
choinneoidís[U]	
choinneofaí[M]	

Munster Irish: Gaeilge na Mumhan

THE FUTURE TENSE	An Aimsir Fháistineach
coinneod*	
*coinneoir	ní choinneoidh
coinneoidh sé	an gcoinneoidh?
coinneoidh sí	go gcoinneoidh
*coinneom	ná coinneoidh
coinneoidh sibh	
*coinneoid	a choinneoidh
coinneofar	

THE CONDITIONAL MOOD	An Modh Coinníollach
(do) choinneoinn	
(do) choinneofá	ní choinneodh
(do) choinneodh sé	an gcoinneodh?
(do) choinneodh sí	go gcoinneodh
(do) choinneoimíst	ná coinneodh
(do) choinneodh sibh	
(do) choinneoidíst	
*(do) coinneofaí	

Standard Irish: An Caighdeán Oifigiúil

THE IMPERFECT TENSE	An Aimsir Ghnáthchaite	The Imperative Mood	The Present Subjunctive
choinnínn		coinním	go gcoinní mé
choinníteá	ní choinníodh	coinnigh	go gcoinní tú
choinníodh sé	an gcoinníodh?	coinníodh sé	go gcoinní sé
choinníodh sí	go gcoinníodh	coinníodh sí	go gcoinní sí
choinnímis	nach gcoinníodh	coinnímis	go gcoinnímid
choinníodh sibh		coinnígí	go gcoinní sibh
choinnídís		coinnídís	go gcoinní siad
choinnítí		coinnítear	go gcoinnítear
		ná coinnigh	nár choinní

Ulster Irish: Gaeilge Chúige Uladh

THE IMPERFECT TENSE	An Aimsir Ghnáthchaite	An Modh Ordaitheach	An Foshuiteach Láithreach
choinninn*	ní choinneadh	coinnim	go gcoinní mé
choinnítheá	(cha choinneadh)	coinnigh	go gcoinní tú
choinneadh sé*	an gcoinneadh?	coinneadh sé	go gcoinní sé
choinneadh sí*	go gcoinneadh	coinneadh sí	go gcoinní sí
choinnimis‡*	nach gcoinneadh	coinnimis‡/fut	go gcoinní muid†
choinneadh sibh*		coinnigí	go gcoinní sibh
choinneadh siad	Ba ghnách le ...	coinneadh siad	go gcoinní siad
choinníthí		coinníthear	go gcoinníthear
		ná coinnigh	nár choinní

Connaught Irish: Gaeilge Chonnacht

THE IMPERFECT TENSE	An Aimsir Ghnáthchaite	The Imperative Mood	The Present Subjunctive
choinnínn		coinním	go gcoinní mé
choinníteá[M]	ní choinníodh	coinnigh	go gcoinní tú
choinníodh sé	an gcoinníodh?	coinníodh sé	go gcoinní sé
choinníodh sí	go gcoinníodh	coinníodh sí	go gcoinní sí
choinníodh muid	nach gcoinníodh	coinnímid	go gcoinní muid
choinníodh sibh		*coinnighidh	go gcoinní sibh
choinnídís[U]		coinnídís	go gcoinní siad
choinnítí[M]		coinníthear	go gcoinníthear
		ná coinnigh	nár choinní

Munster Irish: Gaeilge na Mumhan

THE IMPERFECT TENSE	An Aimsir Ghnáthchaite	An Modh Ordaitheach	An Foshuiteach Láithreach
(do) choinnínn		coinním	go gcoinníod*
*(do) choinníotá	ní choinníodh	coinnigh	go gcoinnír*
(do) choinníodh sé	an gcoinníodh?	coinníodh sé	go gcoinní sé
(do) choinníodh sí	go gcoinníodh	coinníodh sí	go gcoinní sí
(do) choinnímíst	ná coinníodh	coinnímíst	go gcoinníom*
(do) choinníodh sibh		coinníg=C*	go gcoinní sibh
(do) choinnídíst		coinnídíst	go gcoinníd*
*(do) coinníotaí		coinníotar*	go gcoinníotar*
		ná coinnigh	nár choinní

Standard Irish: An Caighdeán Oifigiúil

THE PAST TENSE	An Aimsir Chaite
chruaigh mé	níor chruaigh
chruaigh tú	ar chruaigh?
chruaigh sé	gur chruaigh
chruaigh sí	nár chruaigh
chruamar	níor cruadh
chruaigh sibh	ar cruadh?
chruaigh siad	gur cruadh
cruadh	nár cruadh

THE PRESENT TENSE	An Aimsir Láithreach
cruaim	
cruann tú	ní chruann
cruann sé	an gcruann?
cruann sí	go gcruann
cruaimid	nach gcruann
cruann sibh	
cruann siad	a chruann
cruaitear	

Ulster Irish: Gaeilge Chúige Uladh

THE PAST TENSE	An Aimsir Chaite
chruaigh mé	níor chruaigh
chruaigh tú	(char chruaigh)
chruaigh sé	ar chruaigh?
chruaigh sí	gur chruaigh
chruaigh muid†	nár chruaigh
chruaigh sibh	
chruaigh siad	níor/ar cruadh
cruadh	gur/nár cruadh

THE PRESENT TENSE	An Aimsir Láithreach
cruaim	ní chruann
cruann tú	(cha chruann)
cruann sé	an gcruann?
cruann sí	go gcruann
cruann muid†	nach gcruann
cruann sibh	cruann = cruaidheann
cruann siad	a chruas
cruaitear	

Connaught Irish: Gaeilge Chonnacht

THE PAST TENSE	An Aimsir Chaite
chruaigh mé [M]	níor chruaigh
chruaigh tú [M]	ar chruaigh?
chruaigh sé	gur chruaigh
chruaigh sí	nár chruaigh
chruaigh muid	níor cruadh
chruaigh sibh	ar cruadh?
chruadar[U]	gur cruadh
cruadh	nár cruadh

THE PRESENT TENSE	An Aimsir Láithreach
cruaim	
cruann tú	ní chruann
cruann sé	an gcruann?
cruann sí	go gcruann
cruann muid	nach gcruann
cruann sibh	
cruann siad	a chruanns
cruaitear	

Munster Irish: Gaeilge na Mumhan

THE PAST TENSE	An Aimsir Chaite
(do) chruas*	ní(or) chruaigh
(do) chruais*	ar chruaigh?
(do) chruaigh sé	gur chruaigh
(do) chruaigh sí	nár chruaigh
(do) chruamair*	*níor chruadh
(do) chruabhair*	*ar chruadh?
(do) chruadar	*gur chruadh
*(do) chruadh	*nár chruadh

THE PRESENT TENSE	An Aimsir Láithreach
cruaim	
cruann tú	ní chruann
cruann sé	an gcruann?
cruann sí	go gcruann
cruaimíd	ná cruann
cruann sibh	
*cruaid	a chruann
cruaitear	

Standard Irish: An Caighdeán Oifigiúil

THE FUTURE TENSE	An Aimsir Fháistineach	THE CONDITIONAL MOOD	An Modh Coinníollach
cruafaidh mé		chruafainn	
cruafaidh tú	ní chruafaidh	chruafá	ní chruafadh
cruafaidh sé	an gcruafaidh?	chruafadh sé	an gcruafadh?
cruafaidh sí	go gcruafaidh	chruafadh sí	go gcruafadh
cruafaimid	nach gcruafaidh	chruafaimis	nach gcruafadh
cruafaidh sibh		chruafadh sibh	
cruafaidh siad	a chruafaidh	chruafaidís	
cruafar		chruafaí	

Ulster Irish: Gaeilge Chúige Uladh

THE FUTURE TENSE	An Aimsir Fháistineach	THE CONDITIONAL MOOD	An Modh Coinníollach
cruafaidh mé		chruafainn	
cruafaidh tú	ní chruafaidh	chruafá	ní chruafadh
cruafaidh sé	(cha chruann)	chruafadh sé	(cha chruafadh)
cruafaidh sí	an gcruafaidh?	chruafadh sí	an gcruafadh?
cruafaidh muid†	go gcruafaidh	chruafaimis‡	go gcruafadh
cruafaidh sibh	nach gcruafaidh	chruafadh sibh	nach gcruafadh
cruafaidh siad	a chruafas	chruafadh siad	
cruafar		chruafaí	

Connaught Irish: Gaeilge Chonnacht

THE FUTURE TENSE	An Aimsir Fháistineach	THE CONDITIONAL MOOD	An Modh Coinníollach
cruafaidh mé [M]		chruafainn	
cruafaidh tú[M]	ní chruafaidh	chruafá	ní chruafadh
cruafaidh sé	an gcruafaidh?	chruafadh sé	an gcruafadh?
cruafaidh sí	go gcruafaidh	chruafadh sí	go gcruafadh
cruafaidh muid	nach gcruafaidh	chruafadh muid	nach gcruafadh
cruafaidh sibh		chruafadh sibh	
cruafaidh siad	a chruafas	chruafaidís[U]	
cruafar		chruafaí[M]	

Munster Irish: Gaeilge na Mumhan

THE FUTURE TENSE	An Aimsir Fháistineach	THE CONDITIONAL MOOD	An Modh Coinníollach
cruafad*		(do) chruafainn	
*cruafair	ní chruafaidh	(do) chruafá	ní chruafadh
cruafaidh sé	an gcruafaidh?	(do) chruafadh sé	an gcruafadh?
cruafaidh sí	go gcruafaidh	(do) chruafadh sí	go gcruafadh
*cruafam	ná cruafaidh	(do) chruafaimíst	ná cruafadh
cruafaidh sibh		(do) chruafadh sibh	
*cruafaid	a chruafaidh	(do) chruafaidíst	
cruafar		*(do) cruafaí	

Standard Irish: An Caighdeán Oifigiúil

THE IMPERFECT TENSE	An Aimsir Ghnáthchaite	The Imperative Mood	The Present Subjunctive
chruainn		cruaim	go gcrua mé
chruaiteá	ní chruadh	cruaigh	go gcrua tú
chruadh sé	an gcruadh?	cruadh sé	go gcrua sé
chruadh sí	go gcruadh	cruadh sí	go gcrua sí
chruaimis	nach gcruadh	cruaimis	go gcruaimid
chruadh sibh		cruaigí	go gcrua sibh
chruaidís		cruaidís	go gcrua siad
chruaití		cruaitear	go gcruaitear
		ná cruaigh	nár chrua

Ulster Irish: Gaeilge Chúige Uladh

THE IMPERFECT TENSE	An Aimsir Ghnáthchaite	An Modh Ordaitheach	An Foshuiteach Láithreach
chruainn		cruaim	go gcruaidh mé
chruaitheá	ní chruadh	cruaigh	go gcruaidh tú
chruadh sé	(cha chruadh)	cruadh sé	go gcruaidh sé
chruadh sí	an gcruadh?	cruadh sí	go gcruaidh sí
chruaimis‡	go gcruadh	cruaimis‡/fut	go gcruaidh muid†
chruadh sibh	nach gcruadh	cruaigí[C]	go gcruaidh sibh
chruadh siad	Ba ghnách le …	cruadh siad	go gcruaidh siad
chruaití		cruaitear	go gcruaitear
		ná cruaigh	nár chruaidh

Connaught Irish: Gaeilge Chonnacht

THE IMPERFECT TENSE	An Aimsir Ghnáthchaite	The Imperative Mood	The Present Subjunctive
chruainn		cruaim	go gcrua mé
chruaiteá	ní chruadh	cruaigh	go gcrua tú
chruadh sé	an gcruadh?	cruadh sé	go gcrua sé
chruadh sí	go gcruadh	cruadh sí	go gcrua sí
chruadh muid	nach gcruadh	cruaimid	go gcrua muid
chruadh sibh		*cruaídh	go gcrua sibh
chruaidís[U]		cruaidís	go gcrua siad
chruaití[M]		cruaitear	go gcruaitear
		ná cruaigh	nár chrua

Munster Irish: Gaeilge na Mumhan

THE IMPERFECT TENSE	An Aimsir Ghnáthchaite	An Modh Ordaitheach	An Foshuiteach Láithreach
(do) chruainn		cruaim	go gcruad*
*(do) chruatá	ní chruadh	cruaigh	go gcruair*
(do) chruadh sé	an gcruadh?	cruadh sé	go gcrua sé
(do) chruadh sí	go gcruadh	cruadh sí	go gcrua sí
(do) chruaimíst	ná cruadh	cruaimíst	go gcruam*
(do) chruadh sibh		cruaíg[=C]*	go gcrua sibh
(do) chruaidíst		cruaidíst	go gcruaid*
*(do) cruaití		cruaitear	go gcruaitear
		ná cruaigh	nár chrua

26 **cuir** 'put' v.n. **cur** v.adj. **curtha**

Standard Irish: An Caighdeán Oifigiúil

THE PAST TENSE	An Aimsir Chaite
chuir mé	níor chuir
chuir tú	ar chuir?
chuir sé	gur chuir
chuir sí	nár chuir
chuireamar	níor cuireadh
chuir sibh	ar cuireadh?
chuir siad	gur cuireadh
cuireadh	nár cuireadh

THE PRESENT TENSE	An Aimsir Láithreach
cuirim	
cuireann tú	ní chuireann
cuireann sé	an gcuireann?
cuireann sí	go gcuireann
cuirimid	nach gcuireann
cuireann sibh	
cuireann siad	a chuireann
cuirtear	

Ulster Irish: Gaeilge Chúige Uladh

THE PAST TENSE	An Aimsir Chaite
chuir mé	níor chuir
chuir tú	(char chuir)
chuir sé	ar chuir?
chuir sí	gur chuir
chuir muid†	nár chuir
chuir sibh	
chuir siad	níor/ar cuireadh
cuireadh	gur/nár cuireadh

THE PRESENT TENSE	An Aimsir Láithreach
cuirim	ní chuireann
cuireann tú	(cha chuireann)
cuireann sé	an gcuireann?
cuireann sí	go gcuireann
cuireann muid†	nach gcuireann
cuireann sibh	
cuireann siad	a chuireas
cuirtear	

Connaught Irish: Gaeilge Chonnacht

THE PAST TENSE	An Aimsir Chaite
chuir mé [M]	níor chuir
chuir tú [M]	ar chuir?
chuir sé	gur chuir
chuir sí	nár chuir
chuir muid	níor cuireadh
chuir sibh	ar cuireadh?
chuireadar[U]	gur cuireadh
cuireadh	nár cuireadh

THE PRESENT TENSE	An Aimsir Láithreach
cuirim	
cuireann tú	ní chuireann
cuireann sé	an gcuireann?
cuireann sí	go gcuireann
cuireann muid	nach gcuireann
cuireann sibh	
cuireann siad	a chuireanns
cuirtear	*vn* cuir

Munster Irish: Gaeilge na Mumhan

THE PAST TENSE	An Aimsir Chaite
(do) chuireas*	ní(or) chuir
(do) chuiris*	ar chuir?
(do) chuir sé	gur chuir
(do) chuir sí	nár chuir
(do) chuireamair*	*níor chuireadh
(do) chuireabhair*	*ar chuireadh?
(do) chuireadar	*gur chuireadh
*(do) chuireadh	*nár chuireadh

THE PRESENT TENSE	An Aimsir Láithreach
cuirim	
cuireann tú	ní chuireann
cuireann sé	an gcuireann?
cuireann sí	go gcuireann
cuirimíd	ná cuireann
cuireann sibh	
*cuirid	a chuireann
cuirtear	

Standard Irish: An Caighdeán Oifigiúil

THE FUTURE TENSE	An Aimsir Fháistineach	THE CONDITIONAL MOOD	An Modh Coinníollach
cuirfidh mé		chuirfinn	
cuirfidh tú	ní chuirfidh	chuirfeá	ní chuirfeadh
cuirfidh sé	an gcuirfidh?	chuirfeadh sé	an gcuirfeadh?
cuirfidh sí	go gcuirfidh	chuirfeadh sí	go gcuirfeadh
cuirfimid	nach gcuirfidh	chuirfimis	nach gcuirfeadh
cuirfidh sibh		chuirfeadh sibh	
cuirfidh siad	a chuirfidh	chuirfidís	
cuirfear		chuirfí	

Ulster Irish: Gaeilge Chúige Uladh

THE FUTURE TENSE	An Aimsir Fháistineach	THE CONDITIONAL MOOD	An Modh Coinníollach
cuirfidh mé		chuirfinn	
cuirfidh tú	ní chuirfidh	chuirfeá	ní chuirfeadh
cuirfidh sé	(cha chuireann)	chuirfeadh sé	(cha chuirfeadh)
cuirfidh sí	an gcuirfidh?	chuirfeadh sí	an gcuirfeadh?
cuirfidh muid†	go gcuirfidh	chuirfimis‡	go gcuirfeadh
cuirfidh sibh	nach gcuirfidh	chuirfeadh sibh	nach gcuirfeadh
cuirfidh siad	a chuirfeas	chuirfeadh siad	
cuirfear		chuirfí	

Connaught Irish: Gaeilge Chonnacht

THE FUTURE TENSE	An Aimsir Fháistineach	THE CONDITIONAL MOOD	An Modh Coinníollach
cuirfidh mé [M]		chuirfinn	
cuirfidh tú[M]	ní chuirfidh	chuirfeá	ní chuirfeadh
cuirfidh sé	an gcuirfidh?	chuirfeadh sé	an gcuirfeadh?
cuirfidh sí	go gcuirfidh	chuirfeadh sí	go gcuirfeadh
cuirfidh muid	nach gcuirfidh	chuirfeadh muid	nach gcuirfeadh
cuirfidh sibh		chuirfeadh sibh	
cuirfidh siad	a chuirfeas	chuirfidís[U]	
cuirfear		chuirfí[M]	

Munster Irish: Gaeilge na Mumhan

THE FUTURE TENSE	An Aimsir Fháistineach	THE CONDITIONAL MOOD	An Modh Coinníollach
cuirfead*		(do) chuirfinn	
*cuirfir	ní chuirfidh	(do) chuirfeá	ní chuirfeadh
cuirfidh sé	an gcuirfidh?	(do) chuirfeadh sé	an gcuirfeadh?
cuirfidh sí	go gcuirfidh	(do) chuirfeadh sí	go gcuirfeadh
*cuirfeam	ná cuirfidh	(do) chuirfimíst	ná cuirfeadh
cuirfidh sibh		(do) chuirfeadh sibh	
*cuirfid	a chuirfidh	(do) chuirfidíst	
cuirfear		*(do) cuirfí	

Standard Irish: An Caighdeán Oifigiúil

THE IMPERFECT TENSE An Aimsir Ghnáthchaite		The Imperative Mood	The Present Subjunctive
chuirinn		cuirim	go gcuire mé
chuirteá	ní chuireadh	cuir	go gcuire tú
chuireadh sé	an gcuireadh?	cuireadh sé	go gcuire sé
chuireadh sí	go gcuireadh	cuireadh sí	go gcuire sí
chuirimis	nach gcuireadh	cuirimis	go gcuirimid
chuireadh sibh		cuirigí	go gcuire sibh
chuiridís		cuiridís	go gcuire siad
chuirtí		cuirtear	go gcuirtear
		ná cuir	nár chuire

Ulster Irish: Gaeilge Chúige Uladh

THE IMPERFECT TENSE An Aimsir Ghnáthchaite		An Modh Ordaitheach	An Foshuiteach Láithreach
chuirinn		cuirim	go gcuiridh mé
chuirtheá	ní chuireadh	cuir	go gcuiridh tú
chuireadh sé	(cha chuireadh)	cuireadh sé	go gcuiridh sé
chuireadh sí	an gcuireadh?	cuireadh sí	go gcuiridh sí
chuirimis[‡]	go gcuireadh	cuirimis[‡/fut]	go gcuiridh muid[†]
chuireadh sibh	nach gcuireadh	cuirigí[C]	go gcuiridh sibh
chuireadh siad	Ba ghnách le …	cuireadh siad	go gcuiridh siad
chuirtí		cuirtear	go gcuirtear
		ná cuir	nár chuiridh

Connaught Irish: Gaeilge Chonnacht

THE IMPERFECT TENSE An Aimsir Ghnáthchaite		The Imperative Mood	The Present Subjunctive
chuirinn		cuirim	go gcuire mé
chuirteá	ní chuireadh	cuir	go gcuire tú
chuireadh sé	an gcuireadh?	cuireadh sé	go gcuire sé
chuireadh sí	go gcuireadh	cuireadh sí	go gcuire sí
chuireadh muid	nach gcuireadh	cuirimid	go gcuire muid
chuireadh sibh		*cuiridh	go gcuire sibh
chuiridís[U]		cuiridís	go gcuire siad
chuirtí[M]		cuirtear	go gcuirtear
		ná cuir	nár chuire

Munster Irish: Gaeilge na Mumhan

THE IMPERFECT TENSE An Aimsir Ghnáthchaite		An Modh Ordaitheach	An Foshuiteach Láithreach
(do) chuirinn		cuirim	go gcuiread*
(do) chuirteá	ní chuireadh	cuir	go gcuirir*
(do) chuireadh sé	an gcuireadh?	cuireadh sé	go gcuire sé
(do) chuireadh sí	go gcuireadh	cuireadh sí	go gcuire sí
(do) chuirimíst	ná cuireadh	cuirimíst	go gcuiream*
(do) chuireadh sibh		cuiríg[=C]*	go gcuire sibh
(do) chuiridíst		cuiridíst	go gcuirid*
*(do) cuirtí		cuirtear	go gcuirtear
		ná cuir	nár chuire

Standard Irish: An Caighdeán Oifigiúil

THE PAST TENSE	An Aimsir Chaite
dhathaigh mé	níor dhathaigh
dhathaigh tú	ar dhathaigh?
dhathaigh sé	gur dhathaigh
dhathaigh sí	nár dhathaigh
dhathaíomar	níor dathaíodh
dhathaigh sibh	ar dathaíodh?
dhathaigh siad	gur dathaíodh
dathaíodh	nár dathaíodh

THE PRESENT TENSE	An Aimsir Láithreach
dathaím	
dathaíonn tú	ní dhathaíonn
dathaíonn sé	an ndathaíonn?
dathaíonn sí	go ndathaíonn
dathaímid	nach ndathaíonn
dathaíonn sibh	
dathaíonn siad	a dhathaíonn
dathaítear	

Ulster Irish: Gaeilge Chúige Uladh

THE PAST TENSE	An Aimsir Chaite
dhathaigh mé	níor dhathaigh
dhathaigh tú	(char dhathaigh)
dhathaigh sé	ar dhathaigh?
dhathaigh sí	gur dhathaigh
dhathaigh muid[†]	nár dhathaigh
dhathaigh sibh	
dhathaigh siad	níor/ar dathadh
dathadh	gur/nár dathadh

THE PRESENT TENSE	An Aimsir Láithreach
dathaim	ní dhathann
dathann tú	(cha ndathann)
dathann sé	an ndathann?
dathann sí	go ndathann
dathann muid[†]	nach ndathann
dathann sibh	
dathann siad	a dhathas
dathaíthear	

Connaught Irish: Gaeilge Chonnacht

THE PAST TENSE	An Aimsir Chaite
dhathaigh mé [M]	níor dhathaigh
dhathaigh tú [M]	ar dhathaigh?
dhathaigh sé	gur dhathaigh
dhathaigh sí	nár dhathaigh
dhathaigh muid	níor dathaíodh
dhathaigh sibh	ar dathaíodh?
dhathaíodar[U]	gur dathaíodh
dathaíodh [U]	nár dathaíodh

THE PRESENT TENSE	An Aimsir Láithreach
dathaím	
dathaíonn tú	ní dhathaíonn
dathaíonn sé	an ndathaíonn?
dathaíonn sí	go ndathaíonn
dathaíonn muid	nach ndathaíonn
dathaíonn sibh	
dathaíonn siad	a dhathaíonns
dathaíthear	

Munster Irish: Gaeilge na Mumhan

THE PAST TENSE	An Aimsir Chaite
(do) dhathaíos*	ní(or) dhathaigh
(do) dhathaís*	ar dhathaigh?
(do) dhathaigh sé	gur dhathaigh
(do) dhathaigh sí	nár dhathaigh
(do) dhathaíomair*	*níor dhathaíodh
(do) dhathaíobhair*	*ar dhathaíodh?
(do) dhathaíodar	*gur dhathaíodh
*(do) dhathaíodh	*nár dhathaíodh

THE PRESENT TENSE	An Aimsir Láithreach
dathaím	
dathaíonn tú	ní dhathaíonn
dathaíonn sé	an ndathaíonn?
dathaíonn sí	go ndathaíonn
dathaímíd	ná dathaíonn
dathaíonn sibh	
*dathaíd	a dhathaíonn
dathaíotar*	

27 **dathaigh** 'colour, paint' a.br. **dathú** aid.bhr. **dathaithe**

Standard Irish: An Caighdeán Oifigiúil

THE FUTURE TENSE	An Aimsir Fháistineach
dathóidh mé	
dathóidh tú	ní dhathóidh
dathóidh sé	an ndathóidh?
dathóidh sí	go ndathóidh
dathóimid	nach ndathóidh
dathóidh sibh	
dathóidh siad	a dhathóidh
dathófar	

THE CONDITIONAL MOOD	An Modh Coinníollach
dhathóinn	
dhathófá	ní dhathódh
dhathódh sé	an ndathódh?
dhathódh sí	go ndathódh
dhathóimis	nach ndathódh
dhathódh sibh	
dhathóidís	
dhathófaí	

Ulster Irish: Gaeilge Chúige Uladh

THE FUTURE TENSE	An Aimsir Fháistineach
dathóchaidh mé	ní dhathóchaidh
dathóchaidh tú	(cha ndathann)
dathóchaidh sé	an ndathóchaidh?
dathóchaidh sí	go ndathóchaidh
dathóchaidh muid[†]	nach ndathóchaidh
dathóchaidh sibh	
dathóchaidh siad	a dhathóchas
dathófar	

THE CONDITIONAL MOOD	An Modh Coinníollach
dhathóchainn	
dhathófá	ní dhathóchadh
dhathóchadh sé	(cha ndathóchadh)
dhathóchadh sí	an ndathóchadh?
dhathóchaimis[‡]	go ndathóchadh
dhathóchadh sibh	nach ndathóchadh
dhathóchadh siad	
dhathófaí	

Connaught Irish: Gaeilge Chonnacht

THE FUTURE TENSE	An Aimsir Fháistineach
dathóidh mé [M]	
dathóidh tú[M]	ní dhathóidh
dathóidh sé	an ndathóidh?
dathóidh sí	go ndathóidh
dathóidh muid	nach ndathóidh
dathóidh sibh	
dathóidh siad	a dhathós
dathófar	

THE CONDITIONAL MOOD	An Modh Coinníollach
dhathóinn	
dhathófá	ní dhathódh
dhathódh sé	an ndathódh?
dhathódh sí	go ndathódh
dhathódh muid	nach ndathódh
dhathódh sibh	
dhathóidís[U]	
dhathófaí[M]	

Munster Irish: Gaeilge na Mumhan

THE FUTURE TENSE	An Aimsir Fháistineach
dathód*	
*dathóir	ní dhathóidh
dathóidh sé	an ndathóidh?
dathóidh sí	go ndathóidh
*dathóm	ná dathóidh
dathóidh sibh	
*dathóid	a dhathóidh
dathófar	

THE CONDITIONAL MOOD	An Modh Coinníollach
(do) dhathóinn	
(do) dhathófá	ní dhathódh
(do) dhathódh sé	an ndathódh?
(do) dhathódh sí	go ndathódh
(do) dhathóimíst	ná dathódh
(do) dhathódh sibh	
(do) dhathóidíst	
*(do) dathófaí	

27 **dathaigh** 'colour, paint' v.n. **dathú** v.adj. **dathaithe**

Standard Irish: An Caighdeán Oifigiúil

THE IMPERFECT TENSE	An Aimsir Ghnáthchaite	The Imperative Mood	The Present Subjunctive
dhathaínn		dathaím	go ndathaí mé
dhathaíteá	ní dhathaíodh	dathaigh	go ndathaí tú
dhathaíodh sé	an ndathaíodh?	dathaíodh sé	go ndathaí sé
dhathaíodh sí	go ndathaíodh	dathaíodh sí	go ndathaí sí
dhathaímis	nach ndathaíodh	dathaímis	go ndathaímid
dhathaíodh sibh		dathaígí	go ndathaí sibh
dhathaídís		dathaídís	go ndathaí siad
dhathaítí		dathaítear	go ndathaítear
		ná dathaigh	nár dhathaí

Ulster Irish: Gaeilge Chúige Uladh

THE IMPERFECT TENSE	An Aimsir Ghnáthchaite	An Modh Ordaitheach	An Foshuiteach Láithreach
dhathainn*		dathaim	go ndathaí mé
dhathaítheá	ní dhathadh	dathaigh	go ndathaí tú
dhathadh sé*	(cha ndathadh)	dathadh sé	go ndathaí sé
dhathadh sí*	an ndathadh?	dathadh sí	go ndathaí sí
dhathaimis[‡]	go ndathadh	dathaimis[‡/fut]	go ndathaí muid[†]
dhathadh sibh*	nach ndathadh	dathaigí	go ndathaí sibh
dhathadh siad*	Ba ghnách le …	dathadh siad	go ndathaí siad
dhathaíthí		dathaíthear	go ndathaíthear
		ná dathaigh	nár dhathaí

Connaught Irish: Gaeilge Chonnacht

THE IMPERFECT TENSE	An Aimsir Ghnáthchaite	The Imperative Mood	The Present Subjunctive
dhathaínn		dathaím	go ndathaí mé
dhathaíteá[M]	ní dhathaíodh	dathaigh	go ndathaí tú
dhathaíodh sé	an ndathaíodh?	dathaíodh sé	go ndathaí sé
dhathaíodh sí	go ndathaíodh	dathaíodh sí	go ndathaí sí
dhathaíodh muid	nach ndathaíodh	dathaímid	go ndathaí muid
dhathaíodh sibh		*dathaighidh	go ndathaí sibh
dhathaídís[U]		dathaídís	go ndathaí siad
dhathaítí[M]		dathaíthear	go ndathaíthear
		ná dathaigh	nár dhathaí

Munster Irish: Gaeilge na Mumhan

THE IMPERFECT TENSE	An Aimsir Ghnáthchaite	An Modh Ordaitheach	An Foshuiteach Láithreach
(do) dhathaínn		dathaím	go ndathaíod*
*(do) dhathaíotá	ní dhathaíodh	dathaigh	go ndathaír*
(do) dhathaíodh sé	an ndathaíodh?	dathaíodh sé	go ndathaí sé
(do) dhathaíodh sí	go ndathaíodh	dathaíodh sí	go ndathaí sí
(do) dhathaímíst	ná dathaíodh	dathaímíst	go ndathaíom*
(do) dhathaíodh sibh		dathaíg[=C]*	go ndathaí sibh
(do) dhathaídíst		dathaídíst	go ndathaíd*
*(do) dathaíotaí		dathaíotar*	go ndathaíotar*
		ná dathaigh	nár dhathaí

Standard Irish: An Caighdeán Oifigiúil

THE PAST TENSE An Aimsir Chaite			
rinne mé	an ndearna mé?	ní dhearna mé	
rinne tú	an ndearna tú?	ní dhearna tú	go ndearna
rinne sé	an ndearna sé?	ní dhearna sé	
rinne sí	an ndearna sí?	ní dhearna sí	nach ndearna
rinneamar	an ndearnamar?	ní dhearnamar	
rinne sibh	an ndearna sibh?	ní dhearna sibh	
rinne siad	an ndearna siad?	ní dhearna siad	go ndearnadh
rinneadh	an ndearnadh?	ní dhearnadh	nach ndearnadh

Ulster Irish: Gaeilge Chúige Uladh

THE PAST TENSE An Aimsir Chaite			
rinn mé	an dtearn mé?	ní thearn mé	cha dtearn
rinn tú	an dtearn tú?	ní thearn tú	go dtearn
rinn sé	an dtearn sé?	ní thearn sé	
rinn sí	an dtearn sí?	ní thearn sí	nach dtearn
rinn muid†	an dtearn muid?†	ní thearn muid†	
rinn sibh	an dtearn sibh?	ní thearn sibh	
rinn siad	an dtearn siad?	ní thearn siad	go dtearnadh
rinneadh	an dtearnadh?	ní thearnadh	nach dtearnadh

Connaught Irish: Gaeilge Chonnacht

THE PAST TENSE An Aimsir Chaite			
rinne mé/rinneas	an ndearna mé?	ní dhearna mé	*var* ní dhearnas
rinne tú / rinnis	an ndearna tú?	ní dhearna tú	*var* ní dhearnais
rinne sé	an ndearna sé?	ní dhearna sé	
rinne sí	an ndearna sí?	ní dhearna sí	go ndearna
rinne muid	an ndearna muid?	ní dhearna muid	nach ndearna
rinne sibh	an ndearna sibh?	ní dhearna sibh	
rinneadar	an ndearnadar?	ní dhearnadar	go ndearnadh
rinneadh[M]	an ndearnadh?	ní dhearnadh	nach ndearnadh

Munster Irish: Gaeilge na Mumhan

THE PAST TENSE An Aimsir Chaite			
(do) dheineas	ar dheineas?	ní(or) dheineas	dhein *var* dhin, dhéin
(do) dheinis	ar dheinis?	ní(or) dheinis	
(do) dhein sé	ar dhein sé?	ní(or) dhein sé	gur dhein
(do) dhein sí	ar dhein sí?	ní(or) dhein sí	
(do) dheineamair -mar	ar dheineamair? –mar	ní(or) dheineamair -mar	nár dhein
(do) dheineabhair	ar dheineabhair?	ní(or) dheineabhair	
(do) dheineadar	ar dheineadar?	ní(or) dheineadar	gur d(h)eineadh
(do) d(h)eineadh	ar d(h)eineadh?	níor d(h)eineadh	nár d(h)eineadh

Standard Irish: An Caighdeán Oifigiúil

THE PRESENT TENSE	An Aimsir Láithreach		
déanaim	an ndéanaim?	ní dhéanaim	go ndéanann
déanann tú	an ndéanann tú?	ní dhéanann tú	
déanann sé	an ndéanann sé?	ní dhéanann sé	nach ndéanann
déanann sí	an ndéanann sí?	ní dhéanann sí	
déanaimid	an ndéanaimid?	ní dhéanaimid	a dhéanann
déanann sibh	an ndéanann sibh?	ní dhéanann sibh	
déanann siad	an ndéanann siad?	ní dhéanann siad	go ndéantar
déantar	an ndéantar?	ní dhéantar	nach ndéantar

Ulster Irish: Gaeilge Chúige Uladh

THE PRESENT TENSE	An Aimsir Láithreach		
ghním	an ndeánaim?	ní theánaim	ghní sé *var* ní sé
ghní tú	an ndeán tú?*	ní theán tú	*var* ghníonn sé
ghní sé	an ndeán sé?*	ní theán sé	go ndeán
ghní sí	an ndeán sí?*	ní theán sí	nach ndeán
ghní muid†	an ndeán muid†?*	ní theán muid†	
ghní sibh	an ndeán sibh?*	ní theán sibh	a ghní /a ghníos
ghní siad	an ndeán siad?*	ní theán siad	go ndeántar
ghníthear	an ndeántar?	ní theántar	nach ndeántar

Connaught Irish: Gaeilge Chonnacht

THE PRESENT TENSE	An Aimsir Láithreach		
díonaim /ním	an ndíonaim?	ní dhíonaim	díonann sé
díonann tú	an ndíonann tú?	ní dhíonann tú	*var* níonn sé *srl.*
díonann sé	an ndíonann sé?	ní dhíonann sé	
díonann sí	an ndíonann sí?	ní dhíonann sí	go ndíonann
díonann muid	an ndíonann muid?	ní dhíonann muid	nach ndíonann
díonann sibh	an ndíonann sibh?	ní dhíonann sibh	a dhíonanns
díonann siad	an ndíonann siad?	ní dhíonann siad	go ndíontar
díontar, (gh)níthear	an ndíontar?	ní dhíontar	nach ndíontar

Munster Irish: Gaeilge na Mumhan

THE PRESENT TENSE	An Aimsir Láithreach		
deinim	an ndeinim?	ní dheinim	*var* dineann, déineann
deineann tú	an ndeineann tú?	ní dheineann tú	go ndeineann
deineann sé	an ndeineann sé?	ní dheineann sé	
deineann sí	an ndeineann sí?	ní dheineann sí	ná deineann
deinimíd	an ndeinimíd?	ní dheinimíd	
deineann sibh	an ndeineann sibh?	ní dheineann sibh	a dheineann
deinid / deinid siad	an ndeinid (siad)?	ní dheinid (siad)	go ndeintear
deintear	an ndeintear?	ní dheintear	ná deintear

Standard Irish: An Caighdeán Oifigiúil

THE FUTURE TENSE	An Aimsir Fháistineach
déanfaidh mé	
déanfaidh tú	ní dhéanfaidh
déanfaidh sé	an ndéanfaidh?
déanfaidh sí	go ndéanfaidh
déanfaimid	nach ndéanfaidh
déanfaidh sibh	
déanfaidh siad	a dhéanfaidh
déanfar	

THE CONDITIONAL MOOD	An Modh Coinníollach
dhéanfainn	
dhéanfá	ní dhéanfadh
dhéanfadh sé	an ndéanfadh?
dhéanfadh sí	go ndéanfadh
dhéanfaimis	nach ndéanfadh
dhéanfadh sibh	
dhéanfaidís	
dhéanfaí	

Ulster Irish: Gaeilge Chúige Uladh

THE FUTURE TENSE	An Aimsir Fháistineach
gheánfaidh mé	*var* dheánfaidh
gheánfaidh tú	ní theánfaidh
gheánfaidh sé	(cha ndeán)
gheánfaidh sí	an ndeánfaidh?
gheánfaidh muid[†]	go ndeánfaidh
gheánfaidh sibh	nach ndeánfaidh
gheánfaidh siad	a gheánfas
gheánfar	

THE CONDITIONAL MOOD	An Modh Coinníollach
gheánfainn	
gheánfá	ní theánfadh
gheánfadh sé	(cha ndeánfadh)
gheánfadh sí	an ndeánfadh?
gheánfaimis[‡]	go ndeánfadh
gheánfadh sibh	nach ndeánfadh
gheánfadh siad	
gheánfaí	

Connaught Irish: Gaeilge Chonnacht

THE FUTURE TENSE	An Aimsir Fháistineach
díonfaidh mé[M]	
díonfaidh tú	ní dhíonfaidh
díonfaidh sé	an ndíonfaidh?
díonfaidh sí	go ndíonfaidh
díonfaidh muid	nach ndíonfaidh
díonfaidh sibh	
díonfaidh siad	a dhíonfas
díonfar	

THE CONDITIONAL MOOD	An Modh Coinníollach
dhíonfainn	
dhíonfá	ní dhíonfadh
dhíonfadh sé	an ndíonfadh?
dhíonfadh sí	go ndíonfadh
dhíonfadh muid	nach ndíonfadh
dhíonfadh sibh	
dhíonfaidís[U]	
dhíonfaí[M]	

Munster Irish: Gaeilge na Mumhan

THE FUTURE TENSE	An Aimsir Fháistineach
déanfad*	
*déanfair	ní dhéanfaidh
déanfaidh sé	an ndéanfaidh?
déanfaidh sí	go ndéanfaidh
*déanfam	ná déanfaidh
déanfaidh sibh	
*déanfaid	a dhéanfaidh
déanfar	

THE CONDITIONAL MOOD	An Modh Coinníollach
(do) dhéanfainn	
(do) dhéanfá	ní dhéanfadh
(do) dhéanfadh sé	an ndéanfadh?
(do) dhéanfadh sí	go ndéanfadh
(do) dhéanfaimíst	ná déanfadh
(do) dhéanfadh sibh	
(do) dhéanfaidíst	
*(do) déanfaí	

Standard Irish: An Caighdeán Oifigiúil

THE IMPERFECT TENSE	An Aimsir Ghnáthchaite	The Imperative Mood	The Present Subjunctive
dhéanainn		déanaim	go ndéana mé
dhéantá	ní dhéanadh	déan	go ndéana tú
dhéanadh sé	an ndéanadh?	déanadh sé	go ndéana sé
dhéanadh sí	go ndéanadh	déanadh sí	go ndéana sí
dhéanaimis	nach ndéanadh	déanaimis	go ndéanaimid
dhéanadh sibh		déanaigí	go ndéana sibh
dhéanaidís		déanaidís	go ndéana siad
dhéantaí		déantar	go ndéantar
		ná déan	nár dhéana

Ulster Irish: Gaeilge Chúige Uladh

THE IMPERFECT TENSE	An Aimsir Ghnáthchaite	An Modh Ordaitheach	An Foshuiteach Láithreach
ghnínn	ghníodh *var* níodh	deánaim	go ndeánaidh mé
ghnítheá	ní theánadh	deán	go ndeánaidh tú
ghníodh sé	(cha ndeánadh)	deánadh sé	go ndeánaidh sé
ghníodh sí	an ndeánadh?	deánadh sí	go ndeánaidh sí
ghnímis[‡]	go ndeánadh	deánaimis[‡/fut]	go ndeánaidh muid†
ghníodh sibh	nach ndeánadh	deánaigí / deánaidh	go ndeánaidh sibh
ghníodh siad	Ba ghnách le …	deánadh siad	go ndeánaidh siad
ghníthí		deántar	go ndeántar
		ná deán	nár theánaidh*

Connaught Irish: Gaeilge Chonnacht

THE IMPERFECT TENSE	An Aimsir Ghnáthchaite	The Imperative Mood	The Present Subjunctive
dhíonainn[U]		díonaim	go ndíona mé
dhíontá[U]	ní dhíonadh	díon	go ndíona tú
dhíonadh sé[U]	an ndíonadh?	díonadh sé	go ndíona sé
dhíonadh sí[U]	go ndíonadh	díonadh sí	go ndíona sí
dhíonadh muid[U]	nach ndíonadh	díonaimid	go ndíona muid
dhíonadh sibh[U]		díonaigí / díonaidh	go ndíona sibh
dhíonaidís/ghnídís		díonaidís	go ndíona siad
dhíontaí[M]		díontar	go ndíontar
		ná díon	nár dhíona

Munster Irish: Gaeilge na Mumhan

THE IMPERFECT TENSE	An Aimsir Ghnáthchaite	An Modh Ordaitheach	An Foshuiteach Láithreach
(do) dheininn		deinim	go ndeine mé ndeinead
(do) dheinteá	ní dheineadh	dein / din /déin	go ndeinir ndeine tú
(do) dheineadh sé	an ndeineadh?	deineadh sé	go ndeine sé
(do) dheineadh sí	go ndeineadh	deineadh sí	go ndeine sí
(do) dheinimíst	ná deineadh	deinimíst	go ndeinimíd ndeineam
(do) dheineadh sibh		deinigí/deiníg/déinigí	go ndeine sibh
(do) dheinidíst		deinidíst	go ndeine siad ndeinid
(do) deintí		deintear	go ndeintear
		ná dein	nár dheine

29 **díol** 'sell' v.n. **díol** v.adj. **díolta**

Standard Irish: An Caighdeán Oifigiúil

THE PAST TENSE	An Aimsir Chaite
dhíol mé	níor dhíol
dhíol tú	ar dhíol?
dhíol sé	gur dhíol
dhíol sí	nár dhíol
dhíolamar	níor díoladh
dhíol sibh	ar díoladh?
dhíol siad	gur díoladh
díoladh	nár díoladh

THE PRESENT TENSE	An Aimsir Láithreach
díolaim	
díolann tú	ní dhíolann
díolann sé	an ndíolann?
díolann sí	go ndíolann
díolaimid	nach ndíolann
díolann sibh	
díolann siad	a dhíolann
díoltar	

Ulster Irish: Gaeilge Chúige Uladh

THE PAST TENSE	An Aimsir Chaite
dhíol mé	níor dhíol
dhíol tú	(char dhíol)
dhíol sé	ar dhíol?
dhíol sí	gur dhíol
dhíol muid[†]	nár dhíol
dhíol sibh	
dhíol siad	níor/ar díoladh
díoladh	gur/nár díoladh

THE PRESENT TENSE	An Aimsir Láithreach
díolaim	ní dhíolann
díolann tú	(cha ndíolann)
díolann sé	an ndíolann?
díolann sí	go ndíolann
díolann muid[†]	nach ndíolann
díolann sibh	
díolann siad	a dhíolas
díoltar	

Connaught Irish: Gaeilge Chonnacht

THE PAST TENSE	An Aimsir Chaite
dhíol mé [M]	níor dhíol
dhíol tú [M]	ar dhíol?
dhíol sé	gur dhíol
dhíol sí	nár dhíol
dhíol muid	níor díoladh
dhíol sibh	ar díoladh?
dhíoladar[U]	gur díoladh
díoladh	nár díoladh

THE PRESENT TENSE	An Aimsir Láithreach
díolaim	
díolann tú	ní dhíolann
díolann sé	an ndíolann?
díolann sí	go ndíolann
díolann muid	nach ndíolann
díolann sibh	
díolann siad	a dhíolanns
díoltar	

Munster Irish: Gaeilge na Mumhan

THE PAST TENSE	An Aimsir Chaite
(do) dhíolas*	ní(or) dhíol
(do) dhíolais*	ar dhíol?
(do) dhíol sé	gur dhíol
(do) dhíol sí	nár dhíol
(do) dhíolamair*	*níor dhíoladh
(do) dhíolabhair*	*ar dhíoladh?
(do) dhíoladar	*gur dhíoladh
*(do) dhíoladh	*nár dhíoladh

THE PRESENT TENSE	An Aimsir Láithreach
díolaim	
díolann tú	ní dhíolann
díolann sé	an ndíolann?
díolann sí	go ndíolann
díolaimíd	ná díolann
díolann sibh	
*díolaid	a dhíolann
díoltar	

Standard Irish: An Caighdeán Oifigiúil

THE FUTURE TENSE	An Aimsir Fháistineach	THE CONDITIONAL MOOD	An Modh Coinníollach
díolfaidh mé		dhíolfainn	
díolfaidh tú	ní dhíolfaidh	dhíolfá	ní dhíolfadh
díolfaidh sé	an ndíolfaidh?	dhíolfadh sé	an ndíolfadh?
díolfaidh sí	go ndíolfaidh	dhíolfadh sí	go ndíolfadh
díolfaimid	nach ndíolfaidh	dhíolfaimis	nach ndíolfadh
díolfaidh sibh		dhíolfadh sibh	
díolfaidh siad	a dhíolfaidh	dhíolfaidís	
díolfar		dhíolfaí	

Ulster Irish: Gaeilge Chúige Uladh

THE FUTURE TENSE	An Aimsir Fháistineach	THE CONDITIONAL MOOD	An Modh Coinníollach
díolfaidh mé		dhíolfainn	
díolfaidh tú	ní dhíolfaidh	dhíolfá	ní dhíolfadh
díolfaidh sé	(cha ndíolann)	dhíolfadh sé	(cha ndíolfadh)
díolfaidh sí	an ndíolfaidh?	dhíolfadh sí	an ndíolfadh?
díolfaidh muid†	go ndíolfaidh	dhíolfaimis‡	go ndíolfadh
díolfaidh sibh	nach ndíolfaidh	dhíolfadh sibh	nach ndíolfadh
díolfaidh siad	a dhíolfas	dhíolfadh siad	
díolfar		dhíolfaí	

Connaught Irish: Gaeilge Chonnacht

THE FUTURE TENSE	An Aimsir Fháistineach	THE CONDITIONAL MOOD	An Modh Coinníollach
díolfaidh mé M		dhíolfainn	
díolfaidh túM	ní dhíolfaidh	dhíolfá	ní dhíolfadh
díolfaidh sé	an ndíolfaidh?	dhíolfadh sé	an ndíolfadh?
díolfaidh sí	go ndíolfaidh	dhíolfadh sí	go ndíolfadh
díolfaidh muid	nach ndíolfaidh	dhíolfadh muid	nach ndíolfadh
díolfaidh sibh		dhíolfadh sibh	
díolfaidh siad	a dhíolfas	dhíolfaidísU	
díolfar		dhíolfaíM	

Munster Irish: Gaeilge na Mumhan

THE FUTURE TENSE	An Aimsir Fháistineach	THE CONDITIONAL MOOD	An Modh Coinníollach
díolfad*		(do) dhíolfainn	
*díolfair	ní dhíolfaidh	(do) dhíolfá	ní dhíolfadh
díolfaidh sé	an ndíolfaidh?	(do) dhíolfadh sé	an ndíolfadh?
díolfaidh sí	go ndíolfaidh	(do) dhíolfadh sí	go ndíolfadh
*díolfam	ná díolfaidh	(do) dhíolfaimíst	ná díolfadh
díolfaidh sibh		(do) dhíolfadh sibh	
*díolfaid	a dhíolfaidh	(do) dhíolfaidíst	
díolfar		*(do) díolfaí	

Standard Irish: An Caighdeán Oifigiúil

THE IMPERFECT TENSE	An Aimsir Ghnáthchaite	The Imperative Mood	The Present Subjunctive
dhíolainn		díolaim	go ndíola mé
dhíoltá	ní dhíoladh	díol	go ndíola tú
dhíoladh sé	an ndíoladh?	díoladh sé	go ndíola sé
dhíoladh sí	go ndíoladh	díoladh sí	go ndíola sí
dhíolaimis	nach ndíoladh	díolaimis	go ndíolaimid
dhíoladh sibh		díolaigí	go ndíola sibh
dhíolaidís		díolaidís	go ndíola siad
dhíoltaí		díoltar	go ndíoltar
		ná díol	nár dhíola

Ulster Irish: Gaeilge Chúige Uladh

THE IMPERFECT TENSE	An Aimsir Ghnáthchaite	An Modh Ordaitheach	An Foshuiteach Láithreach
dhíolainn	ní dhíoladh	díolaim	go ndíolaidh mé
dhíolthá	(cha ndíoladh)	díol	go ndíolaidh tú
dhíoladh sé	an ndíoladh?	díoladh sé	go ndíolaidh sé
dhíoladh sí	go ndíoladh	díoladh sí	go ndíolaidh sí
dhíolaimis‡	nach ndíoladh	díolaimis‡/fut	go ndíolaidh muid†
dhíoladh sibh		díolaigí[C]	go ndíolaidh sibh
dhíoladh siad	Ba ghnách le …	díoladh siad	go ndíolaidh siad
dhíoltaí		díoltar	go ndíoltar
		ná díol	nár dhíolaidh

Connaught Irish: Gaeilge Chonnacht

THE IMPERFECT TENSE	An Aimsir Ghnáthchaite	The Imperative Mood	The Present Subjunctive
dhíolainn		díolaim	go ndíola mé
dhíoltá	ní dhíoladh	díol	go ndíola tú
dhíoladh sé	an ndíoladh?	díoladh sé	go ndíola sé
dhíoladh sí	go ndíoladh	díoladh sí	go ndíola sí
dhíoladh muid	nach ndíoladh	díolaimid	go ndíola muid
dhíoladh sibh		*díolaidh	go ndíola sibh
dhíolaidís[U]		díolaidís	go ndíola siad
dhíoltaí[M]		díoltar	go ndíoltar
		ná díol	nár dhíola

Munster Irish: Gaeilge na Mumhan

THE IMPERFECT TENSE	An Aimsir Ghnáthchaite	An Modh Ordaitheach	An Foshuiteach Láithreach
(do) dhíolainn		díolaim	go ndíolad*
(do) dhíoltá	ní dhíoladh	díol	go ndíolair*
(do) dhíoladh sé	an ndíoladh?	díoladh sé	go ndíola sé
(do) dhíoladh sí	go ndíoladh	díoladh sí	go ndíola sí
(do) dhíolaimíst	ná díoladh	díolaimíst	go ndíolam*
(do) dhíoladh sibh		díolaíg[=C]*	go ndíola sibh
(do) dhíolaidíst		díolaidíst	go ndíolaid*
*(do) díoltaí		díoltar	go ndíoltar
		ná díol	nár dhíola

Standard Irish: An Caighdeán Oifigiúil

THE PAST TENSE	An Aimsir Chaite
dhírigh mé	níor dhírigh
dhírigh tú	ar dhírigh?
dhírigh sé	gur dhírigh
dhírigh sí	nár dhírigh
dhíríomar	níor díríodh
dhírigh sibh	ar díríodh?
dhírigh siad	gur díríodh
díríodh	nár díríodh

THE PRESENT TENSE	An Aimsir Láithreach
dírím	
díríonn tú	ní dhíríonn
díríonn sé	an ndíríonn?
díríonn sí	go ndíríonn
dírímid	nach ndíríonn
díríonn sibh	
díríonn siad	a dhíríonn
dírítear	

Ulster Irish: Gaeilge Chúige Uladh

THE PAST TENSE	An Aimsir Chaite
dhírigh mé	níor dhírigh
dhírigh tú	(char dhírigh)
dhírigh sé	ar dhírigh?
dhírigh sí	gur dhírigh
dhírigh muid†	nár dhírigh
dhírigh sibh	
dhírigh siad	níor/ar díreadh
díreadh	gur/nár díreadh

THE PRESENT TENSE	An Aimsir Láithreach
dírim	ní dhíreann
díreann tú	(cha ndíreann)
díreann sé	an ndíreann?
díreann sí	go ndíreann
díreann muid†	nach ndíreann
díreann sibh	
díreann siad	a dhíreas
dírithear	

Connaught Irish: Gaeilge Chonnacht

THE PAST TENSE	An Aimsir Chaite
dhírigh mé [M]	níor dhírigh
dhírigh tú [M]	ar dhírigh?
dhírigh sé	gur dhírigh
dhírigh sí	nár dhírigh
dhírigh muid	níor díríodh
dhírigh sibh	ar díríodh?
dhíríodar[U]	gur díríodh
díríodh [U]	nár díríodh

THE PRESENT TENSE	An Aimsir Láithreach
dírím	
díríonn tú	ní dhíríonn
díríonn sé	an ndíríonn?
díríonn sí	go ndíríonn
díríonn muid	nach ndíríonn
díríonn sibh	
díríonn siad	a dhíríonns
dírithear	

Munster Irish: Gaeilge na Mumhan

THE PAST TENSE	An Aimsir Chaite
(do) dhíríos*	ní(or) dhírigh
(do) dhíris*	ar dhírigh?
(do) dhírigh sé	gur dhírigh
(do) dhírigh sí	nár dhírigh
(do) dhíríomair*	*níor dhíríodh
(do) dhíríobhair*	*ar dhíríodh?
(do) dhíríodar	*gur dhíríodh
*(do) dhíríodh	*nár dhíríodh

THE PRESENT TENSE	An Aimsir Láithreach
dírím	
díríonn tú	ní dhíríonn
díríonn sé	an ndíríonn?
díríonn sí	go ndíríonn
dírímid	ná díríonn
díríonn sibh	
*diríd	a dhíríonn
díríotar*	

Standard Irish: An Caighdeán Oifigiúil

THE FUTURE TENSE	An Aimsir Fháistineach	THE CONDITIONAL MOOD	An Modh Coinníollach
díreoidh mé		dhíreoinn	
díreoidh tú	ní dhíreoidh	dhíreofá	ní dhíreodh
díreoidh sé	an ndíreoidh?	dhíreodh sé	an ndíreodh?
díreoidh sí	go ndíreoidh	dhíreodh sí	go ndíreodh
díreoimid	nach ndíreoidh	dhíreoimis	nach ndíreodh
díreoidh sibh		dhíreodh sibh	
díreoidh siad	a dhíreoidh	dhíreoidís	
díreofar		dhíreofaí	

Ulster Irish: Gaeilge Chúige Uladh

THE FUTURE TENSE	An Aimsir Fháistineach	THE CONDITIONAL MOOD	An Modh Coinníollach
díreochaidh mé	ní dhíreochaidh	dhíreochainn	
díreochaidh tú	(cha ndíreann)	dhíreofá	ní dhíreochadh
díreochaidh sé	an ndíreochaidh?	dhíreochadh sé	(cha ndíreochadh)
díreochaidh sí	go ndíreochaidh	dhíreochadh sí	an ndíreochadh?
díreochaidh muid†	nach ndíreochaidh	dhíreochaimis‡	go ndíreochadh
díreochaidh sibh.		dhíreochadh sibh	nach ndíreochadh
díreochaidh siad	a dhíreochas	dhíreochadh siad	
díreofar		dhíreofaí	

Connaught Irish: Gaeilge Chonnacht

THE FUTURE TENSE	An Aimsir Fháistineach	THE CONDITIONAL MOOD	An Modh Coinníollach
díreoidh mé [M]		dhíreoinn	
díreoidh tú[M]	ní dhíreoidh	dhíreofá	ní dhíreodh
díreoidh sé	an ndíreoidh?	dhíreodh sé	an ndíreodh?
díreoidh sí	go ndíreoidh	dhíreodh sí	go ndíreodh
díreoidh muid	nach ndíreoidh	dhíreodh muid	nach ndíreodh
díreoidh sibh		dhíreodh sibh	
díreoidh siad	a dhíreos	dhíreoidís[U]	
díreofar		dhíreofaí[M]	

Munster Irish: Gaeilge na Mumhan

THE FUTURE TENSE	An Aimsir Fháistineach	THE CONDITIONAL MOOD	An Modh Coinníollach
díreod*		(do) dhíreoinn	
*díreoir	ní dhíreoidh	(do) dhíreofá	ní dhíreodh
díreoidh sé	an ndíreoidh?	(do) dhíreodh sé	an ndíreodh?
díreoidh sí	go ndíreoidh	(do) dhíreodh sí	go ndíreodh
*díreom	ná díreoidh	(do) dhíreoimíst	ná díreodh
díreoidh sibh		(do) dhíreodh sibh	
*díreoid	a dhíreoidh	(do) dhíreoidíst	
díreofar		*(do) díreofaí	

30 **dírigh** 'straighten v.n. **díriú** v.adj. **dírithe**

Standard Irish: An Caighdeán Oifigiúil

THE IMPERFECT TENSE	An Aimsir Ghnáthchaite	The Imperative Mood	The Present Subjunctive
dhírínn		dírím	go ndírí mé
dhíríteá	ní dhíríodh	dírigh	go ndírí tú
dhíríodh sé	an ndíríodh?	díríodh sé	go ndírí sé
dhíríodh sí	go ndíríodh	díríodh sí	go ndírí sí
dhírímis	nach ndíríodh	dírímis	go ndírímid
dhíríodh sibh		dírígí	go ndírí sibh
dhírídís		dírídís	go ndírí siad
dhírítí		dírítear	go ndírítear
		ná dírigh	nár dhírí

Ulster Irish: Gaeilge Chúige Uladh

THE IMPERFECT TENSE	An Aimsir Ghnáthchaite	An Modh Ordaitheach	An Foshuiteach Láithreach
dhírinn*	ní dhíreadh	dírim	go ndírí mé
dhírítheá	(cha ndíreadh)	dírigh	go ndírí tú
dhíreadh sé*	an ndíreadh?	díreadh sé	go ndírí sé
dhíreadh sí*	go ndíreadh	díreadh sí	go ndírí sí
dhírimis[‡*]	nach ndíreadh	dírimis[‡/fut]	go ndírí muid[†]
dhíreadh sibh*		dírigí	go ndírí sibh
dhíreadh siad	Ba ghnách le …	díreadh siad	go ndírí siad
dhíríthí		dírithear	go ndírithear
		ná dírigh	nár dhírí

Connaught Irish: Gaeilge Chonnacht

THE IMPERFECT TENSE	An Aimsir Ghnáthchaite	The Imperative Mood	The Present Subjunctive
dhirínn		dirím	go ndirí mé
dhiríteá[M]	ní dhiríodh	dirigh	go ndirí tú
dhiríodh sé	an ndiríodh?	diríodh sé	go ndirí sé
dhiríodh sí	go ndiríodh	diríodh sí	go ndirí sí
dhiríodh muid	nach ndiríodh	dirímid	go ndirí muid
dhiríodh sibh		*dirighidh	go ndirí sibh
dhirídís[U]		dirídís	go ndirí siad
dhirítí[M]		dirithear	go ndirithear
		ná dirigh	nár dhirí

Munster Irish: Gaeilge na Mumhan

THE IMPERFECT TENSE	An Aimsir Ghnáthchaite	An Modh Ordaitheach	An Foshuiteach Láithreach
(do) dhirínn		dirím	go ndiríod*
*(do) dhiríotá	ní dhiríodh	dirigh	go ndirír*
(do) dhiríodh sé	an ndiríodh?	diríodh sé	go ndirí sé
(do) dhiríodh sí	go ndiríodh	diríodh sí	go ndirí sí
(do) dhirímíst	ná diríodh	dirímíst	go ndiríom*
(do) dhiríodh sibh		dirig[=C*]	go ndirí sibh
(do) dhirídíst		dirídíst	go ndiríd*
*(do) diríotaí		diríotar*	go ndiríotar*
		ná dirigh	nár dhirí

31 **dóigh** 'burn' a.br. **dó** aid.bhr. **dóite**

Standard Irish: An Caighdeán Oifigiúil

THE PAST TENSE	An Aimsir Chaite
dhóigh mé	níor dhóigh
dhóigh tú	ar dhóigh?
dhóigh sé	gur dhóigh
dhóigh sí	nár dhóigh
dhómar	níor dódh
dhóigh sibh	ar dódh?
dhóigh siad	gur dódh
dódh	nár dódh

THE PRESENT TENSE	An Aimsir Láithreach
dóim	
dónn tú	ní dhónn
dónn sé	an ndónn?
dónn sí	go ndónn
dóimid	nach ndónn
dónn sibh	
dónn siad	a dhónn
dóitear	

Ulster Irish: Gaeilge Chúige Uladh

THE PAST TENSE	An Aimsir Chaite
dhóigh mé	níor dhóigh
dhóigh tú	(char dhóigh)
dhóigh sé	ar dhóigh?
dhóigh sí	gur dhóigh
dhóigh muid[†]	nár dhóigh
dhóigh sibh	
dhóigh siad	níor/ar dódh
dódh	gur/nár dódh

THE PRESENT TENSE	An Aimsir Láithreach
dóim	ní dhónn
dónn tú	(cha ndónn)
dónn sé	an ndónn?
dónn sí	go ndónn
dónn muid[†]	nach ndónn
dónn sibh	*vn* dóghadh
dónn siad	a dhós
dóitear	dónn *pron.* dóigheann

Connaught Irish: Gaeilge Chonnacht

THE PAST TENSE	An Aimsir Chaite
dhóigh mé [M]	níor dhóigh
dhóigh tú [M]	ar dhóigh?
dhóigh sé	gur dhóigh
dhóigh sí	nár dhóigh
dhóigh muid	níor dódh
dhóigh sibh	ar dódh?
dhódar[U]	gur dódh
dódh	nár dódh

THE PRESENT TENSE	An Aimsir Láithreach
dóim	
dónn tú	ní dhónn
dónn sé	an ndónn?
dónn sí	go ndónn
dónn muid	nach ndónn
dónn sibh	
dónn siad	a dhónns
dóitear	

Munster Irish: Gaeilge na Mumhan

THE PAST TENSE	An Aimsir Chaite
(do) dhós*	ní(or) dhóigh
(do) dhóis*	ar dhóigh?
(do) dhóigh sé	gur dhóigh
(do) dhóigh sí	nár dhóigh
(do) dhómair*	*níor dhódh
(do) dhóbhair*	*ar dhódh?
(do) dhódar	*gur dhódh
*(do) dhódh	*nár dhódh

THE PRESENT TENSE	An Aimsir Láithreach
dóim	
dónn tú	ní dhónn
dónn sé	an ndónn?
dónn sí	go ndónn
dóimíd	ná dónn
dónn sibh	
*dóid	a dhónn
dóitear	

Standard Irish: An Caighdeán Oifigiúil

THE FUTURE TENSE	An Aimsir Fháistineach	THE CONDITIONAL MOOD	An Modh Coinníollach
dófaidh mé		dhófainn	
dófaidh tú	ní dhófaidh	dhófá	ní dhófadh
dófaidh sé	an ndófaidh?	dhófadh sé	an ndófadh?
dófaidh sí	go ndófaidh	dhófadh sí	go ndófadh
dófaimid	nach ndófaidh	dhófaimis	nach ndófadh
dófaidh sibh		dhófadh sibh	
dófaidh siad	a dhófaidh	dhófaidís	
dófar		dhófaí	

Ulster Irish: Gaeilge Chúige Uladh

THE FUTURE TENSE	An Aimsir Fháistineach	THE CONDITIONAL MOOD	An Modh Coinníollach
dófaidh mé		dhófainn	
dófaidh tú	ní dhófaidh	dhófá	ní dhófadh
dófaidh sé	(cha ndónn)	dhófadh sé	(cha ndófadh)
dófaidh sí	an ndófaidh?	dhófadh sí	an ndófadh?
dófaidh muid†	go ndófaidh	dhófaimis‡	go ndófadh
dófaidh sibh	nach ndófaidh	dhófadh sibh	nach ndófadh
dófaidh siad	a dhófas	dhófadh siad	
dófar		dhófaí	

Connaught Irish: Gaeilge Chonnacht

THE FUTURE TENSE	An Aimsir Fháistineach	THE CONDITIONAL MOOD	An Modh Coinníollach
dófaidh mé [M]		dhófainn	
dófaidh tú[M]	ní dhófaidh	dhófá	ní dhófadh
dófaidh sé	an ndófaidh?	dhófadh sé	an ndófadh?
dófaidh sí	go ndófaidh	dhófadh sí	go ndófadh
dófaidh muid	nach ndófaidh	dhófadh muid	nach ndófadh
dófaidh sibh		dhófadh sibh	
dófaidh siad	a dhófas	dhófaidís[U]	
dófar		dhófaí[M]	

Munster Irish: Gaeilge na Mumhan

THE FUTURE TENSE	An Aimsir Fháistineach	THE CONDITIONAL MOOD	An Modh Coinníollach
dófad*		(do) dhófainn	
*dófair	ní dhófaidh	(do) dhófá	ní dhófadh
dófaidh sé	an ndófaidh?	(do) dhófadh sé	an ndófadh?
dófaidh sí	go ndófaidh	(do) dhófadh sí	go ndófadh
*dófam	ná dófaidh	(do) dhófaimíst	ná dófadh
dófaidh sibh		(do) dhófadh sibh	
*dófaid	a dhófaidh	(do) dhófaidíst	
dófar		*(do) dófaí	

Standard Irish: An Caighdeán Oifigiúil

THE IMPERFECT TENSE	An Aimsir Ghnáthchaite	The Imperative Mood	The Present Subjunctive
dhóinn		dóim	go ndó mé
dhóiteá	ní dhódh	dóigh	go ndó tú
dhódh sé	an ndódh?	dódh sé	go ndó sé
dhódh sí	go ndódh	dódh sí	go ndó sí
dhóimis	nach ndódh	dóimis	go ndóimid
dhódh sibh		dóigí	go ndó sibh
dhóidís		dóidís	go ndó siad
dhóití		dóitear	go ndóitear
		ná dóigh	nár dhó

Ulster Irish: Gaeilge Chúige Uladh

THE IMPERFECT TENSE	An Aimsir Ghnáthchaite	An Modh Ordaitheach	An Foshuiteach Láithreach
dhóinn		dóim	go ndóidh mé
dhóitheá	ní dhódh	dóigh	go ndóidh tú
dhódh sé	(cha ndódh)	dódh sé	go ndóidh sé
dhódh sí	an ndódh?	dódh sí	go ndóidh sí
dhóimis‡	go ndódh	dóimis[‡/fut]	go ndóidh muid†
dhódh sibh	nach ndódh	dóigí	go ndóidh sibh
dhódh siad	Ba ghnách le …	dódh siad	go ndóidh siad
dhóití		dóitear	go ndóitear
		ná dóigh	nár dhóidh

Connaught Irish: Gaeilge Chonnacht

THE IMPERFECT TENSE	An Aimsir Ghnáthchaite	The Imperative Mood	The Present Subjunctive
dhóinn		dóim	go ndó mé
dhóiteá	ní dhódh	dóigh	go ndó tú
dhódh sé	an ndódh?	dódh sé	go ndó sé
dhódh sí	go ndódh	dódh sí	go ndó sí
dhódh muid	nach ndódh	dóimid	go ndó muid
dhódh sibh		*dóidh	go ndó sibh
dhóidís[U]		dóidís	go ndó siad
dhóití[M]		dóitear	go ndóitear
		ná dóigh	nár dhó

Munster Irish: Gaeilge na Mumhan

THE IMPERFECT TENSE	An Aimsir Ghnáthchaite	An Modh Ordaitheach	An Foshuiteach Láithreach
(do) dhóinn		dóim	go ndód*
(do) dhóiteá	ní dhódh	dóigh	go ndóir*
(do) dhódh sé	an ndódh?	dódh sé	go ndó sé
(do) dhódh sí	go ndódh	dódh sí	go ndó sí
(do) dhóimíst	ná dódh	dóimíst	go ndóm*
(do) dhódh sibh		dóíg[=C*]	go ndó sibh
(do) dhóidíst		dóidíst	go ndóid*
*(do) dóití		dóitear	go ndóitear
		ná dóigh	nár dhó

Standard Irish: An Caighdeán Oifigiúil

THE PAST TENSE	An Aimsir Chaite	THE PRESENT TENSE	An Aimsir Láithreach
dhruid mé	níor dhruid	druidim	
dhruid tú	ar dhruid?	druideann tú	ní dhruideann
dhruid sé	gur dhruid	druideann sé	an ndruideann?
dhruid sí	nár dhruid	druideann sí	go ndruideann
dhruideamar	níor druideadh	druidimid	nach ndruideann
dhruid sibh	ar druideadh?	druideann sibh	
dhruid siad	gur druideadh	druideann siad	a dhruideann
druideadh	nár druideadh	druidtear	*var.* dún *for* druid

Ulster Irish: Gaeilge Chúige Uladh

THE PAST TENSE	An Aimsir Chaite	THE PRESENT TENSE	An Aimsir Láithreach
dhruid mé	níor dhruid	druidim	ní dhruideann
dhruid tú	(char dhruid)	druideann tú	(cha ndruideann)
dhruid sé	ar dhruid?	druideann sé	an ndruideann?
dhruid sí	gur dhruid	druideann sí	go ndruideann
dhruid muid†	nár dhruid	druideann muid†	nach ndruideann
dhruid sibh		druideann sibh	
dhruid siad	níor/ar druideadh	druideann siad	a dhruideas
druideadh	gur/nár druideadh	druidtear	*alt. vn* drud

Connaught Irish: Gaeilge Chonnacht

THE PAST TENSE	An Aimsir Chaite	THE PRESENT TENSE	An Aimsir Láithreach
dhún mé [M]	níor dhún	dúnaim	ní dhúnann
dhún tú [M]	ar dhún?	dúnann tú	an ndúnann?
dhún sé	gur dhún	dúnann sé	go ndúnann
dhún sí	nár dhún	dúnann sí	nach ndúnann
dhún muid	níor dúnadh	dúnann muid	
dhún sibh	ar dúnadh?	dúnann sibh	a dhúnanns
dhúnadar[U]	gur dúnadh	dúnann siad	*vn* dúnadh
dúnadh	nár dúnadh	dúntar	*vadj* dúnta

Munster Irish: Gaeilge na Mumhan

THE PAST TENSE	An Aimsir Chaite	THE PRESENT TENSE	An Aimsir Láithreach
(do) dhúnas*	ní(or) dhún	dúnaim	ní dhúnann
(do) dhúnais*	ar dhún?	dúnann tú	an ndúnann?
(do) dhún sé	gur dhún	dúnann sé	go ndúnann
(do) dhún sí	nár dhún	dúnann sí	ná dúnann
(do) dhúnamair*	[C]níor dhúnadh	dúnaimíd	
(do) dhúnabhair*	[C]ar dhúnadh?	dúnann sibh	a dhúnann
(do) dhúnadar	[C]gur dhúnadh	*dúnaid	*vn* dúnadh
[C](do) dhúnadh	[C]nár dhúnadh	dúntar	*vadj* dúnta

32 **druid, dún** 'shut, close' a.br. **dúnadh** aid.bhr. **dúnta**

Standard Irish: An Caighdeán Oifigiúil

THE FUTURE TENSE	An Aimsir Fháistineach
druidfidh mé	
druidfidh tú	ní dhruidfidh
druidfidh sé	an ndruidfidh?
druidfidh sí	go ndruidfidh
druidfimid	nach ndruidfidh
druidfidh sibh	
druidfidh siad	a dhruidfidh
druidfear	

THE CONDITIONAL MOOD	An Modh Coinníollach
dhruidfinn	
dhruidfeá	ní dhruidfeadh
dhruidfeadh sé	an ndruidfeadh?
dhruidfeadh sí	go ndruidfeadh
dhruidfimis	nach ndruidfeadh
dhruidfeadh sibh	
dhruidfidís	
dhruidfí	

Ulster Irish: Gaeilge Chúige Uladh

THE FUTURE TENSE	An Aimsir Fháistineach
druidfidh mé	
druidfidh tú	ní dhruidfidh
druidfidh sé	(cha ndruideann)
druidfidh sí	an ndruidfidh?
druidfidh muid†	go ndruidfidh
druidfidh sibh	nach ndruidfidh
druidfidh siad	a dhruidfeas
druidfear	

THE CONDITIONAL MOOD	An Modh Coinníollach
dhruidfinn	
dhruidfeá	ní dhruidfeadh
dhruidfeadh sé	(cha ndruidfeadh)
dhruidfeadh sí	an ndruidfeadh?
dhruidfimis‡	go ndruidfeadh
dhruidfeadh sibh	nach ndruidfeadh
dhruidfeadh siad	
dhruidfí	

Connaught Irish: Gaeilge Chonnacht

THE FUTURE TENSE	An Aimsir Fháistineach
dúnfaidh mé [M]	
dúnfaidh tú[M]	ní dhúnfaidh
dúnfaidh sé	an ndúnfaidh?
dúnfaidh sí	go ndúnfaidh
dúnfaidh muid	nach ndúnfaidh
dúnfaidh sibh	
dúnfaidh siad	a dhúnfas
dúnfar	

THE CONDITIONAL MOOD	An Modh Coinníollach
dhúnfainn	
dhúnfá	ní dhúnfadh
dhúnfadh sé	an ndúnfadh?
dhúnfadh sí	go ndúnfadh
dhúnfadh muid	nach ndúnfadh
dhúnfadh sibh	
dhúnfaidís[U]	
dhúnfaí[M]	

Munster Irish: Gaeilge na Mumhan

THE FUTURE TENSE	An Aimsir Fháistineach
dúnfad*	
*dúnfair	ní dhúnfaidh
dúnfaidh sé	an ndúnfaidh?
dúnfaidh sí	go ndúnfaidh
*dúnfam	ná dúnfaidh
dúnfaidh sibh	
*dúnfaid	a dhúnfaidh
dúnfar	

THE CONDITIONAL MOOD	An Modh Coinníollach
(do) dhúnfainn	
(do) dhúnfá	ní dhúnfadh
(do) dhúnfadh sé	an ndúnfadh?
(do) dhúnfadh sí	go ndúnfadh
(do) dhúnfaimíst	ná dúnfadh
(do) dhúnfadh sibh	
(do) dhúnfaidíst	
*(do) dúnfaí	

Standard Irish: An Caighdeán Oifigiúil

THE IMPERFECT TENSE	An Aimsir Ghnáthchaite	The Imperative Mood	The Present Subjunctive
dhruidinn		druidim	go ndruide mé
dhruidteá	ní dhruideadh	druid	go ndruide tú
dhruideadh sé	an ndruideadh?	druideadh sé	go ndruide sé
dhruideadh sí	go ndruideadh	druideadh sí	go ndruide sí
dhruidimis	nach ndruideadh	druidimis	go ndruidimid
dhruideadh sibh		druidigí	go ndruide sibh
dhruididís		druididís	go ndruide siad
dhruidtí		druidtear	go ndruidtear
		ná druid	nár dhruide

Ulster Irish: Gaeilge Chúige Uladh

THE IMPERFECT TENSE	An Aimsir Ghnáthchaite	An Modh Ordaitheach	An Foshuiteach Láithreach
dhruidinn		druidim	go ndruididh mé
dhruidtheá	ní dhruideadh	druid	go ndruididh tú
dhruideadh sé	(cha ndruideadh)	druideadh sé	go ndruididh sé
dhruideadh sí	an ndruideadh?	druideadh sí	go ndruididh sí
dhruidimis[‡]	go ndruideadh	druidimis[‡/fut]	go ndruididh muid[†]
dhruideadh sibh	nach ndruideadh	druidigí, druididh	go ndruididh sibh
dhruideadh siad	Ba ghnách le …	druideadh siad	go ndruididh siad
dhruidtí		druidtear	go ndruidtear
		ná druid	nár dhruididh

Connaught Irish: Gaeilge Chonnacht

THE IMPERFECT TENSE	An Aimsir Ghnáthchaite	The Imperative Mood	The Present Subjunctive
dhúnainn		dúnaim	go ndúna mé
dhúntá	ní dhúnadh	dún	go ndúna tú
dhúnadh sé	an ndúnadh?	dúnadh sé	go ndúna sé
dhúnadh sí	go ndúnadh	dúnadh sí	go ndúna sí
dhúnadh muid	nach ndúnadh	dúnaimid	go ndúna muid
dhúnadh sibh		*dúnaidh	go ndúna sibh
dhúnaidís[U]		dúnaidís	go ndúna siad
dhúntaí[M]		dúntar	go ndúntar
		ná dún	nár dhúna

Munster Irish: Gaeilge na Mumhan

THE IMPERFECT TENSE	An Aimsir Ghnáthchaite	An Modh Ordaitheach	An Foshuiteach Láithreach
(do) dhúnainn		dúnaim	go ndúnad*
(do) dhúntá	ní dhúnadh	dún	go ndúnair*
(do) dhúnadh sé	an ndúnadh?	dúnadh sé	go ndúna sé
(do) dhúnadh sí	go ndúnadh	dúnadh sí	go ndúna sí
(do) dhúnaimíst	ná dúnadh	dúnaimíst	go ndúnam*
(do) dhúnadh sibh		dúnaíg[=C*]	go ndúna sibh
(do) dhúnaidíst		dúnaidíst	go ndúnaid*
*(do) dúntaí		dúntar	go ndúntar
		ná dún	nár dhúna

33 **eagraigh** 'organise' v.n. **eagrú** v.adj. **eagraithe**

Standard Irish: An Caighdeán Oifigiúil

THE PAST TENSE	An Aimsir Chaite	THE PRESENT TENSE	An Aimsir Láithreach
d'eagraigh mé	níor eagraigh	eagraím	ní eagraíonn
d'eagraigh tú	ar eagraigh?	eagraíonn tú	an eagraíonn?
d'eagraigh sé	gur eagraigh	eagraíonn sé	go n-eagraíonn
d'eagraigh sí	nár eagraigh	eagraíonn sí	nach n-eagraíonn
d'eagraíomar	níor eagraíodh	eagraímid	
d'eagraigh sibh	ar eagraíodh?	eagraíonn sibh	a eagraíonn
d'eagraigh siad	gur eagraíodh	eagraíonn siad	
eagraíodh	nár eagraíodh	eagraítear	

Ulster Irish: Gaeilge Chúige Uladh

THE PAST TENSE	An Aimsir Chaite	THE PRESENT TENSE	An Aimsir Láithreach
d'eagraigh mé	níor eagraigh	eagraim	ní eagrann
d'eagraigh tú	(char eagraigh)	eagrann tú	(chan eagrann)
d'eagraigh sé	ar eagraigh?	eagrann sé	an eagrann?
d'eagraigh sí	gur eagraigh	eagrann sí	go n-eagrann
d'eagraigh muid†	nár eagraigh	eagrann muid†	nach n-eagrann
d'eagraigh sibh		eagrann sibh	
d'eagraigh siad	níor/ar heagradh	eagrann siad	a eagras
heagradh	gur/nár heagradh	eagraíthear	

Connaught Irish: Gaeilge Chonnacht

THE PAST TENSE	An Aimsir Chaite	THE PRESENT TENSE	An Aimsir Láithreach
d'eagraigh mé [M]	níor eagraigh	eagraím	ní eagraíonn
d'eagraigh tú [M]	ar eagraigh?	eagraíonn tú	an eagraíonn?
d'eagraigh sé	gur eagraigh	eagraíonn sé	go n-eagraíonn
d'eagraigh sí	nár eagraigh	eagraíonn sí	nach n-eagraíonn
d'eagraigh muid	níor heagraíodh	eagraíonn muid	
d'eagraigh sibh	ar heagraíodh?	eagraíonn sibh	a eagraíonns
d'eagraíodar[U]	gur heagraíodh	eagraíonn siad	
heagraíodh [U]	nár heagraíodh	eagraít(h)ear	

Munster Irish: Gaeilge na Mumhan

THE PAST TENSE	An Aimsir Chaite	THE PRESENT TENSE	An Aimsir Láithreach
dh'eagraíos*	*ní(or) dh'eagraigh	eagraím	ní eagraíonn
dh'eagraís*	ar eagraigh?	eagraíonn tú	(ní dh'eagraíonn)
*dh'eagraigh sé	gur eagraigh	eagraíonn sé	an eagraíonn?
*dh'eagraigh sí	nár eagraigh	eagraíonn sí	go n-eagraíonn
dh'eagraíomair*	níor heagraíodh*	eagraímid	ná heagraíonn
dh'eagraíobhair*	ar heagraíodh?*	eagraíonn sibh	
dh'eagraíodar	gur heagraíodh*	*eagraíd	a eagraíonn
(do) heagraíodh* d(h)'eagraíodh	nár heagraíodh*	eagraíotar*	

33 **eagraigh** 'organise' a.br. **eagrú** aid.bhr. **eagraithe**

Standard Irish: An Caighdeán Oifigiúil

THE FUTURE TENSE	An Aimsir Fháistineach
eagróidh mé	
eagróidh tú	ní eagróidh
eagróidh sé	an eagróidh?
eagróidh sí	go n-eagróidh
eagróimid	nach n-eagróidh
eagróidh sibh	
eagróidh siad	a eagróidh
eagrófar	

THE CONDITIONAL MOOD	An Modh Coinníollach
d'eagróinn	
d'eagrófá	ní eagródh
d'eagródh sé	an eagródh?
d'eagródh sí	go n-eagródh
d'eagróimis	nach n-eagródh
d'eagródh sibh	
d'eagróidís	
d'eagrófaí	

Ulster Irish: Gaeilge Chúige Uladh

THE FUTURE TENSE	An Aimsir Fháistineach
eagróchaidh mé	ní eagróchaidh
eagróchaidh tú	(chan eagrann)
eagróchaidh sé	an eagróchaidh?
eagróchaidh sí	go n-eagróchaidh
eagróchaidh muid[†]	nach n-eagróchaidh
eagróchaidh sibh	
eagróchaidh siad	a eagróchas
eagrófar	

THE CONDITIONAL MOOD	An Modh Coinníollach
d'eagróchainn	
d'eagrófá	ní eagróchadh
d'eagróchadh sé	(chan eagróchadh)
d'eagróchadh sí	an eagróchadh?
d'eagróchaimis[‡]	go n-eagróchadh
d'eagróchadh sibh	nach n-eagróchadh
d'eagróchadh siad	
d'eagrófaí	

Connaught Irish: Gaeilge Chonnacht

THE FUTURE TENSE	An Aimsir Fháistineach
eagróidh mé [M]	
eagróidh tú[M]	ní eagróidh
eagróidh sé	an eagróidh?
eagróidh sí	go n-eagróidh
eagróidh muid	nach n-eagróidh
eagróidh sibh	
eagróidh siad	a eagrós
eagrófar	

THE CONDITIONAL MOOD	An Modh Coinníollach
d'eagróinn	
d'eagrófá	ní eagródh
d'eagródh sé	an eagródh?
d'eagródh sí	go n-eagródh
d'eagródh muid	nach n-eagródh
d'eagródh sibh	
d'eagróidís[U]	
d'eagrófaí[M]	

Munster Irish: Gaeilge na Mumhan

THE FUTURE TENSE	An Aimsir Fháistineach
eagród*	ní eagróidh
*eagróir	(ní dh'eagróidh)
eagróidh sé	an eagróidh?
eagróidh sí	go n-eagróidh
*eagróm	ná heagróidh
eagróidh sibh	
*eagróid	a eagróidh
eagrófar	

THE CONDITIONAL MOOD	An Modh Coinníollach
*dh'eagróinn	ní eagródh
*dh'eagrófá	(ní dh'eagródh)
*dh'eagródh sé	an eagródh?
*dh'eagródh sí	go n-eagródh
*dh'eagróimíst	ná heagródh
*dh'eagródh sibh	
*dh'eagróidíst	
*do heagrófaí	

33 **eagraigh** ‘organise’ v.n. **eagrú** v.adj. **eagraithe**

Standard Irish: An Caighdeán Oifigiúil

THE IMPERFECT TENSE	An Aimsir Ghnáthchaite	The Imperative Mood	The Present Subjunctive
d’eagraínn		eagraím	go n-eagraí mé
d’eagraíteá	ní eagraíodh	eagraigh	go n-eagraí tú
d’eagraíodh sé	an eagraíodh?	eagraíodh sé	go n-eagraí sé
d’eagraíodh sí	go n-eagraíodh	eagraíodh sí	go n-eagraí sí
d’eagraímis	nach n-eagraíodh	eagraímis	go n-eagraímid
d’eagraíodh sibh		eagraígí	go n-eagraí sibh
d’eagraídís		eagraídís	go n-eagraí siad
d’eagraítí		eagraítear	go n-eagraítear
		ná heagraigh	nár eagraí

Ulster Irish: Gaeilge Chúige Uladh

THE IMPERFECT TENSE	An Aimsir Ghnáthchaite	An Modh Ordaitheach	An Foshuiteach Láithreach
d’eagrainn*		eagraim	go n-eagraí mé
d’eagraítheá	ní eagradh	eagraigh	go n-eagraí tú
d’eagradh sé*	(chan eagradh)	eagradh sé	go n-eagraí sé
d’eagradh sí*	an eagradh?	eagradh sí	go n-eagraí sí
d’eagraimis[‡*]	go n-eagradh	eagraimis[‡/fut]	go n-eagraí muid[†]
d’eagradh sibh*	nach n-eagradh	eagraigí	go n-eagraí sibh
d’eagradh siad*	Ba ghnách le …	eagradh siad	go n-eagraí siad
d’eagraíthí		eagraíthear	go n-eagraíthear
		ná heagraigh	nár eagraí

Connaught Irish: Gaeilge Chonnacht

THE IMPERFECT TENSE	An Aimsir Ghnáthchaite	The Imperative Mood	The Present Subjunctive
d’eagraínn		eagraím	go n-eagraí mé
d’eagraíteá[M]	ní eagraíodh	eagraigh	go n-eagraí tú
d’eagraíodh sé	an eagraíodh?	eagraíodh sé	go n-eagraí sé
d’eagraíodh sí	go n-eagraíodh	eagraíodh sí	go n-eagraí sí
d’eagraíodh muid	nach n-eagraíodh	eagraímid	go n-eagraí muid
d’eagraíodh sibh		*eagraighidh	go n-eagraí sibh
d’eagraídís[U]		eagraídís	go n-eagraí siad
d’eagraítí[M]		eagraít(h)ear	go n-eagraít(h)ear
		ná heagraigh	nár eagraí

Munster Irish: Gaeilge na Mumhan

THE IMPERFECT TENSE	An Aimsir Ghnáthchaite	An Modh Ordaitheach	An Foshuiteach Láithreach
*dh’eagraínn	ní eagraíodh	eagraím	go n-eagraíod*
*dh’eagraíotá	(ní dh’eagraíodh)	eagraigh	go n-eagraír*
*dh’eagraíodh sé	an eagraíodh?	eagraíodh sé	go n-eagraí sé
*dh’eagraíodh sí	go n-eagraíodh	eagraíodh sí	go n-eagraí sí
*dh’eagraímíst	ná heagraíodh	eagraímíst	go n-eagraíom*
*dh’eagraíodh sibh		eagraíg[=C*]	go n-eagraí sibh
*dh’eagraídíst		eagraídíst	go n-eagraíd*
*do heagraíotaí		eagraíotar*	go n-eagraíotar*
		ná heagraigh	nár eagraí

Standard Irish: An Caighdeán Oifigiúil

THE PAST TENSE	An Aimsir Chaite	THE PRESENT TENSE	An Aimsir Láithreach
d'éirigh mé	níor éirigh	éirím	
d'éirigh tú	ar éirigh?	éiríonn tú	ní éiríonn
d'éirigh sé	gur éirigh	éiríonn sé	an éiríonn?
d'éirigh sí	nár éirigh	éiríonn sí	go n-éiríonn
d'éiríomar	níor éiríodh	éirímid	nach n-éiríonn
d'éirigh sibh	ar éiríodh?	éiríonn sibh	
d'éirigh siad	gur éiríodh	éiríonn siad	a éiríonn
éiríodh	nár éiríodh	éirítear	

Ulster Irish: Gaeilge Chúige Uladh

THE PAST TENSE	An Aimsir Chaite	THE PRESENT TENSE	An Aimsir Láithreach
d'éirigh mé	níor éirigh	éirim	ní éireann
d'éirigh tú	(char éirigh)	éireann tú	(chan éireann)
d'éirigh sé	ar éirigh?	éireann sé	an éireann?
d'éirigh sí	gur éirigh	éireann sí	go n-éireann
d'éirigh muid†	nár éirigh	éireann muid†	nach n-éireann
d'éirigh sibh		éireann sibh	
d'éirigh siad	níor/ar héireadh	éireann siad	a éireas
héireadh	gur/nár héireadh	éiríthear	*pron* írigh

Connaught Irish: Gaeilge Chonnacht

THE PAST TENSE	An Aimsir Chaite	THE PRESENT TENSE	An Aimsir Láithreach
d'éirigh mé [M]	níor éirigh	éirím	
d'éirigh tú [M]	ar éirigh?	éiríonn tú	ní éiríonn
d'éirigh sé	gur éirigh	éiríonn sé	an éiríonn?
d'éirigh sí	nár éirigh	éiríonn sí	go n-éiríonn
d'éirigh muid	níor héiríodh	éiríonn muid	nach n-éiríonn
d'éirigh sibh	ar héiríodh?	éiríonn sibh	
d'éiríodar[U]	gur héiríodh	éiríonn siad	a éiríonns
héiríodh [U]	nár héiríodh	éirít(h)ear	

Munster Irish: Gaeilge na Mumhan

THE PAST TENSE	An Aimsir Chaite	THE PRESENT TENSE	An Aimsir Láithreach
*dh'éiríos	*ní(or) dh'éirigh	éirím	ní éiríonn
*dh'éirís	ar éirigh?	éiríonn tú	(ní dh'éiríonn)
*dh'éirigh sé	gur éirigh	éiríonn sé	an éiríonn?
*dh'éirigh sí	nár éirigh	éiríonn sí	go n-éiríonn
*dh'éiríomair	níor héiríodh*	éirímíd	ná héiríonn
*dh'éiríobhair	ar héiríodh?*	éiríonn sibh	
*dh'éiríodar	gur héiríodh*	*éiríd	a éiríonn
(do) héiríodh* d(h)'éiríodh	nár héiríodh*	éiríotar*	

 éirigh 'get up, become' a.br. **éirí** aid.bhr. **éirithe**

Standard Irish: An Caighdeán Oifigiúil

THE FUTURE TENSE	An Aimsir Fháistineach
éireoidh mé	
éireoidh tú	ní éireoidh
éireoidh sé	an éireoidh?
éireoidh sí	go n-éireoidh
éireoimid	nach n-éireoidh
éireoidh sibh	
éireoidh siad	a éireoidh
éireofar	

THE CONDITIONAL MOOD	An Modh Coinníollach
d'éireoinn	
d'éireofá	ní éireodh
d'éireodh sé	an éireodh?
d'éireodh sí	go n-éireodh
d'éireoimis	nach n-éireodh
d'éireodh sibh	
d'éireoidís	
d'éireofaí	

Ulster Irish: Gaeilge Chúige Uladh

THE FUTURE TENSE	An Aimsir Fháistineach
éireochaidh mé	ní éireochaidh
éireochaidh tú	(chan éireann)
éireochaidh sé	an éireochaidh?
éireochaidh sí	go n-éireochaidh
éireochaidh muid[†]	nach n-éireochaidh
éireochaidh sibh.	
éireochaidh siad	a éireochas
éireofar	

THE CONDITIONAL MOOD	An Modh Coinníollach
d'éireochainn	
d'éireofá	ní éireochadh
d'éireochadh sé	(chan éireochadh)
d'éireochadh sí	an éireochadh?
d'éireochaimis[‡]	go n-éireochadh
d'éireochadh sibh	nach n-éireochadh
d'éireochadh siad	
d'éireofaí	

Connaught Irish: Gaeilge Chonnacht

THE FUTURE TENSE	An Aimsir Fháistineach
éireoidh mé [M]	
éireoidh tú[M]	ní éireoidh
éireoidh sé	an éireoidh?
éireoidh sí	go n-éireoidh
éireoidh muid	nach n-éireoidh
éireoidh sibh	
éireoidh siad	a éireos
éireofar	

THE CONDITIONAL MOOD	An Modh Coinníollach
d'éireoinn	
d'éireofá	ní éireodh
d'éireodh sé	an éireodh?
d'éireodh sí	go n-éireodh
d'éireodh muid	nach n-éireodh
d'éireodh sibh	
d'éireoidís[U]	
d'éireofaí[M]	

Munster Irish: Gaeilge na Mumhan

THE FUTURE TENSE	An Aimsir Fháistineach
éireod*	ní éireoidh
*éireoir	(ní dh'éireoidh)
éireoidh sé	an éireoidh?
éireoidh sí	go n-éireoidh
*éireom	ná héireoidh
éireoidh sibh	
*éireoid	a éireoidh
éireofar	

THE CONDITIONAL MOOD	An Modh Coinníollach
*dh'éireoinn	ní éireodh
*dh'éireofá	(ní dh'éireodh)
*dh'éireodh sé	an éireodh?
*dh'éireodh sí	go n-éireodh
*dh'éireoimíst	ná héireodh
*dh'éireodh sibh	
*dh'éireoidíst	
*(do) héireofaí	

34 **éirigh** 'get up, become' v.n. **éirí** v.adj. **éirithe**

Standard Irish: An Caighdeán Oifigiúil

THE IMPERFECT TENSE	An Aimsir Ghnáthchaite	The Imperative Mood	The Present Subjunctive
d'éirínn		éirím	go n-éirí mé
d'éiríteá	ní éiríodh	éirigh	go n-éirí tú
d'éiríodh sé	an éiríodh?	éiríodh sé	go n-éirí sé
d'éiríodh sí	go n-éiríodh	éiríodh sí	go n-éirí sí
d'éirímis	nach n-éiríodh	éirímis	go n-éirímid
d'éiríodh sibh		éirígí	go n-éirí sibh
d'éirídís		éirídís	go n-éirí siad
d'éirítí		éirítear	go n-éirítear
		ná héirigh	nár éirí

Ulster Irish: Gaeilge Chúige Uladh

THE IMPERFECT TENSE	An Aimsir Ghnáthchaite	An Modh Ordaitheach	An Foshuiteach Láithreach
d'éirinn*	ní éireadh	éirim	go n-éirí mé
d'éiritheá	(chan éireadh)	éirigh	go n-éirí tú
d'éireadh sé*	an éireadh?	éireadh sé	go n-éirí sé
d'éireadh sí*	go n-éireadh	éireadh sí	go n-éirí sí
d'éirimis[‡*]	nach n-éireadh	éirimis[‡/fut]	go n-éirí muid[†]
d'éireadh sibh*		éirigí	go n-éirí sibh
d'éireadh siad	Ba ghnách le …	éireadh siad	go n-éirí siad
d'éiríthí		éiríthear	go n-éiríthear
		ná héirigh	nár éirí

Connaught Irish: Gaeilge Chonnacht

THE IMPERFECT TENSE	An Aimsir Ghnáthchaite	The Imperative Mood	The Present Subjunctive
d'éirínn		éirím	go n-éirí mé
d'éiríteá[M]	ní éiríodh	éirigh	go n-éirí tú
d'éiríodh sé	an éiríodh?	éiríodh sé	go n-éirí sé
d'éiríodh sí	go n-éiríodh	éiríodh sí	go n-éirí sí
d'éiríodh muid	nach n-éiríodh	éirímid	go n-éirí muid
d'éiríodh sibh		*éirighidh	go n-éirí sibh
d'éirídís[U]		éirídís	go n-éirí siad
d'éirítí[M]		éiríthear	go n-éirít(h)ear
		ná héirigh	nár éirí

Munster Irish: Gaeilge na Mumhan

THE IMPERFECT TENSE	An Aimsir Ghnáthchaite	An Modh Ordaitheach	An Foshuiteach Láithreach
*dh'éirínn	ní éiríodh	éirím	go n-éiríod*
*dh'éiríotá	(ní dh'éiríodh)	éirigh	go n-éirír*
*dh'éiríodh sé	an éiríodh?	éiríodh sé	go n-éirí sé
*dh'éiríodh sí	go n-éiríodh	éiríodh sí	go n-éirí sí
*dh'éirímíst	ná héiríodh	éirímíst	go n-éiríom*
*dh'éiríodh sibh		éiríg[=C*]	go n-éirí sibh
*dh'éirídíst		éirídíst	go n-éiríd*
*(do) héiríotaí		éiríotar*	go n-éiríotar*
		ná héirigh	nár éirí

35 éist 'listen' v.n. éisteacht v.adj. éiste

Standard Irish: An Caighdeán Oifigiúil

THE PAST TENSE	An Aimsir Chaite
d'éist mé	níor éist
d'éist tú	ar éist?
d'éist sé	gur éist
d'éist sí	nár éist
d'éisteamar	níor éisteadh
d'éist sibh	ar éisteadh?
d'éist siad	gur éisteadh
éisteadh	nár éisteadh

THE PRESENT TENSE	An Aimsir Láithreach
éistim	
éisteann tú	ní éisteann
éisteann sé	an éisteann?
éisteann sí	go n-éisteann
éistimid	nach n-éisteann
éisteann sibh	
éisteann siad	a éisteann
éistear	

Ulster Irish: Gaeilge Chúige Uladh

THE PAST TENSE	An Aimsir Chaite
d'éist mé	níor éist
d'éist tú	(char éist)
d'éist sé	ar éist?
d'éist sí	gur éist
d'éist muid†	nár éist
d'éist sibh	
d'éist siad	níor/ar héisteadh
héisteadh	gur/nár héisteadh

THE PRESENT TENSE	An Aimsir Láithreach
éistim	ní éisteann
éisteann tú	(chan éisteann)
éisteann sé	an éisteann?
éisteann sí	go n-éisteann
éisteann muid†	nach n-éisteann
éisteann sibh	
éisteann siad	a éisteas
éistear	

Connaught Irish: Gaeilge Chonnacht

THE PAST TENSE	An Aimsir Chaite
d'éist mé [M]	níor éist
d'éist tú [M]	ar éist?
d'éist sé	gur éist
d'éist sí	nár éist
d'éist muid	níor héisteadh
d'éist sibh	ar héisteadh?
d'éisteadar[U]	gur héisteadh
héisteadh	nár héisteadh

THE PRESENT TENSE	An Aimsir Láithreach
éistim	
éisteann tú	ní éisteann
éisteann sé	an éisteann?
éisteann sí	go n-éisteann
éisteann muid	nach n-éisteann
éisteann sibh	
éisteann siad	a éisteanns
éistear	

Munster Irish: Gaeilge na Mumhan

THE PAST TENSE	An Aimsir Chaite
*dh'éisteas	*ní(or) dh'éist
*dh'éistis	ar éist?
*dh'éist sé	gur éist
*dh'éist sí	nár éist
*dh'éisteamair	níor héisteadh*
*dh'éisteabhair	ar héisteadh?*
*dh'éisteadar	gur héisteadh*
(do) héisteadh* d(h)'éisteadh	nár héisteadh*

THE PRESENT TENSE	An Aimsir Láithreach
éistim, éistím	*ní éistíonn
éisteann tú, éistíonn tú	(ní dh'éistíonn)
éisteann sé, éistíonn sé	*an éistíonn?
éisteann sí, éistíonn sí	*go n-éistíonn
éistimíd, éistímíd	ná héistíonn
éisteann sibh, éistíonn	
*éistid, éistíd	*a éistíonn
éistear, éistítear	

Standard Irish: An Caighdeán Oifigiúil

THE FUTURE TENSE	An Aimsir Fháistineach
éistfidh mé	
éistfidh tú	ní éistfidh
éistfidh sé	an éistfidh?
éistfidh sí	go n-éistfidh
éistfimid	nach n-éistfidh
éistfidh sibh	
éistfidh siad	a éistfidh
éistfear	

THE CONDITIONAL MOOD	An Modh Coinníollach
d'éistfinn	
d'éistfeá	ní éistfeadh
d'éistfeadh sé	an éistfeadh?
d'éistfeadh sí	go n-éistfeadh
d'éistfimis	nach n-éistfeadh
d'éistfeadh sibh	
d'éistfidís	
d'éistfí	

Ulster Irish: Gaeilge Chúige Uladh

THE FUTURE TENSE	An Aimsir Fháistineach
éisteochaidh mé	ní éisteochaidh
éisteochaidh tú	(chan éisteann)
éisteochaidh sé	an éisteochaidh?
éisteochaidh sí	go n-éisteochaidh
éisteochaidh muid[†]	nach n-éisteochaidh
éisteochaidh sibh	
éisteochaidh siad	a éisteochas
éisteofar	

THE CONDITIONAL MOOD	An Modh Coinníollach
d'éisteochainn	
d'éisteofá	ní éisteochadh
d'éisteochadh sé	(chan éisteochadh)
d'éisteochadh sí	an éisteochadh?
d'éisteochaimis[‡]	go n-éisteochadh
d'éisteochadh sibh	nach n-éisteochadh
d'éisteochadh siad	
d'éisteofaí	

Connaught Irish: Gaeilge Chonnacht

THE FUTURE TENSE	An Aimsir Fháistineach
éistfidh mé [M]	ní éistfidh
éistfidh tú[M]	an éistfidh?
éistfidh sé	go n-éistfidh
éistfidh sí	nach n-éistfidh
éistfidh muid	
éistfidh sibh	éistfidh *var* éisteoidh
éistfidh siad	a éistfeas *var* a éisteos
éistfear	

THE CONDITIONAL MOOD	An Modh Coinníollach
d'éistfinn	ní éistfeadh
d'éistfeá	an éistfeadh?
d'éistfeadh sé	go n-éistfeadh
d'éistfeadh sí	nach n-éistfeadh
d'éistfeadh muid	
d'éistfeadh sibh	*var* d'éisteoinn
d'éistfidís[U]	d'éisteofá
d'éistfí[M]	d'éisteodh sé *etc*

Munster Irish: Gaeilge na Mumhan

THE FUTURE TENSE	An Aimsir Fháistineach
éistfead* éisteod	*ní éisteoidh
*éistfir éisteoir	(ní dh'éisteoidh)
éistfidh sé éisteoidh sé	*an éisteoidh?
éistfidh sí éisteoidh sí	*go n-éisteoidh
*éistfeam éisteom	ná héisteoidh
éistfidh sibh éisteoidh	
*éistfid éisteoid	*a éisteoidh
éistfear éisteofar	

THE CONDITIONAL MOOD	An Modh Coinníollach
*dh'éistfinn	*ní éisteodh
*dh'éistfeá	(ní dh'éisteodh)
*dh'éistfeadh sé	*an éisteodh?
*dh'éistfeadh sí	*go n-éisteodh
*dh'éistfimíst	ná héisteodh
*dh'éistfeadh sibh	
*dh'éistfidíst	
*(do) héistfí	

35 **éist** 'listen' v.n. **éisteacht** v.adj. **éiste**

Standard Irish: An Caighdeán Oifigiúil

THE IMPERFECT TENSE	An Aimsir Ghnáthchaite	The Imperative Mood	The Present Subjunctive
d'éistinn		éistim	go n-éiste mé
d'éisteá	ní éisteadh	éist	go n-éiste tú
d'éisteadh sé	an éisteadh?	éisteadh sé	go n-éiste sé
d'éisteadh sí	go n-éisteadh	éisteadh sí	go n-éiste sí
d'éistimis	nach n-éisteadh	éistimis	go n-éistimid
d'éisteadh sibh		éistigí	go n-éiste sibh
d'éistidís		éistidís	go n-éiste siad
d'éistí		éistear	go n-éistear
		ná héist	nár éiste

Ulster Irish: Gaeilge Chúige Uladh

THE IMPERFECT TENSE	An Aimsir Ghnáthchaite	An Modh Ordaitheach	An Foshuiteach Láithreach
d'éistinn		éistim	go n-éistidh mé
d'éistheá	ní éisteadh	éist	go n-éistidh tú
d'éisteadh sé	(chan éisteadh)	éisteadh sé	go n-éistidh sé
d'éisteadh sí	an éisteadh?	éisteadh sí	go n-éistidh sí
d'éistimis[‡]	go n-éisteadh	éistimis[‡/fut]	go n-éistidh muid[†]
d'éisteadh sibh	nach n-éisteadh	éistigí[C]	go n-éistidh sibh
d'éisteadh siad	Ba ghnách le …	éisteadh siad	go n-éistidh siad
d'éistí		éistear	go n-éistear
		ná héist	nár éistidh

Connaught Irish: Gaeilge Chonnacht

THE IMPERFECT TENSE	An Aimsir Ghnáthchaite	The Imperative Mood	The Present Subjunctive
d'éistinn		éistim	go n-éiste mé
d'éisteá	ní éisteadh	éist	go n-éiste tú
d'éisteadh sé	an éisteadh?	éisteadh sé	go n-éiste sé
d'éisteadh sí	go n-éisteadh	éisteadh sí	go n-éiste sí
d'éisteadh muid	nach n-éisteadh	éistimid	go n-éiste muid
d'éisteadh sibh		*éistidh	go n-éiste sibh
d'éistidís[U]		éistidís	go n-éiste siad
d'éistí[M]		éistear	go n-éistear
		ná héist	nár éiste

Munster Irish: Gaeilge na Mumhan

THE IMPERFECT TENSE	An Aimsir Ghnáthchaite	An Modh Ordaitheach	An Foshuiteach Láithreach
*dh'éistínn,	ní éistíodh	éistim	go n-éistí mé go n-éistíod
*dh'éistíteá	(ní dh'éistíodh)	éist	go n-éistír go n-éistí tú
*dh'éistíodh sé	an éistíodh?	éisteadh sé	go n-éistí sé*
*dh'éistíodh sí	go n-éistíodh	éisteadh sí	go n-éistí sí*
*dh'éistímíst	ná héistíodh	éistimíst	go n-éistímid go n-éistíom*
*dh'éistíodh sibh		éistíg[=C]*	go n-éistí sibh*
*dh'éistídíst		éistidíst	go n-éistí siad go n-éistíd
*(do) héistítí		éistear	*go n-éistítear
		ná héist	nár éistí

Standard Irish: An Caighdeán Oifigiúil

THE PAST TENSE	An Aimsir Chaite
d'fhág mé	níor fhág
d'fhág tú	ar fhág?
d'fhág sé	gur fhág
d'fhág sí	nár fhág
d'fhágamar	níor fágadh
d'fhág sibh	ar fágadh?
d'fhág siad	gur fágadh
fágadh	nár fágadh

THE PRESENT TENSE	An Aimsir Láithreach
fágaim	
fágann tú	ní fhágann
fágann sé	an bhfágann?
fágann sí	go bhfágann
fágaimid	nach bhfágann
fágann sibh	
fágann siad	a fhágann
fágtar	

Ulster Irish: Gaeilge Chúige Uladh

THE PAST TENSE	An Aimsir Chaite
d'fhág mé	níor fhág
d'fhág tú	(char fhág)
d'fhág sé	ar fhág?
d'fhág sí	gur fhág
d'fhág muid†	nár fhág
d'fhág sibh	
d'fhág siad	níor/ar fágadh
fágadh	gur/nár fágadh

THE PRESENT TENSE	An Aimsir Láithreach
fágaim	ní fhágann
fágann tú	(chan fhágann)
fágann sé	an bhfágann?
fágann sí	go bhfágann
fágann muid†	nach bhfágann
fágann sibh	
fágann siad	a fhágas
fágtar	

Connaught Irish: Gaeilge Chonnacht

THE PAST TENSE	An Aimsir Chaite
d'fhág mé[M]	níor fhág *var:* níor fhága(ibh)
d'fhág tú [M]	ar fhág?
d'fhág sé *var* d'fhága	gur fhág
d'fhág sí *var* d'fhágaibh	nár fhág
d'fhág muid	níor fágadh
d'fhág sibh	ar fágadh?
d'fhágadar[U]	gur fágadh
fágadh	nár fágadh

THE PRESENT TENSE	An Aimsir Láithreach
fágaim	
fágann tú	ní fhágann
fágann sé	an bhfágann?
fágann sí	go bhfágann
fágann muid	nach bhfágann
fágann sibh	
fágann siad	a fhágann
fágtar	

Munster Irish: Gaeilge na Mumhan

THE PAST TENSE	An Aimsir Chaite
dh'fhágas*	níor fhág ní(or) dh'fhág
dh'fhágais*	ar fhág?
*dh'fhág sé	gur fhág
*dh'fhág sí	nár fhág
dh'fhágamair*	*níor fhágadh
dh'fhágabhair*	*ar fhágadh?
dh'fhágadar	*gur fhágadh
(do) fágadh d(h)'fhágadh	*nár fhágadh

THE PRESENT TENSE	An Aimsir Láithreach
fágaim	ní fhágann
fágann tú	(ní dh'fhágann)
fágann sé	an bhfágann?
fágann sí	go bhfágann
fágaimíd	ná fágann
fágann sibh	
*fágaid	a fhágann
fágtar	

Standard Irish: An Caighdeán Oifigiúil

THE FUTURE TENSE	An Aimsir Fháistineach	THE CONDITIONAL MOOD	An Modh Coinníollach
fágfaidh mé		d'fhágfainn	
fágfaidh tú	ní fhágfaidh	d'fhágfá	ní fhágfadh
fágfaidh sé	an bhfágfaidh?	d'fhágfadh sé	an bhfágfadh?
fágfaidh sí	go bhfágfaidh	d'fhágfadh sí	go bhfágfadh
fágfaimid	nach bhfágfaidh	d'fhágfaimis	nach bhfágfadh
fágfaidh sibh		d'fhágfadh sibh	
fágfaidh siad	a fhágfaidh	d'fhágfaidís	
fágfar		d'fhágfaí	

Ulster Irish: Gaeilge Chúige Uladh

THE FUTURE TENSE	An Aimsir Fháistineach	THE CONDITIONAL MOOD	An Modh Coinníollach
fágfaidh mé	ní fhágfaidh	d'fhágfainn	ní fhágfadh
fágfaidh tú	(chan fhágann)	d'fhágfá	(chan fhágfadh)
fágfaidh sé	an bhfágfaidh?	d'fhágfadh sé	an bhfágfadh?
fágfaidh sí	go bhfágfaidh	d'fhágfadh sí	go bhfágfadh
fágfaidh muid†	nach bhfágfaidh	d'fhágfaimis‡	nach bhfágfadh
fágfaidh sibh		d'fhágfadh sibh	
fágfaidh siad	a fhágfas	d'fhágfadh siad	
fágfar	*var.* fuígfidh = fágfaidh	d'fhágfaí	*var.* d'fhuígfeadh = d'fhágfadh

Connaught Irish: Gaeilge Chonnacht

THE FUTURE TENSE	An Aimsir Fháistineach	THE CONDITIONAL MOOD	An Modh Coinníollach
fágfaidh mé [M]		d'fhágfainn	
fágfaidh tú[M]	ní fhágfaidh	d'fhágfá	ní fhágfadh
fágfaidh sé	an bhfágfaidh?	d'fhágfadh sé	an bhfágfadh?
fágfaidh sí	go bhfágfaidh	d'fhágfadh sí	go bhfágfadh
fágfaidh muid	nach bhfágfaidh	d'fhágfadh muid	nach bhfágfadh
fágfaidh sibh		d'fhágfadh sibh	
fágfaidh siad	a fhágfas	d'fhágfaidís[U]	
fágfar		d'fhágfaí[M]	

Munster Irish: Gaeilge na Mumhan

THE FUTURE TENSE	An Aimsir Fháistineach	THE CONDITIONAL MOOD	An Modh Coinníollach
fágfad*	ní fhágfaidh	*dh'fhágfainn	ní fhágfadh
*fágfair	(ní dh'fhágfaidh)	*dh'fhágfá	(ní dh'fhágfadh)
fágfaidh sé	an bhfágfaidh?	*dh'fhágfadh sé	an bhfágfadh?
fágfaidh sí	go bhfágfaidh	*dh'fhágfadh sí	go bhfágfadh
*fágfam	ná fágfaidh	*dh'fhágfaimist	ná fágfadh
fágfaidh sibh		*dh'fhágfadh sibh	
*fágfaid	a fhágfaidh	*dh'fhágfaidíst	
fágfar		*(do) fágfaí	

Standard Irish: An Caighdeán Oifigiúil

THE IMPERFECT TENSE	An Aimsir Ghnáthchaite	The Imperative Mood	The Present Subjunctive
d'fhágainn		fágaim	go bhfága mé
d'fhágtá	ní fhágadh	fág	go bhfága tú
d'fhágadh sé	an bhfágadh?	fágadh sé	go bhfága sé
d'fhágadh sí	go bhfágadh	fágadh sí	go bhfága sí
d'fhágaimis	nach bhfágadh	fágaimis	go bhfágaimid
d'fhágadh sibh		fágaigí	go bhfága sibh
d'fhágaidís		fágaidís	go bhfága siad
d'fhágtaí		fágtar	go bhfágtar
		ná fág	nár fhága

Ulster Irish: Gaeilge Chúige Uladh

THE IMPERFECT TENSE	An Aimsir Ghnáthchaite	An Modh Ordaitheach	An Foshuiteach Láithreach
d'fhágainn		fágaim	go bhfágaidh mé
d'fhágthá	ní fhágadh	fág	go bhfágaidh tú
d'fhágadh sé	(chan fhágadh)	fágadh sé	go bhfágaidh sé
d'fhágadh sí	an bhfágadh?	fágadh sí	go bhfágaidh sí
d'fhágaimis[‡]	go bhfágadh	fágaimis[‡/fut]	go bhfágaidh muid[†]
d'fhágadh sibh	nach bhfágadh	fágaigí[C]	go bhfágaidh sibh
d'fhágadh siad	Ba ghnách le …	fágadh siad	go bhfágaidh siad
d'fhágtaí		fágtar	go bhfágtar
		ná fág	nár fhágaidh

Connaught Irish: Gaeilge Chonnacht

THE IMPERFECT TENSE	An Aimsir Ghnáthchaite	The Imperative Mood	The Present Subjunctive
d'fhágainn		fágaim	go bhfága mé
d'fhágtá	ní fhágadh	fág	go bhfága tú
d'fhágadh sé	an bhfágadh?	fágadh sé	go bhfága sé
d'fhágadh sí	go bhfágadh	fágadh sí	go bhfága sí
d'fhágadh muid	nach bhfágadh	fágaimid	go bhfága muid
d'fhágadh sibh		*fágaidh	go bhfága sibh
d'fhágaidís[U]		fágaidís	go bhfága siad
d'fhágtaí[M]		fágtar	go bhfágtar
		ná fág	nár fhága

Munster Irish: Gaeilge na Mumhan

THE IMPERFECT TENSE	An Aimsir Ghnáthchaite	An Modh Ordaitheach	An Foshuiteach Láithreach
*dh'fhágainn	ní fhágadh	fágaim	go bhfágad*
*dh'fhágtá	(ní dh'fhágadh)	fág	go bhfágair*
*dh'fhágadh sé	an bhfágadh?	fágadh sé	go bhfága sé
*dh'fhágadh sí	go bhfágadh	fágadh sí	go bhfága sí
*dh'fhágaimíst	ná fágadh	fágaimíst	go bhfágam*
*dh'fhágadh sibh		fágaíg[=C]*	go bhfága sibh
*dh'fhágaidíst		fágaidíst	go bhfágaid*
*(do) fágtaí		fágtar	go bhfágtar
		ná fág	nár fhága

Standard Irish: An Caighdeán Oifigiúil

THE PAST TENSE	An Aimsir Chaite		
fuair mé	an bhfuair mé?	ní bhfuair mé	
fuair tú	an bhfuair tú?	ní bhfuair tú	go bhfuair
fuair sé	an bhfuair sé?	ní bhfuair sé	
fuair sí	an bhfuair sí?	ní bhfuair sí	nach bhfuair
fuaireamar	an bhfuaireamar?	ní bhfuaireamar	
fuair sibh	an bhfuair sibh?	ní bhfuair sibh	
fuair siad	an bhfuair siad?	ní bhfuair siad	go bhfuarthas
fuarthas	an bhfuarthas?	ní bhfuarthas	nach bhfuarthas

Ulster Irish: Gaeilge Chúige Uladh

THE PAST TENSE	An Aimsir Chaite		
fuair mé	an bhfuair mé?	ní bhfuair mé	chan fhuair
fuair tú	an bhfuair tú?	ní bhfuair tú	
fuair sé	an bhfuair sé?	ní bhfuair sé	go bhfuair
fuair sí	an bhfuair sí?	ní bhfuair sí	
fuair muid†	an bhfuair muid?†	ní bhfuair muid†	nach bhfuair
fuair sibh	an bhfuair sibh?	ní bhfuair sibh	
fuair siad	an bhfuair siad?	ní bhfuair siad	go bhfuaras
fuaras	an bhfuaras?	ní bhfuaras	nach bhfuaras

Connaught Irish: Gaeilge Chonnacht

THE PAST TENSE	An Aimsir Chaite		
fuair mé[M]	an bhfuair mé?	ní bhfuair mé	
fuair tú[M]	an bhfuair tú?	ní bhfuair tú	go bhfuair
fuair sé	an bhfuair sé?	ní bhfuair sé	
fuair sí	an bhfuair sí?	ní bhfuair sí	nach bhfuair
fuair muid	an bhfuair muid?	ní bhfuair muid	
fuair sibh	an bhfuair sibh?	ní bhfuair sibh	
fuaireadar	an bhfuaireadar?	ní bhfuaireadar	gur fríothadh
fríothadh	ar fríothadh?	níor fríothadh	nár fríothadh

Munster Irish: Gaeilge na Mumhan

THE PAST TENSE	An Aimsir Chaite		
(do) fuaireas, fuaras	an bhfuaireas?	ní bhfuaireas	
(do) fuairis, fuarais	an bhfuairis?	ní bhfuairis	go bhfuair
(do) fuair sé, fuar sé	an bhfuair sé?	ní bhfuair sé	
(do) fuair sí fuar sí *etc.*	an bhfuair sí?	ní bhfuair sí	ná fuair
(do) fuaireamair*	an bhfuaireamair?*	ní bhfuaireamair	*vn* fáil(t)
(do) fuaireabhair*	an bhfuaireabhair?	ní bhfuaireabhair	*vadj* fachta
(do) fuaireadar	an bhfuaireadar?	ní bhfuaireadar	*go bhfuaireadh
*(do) fuaireadh	*an bhfuaireadh?	*ní bhfuaireadh	*ná fuaireadh

Standard Irish: An Caighdeán Oifigiúil

THE PRESENT TENSE	An Aimsir Láithreach		
faighim	an bhfaighim?	ní fhaighim	
faigheann tú	an bhfaigheann tú?	ní fhaigheann tú	go bhfaigheann
faigheann sé	an bhfaigheann sé?	ní fhaigheann sé	
faigheann sí	an bhfaigheann sí?	ní fhaigheann sí	nach bhfaigheann
faighimid	an bhfaighimid?	ní fhaighimid	
faigheann sibh	an bhfaigheann sibh?	ní fhaigheann sibh	a fhaigheann
faigheann siad	an bhfaigheann siad?	ní fhaigheann siad	go bhfaightear
faightear	an bhfaightear?	ní fhaightear	nach bhfaightear

Ulster Irish: Gaeilge Chúige Uladh

THE PRESENT TENSE	An Aimsir Láithreach		
[c]gheibhim	an bhfaghaim?	ní fhaghaim	gheibh *var* gheibheann
[c]gheibh tú	an bhfaghann tú?	ní fhaghann tú	chan fhaghann
[c]gheibh sé	an bhfaghann sé?	ní fhaghann sé	go bhfaghann
[c]gheibh sí	an bhfaghann sí?	ní fhaghann sí	nach bhfaghann
[c]gheibh muid[†]	an bhfaghann muid[†]?	ní fhaghann muid[†]	
[c]gheibh sibh	an bhfaghann sibh?	ní fhaghann sibh	a gheibh
[c]gheibh siad	an bhfaghann siad?	ní fhaghann siad	go bhfaghthar
*gheibhthear	an bhfaghthar?	ní fhaghthar	nach bhfaghthar

Connaught Irish: Gaeilge Chonnacht

THE PRESENT TENSE	An Aimsir Láithreach		
faghaim	an bhfaghaim?	ní fhaghaim	faghann sé
faghann tú	an bhfaghann tú?	ní fhaghann tú	*var* gheobhann sé
faghann sé	an bhfaghann sé?	ní fhaghann sé	go bhfaghann
faghann sí	an bhfaghann sí?	ní fhaghann sí	nach bhfaghann
faghann muid[†]	an bhfaghann muid?	ní fhaghann muid	
faghann sibh	an bhfaghann sibh?	ní fhaghann sibh	a fhaghanns
faghann siad	an bhfaghann siad?	ní fhaghann siad	go bhfaightear
faightear	an bhfaightear?	ní fhaightear	nach bhfaightear

Munster Irish: Gaeilge na Mumhan

THE PRESENT TENSE	An Aimsir Láithreach		
faighim	an bhfaighim?	*ní dh'fhaighim	
faigheann tú	an bhfaigheann tú?	*ní dh'fhaigheann tú	*var indep* gheibhim *etc*
faigheann sé	an bhfaigheann sé?	*ní dh'fhaigheann sé	
faigheann sí	an bhfaigheann sí?	*ní dh'fhaigheann sí	go bhfaigheann
faighimíd	an bhfaighimíd?	*ní dh'fhaighimíd	ná faigheann
faigheann sibh	an bhfaigheann sibh?	*ní dh'fhaigheann sibh	a fhaigheann
*faighid (siad)	*an bhfaighid siad?	*ní dh'fhaighid siad	*go bhfachtar
faightear, fachtar	*an bhfachtar?	*ní dh'fachtar	*ná fachtar

37 **faigh** 'get' a.br. **fáil** aid.bhr. **faighte**

Standard Irish: An Caighdeán Oifigiúil

FUTURE TENSE	An Aimsir Fháistineach		
gheobhaidh mé	an bhfaighidh mé?	ní bhfaighidh mé	
gheobhaidh tú	an bhfaighidh tú?	ní bhfaighidh tú	go bhfaighidh
gheobhaidh sé	an bhfaighidh sé?	ní bhfaighidh sé	
gheobhaidh sí	an bhfaighidh sí?	ní bhfaighidh sí	nach bhfaighidh
gheobhaimid	an bhfaighimid?	ní bhfaighimid	
gheobhaidh sibh	an bhfaighidh sibh?	ní bhfaighidh sibh	a gheobhaidh
gheobhaidh siad	an bhfaighidh siad?	ní bhfaighidh siad	go bhfaighfear
gheofar	an bhfaighfear?	ní bhfaighfear	nach bhfaighfear

Ulster Irish: Gaeilge Chúige Uladh

FUTURE TENSE	An Aimsir Fháistineach		
gheobhaidh mé	an bhfuighidh mé?	ní bhfuighidh mé	chan fhaghann
gheobhaidh tú	an bhfuighidh tú?	ní bhfuighidh tú	
gheobhaidh sé	an bhfuighidh sé?	ní bhfuighidh sé	go bhfuighidh
gheobhaidh sí	an bhfuighidh sí?	ní bhfuighidh sí	nach bhfuighidh
gheobhaidh muid†	an bhfuighidh muid?†	ní bhfuighidh muid†	
gheobhaidh sibh	an bhfuighidh sibh?	ní bhfuighidh sibh	a gheobhas
gheobhaidh siad	an bhfuighidh siad?	ní bhfuighidh siad	go bhfuighfear
gheofar	an bhfuighfear?	ní bhfuighfear	nach bhfuighfear

Connaught Irish: Gaeilge Chonnacht

FUTURE TENSE	An Aimsir Fháistineach		
gheobhfaidh mé -fad	an bhfuighidh mé?	ní bhfuighidh mé	gheobhfaidh
gheobhfaidh tú -fair	an bhfuighidh tú?	ní bhfuighidh tú	*var* gheithidh
gheobhfaidh sé	an bhfuighidh sé?	ní bhfuighidh sé	go bhfuighidh
gheobhfaidh sí	an bhfuighidh sí?	ní bhfuighidh sí	nach bhfuighidh
gheobhfaidh muid	an bhfuighidh muid?	ní bhfuighidh muid	
gheobhfaidh sibh	an bhfuighidh sibh?	ní bhfuighidh sibh	a gheobhas
gheobhfaidh siad	an bhfuighidh siad?	ní bhfuighidh siad	go bhfuighfear
gheofar	an bhfuighfear?	ní bhfuighfear	nach bhfuighfear

Munster Irish: Gaeilge na Mumhan

FUTURE TENSE	An Aimsir Fháistineach		
geobhaidh mé	an bhfaighidh mé?	ní bhfaighidh mé	
geobhad/geod	an bhfaighead?	ní bhfaighead	
*geobhair	*an bhfaighir?	ní bhfaighir	go bhfaighidh
geobhaidh sé	an bhfaighidh sé?	ní bhfaighidh sé	
geobhaidh sí	an bhfaighidh sí?	ní bhfaighidh sí	ná faighidh
geobhaimíd, geom	an bhfaighimíd?	ní bhfaighimíd	
geobhaidh sibh	an bhfaighidh sibh?	ní bhfaighidh sibh	a gheobhaidh
geobhaid (siad)*	*an bhfaighid (siad?)	ní bhfaighid (siad)*	go bhfaighfear
geofar	an bhfaighfear?	ní bhfaighfear	ná faighfear

Standard Irish: An Caighdeán Oifigiúil

CONDITIONAL MOOD	An Modh Coinníollach		
gheobhainn	an bhfaighinn?	ní bhfaighinn	
gheobhfá	an bhfaighfeá?	ní bhfaighfeá	go bhfaigheadh
gheobhadh sé	an bhfaigheadh sé?	ní bhfaigheadh sé	
gheobhadh sí	an bhfaigheadh sí?	ní bhfaigheadh sí	nach bhfaigheadh
gheobhaimis	an bhfaighimis?	ní bhfaighimis	
gheobhadh sibh	an bhfaigheadh sibh?	ní bhfaigheadh sibh	
gheobhaidís	an bhfaighidís?	ní bhfaighidís	go bhfaighfí
gheofaí	an bhfaighfí?	ní bhfaighfí	nach bhfaighfí

Ulster Irish: Gaeilge Chúige Uladh

CONDITIONAL MOOD	An Modh Coinníollach		
gheobhainn	an bhfuighinn?	ní bhfuighinn	chan fhuigheadh
gheobhfá	an bhfuighfeá?	ní bhfuighfeá	*var* cha ngeobhadh
gheobhadh sé	an bhfuigheadh sé?	ní bhfuigheadh sé	
gheobhadh sí	an bhfaigeadh sí?	ní bhfuigheadh sí	go bhfuigheadh
gheobhaimis†	an bhfuighimis?†	ní bhfuighimis†	nach bhfuigheadh
gheobhaidh sibh	an bhfuigheadh sibh?	ní bhfuigheadh sibh	
gheobhadh siad	an bhfuigheadh siad?	ní bhfuigheadh siad	go bhfuighfí
gheofaí	an bhfuighfí?	ní bhfuighfí	nach bhfuighfí

Connaught Irish: Gaeilge Chonnacht

CONDITIONAL MOOD	An Modh Coinníollach		
gheobhfainn	an bhfuighinn?	ní bhfuighinn	gheobhfadh
gheobhfá	an bhfuighfeá?	ní bhfuighfeá	*var* gheitheadh
gheobhfadh sé	an bhfuigheadh sé?	ní bhfuigheadh sé	go bhfuigheadh
gheobhfadh sí	an bhfuigeadh sí?	ní bhfuigheadh sí	nach bhfuigheadh
gheobhfadh muid	an bhfuigheadh muid?	ní bhfuigheadh muid	
gheobhfadh sibh	an bhfuigheadh sibh?	ní bhfuigheadh sibh	
gheobhfaidís	an bhfuighidís?	ní bhfuighidís	go bhfuighfí
gheofaí	an bhfuighfí?	ní bhfuighfí	nach bhfuighfí

Munster Irish: Gaeilge na Mumhan

CONDITIONAL MOOD	An Modh Coinníollach		
gheobhainn	an bhfaighinn?	ní bhfaighinn	
gheobhfá	an bhfaighfeá?	ní bhfaighfeá	go bhfaigheadh
gheobhadh sé	an bhfaigheadh sé?	ní bhfaigheadh sé	
gheobhadh sí	an bhfuigeadh sí?	ní bhfaigheadh sí	ná faigheadh
*gheobhaimíst	*an bhfaighimíst?	ní bhfaighimís	
gheobhadh sibh	an bhfaigheadh sibh?	ní bhfaigheadh sibh	
*gheobhaidíst	*an bhfaighidíst?	ní bhfaighidís	go bhfaighfí
gheofaí	an bhfaighfí?	ní bhfaighfí	ná faighfí

Standard Irish: An Caighdeán Oifigiúil

THE IMPERFECT TENSE	An Aimsir Ghnáthchaite	The Imperative Mood	The Present Subjunctive
d'fhaighinn		faighim	go bhfaighe mé
d'fhaighteá	ní fhaigheadh	faigh	go bhfaighe tú
d'fhaigheadh sé	an bhfaigheadh?	faigheadh sé	go bhfaighe sé
d'fhaigheadh sí	go bhfaigheadh	faigheadh sí	go bhfaighe sí
d'fhaighimis	nach bhfaigheadh	faighimis	go bhfaighimid
d'fhaigheadh sibh		faighigí	go bhfaighe sibh
d'fhaighidís		faighidís	go bhfaighe siad
d'fhaightí		faightear	go bhfaightear
		ná faigh	nár fhaighe

Ulster Irish: Gaeilge Chúige Uladh

THE IMPERFECT TENSE	An Aimsir Ghnáthchaite	An Modh Ordaitheach	An Foshuiteach Láithreach
gheibhinn		faghaim	go bhfagha mé
gheibhtheá	ní fhaghadh	fagh	go bhfagha tú
gheibheadh sé	(chan fhaghadh)	faghadh sé	go bhfagha sé
gheibheadh sí	an bhfaghadh?	faghadh sí	go bhfagha sí
gheibhimis[†]	go bhfaghadh	faghaimis[‡/fut]	go bhfagha muid[†]
gheibheadh sibh	nach bhfaghadh	faghaigí, faghaidh	go bhfagha sibh
gheibheadh siad	Ba ghnách le …	faghadh siad	go bhfagha siad
gheibhthí		faghthar	go bhfaghthar
		ná fagh	nár fhagha

Connaught Irish: Gaeilge Chonnacht

THE IMPERFECT TENSE	An Aimsir Ghnáthchaite	The Imperative Mood	The Present Subjunctive
d'fhaghainn		faghaim	go bhfagha mé
d'fhaghtá	ní fhaghadh	fagh	go bhfagha tú
d'fhaghadh sé	an bhfaghadh?	faghadh sé	go bhfagha sé
d'fhaghadh sí	go bhfaghadh	faghadh sí	go bhfagha sí
d'fhaghadh muid	nach bhfaghadh	faghaimid	go bhfagha muid
d'fhaghadh sibh		faghaidh[U]	go bhfagha sibh
d'fhaghaidís		faghaidís	go bhfagha siad
d'fhaghaití		faghtar	go bhfaghtar
		ná fagh	nár fhagha

Munster Irish: Gaeilge na Mumhan

THE IMPERFECT TENSE	An Aimsir Ghnáthchaite	An Modh Ordaitheach	An Foshuiteach Láithreach
*dh'fhaighinn	ní fhaigheadh	faighim	go bhfaighead*
*dh'fhaighteá	(ní dh'fhaigheadh)	faigh	go bhfaighir*
*dh'fhaigheadh sé	an bhfaigheadh?	faigheadh sé	go bhfaighe sé
*dh'fhaigheadh sí	go bhfaigheadh	faigheadh sí	go bhfaighe sí
*dh'fhaighimíst	ná faigheadh	faighimíst	go bhfaigheam*
*dh'fhaigheadh sibh		faighgíg, faigíg[=C]*	go bhfaighe sibh
*dh'fhaighidíst		faighidíst	go bhfaighid*
(do) faightí* *var* dh'fhaightí		faightear, fachtar	*go bhfachtar
		ná faigh	nár (dh')fhaighe

38 **fan** 'wait, stay' v.n. **fanacht** v.adj. **fanta**

Standard Irish: An Caighdeán Oifigiúil

THE PAST TENSE	An Aimsir Chaite	THE PRESENT TENSE	An Aimsir Láithreach
d'fhan mé	níor fhan	fanaim	
d'fhan tú	ar fhan?	fanann tú	ní fhanann
d'fhan sé	gur fhan	fanann sé	an bhfanann?
d'fhan sí	nár fhan	fanann sí	go bhfanann
d'fhanamar	níor fanadh	fanaimid	nach bhfanann
d'fhan sibh	ar fanadh?	fanann sibh	
d'fhan siad	gur fanadh	fanann siad	a fhanann
fanadh	nár fanadh	fantar	

Ulster Irish: Gaeilge Chúige Uladh

THE PAST TENSE	An Aimsir Chaite	THE PRESENT TENSE	An Aimsir Láithreach
d'fhan mé	níor fhan	fanaim	ní fhanann
d'fhan tú	(char fhan)	fanann tú	(chan fhanann)
d'fhan sé	ar fhan?	fanann sé	an bhfanann?
d'fhan sí	gur fhan	fanann sí	go bhfanann
d'fhan muid[†]	nár fhan	fanann muid[†]	nach bhfanann
d'fhan sibh		fanann sibh	
d'fhan siad	níor/ar fanadh	fanann siad	a fhanas
fanadh	gur/nár fanadh	fantar	

Connaught Irish: Gaeilge Chonnacht

THE PAST TENSE	An Aimsir Chaite	THE PRESENT TENSE	An Aimsir Láithreach
d'fhan mé [M]	níor fhan	fanaim	
d'fhan tú [M]	ar fhan?	fanann tú	ní fhanann
d'fhan sé	gur fhan	fanann sé	an bhfanann?
d'fhan sí	nár fhan	fanann sí	go bhfanann
d'fhan muid	níor fanadh	fanann muid	nach bhfanann
d'fhan sibh	ar fanadh?	fanann sibh	
d'fhanadar[U]	gur fanadh	fanann siad	a fhananns
fanadh	nár fanadh	fantar	

Munster Irish: Gaeilge na Mumhan

THE PAST TENSE	An Aimsir Chaite	THE PRESENT TENSE	An Aimsir Láithreach
dh'fhanas*	níor fhan, ní(or) dh'fhan	fanaim	ní fhanann
dh'fhanais*	ar fhan?	fanann tú	(ní dh'fhanann)
*dh'fhan sé	gur fhan	fanann sé	an bhfanann?
*dh'fhan sí	nár fhan	fanann sí	go bhfanann
dh'fhanamair*	*níor fhanadh	fanaimíd	ná fanann
dh'fhanabhair*	*ar fhanadh?	fanann sibh	
dh'fhanadar*	*gur fhanadh	*fanaid	a fhanann
(do) fanadh d(h)'fhanadh	*nár fhanadh	fantar	

38 **fan** 'wait, stay' a.br. **fanacht** aid.bhr. **fanta**

Standard Irish: An Caighdeán Oifigiúil

THE FUTURE TENSE	An Aimsir Fháistineach
fanfaidh mé	
fanfaidh tú	ní fhanfaidh
fanfaidh sé	an bhfanfaidh?
fanfaidh sí	go bhfanfaidh
fanfaimid	nach bhfanfaidh
fanfaidh sibh	
fanfaidh siad	a fhanfaidh
fanfar	

THE CONDITIONAL MOOD	An Modh Coinníollach
d'fhanfainn	
d'fhanfá	ní fhanfadh
d'fhanfadh sé	an bhfanfadh?
d'fhanfadh sí	go bhfanfadh
d'fhanfaimis	nach bhfanfadh
d'fhanfadh sibh	
d'fhanfaidís	
d'fhanfaí	

Ulster Irish: Gaeilge Chúige Uladh

THE FUTURE TENSE	An Aimsir Fháistineach
fanóchaidh mé	ní fhanóchaidh
fanóchaidh tú	(chan fhanann)
fanóchaidh sé	an bhfanóchaidh?
fanóchaidh sí	go bhfanóchaidh
fanóchaidh muid[†]	nach bhfanóchaidh
fanóchaidh sibh	
fanóchaidh siad	a fhanóchas
fanófar	

THE CONDITIONAL MOOD	An Modh Coinníollach
d'fhanóchainn	ní fhanóchadh
d'fhanófá	(chan fhanóchadh)
d'fhanóchadh sé	an bhfanóchadh?
d'fhanóchadh sí	go bhfanóchadh
d'fhanóchaimis[‡]	nach bhfanóchadh
d'fhanóchadh sibh	
d'fhanóchadh siad	
d'fhanófaí	

Connaught Irish: Gaeilge Chonnacht

THE FUTURE TENSE	An Aimsir Fháistineach
fanfaidh mé [M]	
fanfaidh tú[M]	ní fhanfaidh
fanfaidh sé	an bhfanfaidh?
fanfaidh sí	go bhfanfaidh
fanfaidh muid	nach bhfanfaidh
fanfaidh sibh	
fanfaidh siad	a fhanfas
fanfar	

THE CONDITIONAL MOOD	An Modh Coinníollach
d'fhanfainn	
d'fhanfá	ní fhanfadh
d'fhanfadh sé	an bhfanfadh?
d'fhanfadh sí	go bhfanfadh
d'fhanfadh muid	nach bhfanfadh
d'fhanfadh sibh	
d'fhanfaidís[U]	
d'fhanfaí[M]	

Munster Irish: Gaeilge na Mumhan

THE FUTURE TENSE	An Aimsir Fháistineach
fanfad*	ní fhanfaidh
*fanfair	(ní dh'fhanfaidh)
fanfaidh sé	an bhfanfaidh?
fanfaidh sí	go bhfanfaidh
*fanfam	ná fanfaidh
fanfaidh sibh	
*fanfaid	a fhanfaidh
fanfar	

THE CONDITIONAL MOOD	An Modh Coinníollach
*dh'fhanfainn	ní fhanfadh
*dh'fhanfá	(ní dh'fhanfadh)
*dh'fhanfadh sé	an bhfanfadh?
*dh'fhanfadh sí	go bhfanfadh
*dh'fhanfaimíst	ná fanfadh
*dh'fhanfadh sibh	
*dh'fhanfaidíst	
*(do) fanfaí	

Standard Irish: An Caighdeán Oifigiúil

THE IMPERFECT TENSE	An Aimsir Ghnáthchaite	The Imperative Mood	The Present Subjunctive
d'fhanainn		fanaim	go bhfana mé
d'fhantá	ní fhanadh	fan	go bhfana tú
d'fhanadh sé	an bhfanadh?	fanadh sé	go bhfana sé
d'fhanadh sí	go bhfanadh	fanadh sí	go bhfana sí
d'fhanaimis	nach bhfanadh	fanaimis	go bhfanaimid
d'fhanadh sibh		fanaigí	go bhfana sibh
d'fhanaidís		fanaidís	go bhfana siad
d'fhantaí		fantar	go bhfantar
		ná fan	nár fhana

Ulster Irish: Gaeilge Chúige Uladh

THE IMPERFECT TENSE	An Aimsir Ghnáthchaite	An Modh Ordaitheach	An Foshuiteach Láithreach
d'fhanainn		fanaim	go bhfanaidh mé
d'fhanthá	ní fhanadh	fan	go bhfanaidh tú
d'fhanadh sé	(chan fhanadh)	fanadh sé	go bhfanaidh sé
d'fhanadh sí	an bhfanadh?	fanadh sí	go bhfanaidh sí
d'fhanaimis[‡]	go bhfanadh	fanaimis[‡/fut]	go bhfanaidh muid[†]
d'fhanadh sibh	nach bhfanadh	fanaigí[C]	go bhfanaidh sibh
d'fhanadh siad	Ba ghnách le …	fanadh siad	go bhfanaidh siad
d'fhantaí		fantar	go bhfantar
		ná fan	nár fhanaidh

Connaught Irish: Gaeilge Chonnacht

THE IMPERFECT TENSE	An Aimsir Ghnáthchaite	The Imperative Mood	The Present Subjunctive
d'fhanainn		fanaim	go bhfana mé
d'fhantá	ní fhanadh	fan	go bhfana tú
d'fhanadh sé	an bhfanadh?	fanadh sé	go bhfana sé
d'fhanadh sí	go bhfanadh	fanadh sí	go bhfana sí
d'fhanadh muid	nach bhfanadh	fanaimid	go bhfana muid
d'fhanadh sibh		*fanaidh	go bhfana sibh
d'fhanaidís[U]		fanaidís	go bhfana siad
d'fhantaí[M]		fantar	go bhfantar
		ná fan	nár fhana

Munster Irish: Gaeilge na Mumhan

THE IMPERFECT TENSE	An Aimsir Ghnáthchaite	An Modh Ordaitheach	An Foshuiteach Láithreach
*dh'fhanainn	ní fhanadh	fanaim	go bhfanad*
*dh'fhantá	(ní dh'fhanadh)	fan	go bhfanair*
*dh'fhanadh sé	an bhfanadh?	fanadh sé	go bhfana sé
*dh'fhanadh sí	go bhfanadh	fanadh sí	go bhfana sí
*dh'fhanaimíst	ná fanadh	fanaimíst	go bhfanam*
*dh'fhanadh sibh		fanaíg[=C*]	go bhfana sibh
*dh'fhanaidíst		fanaidíst	go bhfanaid*
*(do) fantaí		fantar	go bhfantar
		ná fan	nár fhana

Standard Irish: An Caighdeán Oifigiúil

THE PAST TENSE	An Aimsir Chaite
d’fhás mé	níor fhás
d’fhás tú	ar fhás?
d’fhás sé	gur fhás
d’fhás sí	nár fhás
d’fhásamar	níor fásadh
d’fhás sibh	ar fásadh?
d’fhás siad	gur fásadh
fásadh	nár fásadh

THE PRESENT TENSE	An Aimsir Láithreach
fásaim	
fásann tú	ní fhásann
fásann sé	an bhfásann?
fásann sí	go bhfásann
fásaimid	nach bhfásann
fásann sibh	
fásann siad	a fhásann
fástar	

Ulster Irish: Gaeilge Chúige Uladh

THE PAST TENSE	An Aimsir Chaite
d’fhás mé	níor fhás
d’fhás tú	(char fhás)
d’fhás sé	ar fhás?
d’fhás sí	gur fhás
d’fhás muid[†]	nár fhás
d’fhás sibh	
d’fhás siad	níor/ar fásadh
fásadh	gur/nár fásadh

THE PRESENT TENSE	An Aimsir Láithreach
fásaim	ní fhásann
fásann tú	(chan fhásann)
fásann sé	an bhfásann?
fásann sí	go bhfásann
fásann muid[†]	nach bhfásann
fásann sibh	
fásann siad	a fhásas
fástar	

Connaught Irish: Gaeilge Chonnacht

THE PAST TENSE	An Aimsir Chaite
d’fhás mé [M]	níor fhás
d’fhás tú [M]	ar fhás?
d’fhás sé	gur fhás
d’fhás sí	nár fhás
d’fhás muid	níor fásadh
d’fhás sibh	ar fásadh?
d’fhásadar[U]	gur fásadh
fásadh	nár fásadh

THE PRESENT TENSE	An Aimsir Láithreach
fásaim	
fásann tú	ní fhásann
fásann sé	an bhfásann?
fásann sí	go bhfásann
fásann muid	nach bhfásann
fásann sibh	
fásann siad	a fhásanns
fástar	

Munster Irish: Gaeilge na Mumhan

THE PAST TENSE	An Aimsir Chaite
dh’fhásas*	níor fhás, níor dh’fhás
dh’fhásais*	ar fhás?
*dh’fhás sé	gur fhás
*dh’fhás sí	nár fhás
dh’fhásamair*	*níor fhásadh
dh’fhásabhair*	*ar fhásadh?
dh’fhásadar*	*gur fhásadh
(do) fásadh d(h)’fhásadh	*nár fhásadh

THE PRESENT TENSE	An Aimsir Láithreach
fásaim	ní fhásann
fásann tú	(ní dh’fhásann)
fásann sé	an bhfásann?
fásann sí	go bhfásann
fásaimíd	ná fásann
fásann sibh	
*fásaid	a fhásann
fástar	

Standard Irish: An Caighdeán Oifigiúil

THE FUTURE TENSE	An Aimsir Fháistineach
fásfaidh mé	
fásfaidh tú	ní fhásfaidh
fásfaidh sé	an bhfásfaidh?
fásfaidh sí	go bhfásfaidh
fásfaimid	nach bhfásfaidh
fásfaidh sibh	
fásfaidh siad	a fhásfaidh
fásfar	

THE CONDITIONAL MOOD	An Modh Coinníollach
d'fhásfainn	
d'fhásfá	ní fhásfadh
d'fhásfadh sé	an bhfásfadh?
d'fhásfadh sí	go bhfásfadh
d'fhásfaimis	nach bhfásfadh
d'fhásfadh sibh	
d'fhásfaidís	
d'fhásfaí	

Ulster Irish: Gaeilge Chúige Uladh

THE FUTURE TENSE	An Aimsir Fháistineach
fásfaidh mé	
fásfaidh tú	ní fhásfaidh
fásfaidh sé	(chan fhásann)
fásfaidh sí	an bhfásfaidh?
fásfaidh muid†	go bhfásfaidh
fásfaidh sibh	nach bhfásfaidh
fásfaidh siad	a fhásfas
fásfar	

THE CONDITIONAL MOOD	An Modh Coinníollach
d'fhásfainn	
d'fhásfá	ní fhásfadh
d'fhásfadh sé	(chan fhásfadh)
d'fhásfadh sí	an bhfásfadh?
d'fhásfaimis‡	go bhfásfadh
d'fhásfadh sibh	nach bhfásfadh
d'fhásfadh siad	
d'fhásfaí	

Connaught Irish: Gaeilge Chonnacht

THE FUTURE TENSE	An Aimsir Fháistineach
fásfaidh mé [M]	
fásfaidh tú[M]	ní fhásfaidh
fásfaidh sé	an bhfásfaidh?
fásfaidh sí	go bhfásfaidh
fásfaidh muid	nach bhfásfaidh
fásfaidh sibh	
fásfaidh siad	a fhásfas
fásfar	

THE CONDITIONAL MOOD	An Modh Coinníollach
d'fhásfainn	
d'fhásfá	ní fhásfadh
d'fhásfadh sé	an bhfásfadh?
d'fhásfadh sí	go bhfásfadh
d'fhásfadh muid	nach bhfásfadh
d'fhásfadh sibh	
d'fhásfaidís[U]	
d'fhásfaí[M]	

Munster Irish: Gaeilge na Mumhan

THE FUTURE TENSE	An Aimsir Fháistineach
fásfad*	ní fhásfaidh
*fásfair	(ní dh'fhásfaidh)
fásfaidh sé	an bhfásfaidh?
fásfaidh sí	go bhfásfaidh
*fásfam	ná fásfaidh
fásfaidh sibh	
*fásfaid	a fhásfaidh
fásfar	

THE CONDITIONAL MOOD	An Modh Coinníollach
*dh'fhásfainn	ní fhásfadh
*dh'fhásfá	(ní dh'fhásfadh)
*dh'fhásfadh sé	an bhfásfadh?
*dh'fhásfadh sí	go bhfásfadh
*dh'fhásfaimíst	ná fásfadh
*dh'fhásfadh sibh	
*dh'fhásfaidíst	
*(do) fásfaí	

Standard Irish: An Caighdeán Oifigiúil

THE IMPERFECT TENSE	An Aimsir Ghnáthchaite	The Imperative Mood	The Present Subjunctive
d'fhásainn		fásaim	go bhfása mé
d'fhástá	ní fhásadh	fás	go bhfása tú
d'fhásadh sé	an bhfásadh?	fásadh sé	go bhfása sé
d'fhásadh sí	go bhfásadh	fásadh sí	go bhfása sí
d'fhásaimis	nach bhfásadh	fásaimis	go bhfásaimid
d'fhásadh sibh		fásaigí	go bhfása sibh
d'fhásaidís		fásaidís	go bhfása siad
d'fhástaí		fástar	go bhfástar
		ná fás	nár fhása

Ulster Irish: Gaeilge Chúige Uladh

THE IMPERFECT TENSE	An Aimsir Ghnáthchaite	An Modh Ordaitheach	An Foshuiteach Láithreach
d'fhásainn		fásaim	go bhfásaidh mé
d'fhástha	ní fhásadh	fás	go bhfásaidh tú
d'fhásadh sé	(chan fhásadh)	fásadh sé	go bhfásaidh sé
d'fhásadh sí	an bhfásadh?	fásadh sí	go bhfásaidh sí
d'fhásaimis[‡]	go bhfásadh	fásaimis[‡/fut]	go bhfásaidh muid[†]
d'fhásadh sibh	nach bhfásadh	fásaigí[C]	go bhfásaidh sibh
d'fhásadh siad	Ba ghnách le …	fásadh siad	go bhfásaidh siad
d'fhástaí		fástar	go bhfástar
		ná fás	nár fhásaidh

Connaught Irish: Gaeilge Chonnacht

THE IMPERFECT TENSE	An Aimsir Ghnáthchaite	The Imperative Mood	The Present Subjunctive
d'fhásainn		fásaim	go bhfása mé
d'fhástá	ní fhásadh	fás	go bhfása tú
d'fhásadh sé	an bhfásadh?	fásadh sé	go bhfása sé
d'fhásadh sí	go bhfásadh	fásadh sí	go bhfása sí
d'fhásadh muid	nach bhfásadh	fásaimid	go bhfása muid
d'fhásadh sibh		*fásaidh	go bhfása sibh
d'fhásaidís[U]		fásaidís	go bhfása siad
d'fhástaí[M]		fástar	go bhfástar
		ná fás	nár fhása

Munster Irish: Gaeilge na Mumhan

THE IMPERFECT TENSE	An Aimsir Ghnáthchaite	An Modh Ordaitheach	An Foshuiteach Láithreach
*dh'fhásainn	ní fhásadh	fásaim	go bhfásad*
*dh'fhástá	(ní dh'fhásadh)	fás	go bhfásair*
*dh'fhásadh sé	an bhfásadh?	fásadh sé	go bhfása sé
*dh'fhásadh sí	go bhfásadh	fásadh sí	go bhfása sí
*dh'fhásaimíst	ná fásadh	fásaimíst	go bhfásam*
*dh'fhásadh sibh		fásaíg[=C]*	go bhfása sibh
*dh'fhásaidíst		fásaidíst	go bhfásaid*
*(do) fástaí		fástar	go bhfástar
		ná fás	nár fhása

Standard Irish: An Caighdeán Oifigiúil

THE PAST TENSE	An Aimsir Chaite		
chonaic mé	an bhfaca mé?	ní fhaca mé	
chonaic tú	an bhfaca tú?	ní fhaca tú	go bhfaca
chonaic sé	an bhfaca sé?	ní fhaca sé	
chonaic sí	an bhfaca sí?	ní fhaca sí	nach bhfaca
chonaiceamar	an bhfacamar?	ní fhacamar	
chonaic sibh	an bhfaca sibh?	ní fhaca sibh	
chonaic siad	an bhfaca siad?	ní fhaca siad	go bhfacthas
chonacthas	an bhfacthas?	ní fhacthas	nach bhfacthas

Ulster Irish: Gaeilge Chúige Uladh

THE PAST TENSE	An Aimsir Chaite		
chonaic mé	an bhfaca mé?	ní fhaca mé	chan fhaca
chonaic tú	an bhfaca tú?	ní fhaca tú	go bhfaca
chonaic sé	an bhfaca sé?	ní fhaca sé	(*var.dep.* bhfacaidh)
chonaic sí	an bhfaca sí?	ní fhaca sí	nach bhfaca
chonaic muid†	an bhfaca muid?†	ní fhaca muid†	
chonaic sibh	an bhfaca sibh?	ní fhaca sibh	*vn* feiceáil
chonaic siad	an bhfaca siad?	ní fhaca siad	go bhfacthas
chonacthas	an bhfacthas?	ní fhacthas	nach bhfacthas

Connaught Irish: Gaeilge Chonnacht

THE PAST TENSE	An Aimsir Chaite		
choinic mé	an bhfaca mé?	ní fhaca mé	
choinic tú	an bhfaca tú?	ní fhaca tú	go bhfaca
choinic sé	an bhfaca sé?	ní fhaca sé	
choinic sí	an bhfaca sí?	ní fhaca sí	nach bhfaca
choinic muid	an bhfaca muid?	ní fhaca muid	
choinic sibh	an bhfaca sibh?	ní fhaca sibh	*vn* feiceáil
choiniceadar	an bhfacadar?	ní fhacadar	go bhfacthas
facthas / facthús	an bhfacthas?	ní fhacthas	nach bhfacthas

Munster Irish: Gaeilge na Mumhan

THE PAST TENSE	An Aimsir Chaite		
(do) chonac*	an bhfeaca?	ní fheaca	
(do) chonaicís*	an bhfeacaís?	ní fheacaís	go bhfeaca
(do) chonaic sé	an bhfeaca sé?	ní fheaca sé	(*var dep.* bhfeacaidh)
(do) chonaic sí	an bhfeaca sí?	ní fheaca sí	ná feaca
(do) chonaiceamair*	an bhfeacamair?	ní fheacamair	*vn* feiscint
(do) chonaiceabhair	an bhfeacabhair?	ní fheacabhair	*vadj* feicithe, feiscithe
(do) chonaiceadar	an bhfeacadar?	ní fheacadar	go bhfeacatha(r)s
(do) chonacatha(r)s	an bhfeacatha(r)s?	ní fheacatha(r)s	ná feacatha(r)s

Standard Irish: An Caighdeán Oifigiúil

THE PRESENT TENSE	An Aimsir Láithreach		
feicim	an bhfeicim?	ní fheicim	
feiceann tú	an bhfeiceann tú?	ní fheiceann tú	go bhfeiceann
feiceann sé	an bhfeiceann sé?	ní fheiceann sé	
feiceann sí	an bhfeiceann sí?	ní fheiceann sí	nach bhfeiceann
feicimid	an bhfeicimid?	ní fheicimid	
feiceann sibh	an bhfeiceann sibh?	ní fheiceann sibh	a fheiceann
feiceann siad	an bhfeiceann siad?	ní fheiceann siad	go bhfeictear
feictear	an bhfeictear?	ní fheictear	nach bhfeictear

Ulster Irish: Gaeilge Chúige Uladh

THE PRESENT TENSE	An Aimsir Láithreach		
tchím	an bhfeicim?	ní fheicim	*var* tchíonn sé,
tchí tú	an bhfeiceann tú?	ní fheiceann tú	*also spelt* chí(onn), tí(onn) *etc*
tchí sé	an bhfeiceann sé?	ní fheiceann sé	chan fheiceann
tchí sí	an bhfeiceann sí?	ní fheiceann sí	go bhfeiceann
tchí muid†	an bhfeiceann muid?†	ní fheiceann muid†	nach bhfeiceann
tchí sibh	an bhfeiceann sibh?	ní fheiceann sibh	a tchí
tchí siad	an bhfeiceann siad?	ní fheiceann siad	go bhfeictear
tchíthear	an bhfeictear?	ní fheictear	nach bhfeictear

Connaught Irish: Gaeilge Chonnacht

THE PRESENT TENSE	An Aimsir Láithreach		
feicim	an bhfeicim?	ní fheicim	
feiceann tú	an bhfeiceann tú?	ní fheiceann tú	go bhfeiceann
feiceann sé	an bhfeiceann sé?	ní fheiceann sé	
feiceann sí	an bhfeiceann sí?	ní fheiceann sí	nach bhfeiceann
feiceann muid	an bhfeiceann muid?	ní fheiceann muid	
feiceann sibh	an bhfeiceann sibh?	ní fheiceann sibh	a fheiceanns
feiceann siad	an bhfeiceann siad?	ní fheiceann siad	go bhfeictear
feictear	an bhfeictear?	ní fheictear	nach bhfeictear

Munster Irish: Gaeilge na Mumhan

THE PRESENT TENSE	An Aimsir Láithreach		
cím	an bhfeicim? an gcím?	ní fheicim	*var* chím, chíonn *etc.*
cíonn tú	an bhfeiceann tú? *etc*	ní fheiceann tú	go bhfeiceann
cíonn sé	an bhfeiceann sé?	ní fheiceann sé	*var* go gcíonn, an gcíonn? *etc*
cíonn sí	an bhfeiceann sí?	ní fheiceann sí	ná feiceann
címíd	an bhfeicimíd?	ní fheicimíd	*var* ná cíonn
cíonn sibh	an bhfeiceann sibh?	ní fheiceann sibh	a fheiceann
cíonn siad	an bhfeiceann siad?	ní fheiceann siad	go bhfeictear
cítear	an bhfeictear?	ní fheictear	ná feictear

Standard Irish: An Caighdeán Oifigiúil

FUTURE TENSE	An Aimsir Fháistineach		
feicfidh mé	an bhfeicfidh mé?	ní fheicfidh mé	
feicfidh tú	an bhfeicfidh tú?	ní fheicfidh tú	go bhfeicfidh
feicfidh sé	an bhfeicfidh sé?	ní fheicfidh sé	
feicfidh sí	an bhfeicfidh sí?	ní fheicfidh sí	nach bhfeicfidh
feicfimid	an bhfeicfimid?	ní fheicfimid	
feicfidh sibh	an bhfeicfidh sibh?	ní fheicfidh sibh	a fheicfidh
feicfidh siad	an bhfeicfidh siad?	ní fheicfidh siad	go bhfeicfear
feicfear	an bhfeicfear?	ní fheicfear	nach bhfeicfear

Ulster Irish: Gaeilge Chúige Uladh

FUTURE TENSE	An Aimsir Fháistineach		
tchífidh mé	an bhfeicfidh mé?	ní fheicfidh mé	*var spellings* chífidh, tífidh[M] *etc*
tchífidh tú	an bhfeicfidh tú?	ní fheicfidh tú	(chan fheiceann)
tchífidh sé	an bhfeicfidh sé?	ní fheicfidh sé	go bhfeicfidh
tchífidh sí	an bhfeicfidh sí?	ní fheicfidh sí	nach bhfeicfidh
tchífidh muid[†]	an bhfeicfidh muid?[†]	ní fheicfidh muid[†]	
tchífidh sibh	an bhfeicfidh sibh?	ní fheicfidh sibh	a tchífeas
tchífidh siad	an bhfeicfidh siad?	ní fheicfidh siad	go bhfeicfear
tchífear	an bhfeicfear?	ní fheicfear	nach bhfeicfear

Connaught Irish: Gaeilge Chonnacht

FUTURE TENSE	An Aimsir Fháistineach		
feicfidh mé /feicfead	an bhfeicfidh mé?[M]	ní fheicfidh mé[M]	
feicfidh tú /feicfir	an bhfeicfidh tú?[M]	ní fheicfidh tú[M]	go bhfeicfidh
feicfidh sé	an bhfeicfidh sé?	ní fheicfidh sé	
feicfidh sí	an bhfeicfidh sí?	ní fheicfidh sí	nach bhfeicfidh
feicfidh muid	an bhfeicfidh muid?	ní fheicfidh muid	
feicfidh sibh	an bhfeicfidh sibh?	ní fheicfidh sibh	a fheicfeas
feicfidh siad	an bhfeicfidh siad?	ní fheicfidh siad	go bhfeicfear
feicfear	an bhfeicfear?	ní fheicfear[M]	nach bhfeicfear

Munster Irish: Gaeilge na Mumhan

FUTURE TENSE	An Aimsir Fháistineach		
cífidh mé / cífead	*an bhfeicfead?	*ní fheicfead	cífidh *var* chífidh
cífidh tú / cífir	*an bhfeicfir?	*ní fheicfir	*var. dep.* cífidh
cífidh sé	an bhfeicfidh sé?	ní fheicfidh sé	go bhfeicfidh
cífidh sí	an bhfeicfidh sí?	ní fheicfidh sí	ná feicfidh
cífimíd / cífeam	*an bhfeicfeam?	*ní fheicfeam	
cífidh sibh	an bhfeicfidh sibh?	ní fheicfidh sibh	a chífidh
cífidh siad /cífid	*an bhfeicfid?	*ní fheicfid	go bhfeicfear
cífear	an bhfeicfear?	ní feicfear*	ná feicfear

Standard Irish: An Caighdeán Oifigiúil

CONDITIONAL MOOD	An Modh Coinníollach		
d'fheicfinn	an bhfeicfinn?	ní fheicfinn	
d'fheicfeá	an bhfeicfeá?	ní fheicfeá	go bhfeicfeadh
d'fheicfeadh sé	an bhfeicfeadh sé?	ní fheicfeadh sé	
d'fheicfeadh sí	an bhfeicfeadh sí?	ní fheicfeadh sí	nach bhfeicfeadh
d'fheicfimis	an bhfeicfimis?	ní fheicfimis	
d'fheicfeadh sibh	an bhfeicfeadh sibh?	ní fheicfeadh sibh	
d'fheicfidís	an bhfeicfidís?	ní fheicfidís	go bhfeicfí
d'fheicfí	an bhfeicfí?	ní fheicfí	nach bhfeicfí

Ulster Irish: Gaeilge Chúige Uladh

CONDITIONAL MOOD	An Modh Coinníollach		
tchífinn	an bhfeicfinn?	ní fheicfinn	chan fheicfeadh
tchífeá	an bhfeicfeá?	ní fheicfeá	
tchífeadh sé	an bhfeicfeadh sé?	ní fheicfeadh sé	go bhfeicfeadh
tchífeadh sí	an bhfeicfeadh sí?	ní fheicfeadh sí	
tchífimis‡	an bhfeicfimis?‡	ní fheicfimis‡	nach bhfeicfeadh
tchífeadh sibh	an bhfeicfeadh sibh?	ní fheicfeadh sibh	
tchífeadh siad	an bhfeicfeadh siad?	ní fheicfeadh siad	go bhfeicfí
tchífí	an bhfeicfí?	ní fheicfí chan fheicfí	nach bhfeicfí

Connaught Irish: Gaeilge Chonnacht

CONDITIONAL MOOD	An Modh Coinníollach		
d'fheicfinn	an bhfeicfinn?	ní fheicfinn	
d'fheicfeá	an bhfeicfeá?	ní fheicfeá	go bhfeicfeadh
d'fheicfeadh sé	an bhfeicfeadh sé?	ní fheicfeadh sé	
d'fheicfeadh sí	an bhfeicfeadh sí?	ní fheicfeadh sí	nach bhfeicfeadh
d'fheicfeadh muid	an bhfeicfeadh muid?	ní fheicfeadh muid	
d'fheicfeadh sibh	an bhfeicfeadh sibh?	ní fheicfeadh sibh	
d'fheicfidís	an bhfeicfidís?	ní fheicfidís	go bhfeicfí
d'fheicfí	an bhfeicfí?	ní fheicfí[M]	nach bhfeicfí

Munster Irish: Gaeilge na Mumhan

CONDITIONAL MOOD	An Modh Coinníollach		
(do) chífinn	an bhfeicfinn?	ní fheicfinn	*var. dep.* an gcífeadh?
(do) chífeá	an bhfeicfeá?	ní fheicfeá	ní chífeadh *etc*
(do) chífeadh sé	an bhfeicfeadh sé?	ní fheicfeadh sé	go bhfeicfí
(do) chífeadh sí	an bhfeicfeadh sí?	ní fheicfeadh sí	
(do) chífimíst	an bhfeicfimíst?	ní fheicfimíst	ná feicfí
(do) chífeadh sibh	an bhfeicfeadh sibh?	ní fheicfeadh sibh	
(do) chífidíst	an bhfeicfidíst?	ní fheicfidíst	go bhfeicfí
(do) cífí / (do) chífí	an bhfeicfí?	ní feicfí	ná feicfí

40 **feic** 'see v.n. **feiscint /feiceáil** v.adj. **feicthe**

Standard Irish: An Caighdeán Oifigiúil

THE IMPERFECT TENSE	An Aimsir Ghnáthchaite	The Imperative Mood	The Present Subjunctive
d'fheicinn	ní fheicinn	feicim	go bhfeice mé
d'fheicteá	ní fheiceadh	feic	go bhfeice tú
d'fheiceadh sé	an bhfeiceadh?	feiceadh sé	go bhfeice sé
d'fheiceadh sí	go bhfeiceadh	feiceadh sí	go bhfeice sí
d'fheicimis	nach bhfeiceadh	feicimis	go bhfeicimid
d'fheiceadh sibh		feicigí	go bhfeice sibh
d'fheicidís		feicidís	go bhfeice siad
d'fheictí		feictear	go bhfeictear
		ná feic	nár fheice

Ulster Irish: Gaeilge Chúige Uladh

THE IMPERFECT TENSE	An Aimsir Ghnáthchaite	An Modh Ordaitheach	An Foshuiteach Láithreach
tchínn	ní fheicinn, ní fheictheá *etc*	feicim	go bhfeicidh mé
tchítheá	ní fheiceadh	feic	go bhfeicidh tú
tchíodh sé	(chan fheiceadh)	feiceadh sé	go bhfeicidh sé
tchíodh sí	an bhfeiceadh?	feiceadh sí	go bhfeicidh sí
tchímis[‡]	go bhfeiceadh	feicimis[‡/fut]	go bhfeicidh muid[†]
tchíodh sibh	nach bhfeiceadh	feicigí/feicidh	go bhfeicidh sibh
tchíodh siad	Ba ghnách le …	feiceadh siad	go bhfeicidh siad
tchíthí	ní fheicthí	feictear	go bhfeictear
	var indep. spellings chíodh, tíodh *etc*	ná feic	nár fheicidh

Connaught Irish: Gaeilge Chonnacht

THE IMPERFECT TENSE	An Aimsir Ghnáthchaite	The Imperative Mood	The Present Subjunctive
d'fheicinn	ní fheicinn, ní fheicteá	feicim	go bhfeice mé
d'fheicteá	ní fheiceadh	feic	go bhfeice tú
d'fheiceadh sé	an bhfeiceadh?	feiceadh sé	go bhfeice sé
d'fheiceadh sí	go bhfeiceadh	feiceadh sí	go bhfeice sí
d'fheiceadh muid	nach bhfeiceadh	feicimid	go bhfeice muid
d'fheiceadh sibh		*feicidh	go bhfeice sibh
d'fheicidís		feicidís	go bhfeice siad
d'fheictí		feictear	go bhfeictear
		ná feic	nár fheice

Munster Irish: Gaeilge na Mumhan

THE IMPERFECT TENSE	An Aimsir Ghnáthchaite	An Modh Ordaitheach	An Foshuiteach Láithreach
(do) chínn	ní fheicinn, ní chínn	feicim	go bhfeicead* go gcíod
(do) chíteá	ní fheiceadh, ní chíodh *etc*	feic	go bhfeicir* go gcír
(do) chíodh sé	an bhfeiceadh?	feiceadh sé	go bhfeice sé go gcí sé *etc*
(do) chíodh sí	go bhfeiceadh	feiceadh sí	go bhfeice sí
(do) chímíst	ná feiceadh	feicimíst	go bhfeiceam*
(do) chíodh sibh		feicíg[=C]*	go bhfeice sibh
(do) chídíst	*var. dep.* an gcíodh	feicidíst	go bhfeicid*
*(do) cítí/ (do) chítí	ní f(h)eictí, ní chítí	feictear	go bhfeictear
		ná feic	nár fheice

41 **feoigh** 'rot, decay' v.n. **feo** v.adj. **feoite**

Standard Irish: An Caighdeán Oifigiúil

THE PAST TENSE	An Aimsir Chaite
d'fheoigh mé	níor fheoigh
d'fheoigh tú	ar fheoigh?
d'fheoigh sé	gur fheoigh
d'fheoigh sí	nár fheoigh
d'fheomar	níor feodh
d'fheoigh sibh	ar feodh?
d'fheoigh siad	gur feodh
feodh	nár feodh

THE PRESENT TENSE	An Aimsir Láithreach
feoim	
feonn tú	ní fheonn
feonn sé	an bhfeonn?
feonn sí	go bhfeonn
feoimid	nach bhfeonn
feonn sibh	
feonn siad	a fheonn
feoitear	

Ulster Irish: Gaeilge Chúige Uladh

THE PAST TENSE	An Aimsir Chaite
d'fheoigh mé	níor fheoigh
d'fheoigh tú	(char fheoigh)
d'fheoigh sé	ar fheoigh?
d'fheoigh sí	gur fheoigh
d'fheoigh muid[†]	nár fheoigh
d'fheoigh sibh	
d'fheoigh siad	níor/ar feodh
feodh	gur/nár feodh

THE PRESENT TENSE	An Aimsir Láithreach
feoim	ní fheonn
feonn tú	(chan fheonn)
feonn sé	an bhfeonn?
feonn sí	go bhfeonn
feonn muid[†]	nach bhfeonn
feonn sibh	
feonn siad	a fheos
feoitear	

Connaught Irish: Gaeilge Chonnacht

THE PAST TENSE	An Aimsir Chaite
d'fheoigh mé[M]	níor fheoigh
d'fheoigh tú[M]	ar fheoigh?
d'fheoigh sé	gur fheoigh
d'fheoigh sí	nár fheoigh
d'fheoigh muid	níor feodh
d'fheoigh sibh	ar feodh?
d'fheodar[U]	gur feodh
feodh	nár feodh

THE PRESENT TENSE	An Aimsir Láithreach
feoim	
feonn tú	ní fheonn
feonn sé	an bhfeonn?
feonn sí	go bhfeonn
feonn muid	nach bhfeonn
feonn sibh	
feonn siad	a fheonns
feoitear	

Munster Irish: Gaeilge na Mumhan

THE PAST TENSE	An Aimsir Chaite
dh'fheos*	*ní(or) dh'fheoigh
dh'fheois*	ar fheoigh?
*dh'fheoigh sé	gur fheoigh
*dh'fheoigh sí	nár fheoigh
dh'fheomair*	*níor fheodh
dh'fheobhair*	*ar fheodh?
dh'fheodar*	*gur fheodh
(do) feodh d(h)'fheodh	*nár fheodh

THE PRESENT TENSE	An Aimsir Láithreach
feoim	ní fheonn
feonn tú	(ní dh'fheonn)
feonn sé	an bhfeonn?
feonn sí	go bhfeonn
feoimíd	ná feonn
feonn sibh	
*feoid	a fheonn
feoitear	

41 **feoigh** 'rot, decay' a.br. **feo** aid.bhr. **feoite**

Standard Irish: An Caighdeán Oifigiúil

THE FUTURE TENSE	An Aimsir Fháistineach	THE CONDITIONAL MOOD	An Modh Coinníollach
feofaidh mé		d'fheofainn	
feofaidh tú	ní fheofaidh	d'fheofá	ní fheofadh
feofaidh sé	an bhfeofaidh?	d'fheofadh sé	an bhfeofadh?
feofaidh sí	go bhfeofaidh	d'fheofadh sí	go bhfeofadh
feofaimid	nach bhfeofaidh	d'fheofaimis	nach bhfeofadh
feofaidh sibh		d'fheofadh sibh	
feofaidh siad	a fheofaidh	d'fheofaidís	
feofar		d'fheofaí	

Ulster Irish: Gaeilge Chúige Uladh

THE FUTURE TENSE	An Aimsir Fháistineach	THE CONDITIONAL MOOD	An Modh Coinníollach
feofaidh mé	ní fheofaidh	d'fheofainn	
feofaidh tú	(chan fheonn)	d'fheofá	ní fheofadh
feofaidh sé	an bhfeofaidh?	d'fheofadh sé	(chan fheofadh)
feofaidh sí	go bhfeofaidh	d'fheofadh sí	an bhfeofadh?
feofaidh muid†	nach bhfeofaidh	d'fheofaimis‡	go bhfeofadh
feofaidh sibh		d'fheofadh sibh	nach bhfeofadh
feofaidh siad	a fheofas	d'fheofadh siad	
feofar		d'fheofaí	

Connaught Irish: Gaeilge Chonnacht

THE FUTURE TENSE	An Aimsir Fháistineach	THE CONDITIONAL MOOD	An Modh Coinníollach
feofaidh mé [M]		d'fheofainn	
feofaidh tú[M]	ní fheofaidh	d'fheofá	ní fheofadh
feofaidh sé	an bhfeofaidh?	d'fheofadh sé	an bhfeofadh?
feofaidh sí	go bhfeofaidh	d'fheofadh sí	go bhfeofadh
feofaidh muid	nach bhfeofaidh	d'fheofadh muid	nach bhfeofadh
feofaidh sibh		d'fheofadh sibh	
feofaidh siad	a fheofas	d'fheofaidís[U]	
feofar		d'fheofaí[M]	

Munster Irish: Gaeilge na Mumhan

THE FUTURE TENSE	An Aimsir Fháistineach	THE CONDITIONAL MOOD	An Modh Coinníollach
feofad*	ní fheofaidh	*dh'fheofainn	ní fheofadh
*feofair	(ní dh'fheofaidh)	*dh'fheofá	(ní dh'fheofadh)
feofaidh sé	an bhfeofaidh?	*dh'fheofadh sé	an bhfeofadh?
feofaidh sí	go bhfeofaidh	*dh'fheofadh sí	go bhfeofadh
*feofam	ná feofaidh	*dh'fheofaimíst	ná feofadh
feofaidh sibh		*dh'fheofadh sibh	
*feofaid	a fheofaidh	*dh'fheofaidíst	
feofar		*(do) feofaí	

Standard Irish: An Caighdeán Oifigiúil

THE IMPERFECT TENSE	An Aimsir Ghnáthchaite	The Imperative Mood	The Present Subjunctive
d’fheoinn		feoim	go bhfeo mé
d’fheoiteá	ní fheodh	feoigh	go bhfeo tú
d’fheodh sé	an bhfeodh?	feodh sé	go bhfeo sé
d’fheodh sí	go bhfeodh	feodh sí	go bhfeo sí
d’fheoimis	nach bhfeodh	feoimis	go bhfeoimid
d’fheodh sibh		feoigí	go bhfeo sibh
d’fheoidís		feoidís	go bhfeo siad
d’fheoití		feoitear	go bhfeoitear
		ná feoigh	nár fheo

Ulster Irish: Gaeilge Chúige Uladh

THE IMPERFECT TENSE	An Aimsir Ghnáthchaite	An Modh Ordaitheach	An Foshuiteach Láithreach
d’fheoinn	ní fheodh	feoim	go bhfeoidh mé
d’fheoitheá	(chan fheodh)	feoigh	go bhfeoidh tú
d’fheodh sé	an bhfeodh?	feodh sé	go bhfeoidh sé
d’fheodh sí	go bhfeodh	feodh sí	go bhfeoidh sí
d’fheoimis[‡]	nach bhfeodh	feoimis[‡/fut]	go bhfeoidh muid[†]
d’fheodh sibh		feoigí[C]	go bhfeoidh sibh
d’fheodh siad	Ba ghnách le …	feodh siad	go bhfeoidh siad
d’fheoití		feoitear	go bhfeoitear
		ná feoigh	nár fheoidh

Connaught Irish: Gaeilge Chonnacht

THE IMPERFECT TENSE	An Aimsir Ghnáthchaite	The Imperative Mood	The Present Subjunctive
d’fheoinn		feoim	go bhfeo mé
d’fheoiteá	ní fheodh	feoigh	go bhfeo tú
d’fheodh sé	an bhfeodh?	feodh sé	go bhfeo sé
d’fheodh sí	go bhfeodh	feodh sí	go bhfeo sí
d’fheodh muid	nach bhfeodh	feoimid	go bhfeo muid
d’fheodh sibh		*feoídh	go bhfeo sibh
d’fheoidís[U]		feoidís	go bhfeo siad
d’fheoití[M]		feoitear	go bhfeoitear
		ná feoigh	nár fheo

Munster Irish: Gaeilge na Mumhan

THE IMPERFECT TENSE	An Aimsir Ghnáthchaite	An Modh Ordaitheach	An Foshuiteach Láithreach
*dh’fheoinn	ní fheodh	feoim	go bhfeod*
*dh’fheoiteá	(ní dh’fheodh)	feoigh	go bhfeoir*
*dh’fheodh sé	an bhfeodh?	feodh sé	go bhfeo sé
*dh’fheodh sí	go bhfeodh	feodh sí	go bhfeo sí
*dh’fheoimíst	ná feodh	feoimíst	go bhfeom*
*dh’fheodh sibh		feoíg[=C*]	go bhfeo sibh
*dh’fheoidíst		feoidíst	go bhfeoid*
*(do) feoití		feoitear	go bhfeoitear
		ná feoigh	nár fheo

42 **fiafraigh** 'ask, inquire' v.n. **fiafraí** v.adj. **fiafraithe**

Standard Irish: An Caighdeán Oifigiúil

THE PAST TENSE	An Aimsir Chaite
d'fhiafraigh mé	níor fhiafraigh
d'fhiafraigh tú	ar fhiafraigh?
d'fhiafraigh sé	gur fhiafraigh
d'fhiafraigh sí	nár fhiafraigh
d'fhiafaíomar	níor fiafraíodh
d'fhiafraigh sibh	ar fiafraíodh?
d'fhiafraigh siad	gur fiafraíodh
fiafraíodh	nár fiafraíodh

THE PRESENT TENSE	An Aimsir Láithreach
fiafraím	ní fhiafraíonn
fiafraíonn tú	an bhfiafraíonn?
fiafraíonn sé	go bhfiafraíonn
fiafraíonn sí	nach bhfiafraíonn
fiafraímid	
fiafraíonn sibh	a fhiafraíonn
fiafraíonn siad	
fiafraítear	

Ulster Irish: Gaeilge Chúige Uladh

THE PAST TENSE	An Aimsir Chaite
d'fhiafraigh mé	níor fhiafraigh
d'fhiafraigh tú	(char fhiafraigh)
d'fhiafraigh sé	ar fhiafraigh?
d'fhiafraigh sí	gur fhiafraigh
d'fhiafraigh muid†	nár fhiafraigh
d'fhiafraigh sibh	
d'fhiafraigh siad	níor/ar fiafradh
fiafradh	gur/nár fiafradh

THE PRESENT TENSE	An Aimsir Láithreach
fiafraim	ní fhiafrann
fiafrann tú	(chan fhiafrann)
fiafrann sé	an bhfiafrann?
fiafrann sí	go bhfiafrann
fiafrann muid†	nach bhfiafrann
fiafrann sibh	
fiafrann siad	a fhiafras
fiafraíthear	

Connaught Irish: Gaeilge Chonnacht

THE PAST TENSE	An Aimsir Chaite
d'fhiafraigh mé [M]	níor fhiafraigh
d'fhiafraigh tú [M]	ar fhiafraigh?
d'fhiafraigh sé	gur fhiafraigh
d'fhiafraigh sí	nár fhiafraigh
d'fhiafraigh muid	níor fiafraíodh
d'fhiafraigh sibh	ar fiafraíodh?
d'fhiafraíodar[U]	gur fiafraíodh
fiafraíodh [U]	nár fiafraíodh

THE PRESENT TENSE	An Aimsir Láithreach
fiafraím	ní fhiafraíonn
fiafraíonn tú	an bhfiafraíonn?
fiafraíonn sé	go bhfiafraíonn
fiafraíonn sí	nach bhfiafraíonn
fiafraíonn muid	
fiafraíonn sibh	a fhiafraíonns
fiafraíonn siad	
fiafraít(h)ear	

Munster Irish: Gaeilge na Mumhan

THE PAST TENSE	An Aimsir Chaite
dh'fhiafraíos*	*ní(or) dh'fhiafraigh
dh'fhiafraís*	ar fhiafraigh?
*dh'fhiafraigh sé	gur fhiafraigh
*dh'fhiafraigh sí	nár fhiafraigh?
dh'fhiafraíomair*	*níor fhiafraíodh
dh'fhiafraíobhair*	*ar fhiafraíodh?
dh'fhiafraíodar*	*gur fhiafraíodh
(do) fiafraíodh	*nár fhiafraíodh
d(h)'fhiafraíodh	

THE PRESENT TENSE	An Aimsir Láithreach
fiafraím	ní fhiafraíonn
fiafraíonn tú	(ní dh'fhiafraíonn)
fiafraíonn sé	an bhfiafraíonn?
fiafraíonn sí	go bhfiafraíonn
fiafraímíd	ná fiafraíonn
fiafraíonn sibh	
*fiafraíd	a fhiafraíonn
fiafraíotar*	

42 **fiafraigh** 'ask, inquire' a.br. **fiafraí** aid.bhr. **fiafraithe**

Standard Irish: An Caighdeán Oifigiúil

THE FUTURE TENSE	An Aimsir Fháistineach	THE CONDITIONAL MOOD	An Modh Coinníollach
fiafróidh mé		d'fhiafróinn	
fiafróidh tú	ní fhiafróidh	d'fhiafrófá	ní fhiafródh
fiafróidh sé	an bhfiafróidh?	d'fhiafródh sé	an bhfiafródh?
fiafróidh sí	go bhfiafróidh	d'fhiafródh sí	go bhfiafródh
fiafróimid	nach bhfiafróidh	d'fhiafróimis	nach bhfiafródh
fiafróidh sibh		d'fhiafródh sibh	
fiafróidh siad	a fhiafróidh	d'fhiafróidís	
fiafrófar		d'fhiafrófaí	

Ulster Irish: Gaeilge Chúige Uladh

THE FUTURE TENSE	An Aimsir Fháistineach	THE CONDITIONAL MOOD	An Modh Coinníollach
fiafróchaidh mé	ní fhiafróchaidh	d'fhiafróchainn	
fiafróchaidh tú	(chan fhiafrann)	d'fhiafrófá	ní fhiafróchadh
fiafróchaidh sé	an bhfiafróchaidh?	d'fhiafróchadh sé	(chan fhiafróchadh)
fiafróchaidh sí	go bhfiafróchaidh	d'fhiafróchadh sí	an bhfiafróchadh?
fiafróchaidh muid[†]	nach bhfiafróchaidh	d'fhiafróchaimis[‡]	go bhfiafróchadh
fiafróchaidh sibh		d'fhiafróchadh sibh	nach bhfiafróchadh
fiafróchaidh siad	a fhiafróchas	d'fhiafróchadh siad	
fiafrófar		d'fhiafrófaí	

Connaught Irish: Gaeilge Chonnacht

THE FUTURE TENSE	An Aimsir Fháistineach	THE CONDITIONAL MOOD	An Modh Coinníollach
fiafróidh mé[M]		d'fhiafróinn	
fiafróidh tú[M]	ní fhiafróidh	d'fhiafrófá	ní fhiafródh
fiafróidh sé	an bhfiafróidh?	d'fhiafródh sé	an bhfiafródh?
fiafróidh sí	go bhfiafróidh	d'fhiafródh sí	go bhfiafródh
fiafróidh muid	nach bhfiafróidh	d'fhiafródh muid	nach bhfiafródh
fiafróidh sibh		d'fhiafródh sibh	
fiafróidh siad	a fhiafrós	d'fhiafróidís[U]	
fiafrófar		d'fhiafrófaí[M]	

Munster Irish: Gaeilge na Mumhan

THE FUTURE TENSE	An Aimsir Fháistineach	THE CONDITIONAL MOOD	An Modh Coinníollach
fiafród*	ní fhiafróidh	*dh'fhiafróinn	ní fhiafródh
*fiafróir	(ní dh'fhiafróidh)	*dh'fhiafrófá	(ní dh'fhiafródh)
fiafróidh sé	an bhfiafróidh?	*dh'fhiafródh sé	an bhfiafródh?
fiafróidh sí	go bhfiafróidh	*dh'fhiafródh sí	go bhfiafródh
*fiafróm	ná fiafróidh	*dh'fhiafróimíst	ná fiafródh
fiafróidh sibh		*dh'fhiafródh sibh	
*fiafróid	a fhiafróidh	*dh'fhiafróidíst	
fiafrófar		*do fiafrófaí	

Standard Irish: An Caighdeán Oifigiúil

THE IMPERFECT TENSE	An Aimsir Ghnáthchaite	The Imperative Mood	The Present Subjunctive
d'fhiafraínn		fiafraím	go bhfiafraí mé
d'fhiafraíteá	ní fhiafraíodh	fiafraigh	go bhfiafraí tú
d'fhiafraíodh sé	an bhfiafraíodh?	fiafraíodh sé	go bhfiafraí sé
d'fhiafraíodh sí	go bhfiafraíodh	fiafraíodh sí	go bhfiafraí sí
d'fhiafraímis	nach bhfiafraíodh	fiafraímis	go bhfiafraímid
d'fhiafraíodh sibh		fiafraígí	go bhfiafraí sibh
d'fhiafraídís		fiafraídís	go bhfiafraí siad
d'fhiafraítí		fiafraítear	go bhfiafraítear
		ná fiafraigh	nár fhiafraí

Ulster Irish: Gaeilge Chúige Uladh

THE IMPERFECT TENSE	An Aimsir Ghnáthchaite	An Modh Ordaitheach	An Foshuiteach Láithreach
d'fhiafrainn*		fiafraim	go bhfiafraí mé
d'fhiafraítheá	ní fhiafradh	fiafraigh	go bhfiafraí tú
d'fhiafradh sé*	(chan fhiafradh)	fiafradh sé	go bhfiafraí sé
d'fhiafradh sí*	an bhfiafradh?	fiafradh sí	go bhfiafraí sí
d'fhiafraimis‡*	go bhfiafradh	fiafraimis‡/fut	go bhfiafraí muid†
d'fhiafradh sibh*	nach bhfiafradh	fiafraigí[C]	go bhfiafraí sibh
d'fhiafradh siad*	Ba ghnách le …	fiafradh siad	go bhfiafraí siad
d'fhiafraíthí		fiafraíthear	go bhfiafraíthear
		ná fiafraigh	nár fhiafraí

Connaught Irish: Gaeilge Chonnacht

THE IMPERFECT TENSE	An Aimsir Ghnáthchaite	The Imperative Mood	The Present Subjunctive
d'fhiafraínn		fiafraím	go bhfiafraí mé
d'fhiafraíteá[M]	ní fhiafraíodh	fiafraigh	go bhfiafraí tú
d'fhiafraíodh sé	an bhfiafraíodh?	fiafraíodh sé	go bhfiafraí sé
d'fhiafraíodh sí	go bhfiafraíodh	fiafraíodh sí	go bhfiafraí sí
d'fhiafraíodh muid	nach bhfiafraíodh	fiafraímid	go bhfiafraí muid
d'fhiafraíodh sibh		*fiafraighidh	go bhfiafraí sibh
d'fhiafraídís[U]		fiafraídís	go bhfiafraí siad
d'fhiafraítí[M]		fiafraít(h)ear	go bhfiafrait(h)ear
		ná fiafraigh	nár fhiafraí

Munster Irish: Gaeilge na Mumhan

THE IMPERFECT TENSE	An Aimsir Ghnáthchaite	An Modh Ordaitheach	An Foshuiteach Láithreach
*dh'fhiafraínn	ní fhiafraíodh	fiafraím	go bhfiafraíod*
*dh'fhiafraíotá	(ní dh'fhiafraíodh)	fiafraigh	go bhfiafraír*
*dh'fhiafraíodh sé	an bhfiafraíodh?	fiafraíodh sé	go bhfiafraí sé
*dh'fhiafraíodh sí	go bhfiafraíodh	fiafraíodh sí	go bhfiafraí sí
*dh'fhiafraímíst	ná fiafraíodh	fiafraímíst	go bhfiafraíom*
*dh'fhiafraíodh sibh		fiafraíg=C*	go bhfiafraí sibh
*dh'fhiafraídíst		fiafraídíst	go bhfiafraíd*
*do fiafraíotaí		fiafraíotar*	go bhfiafraíotar*
		ná fiafraigh	nár fhiafraí

43 **fill** 'return', **pill** *U* v.n. **filleadh** v.adj. **fillte**

Standard Irish: An Caighdeán Oifigiúil

THE PAST TENSE	An Aimsir Chaite
d'fhill mé	níor fhill
d'fhill tú	ar fhill?
d'fhill sé	gur fhill
d'fhill sí	nár fhill
d'fhilleamar	níor filleadh
d'fhill sibh	ar filleadh?
d'fhill siad	gur filleadh
filleadh	nár filleadh

THE PRESENT TENSE	An Aimsir Láithreach
fillim	
filleann tú	ní fhilleann
filleann sé	an bhfilleann?
filleann sí	go bhfilleann
fillimid	nach bhfilleann
filleann sibh	
filleann siad	a fhilleann
filltear	

Ulster Irish: Gaeilge Chúige Uladh

THE PAST TENSE	An Aimsir Chaite
phill mé	níor phill
phill tú	(char phill)
phill sé	ar phill?
phill sí	gur phill
phill muid†	nár phill
phill sibh	
phill siad	níor/ar pilleadh
pilleadh	gur/nár pilleadh

THE PRESENT TENSE	An Aimsir Láithreach
pillim	ní philleann
pilleann tú	(cha philleann)
pilleann sé	an bpilleann?
pilleann sí	go bpilleann
pilleann muid†	nach bpilleann
pilleann sibh	
pilleann siad	a philleas
pilltear	*vn* pilleadh *vadj* pillte

Connaught Irish: Gaeilge Chonnacht

THE PAST TENSE	An Aimsir Chaite
d'fhill mé [M]	níor fhill
d'fhill tú [M]	ar fhill?
d'fhill sé	gur fhill
d'fhill sí	nár fhill
d'fhill muid	níor filleadh
d'fhill sibh	ar filleadh?
d'fhilleadar[U]	gur filleadh
filleadh	nár filleadh

THE PRESENT TENSE	An Aimsir Láithreach
fillim	
filleann tú	ní fhilleann
filleann sé	an bhfilleann?
filleann sí	go bhfilleann
filleann muid	nach bhfilleann
filleann sibh	
filleann siad	a fhilleanns
filltear	

Munster Irish: Gaeilge na Mumhan

THE PAST TENSE	An Aimsir Chaite
dh'fhilleas*	níor fhill, ní(or) dh'fhill
*dh'fhillis	ar fhill?
*dh'fhill sé	gur fhill
*dh'fhill sí	nár fhill
dh'fhilleamair*	*níor fhilleadh
*dh'fhilleabhair	*ar fhilleadh?
dh'fhilleadar*	*gur fhilleadh
(do) filleadh d(h)'fhilleadh	*nár fhilleadh

THE PRESENT TENSE	An Aimsir Láithreach
fillim	ní fhilleann
filleann tú	(ní dh'fhilleann)
filleann sé	an bhfilleann?
filleann sí	go bhfilleann
fillimíd	ná filleann
filleann sibh	
*fillid	a fhilleann
filltear	

Standard Irish: An Caighdeán Oifigiúil

THE FUTURE TENSE	An Aimsir Fháistineach
fillfidh mé	
fillfidh tú	ní fhillfidh
fillfidh sé	an bhfillfidh?
fillfidh sí	go bhfillfidh
fillfimid	nach bhfillfidh
fillfidh sibh	
fillfidh siad	a fhillfidh
fillfear	

THE CONDITIONAL MOOD	An Modh Coinníollach
d’fhillfinn	
d’fhillfeá	ní fhillfeadh
d’fhillfeadh sé	an bhfillfeadh?
d’fhillfeadh sí	go bhfillfeadh
d’fhillfimis	nach bhfillfeadh
d’fhillfeadh sibh	
d’fhillfidís	
d’fhillfí	

Ulster Irish: Gaeilge Chúige Uladh

THE FUTURE TENSE	An Aimsir Fháistineach
pillfidh mé	
pillfidh tú	ní phillfidh
pillfidh sé	(cha philleann)
pillfidh sí	an bpillfidh?
pillfidh muid[†]	go bpillfidh
pillfidh sibh	nach bpillfidh
pillfidh siad	a phillfeas
pillfear	

THE CONDITIONAL MOOD	An Modh Coinníollach
phillfinn	
phillfeá	ní phillfeadh
phillfeadh sé	(cha phillfeadh)
phillfeadh sí	an bpillfeadh?
phillfimis[‡]	go bpillfeadh
phillfeadh sibh	nach bpillfeadh
phillfeadh siad	
phillfí	

Connaught Irish: Gaeilge Chonnacht

THE FUTURE TENSE	An Aimsir Fháistineach
fillfidh mé[M]	
fillfidh tú[M]	ní fhillfidh
fillfidh sé	an bhfillfidh?
fillfidh sí	go bhfillfidh
fillfidh muid	nach bhfillfidh
fillfidh sibh	
fillfidh siad	a fhillfeas
fillfear	

THE CONDITIONAL MOOD	An Modh Coinníollach
d’fhillfinn	
d’fhillfeá	ní fhillfeadh
d’fhillfeadh sé	an bhfillfeadh?
d’fhillfeadh sí	go bhfillfeadh
d’fhillfeadh muid	nach bhfillfeadh
d’fhillfeadh sibh	
d’fhillfidís[U]	
d’fhillfí[M]	

Munster Irish: Gaeilge na Mumhan

THE FUTURE TENSE	An Aimsir Fháistineach
fillfead*	ní fhillfidh
*fillfir	(ní dh’fhillfidh)
fillfidh sé	an bhfillfidh?
fillfidh sí	go bhfillfidh
*fillfeam	ná fillfidh
fillfidh sibh	
*fillfid	a fhillfidh
fillfear	

THE CONDITIONAL MOOD	An Modh Coinníollach
*dh’fhillfinn	ní fhillfeadh
*dh’fhillfeá	(ní dh’fhillfeadh)
*dh’fhillfeadh sé	an bhfillfeadh?
*dh’fhillfeadh sí	go bhfillfeadh
*dh’fhillfimíst	ná fillfeadh
*dh’fhillfeadh sibh	
*dh’fhillfidíst	
*(do) fillfí	

43 **fill** 'return', **pill** *U* v.n. **filleadh** v.adj. **fillte**

Standard Irish: An Caighdeán Oifigiúil

THE IMPERFECT TENSE An Aimsir Ghnáthchaite		The Imperative Mood	The Present Subjunctive
d'fhillinn		fillim	go bhfille mé
d'fhillteá	ní fhilleadh	fill	go bhfille tú
d'fhilleadh sé	an bhfilleadh?	filleadh sé	go bhfille sé
d'fhilleadh sí	go bhfilleadh	filleadh sí	go bhfille sí
d'fhillimis	nach bhfilleadh	fillimis	go bhfillimid
d'fhilleadh sibh		filligí	go bhfille sibh
d'fhillidís		fillidís	go bhfille siad
d'fhilltí		filltear	go bhfilltear
		ná fill	nár fhille

Ulster Irish: Gaeilge Chúige Uladh

THE IMPERFECT TENSE An Aimsir Ghnáthchaite		An Modh Ordaitheach	An Foshuiteach Láithreach
phillinn		pillim	go bpillidh mé
phillteá	ní philleadh	pill	go bpillidh tú
philleadh sé	(cha philleadh)	pilleadh sé	go bpillidh sé
philleadh sí	an bpilleadh?	pilleadh sí	go bpillidh sí
phillimis‡	go bpilleadh	pillimis‡/fut	go bpillidh muid†
philleadh sibh	nach bpilleadh	pilligí / pillidh	go bpillidh sibh
philleadh siad	Ba ghnách le …	pilleadh siad	go bpillidh siad
phillt í		pilltear	go bpilltear
		ná pill	nár phillidh

Connaught Irish: Gaeilge Chonnacht

THE IMPERFECT TENSE An Aimsir Ghnáthchaite		The Imperative Mood	The Present Subjunctive
d'fhillinn		fillim	go bhfille mé
d'fhillteá	ní fhilleadh	fill	go bhfille tú
d'fhilleadh sé	an bhfilleadh?	filleadh sé	go bhfille sé
d'fhilleadh sí	go bhfilleadh	filleadh sí	go bhfille sí
d'fhilleadh muid	nach bhfilleadh	fillimid	go bhfille muid
d'fhilleadh sibh		*fillidh	go bhfille sibh
d'fhillidís[U]		fillidís	go bhfille siad
d'fhilltí[M]		filltear	go bhfilltear
		ná fill	nár fhille

Munster Irish: Gaeilge na Mumhan

THE IMPERFECT TENSE An Aimsir Ghnáthchaite		An Modh Ordaitheach	An Foshuiteach Láithreach
*dh'fhillinn	ní fhilleadh	fillim	go bhfillead*
*dh'fhillteá	(ní dh'fhilleadh)	fill	go bhfillir*
*dh'fhilleadh sé	an bhfilleadh?	filleadh sé	go bhfille sé
*dh'fhilleadh sí	go bhfilleadh	filleadh sí	go bhfille sí
*dh'fhillimíst	ná filleadh	fillimíst	go bhfilleam*
*dh'fhilleadh sibh		fillíg[=C]*	go bhfille sibh
*dh'fhillidíst		fillidíst	go bhfillid*
*(do) filltí		filltear	go bhfilltear
		ná fill	nár fhille

Standard Irish: An Caighdeán Oifigiúil

THE PAST TENSE	An Aimsir Chaite
fhliuch mé	níor fhliuch
fhliuch tú	ar fhliuch?
fhliuch sé	gur fhliuch
fhliuch sí	nár fhliuch
fhliuchamar	níor fliuchadh
fhliuch sibh	ar fliuchadh?
fhliuch siad	gur fliuchadh
fliuchadh	nár fliuchadh

THE PRESENT TENSE	An Aimsir Láithreach
fliuchaim	
fliuchann tú	ní fhliuchann
fliuchann sé	an bhfliuchann?
fliuchann sí	go bhfliuchann
fliuchaimid	nach bhfliuchann
fliuchann sibh	
fliuchann siad	a fhliuchann
fliuchtar	

Ulster Irish: Gaeilge Chúige Uladh

THE PAST TENSE	An Aimsir Chaite
fhliuch mé	níor fhliuch
fhliuch tú	(char fhliuch)
fhliuch sé	ar fhliuch?
fhliuch sí	gur fhliuch
fhliuch muid[†]	nár fhliuch
fhliuch sibh	
fhliuch siad	níor/ar fliuchadh
fliuchadh	gur/nár fliuchadh

THE PRESENT TENSE	An Aimsir Láithreach
fliuchaim	ní fhliuchann
fliuchann tú	(cha fhliuchann)
fliuchann sé	an bhfliuchann?
fliuchann sí	go bhfliuchann
fliuchann muid[†]	nach bhfliuchann
fliuchann sibh	
fliuchann siad	a fhliuchas
fliuchtar	

Connaught Irish: Gaeilge Chonnacht

THE PAST TENSE	An Aimsir Chaite
fhliuch mé[M]	níor fhliuch
fhliuch tú[M]	ar fhliuch?
fhliuch sé	gur fhliuch
fhliuch sí	nár fhliuch
fhliuch muid	níor fliuchadh
fhliuch sibh	ar fliuchadh?
fhliuchadar[U]	gur fliuchadh
fliuchadh	nár fliuchadh

THE PRESENT TENSE	An Aimsir Láithreach
fliuchaim	
fliuchann tú	ní fhliuchann
fliuchann sé	an bhfliuchann?
fliuchann sí	go bhfliuchann
fliuchann muid	nach bhfliuchann
fliuchann sibh	
fliuchann siad	a fhliuchanns
fliuchtar	

Munster Irish: Gaeilge na Mumhan

THE PAST TENSE	An Aimsir Chaite
(do) fhliuchas*	ní(or) fhliuch
(do) fhliuchais*	ar fhliuch?
(do) fhliuch sé	gur fhliuch
(do) fhliuch sí	nár fhliuch
(do) fhliuchamair*	*níor fhliuchadh
(do) fhliuchabhair*	*ar fhliuchadh?
(do) fhliuchadar*	*gur fhliuchadh
do fliuchadh* (do) fhliuchadh	*nár fhliuchadh

THE PRESENT TENSE	An Aimsir Láithreach
fliuchaim	
fliuchann tú	ní fhliuchann
fliuchann sé	an bhfliuchann?
fliuchann sí	go bhfliuchann
fliuchaimíd	ná fliuchann
fliuchann sibh	
*fliuchaid	a fhliuchann
fliuchtar	

Standard Irish: An Caighdeán Oifigiúil

THE FUTURE TENSE	An Aimsir Fháistineach
fliuchfaidh mé	
fliuchfaidh tú	ní fhliuchfaidh
fliuchfaidh sé	an bhfliuchfaidh?
fliuchfaidh sí	go bhfliuchfaidh
fliuchfaimid	nach bhfliuchfaidh
fliuchfaidh sibh	
fliuchfaidh siad	a fhliuchfaidh
fliuchfar	

THE CONDITIONAL MOOD	An Modh Coinníollach
fhliuchfainn	
fhliuchfá	ní fhliuchfadh
fhliuchfadh sé	an bhfliuchfadh?
fhliuchfadh sí	go bhfliuchfadh
fhliuchfaimis	nach bhfliuchfadh
fhliuchfadh sibh	
fhliuchfaidís	
fhliuchfaí	

Ulster Irish: Gaeilge Chúige Uladh

THE FUTURE TENSE	An Aimsir Fháistineach
fliuchfaidh mé	
fliuchfaidh tú	ní fhliuchfaidh
fliuchfaidh sé	(cha fhliuchann)
fliuchfaidh sí	an bhfliuchfaidh?
fliuchfaidh muid†	go bhfliuchfaidh
fliuchfaidh sibh	nach bhfliuchfaidh
fliuchfaidh siad	a fhliuchfas
fliuchfar	

THE CONDITIONAL MOOD	An Modh Coinníollach
fhliuchfainn	
fhliuchfá	ní fhliuchfadh
fhliuchfadh sé	(cha fhliuchfadh)
fhliuchfadh sí	an bhfliuchfadh?
fhliuchfaimis‡	go bhfliuchfadh
fhliuchfadh sibh	nach bhfliuchfadh
fhliuchfadh siad	
fhliuchfaí	

Connaught Irish: Gaeilge Chonnacht

THE FUTURE TENSE	An Aimsir Fháistineach
fliuchfaidh mé [M]	
fliuchfaidh tú[M]	ní fhliuchfaidh
fliuchfaidh sé	an bhfliuchfaidh?
fliuchfaidh sí	go bhfliuchfaidh
fliuchfaidh muid	nach bhfliuchfaidh
fliuchfaidh sibh	
fliuchfaidh siad	a fhliuchfas
fliuchfar	

THE CONDITIONAL MOOD	An Modh Coinníollach
fhliuchfainn	
fhliuchfá	ní fhliuchfadh
fhliuchfadh sé	an bhfliuchfadh?
fhliuchfadh sí	go bhfliuchfadh
fhliuchfadh muid	nach bhfliuchfadh
fhliuchfadh sibh	
fhliuchfaidís[U]	
fhliuchfaí[M]	

Munster Irish: Gaeilge na Mumhan

THE FUTURE TENSE	An Aimsir Fháistineach
fliuchfad*	
*fliuchfair	ní fhliuchfaidh
fliuchfaidh sé	an bhfliuchfaidh?
fliuchfaidh sí	go bhfliuchfaidh
*fliuchfam	ná fliuchfaidh
fliuchfaidh sibh	
*fliuchfaid	a fhliuchfaidh
fliuchfar	

THE CONDITIONAL MOOD	An Modh Coinníollach
(do) fhliuchfainn	
(do) fhliuchfá	ní fhliuchfadh
(do) fhliuchfadh sé	an bhfliuchfadh?
(do) fhliuchfadh sí	go bhfliuchfadh
(do) fhliuchfaimíst	ná fliuchfadh
(do) fhliuchfadh sibh	
(do) fhliuchfaidíst	
*(do) fliuchfaí	

Standard Irish: An Caighdeán Oifigiúil

THE IMPERFECT TENSE	An Aimsir Ghnáthchaite	The Imperative Mood	The Present Subjunctive
fhliuchainn		fliuchaim	go bhfliucha mé
fhliuchtá	ní fhliuchadh	fliuch	go bhfliucha tú
fhliuchadh sé	an bhfliuchadh?	fliuchadh sé	go bhfliucha sé
fhliuchadh sí	go bhfliuchadh	fliuchadh sí	go bhfliucha sí
fhliuchaimis	nach bhfliuchadh	fliuchaimis	go bhfliuchaimid
fhliuchadh sibh		fliuchaigí	go bhfliucha sibh
fhliuchaidís		fliuchaidís	go bhfliucha siad
fhliuchtaí		fliuchtar	go bhfliuchtar
		ná fliuch	nár fhliucha

Ulster Irish: Gaeilge Chúige Uladh

THE IMPERFECT TENSE	An Aimsir Ghnáthchaite	An Modh Ordaitheach	An Foshuiteach Láithreach
fhliuchainn	ní fhliuchadh	fliuchaim	go bhfliuchaidh mé
fhliuchthá	(cha fhliuchadh)	fliuch	go bhfliuchaidh tú
fhliuchadh sé	an bhfliuchadh?	fliuchadh sé	go bhfliuchaidh sé
fhliuchadh sí	go bhfliuchadh	fliuchadh sí	go bhfliuchaidh sí
fhliuchaimis‡	nach bhfliuchadh	fliuchaimis‡/fut	go bhfliuchaidh muid†
fhliuchadh sibh		fliuchaigí^C	go bhfliuchaidh sibh
fhliuchadh siad	Ba ghnách le …	fliuchadh siad	go bhfliuchaidh siad
fhliuchtaí		fliuchtar	go bhfliuchtar
		ná fliuch	nár fhliuchaidh

Connaught Irish: Gaeilge Chonnacht

THE IMPERFECT TENSE	An Aimsir Ghnáthchaite	The Imperative Mood	The Present Subjunctive
fhliuchainn		fliuchaim	go bhfliucha mé
fhliuchtá	ní fhliuchadh	fliuch	go bhfliucha tú
fhliuchadh sé	an bhfliuchadh?	fliuchadh sé	go bhfliucha sé
fhliuchadh sí	go bhfliuchadh	fliuchadh sí	go bhfliucha sí
fhliuchadh muid	nach bhfliuchadh	fliuchaimid	go bhfliucha muid
fhliuchadh sibh		*fliuchaidh	go bhfliucha sibh
fhliuchaidís^U		fliuchaidís	go bhfliucha siad
fhliuchtaí^M		fliuchtar	go bhfliuchtar
		ná fliuch	nár fhliucha

Munster Irish: Gaeilge na Mumhan

THE IMPERFECT TENSE	An Aimsir Ghnáthchaite	An Modh Ordaitheach	An Foshuiteach Láithreach
(do) fhliuchainn		fliuchaim	go bhfliuchad*
(do) fhliuchtá	ní fhliuchadh	fliuch	go bhfliuchair*
(do) fhliuchadh sé	an bhfliuchadh?	fliuchadh sé	go bhfliucha sé
(do) fhliuchadh sí	go bhfliuchadh	fliuchadh sí	go bhfliucha sí
(do) fhliuchaimíst	ná fliuchadh	fliuchaimíst	go bhfliucham*
(do) fhliuchadh sibh		fliuchaíg =C*	go bhfliucha sibh
(do) fhliuchaidíst		fliuchaidíst	go bhfliuchaid*
*(do) fliuchtaí		fliuchtar	go bhfliuchtar
		ná fliuch	nár fhliucha

45 **foghlaim** 'learn' v.n. **foghlaim** v.adj. **foghlamtha**

Standard Irish: An Caighdeán Oifigiúil

THE PAST TENSE	An Aimsir Chaite	THE PRESENT TENSE	An Aimsir Láithreach
d'fhoghlaim mé	níor fhoghlaim	foghlaimím	
d'fhoghlaim tú	ar fhoghlaim?	foghlaimíonn tú	ní fhoghlaimíonn
d'fhoghlaim sé	gur fhoghlaim	foghlaimíonn sé	an bhfoghlaimíonn?
d'fhoghlaim sí	nár fhoghlaim	foghlaimíonn sí	go bhfoghlaimíonn
d'fhoghlaimíomar	níor foghlaimíodh	foghlaimímid	nach bhfoghlaimíonn
d'fhoghlaim sibh	ar foghlaimíodh?	foghlaimíonn sibh	
d'fhoghlaim siad	gur foghlaimíodh	foghlaimíonn siad	a fhoghlaimíonn
foghlaimíodh	nár foghlaimíodh	foghlaimítear	

Ulster Irish: Gaeilge Chúige Uladh

THE PAST TENSE	An Aimsir Chaite	THE PRESENT TENSE	An Aimsir Láithreach
d'fhoghlaim mé	níor fhoghlaim	foghlaimim	ní fhoghlaimeann
d'fhoghlaim tú	(char fhoghlaim)	foghlaimeann tú	(chan fhoghlaimeann)
d'fhoghlaim sé	ar fhoghlaim?	foghlaimeann sé	an bhfoghlaimeann?
d'fhoghlaim sí	gur fhoghlaim	foghlaimeann sí	go bhfoghlaimeann
d'fhoghlaim muid[†]	nár fhoghlaim	foghlaimeann muid[†]	nach bhfoghlaimeann
d'fhoghlaim sibh		foghlaimeann sibh	
d'fhoghlaim siad	níor/ar foghlaimeadh	foghlaimeann siad	a fhoghlaimeas
foghlaimeadh	gur/nár foghlaimeadh	foghlaimíthear	*var* feoghlaim

Connaught Irish: Gaeilge Chonnacht

THE PAST TENSE	An Aimsir Chaite	THE PRESENT TENSE	An Aimsir Láithreach
d'fhoghlaim mé[M]	níor fhoghlaim	foghlaimím	
d'fhoghlaim tú[M]	ar fhoghlaim?	foghlaimíonn tú	ní fhoghlaimíonn
d'fhoghlaim sé	gur fhoghlaim	foghlaimíonn sé	an bhfoghlaimíonn?
d'fhoghlaim sí	nár fhoghlaim	foghlaimíonn sí	go bhfoghlaimíonn
d'fhoghlaim muid	níor foghlaimíodh	foghlaimíonn muid	nach bhfoghlaimíonn
d'fhoghlaim sibh	ar foghlaimíodh?	foghlaimíonn sibh	
d'fhoghlaimíodar[U]	gur foghlaimíodh	foghlaimíonn siad	a fhoghlaimíonns
foghlaimíodh [U]	nár foghlaimíodh	foghlaimít(h)ear	*var* feoghlaim

Munster Irish: Gaeilge na Mumhan

THE PAST TENSE	An Aimsir Chaite	THE PRESENT TENSE	An Aimsir Láithreach
*dh'fhoghlaimíos	*ní(or) dh'fhoghlaim	foghlaimím	ní fhoghlaimíonn
*dh'fhoghlaimís	ar fhoghlaim?	foghlaimíonn tú	(ní dh'fhoghlaimíonn)
*dh'fhoghlaim sé	gur fhoghlaim	foghlaimíonn sé	an bhfoghlaimíonn?
*dh'fhoghlaim sí	nár fhoghlaim	foghlaimíonn sí	go bhfoghlaimíonn
dh'fhoghlaimíomair*	*níor fhoghlaimíodh	foghlaimímíd	ná foghlaimíonn
*dh'fhoghlaimíobhair	*ar fhoghlaimíodh?	foghlaimíonn sibh	
dh'fhoghlaimíodar*	*gur fhoghlaimíodh	*foghlaimíd	a fhoghlaimíonn
(do) foghlaimíodh d(h)'fhoghlaimíodh	*nár fhoghlaimíodh	foghlaimíotar*	

45 **foghlaim** 'learn' a.br. **foghlaim** aid.bhr. **foghlamtha**

Standard Irish: An Caighdeán Oifigiúil

THE FUTURE TENSE	An Aimsir Fháistineach
foghlaimeoidh mé	
foghlaimeoidh tú	ní fhoghlaimeoidh
foghlaimeoidh sé	an bhfoghlaimeoidh?
foghlaimeoidh sí	go bhfoghlaimeoidh
foghlaimeoimid	nach bhfoghlaimeoidh
foghlaimeoidh sibh	
foghlaimeoidh siad	a fhoghlaimeoidh
foghlaimeofar	

THE CONDITIONAL MOOD	An Modh Coinníollach
d'fhoghlaimeoinn	
d'fhoghlaimeofá	ní fhoghlaimeodh
d'fhoghlaimeodh sé	an bhfoghlaimeodh?
d'fhoghlaimeodh sí	go bhfoghlaimeodh
d'fhoghlaimeoimis	nach bhfoghlaimeodh
d'fhoghlaimeodh sibh	
d'fhoghlaimeoidís	
d'fhoghlaimeofaí	

Ulster Irish: Gaeilge Chúige Uladh

THE FUTURE TENSE	An Aimsir Fháistineach
foghlaimeochaidh mé	ní fhoghlaimeochaidh
foghlaimeochaidh tú	(chan fhoghlaimeann)
foghlaimeochaidh sé	an bhfoghlaimeochaidh?
foghlaimeochaidh sí	go bhfoghlaimeochaidh
foghlaimeochaidh muid[†]	nach bhfoghlaimeochaidh
foghlaimeochaidh sibh	
foghlaimeochaidh siad	a fhoghlaimeochas
foghlaimeofar	

THE CONDITIONAL MOOD	An Modh Coinníollach
d'fhoghlaimeochainn	
d'fhoghlaimeofá	ní fhoghlaimeochadh
d'fhoghlaimeochadh sé	(chan fhoghlaimeochadh)
d'fhoghlaimeochadh sí	an bhfoghlaimeochadh?
d'fhoghlaimeochaimis[‡]	go bhfoghlaimeochadh
d'fhoghlaimeochadh sibh	nach bhfoghlaimeochadh
d'fhoghlaimeochadh siad	
d'fhoghlaimeofaí	

Connaught Irish: Gaeilge Chonnacht

THE FUTURE TENSE	An Aimsir Fháistineach
foghlaimeoidh mé [M]	
foghlaimeoidh tú[M]	ní fhoghlaimeoidh
foghlaimeoidh sé	an bhfoghlaimeoidh?
foghlaimeoidh sí	go bhfoghlaimeoidh
foghlaimeoidh muid	nach bhfoghlaimeoidh
foghlaimeoidh sibh	
foghlaimeoidh siad	a fhoghlaimeos
foghlaimeofar	

THE CONDITIONAL MOOD	An Modh Coinníollach
d'fhoghlaimeoinn	
d'fhoghlaimeofá	ní fhoghlaimeodh
d'fhoghlaimeodh sé	an bhfoghlaimeodh?
d'fhoghlaimeodh sí	go bhfoghlaimeodh
d'fhoghlaimeodh muid	nach bhfoghlaimeodh
d'fhoghlaimeodh sibh	
d'fhoghlaimeoidís[U]	
d'fhoghlaimeofaí[M]	

Munster Irish: Gaeilge na Mumhan

THE FUTURE TENSE	An Aimsir Fháistineach
foghlaimeod*	ní fhoghlaimeoidh
*foghlaimeoir	(ní dh'fhoghlaimeoidh)
foghlaimeoidh sé	an bhfoghlaimeoidh?
foghlaimeoidh sí	go bhfoghlaimeoidh
*foghlaimeom	ná foghlaimeoidh
foghlaimeoidh sibh	
*foghlaimeoid	a fhoghlaimeoidh
foghlaimeofar	

THE CONDITIONAL MOOD	An Modh Coinníollach
*dh'fhoghlaimeoinn	ní fhoghlaimeodh
*dh'fhoghlaimeofá	(ní dh'fhoghlaimeodh)
*dh'fhoghlaimeodh sé	an bhfoghlaimeodh?
*dh'fhoghlaimeodh sí	go bhfoghlaimeodh
*dh'fhoghlaimeoimíst	ná foghlaimeodh
*dh'fhoghlaimeodh sibh	
*dh'fhoghlaimeoidíst	
*(do) foghlaimeofaí	

45 **foghlaim** ‘learn’ v.n. **foghlaim** v.adj. **foghlamtha**

Standard Irish: An Caighdeán Oifigiúil

THE IMPERFECT TENSE	An Aimsir Ghnáthchaite	The Imperative Mood	The Present Subjunctive
d’fhoghlaimínn		foghlaimím	go bhfoghlaimí mé
d’fhoghlaimíteá	ní fhoghlaimíodh	foghlaim	go bhfoghlaimí tú
d’fhoghlaimíodh sé	an bhfoghlaimíodh?	foghlaimíodh sé	go bhfoghlaimí sé
d’fhoghlaimíodh sí	go bhfoghlaimíodh	foghlaimíodh sí	go bhfoghlaimí sí
d’fhoghlaimímis	nach bhfoghlaimíodh	foghlaimímis	go bhfoghlaimímid
d’fhoghlaimíodh sibh		foghlaimígí	go bhfoghlaimí sibh
d’fhoghlaimídís		foghlaimídís	go bhfoghlaimí siad
d’fhoghlaimítí		foghlaimítear	go bhfoghlaimítear
		ná foghlaim	nár fhoghlaimí

Ulster Irish: Gaeilge Chúige Uladh

THE IMPERFECT TENSE	An Aimsir Ghnáthchaite	An Modh Ordaitheach	An Foshuiteach Láithreach
d’fhoghlaimínn		foghlaimim	go bhfoghlaimí mé
d’fhoghlaimítheá	ní fhoghlaimíodh	foghlaim	go bhfoghlaimí tú
d’fhoghlaimíodh sé	(chan fhoghlaimíodh)	foghlaimeadh sé	go bhfoghlaimí sé
d’fhoghlaimíodh sí	an bhfoghlaimíodh?	foghlaimeadh sí	go bhfoghlaimí sí
d’fhoghlaimímis[‡]	go bhfoghlaimíodh	foghlaimimis[‡/fut]	go bhfoghlaimí muid[†]
d’fhoghlaimíodh sibh	nach bhfoghlaimíodh	foghlaimigí[C]	go bhfoghlaimí sibh
d’fhoghlaimíodh siad	Ba ghnách le …	foghlaimeadh siad	go bhfoghlaimí siad
d’fhoghlaimíthí		foghlaimíthear	go bhfoghlaimíthear
		ná foghlaim	nár fhoghlaimí

Connaught Irish: Gaeilge Chonnacht

THE IMPERFECT TENSE	An Aimsir Ghnáthchaite	The Imperative Mood	The Present Subjunctive
d’fhoghlaimínn		foghlaimím	go bhfoghlaimí mé
d’fhoghlaimíteá[M]	ní fhoghlaimíodh	foghlaim	go bhfoghlaimí tú
d’fhoghlaimíodh sé	an bhfoghlaimíodh?	foghlaimíodh sé	go bhfoghlaimí sé
d’fhoghlaimíodh sí	go bhfoghlaimíodh	foghlaimíodh sí	go bhfoghlaimí sí
d’fhoghlaimíodh muid	nach bhfoghlaimíodh	foghlaimímid	go bhfoghlaimí muid
d’fhoghlaimíodh sibh		*foghlaimighidh	go bhfoghlaimí sibh
d’fhoghlaimídís[U]		foghlaimídís	go bhfoghlaimí siad
d’fhoghlaimítí[M]		foghlaimít(h)ear	go bhfoghlaimít(h)ear
		ná foghlaim	nár fhoghlaimí

Munster Irish: Gaeilge na Mumhan

THE IMPERFECT TENSE	An Aimsir Ghnáthchaite	An Modh Ordaitheach	An Foshuiteach Láithreach
*dh’fhoghlaimínn	ní fhoghlaimíodh	foghlaimím	go bhfoghlaimíod*
*dh’fhoghlaimíotá	(ní dh’fhoghlaimíodh)	foghlaim	go bhfoghlaimír*
*dh’fhoghlaimíodh sé	an bhfoghlaimíodh?	foghlaimíodh sé	go bhfoghlaimí sé
*dh’fhoghlaimíodh sí	go bhfoghlaimíodh	foghlaimíodh sí	go bhfoghlaimí sí
*dh’fhoghlaimímíst	ná foghlaimíodh	foghlaimímíst	go bhfoghlaimíom*
*dh’fhoghlaimíodh sibh		foghlaimíg[=C]*	go bhfoghlaimí sibh
*dh’fhoghlaimídíst		foghlaimídíst	go bhfoghlaimíd*
*(do) foghlaimíotaí		foghlaimíotar*	go bhfoghlaimíotar*
		ná foghlaim	nár fhoghlaimí

Standard Irish: An Caighdeán Oifigiúil

THE PAST TENSE	An Aimsir Chaite
d'fhoilsigh mé	níor fhoilsigh
d'fhoilsigh tú	ar fhoilsigh?
d'fhoilsigh sé	gur fhoilsigh
d'fhoilsigh sí	nár fhoilsigh
d'fhoilsíomar	níor foilsíodh
d'fhoilsigh sibh	ar foilsíodh?
d'fhoilsigh siad	gur foilsíodh
foilsíodh	nár foilsíodh

THE PRESENT TENSE	An Aimsir Láithreach
foilsím	
foilsíonn tú	ní fhoilsíonn
foilsíonn sé	an bhfoilsíonn?
foilsíonn sí	go bhfoilsíonn
foilsímid	nach bhfoilsíonn
foilsíonn sibh	
foilsíonn siad	a fhoilsíonn
foilsítear	

Ulster Irish: Gaeilge Chúige Uladh

THE PAST TENSE	An Aimsir Chaite
d'fhoilsigh mé	níor fhoilsigh
d'fhoilsigh tú	(char fhoilsigh)
d'fhoilsigh sé	ar fhoilsigh?
d'fhoilsigh sí	gur fhoilsigh
d'fhoilsigh muid†	nár fhoilsigh
d'fhoilsigh sibh	
d'fhoilsigh siad	níor/ar foilseadh
foilseadh	gur/nár foilseadh

THE PRESENT TENSE	An Aimsir Láithreach
foilsim	ní fhoilseann
foilseann tú	(chan fhoilseann)
foilseann sé	an bhfoilseann?
foilseann sí	go bhfoilseann
foilseann muid†	nach bhfoilseann
foilseann sibh	
foilseann siad	a fhoilseas
foilsíthear	

Connaught Irish: Gaeilge Chonnacht

THE PAST TENSE	An Aimsir Chaite
d'fhoilsigh mé [M]	níor fhoilsigh
d'fhoilsigh tú [M]	ar fhoilsigh?
d'fhoilsigh sé	gur fhoilsigh
d'fhoilsigh sí	nár fhoilsigh
d'fhoilsigh muid	níor foilsíodh
d'fhoilsigh sibh	ar foilsíodh?
d'fhoilsíodar[U]	gur foilsíodh
foilsíodh [U]	nár foilsíodh

THE PRESENT TENSE	An Aimsir Láithreach
foilsím	
foilsíonn tú	ní fhoilsíonn
foilsíonn sé	an bhfoilsíonn?
foilsíonn sí	go bhfoilsíonn
foilsíonn muid	nach bhfoilsíonn
foilsíonn sibh	
foilsíonn siad	a fhoilsíonns
foilsít(h)ear	

Munster Irish: Gaeilge na Mumhan

THE PAST TENSE	An Aimsir Chaite
*dh'fhoilsíos	*ní(or) dh'fhoilsigh
*dh'fhoilsís	ar fhoilsigh?
*dh'fhoilsigh sé	gur fhoilsigh
*dh'fhoilsigh sí	nár fhoilsigh
dh'fhoilsíomair*	*níor fhoilsíodh
*dh'fhoilsíobhair	*ar fhoilsíodh?
dh'fhoilsíodar*	*gur fhoilsíodh
*(do) foilsíodh d(h)'fhoilsíodh	*nár fhoilsíodh

THE PRESENT TENSE	An Aimsir Láithreach
foilsím	ní fhoilsíonn
foilsíonn tú	(ní dh'fhoilsíonn)
foilsíonn sé	an bhfoilsíonn?
foilsíonn sí	go bhfoilsíonn
foilsímíd	ná foilsíonn
foilsíonn sibh	
*foilsíd	a fhoilsíonn
foilsíotar*	

46 **foilsigh** 'publish' a.br. **foilsiú** aid.bhr. **foilsithe**

Standard Irish: An Caighdeán Oifigiúil

THE FUTURE TENSE	An Aimsir Fháistineach
foilseoidh mé	
foilseoidh tú	ní fhoilseoidh
foilseoidh sé	an bhfoilseoidh?
foilseoidh sí	go bhfoilseoidh
foilseoimid	nach bhfoilseoidh
foilseoidh sibh	
foilseoidh siad	a fhoilseoidh
foilseofar	

THE CONDITIONAL MOOD	An Modh Coinníollach
d'fhoilseoinn	
d'fhoilseofá	ní fhoilseodh
d'fhoilseodh sé	an bhfoilseodh?
d'fhoilseodh sí	go bhfoilseodh
d'fhoilseoimis	nach bhfoilseodh
d'fhoilseodh sibh	
d'fhoilseoidís	
d'fhoilseofaí	

Ulster Irish: Gaeilge Chúige Uladh

THE FUTURE TENSE	An Aimsir Fháistineach
foilseochaidh mé	ní fhoilseochaidh
foilseochaidh tú	(chan fhoilseann)
foilseochaidh sé	an bhfoilseochaidh?
foilseochaidh sí	go bhfoilseochaidh
foilseochaidh muid†	nach bhfoilseochaidh
foilseochaidh sibh	
foilseochaidh siad	a fhoilseochas
foilseofar	

THE CONDITIONAL MOOD	An Modh Coinníollach
d'fhoilseochainn	
d'fhoilseofá	ní fhoilseochadh
d'fhoilseochadh sé	(chan fhoilseochadh)
d'fhoilseochadh sí	an bhfoilseochadh?
d'fhoilseochaimis‡	go bhfoilseochadh
d'fhoilseochadh sibh	nach bhfoilseochadh
d'fhoilseochadh siad	
d'fhoilseofaí	

Connaught Irish: Gaeilge Chonnacht

THE FUTURE TENSE	An Aimsir Fháistineach
foilseoidh mé[M]	
foilseoidh tú[M]	ní fhoilseoidh
foilseoidh sé	an bhfoilseoidh?
foilseoidh sí	go bhfoilseoidh
foilseoidh muid	nach bhfoilseoidh
foilseoidh sibh	
foilseoidh siad	a fhoilseos
foilseofar	

THE CONDITIONAL MOOD	An Modh Coinníollach
d'fhoilseoinn	
d'fhoilseofá	ní fhoilseodh
d'fhoilseodh sé	an bhfoilseodh?
d'fhoilseodh sí	go bhfoilseodh
d'fhoilseodh muid	nach bhfoilseodh
d'fhoilseodh sibh	
d'fhoilseoidís[U]	
d'fhoilseofaí[M]	

Munster Irish: Gaeilge na Mumhan

THE FUTURE TENSE	An Aimsir Fháistineach
foilseod*	ní fhoilseoidh
*foilseoir	(ní dh'fhoilseoidh)
foilseoidh sé	an bhfoilseoidh?
foilseoidh sí	go bhfoilseoidh
*foilseom	ná foilseoidh
foilseoidh sibh	
*foilseoid	a fhoilseoidh
foilseofar	

THE CONDITIONAL MOOD	An Modh Coinníollach
*dh'fhoilseoinn	ní fhoilseodh
*dh'fhoilseofá	(ní dh'fhoilseodh)
*dh'fhoilseodh sé	an bhfoilseodh?
*dh'fhoilseodh sí	go bhfoilseodh
*dh'fhoilseoimíst	ná foilseodh
*dh'fhoilseodh sibh	
*dh'fhoilseoidíst	
*(do) foilseofaí	

Standard Irish: An Caighdeán Oifigiúil

THE IMPERFECT TENSE	An Aimsir Ghnáthchaite	The Imperative Mood	The Present Subjunctive
d'fhoilsínn		foilsím	go bhfoilsí mé
d'fhoilsíteá	ní fhoilsíodh	foilsigh	go bhfoilsí tú
d'fhoilsíodh sé	an bhfoilsíodh?	foilsíodh sé	go bhfoilsí sé
d'fhoilsíodh sí	go bhfoilsíodh	foilsíodh sí	go bhfoilsí sí
d'fhoilsímis	nach bhfoilsíodh	foilsímis	go bhfoilsímid
d'fhoilsíodh sibh		foilsígí	go bhfoilsí sibh
d'fhoilsídís		foilsídís	go bhfoilsí siad
d'fhoilsítí		foilsítear	go bhfoilsítear
		ná foilsigh	nár fhoilsí

Ulster Irish: Gaeilge Chúige Uladh

THE IMPERFECT TENSE	An Aimsir Ghnáthchaite	An Modh Ordaitheach	An Foshuiteach Láithreach
d'fhoilsínn		foilsim	go bhfoilsí mé
d'fhoilsítheá	ní fhoilsíodh	foilsigh	go bhfoilsí tú
d'fhoilsíodh sé	(chan fhoilsíodh)	foilseadh sé	go bhfoilsí sé
d'fhoilsíodh sí	an bhfoilsíodh?	foilseadh sí	go bhfoilsí sí
d'fhoilsímis‡	go bhfoilsíodh	foilsimis‡/fut	go bhfoilsí muid†
d'fhoilsíodh sibh	nach bhfoilsíodh	foilsigí[C]	go bhfoilsí sibh
d'fhoilsíodh siad	Ba ghnách le …	foilseadh siad	go bhfoilsí siad
d'fhoilsíthí		foilsíthear	go bhfoilsíthear
		ná foilsigh	nár fhoilsí

Connaught Irish: Gaeilge Chonnacht

THE IMPERFECT TENSE	An Aimsir Ghnáthchaite	The Imperative Mood	The Present Subjunctive
d'fhoilsínn		foilsím	go bhfoilsí mé
d'fhoilsíteá[M]	ní fhoilsíodh	foilsigh	go bhfoilsí tú
d'fhoilsíodh sé	an bhfoilsíodh?	foilsíodh sé	go bhfoilsí sé
d'fhoilsíodh sí	go bhfoilsíodh	foilsíodh sí	go bhfoilsí sí
d'fhoilsíodh muid	nach bhfoilsíodh	foilsímid	go bhfoilsí muid
d'fhoilsíodh sibh		*foilsighidh	go bhfoilsí sibh
d'fhoilsídís[U]		foilsídís	go bhfoilsí siad
d'fhoilsítí[M]		foilsít(h)ear	go bhfoilsít(h)ear
		ná foilsigh	nár fhoilsí

Munster Irish: Gaeilge na Mumhan

THE IMPERFECT TENSE	An Aimsir Ghnáthchaite	An Modh Ordaitheach	An Foshuiteach Láithreach
*dh'fhoilsínn	ní fhoilsíodh	foilsím	go bhfoilsíod*
*dh'fhoilsíotá	(ní dh'fhoilsíodh)	foilsigh	go bhfoilsír*
*dh'fhoilsíodh sé	an bhfoilsíodh?	foilsíodh sé	go bhfoilsí sé
*dh'fhoilsíodh sí	go bhfoilsíodh	foilsíodh sí	go bhfoilsí sí
*dh'fhoilsímíst	ná foilsíodh	foilsímíst	go bhfoilsíom*
*dh'fhoilsíodh sibh		foilsíg[=C]*	go bhfoilsí sibh
*dh'fhoilsídíst		foilsídíst	go bhfoilsíd*
*(do) foilsíotaí		foilsíotar*	go bhfoilsíotar*
		ná foilsigh	nár fhoilsí

47 **freagair** 'answer, reply' v.n. **freagairt** v.adj. **freagartha**

Standard Irish: An Caighdeán Oifigiúil

THE PAST TENSE	An Aimsir Chaite
d'fhreagair mé	níor fhreagair
d'fhreagair tú	ar fhreagair?
d'fhreagair sé	gur fhreagair
d'fhreagair sí	nár fhreagair
d'fhreagraíomar	níor freagraíodh
d'fhreagair sibh	ar freagraíodh?
d'fhreagair siad	gur freagraíodh
freagraíodh	nár freagraíodh

THE PRESENT TENSE	An Aimsir Láithreach
freagraím	
freagraíonn tú	ní fhreagraíonn
freagraíonn sé	an bhfreagraíonn?
freagraíonn sí	go bhfreagraíonn
freagraímid	nach bhfreagraíonn
freagraíonn sibh	
freagraíonn siad	a fhreagraíonn
freagraítear	

Ulster Irish: Gaeilge Chúige Uladh

THE PAST TENSE	An Aimsir Chaite
d'fhreagair mé	níor fhreagair
d'fhreagair tú	(char fhreagair)
d'fhreagair sé	ar fhreagair?
d'fhreagair sí	gur fhreagair
d'fhreagair muid†	nár fhreagair
d'fhreagair sibh	
d'fhreagair siad	níor/ar freagradh
freagradh	gur/nár freagradh

THE PRESENT TENSE	An Aimsir Láithreach
freagraim	ní fhreagrann
freagrann tú	(cha fhreagrann)
freagrann sé	an bhfreagrann?
freagrann sí	go bhfreagrann
freagrann muid†	nach bhfreagrann
freagrann sibh	
freagrann siad	a fhreagras
freagartar	

Connaught Irish: Gaeilge Chonnacht

THE PAST TENSE	An Aimsir Chaite
d'fhreagair mé [M]	níor fhreagair
d'fhreagair tú [M]	ar fhreagair?
d'fhreagair sé	gur fhreagair
d'fhreagair sí	nár fhreagair
d'fhreagair muid	níor freagraíodh
d'fhreagair sibh	ar freagraíodh?
d'fhreagraíodar[U]	gur freagraíodh
freagraíodh [U]	nár freagraíodh

THE PRESENT TENSE	An Aimsir Láithreach
freagraím	
freagraíonn tú	ní fhreagraíonn
freagraíonn sé	an bhfreagraíonn?
freagraíonn sí	go bhfreagraíonn
freagraíonn muid	nach bhfreagraíonn
freagraíonn sibh	
freagraíonn siad	a fhreagraíonns
freagraít(h)ear	

Munster Irish: Gaeilge na Mumhan

THE PAST TENSE	An Aimsir Chaite
dh'fhreagraíos*	*ní(or) dh'fhreagair
dh'fhreagraís*	ar fhreagair?
*dh'fhreagair sé	gur fhreagair
*dh'fhreagair sí	nár fhreagair
dh'fhreagraíomair*	*níor fhreagraíodh
dh'fhreagraíobhair*	*ar fhreagraíodh?
dh'fhreagraíodar*	*gur fhreagraíodh
(do) freagraíodh d(h)'fhreagraíodh	*nár fhreagraíodh

THE PRESENT TENSE	An Aimsir Láithreach
freagraím	ní fhreagraíonn
freagraíonn tú	(ní dh'fhreagraíonn)
freagraíonn sé	an bhfreagraíonn?
freagraíonn sí	go bhfreagraíonn
freagraímid	ná freagraíonn
freagraíonn sibh	
*freagraíd	a fhreagraíonn
freagraíotar*	

Standard Irish: An Caighdeán Oifigiúil

THE FUTURE TENSE	An Aimsir Fháistineach	THE CONDITIONAL MOOD	An Modh Coinníollach
freagróidh mé		d'fhreagróinn	
freagróidh tú	ní fhreagróidh	d'fhreagrófá	ní fhreagródh
freagróidh sé	an bhfreagróidh?	d'fhreagródh sé	an bhfreagródh?
freagróidh sí	go bhfreagróidh	d'fhreagródh sí	go bhfreagródh
freagróimid	nach bhfreagróidh	d'fhreagróimis	nach bhfreagródh
freagróidh sibh		d'fhreagródh sibh	
freagróidh siad	a fhreagróidh	d'fhreagróidís	
freagrófar		d'fhreagrófaí	

Ulster Irish: Gaeilge Chúige Uladh

THE FUTURE TENSE	An Aimsir Fháistineach	THE CONDITIONAL MOOD	An Modh Coinníollach
freagróchaidh mé	ní fhreagróchaidh	d'fhreagróchainn	
freagróchaidh tú	(cha fhreagrann)	d'fhreagrófá	ní fhreagróchadh
freagróchaidh sé	an bhfreagróchaidh?	d'fhreagróchadh sé	(cha fhreagróchadh)
freagróchaidh sí	go bhfreagróchaidh	d'fhreagróchadh sí	an bhfreagróchadh?
freagróchaidh muid†	nach bhfreagróchaidh	d'fhreagróchaimis‡	go bhfreagróchadh
freagróchaidh sibh		d'fhreagróchadh sibh	nach bhfreagróchadh
freagróchaidh siad	a fhreagróchas	d'fhreagróchadh siad	
freagrófar		d'fhreagrófaí	

Connaught Irish: Gaeilge Chonnacht

THE FUTURE TENSE	An Aimsir Fháistineach	THE CONDITIONAL MOOD	An Modh Coinníollach
freagróidh mé [M]		d'fhreagróinn	
freagróidh tú[M]	ní fhreagróidh	d'fhreagrófá	ní fhreagródh
freagróidh sé	an bhfreagróidh?	d'fhreagródh sé	an bhfreagródh?
freagróidh sí	go bhfreagróidh	d'fhreagródh sí	go bhfreagródh
freagróidh muid	nach bhfreagróidh	d'fhreagródh muid	nach bhfreagródh
freagróidh sibh		d'fhreagródh sibh	
freagróidh siad	a fhreagrós	d'fhreagróidís[U]	
freagrófar		d'fhreagrófaí[M]	

Munster Irish: Gaeilge na Mumhan

THE FUTURE TENSE	An Aimsir Fháistineach	THE CONDITIONAL MOOD	An Modh Coinníollach
freagród*	ní fhreagróidh	*dh'fhreagróinn	ní fhreagródh
*freagróir	(ní dh'fhreagróidh)	*dh'fhreagrófá	(ní dh'fhreagródh)
freagróidh sé	an bhfreagróidh?	*dh'fhreagródh sé	an bhfreagródh?
freagróidh sí	go bhfreagróidh	*dh'fhreagródh sí	go bhfreagródh
*freagróm	ná freagróidh	*dh'fhreagróimíst	ná freagródh
freagróidh sibh		*dh'fhreagródh sibh	
*freagróid	a fhreagróidh	*dh'fhreagróidíst	
freagrófar		*(do) freagrófaí	

47 **freagair** 'answer, reply' v.n. **freagairt** v.adj. **freagartha**

Standard Irish: An Caighdeán Oifigiúil

THE IMPERFECT TENSE	An Aimsir Ghnáthchaite	The Imperative Mood	The Present Subjunctive
d'fhreagraínn		freagraím	go bhfreagraí mé
d'fhreagraíteá	ní fhreagraíodh	freagair	go bhfreagraí tú
d'fhreagraíodh sé	an bhfreagraíodh?	freagraíodh sé	go bhfreagraí sé
d'fhreagraíodh sí	go bhfreagraíodh	freagraíodh sí	go bhfreagraí sí
d'fhreagraímis	nach bhfreagraíodh	freagraímis	go bhfreagraímid
d'fhreagraíodh sibh		freagraígí	go bhfreagraí sibh
d'fhreagraídís		freagraídís	go bhfreagraí siad
d'fhreagraítí		freagraítear	go bhfreagraítear
		ná freagair	nár fhreagraí

Ulster Irish: Gaeilge Chúige Uladh

THE IMPERFECT TENSE	An Aimsir Ghnáthchaite	An Modh Ordaitheach	An Foshuiteach Láithreach
d'fhreagrainn	ní fhreagradh	freagraim	go bhfreagraí mé
d'fhreagraítheá	(cha fhreagradh)	freagair	go bhfreagraí tú
d'fhreagradh sé	an bhfreagradh?	freagradh sé	go bhfreagraí sé
d'fhreagradh sí	go bhfreagradh	freagradh sí	go bhfreagraí sí
d'fhreagraimis[‡]	nach bhfreagradh	freagraimis[‡/fut]	go bhfreagraí muid[†]
d'fhreagradh sibh		freagraigí[C]	go bhfreagraí sibh
d'fhreagradh siad	Ba ghnách le …	freagradh siad	go bhfreagraí siad
d'fhreagraíthí		freagartar	go bhfreagartar
		ná freagair	nár fhreagraí

Connaught Irish: Gaeilge Chonnacht

THE IMPERFECT TENSE	An Aimsir Ghnáthchaite	The Imperative Mood	The Present Subjunctive
d'fhreagraínn		freagraím	go bhfreagraí mé
d'fhreagraíteá[M]	ní fhreagraíodh	freagair	go bhfreagraí tú
d'fhreagraíodh sé	an bhfreagraíodh?	freagraíodh sé	go bhfreagraí sé
d'fhreagraíodh sí	go bhfreagraíodh	freagraíodh sí	go bhfreagraí sí
d'fhreagraíodh muid	nach bhfreagraíodh	freagraímid	go bhfreagraí muid
d'fhreagraíodh sibh		*freagairidh	go bhfreagraí sibh
d'fhreagraídís[U]		freagraídís	go bhfreagraí siad
d'fhreagraítí[M]		freagraít(h)ear	go bhfreagraít(h)ear
		ná freagair	nár fhreagraí

Munster Irish: Gaeilge na Mumhan

THE IMPERFECT TENSE	An Aimsir Ghnáthchaite	An Modh Ordaitheach	An Foshuiteach Láithreach
*dh'fhreagraínn	ní fhreagraíodh	freagraím	go bhfreagraíod*
*dh'fhreagraíotá	(ní dh'fhreagraíodh)	freagair	go bhfreagraír*
*dh'fhreagraíodh sé	an bhfreagraíodh?	freagraíodh sé	go bhfreagraí sé
*dh'fhreagraíodh sí	go bhfreagraíodh	freagraíodh sí	go bhfreagraí sí
*dh'fhreagraímíst	ná freagraíodh	freagraímíst	go bhfreagraíom*
*dh'fhreagraíodh sibh		freagraíg = freagraídh*	go bhfreagraí sibh
*dh'fhreagraídíst		freagraídíst	go bhfreagraíd*
*(do) freagraíotaí		freagraíotar*	go bhfreagraíotar*
		ná freagair	nár fhreagraí

Standard Irish: An Caighdeán Oifigiúil

THE PAST TENSE	An Aimsir Chaite
d'fhreastail mé	níor fhreastail
d'fhreastail tú	ar fhreastail?
d'fhreastail sé	gur fhreastail
d'fhreastail sí	nár fhreastail
d'fhreastalaíomar	níor freastalaíodh
d'fhreastail sibh	ar freastalaíodh?
d'fhreastail siad	gur freastalaíodh
freastalaíodh	nár freastalaíodh

THE PRESENT TENSE	An Aimsir Láithreach
freastalaím	
freastalaíonn tú	ní fhreastalaíonn
freastalaíonn sé	an bhfreastalaíonn?
freastalaíonn sí	go bhfreastalaíonn
freastalaímid	nach bhfreastalaíonn
freastalaíonn sibh	
freastalaíonn siad	a fhreastalaíonn
freastalaítear	

Ulster Irish: Gaeilge Chúige Uladh

THE PAST TENSE	An Aimsir Chaite
d'fhreastail mé	níor fhreastail
d'fhreastail tú	(char fhreastail)
d'fhreastail sé	ar fhreastail?
d'fhreastail sí	gur fhreastail
d'fhreastail muid†	nár fhreastail
d'fhreastail sibh	
d'fhreastail siad	níor/ar freastaladh
freastaladh	gur/nár freastaladh

THE PRESENT TENSE	An Aimsir Láithreach
freastalaim	ní fhreastalann
freastalann tú	(cha fhreastalann)
freastalann sé	an bhfreastalann?
freastalann sí	go bhfreastalann
freastalann muid†	nach bhfreastalann
freastalann sibh	
freastalann siad	a fhreastalas
freastaltar	

Connaught Irish: Gaeilge Chonnacht

THE PAST TENSE	An Aimsir Chaite
d'fhreastail mé [M]	níor fhreastail
d'fhreastail tú [M]	ar fhreastail?
d'fhreastail sé	gur fhreastail
d'fhreastail sí	nár fhreastail?
d'fhreastail muid	níor freastalaíodh
d'fhreastail sibh	ar freastalaíodh?
d'fhreastalaíodar[U]	gur freastalaíodh
freastalaíodh [U]	nár freastalaíodh

THE PRESENT TENSE	An Aimsir Láithreach
freastalaím	
freastalaíonn tú	ní fhreastalaíonn
freastalaíonn sé	an bhfreastalaíonn?
freastalaíonn sí	go bhfreastalaíonn
freastalaíonn muid	nach bhfreastalaíonn
freastalaíonn sibh	
freastalaíonn siad	a fhreastalaíonns
freastalait(h)ear	

Munster Irish: Gaeilge na Mumhan

THE PAST TENSE	An Aimsir Chaite
dh'fhreastalaíos*	*ní(or) dh'fhreastail
dh'fhreastalaís*	ar fhreastail?
*dh'fhreastail sé	gur fhreastail
*dh'fhreastail sí	nár fhreastail?
dh'fhreastalaíomair*	*níor fhreastalaíodh
dh'fhreastalaíobhair*	*ar fhreastalaíodh?
dh'fhreastalaíodar*	*gur fhreastalaíodh
*(do) fhreastalaíodh d(h)'fhreastalaíodh	*nár fhreastalaíodh

THE PRESENT TENSE	An Aimsir Láithreach
freastalaím	ní fhreastalaíonn
freastalaíonn tú	(ní dh'fhreastalaíonn)
freastalaíonn sé	an bhfreastalaíonn?
freastalaíonn sí	go bhfreastalaíonn
freastalaímíd	ná freastalaíonn
freastalaíonn sibh	
*freastalaíd	a fhreastalaíonn
freastalaíotar*	

48 **freastail** ‘attend’ a.br. **freastal** aid.bhr. **freastalta**

Standard Irish: An Caighdeán Oifigiúil

THE FUTURE TENSE	An Aimsir Fháistineach
freastalóidh mé	
freastalóidh tú	ní fhreastalóidh
freastalóidh sé	an bhfreastalóidh?
freastalóidh sí	go bhfreastalóidh
freastalóimid	nach bhfreastalóidh
freastalóidh sibh	
freastalóidh siad	a fhreastalóidh
freastalófar	

THE CONDITIONAL MOOD	An Modh Coinníollach
d’fhreastalóinn	
d’fhreastalófá	ní fhreastalódh
d’fhreastalódh sé	an bhfreastalódh?
d’fhreastalódh sí	go bhfreastalódh
d’fhreastalóimis	nach bhfreastalódh
d’fhreastalódh sibh	
d’fhreastalóidís	
d’fhreastalófaí	

Ulster Irish: Gaeilge Chúige Uladh

THE FUTURE TENSE	An Aimsir Fháistineach
freastalóchaidh mé	ní fhreastalóchaidh
freastalóchaidh tú	(cha fhreastalann)
freastalóchaidh sé	an bhfreastalóchaidh?
freastalóchaidh sí	go bhfreastalóchaidh
freastalóchaidh muid[†]	nach bhfreastalóchaidh
freastalóchaidh sibh	
freastalóchaidh siad	a fhreastalóchas
freastalófar	

THE CONDITIONAL MOOD	An Modh Coinníollach
d’fhreastalóchainn	
d’fhreastalófá	ní fhreastalóchadh
d’fhreastalóchadh sé	(cha fhreastalóchadh)
d’fhreastalóchadh sí	an bhfreastalóchadh?
d’fhreastalóchaimis[‡]	go bhfreastalóchadh
d’fhreastalóchadh sibh	nach bhfreastalóchadh
d’fhreastalóchadh siad	
d’fhreastalófaí	

Connaught Irish: Gaeilge Chonnacht

THE FUTURE TENSE	An Aimsir Fháistineach
freastalóidh mé[M]	
freastalóidh tú[M]	ní fhreastalóidh
freastalóidh sé	an bhfreastalóidh?
freastalóidh sí	go bhfreastalóidh
freastalóidh muid	nach bhfreastalóidh
freastalóidh sibh	
freastalóidh siad	a fhreastalós
freastalófar	

THE CONDITIONAL MOOD	An Modh Coinníollach
d’fhreastalóinn	
d’fhreastalófá	ní fhreastalódh
d’fhreastalódh sé	an bhfreastalódh?
d’fhreastalódh sí	go bhfreastalódh
d’fhreastalódh muid	nach bhfreastalódh
d’fhreastalódh sibh	
d’fhreastalóidís[U]	
d’fhreastalófaí[M]	

Munster Irish: Gaeilge na Mumhan

THE FUTURE TENSE	An Aimsir Fháistineach
freastalód*	ní fhreastalóidh
*freastalóir	(ní dh’fhreastalóidh)
freastalóidh sé	an bhfreastalóidh?
freastalóidh sí	go bhfreastalóidh
*freastalóm	ná freastalóidh
freastalóidh sibh	
*freastalóid	a fhreastalóidh
freastalófar	

THE CONDITIONAL MOOD	An Modh Coinníollach
*dh’fhreastalóinn	ní fhreastalódh
*dh’fhreastalófá	(ní dh’fhreastalódh)
*dh’fhreastalódh sé	an bhfreastalódh?
*dh’fhreastalódh sí	go bhfreastalódh
*dh’fhreastalóimíst	ná freastalódh
*dh’fhreastalódh sibh	
*dh’fhreastalóidíst	
*(do) freastalófaí	

Standard Irish: An Caighdeán Oifigiúil

THE IMPERFECT TENSE	An Aimsir Ghnáthchaite	The Imperative Mood	The Present Subjunctive
d'fhreastalaínn		freastalaím	go bhfreastalaí mé
d'fhreastalaíteá	ní fhreastalaíodh	freastail	go bhfreastalaí tú
d'fhreastalaíodh sé	an bhfreastalaíodh?	freastalaíodh sé	go bhfreastalaí sé
d'fhreastalaíodh sí	go bhfreastalaíodh	freastalaíodh sí	go bhfreastalaí sí
d'fhreastalaímis	nach bhfreastalaíodh	freastalaímis	go bhfreastalaímid
d'fhreastalaíodh sibh		freastalaígí	go bhfreastalaí sibh
d'fhreastalaídís		freastalaídís	go bhfreastalaí siad
d'fhreastalaítí		freastalaítear	go bhfreastalaítear
		ná freastail	nár fhreastalaí

Ulster Irish: Gaeilge Chúige Uladh

THE IMPERFECT TENSE	An Aimsir Ghnáthchaite	An Modh Ordaitheach	An Foshuiteach Láithreach
d'fhreastalainn	ní fhreastaladh	freastalaim	go bhfreastalaí mé
d'fhreastalaítheá	(cha fhreastaladh)	freastail	go bhfreastalaí tú
d'fhreastaladh sé	an bhfreastaladh?	freastaladh sé	go bhfreastalaí sé
d'fhreastaladh sí	go bhfreastaladh	freastaladh sí	go bhfreastalaí sí
d'fhreastalaimis[‡]	nach bhfreastaladh	freastalaimis[‡/fut]	go bhfreastalaí muid[†]
d'fhreastaladh sibh		freastalaigí[C]	go bhfreastalaí sibh
d'fhreastaladh siad	Ba ghnách le ...	freastaladh siad	go bhfreastalaí siad
d'fhreastalaíthí		freastaltar	go bhfreastaltar
		ná freastail	nár fhreastalaí

Connaught Irish: Gaeilge Chonnacht

THE IMPERFECT TENSE	An Aimsir Ghnáthchaite	The Imperative Mood	The Present Subjunctive
d'fhreastalaínn		freastalaím	go bhfreastalaí mé
d'fhreastalaíteá[M]	ní fhreastalaíodh	freastail	go bhfreastalaí tú
d'fhreastalaíodh sé	an bhfreastalaíodh?	freastalaíodh sé	go bhfreastalaí sé
d'fhreastalaíodh sí	go bhfreastalaíodh	freastalaíodh sí	go bhfreastalaí sí
d'fhreastalaíodh muid	nach bhfreastalaíodh	freastalaímid	go bhfreastalaí muid
d'fhreastalaíodh sibh		*freastailidh	go bhfreastalaí sibh
d'fhreastalaídís[U]		freastalaídís	go bhfreastalaí siad
d'fhreastalaítí[M]		freastalaít(h)ear	go bhfreastalaít(h)ear
		ná freastail	nár fhreastalaí

Munster Irish: Gaeilge na Mumhan

THE IMPERFECT TENSE	An Aimsir Ghnáthchaite	An Modh Ordaitheach	An Foshuiteach Láithreach
*dh'fhreastalaínn	ní fhreastalaíodh	freastalaím	go bhfreastalaíod*
*dh'fhreastalaíotá	(ní dh'fhreastalaíodh)	freastail	go bhfreastalaír*
*dh'fhreastalaíodh sé	an bhfreastalaíodh?	freastalaíodh sé	go bhfreastalaí sé
*dh'fhreastalaíodh sí	go bhfreastalaíodh	freastalaíodh sí	go bhfreastalaí sí
*dh'fhreastalaímíst	ná freastalaíodh	freastalaímíst	go bhfreastalaíom*
*dh'fhreastalaíodh sibh		freastalaíg[=C]*	go bhfreastalaí sibh
*dh'fhreastalaídíst		freastalaídíst	go bhfreastalaíd*
*(do) freastalaíotaí		freastalaíotar*	go bhfreastalaíotar*
		ná freastail	nár fhreastalaí

49 **géill** 'yield' v.n. **géilleadh** v.adj. **géillte**

Standard Irish: An Caighdeán Oifigiúil

THE PAST TENSE	An Aimsir Chaite
ghéill mé	níor ghéill
ghéill tú	ar ghéill?
ghéill sé	gur ghéill
ghéill sí	nár ghéill
ghéilleamar	níor géilleadh
ghéill sibh	ar géilleadh?
ghéill siad	gur géilleadh
géilleadh	nár géilleadh

THE PRESENT TENSE	An Aimsir Láithreach
géillim	
géilleann tú	ní ghéilleann
géilleann sé	an ngéilleann?
géilleann sí	go ngéilleann
géillimid	nach ngéilleann
géilleann sibh	
géilleann siad	a ghéilleann
géilltear	

Ulster Irish: Gaeilge Chúige Uladh

THE PAST TENSE	An Aimsir Chaite
ghéill mé	níor ghéill
ghéill tú	(char ghéill)
ghéill sé	ar ghéill?
ghéill sí	gur ghéill
ghéill muid†	nár ghéill
ghéill sibh	
ghéill siad	níor/ar géilleadh
géilleadh	gur/nár géilleadh

THE PRESENT TENSE	An Aimsir Láithreach
géillim	ní ghéilleann
géilleann tú	(cha ghéilleann)
géilleann sé	an ngéilleann?
géilleann sí	go ngéilleann
géilleann muid†	nach ngéilleann
géilleann sibh	
géilleann siad	a ghéilleas
géilltear	*vn* géillstean

Connaught Irish: Gaeilge Chonnacht

THE PAST TENSE	An Aimsir Chaite
ghéill mé [M]	níor ghéill
ghéill tú [M]	ar ghéill?
ghéill sé	gur ghéill
ghéill sí	nár ghéill
ghéill muid	níor géilleadh
ghéill sibh	ar géilleadh?
ghéilleadar[U]	gur géilleadh
géilleadh	nár géilleadh

THE PRESENT TENSE	An Aimsir Láithreach
géillim	
géilleann tú	ní ghéilleann
géilleann sé	an ngéilleann?
géilleann sí	go ngéilleann
géilleann muid	nach ngéilleann
géilleann sibh	
géilleann siad	a ghéilleanns
géilltear	

Munster Irish: Gaeilge na Mumhan

THE PAST TENSE	An Aimsir Chaite
(do) ghéilleas*	ní(or) ghéill
(do) ghéillis*	ar ghéill?
(do) ghéill sé	gur ghéill
(do) ghéill sí	nár ghéill
(do) ghéilleamair*	*níor ghéilleadh
(do) ghéilleabhair*	*ar ghéilleadh?
(do) ghéilleadar	*gur ghéilleadh
*(do) ghéilleadh	*nár ghéilleadh

THE PRESENT TENSE	An Aimsir Láithreach
géillim	
géilleann tú	ní ghéilleann
géilleann sé	an ngéilleann?
géilleann sí	go ngéilleann
géillimíd	ná géilleann
géilleann sibh	
*géillid	a ghéilleann
géilltear	

49 **géill** 'yield' a.br. **géilleadh** aid.bhr. **géillte**

Standard Irish: An Caighdeán Oifigiúil

THE FUTURE TENSE	An Aimsir Fháistineach
géillfidh mé	
géillfidh tú	ní ghéillfidh
géillfidh sé	an ngéillfidh?
géillfidh sí	go ngéillfidh
géillfimid	nach ngéillfidh
géillfidh sibh	
géillfidh siad	a ghéillfidh
géillfear	

THE CONDITIONAL MOOD	An Modh Coinníollach
ghéillfinn	
ghéillfeá	ní ghéillfeadh
ghéillfeadh sé	an ngéillfeadh?
ghéillfeadh sí	go ngéillfeadh
ghéillfimis	nach ngéillfeadh
ghéillfeadh sibh	
ghéillfidís	
ghéillfí	

Ulster Irish: Gaeilge Chúige Uladh

THE FUTURE TENSE	An Aimsir Fháistineach
géillfidh mé	
géillfidh tú	ní ghéillfidh
géillfidh sé	(cha ghéilleann)
géillfidh sí	an ngéillfidh?
géillfidh muid†	go ngéillfidh
géillfidh sibh	nach ngéillfidh
géillfidh siad	a ghéillfeas
géillfear	

THE CONDITIONAL MOOD	An Modh Coinníollach
ghéillfinn	
ghéillfeá	ní ghéillfeadh
ghéillfeadh sé	(cha ghéillfeadh)
ghéillfeadh sí	an ngéillfeadh?
ghéillfimis‡	go ngéillfeadh
ghéillfeadh sibh	nach ngéillfeadh
ghéillfeadh siad	
ghéillfí	

Connaught Irish: Gaeilge Chonnacht

THE FUTURE TENSE	An Aimsir Fháistineach
géillfidh mé [M]	
géillfidh tú[M]	ní ghéillfidh
géillfidh sé	an ngéillfidh?
géillfidh sí	go ngéillfidh
géillfidh muid	nach ngéillfidh
géillfidh sibh	
géillfidh siad	a ghéillfeas
géillfear	

THE CONDITIONAL MOOD	An Modh Coinníollach
ghéillfinn	
ghéillfeá	ní ghéillfeadh
ghéillfeadh sé	an ngéillfeadh?
ghéillfeadh sí	go ngéillfeadh
ghéillfeadh muid	nach ngéillfeadh
ghéillfeadh sibh	
ghéillfidís[U]	
ghéillfí[M]	

Munster Irish: Gaeilge na Mumhan

THE FUTURE TENSE	An Aimsir Fháistineach
géillfead*	
*géillfir	ní ghéillfidh
géillfidh sé	an ngéillfidh?
géillfidh sí	go ngéillfidh
*géillfeam	ná géillfidh
géillfidh sibh	
*géillfid	a ghéillfidh
géillfear	

THE CONDITIONAL MOOD	An Modh Coinníollach
(do) ghéillfinn	
(do) ghéillfeá	ní ghéillfeadh
(do) ghéillfeadh sé	an ngéillfeadh?
(do) ghéillfeadh sí	go ngéillfeadh
(do) ghéillfimíst	ná géillfeadh
(do) ghéillfeadh sibh	
(do) ghéillfidíst	
*(do) géillfí	

49 **géill** 'yield' v.n. **géilleadh** v.adj. **géillte**

Standard Irish: An Caighdeán Oifigiúil

THE IMPERFECT TENSE	An Aimsir Ghnáthchaite	The Imperative Mood	The Present Subjunctive
ghéillinn		géillim	go ngéille mé
ghéillteá	ní ghéilleadh	géill	go ngéille tú
ghéilleadh sé	an ngéilleadh?	géilleadh sé	go ngéille sé
ghéilleadh sí	go ngéilleadh	géilleadh sí	go ngéille sí
ghéillimis	nach ngéilleadh	géillimis	go ngéillimid
ghéilleadh sibh		géilligí	go ngéille sibh
ghéillidís		géillidís	go ngéille siad
ghéilltí		géilltear	go ngéilltear
		ná géill	nár ghéille

Ulster Irish: Gaeilge Chúige Uladh

THE IMPERFECT TENSE	An Aimsir Ghnáthchaite	An Modh Ordaitheach	An Foshuiteach Láithreach
ghéillinn		géillim	go ngéillidh mé
ghéilltheá	ní ghéilleadh	géill	go ngéillidh tú
ghéilleadh sé	(cha ghéilleadh)	géilleadh sé	go ngéillidh sé
ghéilleadh sí	an ngéilleadh?	géilleadh sí	go ngéillidh sí
ghéillimis[‡]	go ngéilleadh	géillimis[‡/fut]	go ngéillidh muid[†]
ghéilleadh sibh	nach ngéilleadh	géilligí[C]	go ngéillidh sibh
ghéilleadh siad	Ba ghnách le …	géilleadh siad	go ngéillidh siad
ghéilltí		géilltear	go ngéilltear
		ná géill	nár ghéillidh

Connaught Irish: Gaeilge Chonnacht

THE IMPERFECT TENSE	An Aimsir Ghnáthchaite	The Imperative Mood	The Present Subjunctive
ghéillinn		géillim	go ngéille mé
ghéillteá	ní ghéilleadh	géill	go ngéille tú
ghéilleadh sé	an ngéilleadh?	géilleadh sé	go ngéille sé
ghéilleadh sí	go ngéilleadh	géilleadh sí	go ngéille sí
ghéilleadh muid	nach ngéilleadh	géillimid	go ngéille muid
ghéilleadh sibh		géillidh	go ngéille sibh
ghéillidís[U]		géillidís	go ngéille siad
ghéilltí[M]		géilltear	go ngéilltear
		ná géill	nár ghéille

Munster Irish: Gaeilge na Mumhan

THE IMPERFECT TENSE	An Aimsir Ghnáthchaite	An Modh Ordaitheach	An Foshuiteach Láithreach
(do) ghéillinn		géillim	go ngéillead*
(do) ghéillteá	ní ghéilleadh	géill	go ngéillir*
(do) ghéilleadh sé	an ngéilleadh?	géilleadh sé	go ngéille sé
(do) ghéilleadh sí	go ngéilleadh	géilleadh sí	go ngéille sí
(do) ghéillimíst	ná géilleadh	géillimíst	go ngéilleam*
(do) ghéilleadh sibh		géillíg[=C*]	go ngéille sibh
(do) ghéillidíst		géillidíst	go ngéillid*
*(do) géilltí		géilltear	go ngéilltear
		ná géill	nár ghéille

50 **glan** 'clean' v.n. **glanadh** v.adj. **glanta**

Standard Irish: An Caighdeán Oifigiúil

THE PAST TENSE	An Aimsir Chaite	THE PRESENT TENSE	An Aimsir Láithreach
ghlan mé	níor ghlan	glanaim	
ghlan tú	ar ghlan?	glanann tú	ní ghlanann
ghlan sé	gur ghlan	glanann sé	an nglanann?
ghlan sí	nár ghlan	glanann sí	go nglanann
ghlanamar	níor glanadh	glanaimid	nach nglanann
ghlan sibh	ar glanadh?	glanann sibh	
ghlan siad	gur glanadh	glanann siad	a ghlanann
glanadh	nár glanadh	glantar	

Ulster Irish: Gaeilge Chúige Uladh

THE PAST TENSE	An Aimsir Chaite	THE PRESENT TENSE	An Aimsir Láithreach
ghlan mé	níor ghlan	glanaim	ní ghlanann
ghlan tú	(char ghlan)	glanann tú	(cha ghlanann)
ghlan sé	ar ghlan?	glanann sé	an nglanann?
ghlan sí	gur ghlan	glanann sí	go nglanann
ghlan muid[†]	nár ghlan	glanann muid[†]	nach nglanann
ghlan sibh		glanann sibh	
ghlan siad	níor/ar glanadh	glanann siad	a ghlanas
glanadh	gur/nár glanadh	glantar	

Connaught Irish: Gaeilge Chonnacht

THE PAST TENSE	An Aimsir Chaite	THE PRESENT TENSE	An Aimsir Láithreach
ghlan mé[M]	níor ghlan	glanaim	
ghlan tú[M]	ar ghlan?	glanann tú	ní ghlanann
ghlan sé	gur ghlan	glanann sé	an nglanann?
ghlan sí	nár ghlan	glanann sí	go nglanann
ghlan muid	níor glanadh	glanann muid	nach nglanann
ghlan sibh	ar glanadh?	glanann sibh	
ghlanadar[U]	gur glanadh	glanann siad	a ghlananns
glanadh	nár glanadh	glantar	

Munster Irish: Gaeilge na Mumhan

THE PAST TENSE	An Aimsir Chaite	THE PRESENT TENSE	An Aimsir Láithreach
(do) ghlanas*	ní(or) ghlan	glanaim	
(do) ghlanais*	ar ghlan?	glanann tú	ní ghlanann
(do) ghlan sé	gur ghlan	glanann sé	an nglanann?
(do) ghlan sí	nár ghlan	glanann sí	go nglanann
(do) ghlanamair*	*níor ghlanadh	glanaimíd	ná glanann
(do) ghlanabhair*	*ar ghlanadh?	glanann sibh	
(do) ghlanadar	*gur ghlanadh	glanaid (siad)*	a ghlanann
*(do) ghlanadh	*nár ghlanadh	glantar	

50 glan 'clean' a.br. **glanadh** aid.bhr. **glanta**

Standard Irish: An Caighdeán Oifigiúil

THE FUTURE TENSE	An Aimsir Fháistineach	THE CONDITIONAL MOOD	An Modh Coinníollach
glanfaidh mé		ghlanfainn	
glanfaidh tú	ní ghlanfaidh	ghlanfá	ní ghlanfadh
glanfaidh sé	an nglanfaidh?	ghlanfadh sé	an nglanfadh?
glanfaidh sí	go nglanfaidh	ghlanfadh sí	go nglanfadh
glanfaimid	nach nglanfaidh	ghlanfaimis	nach nglanfadh
glanfaidh sibh		ghlanfadh sibh	
glanfaidh siad	a ghlanfaidh	ghlanfaidís	
glanfar		ghlanfaí	

Ulster Irish: Gaeilge Chúige Uladh

THE FUTURE TENSE	An Aimsir Fháistineach	THE CONDITIONAL MOOD	An Modh Coinníollach
glanfaidh mé		ghlanfainn	
glanfaidh tú	ní ghlanfaidh	ghlanfá	ní ghlanfadh
glanfaidh sé	(cha ghlanann)	ghlanfadh sé	(cha ghlanfadh)
glanfaidh sí	an nglanfaidh?	ghlanfadh sí	an nglanfadh?
glanfaidh muid†	go nglanfaidh	ghlanfaimis‡	go nglanfadh
glanfaidh sibh	nach nglanfaidh	ghlanfadh sibh	nach nglanfadh
glanfaidh siad	a ghlanfas	ghlanfadh siad	
glanfar		ghlanfaí	

Connaught Irish: Gaeilge Chonnacht

THE FUTURE TENSE	An Aimsir Fháistineach	THE CONDITIONAL MOOD	An Modh Coinníollach
glanfaidh mé [M]		ghlanfainn	
glanfaidh tú[M]	ní ghlanfaidh	ghlanfá	ní ghlanfadh
glanfaidh sé	an nglanfaidh?	ghlanfadh sé	an nglanfadh?
glanfaidh sí	go nglanfaidh	ghlanfadh sí	go nglanfadh
glanfaidh muid	nach nglanfaidh	ghlanfadh muid	nach nglanfadh
glanfaidh sibh		ghlanfadh sibh	
glanfaidh siad	a ghlanfas	ghlanfaidís[U]	
glanfar		ghlanfaí[M]	

Munster Irish: Gaeilge na Mumhan

THE FUTURE TENSE	An Aimsir Fháistineach	THE CONDITIONAL MOOD	An Modh Coinníollach
glanfad*		(do) ghlanfainn	
*glanfair	ní ghlanfaidh	(do) ghlanfá	ní ghlanfadh
glanfaidh sé	an nglanfaidh?	(do) ghlanfadh sé	an nglanfadh?
glanfaidh sí	go nglanfaidh	(do) ghlanfadh sí	go nglanfadh
*glanfam	ná glanfaidh	(do) ghlanfaimíst	ná glanfadh
glanfaidh sibh		(do) ghlanfadh sibh	
*glanfaid (siad)	a ghlanfaidh	(do) ghlanfaidíst	
glanfar		(do) glanfaí*	

Standard Irish: An Caighdeán Oifigiúil

THE IMPERFECT TENSE	An Aimsir Ghnáthchaite	The Imperative Mood	The Present Subjunctive
ghlanainn		glanaim	go nglana mé
ghlantá	ní ghlanadh	glan	go nglana tú
ghlanadh sé	an nglanadh?	glanadh sé	go nglana sé
ghlanadh sí	go nglanadh	glanadh sí	go nglana sí
ghlanaimis	nach nglanadh	glanaimis	go nglanaimid
ghlanadh sibh		glanaigí	go nglana sibh
ghlanaidís		glanaidís	go nglana siad
ghlantaí		glantar	go nglantar
		ná glan	nár ghlana

Ulster Irish: Gaeilge Chúige Uladh

THE IMPERFECT TENSE	An Aimsir Ghnáthchaite	An Modh Ordaitheach	An Foshuiteach Láithreach
ghlanainn	ní ghlanadh	glanaim	go nglanaidh mé
ghlanthá	(cha ghlanadh)	glan	go nglanaidh tú
ghlanadh sé	an nglanadh?	glanadh sé	go nglanaidh sé
ghlanadh sí	go nglanadh	glanadh sí	go nglanaidh sí
ghlanaimis[‡]	nach nglanadh	glanaimis[‡/fut]	go nglanaidh muid[†]
ghlanadh sibh		glanaigí[C]	go nglanaidh sibh
ghlanadh siad	Ba ghnách le …	glanadh siad	go nglanaidh siad
ghlantaí		glantar	go nglantar
		ná glan	nár ghlanaidh

Connaught Irish: Gaeilge Chonnacht

THE IMPERFECT TENSE	An Aimsir Ghnáthchaite	The Imperative Mood	The Present Subjunctive
ghlanainn		glanaim	go nglana mé
ghlantá	ní ghlanadh	glan	go nglana tú
ghlanadh sé	an nglanadh?	glanadh sé	go nglana sé
ghlanadh sí	go nglanadh	glanadh sí	go nglana sí
ghlanadh muid	nach nglanadh	glanaimid	go nglana muid
ghlanadh sibh		glanaidh	go nglana sibh
ghlanaidís[U]		glanaidís	go nglana siad
ghlantaí[M]		glantar	go nglantar
		ná glan	nár ghlana

Munster Irish: Gaeilge na Mumhan

THE IMPERFECT TENSE	An Aimsir Ghnáthchaite	An Modh Ordaitheach	An Foshuiteach Láithreach
(do) ghlanainn		glanaim	go nglanad*
(do) ghlantá	ní ghlanadh	glan	go nglanair*
(do) ghlanadh sé	an nglanadh?	glanadh sé	go nglana sé
(do) ghlanadh sí	go nglanadh	glanadh sí	go nglana sí
(do) ghlanaimíst	ná glanadh	glanaimíst	go nglanam*
(do) ghlanadh sibh		glanaíg[=C*]	go nglana sibh
(do) ghlanaidíst		glanaidíst	go nglanaid*
(do) glantaí*		glantar	go nglantar
		ná glan	nár ghlana

51 **goirtigh** 'salt, pickle' v.n. **goirtiú** v.adj. **goirtithe**

Standard Irish: An Caighdeán Oifigiúil

THE PAST TENSE	An Aimsir Chaite	THE PRESENT TENSE	An Aimsir Láithreach
ghoirtigh mé	níor ghoirtigh	goirtím	
ghoirtigh tú	ar ghoirtigh?	goirtíonn tú	ní ghoirtíonn
ghoirtigh sé	gur ghoirtigh	goirtíonn sé	an ngoirtíonn?
ghoirtigh sí	nár ghoirtigh	goirtíonn sí	go ngoirtíonn
ghoirtíomar	níor goirtíodh	goirtímid	nach ngoirtíonn
ghoirtigh sibh	ar goirtíodh?	goirtíonn sibh	
ghoirtigh siad	gur goirtíodh	goirtíonn siad	a ghoirtíonn
goirtíodh	nár goirtíodh	goirtítear	

Ulster Irish: Gaeilge Chúige Uladh

THE PAST TENSE	An Aimsir Chaite	THE PRESENT TENSE	An Aimsir Láithreach
ghoirtigh mé	níor ghoirtigh	goirtim	ní ghoirteann
ghoirtigh tú	(char ghoirtigh)	goirteann tú	(cha ghoirteann)
ghoirtigh sé	ar ghoirtigh?	goirteann sé	an ngoirteann?
ghoirtigh sí	gur ghoirtigh	goirteann sí	go ngoirteann
ghoirtigh muid†	nár ghoirtigh	goirteann muid†	nach ngoirteann
ghoirtigh sibh		goirteann sibh	
ghoirtigh siad	níor/ar goirteadh	goirteann siad	a ghoirteas
goirteadh	gur/nár goirteadh	goirtíthear	

Connaught Irish: Gaeilge Chonnacht

THE PAST TENSE	An Aimsir Chaite	THE PRESENT TENSE	An Aimsir Láithreach
ghoirtigh mé [M]	níor ghoirtigh	goirtím	
ghoirtigh tú [M]	ar ghoirtigh?	goirtíonn tú	ní ghoirtíonn
ghoirtigh sé	gur ghoirtigh	goirtíonn sé	an ngoirtíonn?
ghoirtigh sí	nár ghoirtigh	goirtíonn sí	go ngoirtíonn
ghoirtigh muid	níor goirtíodh	goirtíonn muid	nach ngoirtíonn
ghoirtigh sibh	ar goirtíodh?	goirtíonn sibh	
ghoirtíodar[U]	gur goirtíodh	goirtíonn siad	a ghoirtíonns
goirtíodh [U]	nár goirtíodh	goirtít(h)ear	

Munster Irish: Gaeilge na Mumhan

THE PAST TENSE	An Aimsir Chaite	THE PRESENT TENSE	An Aimsir Láithreach
(do) ghoirtíos*	ní(or) ghoirtigh	goirtím	
(do) ghoirtís*	ar ghoirtigh?	goirtíonn tú	ní ghoirtíonn
(do) ghoirtigh sé	gur ghoirtigh	goirtíonn sé	an ngoirtíonn?
(do) ghoirtigh sí	nár ghoirtigh	goirtíonn sí	go ngoirtíonn
(do) ghoirtíomair*	*níor ghoirtíodh	goirtímíd	ná goirtíonn
(do) ghoirtíobhair*	*ar ghoirtíodh?	goirtíonn sibh	
(do) ghoirtíodar	*gur ghoirtíodh	goirtíd (siad)*	a ghoirtíonn
*(do) ghoirtíodh	*nár ghoirtíodh	goirtíotar*	

Standard Irish: An Caighdeán Oifigiúil

THE FUTURE TENSE	An Aimsir Fháistineach	THE CONDITIONAL MOOD	An Modh Coinníollach
goirteoidh mé		ghoirteoinn	
goirteoidh tú	ní ghoirteoidh	ghoirteofá	ní ghoirteodh
goirteoidh sé	an ngoirteoidh?	ghoirteodh sé	an ngoirteodh?
goirteoidh sí	go ngoirteoidh	ghoirteodh sí	go ngoirteodh
goirteoimid	nach ngoirteoidh	ghoirteoimis	nach ngoirteodh
goirteoidh sibh		ghoirteodh sibh	
goirteoidh siad	a ghoirteoidh	ghoirteoidís	
goirteofar		ghoirteofaí	

Ulster Irish: Gaeilge Chúige Uladh

THE FUTURE TENSE	An Aimsir Fháistineach	THE CONDITIONAL MOOD	An Modh Coinníollach
goirteochaidh mé	ní ghoirteochaidh	ghoirteochainn	
goirteochaidh tú	(cha ghoirteann)	ghoirteofá	ní ghoirteochadh
goirteochaidh sé	an ngoirteochaidh?	ghoirteochadh sé	(cha ghoirteochadh)
goirteochaidh sí	go ngoirteochaidh	ghoirteochadh sí	an ngoirteochadh?
goirteochaidh muid†	nach ngoirteochaidh	ghoirteochaimis‡	go ngoirteochadh
goirteochaidh sibh.		ghoirteochadh sibh	nach ngoirteochadh
goirteochaidh siad	a ghoirteochas	ghoirteochadh siad	
goirteofar		ghoirteofaí	

Connaught Irish: Gaeilge Chonnacht

THE FUTURE TENSE	An Aimsir Fháistineach	THE CONDITIONAL MOOD	An Modh Coinníollach
goirteoidh mé [M]		ghoirteoinn	
goirteoidh tú[M]	ní ghoirteoidh	ghoirteofá	ní ghoirteodh
goirteoidh sé	an ngoirteoidh?	ghoirteodh sé	an ngoirteodh?
goirteoidh sí	go ngoirteoidh	ghoirteodh sí	go ngoirteodh
goirteoidh muid	nach ngoirteoidh	ghoirteodh muid	nach ngoirteodh
goirteoidh sibh		ghoirteodh sibh	
goirteoidh siad	a ghoirteos	ghoirteoidís[U]	
goirteofar		ghoirteofaí[M]	

Munster Irish: Gaeilge na Mumhan

THE FUTURE TENSE	An Aimsir Fháistineach	THE CONDITIONAL MOOD	An Modh Coinníollach
goirteod*		(do) ghoirteoinn	
*goirteoir	ní ghoirteoidh	(do) ghoirteofá	ní ghoirteodh
goirteoidh sé	an ngoirteoidh?	(do) ghoirteodh sé	an ngoirteodh?
goirteoidh sí	go ngoirteoidh	(do) ghoirteodh sí	go ngoirteodh
*goirteom	ná goirteoidh	(do) ghoirteoimíst	ná goirteodh
goirteoidh sibh		(do) ghoirteodh sibh	
goirteoid*	a ghoirteoidh	(do) ghoirteoidíst	
goirteofar		(do) goirteofaí*	

51 **goirtigh** 'salt, pickle' v.n. **goirtiú** v.adj. **goirtithe**

Standard Irish: An Caighdeán Oifigiúil

THE IMPERFECT TENSE	An Aimsir Ghnáthchaite	The Imperative Mood	The Present Subjunctive
ghoirtínn		goirtím	go ngoirtí mé
ghoirtíteá	ní ghoirtíodh	goirtigh	go ngoirtí tú
ghoirtíodh sé	an ngoirtíodh?	goirtíodh sé	go ngoirtí sé
ghoirtíodh sí	go ngoirtíodh	goirtíodh sí	go ngoirtí sí
ghoirtímis	nach ngoirtíodh	goirtímis	go ngoirtímid
ghoirtíodh sibh		goirtígí	go ngoirtí sibh
ghoirtídís		goirtídís	go ngoirtí siad
ghoirtítí		goirtítear	go ngoirtítear
		ná goirtigh	nár ghoirtí

Ulster Irish: Gaeilge Chúige Uladh

THE IMPERFECT TENSE	An Aimsir Ghnáthchaite	An Modh Ordaitheach	An Foshuiteach Láithreach
ghoirtinn	ní ghoirteadh	goirtim	go ngoirtí mé
ghoirtítheá	(cha ghoirteadh)	goirtigh	go ngoirtí tú
ghoirteadh sé	an ngoirteadh?	goirteadh sé	go ngoirtí sé
ghoirteadh sí	go ngoirteadh	goirteadh sí	go ngoirtí sí
ghoirtimis[‡]	nach ngoirteadh	goirtimis[‡/fut]	go ngoirtí muid[†]
ghoirteadh sibh		goirtigí	go ngoirtí sibh
ghoirteadh siad	Ba ghnách le …	goirteadh siad	go ngoirtí siad
ghoirtíthí		goirtíthear	go ngoirtíthear
		ná goirtigh	nár ghoirtí

Connaught Irish: Gaeilge Chonnacht

THE IMPERFECT TENSE	An Aimsir Ghnáthchaite	The Imperative Mood	The Present Subjunctive
ghoirtínn		goirtím	go ngoirtí mé
ghoirtíteá[M]	ní ghoirtíodh	goirtigh	go ngoirtí tú
ghoirtíodh sé	an ngoirtíodh?	goirtíodh sé	go ngoirtí sé
ghoirtíodh sí	go ngoirtíodh	goirtíodh sí	go ngoirtí sí
ghoirtíodh muid	nach ngoirtíodh	goirtímid	go ngoirtí muid
ghoirtíodh sibh		goirtighidh	go ngoirtí sibh
ghoirtídís[U]		goirtídís	go ngoirtí siad
ghoirtítí[M]		goirtít(h)ear	go ngoirtít(h)ear
		ná goirtigh	nár ghoirtí

Munster Irish: Gaeilge na Mumhan

THE IMPERFECT TENSE	An Aimsir Ghnáthchaite	An Modh Ordaitheach	An Foshuiteach Láithreach
(do) ghoirtínn		goirtím	go ngoirtíod*
(do) ghoirtíotá*	ní ghoirtíodh	goirtigh	go ngoirtír*
(do) ghoirtíodh sé	an ngoirtíodh?	goirtíodh sé	go ngoirtí sé
(do) ghoirtíodh sí	go ngoirtíodh	goirtíodh sí	go ngoirtí sí
(do) ghoirtímíst	ná goirtíodh	goirtímíst	go ngoirtíom*
(do) ghoirtíodh sibh		goirtíg[=C]*	go ngoirtí sibh
(do) ghoirtídíst		goirtídíst	go ngoirtíd*
(do) goirtíotaí*		goirtíotar*	go ngoirtíotar*
		ná goirtigh	nár ghoirtí

52 **gortaigh** 'hurt, injure' v.n. **gortú** v.adj. **gortaithe**

Standard Irish: An Caighdeán Oifigiúil

THE PAST TENSE	An Aimsir Chaite
ghortaigh mé	níor ghortaigh
ghortaigh tú	ar ghortaigh?
ghortaigh sé	gur ghortaigh
ghortaigh sí	nár ghortaigh
ghortaíomar	níor gortaíodh
ghortaigh sibh	ar gortaíodh?
ghortaigh siad	gur gortaíodh
gortaíodh	nár gortaíodh

THE PRESENT TENSE	An Aimsir Láithreach
gortaím	
gortaíonn tú	ní ghortaíonn
gortaíonn sé	an ngortaíonn?
gortaíonn sí	go ngortaíonn
gortaímid	nach ngortaíonn
gortaíonn sibh	
gortaíonn siad	a ghortaíonn
gortaítear	

Ulster Irish: Gaeilge Chúige Uladh

THE PAST TENSE	An Aimsir Chaite
ghortaigh mé	níor ghortaigh
ghortaigh tú	(char ghortaigh)
ghortaigh sé	ar ghortaigh?
ghortaigh sí	gur ghortaigh
ghortaigh muid[†]	nár ghortaigh
ghortaigh sibh	
ghortaigh siad	níor/ar gortadh
gortadh	gur/nár gortadh

THE PRESENT TENSE	An Aimsir Láithreach
gortaim	ní ghortann
gortann tú	(cha ghortann)
gortann sé	an ngortann?
gortann sí	go ngortann
gortann muid[†]	nach ngortann
gortann sibh	
gortann siad	a ghortas
gortaíthear	

Connaught Irish: Gaeilge Chonnacht

THE PAST TENSE	An Aimsir Chaite
ghortaigh mé [M]	níor ghortaigh
ghortaigh tú [M]	ar ghortaigh?
ghortaigh sé	gur ghortaigh
ghortaigh sí	nár ghortaigh
ghortaigh muid	níor gortaíodh
ghortaigh sibh	ar gortaíodh?
ghortaíodar[U]	gur gortaíodh
gortaíodh [U]	nár gortaíodh

THE PRESENT TENSE	An Aimsir Láithreach
gortaím	
gortaíonn tú	ní ghortaíonn
gortaíonn sé	an ngortaíonn?
gortaíonn sí	go ngortaíonn
gortaíonn muid	nach ngortaíonn
gortaíonn sibh	
gortaíonn siad	a ghortaíonns
gortaít(h)ear	

Munster Irish: Gaeilge na Mumhan

THE PAST TENSE	An Aimsir Chaite
(do) ghortaíos*	ní(or) ghortaigh
(do) ghortaís*	ar ghortaigh?
(do) ghortaigh sé	gur ghortaigh
(do) ghortaigh sí	nár ghortaigh
(do) ghortaíomair*	*níor ghortaíodh
(do) ghortaíobhair*	*ar ghortaíodh?
(do) ghortaíodar	*gur ghortaíodh
*(do) ghortaíodh	*nár ghortaíodh

THE PRESENT TENSE	An Aimsir Láithreach
gortaím	
gortaíonn tú	ní ghortaíonn
gortaíonn sé	an ngortaíonn?
gortaíonn sí	go ngortaíonn
gortaímíd	ná gortaíonn
gortaíonn sibh	
gortaíd (siad)*	a ghortaíonn
gortaíotar*	

Standard Irish: An Caighdeán Oifigiúil

THE FUTURE TENSE	An Aimsir Fháistineach
gortóidh mé	
gortóidh tú	ní ghortóidh
gortóidh sé	an ngortóidh?
gortóidh sí	go ngortóidh
gortóimid	nach ngortóidh
gortóidh sibh	
gortóidh siad	a ghortóidh
gortófar	

THE CONDITIONAL MOOD	An Modh Coinníollach
ghortóinn	
ghortófá	ní ghortódh
ghortódh sé	an ngortódh?
ghortódh sí	go ngortódh
ghortóimis	nach ngortódh
ghortódh sibh	
ghortóidís	
ghortófaí	

Ulster Irish: Gaeilge Chúige Uladh

THE FUTURE TENSE	An Aimsir Fháistineach
gortóchaidh mé	ní ghortóchaidh
gortóchaidh tú	(cha ghortann)
gortóchaidh sé	an ngortóchaidh?
gortóchaidh sí	go ngortóchaidh
gortóchaidh muid†	nach ngortóchaidh
gortóchaidh sibh	
gortóchaidh siad	a ghortóchas
gortófar	

THE CONDITIONAL MOOD	An Modh Coinníollach
ghortóchainn	
ghortófá	ní ghortóchadh
ghortóchadh sé	(cha ghortóchadh)
ghortóchadh sí	an ngortóchadh?
ghortóchaimis‡	go ngortóchadh
ghortóchadh sibh	nach ngortóchadh
ghortóchadh siad	
ghortófaí	

Connaught Irish: Gaeilge Chonnacht

THE FUTURE TENSE	An Aimsir Fháistineach
gortóidh mé [M]	
gortóidh tú[M]	ní ghortóidh
gortóidh sé	an ngortóidh?
gortóidh sí	go ngortóidh
gortóidh muid	nach ngortóidh
gortóidh sibh	
gortóidh siad	a ghortós
gortófar	

THE CONDITIONAL MOOD	An Modh Coinníollach
ghortóinn	
ghortófá	ní ghortódh
ghortódh sé	an ngortódh?
ghortódh sí	go ngortódh
ghortódh muid	nach ngortódh
ghortódh sibh	
ghortóidís[U]	
ghortófaí[M]	

Munster Irish: Gaeilge na Mumhan

THE FUTURE TENSE	An Aimsir Fháistineach
gortód*	
*gortóir	ní ghortóidh
gortóidh sé	an ngortóidh?
gortóidh sí	go ngortóidh
*gortóm	ná gortóidh
gortóidh sibh	
gortóid (siad)*	a ghortóidh
gortófar	

THE CONDITIONAL MOOD	An Modh Coinníollach
(do) ghortóinn	
(do) ghortófá	ní ghortódh
(do) ghortódh sé	an ngortódh?
(do) ghortódh sí	go ngortódh
(do) ghortóimíst	ná gortódh
(do) ghortódh sibh	
(do) ghortóidíst	
(do) gortófaí*	

52 **gortaigh** 'hurt, injure' v.n. **gortú** v.adj. **gortaithe**

Standard Irish: An Caighdeán Oifigiúil

THE IMPERFECT TENSE	An Aimsir Ghnáthchaite	The Imperative Mood	The Present Subjunctive
ghortaínn		gortaím	go ngortaí mé
ghortaíteá	ní ghortaíodh	gortaigh	go ngortaí tú
ghortaíodh sé	an ngortaíodh?	gortaíodh sé	go ngortaí sé
ghortaíodh sí	go ngortaíodh	gortaíodh sí	go ngortaí sí
ghortaímis	nach ngortaíodh	gortaímis	go ngortaímid
ghortaíodh sibh		gortaígí	go ngortaí sibh
ghortaídís		gortaídís	go ngortaí siad
ghortaítí		gortaítear	go ngortaítear
		ná gortaigh	nár ghortaí

Ulster Irish: Gaeilge Chúige Uladh

THE IMPERFECT TENSE	An Aimsir Ghnáthchaite	An Modh Ordaitheach	An Foshuiteach Láithreach
ghortainn		gortaim	go ngortaí mé
ghortaítheá	ní ghortadh	gortaigh	go ngortaí tú
ghortadh sé	(cha ghortadh)	gortadh sé	go ngortaí sé
ghortadh sí	an ngortadh?	gortadh sí	go ngortaí sí
ghortaimis[‡]	go ngortadh	gortaimis[‡/fut]	go ngortaí muid[†]
ghortadh sibh	nach ngortadh	gortaigí[C]	go ngortaí sibh
ghortadh siad	Ba ghnách le …	gortadh siad	go ngortaí siad
ghortaíthí		gortaíthear	go ngortaíthear
		ná gortaigh	nár ghortaí

Connaught Irish: Gaeilge Chonnacht

THE IMPERFECT TENSE	An Aimsir Ghnáthchaite	The Imperative Mood	The Present Subjunctive
ghortaínn		gortaím	go ngortaí mé
ghortaíteá[M]	ní ghortaíodh	gortaigh	go ngortaí tú
ghortaíodh sé	an ngortaíodh?	gortaíodh sé	go ngortaí sé
ghortaíodh sí	go ngortaíodh	gortaíodh sí	go ngortaí sí
ghortaíodh muid	nach ngortaíodh	gortaímid	go ngortaí muid
ghortaíodh sibh		gortaighidh	go ngortaí sibh
ghortaídís[U]		gortaídís	go ngortaí siad
ghortaítí[M]		gortaít(h)ear	go ngortaít(h)ear
		ná gortaigh	nár ghortaí

Munster Irish: Gaeilge na Mumhan

THE IMPERFECT TENSE	An Aimsir Ghnáthchaite	An Modh Ordaitheach	An Foshuiteach Láithreach
(do) ghortaínn		gortaím	go ngortaíod*
(do) ghortaíotá*	ní ghortaíodh	gortaigh	go ngortaír*
(do) ghortaíodh sé	an ngortaíodh?	gortaíodh sé	go ngortaí sé
(do) ghortaíodh sí	go ngortaíodh	gortaíodh sí	go ngortaí sí
(do) ghortaímíst	ná gortaíodh	gortaímíst	go ngortaíom*
(do) ghortaíodh sibh		gortaíg[=C]*	go ngortaí sibh
(do) ghortaídíst		gortaídíst	go ngortaíd*
(do) gortaíotaí*		gortaíotar*	go ngortaíotar*
		ná gortaigh	nár ghortaí

53 iarr 'ask, request' v.n. iarraidh v.adj. iarrtha

Standard Irish: An Caighdeán Oifigiúil

THE PAST TENSE	An Aimsir Chaite
d'iarr mé	níor iarr
d'iarr tú	ar iarr?
d'iarr sé	gur iarr
d'iarr sí	nár iarr
d'iarramar	níor iarradh
d'iarr sibh	ar iarradh?
d'iarr siad	gur iarradh
iarradh	nár iarradh

THE PRESENT TENSE	An Aimsir Láithreach
iarraim	
iarrann tú	ní iarrann
iarrann sé	an iarrann?
iarrann sí	go n-iarrann
iarraimid	nach n-iarrann
iarrann sibh	
iarrann siad	a iarrann
iarrtar	

Ulster Irish: Gaeilge Chúige Uladh

THE PAST TENSE	An Aimsir Chaite
d'iarr mé	níor iarr
d'iarr tú	(char iarr)
d'iarr sé	ar iarr?
d'iarr sí	gur iarr
d'iarr muid†	nár iarr
d'iarr sibh	
d'iarr siad	níor/ar hiarradh
hiarradh	gur/nár hiarradh

THE PRESENT TENSE	An Aimsir Láithreach
iarraim	ní iarrann
iarrann tú	(chan iarrann)
iarrann sé	an iarrann?
iarrann sí	go n-iarrann
iarrann muid†	nach n-iarrann
iarrann sibh	
iarrann siad	a iarras
iarrtar	

Connaught Irish: Gaeilge Chonnacht

THE PAST TENSE	An Aimsir Chaite
d'iarr mé [M]	níor iarr
d'iarr tú [M]	ar iarr?
d'iarr sé	gur iarr
d'iarr sí	nár iarr
d'iarr muid	níor hiarradh
d'iarr sibh	ar hiarradh?
d'iarradar[U]	gur hiarradh
hiarradh	nár hiarradh

THE PRESENT TENSE	An Aimsir Láithreach
iarraim	
iarrann tú	ní iarrann
iarrann sé	an iarrann?
iarrann sí	go n-iarrann
iarrann muid	nach n-iarrann
iarrann sibh	
iarrann siad	a iarranns
iarrtar	

Munster Irish: Gaeilge na Mumhan

THE PAST TENSE	An Aimsir Chaite
dh'iarras*	níor iarr, ní(or) dh'iarr
dh'iarrais*	ar iarr?
*dh'iarr sé	gur iarr
*dh'iarr sí	nár iarr
dh'iarramair*	níor hiarradh*
dh'iarrabhair*	ar hiarradh?*
dh'iarradar*	gur hiarradh*
(do) hiarradh* d(h)'iarradh	nár hiarradh*

THE PRESENT TENSE	An Aimsir Láithreach
iarraim	ní iarrann
iarrann tú	(ní dh'iarrann)
iarrann sé	an iarrann?
iarrann sí	go n-iarrann
iarraimíd	ná hiarrann
iarrann sibh	
iarraid	a iarrann
iarrtar	

53 **iarr** 'ask, request' a.br. **iarraidh** aid.bhr. **iarrtha**

Standard Irish: An Caighdeán Oifigiúil

THE FUTURE TENSE	An Aimsir Fháistineach
iarrfaidh mé	
iarrfaidh tú	ní iarrfaidh
iarrfaidh sé	an iarrfaidh?
iarrfaidh sí	go n-iarrfaidh
iarrfaimid	nach n-iarrfaidh
iarrfaidh sibh	
iarrfaidh siad	a iarrfaidh
iarrfar	

THE CONDITIONAL MOOD	An Modh Coinníollach
d'iarrfainn	
d'iarrfá	ní iarrfadh
d'iarrfadh sé	an iarrfadh?
d'iarrfadh sí	go n-iarrfadh
d'iarrfaimis	nach n-iarrfadh
d'iarrfadh sibh	
d'iarrfaidís	
d'iarrfaí	

Ulster Irish: Gaeilge Chúige Uladh

THE FUTURE TENSE	An Aimsir Fháistineach
iarrfaidh mé	ní iarrfaidh
iarrfaidh tú	(chan iarrann)
iarrfaidh sé	an iarrfaidh?
iarrfaidh sí	go n-iarrfaidh
iarrfaidh muid†	nach n-iarrfaidh
iarrfaidh sibh	
iarrfaidh siad	a iarrfas
iarrfar	

THE CONDITIONAL MOOD	An Modh Coinníollach
d'iarrfainn	
d'iarrfá	ní iarrfadh
d'iarrfadh sé	(chan iarrfadh)
d'iarrfadh sí	an iarrfadh?
d'iarrfaimis‡	go n-iarrfadh
d'iarrfadh sibh	nach n-iarrfadh
d'iarrfadh siad	
d'iarrfaí	

Connaught Irish: Gaeilge Chonnacht

THE FUTURE TENSE	An Aimsir Fháistineach
iarrfaidh mé [M]	
iarrfaidh tú[M]	ní iarrfaidh
iarrfaidh sé	an iarrfaidh?
iarrfaidh sí	go n-iarrfaidh
iarrfaidh muid	nach n-iarrfaidh
iarrfaidh sibh	
iarrfaidh siad	a iarrfas
iarrfar	

THE CONDITIONAL MOOD	An Modh Coinníollach
d'iarrfainn	
d'iarrfá	ní iarrfadh
d'iarrfadh sé	an iarrfadh?
d'iarrfadh sí	go n-iarrfadh
d'iarrfadh muid	nach n-iarrfadh
d'iarrfadh sibh	
d'iarrfaidís[U]	
d'iarrfaí[M]	

Munster Irish: Gaeilge na Mumhan

THE FUTURE TENSE	An Aimsir Fháistineach
iarrfad*	ní iarrfaidh
*iarrfair	(ní dh'iarrfaidh)
iarrfaidh sé	an iarrfaidh?
iarrfaidh sí	go n-iarrfaidh
iarrfam*	ná hiarrfaidh
iarrfaidh sibh	
iarrfaid*	a iarrfaidh
iarrfar	

THE CONDITIONAL MOOD	An Modh Coinníollach
*dh'iarrfainn	ní iarrfadh
*dh'iarrfá	(ní dh'iarrfadh)
*dh'iarrfadh sé	an iarrfadh?
*dh'iarrfadh sí	go n-iarrfadh
*dh'iarrfaimíst	ná hiarrfadh
*dh'iarrfadh sibh	
*dh'iarrfaidíst	
*(do) hiarrfaí	

Standard Irish: An Caighdeán Oifigiúil

THE IMPERFECT TENSE	An Aimsir Ghnáthchaite	The Imperative Mood	The Present Subjunctive
d'iarrainn		iarraim	go n-iarra mé
d'iarrtá	ní iarradh	iarr	go n-iarra tú
d'iarradh sé	an iarradh?	iarradh sé	go n-iarra sé
d'iarradh sí	go n-iarradh	iarradh sí	go n-iarra sí
d'iarraimis	nach n-iarradh	iarraimis	go n-iarraimid
d'iarradh sibh		iarraigí	go n-iarra sibh
d'iarraidís		iarraidís	go n-iarra siad
d'iarrtaí		iarrtar	go n-iarrtar
		ná hiarr	nár iarra

Ulster Irish: Gaeilge Chúige Uladh

THE IMPERFECT TENSE	An Aimsir Ghnáthchaite	An Modh Ordaitheach	An Foshuiteach Láithreach
d'iarrainn		iarraim	go n-iarraidh mé
d'iarrthá	ní iarradh	iarr	go n-iarraidh tú
d'iarradh sé	(chan iarradh)	iarradh sé	go n-iarraidh sé
d'iarradh sí	an iarradh?	iarradh sí	go n-iarraidh sí
d'iarraimis‡	go n-iarradh	iarraimis‡/fut	go n-iarraidh muid†
d'iarradh sibh	nach n-iarradh	iarraigí	go n-iarraidh sibh
d'iarradh siad	Ba ghnách le ...	iarradh siad	go n-iarraidh siad
d'iarrtaí		iarrtar	go n-iarrtar
		ná hiarr	nár iarraidh

Connaught Irish: Gaeilge Chonnacht

THE IMPERFECT TENSE	An Aimsir Ghnáthchaite	The Imperative Mood	The Present Subjunctive
d'iarrainn		iarraim	go n-iarra mé
d'iarrtá	ní iarradh	iarr	go n-iarra tú
d'iarradh sé	an iarradh?	iarradh sé	go n-iarra sé
d'iarradh sí	go n-iarradh	iarradh sí	go n-iarra sí
d'iarradh muid	nach n-iarradh	iarraimid	go n-iarra muid
d'iarradh sibh		iarraidh	go n-iarra sibh
d'iarraidís[U]		iarraidís	go n-iarra siad
d'iarrtaí[M]		iarrtar	go n-iarrtar
		ná hiarr	nár iarra

Munster Irish: Gaeilge na Mumhan

THE IMPERFECT TENSE	An Aimsir Ghnáthchaite	An Modh Ordaitheach	An Foshuiteach Láithreach
*dh'iarrainn	ní iarradh	iarraim	go n-iarrad*
*dh'iarrtá	(ní dh'iarradh)	iarr	go n-iarrair*
*dh'iarradh sé	an iarradh?	iarradh sé	go n-iarra sé
*dh'iarradh sí	go n-iarradh	iarradh sí	go n-iarra sí
*dh'iarraimíst	ná hiarradh	iarraimíst	go n-iarram*
*dh'iarradh sibh		iarraíg=C*	go n-iarra sibh
*dh'iarraidíst		iarraidíst	go n-iarraid*
*(do) hiarrtaí		iarrtar	go n-iarrtar
go n-iarrataí		ná hiarr	nár iarra

Standard Irish: An Caighdeán Oifigiúil

THE PAST TENSE	An Aimsir Chaite
d'imigh mé	níor imigh
d'imigh tú	ar imigh?
d'imigh sé	gur imigh
d'imigh sí	nár imigh
d'imíomar	níor imíodh
d'imigh sibh	ar imíodh?
d'imigh siad	gur imíodh
imíodh	nár imíodh

THE PRESENT TENSE	An Aimsir Láithreach
imím	
imíonn tú	ní imíonn
imíonn sé	an imíonn?
imíonn sí	go n-imíonn
imímid	nach n-imíonn
imíonn sibh	
imíonn siad	a imíonn
imítear	

Ulster Irish: Gaeilge Chúige Uladh

THE PAST TENSE	An Aimsir Chaite
d'imigh mé	níor imigh
d'imigh tú	(char imigh)
d'imigh sé	ar imigh?
d'imigh sí	gur imigh
d'imigh muid†	nár imigh
d'imigh sibh	
d'imigh siad	níor/ar himeadh
himeadh	gur/nár himeadh

THE PRESENT TENSE	An Aimsir Láithreach
imim	ní imeann
imeann tú	(chan imeann)
imeann sé	an imeann?
imeann sí	go n-imeann
imeann muid†	nach n-imeann
imeann sibh	
imeann siad	a imeas
imíthear	

Connaught Irish: Gaeilge Chonnacht

THE PAST TENSE	An Aimsir Chaite
d'imigh mé [M]	níor imigh
d'imigh tú [M]	ar imigh?
d'imigh sé	gur imigh
d'imigh sí	nár imigh
d'imigh muid	níor himíodh
d'imigh sibh	ar himíodh?
d'imíodar[U]	gur himíodh
himíodh [U]	nár himíodh

THE PRESENT TENSE	An Aimsir Láithreach
imím	
imíonn tú	ní imíonn
imíonn sé	an imíonn?
imíonn sí	go n-imíonn
imíonn muid	nach n-imíonn
imíonn sibh	
imíonn siad	a imíonns
imít(h)ear	

Munster Irish: Gaeilge na Mumhan

THE PAST TENSE	An Aimsir Chaite
dh'imíos*	*ní(or) dh'imigh
dh'imís*	ar imigh?
*dh'imigh sé	gur imigh
*dh'imigh sí	nár imigh
dh'imíomair*	níor himíodh*
dh'imíobhair*	ar himíodh?*
dh'imíodar*	gur himíodh*
(do) himíodh* d(h)'imíodh	nár himíodh*

THE PRESENT TENSE	An Aimsir Láithreach
imím	ní imíonn
imíonn tú	(ní dh'imíonn)
imíonn sé	an imíonn?
imíonn sí	go n-imíonn
imímíd	ná himíonn
imíonn sibh	
imíd	a imíonn
imíotar*	

54 **imigh** 'leave, go off' a.br. **imeacht** v.adj. **imithe; ar shiúl** *U*

Standard Irish: An Caighdeán Oifigiúil

THE FUTURE TENSE	An Aimsir Fháistineach
imeoidh mé	
imeoidh tú	ní imeoidh
imeoidh sé	an imeoidh?
imeoidh sí	go n-imeoidh
imeoimid	nach n-imeoidh
imeoidh sibh	
imeoidh siad	a imeoidh
imeofar	

THE CONDITIONAL MOOD	An Modh Coinníollach
d'imeoinn	
d'imeofá	ní imeodh
d'imeodh sé	an imeodh?
d'imeodh sí	go n-imeodh
d'imeoimis	nach n-imeodh
d'imeodh sibh	
d'imeoidís	
d'imeofaí	

Ulster Irish: Gaeilge Chúige Uladh

THE FUTURE TENSE	An Aimsir Fháistineach
imeochaidh mé	ní imeochaidh
imeochaidh tú	(chan imeann)
imeochaidh sé	an imeochaidh?
imeochaidh sí	go n-imeochaidh
imeochaidh muid[†]	nach n-imeochaidh
imeochaidh sibh	
imeochaidh siad	a imeochas
imeofar	

THE CONDITIONAL MOOD	An Modh Coinníollach
d'imeochainn	
d'imeofá	ní imeochadh
d'imeochadh sé	(chan imeochadh)
d'imeochadh sí	an imeochadh?
d'imeochaimis[‡]	go n-imeochadh
d'imeochadh sibh	nach n-imeochadh
d'imeochadh siad	
d'imeofaí	

Connaught Irish: Gaeilge Chonnacht

THE FUTURE TENSE	An Aimsir Fháistineach
imeoidh mé [M]	
imeoidh tú[M]	ní imeoidh
imeoidh sé	an imeoidh?
imeoidh sí	go n-imeoidh
imeoidh muid	nach n-imeoidh
imeoidh sibh	
imeoidh siad	a imeos
imeofar	

THE CONDITIONAL MOOD	An Modh Coinníollach
d'imeoinn	
d'imeofá	ní imeodh
d'imeodh sé	an imeodh?
d'imeodh sí	go n-imeodh
d'imeodh muid	nach n-imeodh
d'imeodh sibh	
d'imeoidís[U]	
d'imeofaí[M]	

Munster Irish: Gaeilge na Mumhan

THE FUTURE TENSE	An Aimsir Fháistineach
imeod*	ní imeoidh
*imeoir	(ní dh'imeoidh)
imeoidh sé	an imeoidh?
imeoidh sí	go n-imeoidh
imeom*	ná himeoidh
imeoidh sibh	
imeoid*	a imeoidh
imeofar	

THE CONDITIONAL MOOD	An Modh Coinníollach
*dh'imeoinn	ní imeodh
*dh'imeofá	(ní dh'imeodh)
*dh'imeodh sé	an imeodh?
*dh'imeodh sí	go n-imeodh
*dh'imeoimíst	ná himeodh
*dh'imeodh sibh	
*dh'imeoidíst	
*(do) himeofaí	

54 **imigh** 'leave, go off' v.n. **imeacht** v.adj. **imithe; ar shiúl** *U*

Standard Irish: An Caighdeán Oifigiúil

THE IMPERFECT TENSE	An Aimsir Ghnáthchaite	The Imperative Mood	The Present Subjunctive
d'imínn		imím	go n-imí mé
d'imíteá	ní imíodh	imigh	go n-imí tú
d'imíodh sé	an imíodh?	imíodh sé	go n-imí sé
d'imíodh sí	go n-imíodh	imíodh sí	go n-imí sí
d'imímis	nach n-imíodh	imímis	go n-imímid
d'imíodh sibh		imígí	go n-imí sibh
d'imídís		imídís	go n-imí siad
d'imítí		imítear	go n-imítear
		ná himigh	nár imí

Ulster Irish: Gaeilge Chúige Uladh

THE IMPERFECT TENSE	An Aimsir Ghnáthchaite	An Modh Ordaitheach	An Foshuiteach Láithreach
d'iminn	ní imeadh	imim	go n-imí mé
d'imítheá	(chan imeadh)	imigh	go n-imí tú
d'imeadh sé	an imeadh?	imeadh sé	go n-imí sé
d'imeadh sí	go n-imeadh	imeadh sí	go n-imí sí
d'imimis[‡]	nach n-imeadh	imimis[‡/fut]	go n-imí muid[†]
d'imeadh sibh		imigí	go n-imí sibh
d'imeadh siad	Ba ghnách le …	imeadh siad	go n-imí siad
d'imíthí		imíthear	go n-imíthear
		ná himigh	nár imí

Connaught Irish: Gaeilge Chonnacht

THE IMPERFECT TENSE	An Aimsir Ghnáthchaite	The Imperative Mood	The Present Subjunctive
d'imínn		imím	go n-imí mé
d'imíteá[M]	ní imíodh	imigh	go n-imí tú
d'imíodh sé	an imíodh?	imíodh sé	go n-imí sé
d'imíodh sí	go n-imíodh	imíodh sí	go n-imí sí
d'imíodh muid	nach n-imíodh	imímid	go n-imí muid
d'imíodh sibh		imighidh	go n-imí sibh
d'imídís[U]		imídís	go n-imí siad
d'imítí[M]		imít(h)ear	go n-imít(h)ear
		ná himigh	nár imí

Munster Irish: Gaeilge na Mumhan

THE IMPERFECT TENSE	An Aimsir Ghnáthchaite	An Modh Ordaitheach	An Foshuiteach Láithreach
*dh'imínn	ní imíodh	imím	go n-imíod*
*dh'imíotá	(ní dh'imíodh)	imigh	go n-imír*
*dh'imíodh sé	an imíodh?	imíodh sé	go n-imí sé
*dh'imíodh sí	go n-imíodh	imíodh sí	go n-imí sí
*dh'imímíst	ná himíodh	imímíst	go n-imíom*
*dh'imíodh sibh		imíg[=C*]	go n-imí sibh
*dh'imídíst		imídíst	go n-imíd*
*(do) himíotaí		imíotar*	go n-imíotar*
		ná himigh	nár imí

Standard Irish: An Caighdeán Oifigiúil

THE PAST TENSE	An Aimsir Chaite
d'imir mé	níor imir
d'imir tú	ar imir?
d'imir sé	gur imir
d'imir sí	nár imir
d'imríomar	níor imríodh
d'imir sibh	ar imríodh?
d'imir siad	gur imríodh
imríodh	nár imríodh

THE PRESENT TENSE	An Aimsir Láithreach
imrím	
imríonn tú	ní imríonn
imríonn sé	an imríonn?
imríonn sí	go n-imríonn
imrímid	nach n-imríonn
imríonn sibh	
imríonn siad	a imríonn
imrítear	

Ulster Irish: Gaeilge Chúige Uladh

THE PAST TENSE	An Aimsir Chaite
d'imir mé	níor imir
d'imir tú	(char imir)
d'imir sé	ar imir?
d'imir sí	gur imir
d'imir muid[†]	nár imir
d'imir sibh	
d'imir siad	níor/ar himreadh
himreadh	gur/nár himreadh

THE PRESENT TENSE	An Aimsir Láithreach
imrim	ní imreann
imreann tú	(chan imreann)
imreann sé	an imreann?
imreann sí	go n-imreann
imreann muid[†]	nach n-imreann
imreann sibh	
imreann siad	a imreas
imeartar	

Connaught Irish: Gaeilge Chonnacht

THE PAST TENSE	An Aimsir Chaite
d'imir mé [M]	níor imir
d'imir tú [M]	ar imir?
d'imir sé	gur imir
d'imir sí	nár imir
d'imir muid	níor himríodh
d'imir sibh	ar himríodh?
d'imríodar[U]	gur himríodh
himríodh [U]	nár himríodh

THE PRESENT TENSE	An Aimsir Láithreach
imrím	
imríonn tú	ní imríonn
imríonn sé	an imríonn?
imríonn sí	go n-imríonn
imríonn muid	nach n-imríonn
imríonn sibh	
imríonn siad	a imríonns
imrít(h)ear	

Munster Irish: Gaeilge na Mumhan

THE PAST TENSE	An Aimsir Chaite
dh'imríos*	níor imir, ní(or) dh'imir
dh'imrís*	ar imir?
*dh'imir sé	gur imir
*dh'imir sí	nár imir
dh'imríomair*	níor himríodh*
dh'imríobhair*	ar himríodh?*
dh'imríodar*	gur himríodh*
(do) himríodh* d(h)'imríodh	nár himríodh*

THE PRESENT TENSE	An Aimsir Láithreach
imrím	ní imríonn
imríonn tú	(ní dh'imríonn)
imríonn sé	an imríonn?
imríonn sí	go n-imríonn
imrímíd	ná himríonn
imríonn sibh	
imríd	a imríonn
imríotar*	

55 **imir** 'play' a.br. **imirt** aid.bhr. **imeartha**

Standard Irish: An Caighdeán Oifigiúil

THE FUTURE TENSE	An Aimsir Fháistineach
imreoidh mé	
imreoidh tú	ní imreoidh
imreoidh sé	an imreoidh?
imreoidh sí	go n-imreoidh
imreoimid	nach n-imreoidh
imreoidh sibh	
imreoidh siad	a imreoidh
imreofar	

THE CONDITIONAL MOOD	An Modh Coinníollach
d'imreoinn	
d'imreofá	ní imreodh
d'imreodh sé	an imreodh?
d'imreodh sí	go n-imreodh
d'imreoimis	nach n-imreodh
d'imreodh sibh	
d'imreoidís	
d'imreofaí	

Ulster Irish: Gaeilge Chúige Uladh

THE FUTURE TENSE	An Aimsir Fháistineach
imreochaidh mé	ní imreochaidh
imreochaidh tú	(chan imreann)
imreochaidh sé	an imreochaidh?
imreochaidh sí	go n-imreochaidh
imreochaidh muid†	nach n-imreochaidh
imreochaidh sibh	a imreochas
imreochaidh siad	*alt.* imeoraidh
imreofar	= imreochaidh

THE CONDITIONAL MOOD	An Modh Coinníollach
d'imreochainn	
d'imreofá	ní imreochadh /
d'imreochadh sé	chan imreochadh
d'imreochadh sí	an imreochadh?
d'imreochaimis‡	go n-imreochadh
d'imreochadh sibh	nach n-imreochadh
d'imreochadh siad	*alt* d'imeoradh
d'imreofaí	= d'imreochadh

Connaught Irish: Gaeilge Chonnacht

THE FUTURE TENSE	An Aimsir Fháistineach
imreoidh mé [M]	
imreoidh tú[M]	ní imreoidh
imreoidh sé	an imreoidh?
imreoidh sí	go n-imreoidh
imreoidh muid	nach n-imreoidh
imreoidh sibh	
imreoidh siad	a imreos
imreofar	

THE CONDITIONAL MOOD	An Modh Coinníollach
d'imreoinn	
d'imreofá	ní imreodh
d'imreodh sé	an imreodh?
d'imreodh sí	go n-imreodh
d'imreodh muid	nach n-imreodh
d'imreodh sibh	
d'imreoidís[U]	
d'imreofaí[M]	

Munster Irish: Gaeilge na Mumhan

THE FUTURE TENSE	An Aimsir Fháistineach
imreod*	ní imreoidh
imreoir*	(ní dh'imreoidh)
imreoidh sé	an imreoidh?
imreoidh sí	go n-imreoidh
imreom*	ná himreoidh
imreoidh sibh	
imreoid*	a imreoidh
imreofar	

THE CONDITIONAL MOOD	An Modh Coinníollach
*dh'imreoinn	ní imreodh
*dh'imreofá	(ní dh'imreodh)
*dh'imreodh sé	an imreodh?
*dh'imreodh sí	go n-imreodh
*dh'imreoimíst	ná himreodh
*dh'imreodh sibh	
*dh'imreoidíst	
*(do) himreofaí	

55 **imir** 'play' v.n. **imirt** v.adj. **imeartha**

Standard Irish: An Caighdeán Oifigiúil

THE IMPERFECT TENSE	An Aimsir Ghnáthchaite	The Imperative Mood	The Present Subjunctive
d'imrínn		imrím	go n-imrí mé
d'imríteá	ní imríodh	imir	go n-imrí tú
d'imríodh sé	an imríodh?	imríodh sé	go n-imrí sé
d'imríodh sí	go n-imríodh	imríodh sí	go n-imrí sí
d'imrímis	nach n-imríodh	imrímis	go n-imrímid
d'imríodh sibh		imrígí	go n-imrí sibh
d'imrídís		imrídís	go n-imrí siad
d'imrítí		imrítear	go n-imrítear
		ná himir	nár imrí

Ulster Irish: Gaeilge Chúige Uladh

THE IMPERFECT TENSE	An Aimsir Ghnáthchaite	An Modh Ordaitheach	An Foshuiteach Láithreach
d'imrínn	ní imríodh	imrim	go n-imrí mé
d'imrítheá	(chan imríodh)	imir	go n-imrí tú
d'imríodh sé	an imríodh?	imreadh sé	go n-imrí sé
d'imríodh sí	go n-imríodh	imreadh sí	go n-imrí sí
d'imrímis[‡]	nach n-imríodh	imrimis[‡/fut]	go n-imrí muid[†]
d'imríodh sibh		imrigí[C]	go n-imrí sibh
d'imríodh siad	Ba ghnách le …	imreadh siad	go n-imrí siad
d'imríthí		imeartar	go n-imeartar
		ná himir	nár imrí

Connaught Irish: Gaeilge Chonnacht

THE IMPERFECT TENSE	An Aimsir Ghnáthchaite	The Imperative Mood	The Present Subjunctive
d'imrínn		imrím	go n-imrí mé
d'imríteá[M]	ní imríodh	imir	go n-imrí tú
d'imríodh sé	an imríodh?	imríodh sé	go n-imrí sé
d'imríodh sí	go n-imríodh	imríodh sí	go n-imrí sí
d'imríodh muid	nach n-imríodh	imrímid	go n-imrí muid
d'imríodh sibh		imiridh	go n-imrí sibh
d'imrídís[U]		imrídís	go n-imrí siad
d'imrítí[M]		imrít(h)ear	go n-imrít(h)ear
		ná himir	nár imrí

Munster Irish: Gaeilge na Mumhan

THE IMPERFECT TENSE	An Aimsir Ghnáthchaite	An Modh Ordaitheach	An Foshuiteach Láithreach
*dh'imrínn	ní imríodh	imrím	go n-imríod*
*dh'imríotá	(ní dh'imríodh)	imir	go n-imrír*
*dh'imríodh sé	an imríodh?	imríodh sé	go n-imrí sé
*dh'imríodh sí	go n-imríodh	imríodh sí	go n-imrí sí
*dh'imrímíst	ná himríodh	imrímíst	go n-imríom*
*dh'imríodh sibh		imríg[=C]*	go n-imrí sibh
*dh'imrídíst		imrídíst	go n-imríd*
(do) himríotaí*		imríotar*	go n-imríotar*
		ná himir	nár imrí

Standard Irish: An Caighdeán Oifigiúil

THE PAST TENSE	An Aimsir Chaite
d'inis mé	níor inis
d'inis tú	ar inis?
d'inis sé	gur inis
d'inis sí	nár inis
d'insíomar	níor insíodh
d'inis sibh	ar insíodh?
d'inis siad	gur insíodh
insíodh	nár insíodh

THE PRESENT TENSE	An Aimsir Láithreach
insím	
insíonn tú	ní insíonn
insíonn sé	an insíonn?
insíonn sí	go n-insíonn
insímid	nach n-insíonn
insíonn sibh	
insíonn siad	a insíonn
insítear	

Ulster Irish: Gaeilge Chúige Uladh

THE PAST TENSE	An Aimsir Chaite
d'ins mé	níor ins
d'ins tú	(char ins)
d'ins sé	ar ins?
d'ins sí	gur ins
d'ins muid†	nár ins
d'ins sibh	*var* inis = ins
d'ins siad	níor/ar hinseadh
hinseadh	gur/nár hinseadh

THE PRESENT TENSE	An Aimsir Láithreach
insim	ní inseann
inseann tú	(chan inseann)
inseann sé	an inseann?
inseann sí	go n-inseann
inseann muid†	nach n-inseann
inseann sibh	
inseann siad	a inseas
instear	*vn* inse

Connaught Irish: Gaeilge Chonnacht

THE PAST TENSE	An Aimsir Chaite
d'inis mé [M]	níor inis
d'inis tú [M]	ar inis?
d'inis sé	gur inis
d'inis sí	nár inis
d'inis muid	níor hinsíodh
d'inis sibh	ar hinsíodh?
d'insíodar [U]	gur hinsíodh
hinsíodh [U]	nár hinsíodh

THE PRESENT TENSE	An Aimsir Láithreach
insím	
insíonn tú	ní insíonn
insíonn sé	an insíonn?
insíonn sí	go n-insíonn
insíonn muid	nach n-insíonn
insíonn sibh	
insíonn siad	a insíonns
insít(h)ear	*vn* inseach(t)

Munster Irish: Gaeilge na Mumhan

THE PAST TENSE	An Aimsir Chaite
(do) niseas	ní(or) nis
(do) nisis	ar nis?
(do) nis sé	gur nis
(do) nis sí	nár nis
(do) niseamair -mar	níor niseadh
(do) niseabhair	ar niseadh?
(do) niseadar	gur niseadh
(do) niseadh	nár niseadh

THE PRESENT TENSE	An Aimsir Láithreach
nisim	
niseann tú	ní niseann
niseann sé	an niseann?
niseann sí	go niseann
nisimíd	ná niseann
niseann sibh	
niseann siad/nisid	a niseann
nistear	*vn* nisint, *vadj* niste

56 **inis** 'tell' a.br. **insint; inse** *U* aid.bhr. **inste**

Standard Irish: An Caighdeán Oifigiúil

THE FUTURE TENSE	An Aimsir Fháistineach
inseoidh mé	
inseoidh tú	ní inseoidh
inseoidh sé	an inseoidh?
inseoidh sí	go n-inseoidh
inseoimid	nach n-inseoidh
inseoidh sibh	
inseoidh siad	a inseoidh
inseofar	

THE CONDITIONAL MOOD	An Modh Coinníollach
d'inseoinn	
d'inseofá	ní inseodh
d'inseodh sé	an inseodh?
d'inseodh sí	go n-inseodh
d'inseoimis	nach n-inseodh
d'inseodh sibh	
d'inseoidís	
d'inseofaí	

Ulster Irish: Gaeilge Chúige Uladh

THE FUTURE TENSE	An Aimsir Fháistineach
inseochaidh mé	ní inseochaidh
inseochaidh tú	(chan inseann)
inseochaidh sé	an inseochaidh?
inseochaidh sí	go n-inseochaidh
inseochaidh muid[†]	nach n-inseochaidh
inseochaidh sibh	
inseochaidh siad	a inseochas
inseofar	

THE CONDITIONAL MOOD	An Modh Coinníollach
d'inseochainn	
d'inseofá	ní inseochadh
d'inseochadh sé	(chan inseochadh)
d'inseochadh sí	an inseochadh?
d'inseochaimis[‡]	go n-inseochadh
d'inseochadh sibh	nach n-inseochadh
d'inseochadh siad	
d'inseofaí	

Connaught Irish: Gaeilge Chonnacht

THE FUTURE TENSE	An Aimsir Fháistineach
inseoidh mé[M]	
inseoidh tú[M]	ní inseoidh
inseoidh sé	an inseoidh?
inseoidh sí	go n-inseoidh
inseoidh muid	nach n-inseoidh
inseoidh sibh	
inseoidh siad	a inseos
inseofar	

THE CONDITIONAL MOOD	An Modh Coinníollach
d'inseoinn	
d'inseofá	ní inseodh
d'inseodh sé	an inseodh?
d'inseodh sí	go n-inseodh
d'inseodh muid	nach n-inseodh
d'inseodh sibh	
d'inseoidís[U]	
d'inseofaí[M]	

Munster Irish: Gaeilge na Mumhan

THE FUTURE TENSE	An Aimsir Fháistineach
neosad /neosaidh mé	
neosair /neosaidh tú	ní neosaidh
neosaidh sé	an neosaidh?
neosaidh sí	go neosaidh
neosam /neosaimíd	ná neosaidh
neosaidh sibh	
neosaid /neosaidh siad	a neosaidh
neosar/neosfar	

THE CONDITIONAL MOOD	An Modh Coinníollach
(do) neosainn	
(do) neosfá	ní neosadh
(do) neosadh sé	an neosadh?
(do) neosadh sí	go neosadh
(do) neosaimíst	ná neosadh
(do) neosadh sibh	
(do) neosaidíst	*vn* nisint
(do) neosfaí	*vadj* niste

56 **inis** 'tell' v.n. **insint; inse** *U* v.adj. **inste**

Standard Irish: An Caighdeán Oifigiúil

THE IMPERFECT TENSE	An Aimsir Ghnáthchaite	The Imperative Mood	The Present Subjunctive
d'insínn		insím	go n-insí mé
d'insíteá	ní insíodh	inis	go n-insí tú
d'insíodh sé	an insíodh?	insíodh sé	go n-insí sé
d'insíodh sí	go n-insíodh	insíodh sí	go n-insí sí
d'insímis	nach n-insíodh	insímis	go n-insímid
d'insíodh sibh		insígí	go n-insí sibh
d'insídís		insídís	go n-insí siad
d'insítí		insítear	go n-insítear
		ná hinis	nár insí

Ulster Irish: Gaeilge Chúige Uladh

THE IMPERFECT TENSE	An Aimsir Ghnáthchaite	An Modh Ordaitheach	An Foshuiteach Láithreach
d'insinn	ní inseadh	insim	go n-insí mé
d'insítheá	(chan inseadh)	ins *var* inis	go n-insí tú
d'inseadh sé	an inseadh?	inseadh sé	go n-insí sé
d'inseadh sí	go n-inseadh	inseadh sí	go n-insí sí
d'insimis[‡]	nach n-inseadh	insimis[‡/fut]	go n-insí muid[†]
d'inseadh sibh		insigí[C]	go n-insí sibh
d'inseadh siad	Ba ghnách le …	inseadh siad	go n-insí siad
d'insíthí		instear	go n-instear
		ná hins	nár insí

Connaught Irish: Gaeilge Chonnacht

THE IMPERFECT TENSE	An Aimsir Ghnáthchaite	The Imperative Mood	The Present Subjunctive
d'insínn		insím	go n-insí mé
d'insíteá	ní insíodh	inis/ins	go n-insí tú
d'insíodh sé	an insíodh?	insíodh sé	go n-insí sé
d'insíodh sí	go n-insíodh	insíodh sí	go n-insí sí
d'insíodh muid	nach n-insíodh	insímid	go n-insí muid
d'insíodh sibh		inisidh	go n-insí sibh
d'insídís[U]		insídís	go n-insí siad
d'insítí, hinsítí		insít(h)ear	go n-insít(h)ear
		ná hinis/ná hins	nár insí

Munster Irish: Gaeilge na Mumhan

THE IMPERFECT TENSE	An Aimsir Ghnáthchaite	An Modh Ordaitheach	An Foshuiteach Láithreach
(do) nisinn		nisim	go nisead, go nise mé
(do) nisteá	ní niseadh	nis	go nisir, go nise tú
(do) niseadh sé	an niseadh?	niseadh sé	go nise sé
(do) niseadh sí	go niseadh	niseadh sí	go nise sí
(do) nisimíst	ná niseadh	nisimíst	go niseam, go nisimíd
(do) niseadh sibh		nisíg, nisigí	go nise sibh
(do) nisidíst		nisidíst	go nisead, go nise siad
(do) nistí		nistear	go nistear
		ná nis	nár nise

57 **iompair** 'carry' v.n. **iompar** v.adj. **iompartha**

Standard Irish: An Caighdeán Oifigiúil

THE PAST TENSE	An Aimsir Chaite
d'iompair mé	níor iompair
d'iompair tú	ar iompair?
d'iompair sé	gur iompair
d'iompair sí	nár iompair
d'iompraíomar	níor iompraíodh
d'iompair sibh	ar iompraíodh?
d'iompair siad	gur iompraíodh
iompraíodh	nár iompraíodh

THE PRESENT TENSE	An Aimsir Láithreach
iompraím	
iompraíonn tú	ní iompraíonn
iompraíonn sé	an iompraíonn?
iompraíonn sí	go n-iompraíonn
iompraímid	nach n-iompraíonn
iompraíonn sibh	
iompraíonn siad	a iompraíonn
iompraítear	

Ulster Irish: Gaeilge Chúige Uladh

THE PAST TENSE	An Aimsir Chaite
d'iompair mé	níor iompair
d'iompair tú	(char iompair)
d'iompair sé	ar iompair?
d'iompair sí	gur iompair
d'iompair muid[†]	nár iompair
d'iompair sibh	
d'iompair siad	níor/ar hiompradh
hiompradh	gur/nár hiompradh

THE PRESENT TENSE	An Aimsir Láithreach
iompraim	ní iomprann
iomprann tú	(chan iomprann)
iomprann sé	an iomprann?
iomprann sí	go n-iomprann
iomprann muid[†]	nach n-iomprann
iomprann sibh	
iomprann siad	a iompras
iompartar	

Connaught Irish: Gaeilge Chonnacht

THE PAST TENSE	An Aimsir Chaite
d'iompair mé [M]	níor iompair
d'iompair tú [M]	ar iompair?
d'iompair sé	gur iompair
d'iompair sí	nár iompair
d'iompair muid	níor hiompraíodh
d'iompair sibh	ar hiompraíodh?
d'iompraíodar[U]	gur hiompraíodh
hiompraíodh [U]	nár hiompraíodh

THE PRESENT TENSE	An Aimsir Láithreach
iompraím	
iompraíonn tú	ní iompraíonn
iompraíonn sé	an iompraíonn?
iompraíonn sí	go n-iompraíonn
iompraíonn muid	nach n-iompraíonn
iompraíonn sibh	
iompraíonn siad	a iompraíonns
iompraít(h)ear	

Munster Irish: Gaeilge na Mumhan

THE PAST TENSE	An Aimsir Chaite
dh'iompraíos*	*ní(or) dh'iompair
dh'iompraís*	ar iompair?
*dh'iompair sé	gur iompair
*dh'iompair sí	nár iompair?
dh'iompraíomair*	níor hiompraíodh*
dh'iompraíobhair*	ar hiompraíodh?*
dh'iompraíodar*	gur hiompraíodh*
(do) hiompraíodh* d(h)'iompraíodh	nár hiompraíodh*

THE PRESENT TENSE	An Aimsir Láithreach
iompraím	ní iompraíonn
iompraíonn tú	(ní dh'iompraíonn)
iompraíonn sé	an iompraíonn?
iompraíonn sí	go n-iompraíonn
iompraímíd	ná hiompraíonn
iompraíonn sibh	
iompraíd	a iompraíonn
iompraíotar*	

57 **iompair** 'carry' a.br. **iompar** aid.bhr. **iompartha**

Standard Irish: An Caighdeán Oifigiúil

THE FUTURE TENSE	An Aimsir Fháistineach
iompróidh mé	
iompróidh tú	ní iompróidh
iompróidh sé	an iompróidh?
iompróidh sí	go n-iompróidh
iompróimid	nach n-iompróidh
iompróidh sibh	
iompróidh siad	a iompróidh
iomprófar	

THE CONDITIONAL MOOD	An Modh Coinníollach
d'iompróinn	
d'iomprófá	ní iompródh
d'iompródh sé	an iompródh?
d'iompródh sí	go n-iompródh
d'iompróimis	nach n-iompródh
d'iompródh sibh	
d'iompróidís	
d'iomprófaí	

Ulster Irish: Gaeilge Chúige Uladh

THE FUTURE TENSE	An Aimsir Fháistineach
iompróchaidh mé	ní iompróchaidh
iompróchaidh tú	(chan iomprann)
iompróchaidh sé	an iompróchaidh?
iompróchaidh sí	go n-iompróchaidh
iompróchaidh muid[†]	nach n-iompróchaidh
iompróchaidh sibh	
iompróchaidh siad	a iompróchas
iomprófar	

THE CONDITIONAL MOOD	An Modh Coinníollach
d'iompróchainn	
d'iomprófá	ní iompróchadh
d'iompróchadh sé	(chan iompróchadh)
d'iompróchadh sí	an iompróchadh?
d'iompróchaimis[‡]	go n-iompróchadh
d'iompróchadh sibh	nach n-iompróchadh
d'iompróchadh siad	
d'iomprófaí	

Connaught Irish: Gaeilge Chonnacht

THE FUTURE TENSE	An Aimsir Fháistineach
iompróidh mé [M]	
iompróidh tú[M]	ní iompróidh
iompróidh sé	an iompróidh?
iompróidh sí	go n-iompróidh
iompróidh muid	nach n-iompróidh
iompróidh sibh	
iompróidh siad	a iomprós
iomprófar	

THE CONDITIONAL MOOD	An Modh Coinníollach
d'iompróinn	
d'iomprófá	ní iompródh
d'iompródh sé	an iompródh?
d'iompródh sí	go n-iompródh
d'iompródh muid	nach n-iompródh
d'iompródh sibh	
d'iompróidís[U]	
d'iomprófaí[M]	

Munster Irish: Gaeilge na Mumhan

THE FUTURE TENSE	An Aimsir Fháistineach
iompród*	ní iompróidh
*iompróir	(ní dh'iompróidh)
iompróidh sé	an iompróidh?
iompróidh sí	go n-iompróidh
iompróm*	ná hiompróidh
iompróidh sibh	
iompróid*	a iompróidh
iomprófar	

THE CONDITIONAL MOOD	An Modh Coinníollach
*dh'iompróinn	ní iompródh
*dh'iomprófá	(ní dh'iompródh)
*dh'iompródh sé	an iompródh?
*dh'iompródh sí	go n-iompródh
*dh'iompróimíst	ná hiompródh
*dh'iompródh sibh	
*dh'iompróidíst	
*(do) hiomprófaí	

Standard Irish: An Caighdeán Oifigiúil

THE IMPERFECT TENSE	An Aimsir Ghnáthchaite	The Imperative Mood	The Present Subjunctive
d'iompraínn		iompraím	go n-iomprai mé
d'iompraíteá	ní iompraíodh	iompair	go n-iompraí tú
d'iompraíodh sé	an iompraíodh?	iompraíodh sé	go n-iompraí sé
d'iompraíodh sí	go n-iompraíodh	iompraíodh sí	go n-iompraí sí
d'iompraímis	nach n-iompraíodh	iompraímis	go n-iompraímid
d'iompraíodh sibh		iompraígí	go n-iompraí sibh
d'iompraídís		iompraídís	go n-iompraí siad
d'iompraítí		iompraítear	go n-iompraítear
		ná hiompair	nár iompraí

Ulster Irish: Gaeilge Chúige Uladh

THE IMPERFECT TENSE	An Aimsir Ghnáthchaite	An Modh Ordaitheach	An Foshuiteach Láithreach
d'iompraínn	ní iompradh	iompraim	go n-iompraí mé
d'iompraítheá	(chan iompradh)	iompair	go n-iompraí tú
d'iompradh sé	an iompradh?	iompradh sé	go n-iompraí sé
d'iompradh sí	go n-iompradh	iompradh sí	go n-iompraí sí
d'iompraimis‡	nach n-iompradh	iompraimis‡/fut	go n-iompraí muid†
d'iompradh sibh		iompraigí, iompraidh	go n-iompraí sibh
d'iompradh siad	Ba ghnách le ...	iompradh siad	go n-iompraí siad
d'iompraíthí		iompartar	go n-iompartar
		ná hiompair	nár iompraí

Connaught Irish: Gaeilge Chonnacht

THE IMPERFECT TENSE	An Aimsir Ghnáthchaite	The Imperative Mood	The Present Subjunctive
d'iompraínn		iompraím	go n-iompraí mé
d'iompraíteá[M]	ní iompraíodh	iompair	go n-iompraí tú
d'iompraíodh sé	an iompraíodh?	iompraíodh sé	go n-iompraí sé
d'iompraíodh sí	go n-iompraíodh	iompraíodh sí	go n-iompraí sí
d'iompraíodh muid	nach n-iompraíodh	iompraímid	go n-iompraí muid
d'iompraíodh sibh		iompairidh	go n-iompraí sibh
d'iompraídís[U]		iompraídís	go n-iompraí siad
d'iompraítí[M]		iompraít(h)ear	go n-iompraít(h)ear
		ná hiompair	nár iompraí

Munster Irish: Gaeilge na Mumhan

THE IMPERFECT TENSE	An Aimsir Ghnáthchaite	An Modh Ordaitheach	An Foshuiteach Láithreach
*dh'iompraínn	ní iompraíodh	iompraím	go n-iompraíod*
*dh' iompraíotá	(ní dh'iompraíodh)	iompair	go n-iompraír*
*dh'iompraíodh sé	an iompraíodh?	iompraíodh sé	go n-iompraí sé
*dh'iompraíodh sí	go n-iompraíodh	iompraíodh sí	go n-iompraí sí
*dh'iompraímíst	ná hiompraíodh	iompraímíst	go n-iompraíom*
*dh'iompraíodh sibh		iompraíg, iompraídh*	go n-iompraí sibh
*dh'iompraídíst		iompraídíst	go n-iompraíd*
do hiompraíotaí*		iompraíotar*	go n-iompraíotar*
d(h)'iompraíotaí		ná hiompair	nár iompraí

Standard Irish: An Caighdeán Oifigiúil

THE PAST TENSE	An Aimsir Chaite
d'ionsaigh mé	níor ionsaigh
d'ionsaigh tú	ar ionsaigh?
d'ionsaigh sé	gur ionsaigh
d'ionsaigh sí	nár ionsaigh
d'ionsaíomar	níor ionsaíodh
d'ionsaigh sibh	ar ionsaíodh?
d'ionsaigh siad	gur ionsaíodh
ionsaíodh	nár ionsaíodh

THE PRESENT TENSE	An Aimsir Láithreach
ionsaím	ní ionsaíonn
ionsaíonn tú	an ionsaíonn?
ionsaíonn sé	go n-ionsaíonn
ionsaíonn sí	nach n-ionsaíonn
ionsaímid	
ionsaíonn sibh	a ionsaíonn
ionsaíonn siad	
ionsaítear	

Ulster Irish: Gaeilge Chúige Uladh

THE PAST TENSE	An Aimsir Chaite
d'ionsaigh mé	níor ionsaigh
d'ionsaigh tú	(char ionsaigh)
d'ionsaigh sé	ar ionsaigh?
d'ionsaigh sí	gur ionsaigh
d'ionsaigh muid[†]	nár ionsaigh
d'ionsaigh sibh	
d'ionsaigh siad	níor/ar hionsadh
hionsadh	gur/nár hionsadh

THE PRESENT TENSE	An Aimsir Láithreach
ionsaim	ní ionsann
ionsann tú	(chan ionsann)
ionsann sé	an ionsann?
ionsann sí	go n-ionsann
ionsann muid[†]	nach n-ionsann
ionsann sibh	
ionsann siad	a ionsas
ionsaíthear	

Connaught Irish: Gaeilge Chonnacht

THE PAST TENSE	An Aimsir Chaite
d'ionsaigh mé [M]	níor ionsaigh
d'ionsaigh tú [M]	ar ionsaigh?
d'ionsaigh sé	gur ionsaigh
d'ionsaigh sí	nár ionsaigh
d'ionsaigh muid	níor hionsaíodh
d'ionsaigh sibh	ar hionsaíodh?
d'ionsaíodar[U]	gur hionsaíodh
hionsaíodh [U]	nár hionsaíodh

THE PRESENT TENSE	An Aimsir Láithreach
ionsaím	ní ionsaíonn
ionsaíonn tú	an ionsaíonn?
ionsaíonn sé	go n-ionsaíonn
ionsaíonn sí	nach n-ionsaíonn
ionsaíonn muid	
ionsaíonn sibh	a ionsaíonns
ionsaíonn siad	
ionsaít(h)ear	

Munster Irish: Gaeilge na Mumhan

THE PAST TENSE	An Aimsir Chaite
dh'ionsaíos*	*ní(or) dh'ionsaigh
dh'ionsaís*	ar ionsaigh?
*dh'ionsaigh sé	gur ionsaigh
*dh'ionsaigh sí	nár ionsaigh
dh'ionsaíomair*	níor hionsaíodh*
dh'ionsaíobhair*	ar hionsaíodh?*
dh'ionsaíodar*	gur hionsaíodh*
(do) hionsaíodh*	nár hionsaíodh*
d(h)'ionsaíodh	

THE PRESENT TENSE	An Aimsir Láithreach
ionsaím	ní ionsaíonn
ionsaíonn tú	(ní dh'ionsaíonn)
ionsaíonn sé	an ionsaíonn?
ionsaíonn sí	go n-ionsaíonn
ionsaímíd	ná hionsaíonn
ionsaíonn sibh	
ionsaíd	a ionsaíonn
ionsaíotar*	

58 **ionsaigh** 'attack' a.br. **ionsaí** aid.bhr. **ionsaithe**

Standard Irish: An Caighdeán Oifigiúil

THE FUTURE TENSE	An Aimsir Fháistineach	THE CONDITIONAL MOOD	An Modh Coinníollach
ionsóidh mé		d'ionsóinn	
ionsóidh tú	ní ionsóidh	d'ionsófá	ní ionsódh
ionsóidh sé	an ionsóidh?	d'ionsódh sé	an ionsódh?
ionsóidh sí	go n-ionsóidh	d'ionsódh sí	go n-ionsódh
ionsóimid	nach n-ionsóidh	d'ionsóimis	nach n-ionsódh
ionsóidh sibh		d'ionsódh sibh	
ionsóidh siad	a ionsóidh	d'ionsóidís	
ionsófar		d'ionsófaí	

Ulster Irish: Gaeilge Chúige Uladh

THE FUTURE TENSE	An Aimsir Fháistineach	THE CONDITIONAL MOOD	An Modh Coinníollach
ionsóchaidh mé	ní ionsóchaidh	d'ionsóchainn	
ionsóchaidh tú	(chan ionsann)	d'ionsófá	ní ionsóchadh
ionsóchaidh sé	an ionsóchaidh?	d'ionsóchadh sé	(chan ionsóchadh)
ionsóchaidh sí	go n-ionsóchaidh	d'ionsóchadh sí	an ionsóchadh?
ionsóchaidh muid†	nach n-ionsóchaidh	d'ionsóchaimis‡	go n-ionsóchadh
ionsóchaidh sibh		d'ionsóchadh sibh	nach n-ionsóchadh
ionsóchaidh siad	a ionsóchas	d'ionsóchadh siad	
ionsófar		d'ionsófaí	

Connaught Irish: Gaeilge Chonnacht

THE FUTURE TENSE	An Aimsir Fháistineach	THE CONDITIONAL MOOD	An Modh Coinníollach
ionsóidh mé [M]		d'ionsóinn	
ionsóidh tú[M]	ní ionsóidh	d'ionsófá	ní ionsódh
ionsóidh sé	an ionsóidh?	d'ionsódh sé	an ionsódh?
ionsóidh sí	go n-ionsóidh	d'ionsódh sí	go n-ionsódh
ionsóidh muid	nach n-ionsóidh	d'ionsódh muid	nach n-ionsódh
ionsóidh sibh		d'ionsódh sibh	
ionsóidh siad	a ionsós	d'ionsóidís[U]	
ionsófar		d'ionsófaí[M]	

Munster Irish: Gaeilge na Mumhan

THE FUTURE TENSE	An Aimsir Fháistineach	THE CONDITIONAL MOOD	An Modh Coinníollach
ionsód*	ní ionsóidh	*dh'ionsóinn	ní ionsódh
ionsóir*	(ní dh'ionsóidh)	*dh'ionsófá	(ní dh'ionsódh)
ionsóidh sé	an ionsóidh?	*dh'ionsódh sé	an ionsódh?
ionsóidh sí	go n-ionsóidh	*dh'ionsódh sí	go n-ionsódh
ionsóm*	ná hionsóidh	*dh'ionsóimíst	ná hionsódh
ionsóidh sibh		*dh'ionsódh sibh	
ionsóid*	a ionsóidh	*dh'ionsóidíst	
ionsófar		*do hionsófaí	

58 **ionsaigh** 'attack' v.n. **ionsaí** v.adj. **ionsaithe**

Standard Irish: An Caighdeán Oifigiúil

THE IMPERFECT TENSE	An Aimsir Ghnáthchaite	The Imperative Mood	The Present Subjunctive
d'ionsaínn		ionsaím	go n-ionsaí mé
d'ionsaíteá	ní ionsaíodh	ionsaigh	go n-ionsaí tú
d'ionsaíodh sé	an ionsaíodh?	ionsaíodh sé	go n-ionsaí sé
d'ionsaíodh sí	go n-ionsaíodh	ionsaíodh sí	go n-ionsaí sí
d'ionsaímis	nach n-ionsaíodh	ionsaímis	go n-ionsaímid
d'ionsaíodh sibh		ionsaígí	go n-ionsaí sibh
d'ionsaídís		ionsaídís	go n-ionsaí siad
d'ionsaítí		ionsaítear	go n-ionsaítear
		ná hionsaigh	nár ionsaí

Ulster Irish: Gaeilge Chúige Uladh

THE IMPERFECT TENSE	An Aimsir Ghnáthchaite	An Modh Ordaitheach	An Foshuiteach Láithreach
d'ionsainn		ionsaim	go n-ionsaí mé
d'ionsaítheá	ní ionsadh	ionsaigh	go n-ionsaí tú
d'ionsadh sé	(chan ionsadh)	ionsadh sé	go n-ionsaí sé
d'ionsadh sí	an ionsadh?	ionsadh sí	go n-ionsaí sí
d'ionsaimis[‡]	go n-ionsadh	ionsaimis[‡/fut]	go n-ionsaí muid[†]
d'ionsadh sibh	nach n-ionsadh	ionsaigí	go n-ionsaí sibh
d'ionsadh siad	Ba ghnách le …	ionsadh siad	go n-ionsaí siad
d'ionsaíthí		ionsaíthear	go n-ionsaíthear
		ná hionsaigh	nár ionsaí

Connaught Irish: Gaeilge Chonnacht

THE IMPERFECT TENSE	An Aimsir Ghnáthchaite	The Imperative Mood	The Present Subjunctive
d'ionsaínn		ionsaím	go n-ionsaí mé
d'ionsaíteá[M]	ní ionsaíodh	ionsaigh	go n-ionsaí tú
d'ionsaíodh sé	an ionsaíodh?	ionsaíodh sé	go n-ionsaí sé
d'ionsaíodh sí	go n-ionsaíodh	ionsaíodh sí	go n-ionsaí sí
d'ionsaíodh muid	nach n-ionsaíodh	ionsaímid	go n-ionsaí muid
d'ionsaíodh sibh		ionsaighidh	go n-ionsaí sibh
d'ionsaídís[U]		ionsaídís	go n-ionsaí siad
d'ionsaítí[M]		ionsaít(h)ear	go n-ionsaít(h)ear
		ná hionsaigh	nár ionsaí

Munster Irish: Gaeilge na Mumhan

THE IMPERFECT TENSE	An Aimsir Ghnáthchaite	An Modh Ordaitheach	An Foshuiteach Láithreach
*dh'ionsaínn	ní ionsaíodh	ionsaím	go n-ionsaíod*
*dh'ionsaíotá	(ní dh'ionsaíodh)	ionsaigh	go n-ionsaír*
*dh'ionsaíodh sé	an ionsaíodh?	ionsaíodh sé	go n-ionsaí sé
*dh'ionsaíodh sí	go n-ionsaíodh	ionsaíodh sí	go n-ionsaí sí
*dh'ionsaímíst	ná hionsaíodh	ionsaímíst	go n-ionsaíom*
*dh'ionsaíodh sibh		ionsaíg[=C]*	go n-ionsaí sibh
*dh'ionsaídíst		ionsaídíst	go n-ionsaíd*
*do hionsaíotaí		ionsaíotar*	go n-ionsaíotar*
		ná hionsaigh	nár ionsaí

59 **ith** 'eat' v.n. **ithe** v.adj. **ite**

Standard Irish: An Caighdeán Oifigiúil

THE PAST TENSE	An Aimsir Chaite
d'ith mé	níor ith
d'ith tú	ar ith?
d'ith sé	gur ith
d'ith sí	nár ith
d'itheamar	níor itheadh
d'ith sibh	ar itheadh?
d'ith siad	gur itheadh
itheadh	nár itheadh

THE PRESENT TENSE	An Aimsir Láithreach
ithim	
itheann tú	ní itheann
itheann sé	an itheann?
itheann sí	go n-itheann
ithimid	nach n-itheann
itheann sibh	
itheann siad	a itheann
itear	

Ulster Irish: Gaeilge Chúige Uladh

THE PAST TENSE	An Aimsir Chaite
d'ith mé	níor ith
d'ith tú	(char ith)
d'ith sé	ar ith?
d'ith sí	gur ith
d'ith muid[†]	nár ith
d'ith sibh	
d'ith siad	níor/ar hitheadh
hitheadh	gur/nár hitheadh

THE PRESENT TENSE	An Aimsir Láithreach
ithim	ní itheannn
itheann tú	(chan itheann)
itheann sé	an itheann?
itheann sí	go n-itheann
itheann muid[†]	nach n-itheann
itheann sibh	itheann *var* íosann
itheann siad	a itheas
itear	

Connaught Irish: Gaeilge Chonnacht

THE PAST TENSE	An Aimsir Chaite
d'ith mé /d'itheas	níor ith
d'ith tú /d'ithis	ar ith?
d'ith sé	gur ith
d'ith sí	nár ith
d'ith muid	níor hitheadh
d'ith sibh	ar hitheadh?
d'itheadar[U]	gur hitheadh
hitheadh	nár hitheadh

THE PRESENT TENSE	An Aimsir Láithreach
ithim	
itheann tú	ní itheann
itheann sé	an itheann?
itheann sí	go n-itheann
itheann muid	nach n-itheann
itheann sibh	itheann *var* íosann
itheann siad	a itheanns
itear	

Munster Irish: Gaeilge na Mumhan

THE PAST TENSE	An Aimsir Chaite
dh'itheas*	níor ith, ní(or) dh'ith
dh'ithis*	ar ith?
*dh'ith sé	gur ith
*dh'ith sí	nár ith
dh'itheamair*	níor hitheadh*
dh'itheabhair*	ar hitheadh?*
dh'itheadar*	gur hitheadh*
(do) hitheadh*	nár hitheadh*
d(h)'itheadh	

THE PRESENT TENSE	An Aimsir Láithreach
ithim	ní itheann
itheann tú	(ní dh'itheann)
itheann sé	an itheann?
itheann sí	go n-itheann
ithimíd	ná hitheann
itheann sibh	
ithid	a itheann
itear	

Standard Irish: An Caighdeán Oifigiúil

THE FUTURE TENSE	An Aimsir Fháistineach	THE CONDITIONAL MOOD	An Modh Coinníollach
íosfaidh mé		d'íosfainn	
íosfaidh tú	ní íosfaidh	d'íosfá	ní íosfadh
íosfaidh sé	an íosfaidh?	d'íosfadh sé	an íosfadh?
íosfaidh sí	go n-íosfaidh	d'íosfadh sí	go n-íosfadh
íosfaimid	nach n-íosfaidh	d'íosfaimis	nach n-íosfadh
íosfaidh sibh		d'íosfadh sibh	
íosfaidh siad	a íosfaidh	d'íosfaidís	
íosfar		d'íosfaí	

Ulster Irish: Gaeilge Chúige Uladh

THE FUTURE TENSE	An Aimsir Fháistineach	THE CONDITIONAL MOOD	An Modh Coinníollach
íosfaidh mé	ní íosfaidh	d'íosfainn	
íosfaidh tú	(chan itheann	d'íosfá	ní íosfadh
íosfaidh sé	*var* chan íosann)	d'íosfadh sé	(chan íosfadh)
íosfaidh sí	an íosfaidh?	d'íosfadh sí	an íosfadh?
íosfaidh muid†	go n-íosfaidh	d'íosfaimis‡	go n-íosfadh
íosfaidh sibh	nach n-íosfaidh	d'íosfadh sibh	nach n-íosfadh
íosfaidh siad	a íosfas	d'íosfadh siad	
íosfar		d'íosfaí	

Connaught Irish: Gaeilge Chonnacht

THE FUTURE TENSE	An Aimsir Fháistineach	THE CONDITIONAL MOOD	An Modh Coinníollach
íosfaidh mé [M]		d'íosfainn	
íosfaidh tú[M]	ní íosfaidh	d'íosfá	ní íosfadh
íosfaidh sé	an íosfaidh?	d'íosfadh sé	an íosfadh?
íosfaidh sí	go n-íosfaidh	d'íosfadh sí	go n-íosfadh
íosfaidh muid	nach n-íosfaidh	d'íosfadh muid	nach n-íosfadh
íosfaidh sibh		d'íosfadh sibh	
íosfaidh siad	a íosfas	d'íosfaidís[U]	
íosfar		d'íosfaí[M]	

Munster Irish: Gaeilge na Mumhan

THE FUTURE TENSE	An Aimsir Fháistineach	THE CONDITIONAL MOOD	An Modh Coinníollach
íosfad*	ní íosfaidh	*dh'íosfainn	ní íosfadh
íosfair*	(ní dh'íosfaidh)	*dh'íosfá	(ní dh'íosfadh)
íosfaidh sé	an íosfaidh?	*dh'íosfadh sé	an íosfadh?
íosfaidh sí	go n-íosfaidh	*dh'íosfadh sí	go n-íosfadh
íosfam*	ná híosfaidh	*dh'íosfaimíst	ná híosfadh
íosfaidh sibh		*dh'íosfadh sibh	
íosfaid*	a íosfaidh	*dh'íosfaidíst	
íosfar		*(do) híosfaí	

Standard Irish: An Caighdeán Oifigiúil

THE IMPERFECT TENSE	An Aimsir Ghnáthchaite	The Imperative Mood	The Present Subjunctive
d'ithinn		ithim	go n-ithe mé
d'iteá	ní itheadh	ith	go n-ithe tú
d'itheadh sé	an itheadh?	itheadh sé	go n-ithe sé
d'itheadh sí	go n-itheadh	itheadh sí	go n-ithe sí
d'ithimis	nach n-itheadh	ithimis	go n-ithimid
d'itheadh sibh		ithigí	go n-ithe sibh
d'ithidís		ithidís	go n-ithe siad
d'ití		itear	go n-itear
		ná hith	nár ithe

Ulster Irish: Gaeilge Chúige Uladh

THE IMPERFECT TENSE	An Aimsir Ghnáthchaite	An Modh Ordaitheach	An Foshuiteach Láithreach
d'ithinn		ithim	go n-ithidh mé
d'itheá	ní itheadh	ith	go n-ithidh tú
d'itheadh sé	(chan itheadh)	itheadh sé	go n-ithidh sé
d'itheadh sí	an itheadh?	itheadh sí	go n-ithidh sí
d'ithimis‡	go n-itheadh	ithimis‡/fut	go n-ithidh muid†
d'itheadh sibh	nach n-itheadh	ithigí C	go n-ithidh sibh
d'itheadh siad	Ba ghnách le …	itheadh siad	go n-ithidh siad
d'ití		itear	go n-itear
		ná hith	nár ithidh

Connaught Irish: Gaeilge Chonnacht

THE IMPERFECT TENSE	An Aimsir Ghnáthchaite	The Imperative Mood	The Present Subjunctive
d'ithinn		ithim	go n-ithe mé
d'iteá	ní itheadh	ith	go n-ithe tú
d'itheadh sé	an itheadh?	itheadh sé	go n-ithe sé
d'itheadh sí	go n-itheadh	itheadh sí	go n-ithe sí
d'itheadh muid	nach n-itheadh	ithimid	go n-ithe muid
d'itheadh sibh		ithidh	go n-ithe sibh
d'ithidísU		ithidís	go n-ithe siad
d'itíM		itear	go n-itear
		ná hith	nár ithe

Munster Irish: Gaeilge na Mumhan

THE IMPERFECT TENSE	An Aimsir Ghnáthchaite	An Modh Ordaitheach	An Foshuiteach Láithreach
*dh'ithinn	ní itheadh	ithim	go n-ithead*
*dh'iteá	(ní dh'itheadh)	ith	go n-ithir*
*dh'itheadh sé	an itheadh?	itheadh sé	go n-ithe sé
*dh'itheadh sí	go n-itheadh	itheadh sí	go n-ithe sí
*dh'ithimíst	ná hitheadh	ithimíst	go n-itheam*
*dh'itheadh sibh		ithíg=C*	go n-ithe sibh
*dh'ithidíst		ithidíst	go n-ithid*
*(do) hití		itear	go n-itear
		ná hith	nár ithe

60 **labhair** 'speak' a.br. **labhairt** aid.bhr. **labhartha**

Standard Irish: An Caighdeán Oifigiúil

THE PAST TENSE	An Aimsir Chaite
labhair mé	níor labhair
labhair tú	ar labhair?
labhair sé	gur labhair
labhair sí	nár labhair
labhraíomar	níor labhraíodh
labhair sibh	ar labhraíodh?
labhair siad	gur labhraíodh
labhraíodh	nár labhraíodh

THE PRESENT TENSE	An Aimsir Láithreach
labhraím	
labhraíonn tú	ní labhraíonn
labhraíonn sé	an labhraíonn?
labhraíonn sí	go labhraíonn
labhraímid	nach labhraíonn
labhraíonn sibh	
labhraíonn siad	a labhraíonn
labhraítear	

Ulster Irish: Gaeilge Chúige Uladh

THE PAST TENSE	An Aimsir Chaite
labhair mé	níor labhair
labhair tú	(char labhair)
labhair sé	ar labhair?
labhair sí	gur labhair
labhair muid[†]	nár labhair
labhair sibh	
labhair siad	níor/ar labhradh
labhradh	gur/nár labhradh

THE PRESENT TENSE	An Aimsir Láithreach
labhraim	ní labhrann
labhrann tú	(cha labhrann)
labhrann sé	an labhrann?
labhrann sí	go labhrann
labhrann muid[†]	nach labhrann
labhrann sibh	
labhrann siad	a labhras
labhartar	

Connaught Irish: Gaeilge Chonnacht

THE PAST TENSE	An Aimsir Chaite
labhair mé [M]	níor labhair
labhair tú [M]	ar labhair?
labhair sé	gur labhair
labhair sí	nár labhair
labhair muid	níor labhraíodh
labhair sibh	ar labhraíodh?
labhraíodar[U] labhradar	gur labhraíodh
labhraíodh, labhradh	nár labhraíodh

THE PRESENT TENSE	An Aimsir Láithreach
labhraím	
labhraíonn tú	ní labhraíonn
labhraíonn sé	an labhraíonn?
labhraíonn sí	go labhraíonn
labhraíonn muid	nach labhraíonn
labhraíonn sibh	
labhraíonn siad	a labhraíonns
labhraít(h)ear	

Munster Irish: Gaeilge na Mumhan

THE PAST TENSE	An Aimsir Chaite
(do) labhras*	ní(or) labhair
(do) labhrais*	ar labhair?
(do) labhair sé	gur labhair
(do) labhair sí	nár labhair
(do) labhramair*	níor labhradh
(do) labhrabhair*	ar labhradh?
(do) labhradar	gur labhradh
(do) labhradh	nár labhradh

THE PRESENT TENSE	An Aimsir Láithreach
labhraim	
labhrann tú	ní labhrann
labhrann sé	an labhrann?
labhrann sí	go labhrann
labhraímíd	ná labhrann
labhrann sibh	
labhraid (siad)[U]	a labhrann
labhratar	

Standard Irish: An Caighdeán Oifigiúil

THE FUTURE TENSE	An Aimsir Fháistineach
labhróidh mé	
labhróidh tú	ní labhróidh
labhróidh sé	an labhróidh?
labhróidh sí	go labhróidh
labhróimid	nach labhróidh
labhróidh sibh	
labhróidh siad	a labhróidh
labhrófar	

THE CONDITIONAL MOOD	An Modh Coinníollach
labhróinn	
labhrófá	ní labhródh
labhródh sé	an labhródh?
labhródh sí	go labhródh
labhróimis	nach labhródh
labhródh sibh	
labhróidís	
labhrófaí	

Ulster Irish: Gaeilge Chúige Uladh

THE FUTURE TENSE	An Aimsir Fháistineach
labharfaidh mé	
labharfaidh tú	ní labharfaidh
labharfaidh sé	(cha labhrann)
labharfaidh sí	an labharfaidh?
labharfaidh muid†	go labharfaidh
labharfaidh sibh	nach labharfaidh
labharfaidh siad	a labharfas
labharfar	

THE CONDITIONAL MOOD	An Modh Coinníollach
labharfainn	
labharfá	ní labharfadh
labharfadh sé	(cha labharfadh)
labharfadh sí	an labharfadh?
labharfaimis‡	go labharfadh
labharfadh sibh	nach labharfadh
labharfadh siad	
labharfaí	

Connaught Irish: Gaeilge Chonnacht

THE FUTURE TENSE	An Aimsir Fháistineach
labhairfidh mé, -fead	ní labhairfidh
labhairfidh tú, -fir	an labhairfidh?
labhairfidh sé	go labhairfidh
labhairfidh sí	nach labhairfidh
labhairfidh muid	*var* labhróidh
labhairfidh sibh	*var* labhaireoidh
labhairfidh siad	a labhairfeas, a labhrós
labhairfear	

THE CONDITIONAL MOOD	An Modh Coinníollach
labhairfinn, labhróinn	
labhairfeá	ní labhairfeadh
labhairfeadh sé	an labhairfeadh?
labhairfeadh sí	go labhairfeadh
labhairfeadh muid	nach labhairfeadh
labhairfeadh sibh	
labhairfidís[U]	*var* labhródh,
labhairfí[M] labhróifí	labhaireodh

Munster Irish: Gaeilge na Mumhan

THE FUTURE TENSE	An Aimsir Fháistineach
labharfad[U]	
[U]labharfair	ní labharfaidh
labharfaidh sé	an labharfaidh?
labharfaidh sí	go labharfaidh
labharfam, labharfaimíd	ná labharfaidh
labharfaidh sibh	
labharfaid (siad)[U]	a labharfaidh
labharfar	

THE CONDITIONAL MOOD	An Modh Coinníollach
(do) labharfainn	
(do) labharfá	ní labharfadh
(do) labharfadh sé	an labharfadh?
(do) labharfadh sí	go labharfadh
(do) labharfaimíst	ná labharfadh
(do) labharfadh sibh	
(do) labharfaidíst	
(do) labharfaí	

Standard Irish: An Caighdeán Oifigiúil

THE IMPERFECT TENSE	An Aimsir Ghnáthchaite	The Imperative Mood	The Present Subjunctive
labhraínn		labhraím	go labhraí mé
labhraíteá	ní labhraíodh	labhair	go labhraí tú
labhraíodh sé	an labhraíodh?	labhraíodh sé	go labhraí sé
labhraíodh sí	go labhraíodh	labhraíodh sí	go labhraí sí
labhraímis	nach labhraíodh	labhraímis	go labhraímid
labhraíodh sibh		labhraígí	go labhraí sibh
labhraídís		labhraídís	go labhraí siad
labhraítí		labhraítear	go labhraítear
		ná labhair	nár labhraí

Ulster Irish: Gaeilge Chúige Uladh

THE IMPERFECT TENSE	An Aimsir Ghnáthchaite	An Modh Ordaitheach	An Foshuiteach Láithreach
labhrainn	ní labhradh	labhraim	go labhraidh mé
labh(a)rthá	(cha labhradh)	labhair	go labhraidh tú
labhradh sé	an labhradh?	labhradh sé	go labhraidh sé
labhradh sí	go labhradh	labhradh sí	go labhraidh sí
labhraimis‡	nach labhradh	labhraimis‡/fut	go labhraidh muid†
labhradh sibh		labhraigí	go labhraidh sibh
labhradh siad	Ba ghnách le …	labhradh siad	go labhraidh siad
labhartaí		labhartar	go labhartar
		ná labhair	nár labhraidh

Connaught Irish: Gaeilge Chonnacht

THE IMPERFECT TENSE	An Aimsir Ghnáthchaite	The Imperative Mood	The Present Subjunctive
labhraínn, labhrainn		labhraím	go labhraí mé
labhraíteá	ní labhraíodh	labhair	go labhraí tú
labhraíodh sé	an labhraíodh?	labhraíodh sé	go labhraí sé
labhraíodh sí	go labhraíodh	labhraíodh sí	go labhraí sí
labhraíodh muid	nach labhraíodh	labhraímid	go labhraí muid
labhraíodh sibh		labhairidh	go labhraí sibh
labhraídís[U]		labhraídís	go labhraí siad
labhraítí		labhraít(h)ear	go labhraít(h)ear
		ná labhair	nár labhraí

Munster Irish: Gaeilge na Mumhan

THE IMPERFECT TENSE	An Aimsir Ghnáthchaite	An Modh Ordaitheach	An Foshuiteach Láithreach
(do) labhrainn		labhraim	go labhrad*
(do) labh(a)rt(h)á	ní labhradh	labhair	go labhrair*
(do) labhradh sé	an labhradh?	labhradh sé	go labhra sé
(do) labhradh sí	go labhradh	labhradh sí	go labhra sí
(do) labhraimíst	ná labhradh	labhraimíst	go labhram*
(do) labhradh sibh		labhraíg, labhraidh,[U]	go labhra sibh
(do) labhraidíst		labhraidíst	go labhraid*
(do) labhartaí		labhratar	go labhratar*
		ná labhair	nár labhra

61 **las** 'light' v.n. **lasadh** v.adj. **lasta**

Standard Irish: An Caighdeán Oifigiúil

THE PAST TENSE	An Aimsir Chaite	THE PRESENT TENSE	An Aimsir Láithreach
las mé	níor las	lasaim	
las tú	ar las?	lasann tú	ní lasann
las sé	gur las	lasann sé	an lasann?
las sí	nár las	lasann sí	go lasann
lasamar	níor lasadh	lasaimid	nach lasann
las sibh	ar lasadh?	lasann sibh	
las siad	gur lasadh	lasann siad	a lasann
lasadh	nár lasadh	lastar	

Ulster Irish: Gaeilge Chúige Uladh

THE PAST TENSE	An Aimsir Chaite	THE PRESENT TENSE	An Aimsir Láithreach
las mé	níor las	lasaim	ní lasann
las tú	(char las)	lasann tú	(cha lasann)
las sé	ar las?	lasann sé	an lasann?
las sí	gur las	lasann sí	go lasann
las muid[†]	nár las	lasann muid[†]	nach lasann
las sibh		lasann sibh	
las siad	níor/ar lasadh	lasann siad	a lasas
lasadh	gur/nár lasadh	lastar	

Connaught Irish: Gaeilge Chonnacht

THE PAST TENSE	An Aimsir Chaite	THE PRESENT TENSE	An Aimsir Láithreach
las mé [M]	níor las	lasaim	
las tú [M]	ar las?	lasann tú	ní lasann
las sé	gur las	lasann sé	an lasann?
las sí	nár las	lasann sí	go lasann
las muid	níor lasadh	lasann muid	nach lasann
las sibh	ar lasadh?	lasann sibh	
lasadar[U]	gur lasadh	lasann siad	a lasanns
lasadh	nár lasadh	lastar	

Munster Irish: Gaeilge na Mumhan

THE PAST TENSE	An Aimsir Chaite	THE PRESENT TENSE	An Aimsir Láithreach
(do) lasas*	ní(or) las	lasaim	
(do) lasais*	ar las?	lasann tú	ní lasann
(do) las sé	gur las	lasann sé	an lasann?
(do) las sí	nár las	lasann sí	go lasann
(do) lasamair*	níor lasadh	lasaimíd	ná lasann
(do) lasabhair*	ar lasadh?	lasann sibh	
(do) lasadar	gur lasadh	*lasaid	a lasann
(do) lasadh	nár lasadh	lastar	

61 las 'light' — a.br. **lasadh** — aid.bhr. **lasta**

Standard Irish: An Caighdeán Oifigiúil

THE FUTURE TENSE	An Aimsir Fháistineach
lasfaidh mé	
lasfaidh tú	ní lasfaidh
lasfaidh sé	an lasfaidh?
lasfaidh sí	go lasfaidh
lasfaimid	nach lasfaidh
lasfaidh sibh	
lasfaidh siad	a lasfaidh
lasfar	

THE CONDITIONAL MOOD	An Modh Coinníollach
lasfainn	
lasfá	ní lasfadh
lasfadh sé	an lasfadh?
lasfadh sí	go lasfadh
lasfaimis	nach lasfadh
lasfadh sibh	
lasfaidís	
lasfaí	

Ulster Irish: Gaeilge Chúige Uladh

THE FUTURE TENSE	An Aimsir Fháistineach
lasfaidh mé	
lasfaidh tú	ní lasfaidh
lasfaidh sé	(cha lasann)
lasfaidh sí	an lasfaidh?
lasfaidh muid†	go lasfaidh
lasfaidh sibh	nach lasfaidh
lasfaidh siad	a lasfas
lasfar	

THE CONDITIONAL MOOD	An Modh Coinníollach
lasfainn	
lasfá	ní lasfadh
lasfadh sé	(cha lasfadh)
lasfadh sí	an lasfadh?
lasfaimis‡	go lasfadh
lasfadh sibh	nach lasfadh
lasfadh siad	
lasfaí	

Connaught Irish: Gaeilge Chonnacht

THE FUTURE TENSE	An Aimsir Fháistineach
lasfaidh mé [M]	
lasfaidh tú[M]	ní lasfaidh
lasfaidh sé	an lasfaidh?
lasfaidh sí	go lasfaidh
lasfaidh muid	nach lasfaidh
lasfaidh sibh	
lasfaidh siad	a lasfas
lasfar	

THE CONDITIONAL MOOD	An Modh Coinníollach
lasfainn	
lasfá	ní lasfadh
lasfadh sé	an lasfadh?
lasfadh sí	go lasfadh
lasfadh muid	nach lasfadh
lasfadh sibh	
lasfaidís[U]	
lasfaí[M]	

Munster Irish: Gaeilge na Mumhan

THE FUTURE TENSE	An Aimsir Fháistineach
lasfad*	
*lasfair	ní lasfaidh
lasfaidh sé	an lasfaidh?
lasfaidh sí	go lasfaidh
*lasfam	ná lasfaidh
lasfaidh sibh	
*lasfaid	a lasfaidh
lasfar	

THE CONDITIONAL MOOD	An Modh Coinníollach
(do) lasfainn	
(do) lasfá	ní lasfadh
(do) lasfadh sé	an lasfadh?
(do) lasfadh sí	go lasfadh
(do) lasfaimíst	ná lasfadh
(do) lasfadh sibh	
(do) lasfaidíst	
(do) lasfaí	

61 **las** 'light' v.n. **lasadh** v.adj. **lasta**

Standard Irish: An Caighdeán Oifigiúil

THE IMPERFECT TENSE	An Aimsir Ghnáthchaite	The Imperative Mood	The Present Subjunctive
lasainn		lasaim	go lasa mé
lastá	ní lasadh	las	go lasa tú
lasadh sé	an lasadh?	lasadh sé	go lasa sé
lasadh sí	go lasadh	lasadh sí	go lasa sí
lasaimis	nach lasadh	lasaimis	go lasaimid
lasadh sibh		lasaigí	go lasa sibh
lasaidís		lasaidís	go lasa siad
lastaí		lastar	go lastar
		ná las	nár lasa

Ulster Irish: Gaeilge Chúige Uladh

THE IMPERFECT TENSE	An Aimsir Ghnáthchaite	An Modh Ordaitheach	An Foshuiteach Láithreach
lasainn	ní lasadh	lasaim	go lasaidh mé
lasthá	(cha lasadh)	las	go lasaidh tú
lasadh sé	an lasadh?	lasadh sé	go lasaidh sé
lasadh sí	go lasadh	lasadh sí	go lasaidh sí
lasaimis[‡]	nach lasadh	lasaimis[‡/fut]	go lasaidh muid[†]
lasadh sibh		lasaigí[C]	go lasaidh sibh
lasadh siad	Ba ghnách le …	lasadh siad	go lasaidh siad
lastaí		lastar	go lastar
		ná las	nár lasaidh

Connaught Irish: Gaeilge Chonnacht

THE IMPERFECT TENSE	An Aimsir Ghnáthchaite	The Imperative Mood	The Present Subjunctive
lasainn		lasaim	go lasa mé
lastá	ní lasadh	las	go lasa tú
lasadh sé	an lasadh?	lasadh sé	go lasa sé
lasadh sí	go lasadh	lasadh sí	go lasa sí
lasadh muid	nach lasadh	lasaimid	go lasa muid
lasadh sibh		*lasaidh	go lasa sibh
lasaidís[U]		lasaidís	go lasa siad
lastaí[M]		lastar	go lastar
		ná las	nár lasa

Munster Irish: Gaeilge na Mumhan

THE IMPERFECT TENSE	An Aimsir Ghnáthchaite	An Modh Ordaitheach	An Foshuiteach Láithreach
(do) lasainn		lasaim	go lasad*
(do) lastá	ní lasadh	las	go lasair*
(do) lasadh sé	an lasadh?	lasadh sé	go lasa sé
(do) lasadh sí	go lasadh	lasadh sí	go lasa sí
(do) lasaimíst	ná lasadh	lasaimíst	go lasam*
(do) lasadh sibh		lasaíg[=C]*	go lasa sibh
(do) lasaidíst		lasaidíst	go lasad*
(do) lastaí		lastar	go lastar
		ná las	nár lasa

62 **léigh** 'read' v.n. **léamh** v.adj. **léite**

Standard Irish: An Caighdeán Oifigiúil

THE PAST TENSE	An Aimsir Chaite
léigh mé	níor léigh
léigh tú	ar léigh?
léigh sé	gur léigh
léigh sí	nár léigh
léamar	níor léadh
léigh sibh	ar léadh?
léigh siad	gur léadh
léadh	nár léadh

THE PRESENT TENSE	An Aimsir Láithreach
léim	
léann tú	ní léann
léann sé	an léann?
léann sí	go léann
léimid	nach léann
léann sibh	
léann siad	a léann
léitear	

Ulster Irish: Gaeilge Chúige Uladh

THE PAST TENSE	An Aimsir Chaite
léigh mé	níor léigh
léigh tú	(char léigh)
léigh sé	ar léigh?
léigh sí	gur léigh
léigh muid[†]	nár léigh
léigh sibh	
léigh siad	níor/ar léadh
léadh	gur/nár léadh

THE PRESENT TENSE	An Aimsir Láithreach
léim	ní léann
léann tú	(cha léann)
léann sé	an léann?
léann sí	go léann
léann muid[†]	nach léann
léann sibh	
léann siad	a léas
léit(h)ear	

Connaught Irish: Gaeilge Chonnacht

THE PAST TENSE	An Aimsir Chaite
léigh mé [M]	níor léigh
léigh tú [M]	ar léigh?
léigh sé	gur léigh
léigh sí	nár léigh
léigh muid	níor léadh
léigh sibh	ar léadh?
léadar[U]	gur léadh
léadh	nár léadh

THE PRESENT TENSE	An Aimsir Láithreach
léim	
léann tú	ní léann
léann sé	an léann?
léann sí	go léann
léann muid	nach léann
léann sibh	
léann siad	a léanns
léitear	

Munster Irish: Gaeilge na Mumhan

THE PAST TENSE	An Aimsir Chaite
(do) léas*	ní(or) léigh
(do) léis*	ar léigh?
(do) léigh sé	gur léigh
(do) léigh sí	nár léigh
(do) léamair*	níor léadh
(do) léabhair*	ar léadh?
(do) léadar	gur léadh
(do) léadh	nár léadh

THE PRESENT TENSE	An Aimsir Láithreach
léim	
léann tú	ní léann
léann sé	an léann?
léann sí	go léann
léimíd	ná léann
léann sibh	
*léid	a léann
léitear	

62 **léigh** 'read' a.br. **léamh** aid.bhr. **léite**

Standard Irish: An Caighdeán Oifigiúil

THE FUTURE TENSE	An Aimsir Fháistineach
léifidh mé	
léifidh tú	ní léifidh
léifidh sé	an léifidh?
léifidh sí	go léifidh
léifimid	nach léifidh
léifidh sibh	
léifidh siad	a léifidh
léifear	

THE CONDITIONAL MOOD	An Modh Coinníollach
léifinn	
léifeá	ní léifeadh
léifeadh sé	an léifeadh?
léifeadh sí	go léifeadh
léifimis	nach léifeadh
léifeadh sibh	
léifidís	
léifí	

Ulster Irish: Gaeilge Chúige Uladh

THE FUTURE TENSE	An Aimsir Fháistineach
léifidh mé	
léifidh tú	ní léifidh
léifidh sé	(cha léann)
léifidh sí	an léifidh?
léifidh muid†	go léifidh
léifidh sibh	nach léifidh
léifidh siad	a léifeas
léifear	

THE CONDITIONAL MOOD	An Modh Coinníollach
léifinn	
léifeá	ní léifeadh
léifeadh sé	(cha léifeadh)
léifeadh sí	an léifeadh?
léifimis‡	go léifeadh
léifeadh sibh	nach léifeadh
léifeadh siad	
léifí	

Connaught Irish: Gaeilge Chonnacht

THE FUTURE TENSE	An Aimsir Fháistineach
léifidh mé [M]	
léifidh tú[M]	ní léifidh
léifidh sé	an léifidh?
léifidh sí	go léifidh
léifidh muid	nach léifidh
léifidh sibh	
léifidh siad	a léifeas
léifear	

THE CONDITIONAL MOOD	An Modh Coinníollach
léifinn	
léifeá	ní léifeadh
léifeadh sé	an léifeadh?
léifeadh sí	go léifeadh
léifeadh muid	nach léifeadh
léifeadh sibh	
léifidís[U]	
léifí[M]	

Munster Irish: Gaeilge na Mumhan

THE FUTURE TENSE	An Aimsir Fháistineach
léifead*	
*léifir	ní léifidh
léifidh sé	an léifidh?
léifidh sí	go léifidh
*léifeam	ná léifidh
léifidh sibh	
*léifid	a léifidh
léifear	

THE CONDITIONAL MOOD	An Modh Coinníollach
(do) léifinn	
(do) léifeá	ní léifeadh
(do) léifeadh sé	an léifeadh?
(do) léifeadh sí	go léifeadh
(do) léifimíst	ná léifeadh
(do) léifeadh sibh	
(do) léifidíst	
(do) léifí	

Standard Irish: An Caighdeán Oifigiúil

THE IMPERFECT TENSE	An Aimsir Ghnáthchaite	The Imperative Mood	The Present Subjunctive
léinn		léim	go lé mé
léiteá	ní léadh	léigh	go lé tú
léadh sé	an léadh?	léadh sé	go lé sé
léadh sí	go léadh	léadh sí	go lé sí
léimis	nach léadh	léimis	go léimid
léadh sibh		léigí	go lé sibh
léidís		léidís	go lé siad
léití		léitear	go léitear
		ná léigh	nár lé

Ulster Irish: Gaeilge Chúige Uladh

THE IMPERFECT TENSE	An Aimsir Ghnáthchaite	An Modh Ordaitheach	An Foshuiteach Láithreach
léinn		léim	go léidh mé
léitheá	ní léadh	léigh	go léidh tú
léadh sé	(cha léadh)	léadh sé	go léidh sé
léadh sí	an léadh?	léadh sí	go léidh sí
léimis‡	go léadh	léimis‡/fut	go léidh muid†
léadh sibh	nach léadh	léigí C	go léidh sibh
léadh siad	Ba ghnách le …	léadh siad	go léidh siad
léití		léit(h)ear	go léit(h)ear
		ná léigh	nár léidh

Connaught Irish: Gaeilge Chonnacht

THE IMPERFECT TENSE	An Aimsir Ghnáthchaite	The Imperative Mood	The Present Subjunctive
léinn		léim	go lé mé
léiteá	ní léadh	léigh	go lé tú
léadh sé	an léadh?	léadh sé	go lé sé
léadh sí	go léadh	léadh sí	go lé sí
léadh muid	nach léadh	léimid	go lé muid
léadh sibh		*léidh	go lé sibh
léidís U		léidís	go lé siad
léití M		léitear	go léitear
		ná léigh	nár lé

Munster Irish: Gaeilge na Mumhan

THE IMPERFECT TENSE	An Aimsir Ghnáthchaite	An Modh Ordaitheach	An Foshuiteach Láithreach
(do) léinn		léim	go léad*
(do) léiteá	ní léadh	léigh	go léir*
(do) léadh sé	an léadh?	léadh sé	go lé sé
(do) léadh sí	go léadh	léadh sí	go lé sí
(do) léimíst	ná léadh	léimíst	go léam*
(do) léadh sibh		léig =C*	go lé sibh
(do) léidíst		léidíst	go léid*
(do) léití		léitear	go léitear
		ná léigh	nár lé

63 **lig** 'let, allow' v.n. **ligean; ligint** *U* v.adj. **ligthe**

Standard Irish: An Caighdeán Oifigiúil

THE PAST TENSE	An Aimsir Chaite
lig mé	níor lig
lig tú	ar lig?
lig sé	gur lig
lig sí	nár lig
ligeamar	níor ligeadh
lig sibh	ar ligeadh?
lig siad	gur ligeadh
ligeadh	nár ligeadh

THE PRESENT TENSE	An Aimsir Láithreach
ligim	
ligeann tú	ní ligeann
ligeann sé	an ligeann?
ligeann sí	go ligeann
ligimid	nach ligeann
ligeann sibh	
ligeann siad	a ligeann
ligtear	

Ulster Irish: Gaeilge Chúige Uladh

THE PAST TENSE	An Aimsir Chaite
lig mé	níor lig
lig tú	(char lig)
lig sé	ar lig?
lig sí	gur lig
lig muid†	nár lig
lig sibh	
lig siad	níor/ar ligeadh
ligeadh	gur/nár ligeadh

THE PRESENT TENSE	An Aimsir Láithreach
ligim	ní ligeann
ligeann tú	(cha ligeann)
ligeann sé	an ligeann?
ligeann sí	go ligeann
ligeann muid†	nach ligeann
ligeann sibh	
ligeann siad	a ligeas
ligtear	

Connaught Irish: Gaeilge Chonnacht

THE PAST TENSE	An Aimsir Chaite
lig mé [M]	níor lig
lig tú [M]	ar lig?
lig sé	gur lig
lig sí	nár lig
lig muid	níor ligeadh
lig sibh	ar ligeadh?
ligeadar[U]	gur ligeadh
ligeadh	nár ligeadh

THE PRESENT TENSE	An Aimsir Láithreach
ligim	
ligeann tú	ní ligeann
ligeann sé	an ligeann?
ligeann sí	go ligeann
ligeann muid	nach ligeann
ligeann sibh	
ligeann siad	a ligeanns
ligtear	

Munster Irish: Gaeilge na Mumhan

THE PAST TENSE	An Aimsir Chaite
(do) ligeas*	ní(or) lig
(do) ligis*	ar lig?
(do) lig sé	gur lig
(do) lig sí	nár lig
(do) ligeamair*	níor ligeadh
(do) ligeabhair*	ar ligeadh?
(do) ligeadar	gur ligeadh
(do) ligeadh	nár ligeadh

THE PRESENT TENSE	An Aimsir Láithreach
ligim	
ligeann tú	ní ligeann
ligeann sé	an ligeann?
ligeann sí	go ligeann
ligimíd	ná ligeann
ligeann sibh	
*ligid	a ligeann
ligtear	

Standard Irish: An Caighdeán Oifigiúil

THE FUTURE TENSE	An Aimsir Fháistineach
ligfidh mé	
ligfidh tú	ní ligfidh
ligfidh sé	an ligfidh?
ligfidh sí	go ligfidh
ligfimid	nach ligfidh
ligfidh sibh	
ligfidh siad	a ligfidh
ligfear	

THE CONDITIONAL MOOD	An Modh Coinníollach
ligfinn	
ligfeá	ní ligfeadh
ligfeadh sé	an ligfeadh?
ligfeadh sí	go ligfeadh
ligfimis	nach ligfeadh
ligfeadh sibh	
ligfidís	
ligfí	

Ulster Irish: Gaeilge Chúige Uladh

THE FUTURE TENSE	An Aimsir Fháistineach
ligfidh mé	ní ligfidh
ligfidh tú	(cha ligeann)
ligfidh sé	an ligfidh?
ligfidh sí	go ligfidh
ligfidh muid[†]	nach ligfidh
ligfidh sibh	
ligfidh siad	a ligfeas
ligfear	

THE CONDITIONAL MOOD	An Modh Coinníollach
ligfinn	
ligfeá	ní ligfeadh
ligfeadh sé	(cha ligfeadh)
ligfeadh sí	an ligfeadh?
ligfimis[‡]	go ligfeadh
ligfeadh sibh	nach ligfeadh
ligfeadh siad	
ligfí	

Connaught Irish: Gaeilge Chonnacht

THE FUTURE TENSE	An Aimsir Fháistineach
ligfidh mé[M]	
ligfidh tú[M]	ní ligfidh
ligfidh sé	an ligfidh?
ligfidh sí	go ligfidh
ligfidh muid	nach ligfidh
ligfidh sibh	
ligfidh siad	a ligfeas
ligfear	

THE CONDITIONAL MOOD	An Modh Coinníollach
ligfinn	
ligfeá	ní ligfeadh
ligfeadh sé	an ligfeadh?
ligfeadh sí	go ligfeadh
ligfeadh muid	nach ligfeadh
ligfeadh sibh	
ligfidís[U]	
ligfí[M]	

Munster Irish: Gaeilge na Mumhan

THE FUTURE TENSE	An Aimsir Fháistineach
ligfead*	
*ligfir	ní ligfidh
ligfidh sé	an ligfidh?
ligfidh sí	go ligfidh
*ligfeam	ná ligfidh
ligfidh sibh	
*ligfid	a ligfidh
ligfear	

THE CONDITIONAL MOOD	An Modh Coinníollach
(do) ligfinn	
(do) ligfeá	ní ligfeadh
(do) ligfeadh sé	an ligfeadh?
(do) ligfeadh sí	go ligfeadh
(do) ligfimíst	ná ligfeadh
(do) ligfeadh sibh	
(do) ligfidíst	
(do) ligfí	

63 **lig** 'let, allow' v.n. **ligean; ligint** *U* v.adj. **ligthe**

Standard Irish: An Caighdeán Oifigiúil

THE IMPERFECT TENSE	An Aimsir Ghnáthchaite	The Imperative Mood	The Present Subjunctive
liginn		ligim	go lige mé
ligteá	ní ligeadh	lig	go lige tú
ligeadh sé	an ligeadh?	ligeadh sé	go lige sé
ligeadh sí	go ligeadh	ligeadh sí	go lige sí
ligimis	nach ligeadh	ligimis	go ligimid
ligeadh sibh		ligigí	go lige sibh
ligidís		ligidís	go lige siad
ligtí		ligtear	go ligtear
		ná lig	nár lige

Ulster Irish: Gaeilge Chúige Uladh

THE IMPERFECT TENSE	An Aimsir Ghnáthchaite	An Modh Ordaitheach	An Foshuiteach Láithreach
liginn		ligim	go ligidh mé
ligtheá	ní ligeadh	lig	go ligidh tú
ligeadh sé	(cha ligeadh)	ligeadh sé	go ligidh sé
ligeadh sí	an ligeadh?	ligeadh sí	go ligidh sí
ligimis‡	go ligeadh	ligimis‡/fut	go ligidh muid†
ligeadh sibh	nach ligeadh	ligigí^C	go ligidh sibh
ligeadh siad	Ba ghnách le …	ligeadh siad	go ligidh siad
ligtí		ligtear	go ligtear
		ná lig	nár ligidh

Connaught Irish: Gaeilge Chonnacht

THE IMPERFECT TENSE	An Aimsir Ghnáthchaite	The Imperative Mood	The Present Subjunctive
liginn		ligim	go lige mé
ligteá	ní ligeadh	lig	go lige tú
ligeadh sé	an ligeadh?	ligeadh sé	go lige sé
ligeadh sí	go ligeadh	ligeadh sí	go lige sí
ligeadh muid	nach ligeadh	ligimid	go lige muid
ligeadh sibh		*ligidh	go lige sibh
ligidís^U		ligidís	go lige siad
ligtí^M		ligtear	go ligtear
		ná lig	nár lige

Munster Irish: Gaeilge na Mumhan

THE IMPERFECT TENSE	An Aimsir Ghnáthchaite	An Modh Ordaitheach	An Foshuiteach Láithreach
(do) liginn		ligim	go ligead*
(do) ligteá	ní ligeadh	lig	go ligir*
(do) ligeadh sé	an ligeadh?	ligeadh sé	go lige sé
(do) ligeadh sí	go ligeadh	ligeadh sí	go lige sí
(do) ligimíst	ná ligeadh	ligimíst	go ligeam*
(do) ligeadh sibh		ligíg=C*	go lige sibh
(do) ligidíst		ligidíst	go ligid*
(do) ligtí		ligtear	go ligtear
		ná lig	nár lige

Standard Irish: An Caighdeán Oifigiúil

THE PAST TENSE	An Aimsir Chaite
mharaigh mé	níor mharaigh
mharaigh tú	ar mharaigh?
mharaigh sé	gur mharaigh
mharaigh sí	nár mharaigh
mharaíomar	níor maraíodh
mharaigh sibh	ar maraíodh?
mharaigh siad	gur maraíodh
maraíodh	nár maraíodh

THE PRESENT TENSE	An Aimsir Láithreach
maraím	
maraíonn tú	ní mharaíonn
maraíonn sé	an maraíonn?
maraíonn sí	go maraíonn
maraímid	nach maraíonn
maraíonn sibh	
maraíonn siad	a mharaíonn
maraítear	

Ulster Irish: Gaeilge Chúige Uladh

THE PAST TENSE	An Aimsir Chaite
mharbh mé	níor mharbh
mharbh tú	(char mharbh)
mharbh sé	ar mharbh?
mharbh sí	gur mharbh
mharbh muid†	nár mharbh
mharbh sibh	
mharbh siad	níor/ar marbhadh
marbhadh	gur/nár marbhadh

THE PRESENT TENSE	An Aimsir Láithreach
marbhaim	ní mharbhann
marbhann tú	(cha mharbhann)
marbhann sé	an marbhann?
marbhann sí	go marbhann
marbhann muid†	nach marbhann
marbhann sibh	
marbhann siad	a mharbhas
marbhtar	*vn* marbhadh

Connaught Irish: Gaeilge Chonnacht

THE PAST TENSE	An Aimsir Chaite
mharaigh mé [M]	níor mharaigh
mharaigh tú [M]	ar mharaigh?
mharaigh sé	gur mharaigh
mharaigh sí	nár mharaigh
mharaigh muid	níor maraíodh
mharaigh sibh	ar maraíodh?
mharaíodar[U]	gur maraíodh
maraíodh [U]	nár maraíodh

THE PRESENT TENSE	An Aimsir Láithreach
maraím	
maraíonn tú	ní mharaíonn
maraíonn sé	an maraíonn?
maraíonn sí	go maraíonn
maraíonn muid	nach maraíonn
maraíonn sibh	
maraíonn siad	a mharaíonns
maraít(h)ear	

Munster Irish: Gaeilge na Mumhan

THE PAST TENSE	An Aimsir Chaite
(do) mharaíos*	ní(or) mharaigh
(do) mharaís*	ar mharaigh?
(do) mharaigh sé	gur mharaigh
(do) mharaigh sí	nár mharaigh
(do) mharaíomair*	*níor mharaíodh
(do) mharaíobhair*	*ar mharaíodh?
(do) mharaíodar	*gur mharaíodh
*(do) mharaíodh	*nár mharaíodh

THE PRESENT TENSE	An Aimsir Láithreach
maraím	
maraíonn tú	ní mharaíonn
maraíonn sé	an maraíonn?
maraíonn sí	go maraíonn
maraímíd	ná maraíonn
maraíonn sibh	
*maraíd	a mharaíonn
maraíotar*	

Standard Irish: An Caighdeán Oifigiúil

THE FUTURE TENSE	An Aimsir Fháistineach
maróidh mé	
maróidh tú	ní mharóidh
maróidh sé	an maróidh?
maróidh sí	go maróidh
maróimid	nach maróidh
maróidh sibh	
maróidh siad	a mharóidh
marófar	

THE CONDITIONAL MOOD	An Modh Coinníollach
mharóinn	
mharófá	ní mharódh
mharódh sé	an maródh?
mharódh sí	go maródh
mharóimis	nach maródh
mharódh sibh	
mharóidís	
mharófaí	

Ulster Irish: Gaeilge Chúige Uladh

THE FUTURE TENSE	An Aimsir Fháistineach
muirbhfidh mé	*var* muirfidh mé *etc.*
muirbhfidh tú	ní mhuirbhfidh
muirbhfidh sé	(cha mharbhann)
muirbhfidh sí	an muirbhfidh?
muirbhfidh muid†	go muirbhfidh
muirbhfidh sibh	nach muirbhfidh
muirbhfidh siad	a mhuirbhfeas
muirbhfear, muirfear	

THE CONDITIONAL MOOD	An Modh Coinníollach
mhuirbhfinn	
mhuirbhfeá	ní mhuirbhfeadh
mhuirbhfeadh sé	(cha mhuirbhfeadh)
mhuirbhfeadh sí	an muirbhfeadh?
mhuirbhfimis‡	go muirbhfeadh
mhuirbhfeadh sibh	nach muirbhfeadh
mhuirbhfeadh siad	*var* mhuirfeadh *etc.*
mhuirbhfí, mhuirfí	

Connaught Irish: Gaeilge Chonnacht

THE FUTURE TENSE	An Aimsir Fháistineach
maróidh mé [M]	
maróidh tú[M]	ní mharóidh
maróidh sé	an maróidh?
maróidh sí	go maróidh
maróidh muid	nach maróidh
maróidh sibh	
maróidh siad	a mharós
marófar	

THE CONDITIONAL MOOD	An Modh Coinníollach
mharóinn	
mharófá	ní mharódh
mharódh sé	an maródh?
mharódh sí	go maródh
mharódh muid	nach maródh
mharódh sibh	
mharóidís[U]	
mharófaí[M]	

Munster Irish: Gaeilge na Mumhan

THE FUTURE TENSE	An Aimsir Fháistineach
maród*	
*maróir	ní mharóidh
maróidh sé	an maróidh?
maróidh sí	go maróidh
*maróm	ná maróidh
maróidh sibh	
*maróid	a mharóidh
marófar	

THE CONDITIONAL MOOD	An Modh Coinníollach
(do) mharóinn	
(do) mharófá	ní mharódh
(do) mharódh sé	an maródh?
(do) mharódh sí	go maródh
(do) mharóimíst	ná maródh
(do) mharódh sibh	
(do) mharóidíst	
*(do) marófaí	

Standard Irish: An Caighdeán Oifigiúil

THE IMPERFECT TENSE	An Aimsir Ghnáthchaite	The Imperative Mood	The Present Subjunctive
mharaínn		maraím	go maraí mé
mharaíteá	ní mharaíodh	maraigh	go maraí tú
mharaíodh sé	an maraíodh?	maraíodh sé	go maraí sé
mharaíodh sí	go maraíodh	maraíodh sí	go maraí sí
mharaímis	nach maraíodh	maraímis	go maraímid
mharaíodh sibh		maraígí	go maraí sibh
mharaídís		maraídís	go maraí siad
mharaítí		maraítear	go maraítear
		ná maraigh	nár mharaí

Ulster Irish: Gaeilge Chúige Uladh

THE IMPERFECT TENSE	An Aimsir Ghnáthchaite	An Modh Ordaitheach	An Foshuiteach Láithreach
mharbhainn		marbhaim	go marbhaidh mé
mharbhthá	ní mharbhadh	marbh	go marbhaidh tú
mharbhadh sé	(cha mharbhadh)	marbhadh sé	go marbhaidh sé
mharbhadh sí	an marbhadh?	marbhadh sí	go marbhaidh sí
mharbhaimis[‡]	go marbhadh	marbhaimis[‡/fut]	go marbhaidh muid[†]
mharbhadh sibh	nach marbhadh	marbhaigí/marbhaidh	go marbhaidh sibh
mharbhadh siad	Ba ghnách le …	marbhadh siad	go marbhaidh siad
mharbhtaí, mharbhthaí = mharbhfaí		marbhtar	go marbhtar
		ná marbh	nár mharbhaidh

Connaught Irish: Gaeilge Chonnacht

THE IMPERFECT TENSE	An Aimsir Ghnáthchaite	The Imperative Mood	The Present Subjunctive
mharaínn		maraím	go maraí mé
mharaíteá[M]	ní mharaíodh	maraigh	go maraí tú
mharaíodh sé	an maraíodh?	maraíodh sé	go maraí sé
mharaíodh sí	go maraíodh	maraíodh sí	go maraí sí
mharaíodh muid	nach maraíodh	maraímid	go maraí muid
mharaíodh sibh		*maraighidh	go maraí sibh
mharaídís[U]		maraídís	go maraí siad
mharaítí[M]		marait(h)ear	go marait(h)ear
		ná maraigh	nár mharaí

Munster Irish: Gaeilge na Mumhan

THE IMPERFECT TENSE	An Aimsir Ghnáthchaite	An Modh Ordaitheach	An Foshuiteach Láithreach
(do) mharaínn		maraím	go maraíod*
*(do) mharaíotá	ní mharaíodh	maraigh	go maraír*
(do) mharaíodh sé	an maraíodh?	maraíodh sé	go maraí sé
(do) mharaíodh sí	go maraíodh	maraíodh sí	go maraí sí
(do) mharaímíst	ná maraíodh	maraímíst	go maraíom*
(do) mharaíodh sibh		maraíg[=C]*	go maraí sibh
(do) mharaídíst		maraídíst	go maraíd*
*(do) maraíotaí		maraíotar*	go maraíotar*
		ná maraigh	nár mharaí

65 **meath** 'wither, decay' a.br. **meath** aid.bhr. **meata**

Standard Irish: An Caighdeán Oifigiúil

THE PAST TENSE	An Aimsir Chaite
mheath mé	níor mheath
mheath tú	ar mheath?
mheath sé	gur mheath
mheath sí	nár mheath
mheathamar	níor meathadh
mheath sibh	ar meathadh?
mheath siad	gur meathadh
meathadh	nár meathadh

THE PRESENT TENSE	An Aimsir Láithreach
meathaim	
meathann tú	ní mheathann
meathann sé	an meathann?
meathann sí	go meathann
meathaimid	nach meathann
meathann sibh	
meathann siad	a mheathann
meatar	

Ulster Irish: Gaeilge Chúige Uladh

THE PAST TENSE	An Aimsir Chaite
mheath mé	níor mheath
mheath tú	(char mheath)
mheath sé	ar mheath?
mheath sí	gur mheath
mheath muid[†]	nár mheath
mheath sibh	
mheath siad	níor/ar meathadh
meathadh	gur/nár meathadh

THE PRESENT TENSE	An Aimsir Láithreach
meathaim	ní mheathann
meathann tú	(cha mheathann)
meathann sé	an meathann?
meathann sí	go meathann
meathann muid[†]	nach meathann
meathann sibh	
meathann siad	a mheathas
meaitear	*vadj* meaite

Connaught Irish: Gaeilge Chonnacht

THE PAST TENSE	An Aimsir Chaite
mheath mé [M]	níor mheath
mheath tú [M]	ar mheath?
mheath sé	gur mheath
mheath sí	nár mheath
mheath muid	níor meathadh
mheath sibh	ar meathadh?
mheathadar[U]	gur meathadh
meathadh	nár meathadh

THE PRESENT TENSE	An Aimsir Láithreach
meathaim	
meathann tú	ní mheathann
meathann sé	an meathann?
meathann sí	go meathann
meathann muid	nach meathann
meathann sibh	
meathann siad	a mheathanns
meatar	

Munster Irish: Gaeilge na Mumhan

THE PAST TENSE	An Aimsir Chaite
(do) mheathas*	ní(or) mheath
(do) mheathais*	ar mheath?
(do) mheath sé	gur mheath
(do) mheath sí	nár mheath
(do) mheathamair*	*níor mheathadh
(do) mheathabhair*	*ar mheathadh?
(do) mheathadar	*gur mheathadh
*(do) mheathadh	*nár mheathadh

THE PRESENT TENSE	An Aimsir Láithreach
meathaim	
meathann tú	ní mheathann
meathann sé	an meathann?
meathann sí	go meathann
meathaimíd	ná meathann
meathann sibh	
*meathaid	a mheathann
meatar	

Standard Irish: An Caighdeán Oifigiúil

THE FUTURE TENSE	An Aimsir Fháistineach
meathfaidh mé	
meathfaidh tú	ní mheathfaidh
meathfaidh sé	an meathfaidh?
meathfaidh sí	go meathfaidh
meathfaimid	nach meathfaidh
meathfaidh sibh	
meathfaidh siad	a mheathfaidh
meathfar	

THE CONDITIONAL MOOD	An Modh Coinníollach
mheathfainn	
mheathfá	ní mheathfadh
mheathfadh sé	an meathfadh?
mheathfadh sí	go meathfadh
mheathfaimis	nach meathfadh
mheathfadh sibh	
mheathfaidís	
mheathfaí	

Ulster Irish: Gaeilge Chúige Uladh

THE FUTURE TENSE	An Aimsir Fháistineach
meathfaidh mé	ní mheathfaidh
meathfaidh tú	(cha mheathann)
meathfaidh sé	an meathfaidh?
meathfaidh sí	go meathfaidh
meathfaidh muid†	nach meathfaidh
meathfaidh sibh	
meathfaidh siad	a mheathfas
meathfar	

THE CONDITIONAL MOOD	An Modh Coinníollach
mheathfainn	
mheathfá	ní mheathfadh
mheathfadh sé	(cha mheathfadh)
mheathfadh sí	an meathfadh?
mheathfaimis‡	go meathfadh
mheathfadh sibh	nach meathfadh
mheathfadh siad	
mheathfaí	

Connaught Irish: Gaeilge Chonnacht

THE FUTURE TENSE	An Aimsir Fháistineach
meathfaidh mé [M]	
meathfaidh tú[M]	ní mheathfaidh
meathfaidh sé	an meathfaidh?
meathfaidh sí	go meathfaidh
meathfaidh muid	nach meathfaidh
meathfaidh sibh	
meathfaidh siad	a mheathfas
meathfar	

THE CONDITIONAL MOOD	An Modh Coinníollach
mheathfainn	
mheathfá	ní mheathfadh
mheathfadh sé	an meathfadh?
mheathfadh sí	go meathfadh
mheathfadh muid	nach meathfadh
mheathfadh sibh	
mheathfaidís[U]	
mheathfaí[M]	

Munster Irish: Gaeilge na Mumhan

THE FUTURE TENSE	An Aimsir Fháistineach
meathfad*	
*meathfair	ní mheathfaidh
meathfaidh sé	an meathfaidh?
meathfaidh sí	go meathfaidh
*meathfam	ná meathfaidh
meathfaidh sibh	
*meathfaid	a mheathfaidh
meathfar	

THE CONDITIONAL MOOD	An Modh Coinníollach
(do) mheathfainn	
(do) mheathfá	ní mheathfadh
(do) mheathfadh sé	an meathfadh?
(do) mheathfadh sí	go meathfadh
(do) mheathfaimíst	ná meathfadh
(do) mheathfadh sibh	
(do) mheathfaidíst	
*(do) meathfaí	

65 **meath** 'wither, decay' a.br. **meath** aid.bhr. **meata**

Standard Irish: An Caighdeán Oifigiúil

THE IMPERFECT TENSE	An Aimsir Ghnáthchaite	The Imperative Mood	The Present Subjunctive
mheathainn		meathaim	go meatha mé
mheatá	ní mheathadh	meath	go meatha tú
mheathadh sé	an meathadh?	meathadh sé	go meatha sé
mheathadh sí	go meathadh	meathadh sí	go meatha sí
mheathaimis	nach meathadh	meathaimis	go meathaimid
mheathadh sibh		meathaigí	go meatha sibh
mheathaidís		meathaidís	go meatha siad
mheataí		meatar	go meatar
		ná meath	nár mheatha

Ulster Irish: Gaeilge Chúige Uladh

THE IMPERFECT TENSE	An Aimsir Ghnáthchaite	An Modh Ordaitheach	An Foshuiteach Láithreach
mheathainn		meathaim	go meathaidh mé
mheathá	ní mheathadh	meath	go meathaidh tú
mheathadh sé	(cha mheathadh)	meathadh sé	go meathaidh sé
mheathadh sí	an meathadh?	meathadh sí	go meathaidh sí
mheathaimis[‡]	go meathadh	meathaimis[‡/fut]	go meathaidh muid[†]
mheathadh sibh	nach meathadh	meathaigí[C]	go meathaidh sibh
mheathadh siad	Ba ghnách le …	meathadh siad	go meathaidh siad
mheataí		meaitear	go meaitear
		ná meath	nár mheathaidh

Connaught Irish: Gaeilge Chonnacht

THE IMPERFECT TENSE	An Aimsir Ghnáthchaite	The Imperative Mood	The Present Subjunctive
mheathainn		meathaim	go meatha mé
mheatá	ní mheathadh	meath	go meatha tú
mheathadh sé	an meathadh?	meathadh sé	go meatha sé
mheathadh sí	go meathadh	meathadh sí	go meatha sí
mheathadh muid	nach meathadh	meathaimid	go meatha muid
mheathadh sibh		*meathaidh	go meatha sibh
mheathaidís[U]		meathaidís	go meatha siad
mheataí[M]		meatar	go meatar
		ná meath	nár mheatha

Munster Irish: Gaeilge na Mumhan

THE IMPERFECT TENSE	An Aimsir Ghnáthchaite	An Modh Ordaitheach	An Foshuiteach Láithreach
(do) mheathainn		meathaim	go meathad*
(do) mheatá	ní mheathadh	meath	go meathair*
(do) mheathadh sé	an meathadh?	meathadh sé	go meatha sé
(do) mheathadh sí	go meathadh	meathadh sí	go meatha sí
(do) mheathaimíst	ná meathadh	meathaimíst	go meatham*
(do) mheathadh sibh		meathaíg[=C*]	go meatha sibh
(do) mheathaidíst		meathaidíst	go meathaid*
*(do) meataí		meatar	go meatar
		ná meath	nár mheatha

Standard Irish: An Caighdeán Oifigiúil

THE PAST TENSE	An Aimsir Chaite	THE PRESENT TENSE	An Aimsir Láithreach
mhill mé	níor mhill	millim	
mhill tú	ar mhill?	milleann tú	ní mhilleann
mhill sé	gur mhill	milleann sé	an milleann?
mhill sí	nár mhill	milleann sí	go milleann
mhilleamar	níor milleadh	millimid	nach milleann
mhill sibh	ar milleadh?	milleann sibh	
mhill siad	gur milleadh	milleann siad	a mhilleann
milleadh	nár milleadh	milltear	

Ulster Irish: Gaeilge Chúige Uladh

THE PAST TENSE	An Aimsir Chaite	THE PRESENT TENSE	An Aimsir Láithreach
mhill mé	níor mhill	millim	ní mhilleann
mhill tú	(char mhill)	milleann tú	(cha mhilleann)
mhill sé	ar mhill?	milleann sé	an milleann?
mhill sí	gur mhill	milleann sí	go milleann
mhill muid†	nár mhill	milleann muid†	nach milleann
mhill sibh		milleann sibh	
mhill siad	níor/ar milleadh	milleann siad	a mhilleas
milleadh	gur/nár milleadh	milltear	

Connaught Irish: Gaeilge Chonnacht

THE PAST TENSE	An Aimsir Chaite	THE PRESENT TENSE	An Aimsir Láithreach
mhill mé [M]	níor mhill	millim	
mhill tú [M]	ar mhill?	milleann tú	ní mhilleann
mhill sé	gur mhill	milleann sé	an milleann?
mhill sí	nár mhill	milleann sí	go milleann
mhill muid	níor milleadh	milleann muid	nach milleann
mhill sibh	ar milleadh?	milleann sibh	
mhilleadar[U]	gur milleadh	milleann siad	a mhilleanns
milleadh	nár milleadh	milltear	

Munster Irish: Gaeilge na Mumhan

THE PAST TENSE	An Aimsir Chaite	THE PRESENT TENSE	An Aimsir Láithreach
(do) mhilleas*	ní(or) mhill	millim	
(do) mhillis*	ar mhill?	milleann tú	ní mhilleann
(do) mhill sé	gur mhill	milleann sé	an milleann?
(do) mhill sí	nár mhill	milleann sí	go milleann
(do) mhilleamair*	*níor mhilleadh	millimíd	ná milleann
(do) mhilleabhair*	*ar mhilleadh?	milleann sibh	
(do) mhilleadar	*gur mhilleadh	*millid	a mhilleann
*(do) mhilleadh	*nár mhilleadh	milltear	

Standard Irish: An Caighdeán Oifigiúil

THE FUTURE TENSE	An Aimsir Fháistineach	THE CONDITIONAL MOOD	An Modh Coinníollach
millfidh mé		mhillfinn	
millfidh tú	ní mhillfidh	mhillfeá	ní mhillfeadh
millfidh sé	an millfidh?	mhillfeadh sé	an millfeadh?
millfidh sí	go millfidh	mhillfeadh sí	go millfeadh
millfimid	nach millfidh	mhillfimis	nach millfeadh
millfidh sibh		mhillfeadh sibh	
millfidh siad	a mhillfidh	mhillfidís	
millfear		mhillfí	

Ulster Irish: Gaeilge Chúige Uladh

THE FUTURE TENSE	An Aimsir Fháistineach	THE CONDITIONAL MOOD	An Modh Coinníollach
millfidh mé		mhillfinn	
millfidh tú	ní mhillfidh	mhillfeá	ní mhillfeadh
millfidh sé	(cha mhilleann)	mhillfeadh sé	(cha mhillfeadh)
millfidh sí	an millfidh?	mhillfeadh sí	an millfeadh?
millfidh muid†	go millfidh	mhillfimis‡	go millfeadh
millfidh sibh	nach millfidh	mhillfeadh sibh	nach millfeadh
millfidh siad	a mhillfeas	mhillfeadh siad	
millfear		mhillfí	

Connaught Irish: Gaeilge Chonnacht

THE FUTURE TENSE	An Aimsir Fháistineach	THE CONDITIONAL MOOD	An Modh Coinníollach
millfidh mé [M]		mhillfinn	
millfidh tú[M]	ní mhillfidh	mhillfeá	ní mhillfeadh
millfidh sé	an millfidh?	mhillfeadh sé	an millfeadh?
millfidh sí	go millfidh	mhillfeadh sí	go millfeadh
millfidh muid	nach millfidh	mhillfeadh muid	nach millfeadh
millfidh sibh		mhillfeadh sibh	
millfidh siad	a mhillfeas	mhillfidís[U]	
millfear		mhillfí[M]	

Munster Irish: Gaeilge na Mumhan

THE FUTURE TENSE	An Aimsir Fháistineach	THE CONDITIONAL MOOD	An Modh Coinníollach
millfead*		(do) mhillfinn	
*millfir	ní mhillfidh	(do) mhillfeá	ní mhillfeadh
millfidh sé	an millfidh?	(do) mhillfeadh sé	an millfeadh?
millfidh sí	go millfidh	(do) mhillfeadh sí	go millfeadh
*millfeam	ná millfidh	(do) mhillfimíst	ná millfeadh
millfidh sibh		(do) mhillfeadh sibh	
*millfid	a mhillfidh	(do) mhillfidíst	
millfear		*(do) millfí	

Standard Irish: An Caighdeán Oifigiúil

THE IMPERFECT TENSE	An Aimsir Ghnáthchaite	The Imperative Mood	The Present Subjunctive
mhillinn		millim	go mille mé
mhillteá	ní mhilleadh	mill	go mille tú
mhilleadh sé	an milleadh?	milleadh sé	go mille sé
mhilleadh sí	go milleadh	milleadh sí	go mille sí
mhillimis	nach milleadh	millimis	go millimid
mhilleadh sibh		milligí	go mille sibh
mhillidís		millidís	go mille siad
mhilltí		milltear	go milltear
		ná mill	nár mhille

Ulster Irish: Gaeilge Chúige Uladh

THE IMPERFECT TENSE	An Aimsir Ghnáthchaite	An Modh Ordaitheach	An Foshuiteach Láithreach
mhillinn		millim	go millidh mé
mhilltheá	ní mhilleadh	mill	go millidh tú
mhilleadh sé	(cha mhilleadh)	milleadh sé	go millidh sé
mhilleadh sí	an milleadh?	milleadh sí	go millidh sí
mhillimis[‡]	go milleadh	millimis[‡/fut]	go millidh muid[†]
mhilleadh sibh	nach milleadh	milligí[C]	go millidh sibh
mhilleadh siad	Ba ghnách le …	milleadh siad	go millidh siad
mhilltí		milltear	go milltear
		ná mill	nár mhillidh

Connaught Irish: Gaeilge Chonnacht

THE IMPERFECT TENSE	An Aimsir Ghnáthchaite	The Imperative Mood	The Present Subjunctive
mhillinn		millim	go mille mé
mhillteá	ní mhilleadh	mill	go mille tú
mhilleadh sé	an milleadh?	milleadh sé	go mille sé
mhilleadh sí	go milleadh	milleadh sí	go mille sí
mhilleadh muid	nach milleadh	millimid	go mille muid
mhilleadh sibh		*millidh	go mille sibh
mhillidís[U]		millidís	go mille siad
mhilltí[M]		milltear	go milltear
		ná mill	nár mhille

Munster Irish: Gaeilge na Mumhan

THE IMPERFECT TENSE	An Aimsir Ghnáthchaite	An Modh Ordaitheach	An Foshuiteach Láithreach
(do) mhillinn		millim	go millead*
(do) mhillteá	ní mhilleadh	mill	go millir*
(do) mhilleadh sé	an milleadh?	milleadh sé	go mille sé
(do) mhilleadh sí	go milleadh	milleadh sí	go mille sí
(do) mhillimíst	ná milleadh	millimíst	go milleam*
(do) mhilleadh sibh		millíg[=C]*	go mille sibh
(do) mhillidíst		millidíst	go millid*
*(do) milltí		milltear	go milltear
		ná mill	nár mhille

67 **mínigh** 'explain' v.n. **míniú** v.adj. **mínithe**

Standard Irish: An Caighdeán Oifigiúil

THE PAST TENSE	An Aimsir Chaite
mhínigh mé	níor mhínigh
mhínigh tú	ar mhínigh?
mhínigh sé	gur mhínigh
mhínigh sí	nár mhínigh
mhíníomar	níor míníodh
mhínigh sibh	ar míníodh?
mhínigh siad	gur míníodh
míníodh	nár míníodh

THE PRESENT TENSE	An Aimsir Láithreach
mínim	
míníonn tú	ní mhíníonn
míníonn sé	an míníonn?
míníonn sí	go míníonn
mínímid	nach míníonn
míníonn sibh	
míníonn siad	a mhíníonn
mínítear	

Ulster Irish: Gaeilge Chúige Uladh

THE PAST TENSE	An Aimsir Chaite
mhínigh mé	níor mhínigh
mhínigh tú	(char mhínigh)
mhínigh sé	ar mhínigh?
mhínigh sí	gur mhínigh
mhínigh muid[†]	nár mhínigh
mhínigh sibh	
mhínigh siad	níor/ar míneadh
míneadh	gur/nár míneadh

THE PRESENT TENSE	An Aimsir Láithreach
mínim	ní mhíneann
míneann tú	(cha mhíneann)
míneann sé	an míneann?
míneann sí	go míneann
míneann muid[†]	nach míneann
míneann sibh	
míneann siad	a mhíneas
mínithear	

Connaught Irish: Gaeilge Chonnacht

THE PAST TENSE	An Aimsir Chaite
mhínigh mé [M]	níor mhínigh
mhínigh tú [M]	ar mhínigh?
mhínigh sé	gur mhínigh
mhínigh sí	nár mhínigh
mhínigh muid	níor míníodh
mhínigh sibh	ar míníodh?
mhíníodar[U]	gur míníodh
míníodh [U]	nár míníodh

THE PRESENT TENSE	An Aimsir Láithreach
mínim	
míníonn tú	ní mhíníonn
míníonn sé	an míníonn?
míníonn sí	go míníonn
míníonn muid	nach míníonn
míníonn sibh	
míníonn siad	a mhíníonns
mínít(h)ear	

Munster Irish: Gaeilge na Mumhan

THE PAST TENSE	An Aimsir Chaite
(do) mhíníos*	ní(or) mhínigh
(do) mhínís*	ar mhínigh?
(do) mhínigh sé	gur mhínigh
(do) mhínigh sí	nár mhínigh
(do) mhíníomair*	*níor mhíníodh
(do) mhíníobhair*	*ar mhíníodh?
(do) mhíníodar	*gur mhíníodh
*(do) mhíníodh	*nár mhíníodh

THE PRESENT TENSE	An Aimsir Láithreach
mínim	
míníonn tú	ní mhíníonn
míníonn sé	an míníonn?
míníonn sí	go míníonn
mínímíd	ná míníonn
míníonn sibh	
*miníd	a mhíníonn
míníotar*	

Standard Irish: An Caighdeán Oifigiúil

THE FUTURE TENSE	An Aimsir Fháistineach
míneoidh mé	
míneoidh tú	ní mhíneoidh
míneoidh sé	an míneoidh?
míneoidh sí	go míneoidh
míneoimid	nach míneoidh
míneoidh sibh	
míneoidh siad	a mhíneoidh
míneofar	

THE CONDITIONAL MOOD	An Modh Coinníollach
mhíneoinn	
mhíneofá	ní mhíneodh
mhíneodh sé	an míneodh?
mhíneodh sí	go míneodh
mhíneoimis	nach míneodh
mhíneodh sibh	
mhíneoidís	
mhíneofaí	

Ulster Irish: Gaeilge Chúige Uladh

THE FUTURE TENSE	An Aimsir Fháistineach
míneochaidh mé	ní mhíneochaidh
míneochaidh tú	(cha mhíneann)
míneochaidh sé	an míneochaidh?
míneochaidh sí	go míneochaidh
míneochaidh muid†	nach míneochaidh
míneochaidh sibh	
míneochaidh siad	a mhíneochas
míneofar	

THE CONDITIONAL MOOD	An Modh Coinníollach
mhíneochainn	
mhíneofá	ní mhíneochadh
mhíneochadh sé	(cha mhíneochadh)
mhíneochadh sí	an míneochadh?
mhíneochaimis‡	go míneochadh
mhíneochadh sibh	nach míneochadh
mhíneochadh siad	
mhíneofaí	

Connaught Irish: Gaeilge Chonnacht

THE FUTURE TENSE	An Aimsir Fháistineach
míneoidh mé [M]	
míneoidh tú[M]	ní mhíneoidh
míneoidh sé	an míneoidh?
míneoidh sí	go míneoidh
míneoidh muid	nach míneoidh
míneoidh sibh	
míneoidh siad	a mhíneos
míneofar	

THE CONDITIONAL MOOD	An Modh Coinníollach
mhíneoinn	
mhíneofá	ní mhíneodh
mhíneodh sé	an míneodh?
mhíneodh sí	go míneodh
mhíneodh muid	nach míneodh
mhíneodh sibh	
mhíneoidís[U]	
mhíneofaí[M]	

Munster Irish: Gaeilge na Mumhan

THE FUTURE TENSE	An Aimsir Fháistineach
míneod*	
*míneoir	ní mhíneoidh
míneoidh sé	an míneoidh?
míneoidh sí	go míneoidh
*míneom	ná míneoidh
míneoidh sibh	
*míneoid	a mhíneoidh
míneofar	

THE CONDITIONAL MOOD	An Modh Coinníollach
(do) mhíneoinn	
(do) mhíneofá	ní mhíneodh
(do) mhíneodh sé	an míneodh?
(do) mhíneodh sí	go míneodh
(do) mhíneoimíst	ná míneodh
(do) mhíneodh sibh	
(do) mhíneoidíst	
*(do) míneofaí	

Standard Irish: An Caighdeán Oifigiúil

THE IMPERFECT TENSE	An Aimsir Ghnáthchaite	The Imperative Mood	The Present Subjunctive
mhíninn		mínim	go míní mé
mhíniteá	ní mhíníodh	mínigh	go míní tú
mhíníodh sé	an míníodh?	míníodh sé	go míní sé
mhíníodh sí	go míníodh	míníodh sí	go míní sí
mhínímis	nach míníodh	mínímis	go mínímid
mhíníodh sibh		mínígí	go míní sibh
mhínídís		mínídís	go míní siad
mhínítí		mínítear	go mínítear
		ná mínigh	nár mhíní

Ulster Irish: Gaeilge Chúige Uladh

THE IMPERFECT TENSE	An Aimsir Ghnáthchaite	An Modh Ordaitheach	An Foshuiteach Láithreach
mhíninn*	ní mhíneadh	mínim	go míní mé
mhínítheá	(cha mhíneadh)	mínigh	go míní tú
mhíneadh sé*	an míneadh?	míneadh sé	go míní sé
mhíneadh sí*	go míneadh	míneadh sí	go míní sí
mhínimis‡*	nach míneadh	mínimis‡/fut	go míní muid†
mhíneadh sibh*		mínigí	go míní sibh
mhíneadh siad	Ba ghnách le …	míneadh siad	go míní siad
mhíníthí		míníthear	go míníthear
		ná mínigh	nár mhíní

Connaught Irish: Gaeilge Chonnacht

THE IMPERFECT TENSE	An Aimsir Ghnáthchaite	The Imperative Mood	The Present Subjunctive
mhíninn		mínim	go míní mé
mhíniteá[M]	ní mhíníodh	mínigh	go míní tú
mhíníodh sé	an míníodh?	míníodh sé	go míní sé
mhíníodh sí	go míníodh	míníodh sí	go míní sí
mhíníodh muid	nach míníodh	mínímid	go míní muid
mhíníodh sibh		*mínighidh	go míní sibh
mhínídís[U]		mínídís	go míní siad
mhínítí[M]		mínít(h)ear	go mínít(h)ear
		ná mínigh	nár mhíní

Munster Irish: Gaeilge na Mumhan

THE IMPERFECT TENSE	An Aimsir Ghnáthchaite	An Modh Ordaitheach	An Foshuiteach Láithreach
(do) mhíninn		mínim	go míníod*
*(do) mhíníotá	ní mhíníodh	mínigh	go mínír*
(do) mhíníodh sé	an míníodh?	míníodh sé	go míní sé
(do) mhíníodh sí	go míníodh	míníodh sí	go míní sí
(do) mhínímist	ná míníodh	mínímist	go míníom*
(do) mhíníodh sibh		mínig[=C]*	go míní sibh
(do) mhínídist		mínídist	go míníd*
*(do) míníotaí		míníotar*	go míníotar*
		ná mínigh	nár mhíní

Standard Irish: An Caighdeán Oifigiúil

THE PAST TENSE	An Aimsir Chaite	THE PRESENT TENSE	An Aimsir Láithreach
mhionnaigh mé	níor mhionnaigh	mionnaím	
mhionnaigh tú	ar mhionnaigh?	mionnaíonn tú	ní mhionnaíonn
mhionnaigh sé	gur mhionnaigh	mionnaíonn sé	an mionnaíonn?
mhionnaigh sí	nár mhionnaigh	mionnaíonn sí	go mionnaíonn
mhionnaíomar	níor mionnaíodh	mionnaímid	nach mionnaíonn
mhionnaigh sibh	ar mionnaíodh?	mionnaíonn sibh	
mhionnaigh siad	gur mionnaíodh	mionnaíonn siad	a mhionnaíonn
mionnaíodh	nár mionnaíodh	mionnaítear	

Ulster Irish: Gaeilge Chúige Uladh

THE PAST TENSE	An Aimsir Chaite	THE PRESENT TENSE	An Aimsir Láithreach
mhionnaigh mé	níor mhionnaigh	mionnaim	ní mhionnann
mhionnaigh tú	(char mhionnaigh)	mionnann tú	(cha mhionnann)
mhionnaigh sé	ar mhionnaigh?	mionnann sé	an mionnann?
mhionnaigh sí	gur mhionnaigh	mionnann sí	go mionnann
mhionnaigh muid†	nár mhionnaigh	mionnann muid†	nach mionnann
mhionnaigh sibh		mionnann sibh	
mhionnaigh siad	níor/ar mionnadh	mionnann siad	a mhionnas
mionnadh	gur/nár mionnadh	mionnaíthear	

Connaught Irish: Gaeilge Chonnacht

THE PAST TENSE	An Aimsir Chaite	THE PRESENT TENSE	An Aimsir Láithreach
mhionnaigh mé [M]	níor mhionnaigh	mionnaím	
mhionnaigh tú [M]	ar mhionnaigh?	mionnaíonn tú	ní mhionnaíonn
mhionnaigh sé	gur mhionnaigh	mionnaíonn sé	an mionnaíonn?
mhionnaigh sí	nár mhionnaigh	mionnaíonn sí	go mionnaíonn
mhionnaigh muid	níor mionnaíodh	mionnaíonn muid	nach mionnaíonn
mhionnaigh sibh	ar mionnaíodh?	mionnaíonn sibh	
mhionnaíodar[U]	gur mionnaíodh	mionnaíonn siad	a mhionnaíonns
mionnaíodh [U]	nár mionnaíodh	mionnaít(h)ear	

Munster Irish: Gaeilge na Mumhan

THE PAST TENSE	An Aimsir Chaite	THE PRESENT TENSE	An Aimsir Láithreach
(do) mhionnaíos*	ní(or) mhionnaigh	mionnaím	
(do) mhionnaís*	ar mhionnaigh?	mionnaíonn tú	ní mhionnaíonn
(do) mhionnaigh sé	gur mhionnaigh	mionnaíonn sé	an mionnaíonn?
(do) mhionnaigh sí	nár mhionnaigh	mionnaíonn sí	go mionnaíonn
(do) mhionnaíomair*	*níor mhionnaíodh	mionnaímíd	ná mionnaíonn
(do) mhionnaíobhair*	*ar mhionnaíodh?	mionnaíonn sibh	
(do) mhionnaíodar	*gur mhionnaíodh	*mionnaíd	a mhionnaíonn
*(do) mhionnaíodh	*nár mhionnaíodh	mionnaíotar*	

Standard Irish: An Caighdeán Oifigiúil

THE FUTURE TENSE	An Aimsir Fháistineach
mionnóidh mé	
mionnóidh tú	ní mhionnóidh
mionnóidh sé	an mionnóidh?
mionnóidh sí	go mionnóidh
mionnóimid	nach mionnóidh
mionnóidh sibh	
mionnóidh siad	a mhionnóidh
mionnófar	

THE CONDITIONAL MOOD	An Modh Coinníollach
mhionnóinn	
mhionnófá	ní mhionnódh
mhionnódh sé	an mionnódh?
mhionnódh sí	go mionnódh
mhionnóimis	nach mionnódh
mhionnódh sibh	
mhionnóidís	
mhionnófaí	

Ulster Irish: Gaeilge Chúige Uladh

THE FUTURE TENSE	An Aimsir Fháistineach
mionnóchaidh mé	ní mhionnóchaidh
mionnóchaidh tú	(cha mhionnann)
mionnóchaidh sé	an mionnóchaidh?
mionnóchaidh sí	go mionnóchaidh
mionnóchaidh muid†	nach mionnóchaidh
mionnóchaidh sibh	
mionnóchaidh siad	a mhionnóchas
mionnófar	

THE CONDITIONAL MOOD	An Modh Coinníollach
mhionnóchainn	
mhionnófá	ní mhionnóchadh
mhionnóchadh sé	(cha mhionnóchadh)
mhionnóchadh sí	an mionnóchadh?
mhionnóchaimis‡	go mionnóchadh
mhionnóchadh sibh	nach mionnóchadh
mhionnóchadh siad	
mhionnófaí	

Connaught Irish: Gaeilge Chonnacht

THE FUTURE TENSE	An Aimsir Fháistineach
mionnóidh mé [M]	
mionnóidh tú[M]	ní mhionnóidh
mionnóidh sé	an mionnóidh?
mionnóidh sí	go mionnóidh
mionnóidh muid	nach mionnóidh
mionnóidh sibh	
mionnóidh siad	a mhionnós
mionnófar	

THE CONDITIONAL MOOD	An Modh Coinníollach
mhionnóinn	
mhionnófá	ní mhionnódh
mhionnódh sé	an mionnódh?
mhionnódh sí	go mionnódh
mhionnódh muid	nach mionnódh
mhionnódh sibh	
mhionnóidís[U]	
mhionnófaí[M]	

Munster Irish: Gaeilge na Mumhan

THE FUTURE TENSE	An Aimsir Fháistineach
mionnód*	
*mionnóir	ní mhionnóidh
mionnóidh sé	an mionnóidh?
mionnóidh sí	go mionnóidh
*mionnóm	ná mionnóidh
mionnóidh sibh	
*mionnóid	a mhionnóidh
mionnófar	

THE CONDITIONAL MOOD	An Modh Coinníollach
(do) mhionnóinn	
(do) mhionnófá	ní mhionnódh
(do) mhionnódh sé	an mionnódh?
(do) mhionnódh sí	go mionnódh
(do) mhionnóimíst	ná mionnódh
(do) mhionnódh sibh	
(do) mhionnóidíst	
*(do) mionnófaí	

Standard Irish: An Caighdeán Oifigiúil

THE IMPERFECT TENSE	An Aimsir Ghnáthchaite	The Imperative Mood	The Present Subjunctive
mhionnaínn		mionnaím	go mionnaí mé
mhionnaíteá	ní mhionnaíodh	mionnaigh	go mionnaí tú
mhionnaíodh sé	an mionnaíodh?	mionnaíodh sé	go mionnaí sé
mhionnaíodh sí	go mionnaíodh	mionnaíodh sí	go mionnaí sí
mhionnaímis	nach mionnaíodh	mionnaímis	go mionnaímid
mhionnaíodh sibh		mionnaígí	go mionnaí sibh
mhionnaídís		mionnaídís	go mionnaí siad
mhionnaítí		mionnaítear	go mionnaítear
		ná mionnaigh	nár mhionnaí

Ulster Irish: Gaeilge Chúige Uladh

THE IMPERFECT TENSE	An Aimsir Ghnáthchaite	An Modh Ordaitheach	An Foshuiteach Láithreach
mhionnainn*		mionnaim	go mionnaí mé
mhionnaítheá	ní mhionnadh	mionnaigh	go mionnaí tú
mhionnadh sé*	(cha mhionnadh)	mionnadh sé	go mionnaí sé
mhionnadh sí*	an mionnadh?	mionnadh sí	go mionnaí sí
mhionnaimis[‡]	go mionnadh	mionnaimis[‡/fut]	go mionnaí muid[†]
mhionnadh sibh*	nach mionnadh	mionnaigí[C]	go mionnaí sibh
mhionnadh siad*	Ba ghnách le …	mionnadh siad	go mionnaí siad
mhionnaíthí		mionnaíthear	go mionnaíthear
		ná mionnaigh	nár mhionnaí

Connaught Irish: Gaeilge Chonnacht

THE IMPERFECT TENSE	An Aimsir Ghnáthchaite	The Imperative Mood	The Present Subjunctive
mhionnaínn		mionnaím	go mionnaí mé
mhionnaíteá[M]	ní mhionnaíodh	mionnaigh	go mionnaí tú
mhionnaíodh sé	an mionnaíodh?	mionnaíodh sé	go mionnaí sé
mhionnaíodh sí	go mionnaíodh	mionnaíodh sí	go mionnaí sí
mhionnaíodh muid	nach mionnaíodh	mionnaímid	go mionnaí muid
mhionnaíodh sibh		*mionnaighidh	go mionnaí sibh
mhionnaídís[U]		mionnaídís	go mionnaí siad
mhionnaítí[M]		mionnaít(h)ear	go mionnaít(h)ear
		ná mionnaigh	nár mhionnaí

Munster Irish: Gaeilge na Mumhan

THE IMPERFECT TENSE	An Aimsir Ghnáthchaite	An Modh Ordaitheach	An Foshuiteach Láithreach
(do) mhionnaínn		mionnaím	go mionnaíod*
*(do) mhionnaíotá	ní mhionnaíodh	mionnaigh	go mionnaír*
(do) mhionnaíodh sé	an mionnaíodh?	mionnaíodh sé	go mionnaí sé
(do) mhionnaíodh sí	go mionnaíodh	mionnaíodh sí	go mionnaí sí
(do) mhionnaímíst	ná mionnaíodh	mionnaímíst	go mionnaíom*
(do) mhionnaíodh sibh		mionnaíg[=C]*	go mionnaí sibh
(do) mhionnaídíst		mionnaídíst	go mionnaíd*
*(do) mionnaíotaí		mionnaíotar*	go mionnaíotar*
		ná mionnaigh	nár mhionnaí

69 **mol** 'praise' v.n. **moladh** v.adj. **molta**

Standard Irish: An Caighdeán Oifigiúil

THE PAST TENSE	An Aimsir Chaite	THE PRESENT TENSE	An Aimsir Láithreach
mhol mé	níor mhol	molaim	
mhol tú	ar mhol?	molann tú	ní mholann
mhol sé	gur mhol	molann sé	an molann?
mhol sí	nár mhol	molann sí	go molann
mholamar	níor moladh	molaimid	nach molann
mhol sibh	ar moladh?	molann sibh	
mhol siad	gur moladh	molann siad	a mholann
moladh	nár moladh	moltar	

Ulster Irish: Gaeilge Chúige Uladh

THE PAST TENSE	An Aimsir Chaite	THE PRESENT TENSE	An Aimsir Láithreach
mhol mé	níor mhol	molaim	ní mholann
mhol tú	(char mhol)	molann tú	(cha mholann)
mhol sé	ar mhol?	molann sé	an molann?
mhol sí	gur mhol	molann sí	go molann
mhol muid†	nár mhol	molann muid†	nach molann
mhol sibh		molann sibh	
mhol siad	níor/ar moladh	molann siad	a mholas
moladh	gur/nár moladh	moltar	

Connaught Irish: Gaeilge Chonnacht

THE PAST TENSE	An Aimsir Chaite	THE PRESENT TENSE	An Aimsir Láithreach
mhol mé [M]	níor mhol	molaim	
mhol tú [M]	ar mhol?	molann tú	ní mholann
mhol sé	gur mhol	molann sé	an molann?
mhol sí	nár mhol	molann sí	go molann
mhol muid	níor moladh	molann muid	nach molann
mhol sibh	ar moladh?	molann sibh	
mholadar[U]	gur moladh	molann siad	a mholanns
moladh	nár moladh	moltar	

Munster Irish: Gaeilge na Mumhan

THE PAST TENSE	An Aimsir Chaite	THE PRESENT TENSE	An Aimsir Láithreach
(do) mholas*	ní(or) mhol	molaim	
(do) mholais*	ar mhol?	molann tú	ní mholann
(do) mhol sé	gur mhol	molann sé	an molann?
(do) mhol sí	nár mhol	molann sí	go molann
(do) mholamair*	*níor mholadh	molaimíd	ná molann
(do) mholabhair*	*ar mholadh?	molann sibh	
(do) mholadar	*gur mholadh	*molaid	a mholann
*(do) mholadh	*nár mholadh	moltar	

Standard Irish: An Caighdeán Oifigiúil

THE FUTURE TENSE	An Aimsir Fháistineach
molfaidh mé	
molfaidh tú	ní mholfaidh
molfaidh sé	an molfaidh?
molfaidh sí	go molfaidh
molfaimid	nach molfaidh
molfaidh sibh	
molfaidh siad	a mholfaidh
molfar	

THE CONDITIONAL MOOD	An Modh Coinníollach
mholfainn	
mholfá	ní mholfadh
mholfadh sé	an molfadh?
mholfadh sí	go molfadh
mholfaimis	nach molfadh
mholfadh sibh	
mholfaidís	
mholfaí	

Ulster Irish: Gaeilge Chúige Uladh

THE FUTURE TENSE	An Aimsir Fháistineach
molfaidh mé	
molfaidh tú	ní mholfaidh
molfaidh sé	(cha mholann)
molfaidh sí	an molfaidh?
molfaidh muid†	go molfaidh
molfaidh sibh	nach molfaidh
molfaidh siad	a mholfas
molfar	

THE CONDITIONAL MOOD	An Modh Coinníollach
mholfainn	
mholfá	ní mholfadh
mholfadh sé	(cha mholfadh)
mholfadh sí	an molfadh?
mholfaimis‡	go molfadh
mholfadh sibh	nach molfadh
mholfadh siad	
mholfaí	

Connaught Irish: Gaeilge Chonnacht

THE FUTURE TENSE	An Aimsir Fháistineach
molfaidh mé [M]	
molfaidh tú[M]	ní mholfaidh
molfaidh sé	an molfaidh?
molfaidh sí	go molfaidh
molfaidh muid	nach molfaidh
molfaidh sibh	
molfaidh siad	a mholfas
molfar	

THE CONDITIONAL MOOD	An Modh Coinníollach
mholfainn	
mholfá	ní mholfadh
mholfadh sé	an molfadh?
mholfadh sí	go molfadh
mholfadh muid	nach molfadh
mholfadh sibh	
mholfaidís[U]	
mholfaí[M]	

Munster Irish: Gaeilge na Mumhan

THE FUTURE TENSE	An Aimsir Fháistineach
molfad*	
*molfair	ní mholfaidh
molfaidh sé	an molfaidh?
molfaidh sí	go molfaidh
*molfam	ná molfaidh
molfaidh sibh	
*molfaid	a mholfaidh
molfar	

THE CONDITIONAL MOOD	An Modh Coinníollach
(do) mholfainn	
(do) mholfá	ní mholfadh
(do) mholfadh sé	an molfadh?
(do) mholfadh sí	go molfadh
(do) mholfaimíst	ná molfadh
(do) mholfadh sibh	
(do) mholfaidíst	
*(do) molfaí	

69 **mol** 'praise' v.n. **moladh** v.adj. **molta**

Standard Irish: An Caighdeán Oifigiúil

THE IMPERFECT TENSE	An Aimsir Ghnáthchaite	The Imperative Mood	The Present Subjunctive
mholainn		molaim	go mola mé
mholtá	ní mholadh	mol	go mola tú
mholadh sé	an moladh?	moladh sé	go mola sé
mholadh sí	go moladh	moladh sí	go mola sí
mholaimis	nach moladh	molaimis	go molaimid
mholadh sibh		molaigí	go mola sibh
mholaidís		molaidís	go mola siad
mholtaí		moltar	go moltar
		ná mol	nár mhola

Ulster Irish: Gaeilge Chúige Uladh

THE IMPERFECT TENSE	An Aimsir Ghnáthchaite	An Modh Ordaitheach	An Foshuiteach Láithreach
mholainn	ní mholadh	molaim	go molaidh mé
mholthá	(cha mholadh)	mol	go molaidh tú
mholadh sé	an moladh?	moladh sé	go molaidh sé
mholadh sí	go moladh	moladh sí	go molaidh sí
mholaimis[‡]	nach moladh	molaimis[‡/fut]	go molaidh muid[†]
mholadh sibh		molaigí[C]	go molaidh sibh
mholadh siad	Ba ghnách le …	moladh siad	go molaidh siad
mholtaí		moltar	go moltar
		ná mol	nár mholaidh

Connaught Irish: Gaeilge Chonnacht

THE IMPERFECT TENSE	An Aimsir Ghnáthchaite	The Imperative Mood	The Present Subjunctive
mholainn		molaim	go mola mé
mholtá	ní mholadh	mol	go mola tú
mholadh sé	an moladh?	moladh sé	go mola sé
mholadh sí	go moladh	moladh sí	go mola sí
mholadh muid	nach moladh	molaimid	go mola muid
mholadh sibh		*molaidh	go mola sibh
mholaidís[U]		molaidís	go mola siad
mholtaí[M]		moltar	go moltar
		ná mol	nár mhola

Munster Irish: Gaeilge na Mumhan

THE IMPERFECT TENSE	An Aimsir Ghnáthchaite	An Modh Ordaitheach	An Foshuiteach Láithreach
(do) mholainn		molaim	go molad*
(do) mholtá	ní mholadh	mol	go molair*
(do) mholadh sé	an moladh?	moladh sé	go mola sé
(do) mholadh sí	go moladh	moladh sí	go mola sí
(do) mholaimíst	ná moladh	molaimíst	go molam*
(do) mholadh sibh		molaíg[=C]*	go mola sibh
(do) mholaidíst		molaidíst	go molaid*
*(do) moltaí		moltar	go moltar
		ná mol	nár mhola

70 **muscail, dúisigh** 'waken' v.n. **muscailt** v.adj. **muscailte**

Standard Irish: An Caighdeán Oifigiúil

THE PAST TENSE	An Aimsir Chaite
dhúisigh mé	níor dhúisigh
dhúisigh tú	ar dhúisigh?
dhúisigh sé	gur dhúisigh
dhúisigh sí	nár dhúisigh
dhúisíomar	níor dúisíodh
dhúisigh sibh	ar dúisíodh?
dhúisigh siad	gur dúisíodh
dúisíodh	nár dúisíodh

THE PRESENT TENSE	An Aimsir Láithreach
dúisím	
dúisíonn tú	ní dhúisíonn
dúisíonn sé	an ndúisíonn?
dúisíonn sí	go ndúisíonn
dúisímid	nach ndúisíonn
dúisíonn sibh	
dúisíonn siad	a dhúisíonn
dúisítear	*vn* dúiseacht

Ulster Irish: Gaeilge Chúige Uladh

THE PAST TENSE	An Aimsir Chaite
mhuscail mé	níor mhuscail
mhuscail tú	(char mhuscail)
mhuscail sé	ar mhuscail?
mhuscail sí	gur mhuscail
mhuscail muid†	nár mhuscail
mhuscail sibh	
mhuscail siad	níor/ar muscladh
muscladh	gur/nár muscladh

THE PRESENT TENSE	An Aimsir Láithreach
musclaim	ní mhusclann
musclann tú	(cha mhusclann)
musclann sé	an musclann?
musclann sí	go musclann
musclann muid†	nach musclann
musclann sibh	
musclann siad	a mhusclas
muscaltar	*vn* muscailt

Connaught Irish: Gaeilge Chonnacht

THE PAST TENSE	An Aimsir Chaite
dhúisigh mé [M]	níor dhúisigh
dhúisigh tú [M]	ar dhúisigh?
dhúisigh sé	gur dhúisigh
dhúisigh sí	nár dhúisigh
dhúisigh muid	níor dúisíodh
dhúisigh sibh	ar dúisíodh?
dhúisíodar[U]	gur dúisíodh
dúisíodh [U]	nár dúisíodh

THE PRESENT TENSE	An Aimsir Láithreach
dúisím	
dúisíonn tú	ní dhúisíonn
dúisíonn sé	an ndúisíonn?
dúisíonn sí	go ndúisíonn
dúisíonn muid	nach ndúisíonn
dúisíonn sibh	
dúisíonn siad	a dhúisíonns
dúisít(h)ear	

Munster Irish: Gaeilge na Mumhan

THE PAST TENSE	An Aimsir Chaite
(do) dhúisíos*	ní(or) dhúisigh
(do) dhúisís*	ar dhúisigh?
(do) dhúisigh sé	gur dhúisigh
(do) dhúisigh sí	nár dhúisigh
(do) dhúisíomair*	*níor dhúisíodh
(do) dhúisíobhair*	*ar dhúisíodh?
(do) dhúisíodar	*gur dhúisíodh
*(do) dhúisíodh	*nár dhúisíodh

THE PRESENT TENSE	An Aimsir Láithreach
dúisím	
dúisíonn tú	ní dhúisíonn
dúisíonn sé	an ndúisíonn?
dúisíonn sí	go ndúisíonn
dúisímíd	ná dúisíonn
dúisíonn sibh	
*dúisíd	a dhúisíonn
dúisíotar*	

70 muscail, dúisigh 'waken' a.br. dúiseacht aid.bhr. dúisithe

Standard Irish: An Caighdeán Oifigiúil

THE FUTURE TENSE	An Aimsir Fháistineach
dúiseoidh mé	
dúiseoidh tú	ní dhúiseoidh
dúiseoidh sé	an ndúiseoidh?
dúiseoidh sí	go ndúiseoidh
dúiseoimid	nach ndúiseoidh
dúiseoidh sibh	
dúiseoidh siad	a dhúiseoidh
dúiseofar	

THE CONDITIONAL MOOD	An Modh Coinníollach
dhúiseoinn	
dhúiseofá	ní dhúiseodh
dhúiseodh sé	an ndúiseodh?
dhúiseodh sí	go ndúiseodh
dhúiseoimis	nach ndúiseodh
dhúiseodh sibh	
dhúiseoidís	
dhúiseofaí	

Ulster Irish: Gaeilge Chúige Uladh

THE FUTURE TENSE	An Aimsir Fháistineach
musclóchaidh mé	ní mhusclóchaidh
musclóchaidh tú	(cha mhusclann)
musclóchaidh sé	an musclóchaidh?
musclóchaidh sí	go musclóchaidh
musclóchaidh muid†	nach musclóchaidh
musclóchaidh sibh	
musclóchaidh siad	a mhusclóchas
musclófar	

THE CONDITIONAL MOOD	An Modh Coinníollach
mhusclóchainn	
mhusclófá	ní mhusclóchadh
mhusclóchadh sé	(cha mhusclóchadh)
mhusclóchadh sí	an musclóchadh?
mhusclóchaimis‡	go musclóchadh
mhusclóchadh sibh	nach musclóchadh
mhusclóchadh siad	
mhusclófaí	

Connaught Irish: Gaeilge Chonnacht

THE FUTURE TENSE	An Aimsir Fháistineach
dúiseoidh mé[M]	
dúiseoidh tú[M]	ní dhúiseoidh
dúiseoidh sé	an ndúiseoidh?
dúiseoidh sí	go ndúiseoidh
dúiseoidh muid	nach ndúiseoidh
dúiseoidh sibh	
dúiseoidh siad	a dhúiseos
dúiseofar	

THE CONDITIONAL MOOD	An Modh Coinníollach
dhúiseoinn	
dhúiseofá	ní dhúiseodh
dhúiseodh sé	an ndúiseodh?
dhúiseodh sí	go ndúiseodh
dhúiseodh muid	nach ndúiseodh
dhúiseodh sibh	
dhúiseoidís[U]	
dhúiseofaí[M]	

Munster Irish: Gaeilge na Mumhan

THE FUTURE TENSE	An Aimsir Fháistineach
dúiseod*	
*dúiseoir	ní dhúiseoidh
dúiseoidh sé	an ndúiseoidh?
dúiseoidh sí	go ndúiseoidh
*dúiseom	ná dúiseoidh
dúiseoidh sibh	
*dúiseoid	a dhúiseoidh
dúiseofar	

THE CONDITIONAL MOOD	An Modh Coinníollach
(do) dhúiseoinn	
(do) dhúiseofá	ní dhúiseodh
(do) dhúiseodh sé	an ndúiseodh?
(do) dhúiseodh sí	go ndúiseodh
(do) dhúiseoimíst	ná dúiseodh
(do) dhúiseodh sibh	
(do) dhúiseoidíst	
*(do) dúiseofaí	

Standard Irish: An Caighdeán Oifigiúil

THE IMPERFECT TENSE	An Aimsir Ghnáthchaite	The Imperative Mood	The Present Subjunctive
dhúisínn		dúisím	go ndúisí mé
dhúisíteá	ní dhúisíodh	dúisigh	go ndúisí tú
dhúisíodh sé	an ndúisíodh?	dúisíodh sé	go ndúisí sé
dhúisíodh sí	go ndúisíodh	dúisíodh sí	go ndúisí sí
dhúisímis	nach ndúisíodh	dúisímis	go ndúisímid
dhúisíodh sibh		dúisígí	go ndúisí sibh
dhúisídís		dúisídís	go ndúisí siad
dhúisítí		dúisítear	go ndúisítear
		ná dúisigh	nár dhúisí

Ulster Irish: Gaeilge Chúige Uladh

THE IMPERFECT TENSE	An Aimsir Ghnáthchaite	An Modh Ordaitheach	An Foshuiteach Láithreach
mhusclainn	ní mhuscladh	musclaim	go musclaí mé
mhusclaítheá	(cha mhuscladh)	muscail	go musclaí tú
mhuscladh sé	an muscladh?	muscladh sé	go musclaí sé
mhuscladh sí	go muscladh	muscladh sí	go musclaí sí
mhusclaimis[‡]	nach muscladh	musclaimis[‡/fut]	go musclaí muid[†]
mhuscladh sibh		musclaigí/musclaidh	go musclaí sibh
mhuscladh siad	Ba ghnách le …	muscladh siad	go musclaí siad
mhusclaíthí		muscaltar	go muscaltar
		ná muscail	nár mhusclaí

Connaught Irish: Gaeilge Chonnacht

THE IMPERFECT TENSE	An Aimsir Ghnáthchaite	The Imperative Mood	The Present Subjunctive
dhúisínn		dúisím	go ndúisí mé
dhúisíteá[M]	ní dhúisíodh	dúisigh	go ndúisí tú
dhúisíodh sé	an ndúisíodh?	dúisíodh sé	go ndúisí sé
dhúisíodh sí	go ndúisíodh	dúisíodh sí	go ndúisí sí
dhúisíodh muid	nach ndúisíodh	dúisímid	go ndúisí muid
dhúisíodh sibh		*dúisighidh	go ndúisí sibh
dhúisídís[U]		dúisídís	go ndúisí siad
dhúisítí[M]		dúisít(h)ear	go ndúisít(h)ear
		ná dúisigh	nár dhúisí

Munster Irish: Gaeilge na Mumhan

THE IMPERFECT TENSE	An Aimsir Ghnáthchaite	An Modh Ordaitheach	An Foshuiteach Láithreach
(do) dhúisínn		dúisím	go ndúisíod*
*(do) dhúisíotá	ní dhúisíodh	dúisigh	go ndúisír*
(do) dhúisíodh sé	an ndúisíodh?	dúisíodh sé	go ndúisí sé
(do) dhúisíodh sí	go ndúisíodh	dúisíodh sí	go ndúisí sí
(do) dhúisímíst	ná dúisíodh	dúisímíst	go ndúisíom*
(do) dhúisíodh sibh		*dúisíg[=C], dúisígí	go ndúisí sibh
(do) dhúisídíst		dúisídíst	go ndúisíd*
*(do) dúisíotaí		dúisíotar*	go ndúisíotar*
		ná dúisigh	nár dhúisí

71 **neartaigh** 'strengthen' v.n. **neartú** v.adj. **neartaithe**

Standard Irish: An Caighdeán Oifigiúil

THE PAST TENSE	An Aimsir Chaite
neartaigh mé	níor neartaigh
neartaigh tú	ar neartaigh?
neartaigh sé	gur neartaigh
neartaigh sí	nár neartaigh
neartaíomar	níor neartaíodh
neartaigh sibh	ar neartaíodh?
neartaigh siad	gur neartaíodh
neartaíodh	nár neartaíodh

THE PRESENT TENSE	An Aimsir Láithreach
neartaím	
neartaíonn tú	ní neartaíonn
neartaíonn sé	an neartaíonn?
neartaíonn sí	go neartaíonn
neartaímid	nach neartaíonn
neartaíonn sibh	
neartaíonn siad	a neartaíonn
neartaítear	

Ulster Irish: Gaeilge Chúige Uladh

THE PAST TENSE	An Aimsir Chaite
neartaigh mé	níor neartaigh
neartaigh tú	(char neartaigh)
neartaigh sé	ar neartaigh?
neartaigh sí	gur neartaigh
neartaigh muid[†]	nár neartaigh
neartaigh sibh	
neartaigh siad	níor/ar neartadh
neartadh	gur/nár neartadh

THE PRESENT TENSE	An Aimsir Láithreach
neartaim	ní neartann
neartann tú	(cha neartann)
neartann sé	an neartann?
neartann sí	go neartann
neartann muid[†]	nach neartann
neartann sibh	
neartann siad	a neartas
neartaíthear	

Connaught Irish: Gaeilge Chonnacht

THE PAST TENSE	An Aimsir Chaite
neartaigh mé [M]	níor neartaigh
neartaigh tú [M]	ar neartaigh?
neartaigh sé	gur neartaigh
neartaigh sí	nár neartaigh
neartaigh muid	níor neartaíodh
neartaigh sibh	ar neartaíodh?
neartaíodar[U]	gur neartaíodh
neartaíodh [U]	nár neartaíodh

THE PRESENT TENSE	An Aimsir Láithreach
neartaím	
neartaíonn tú	ní neartaíonn
neartaíonn sé	an neartaíonn?
neartaíonn sí	go neartaíonn
neartaíonn muid	nach neartaíonn
neartaíonn sibh	
neartaíonn siad	a neartaíonns
neartaít(h)ear	

Munster Irish: Gaeilge na Mumhan

THE PAST TENSE	An Aimsir Chaite
(do) neartaíos*	ní(or) neartaigh
(do) neartaís*	ar neartaigh?
(do) neartaigh sé	gur neartaigh
(do) neartaigh sí	nár neartaigh
(do) neartaíomair*	níor neartaíodh
(do) neartaíobhair*	ar neartaíodh?
(do) neartaíodar	gur neartaíodh
(do) neartaíodh	nár neartaíodh

THE PRESENT TENSE	An Aimsir Láithreach
neartaím	
neartaíonn tú	ní neartaíonn
neartaíonn sé	an neartaíonn?
neartaíonn sí	go neartaíonn
neartaímíd	ná neartaíonn
neartaíonn sibh	
*neartaíd	a neartaíonn
neartaíotar*	

Standard Irish: An Caighdeán Oifigiúil

THE FUTURE TENSE	An Aimsir Fháistineach
neartóidh mé	
neartóidh tú	ní neartóidh
neartóidh sé	an neartóidh?
neartóidh sí	go neartóidh
neartóimid	nach neartóidh
neartóidh sibh	
neartóidh siad	a neartóidh
neartófar	

THE CONDITIONAL MOOD	An Modh Coinníollach
neartóinn	
neartófá	ní neartódh
neartódh sé	an neartódh?
neartódh sí	go neartódh
neartóimis	nach neartódh
neartódh sibh	
neartóidís	
neartófaí	

Ulster Irish: Gaeilge Chúige Uladh

THE FUTURE TENSE	An Aimsir Fháistineach
neartóchaidh mé	ní neartóchaidh
neartóchaidh tú	(cha neartann)
neartóchaidh sé	an neartóchaidh?
neartóchaidh sí	go neartóchaidh
neartóchaidh muid†	nach neartóchaidh
neartóchaidh sibh	
neartóchaidh siad	a neartóchas
neartófar	

THE CONDITIONAL MOOD	An Modh Coinníollach
neartóchainn	
neartófá	ní neartóchadh
neartóchadh sé	(cha neartóchadh)
neartóchadh sí	an neartóchadh?
neartóchaimis‡	go neartóchadh
neartóchadh sibh	nach neartóchadh
neartóchadh siad	
neartófaí	

Connaught Irish: Gaeilge Chonnacht

THE FUTURE TENSE	An Aimsir Fháistineach
neartóidh mé [M]	
neartóidh tú[M]	ní neartóidh
neartóidh sé	an neartóidh?
neartóidh sí	go neartóidh
neartóidh muid	nach neartóidh
neartóidh sibh	
neartóidh siad	a neartós
neartófar	

THE CONDITIONAL MOOD	An Modh Coinníollach
neartóinn	
neartófá	ní neartódh
neartódh sé	an neartódh?
neartódh sí	go neartódh
neartódh muid	nach neartódh
neartódh sibh	
neartóidís[U]	
neartófaí[M]	

Munster Irish: Gaeilge na Mumhan

THE FUTURE TENSE	An Aimsir Fháistineach
neartód*	
*neartóir	ní neartóidh
neartóidh sé	an neartóidh?
neartóidh sí	go neartóidh
*neartóm	ná neartóidh
neartóidh sibh	
*neartóid	a neartóidh
neartófar	

THE CONDITIONAL MOOD	An Modh Coinníollach
(do) neartóinn	
(do) neartófá	ní neartódh
(do) neartódh sé	an neartódh?
(do) neartódh sí	go neartódh
(do) neartóimíst	ná neartódh
(do) neartódh sibh	
(do) neartóidíst	
(do) neartófaí	

71 **neartaigh** 'strengthen' v.n. **neartú** v.adj. **neartaithe**

Standard Irish: An Caighdeán Oifigiúil

THE IMPERFECT TENSE	An Aimsir Ghnáthchaite	The Imperative Mood	The Present Subjunctive
neartaínn		neartaím	go neartaí mé
neartaíteá	ní neartaíodh	neartaigh	go neartaí tú
neartaíodh sé	an neartaíodh?	neartaíodh sé	go neartaí sé
neartaíodh sí	go neartaíodh	neartaíodh sí	go neartaí sí
neartaímis	nach neartaíodh	neartaímis	go neartaímid
neartaíodh sibh		neartaígí	go neartaí sibh
neartaídís		neartaídís	go neartaí siad
neartaítí		neartaítear	go neartaítear
		ná neartaigh	nár neartaí

Ulster Irish: Gaeilge Chúige Uladh

THE IMPERFECT TENSE	An Aimsir Ghnáthchaite	An Modh Ordaitheach	An Foshuiteach Láithreach
neartainn*		neartaim	go neartaí mé
neartaítheá	ní neartadh	neartaigh	go neartaí tú
neartadh sé*	(cha neartadh)	neartadh sé	go neartaí sé
neartadh sí*	an neartadh?	neartadh sí	go neartaí sí
neartaimis[‡]	go neartadh	neartaimis[‡/fut]	go neartaí muid[†]
neartadh sibh*	nach neartadh	neartaigí[C]	go neartaí sibh
neartadh siad*	Ba ghnách le …	neartadh siad	go neartaí siad
neartaíthí		neartaíthear	go neartaíthear
		ná neartaigh	nár neartaí

Connaught Irish: Gaeilge Chonnacht

THE IMPERFECT TENSE	An Aimsir Ghnáthchaite	The Imperative Mood	The Present Subjunctive
neartaínn		neartaím	go neartaí mé
neartaíteá[M]	ní neartaíodh	neartaigh	go neartaí tú
neartaíodh sé	an neartaíodh?	neartaíodh sé	go neartaí sé
neartaíodh sí	go neartaíodh	neartaíodh sí	go neartaí sí
neartaíodh muid	nach neartaíodh	neartaímid	go neartaí muid
neartaíodh sibh		*neartaighidh	go neartaí sibh
neartaídís[U]		neartaídís	go neartaí siad
neartaítí[M]		neartaít(h)ear	go neartaít(h)ear
		ná neartaigh	nár neartaí

Munster Irish: Gaeilge na Mumhan

THE IMPERFECT TENSE	An Aimsir Ghnáthchaite	An Modh Ordaitheach	An Foshuiteach Láithreach
(do) neartaínn		neartaím	go neartaíod*
*(do) neartaíotá	ní neartaíodh	neartaigh	go neartaír*
(do) neartaíodh sé	an neartaíodh?	neartaíodh sé	go neartaí sé
(do) neartaíodh sí	go neartaíodh	neartaíodh sí	go neartaí sí
(do) neartaímíst	ná neartaíodh	neartaímíst	go neartaíom*
(do) neartaíodh sibh		neartaíg[=C]*	go neartaí sibh
(do) neartaídíst		neartaídíst	go neartaíd*
*(do) neartaíotaí		neartaíotar*	go neartaíotar*
		ná neartaigh	nár neartaí

72 **nigh** 'wash' v.n. **ní** v.adj. **nite**

Standard Irish: An Caighdeán Oifigiúil

THE PAST TENSE	An Aimsir Chaite
nigh mé	níor nigh
nigh tú	ar nigh?
nigh sé	gur nigh
nigh sí	nár nigh
níomar	níor níodh
nigh sibh	ar níodh?
nigh siad	gur níodh
níodh	nár níodh

THE PRESENT TENSE	An Aimsir Láithreach
ním	
níonn tú	ní níonn
níonn sé	an níonn?
níonn sí	go níonn
nímid	nach níonn
níonn sibh	
níonn siad	a níonn
nitear	

Ulster Irish: Gaeilge Chúige Uladh

THE PAST TENSE	An Aimsir Chaite
nigh mé	níor nigh
nigh tú	(char nigh)
nigh sé	ar nigh?
nigh sí	gur nigh
nigh muid†	nár nigh
nigh sibh	
nigh siad	níor/ar níodh
níodh	gur/nár níodh

THE PRESENT TENSE	An Aimsir Láithreach
ním	ní níonn
níonn tú	(cha níonn)
níonn sé	an níonn?
níonn sí	go níonn
níonn muid†	nach níonn
níonn sibh	
níonn siad	a níos
nitear	

Connaught Irish: Gaeilge Chonnacht

THE PAST TENSE	An Aimsir Chaite
nigh mé[M]	níor nigh
nigh tú[M]	ar nigh?
nigh sé	gur nigh
nigh sí	nár nigh
nigh muid	níor níodh
nigh sibh	ar níodh?
níodar[U]	gur níodh
níodh	nár níodh

THE PRESENT TENSE	An Aimsir Láithreach
ním	
níonn tú	ní níonn
níonn sé	an níonn?
níonn sí	go níonn
níonn muid	nach níonn
níonn sibh	
níonn siad	a níonns
nitear	

Munster Irish: Gaeilge na Mumhan

THE PAST TENSE	An Aimsir Chaite
(do) níos*	ní(or) nigh
(do) nís*	ar nigh?
(do) nigh sé	gur nigh
(do) nigh sí	nár nigh
(do) níomair*	níor níodh
(do) níobhair*	ar níodh?
(do) níodar	gur níodh
(do) níodh	nár níodh

THE PRESENT TENSE	An Aimsir Láithreach
ním	
níonn tú	ní níonn
níonn sé	an níonn?
níonn sí	go níonn
nímíd	ná níonn
níonn sibh	
*níd	a níonn
nitear	

Standard Irish: An Caighdeán Oifigiúil

THE FUTURE TENSE	An Aimsir Fháistineach
nífidh mé	
nífidh tú	ní nífidh
nífidh sé	an nífidh?
nífidh sí	go nífidh
nífimid	nach nífidh
nífidh sibh	
nífidh siad	a nífidh
nífear	

THE CONDITIONAL MOOD	An Modh Coinníollach
nífinn	
nífeá	ní nífeadh
nífeadh sé	an nífeadh?
nífeadh sí	go nífeadh
nífimis	nach nífeadh
nífeadh sibh	
nífidís	
nífí	

Ulster Irish: Gaeilge Chúige Uladh

THE FUTURE TENSE	An Aimsir Fháistineach
nífidh mé	
nífidh tú	ní nífidh
nífidh sé	(cha níonn)
nífidh sí	an nífidh?
nífidh muid[†]	go nífidh
nífidh sibh	nach nífidh
nífidh siad	a nífeas
nífear	

THE CONDITIONAL MOOD	An Modh Coinníollach
nífinn	
nífeá	ní nífeadh
nífeadh sé	(cha nífeadh)
nífeadh sí	an nífeadh?
nífimis[‡]	go nífeadh
nífeadh sibh	nach nífeadh
nífeadh siad	
nífí	

Connaught Irish: Gaeilge Chonnacht

THE FUTURE TENSE	An Aimsir Fháistineach
nífidh mé[M]	
nífidh tú[M]	ní nífidh
nífidh sé	an nífidh?
nífidh sí	go nífidh
nífidh muid	nach nífidh
nífidh sibh	
nífidh siad	a nífeas
nífear	

THE CONDITIONAL MOOD	An Modh Coinníollach
nífinn	
nífeá	ní nífeadh
nífeadh sé	an nífeadh?
nífeadh sí	go nífeadh
nífeadh muid	nach nífeadh
nífeadh sibh	
nífidís[U]	
nífí[M]	

Munster Irish: Gaeilge na Mumhan

THE FUTURE TENSE	An Aimsir Fháistineach
nífead*	
*nífir	ní nífidh
nífidh sé	an nífidh?
nífidh sí	go nífidh
*nífeam	ná nífidh
nífidh sibh	
*nífid	a nífidh
nífear	

THE CONDITIONAL MOOD	An Modh Coinníollach
(do) nífinn	
(do) nífeá	ní nífeadh
(do) nífeadh sé	an nífeadh?
(do) nífeadh sí	go nífeadh
(do) nífimíst	ná nífeadh
(do) nífeadh sibh	
(do) nífidíst	
(do) nífí	

Standard Irish: An Caighdeán Oifigiúil

THE IMPERFECT TENSE	An Aimsir Ghnáthchaite	The Imperative Mood	The Present Subjunctive
nínn		ním	go ní mé
niteá	ní níodh	nigh	go ní tú
níodh sé	an níodh?	níodh sé	go ní sé
níodh sí	go níodh	níodh sí	go ní sí
nímis	nach níodh	nímis	go nímid
níodh sibh		nígí	go ní sibh
nídís		nídís	go ní siad
nití		nitear	go nitear
		ná nigh	nár ní

Ulster Irish: Gaeilge Chúige Uladh

THE IMPERFECT TENSE	An Aimsir Ghnáthchaite	An Modh Ordaitheach	An Foshuiteach Láithreach
nínn		ním	go ní mé
nítheá	ní níodh	nigh	go ní tú
níodh sé	(cha níodh)	níodh sé	go ní sé
níodh sí	an níodh?	níodh sí	go ní sí
nímis‡	go níodh	nímis‡/fut	go ní muid†
níodh sibh	nach níodh	nígí C	go ní sibh
níodh siad	Ba ghnách le …	níodh siad	go ní siad
nití		nitear	go nitear
		ná nigh	nár ní

Connaught Irish: Gaeilge Chonnacht

THE IMPERFECT TENSE	An Aimsir Ghnáthchaite	The Imperative Mood	The Present Subjunctive
nínn		ním	go ní mé
niteá	ní níodh	nigh	go ní tú
níodh sé	an níodh?	níodh sé	go ní sé
níodh sí	go níodh	níodh sí	go ní sí
níodh muid	nach níodh	nímid	go ní muid
níodh sibh		*nídh	go ní sibh
nídís U		nídís	go ní siad
nití M		nitear	go nitear
		ná nigh	nár ní

Munster Irish: Gaeilge na Mumhan

THE IMPERFECT TENSE	An Aimsir Ghnáthchaite	An Modh Ordaitheach	An Foshuiteach Láithreach
(do) nínn		ním	go níod*
(do) niteá	ní níodh	nigh	go nír *
(do) níodh sé	an níodh?	níodh sé	go ní sé
(do) níodh sí	go níodh	níodh sí	go ní sí
(do) nímíst	ná níodh	nímíst	go níom*
(do) níodh sibh		níg =C, nígí	go ní sibh
(do) nídíst		nídíst	go níd*
(do) nití		nitear	go nitear
		ná nigh	nár ní

73 **oil** 'rear, educate' v.n. **oiliúint** v.adj. **oilte**

Standard Irish: An Caighdeán Oifigiúil

THE PAST TENSE	An Aimsir Chaite	THE PRESENT TENSE	An Aimsir Láithreach
d'oil mé	níor oil	oilim	
d'oil tú	ar oil?	oileann tú	ní oileann
d'oil sé	gur oil	oileann sé	an oileann?
d'oil sí	nár oil	oileann sí	go n-oileann
d'oileamar	níor oileadh	oilimid	nach n-oileann
d'oil sibh	ar oileadh?	oileann sibh	
d'oil siad	gur oileadh	oileann siad	a oileann
oileadh	nár oileadh	oiltear	

Ulster Irish: Gaeilge Chúige Uladh

THE PAST TENSE	An Aimsir Chaite	THE PRESENT TENSE	An Aimsir Láithreach
d'oil mé	níor oil	oilim	ní oileann
d'oil tú	(char oil)	oileann tú	(chan oileann)
d'oil sé	ar oil?	oileann sé	an oileann?
d'oil sí	gur oil	oileann sí	go n-oileann
d'oil muid†	nár oil	oileann muid†	nach n-oileann
d'oil sibh		oileann sibh	
d'oil siad	níor/ar hoileadh	oileann siad	a oileas
hoileadh	gur/nár hoileadh	oiltear	

Connaught Irish: Gaeilge Chonnacht

THE PAST TENSE	An Aimsir Chaite	THE PRESENT TENSE	An Aimsir Láithreach
d'oil mé [M]	níor oil	oilim	
d'oil tú [M]	ar oil?	oileann tú	ní oileann
d'oil sé	gur oil	oileann sé	an oileann?
d'oil sí	nár oil	oileann sí	go n-oileann
d'oil muid	níor hoileadh	oileann muid	nach n-oileann
d'oil sibh	ar hoileadh?	oileann sibh	
d'oileadar[U]	gur hoileadh	oileann siad	a oileanns
hoileadh	nár hoileadh	oiltear	

Munster Irish: Gaeilge na Mumhan

THE PAST TENSE	An Aimsir Chaite	THE PRESENT TENSE	An Aimsir Láithreach
dh'oileas*	níor oil, ní(or) dh'oil	oilim	ní oileann
dh'oilis*	ar oil?	oileann tú	(ní dh'oileann)
*dh'oil sé	gur oil	oileann sé	an oileann?
*dh'oil sí	nár oil	oileann sí	go n-oileann
dh'oileamair*	níor hoileadh*	oilimíd	ná hoileann
dh'oileabhair*	ar hoileadh?*	oileann sibh	
dh'oileadar*	gur hoileadh*	*oilid	a oileann
(do) hoileadh* d(h)'oileadh	nár hoileadh*	oiltear	

Standard Irish: An Caighdeán Oifigiúil

THE FUTURE TENSE	An Aimsir Fháistineach
oilfidh mé	
oilfidh tú	ní oilfidh
oilfidh sé	an oilfidh?
oilfidh sí	go n-oilfidh
oilfimid	nach n-oilfidh
oilfidh sibh	
oilfidh siad	a oilfidh
oilfear	

THE CONDITIONAL MOOD	An Modh Coinníollach
d'oilfinn	
d'oilfeá	ní oilfeadh
d'oilfeadh sé	an oilfeadh?
d'oilfeadh sí	go n-oilfeadh
d'oilfimis	nach n-oilfeadh
d'oilfeadh sibh	
d'oilfidís	
d'oilfí	

Ulster Irish: Gaeilge Chúige Uladh

THE FUTURE TENSE	An Aimsir Fháistineach
oilfidh mé	
oilfidh tú	ní oilfidh
oilfidh sé	(chan oileann)
oilfidh sí	an oilfidh?
oilfidh muid†	go n-oilfidh
oilfidh sibh	nach n-oilfidh
oilfidh siad	a oilfeas
oilfear	

THE CONDITIONAL MOOD	An Modh Coinníollach
d'oilfinn	
d'oilfeá	ní oilfeadh
d'oilfeadh sé	(chan oilfeadh)
d'oilfeadh sí	an oilfeadh?
d'oilfimis‡	go n-oilfeadh
d'oilfeadh sibh	nach n-oilfeadh
d'oilfeadh siad	
d'oilfí	

Connaught Irish: Gaeilge Chonnacht

THE FUTURE TENSE	An Aimsir Fháistineach
oilfidh mé[M]	
oilfidh tú[M]	ní oilfidh
oilfidh sé	an oilfidh?
oilfidh sí	go n-oilfidh
oilfidh muid	nach n-oilfidh
oilfidh sibh	
oilfidh siad	a oilfeas
oilfear	

THE CONDITIONAL MOOD	An Modh Coinníollach
d'oilfinn	
d'oilfeá	ní oilfeadh
d'oilfeadh sé	an oilfeadh?
d'oilfeadh sí	go n-oilfeadh
d'oilfeadh muid	nach n-oilfeadh
d'oilfeadh sibh	
d'oilfidís[U]	
d'oilfí[M]	

Munster Irish: Gaeilge na Mumhan

THE FUTURE TENSE	An Aimsir Fháistineach
oilfead*	ní oilfidh
*oilfir	(ní dh'oilfidh)
oilfidh sé	an oilfidh?
oilfidh sí	go n-oilfidh
*oilfeam	ná hoilfidh
oilfidh sibh	
*oilfid	a oilfidh
oilfear	

THE CONDITIONAL MOOD	An Modh Coinníollach
*dh'oilfinn	ní oilfeadh
*dh'oilfeá	(ní dh'oilfeadh)
*dh'oilfeadh sé	an oilfeadh?
*dh'oilfeadh sí	go n-oilfeadh
*dh'oilfimíst	ná hoilfeadh
*dh'oilfeadh sibh	
*dh'oilfidíst	
*(do) hoilfí	

73 **oil** ‘rear, educate’ v.n. **oiliúint** v.adj. **oilte**

Standard Irish: An Caighdeán Oifigiúil

THE IMPERFECT TENSE	An Aimsir Ghnáthchaite	The Imperative Mood	The Present Subjunctive
d’oilinn		oilim	go n-oile mé
d’oilteá	ní oileadh	oil	go n-oile tú
d’oileadh sé	an oileadh?	oileadh sé	go n-oile sé
d’oileadh sí	go n-oileadh	oileadh sí	go n-oile sí
d’oilimis	nach n-oileadh	oilimis	go n-oilimid
d’oileadh sibh		oiligí	go n-oile sibh
d’oilidís		oilidís	go n-oile siad
d’oiltí		oiltear	go n-oiltear
		ná hoil	nár oile

Ulster Irish: Gaeilge Chúige Uladh

THE IMPERFECT TENSE	An Aimsir Ghnáthchaite	An Modh Ordaitheach	An Foshuiteach Láithreach
d’oilinn		oilim	go n-oilidh mé
d’oiltheá	ní oileadh	oil	go n-oilidh tú
d’oileadh sé	(chan oileadh)	oileadh sé	go n-oilidh sé
d’oileadh sí	an oileadh?	oileadh sí	go n-oilidh sí
d’oilimis[‡]	go n-oileadh	oilimis[‡/fut]	go n-oilidh muid[†]
d’oileadh sibh	nach n-oileadh	oiligí[C]	go n-oilidh sibh
d’oileadh siad	Ba ghnách le …	oileadh siad	go n-oilidh siad
d’oiltí		oiltear	go n-oiltear
		ná hoil	nár oilidh

Connaught Irish: Gaeilge Chonnacht

THE IMPERFECT TENSE	An Aimsir Ghnáthchaite	The Imperative Mood	The Present Subjunctive
d’oilinn		oilim	go n-oile mé
d’oilteá	ní oileadh	oil	go n-oile tú
d’oileadh sé	an oileadh?	oileadh sé	go n-oile sé
d’oileadh sí	go n-oileadh	oileadh sí	go n-oile sí
d’oileadh muid	nach n-oileadh	oilimid	go n-oile muid
d’oileadh sibh		*oilidh	go n-oile sibh
d’oilidís[U]		oilidís	go n-oile siad
d’oiltí[M]		oiltear	go n-oiltear
		ná hoil	nár oile

Munster Irish: Gaeilge na Mumhan

THE IMPERFECT TENSE	An Aimsir Ghnáthchaite	An Modh Ordaitheach	An Foshuiteach Láithreach
*dh’oilinn	ní oileadh	oilim	go n-oilead*
*dh’oilteá	(ní dh’oileadh)	oil	go n-oilir*
*dh’oileadh sé	an oileadh?	oileadh sé	go n-oile sé
*dh’oileadh sí	go n-oileadh	oileadh sí	go n-oile sí
*dh’oilimíst	ná hoileadh	oilimíst	go n-oileam*
*dh’oileadh sibh		oilíg[=C]*	go n-oile sibh
*dh’oilidíst		oilidíst	go n-oilid*
*(do) hoiltí		oiltear	go n-oiltear
		ná hoil	nár oile

Standard Irish: An Caighdeán Oifigiúil

THE PAST TENSE	An Aimsir Chaite
d'ól mé	níor ól
d'ól tú	ar ól?
d'ól sé	gur ól
d'ól sí	nár ól
d'ólamar	níor óladh
d'ól sibh	ar óladh?
d'ól siad	gur óladh
óladh	nár óladh

THE PRESENT TENSE	An Aimsir Láithreach
ólaim	
ólann tú	ní ólann
ólann sé	an ólann?
ólann sí	go n-ólann
ólaimid	nach n-ólann
ólann sibh	
ólann siad	a ólann
óltar	

Ulster Irish: Gaeilge Chúige Uladh

THE PAST TENSE	An Aimsir Chaite
d'ól mé	níor ól
d'ól tú	(char ól)
d'ól sé	ar ól?
d'ól sí	gur ól
d'ól muid†	nár ól
d'ól sibh	
d'ól siad	níor/ar hóladh
hóladh	gur/nár hóladh

THE PRESENT TENSE	An Aimsir Láithreach
ólaim	ní ólann
ólann tú	(chan ólann)
ólann sé	an ólann?
ólann sí	go n-ólann
ólann muid†	nach n-ólann
ólann sibh	
ólann siad	a ólas
óltar	

Connaught Irish: Gaeilge Chonnacht

THE PAST TENSE	An Aimsir Chaite
d'ól mé [M]	níor ól
d'ól tú [M]	ar ól?
d'ól sé	gur ól
d'ól sí	nár ól
d'ól muid	níor hóladh
d'ól sibh	ar hóladh?
d'óladar[U]	gur hóladh
hóladh	nár hóladh

THE PRESENT TENSE	An Aimsir Láithreach
ólaim	
ólann tú	ní ólann
ólann sé	an ólann?
ólann sí	go n-ólann
ólann muid	nach n-ólann
ólann sibh	
ólann siad	a ólanns
óltar	

Munster Irish: Gaeilge na Mumhan

THE PAST TENSE	An Aimsir Chaite
dh'ólas*	níor ól, ní(or) dh'ol
dh'ólais*	ar ól?
*dh'ól sé	gur ól
*dh'ól sí	nár ól
dh'ólamair*	níor hóladh*
dh'ólabhair*	ar hóladh?*
dh'óladar*	gur hóladh*
(do) hóladh* d(h)'oladh	nár hóladh*

THE PRESENT TENSE	An Aimsir Láithreach
ólaim	ní ólann
ólann tú	(ní dh'ólann)
ólann sé	an ólann?
ólann sí	go n-ólann
ólaimíd	ná hólann
ólann sibh	
*ólaid	a ólann
óltar	

Standard Irish: An Caighdeán Oifigiúil

THE FUTURE TENSE	An Aimsir Fháistineach
ólfaidh mé	
ólfaidh tú	ní ólfaidh
ólfaidh sé	an ólfaidh?
ólfaidh sí	go n-ólfaidh
ólfaimid	nach n-ólfaidh
ólfaidh sibh	
ólfaidh siad	a ólfaidh
ólfar	

THE CONDITIONAL MOOD	An Modh Coinníollach
d'ólfainn	
d'ólfá	ní ólfadh
d'ólfadh sé	an ólfadh?
d'ólfadh sí	go n-ólfadh
d'ólfaimis	nach n-ólfadh
d'ólfadh sibh	
d'ólfaidís	
d'ólfaí	

Ulster Irish: Gaeilge Chúige Uladh

THE FUTURE TENSE	An Aimsir Fháistineach
ólfaidh mé	ní ólfaidh
ólfaidh tú	(chan ólann)
ólfaidh sé	an ólfaidh?
ólfaidh sí	go n-ólfaidh
ólfaidh muid†	nach n-ólfaidh
ólfaidh sibh	
ólfaidh siad	a ólfas
ólfar	

THE CONDITIONAL MOOD	An Modh Coinníollach
d'ólfainn	
d'ólfá	ní ólfadh
d'ólfadh sé	(chan ólfadh)
d'ólfadh sí	an ólfadh?
d'ólfaimis‡	go n-ólfadh
d'ólfadh sibh	nach n-ólfadh
d'ólfadh siad	
d'ólfaí	

Connaught Irish: Gaeilge Chonnacht

THE FUTURE TENSE	An Aimsir Fháistineach
ólfaidh mé[M]	
ólfaidh tú[M]	ní ólfaidh
ólfaidh sé	an ólfaidh?
ólfaidh sí	go n-ólfaidh
ólfaidh muid	nach n-ólfaidh
ólfaidh sibh	
ólfaidh siad	a ólfas
ólfar	

THE CONDITIONAL MOOD	An Modh Coinníollach
d'ólfainn	
d'ólfá	ní ólfadh
d'ólfadh sé	an ólfadh?
d'ólfadh sí	go n-ólfadh
d'ólfadh muid	nach n-ólfadh
d'ólfadh sibh	
d'ólfaidís[U]	
d'ólfaí[M]	

Munster Irish: Gaeilge na Mumhan

THE FUTURE TENSE	An Aimsir Fháistineach
ólfad*	ní ólfaidh
*ólfair	(ní dh'ólfaidh)
ólfaidh sé	an ólfaidh?
ólfaidh sí	go n-ólfaidh
*ólfam	ná hólfaidh
ólfaidh sibh	
*ólfaid	a ólfaidh
ólfar	

THE CONDITIONAL MOOD	An Modh Coinníollach
*dh'ólfainn	ní ólfadh
*dh'ólfá	(ní dh'ólfadh)
*dh'ólfadh sé	an ólfadh?
*dh'ólfadh sí	go n-ólfadh
*dh'ólfaimíst	ná hólfadh
*dh'ólfadh sibh	
*dh'ólfaidíst	
*(do) hólfaí	

Standard Irish: An Caighdeán Oifigiúil

THE IMPERFECT TENSE	An Aimsir Ghnáthchaite	The Imperative Mood	The Present Subjunctive
d'ólainn		ólaim	go n-óla mé
d'óltá	ní óladh	ól	go n-óla tú
d'óladh sé	an óladh?	óladh sé	go n-óla sé
d'óladh sí	go n-óladh	óladh sí	go n-óla sí
d'ólaimis	nach n-óladh	ólaimis	go n-ólaimid
d'óladh sibh		ólaigí	go n-óla sibh
d'ólaidís		ólaidís	go n-óla siad
d'óltaí		óltar	go n-óltar
		ná hól	nár óla

Ulster Irish: Gaeilge Chúige Uladh

THE IMPERFECT TENSE	An Aimsir Ghnáthchaite	An Modh Ordaitheach	An Foshuiteach Láithreach
d'ólainn		ólaim	go n-ólaidh mé
d'óltha	ní óladh	ól	go n-ólaidh tú
d'óladh sé	(chan óladh)	óladh sé	go n-ólaidh sé
d'óladh sí	an óladh?	óladh sí	go n-ólaidh sí
d'ólaimis[‡]	go n-óladh	ólaimis[‡/fut]	go n-ólaidh muid[†]
d'óladh sibh	nach n-óladh	ólaigí[C]	go n-ólaidh sibh
d'óladh siad	Ba ghnách le …	óladh siad	go n-ólaidh siad
d'óltaí		óltar	go n-óltar
		ná hól	nár ólaidh

Connaught Irish: Gaeilge Chonnacht

THE IMPERFECT TENSE	An Aimsir Ghnáthchaite	The Imperative Mood	The Present Subjunctive
d'ólainn		ólaim	go n-óla mé
d'óltá	ní óladh	ól	go n-óla tú
d'óladh sé	an óladh?	óladh sé	go n-óla sé
d'óladh sí	go n-óladh	óladh sí	go n-óla sí
d'óladh muid	nach n-óladh	ólaimid	go n-óla muid
d'óladh sibh		*ólaidh	go n-óla sibh
d'ólaidís[U]		ólaidís	go n-óla siad
d'óltaí[M]		óltar	go n-óltar
		ná hól	nár óla

Munster Irish: Gaeilge na Mumhan

THE IMPERFECT TENSE	An Aimsir Ghnáthchaite	An Modh Ordaitheach	An Foshuiteach Láithreach
*dh'ólainn	ní óladh	ólaim	go n-ólad*
*dh'óltá	(ní dh'óladh)	ól	go n-ólair*
*dh'óladh sé	an óladh?	óladh sé	go n-óla sé
*dh'óladh sí	go n-óladh	óladh sí	go n-óla sí
*dh'ólaimíst	ná hóladh	ólaimíst	go n-ólam*
*dh'óladh sibh		ólaíg[=C]*	go n-óla sibh
*dh'ólaidíst		ólaidíst	go n-ólaid*
*(do) hóltaí		óltar	go n-óltar
		ná hól	nár óla

Standard Irish: An Caighdeán Oifigiúil

THE PAST TENSE	An Aimsir Chaite
d'ordaigh mé	níor ordaigh
d'ordaigh tú	ar ordaigh?
d'ordaigh sé	gur ordaigh
d'ordaigh sí	nár ordaigh
d'ordaíomar	níor ordaíodh
d'ordaigh sibh	ar ordaíodh?
d'ordaigh siad	gur ordaíodh
ordaíodh	nár ordaíodh

THE PRESENT TENSE	An Aimsir Láithreach
ordaím	ní ordaíonn
ordaíonn tú	an ordaíonn?
ordaíonn sé	go n-ordaíonn
ordaíonn sí	nach n-ordaíonn
ordaímid	
ordaíonn sibh	a ordaíonn
ordaíonn siad	
ordaítear	

Ulster Irish: Gaeilge Chúige Uladh

THE PAST TENSE	An Aimsir Chaite
d'ordaigh mé	níor ordaigh
d'ordaigh tú	(char ordaigh)
d'ordaigh sé	ar ordaigh?
d'ordaigh sí	gur ordaigh
d'ordaigh muid†	nár ordaigh
d'ordaigh sibh	
d'ordaigh siad	níor/ar hordadh
hordadh	gur/nár hordadh

THE PRESENT TENSE	An Aimsir Láithreach
ordaim	ní ordann
ordann tú	(chan ordann)
ordann sé	an ordann?
ordann sí	go n-ordann
ordann muid†	nach n-ordann
ordann sibh	
ordann siad	a ordas
ordaíthear	

Connaught Irish: Gaeilge Chonnacht

THE PAST TENSE	An Aimsir Chaite
d'ordaigh mé [M]	níor ordaigh
d'ordaigh tú [M]	ar ordaigh?
d'ordaigh sé	gur ordaigh
d'ordaigh sí	nár ordaigh
d'ordaigh muid	níor hordaíodh
d'ordaigh sibh	ar hordaíodh?
d'ordaíodar[U]	gur hordaíodh
hordaíodh [U]	nár hordaíodh

THE PRESENT TENSE	An Aimsir Láithreach
ordaím	ní ordaíonn
ordaíonn tú	an ordaíonn?
ordaíonn sé	go n-ordaíonn
ordaíonn sí	nach n-ordaíonn
ordaíonn muid	
ordaíonn sibh	a ordaíonns
ordaíonn siad	
ordaít(h)ear	

Munster Irish: Gaeilge na Mumhan

THE PAST TENSE	An Aimsir Chaite
dh'ordaíos*	*ní(or) dh'ordaigh
dh'ordaís*	ar ordaigh?
*dh'ordaigh sé	gur ordaigh
*dh'ordaigh sí	nár ordaigh
dh'ordaíomair*	níor hordaíodh*
dh'ordaíobhair*	ar hordaíodh?*
dh'ordaíodar*	gur hordaíodh*
(do) hordaíodh* d(h)'ordaíodh	nár hordaíodh*

THE PRESENT TENSE	An Aimsir Láithreach
ordaím	ní ordaíonn
ordaíonn tú	(ní dh'ordaíonn)
ordaíonn sé	an ordaíonn?
ordaíonn sí	go n-ordaíonn
ordaímíd	ná hordaíonn
ordaíonn sibh	
*ordaíd	a ordaíonn
ordaíotar*	

Standard Irish: An Caighdeán Oifigiúil

THE FUTURE TENSE	An Aimsir Fháistineach
ordóidh mé	
ordóidh tú	ní ordóidh
ordóidh sé	an ordóidh?
ordóidh sí	go n-ordóidh
ordóimid	nach n-ordóidh
ordóidh sibh	
ordóidh siad	a ordóidh
ordófar	

THE CONDITIONAL MOOD	An Modh Coinníollach
d'ordóinn	
d'ordófá	ní ordódh
d'ordódh sé	an ordódh?
d'ordódh sí	go n-ordódh
d'ordóimis	nach n-ordódh
d'ordódh sibh	
d'ordóidís	
d'ordófaí	

Ulster Irish: Gaeilge Chúige Uladh

THE FUTURE TENSE	An Aimsir Fháistineach
ordóchaidh mé	ní ordóchaidh
ordóchaidh tú	(chan ordann)
ordóchaidh sé	an ordóchaidh?
ordóchaidh sí	go n-ordóchaidh
ordóchaidh muid†	nach n-ordóchaidh
ordóchaidh sibh	
ordóchaidh siad	a ordóchas
ordófar	

THE CONDITIONAL MOOD	An Modh Coinníollach
d'ordóchainn	
d'ordófá	ní ordóchadh
d'ordóchadh sé	(chan ordóchadh)
d'ordóchadh sí	an ordóchadh?
d'ordóchaimis‡	go n-ordóchadh
d'ordóchadh sibh	nach n-ordóchadh
d'ordóchadh siad	
d'ordófaí	

Connaught Irish: Gaeilge Chonnacht

THE FUTURE TENSE	An Aimsir Fháistineach
ordóidh mé [M]	
ordóidh tú[M]	ní ordóidh
ordóidh sé	an ordóidh?
ordóidh sí	go n-ordóidh
ordóidh muid	nach n-ordóidh
ordóidh sibh	
ordóidh siad	a ordós
ordófar	

THE CONDITIONAL MOOD	An Modh Coinníollach
d'ordóinn	
d'ordófá	ní ordódh
d'ordódh sé	an ordódh?
d'ordódh sí	go n-ordódh
d'ordódh muid	nach n-ordódh
d'ordódh sibh	
d'ordóidís[U]	
d'ordófaí[M]	

Munster Irish: Gaeilge na Mumhan

THE FUTURE TENSE	An Aimsir Fháistineach
ordód*	ní ordóidh
*ordóir	(ní dh'ordóidh)
ordóidh sé	an ordóidh?
ordóidh sí	go n-ordóidh
*ordóm	ná hordóidh
ordóidh sibh	
*ordóid	a ordóidh
ordófar	

THE CONDITIONAL MOOD	An Modh Coinníollach
*dh'ordóinn	ní ordódh
*dh'ordófá	(ní dh'ordódh)
*dh'ordódh sé	an ordódh?
*dh'ordódh sí	go n-ordódh
*dh'ordóimíst	ná hordódh
*dh'ordódh sibh	
*dh'ordóidíst	
*(do) hordófaí	

75 **ordaigh** 'order' v.n. **ordú** v.adj. **ordaithe**

Standard Irish: An Caighdeán Oifigiúil

THE IMPERFECT TENSE	An Aimsir Ghnáthchaite	The Imperative Mood	The Present Subjunctive
d'ordaínn		ordaím	go n-ordaí mé
d'ordaíteá	ní ordaíodh	ordaigh	go n-ordaí tú
d'ordaíodh sé	an ordaíodh?	ordaíodh sé	go n-ordaí sé
d'ordaíodh sí	go n-ordaíodh	ordaíodh sí	go n-ordaí sí
d'ordaímis	nach n-ordaíodh	ordaímis	go n-ordaímid
d'ordaíodh sibh		ordaígí	go n-ordaí sibh
d'ordaídís		ordaídís	go n-ordaí siad
d'ordaítí		ordaítear	go n-ordaítear
		ná hordaigh	nár ordaí

Ulster Irish: Gaeilge Chúige Uladh

THE IMPERFECT TENSE	An Aimsir Ghnáthchaite	An Modh Ordaitheach	An Foshuiteach Láithreach
d'ordainn*		ordaim	go n-ordaí mé
d'ordaítheá	ní ordadh	ordaigh	go n-ordaí tú
d'ordadh sé*	(chan ordadh)	ordadh sé	go n-ordaí sé
d'ordadh sí*	an ordadh?	ordadh sí	go n-ordaí sí
d'ordaimis[‡*]	go n-ordadh	ordaimis[‡/fut]	go n-ordaí muid[†]
d'ordadh sibh*	nach n-ordadh	ordaigí	go n-ordaí sibh
d'ordadh siad*	Ba ghnách le …	ordadh siad	go n-ordaí siad
d'ordaíthí		ordaíthear	go n-ordaíthear
		ná hordaigh	nár ordaí

Connaught Irish: Gaeilge Chonnacht

THE IMPERFECT TENSE	An Aimsir Ghnáthchaite	The Imperative Mood	The Present Subjunctive
d'ordaínn		ordaím	go n-ordaí mé
d'ordaíteá[M]	ní ordaíodh	ordaigh	go n-ordaí tú
d'ordaíodh sé	an ordaíodh?	ordaíodh sé	go n-ordaí sé
d'ordaíodh sí	go n-ordaíodh	ordaíodh sí	go n-ordaí sí
d'ordaíodh muid	nach n-ordaíodh	ordaímid	go n-ordaí muid
d'ordaíodh sibh		*ordaighidh	go n-ordaí sibh
d'ordaídís[U]		ordaídís	go n-ordaí siad
d'ordaítí[M]		ordaít(h)ear	go n-ordaít(h)ear
		ná hordaigh	nár ordaí

Munster Irish: Gaeilge na Mumhan

THE IMPERFECT TENSE	An Aimsir Ghnáthchaite	An Modh Ordaitheach	An Foshuiteach Láithreach
*dh'ordaínn	ní ordaíodh	ordaím	go n-ordaíod*
*dh'ordaíotá	(ní dh'ordaíodh)	ordaigh	go n-ordaír*
*dh'ordaíodh sé	an ordaíodh?	ordaíodh sé	go n-ordaí sé
*dh'ordaíodh sí	go n-ordaíodh	ordaíodh sí	go n-ordaí sí
*dh'ordaímíst	ná hordaíodh	ordaímíst	go n-ordaíom*
*dh'ordaíodh sibh		ordaíg[=C*]	go n-ordaí sibh
*dh'ordaídíst		ordaídíst	go n-ordaíd*
*(do) hordaíotaí		ordaíotar*	go n-ordaíotar*
		ná hordaigh	nár ordaí

Standard Irish: An Caighdeán Oifigiúil

THE PAST TENSE	An Aimsir Chaite
d'oscail mé	níor oscail
d'oscail tú	ar oscail?
d'oscail sé	gur oscail
d'oscail sí	nár oscail
d'osclaíomar	níor osclaíodh
d'oscail sibh	ar osclaíodh?
d'oscail siad	gur osclaíodh
osclaíodh	nár osclaíodh

THE PRESENT TENSE	An Aimsir Láithreach
osclaím	
osclaíonn tú	ní osclaíonn
osclaíonn sé	an osclaíonn?
osclaíonn sí	go n-osclaíonn
osclaímid	nach n-osclaíonn
osclaíonn sibh	
osclaíonn siad	a osclaíonn
osclaítear	

Ulster Irish: Gaeilge Chúige Uladh

THE PAST TENSE	An Aimsir Chaite
d'fhoscail mé	níor fhoscail
d'fhoscail tú	(char fhoscail)
d'fhoscail sé	ar fhoscail?
d'fhoscail sí	gur fhoscail
d'fhoscail muid†	nár fhoscail
d'fhoscail sibh	
d'fhoscail siad	níor/ar foscladh
foscladh	gur/nár foscladh

THE PRESENT TENSE	An Aimsir Láithreach
fosclaim	ní fhosclann
fosclann tú	(chan fhosclann)
fosclann sé	an bhfosclann?
fosclann sí	go bhfhosclann
fosclann muid†	nach bhfhosclann
fosclann sibh	
fosclann siad	a fhosclas
foscaltar	*vn* foscailt/foscladh

Connaught Irish: Gaeilge Chonnacht

THE PAST TENSE	An Aimsir Chaite
d'oscail mé [M]	níor oscail
d'oscail tú [M]	ar oscail?
d'oscail sé	gur oscail
d'oscail sí	nár oscail
d'oscail muid	níor hosclaíodh
d'oscail sibh	ar hosclaíodh?
d'osclaíodar[U]	gur hosclaíodh
hosclaíodh [U]	nár hosclaíodh

THE PRESENT TENSE	An Aimsir Láithreach
osclaím	
osclaíonn tú	ní osclaíonn
osclaíonn sé	an osclaíonn?
osclaíonn sí	go n-osclaíonn
osclaíonn muid	nach n-osclaíonn
osclaíonn sibh	
osclaíonn siad	a osclaíonns
osclaít(h)ear	

Munster Irish: Gaeilge na Mumhan

THE PAST TENSE	An Aimsir Chaite
dh'osclaíos*	*ní(or) dh'oscail
dh'osclaís*	ar oscail?
*dh'oscail sé	gur oscail
*dh'oscail sí	nár oscail
dh'osclaíomair*	níor hosclaíodh*
dh'osclaíobhair*	ar hosclaíodh?*
dh'osclaíodar*	gur hosclaíodh*
(do) hosclaíodh* d(h)'osclaíodh	nár hosclaíodh*

THE PRESENT TENSE	An Aimsir Láithreach
osclaím	ní osclaíonn
osclaíonn tú	(ní dh'osclaíonn)
osclaíonn sé	an osclaíonn?
osclaíonn sí	go n-osclaíonn
osclaímíd	ná hosclaíonn
osclaíonn sibh	
*osclaíd	a osclaíonn
osclaíotar*	

76 **oscail** 'open', **foscail** *U* v.n. **foscailt** *U* v.adj. **foscailte** *U*

Standard Irish: An Caighdeán Oifigiúil

THE FUTURE TENSE	An Aimsir Fháistineach
osclóidh mé	
osclóidh tú	ní osclóidh
osclóidh sé	an osclóidh?
osclóidh sí	go n-osclóidh
osclóimid	nach n-osclóidh
osclóidh sibh	
osclóidh siad	a osclóidh
osclófar	

THE CONDITIONAL MOOD	An Modh Coinníollach
d'osclóinn	
d'osclófá	ní osclódh
d'osclódh sé	an osclódh?
d'osclódh sí	go n-osclódh
d'osclóimis	nach n-osclódh
d'osclódh sibh	
d'osclóidís	
d'osclófaí	

Ulster Irish: Gaeilge Chúige Uladh

THE FUTURE TENSE	An Aimsir Fháistineach
fosclóchaidh mé	ní fhosclóchaidh
fosclóchaidh tú	(chan fhosclann)
fosclóchaidh sé	an bhfosclóchaidh?
fosclóchaidh sí	go bhfosclóchaidh
fosclóchaidh muid[†]	nach bhfosclóchaidh
fosclóchaidh sibh	
fosclóchaidh siad	a fhosclóchas
fosclófar	

THE CONDITIONAL MOOD	An Modh Coinníollach
d'fhosclóchainn	
d'fhosclófá	ní fhosclóchadh
d'fhosclóchadh sé	(chan fhosclóchadh)
d'fhosclóchadh sí	an bhfosclóchadh?
d'fhosclóchaimis[‡]	go bhfosclóchadh
d'fhosclóchadh sibh	nach bhfosclóchadh
d'fhosclóchadh siad	
d'fhosclófaí	

Connaught Irish: Gaeilge Chonnacht

THE FUTURE TENSE	An Aimsir Fháistineach
osclóidh mé[M]	
osclóidh tú[M]	ní osclóidh
osclóidh sé	an osclóidh?
osclóidh sí	go n-osclóidh
osclóidh muid	nach n-osclóidh
osclóidh sibh	
osclóidh siad	a osclós
osclófar	

THE CONDITIONAL MOOD	An Modh Coinníollach
d'osclóinn	
d'osclófá	ní osclódh
d'osclódh sé	an osclódh?
d'osclódh sí	go n-osclódh
d'osclódh muid	nach n-osclódh
d'osclódh sibh	
d'osclóidís[U]	
d'osclófaí[M]	

Munster Irish: Gaeilge na Mumhan

THE FUTURE TENSE	An Aimsir Fháistineach
osclód*	ní osclóidh
*osclóir	(ní dh'osclóidh)
osclóidh sé	an osclóidh?
osclóidh sí	go n-osclóidh
*osclóm	ná hosclóidh
osclóidh sibh	
*osclóid	a osclóidh
osclófar	

THE CONDITIONAL MOOD	An Modh Coinníollach
*dh'osclóinn	ní osclódh
*dh'osclófá	(ní dh'osclódh)
*dh'osclódh sé	an osclódh?
*dh'osclódh sí	go n-osclódh
*dh'osclóimíst	ná hosclódh
*dh'osclódh sibh	
*dh'osclóidíst	
*(do) hosclófaí	

Standard Irish: An Caighdeán Oifigiúil

THE IMPERFECT TENSE	An Aimsir Ghnáthchaite	The Imperative Mood	The Present Subjunctive
d'osclaínn		osclaím	go n-osclaí mé
d'osclaíteá	ní osclaíodh	oscail	go n-osclaí tú
d'osclaíodh sé	an osclaíodh?	osclaíodh sé	go n-osclaí sé
d'osclaíodh sí	go n-osclaíodh	osclaíodh sí	go n-osclaí sí
d'osclaímis	nach n-osclaíodh	osclaímis	go n-osclaímid
d'osclaíodh sibh		osclaígí	go n-osclaí sibh
d'osclaídís		osclaídís	go n-osclaí siad
d'osclaítí		osclaítear	go n-osclaítear
		ná hoscail	nár osclaí

Ulster Irish: Gaeilge Chúige Uladh

THE IMPERFECT TENSE	An Aimsir Ghnáthchaite	An Modh Ordaitheach	An Foshuiteach Láithreach
d'fhosclainn	ní fhoscladh	fosclaim	go bhfosclaí mé
d'fhosclaítheá	(chan fhoscladh)	foscail	go bhfosclaí tú
d'fhoscladh sé	an bhfoscladh?	foscladh sé	go bhfosclaí sé
d'fhoscladh sí	go bhfoscladh	foscladh sí	go bhfosclaí sí
d'fhosclaimis‡	nach bhfoscladh	fosclaimis‡/fut	go bhfosclaí muid†
d'fhoscladh sibh		fosclaigí/fosclaidh	go bhfosclaí sibh
d'fhoscladh siad	Ba ghnách le …	foscladh siad	go bhfosclaí siad
d'fhosclaíthí		foscaltar	go bhfoscaltar
		ná foscail	nár fhosclaí

Connaught Irish: Gaeilge Chonnacht

THE IMPERFECT TENSE	An Aimsir Ghnáthchaite	The Imperative Mood	The Present Subjunctive
d'osclaínn		osclaím	go n-osclaí mé
d'osclaíteá[M]	ní osclaíodh	oscail	go n-osclaí tú
d'osclaíodh sé	an osclaíodh?	osclaíodh sé	go n-osclaí sé
d'osclaíodh sí	go n-osclaíodh	osclaíodh sí	go n-osclaí sí
d'osclaíodh muid	nach n-osclaíodh	osclaímid	go n-osclaí muid
d'osclaíodh sibh		*oscailidh	go n-osclaí sibh
d'osclaídís[U]		osclaídís	go n-osclaí siad
d'osclaítí[M]		osclaít(h)ear	go n-osclaít(h)ear
		ná hoscail	nár osclaí

Munster Irish: Gaeilge na Mumhan

THE IMPERFECT TENSE	An Aimsir Ghnáthchaite	An Modh Ordaitheach	An Foshuiteach Láithreach
*dh'osclaínn	ní osclaíodh	osclaím	go n-osclaíod*
*dh'osclaíotá	(ní dh'osclaíodh)	oscail	go n-osclaír*
*dh'osclaíodh sé	an osclaíodh?	osclaíodh sé	go n-osclaí sé
*dh'osclaíodh sí	go n-osclaíodh	osclaíodh sí	go n-osclaí sí
*dh'osclaímíst	ná hosclaíodh	osclaímíst	go n-osclaíom*
*dh'osclaíodh sibh		osclaíg[=C]*	go n-osclaí sibh
*dh'osclaídíst		osclaídíst	go n-osclaíd*
*(do) hosclaíotaí		osclaíotar*	go n-osclaíotar*
		ná hoscail	nár osclaí

77 **pacáil** 'pack' v.n. **pacáil** v.adj. **pacáilte**

Standard Irish: An Caighdeán Oifigiúil

THE PAST TENSE	An Aimsir Chaite
phacáil mé	níor phacáil
phacáil tú	ar phacáil?
phacáil sé	gur phacáil
phacáil sí	nár phacáil
phacálamar	níor pacáladh
phacáil sibh	ar pacáladh?
phacáil siad	gur pacáladh
pacáladh	nár pacáladh

THE PRESENT TENSE	An Aimsir Láithreach
pacálaim	
pacálann tú	ní phacálann
pacálann sé	an bpacálann?
pacálann sí	go bpacálann
pacálaimid	nach bpacálann
pacálann sibh	
pacálann siad	a phacálann
pacáiltear	

Ulster Irish: Gaeilge Chúige Uladh

THE PAST TENSE	An Aimsir Chaite
phacáil mé	níor phacáil
phacáil tú	(char phacáil)
phacáil sé	ar phacáil?
phacáil sí	gur phacáil
phacáil muid†	nár phacáil
phacáil sibh	
phacáil siad	níor/ar pacáileadh
pacáileadh	gur/nár pacáileadh

THE PRESENT TENSE	An Aimsir Láithreach
pacáilim	ní phacáileann
pacáileann tú	(cha phacáileann)
pacáileann sé	an bpacáileann?
pacáileann sí	go bpacáileann
pacáileann muid†	nach bpacáileann
pacáileann sibh	
pacáileann siad	a phacáileas
pacáiltear	

Connaught Irish: Gaeilge Chonnacht

THE PAST TENSE	An Aimsir Chaite
phacáil mé [M]	níor phacáil
phacáil tú [M]	ar phacáil?
phacáil sé	gur phacáil
phacáil sí	nár phacáil
phacáil muid	níor pacáladh
phacáil sibh	ar pacáladh?
phacáladar[U]	gur pacáladh
pacáladh	nár pacáladh

THE PRESENT TENSE	An Aimsir Láithreach
pacálaim	
pacálann tú	ní phacálann
pacálann sé	an bpacálann?
pacálann sí	go bpacálann
pacálann muid	nach bpacálann
pacálann sibh	
pacálann siad	a phacálanns
pacáiltear	

Munster Irish: Gaeilge na Mumhan

THE PAST TENSE	An Aimsir Chaite
(do) phacálas*	ní(or) phacáil
(do) phacálais*	ar phacáil?
(do) phacáil sé	gur phacáil
(do) phacáil sí	nár phacáil
(do) phacálamair*	*níor phacáladh
(do) phacálabhair*	*ar phacáladh?
(do) phacáladar	*gur phacáladh
*(do) phacáladh	*nár phacáladh

THE PRESENT TENSE	An Aimsir Láithreach
pacálaim	
pacálann tú	ní phacálann
pacálann sé	an bpacálann?
pacálann sí	go bpacálann
pacálaimíd	ná pacálann
pacálann sibh	
*pacálaid	a phacálann
pacáiltear	

Standard Irish: An Caighdeán Oifigiúil

THE FUTURE TENSE	An Aimsir Fháistineach	THE CONDITIONAL MOOD	An Modh Coinníollach
pacálfaidh mé		phacálfainn	
pacálfaidh tú	ní phacálfaidh	phacálfá	ní phacálfadh
pacálfaidh sé	an bpacálfaidh?	phacálfadh sé	an bpacálfadh?
pacálfaidh sí	go bpacálfaidh	phacálfadh sí	go bpacálfadh
pacálfaimid	nach bpacálfaidh	phacálfaimis	nach bpacálfadh
pacálfaidh sibh		phacálfadh sibh	
pacálfaidh siad	a phacálfaidh	phacálfaidís	
pacálfar		phacálfaí	

Ulster Irish: Gaeilge Chúige Uladh

THE FUTURE TENSE	An Aimsir Fháistineach	THE CONDITIONAL MOOD	An Modh Coinníollach
pacáilfidh mé	ní phacáilfidh	phacáilfinn	
pacáilfidh tú	(cha phacáileann)	phacáilfeá	ní phacáilfeadh
pacáilfidh sé	an bpacáilfidh?	phacáilfeadh sé	(cha phacáilfeadh)
pacáilfidh sí	go bpacáilfidh	phacáilfeadh sí	an bpacáilfeadh?
pacáilfidh muid†	nach bpacáilfidh	phacáilfimis‡	go bpacáilfeadh
pacáilfidh sibh		phacáilfeadh sibh	nach bpacáilfeadh
pacáilfidh siad	a phacáilfeas	phacáilfeadh siad	
pacáilfear		phacáilfí	

Connaught Irish: Gaeilge Chonnacht

THE FUTURE TENSE	An Aimsir Fháistineach	THE CONDITIONAL MOOD	An Modh Coinníollach
pacálfaidh mé[M]		phacálfainn	
pacálfaidh tú[M]	ní phacálfaidh	phacálfá	ní phacálfadh
pacálfaidh sé	an bpacálfaidh?	phacálfadh sé	an bpacálfadh?
pacálfaidh sí	go bpacálfaidh	phacálfadh sí	go bpacálfadh
pacálfaidh muid	nach bpacálfaidh	phacálfadh muid	nach bpacálfadh
pacálfaidh sibh		phacálfadh sibh	
pacálfaidh siad	a phacálfas	phacálfaidís[U]	
pacálfar		phacálfaí[M]	

Munster Irish: Gaeilge na Mumhan

THE FUTURE TENSE	An Aimsir Fháistineach	THE CONDITIONAL MOOD	An Modh Coinníollach
pacálfad*		(do) phacálfainn	
*pacálfair	ní phacálfaidh	(do) phacálfá	ní phacálfadh
pacálfaidh sé	an bpacálfaidh?	(do) phacálfadh sé	an bpacálfadh?
pacálfaidh sí	go bpacálfaidh	(do) phacálfadh sí	go bpacálfadh
*pacálfam	ná pacálfaidh	(do) phacálfaimíst	ná pacálfadh
pacálfaidh sibh		(do) phacálfadh sibh	
*pacálfaid	a phacálfaidh	(do) phacálfaidíst	
pacálfar		*(do) pacálfaí	

77 **pacáil** 'pack' v.n. **pacáil** v.adj. **pacáilte**

Standard Irish: An Caighdeán Oifigiúil

THE IMPERFECT TENSE	An Aimsir Ghnáthchaite	The Imperative Mood	The Present Subjunctive
phacálainn		pacálaim	go bpacála mé
phacáilteá	ní phacáladh	pacáil	go bpacála tú
phacáladh sé	an bpacáladh?	pacáladh sé	go bpacála sé
phacáladh sí	go bpacáladh	pacáladh sí	go bpacála sí
phacálaimis	nach bpacáladh	pacálaimis	go bpacálaimid
phacáladh sibh		pacálaigí	go bpacála sibh
phacálaidís		pacálaidís	go bpacála siad
phacáiltí		pacáiltear	go bpacáiltear
		ná pacáil	nár phacála

Ulster Irish: Gaeilge Chúige Uladh

THE IMPERFECT TENSE	An Aimsir Ghnáthchaite	An Modh Ordaitheach	An Foshuiteach Láithreach
phacáilinn	ní phacáileadh	pacáilim	go bpacáilidh mé
phacáiltheá	(cha phacáileadh)	pacáil	go bpacáilidh tú
phacáileadh sé	an bpacáileadh?	pacáileadh sé	go bpacáilidh sé
phacáileadh sí	go bpacáileadh	pacáileadh sí	go bpacáilidh sí
phacáilimis[‡]	nach bpacáileadh	pacáilimis[‡/fut]	go bpacáilidh muid[†]
phacáileadh sibh		pacáiligí/pacáilidh	go bpacáilidh sibh
phacáileadh siad	Ba ghnách le …	pacáileadh siad	go bpacáilidh siad
phacáiltí		pacáiltear	go bpacáiltear
		ná pacáil	nár phacáilidh

Connaught Irish: Gaeilge Chonnacht

THE IMPERFECT TENSE	An Aimsir Ghnáthchaite	The Imperative Mood	The Present Subjunctive
phacálainn		pacálaim	go bpacála mé
phacáilteá	ní phacáladh	pacáil	go bpacála tú
phacáladh sé	an bpacáladh?	pacáladh sé	go bpacála sé
phacáladh sí	go bpacáladh	pacáladh sí	go bpacála sí
phacáladh muid	nach bpacáladh	pacálaimid	go bpacála muid
phacáladh sibh		*pacálaidh	go bpacála sibh
phacálaidís[U]		pacálaidís	go bpacála siad
phacáiltí[M]		pacáiltear	go bpacáiltear
		ná pacáil	nár phacála

Munster Irish: Gaeilge na Mumhan

THE IMPERFECT TENSE	An Aimsir Ghnáthchaite	An Modh Ordaitheach	An Foshuiteach Láithreach
(do) phacálainn		pacálaim	go bpacálad*
(do) phacáilteá	ní phacáladh	pacáil	go bpacálair*
(do) phacáladh sé	an bpacáladh?	pacáladh sé	go bpacála sé
(do) phacáladh sí	go bpacáladh	pacáladh sí	go bpacála sí
(do) phacálaimíst	ná pacáladh	pacálaimíst	go bpacálam*
(do) phacáladh sibh		pacálaíg[=C]*	go bpacála sibh
(do) phacálaidíst		pacálaidíst	go bpacálaid*
*(do) pacáiltí		pacáiltear	go bpacáiltear
		ná pacáil	nár phacála

Standard Irish: An Caighdeán Oifigiúil

THE PAST TENSE	An Aimsir Chaite
phós mé	níor phós
phós tú	ar phós?
phós sé	gur phós
phós sí	nár phós
phósamar	níor pósadh
phós sibh	ar pósadh?
phós siad	gur pósadh
pósadh	nár pósadh

THE PRESENT TENSE	An Aimsir Láithreach
pósaim	
pósann tú	ní phósann
pósann sé	an bpósann?
pósann sí	go bpósann
pósaimid	nach bpósann
pósann sibh	
pósann siad	a phósann
póstar	

Ulster Irish: Gaeilge Chúige Uladh

THE PAST TENSE	An Aimsir Chaite
phós mé	níor phós
phós tú	(char phós)
phós sé	ar phós?
phós sí	gur phós
phós muid†	nár phós
phós sibh	
phós siad	níor/ar pósadh
pósadh	gur/nár pósadh

THE PRESENT TENSE	An Aimsir Láithreach
pósaim	ní phósann
pósann tú	(cha phósann)
pósann sé	an bpósann?
pósann sí	go bpósann
pósann muid†	nach bpósann
pósann sibh	
pósann siad	a phósas
póstar	

Connaught Irish: Gaeilge Chonnacht

THE PAST TENSE	An Aimsir Chaite
phós mé [M]	níor phós
phós tú [M]	ar phós?
phós sé	gur phós
phós sí	nár phós
phós muid	níor pósadh
phós sibh	ar pósadh?
phósadar[U]	gur pósadh
pósadh	nár pósadh

THE PRESENT TENSE	An Aimsir Láithreach
pósaim	
pósann tú	ní phósann
pósann sé	an bpósann?
pósann sí	go bpósann
pósann muid	nach bpósann
pósann sibh	
pósann siad	a phósanns
póstar	

Munster Irish: Gaeilge na Mumhan

THE PAST TENSE	An Aimsir Chaite
(do) phósas*	ní(or) phós
(do) phósais*	ar phós?
(do) phós sé	gur phós
(do) phós sí	nár phós
(do) phósamair*	*níor phósadh
(do) phósabhair*	*ar phósadh?
(do) phósadar	*gur phósadh
*(do) phósadh	*nár phósadh

THE PRESENT TENSE	An Aimsir Láithreach
pósaim	
pósann tú	ní phósann
pósann sé	an bpósann?
pósann sí	go bpósann
pósaimíd	ná pósann
pósann sibh	
*pósaid	a phósann
póstar	

Standard Irish: An Caighdeán Oifigiúil

THE FUTURE TENSE	An Aimsir Fháistineach	THE CONDITIONAL MOOD	An Modh Coinníollach
pósfaidh mé		phósfainn	
pósfaidh tú	ní phósfaidh	phósfá	ní phósfadh
pósfaidh sé	an bpósfaidh?	phósfadh sé	an bpósfadh?
pósfaidh sí	go bpósfaidh	phósfadh sí	go bpósfadh
pósfaimid	nach bpósfaidh	phósfaimis	nach bpósfadh
pósfaidh sibh		phósfadh sibh	
pósfaidh siad	a phósfaidh	phósfaidís	
pósfar		phósfaí	

Ulster Irish: Gaeilge Chúige Uladh

THE FUTURE TENSE	An Aimsir Fháistineach	THE CONDITIONAL MOOD	An Modh Coinníollach
pósfaidh mé		phósfainn	
pósfaidh tú	ní phósfaidh	phósfá	ní phósfadh
pósfaidh sé	(cha phósann)	phósfadh sé	(cha phósfadh)
pósfaidh sí	an bpósfaidh?	phósfadh sí	an bpósfadh?
pósfaidh muid†	go bpósfaidh	phósfaimis‡	go bpósfadh
pósfaidh sibh	nach bpósfaidh	phósfadh sibh	nach bpósfadh
pósfaidh siad	a phósfas	phósfadh siad	
pósfar		phósfaí	

Connaught Irish: Gaeilge Chonnacht

THE FUTURE TENSE	An Aimsir Fháistineach	THE CONDITIONAL MOOD	An Modh Coinníollach
pósfaidh mé [M]		phósfainn	
pósfaidh tú[M]	ní phósfaidh	phósfá	ní phósfadh
pósfaidh sé	an bpósfaidh?	phósfadh sé	an bpósfadh?
pósfaidh sí	go bpósfaidh	phósfadh sí	go bpósfadh
pósfaidh muid	nach bpósfaidh	phósfadh muid	nach bpósfadh
pósfaidh sibh		phósfadh sibh	
pósfaidh siad	a phósfas	phósfaidís[U]	
pósfar		phósfaí[M]	

Munster Irish: Gaeilge na Mumhan

THE FUTURE TENSE	An Aimsir Fháistineach	THE CONDITIONAL MOOD	An Modh Coinníollach
pósfad*		(do) phósfainn	
*pósfair	ní phósfaidh	(do) phósfá	ní phósfadh
pósfaidh sé	an bpósfaidh?	(do) phósfadh sé	an bpósfadh?
pósfaidh sí	go bpósfaidh	(do) phósfadh sí	go bpósfadh
*pósfam	ná pósfaidh	(do) phósfaimíst	ná pósfadh
pósfaidh sibh		(do) phósfadh sibh	
*pósfaid	a phósfaidh	(do) phósfaidíst	
pósfar		*(do) pósfaí	

Standard Irish: An Caighdeán Oifigiúil

THE IMPERFECT TENSE	An Aimsir Ghnáthchaite	The Imperative Mood	The Present Subjunctive
phósainn		pósaim	go bpósa mé
phóstá	ní phósadh	pós	go bpósa tú
phósadh sé	an bpósadh?	pósadh sé	go bpósa sé
phósadh sí	go bpósadh	pósadh sí	go bpósa sí
phósaimis	nach bpósadh	pósaimis	go bpósaimid
phósadh sibh		pósaigí	go bpósa sibh
phósaidís		pósaidís	go bpósa siad
phóstaí		póstar	go bpóstar
		ná pós	nár phósa

Ulster Irish: Gaeilge Chúige Uladh

THE IMPERFECT TENSE	An Aimsir Ghnáthchaite	An Modh Ordaitheach	An Foshuiteach Láithreach
phósainn	ní phósadh	pósaim	go bpósaidh mé
phósthá	(cha phósadh)	pós	go bpósaidh tú
phósadh sé	an bpósadh?	pósadh sé	go bpósaidh sé
phósadh sí	go bpósadh	pósadh sí	go bpósaidh sí
phósaimis[‡]	nach bpósadh	pósaimis[‡/fut]	go bpósaidh muid[†]
phósadh sibh		pósaigí[C]	go bpósaidh sibh
phósadh siad	Ba ghnách le …	pósadh siad	go bpósaidh siad
phóstaí		póstar	go bpóstar
		ná pós	nár phósaidh

Connaught Irish: Gaeilge Chonnacht

THE IMPERFECT TENSE	An Aimsir Ghnáthchaite	The Imperative Mood	The Present Subjunctive
phósainn		pósaim	go bpósa mé
phóstá	ní phósadh	pós	go bpósa tú
phósadh sé	an bpósadh?	pósadh sé	go bpósa sé
phósadh sí	go bpósadh	pósadh sí	go bpósa sí
phósadh muid	nach bpósadh	pósaimid	go bpósa muid
phósadh sibh		*pósaidh	go bpósa sibh
phósaidís[U]		pósaidís	go bpósa siad
phóstaí[M]		póstar	go bpóstar
		ná pós	nár phósa

Munster Irish: Gaeilge na Mumhan

THE IMPERFECT TENSE	An Aimsir Ghnáthchaite	An Modh Ordaitheach	An Foshuiteach Láithreach
(do) phósainn		pósaim	go bpósad*
(do) phóstá	ní phósadh	pós	go bpósair*
(do) phósadh sé	an bpósadh?	pósadh sé	go bpósa sé
(do) phósadh sí	go bpósadh	pósadh sí	go bpósa sí
(do) phósaimíst	ná pósadh	pósaimíst	go bpósam*
(do) phósadh sibh		pósaíg[=C]*	go bpósa sibh
(do) phósaidíst		pósaidíst	go bpósaid*
*(do) póstaí		póstar	go bpóstar
		ná pós	nár phósa

Standard Irish: An Caighdeán Oifigiúil

THE PAST TENSE	An Aimsir Chaite
rith mé	níor rith
rith tú	ar rith?
rith sé	gur rith
rith sí	nár rith
ritheamar	níor ritheadh
rith sibh	ar ritheadh?
rith siad	gur ritheadh
ritheadh	nár ritheadh

THE PRESENT TENSE	An Aimsir Láithreach
rithim	
ritheann tú	ní ritheann
ritheann sé	an ritheann?
ritheann sí	go ritheann
rithimid	nach ritheann
ritheann sibh	
ritheann siad	a ritheann
ritear	

Ulster Irish: Gaeilge Chúige Uladh

THE PAST TENSE	An Aimsir Chaite
rith mé	níor rith
rith tú	(char rith)
rith sé	ar rith?
rith sí	gur rith
rith muid[†]	nár rith
rith sibh	
rith siad	níor/ar ritheadh
ritheadh	gur/nár ritheadh

THE PRESENT TENSE	An Aimsir Láithreach
rithim	ní ritheann
ritheann tú	(cha ritheann)
ritheann sé	an ritheann?
ritheann sí	go ritheann
ritheann muid[†]	nach ritheann
ritheann sibh	
ritheann siad	a ritheas
ritear	

Connaught Irish: Gaeilge Chonnacht

THE PAST TENSE	An Aimsir Chaite
rith mé [M]	níor rith
rith tú [M]	ar rith?
rith sé	gur rith
rith sí	nár rith
rith muid	níor ritheadh
rith sibh	ar ritheadh?
ritheadar[U]	gur ritheadh
ritheadh	nár ritheadh

THE PRESENT TENSE	An Aimsir Láithreach
rithim	
ritheann tú	ní ritheann
ritheann sé	an ritheann?
ritheann sí	go ritheann
ritheann muid	nach ritheann
ritheann sibh	
ritheann siad	a ritheanns
ritear	

Munster Irish: Gaeilge na Mumhan

THE PAST TENSE	An Aimsir Chaite
(do) ritheas*	ní(or) rith
(do) rithis*	ar rith?
(do) rith sé	gur rith
(do) rith sí	nár rith
(do) ritheamair*	níor ritheadh
(do) ritheabhair*	ar ritheadh?
(do) ritheadar	gur ritheadh
(do) ritheadh	nár ritheadh

THE PRESENT TENSE	An Aimsir Láithreach
rithim	
ritheann tú	ní ritheann
ritheann sé	an ritheann?
ritheann sí	go ritheann
rithimíd	ná ritheann
ritheann sibh	
*rithid	a ritheann
ritear	

79 rith 'run' a.br. **rith** aid.bhr. **rite**

Standard Irish: An Caighdeán Oifigiúil

THE FUTURE TENSE	An Aimsir Fháistineach	THE CONDITIONAL MOOD	An Modh Coinníollach
rithfidh mé		rithfinn	
rithfidh tú	ní rithfidh	rithfeá	ní rithfeadh
rithfidh sé	an rithfidh?	rithfeadh sé	an rithfeadh?
rithfidh sí	go rithfidh	rithfeadh sí	go rithfeadh
rithfimid	nach rithfidh	rithfimis	nach rithfeadh
rithfidh sibh		rithfeadh sibh	
rithfidh siad	a rithfidh	rithfidís	
rithfear		rithfí	

Ulster Irish: Gaeilge Chúige Uladh

THE FUTURE TENSE	An Aimsir Fháistineach	THE CONDITIONAL MOOD	An Modh Coinníollach
rithfidh mé		rithfinn	
rithfidh tú	ní rithfidh	rithfeá	ní rithfeadh
rithfidh sé	(cha ritheann)	rithfeadh sé	(cha rithfeadh)
rithfidh sí	an rithfidh?	rithfeadh sí	an rithfeadh?
rithfidh muid[†]	go rithfidh	rithfimis[‡]	go rithfeadh
rithfidh sibh	nach rithfidh	rithfeadh sibh	nach rithfeadh
rithfidh siad	a rithfeas	rithfeadh siad	
rithfear		rithfí	

Connaught Irish: Gaeilge Chonnacht

THE FUTURE TENSE	An Aimsir Fháistineach	THE CONDITIONAL MOOD	An Modh Coinníollach
rithfidh mé [M]		rithfinn	
rithfidh tú[M]	ní rithfidh	rithfeá	ní rithfeadh
rithfidh sé	an rithfidh?	rithfeadh sé	an rithfeadh?
rithfidh sí	go rithfidh	rithfeadh sí	go rithfeadh
rithfidh muid	nach rithfidh	rithfeadh muid	nach rithfeadh
rithfidh sibh		rithfeadh sibh	
rithfidh siad	a rithfeas	rithfidís[U]	
rithfear		rithfí[M]	

Munster Irish: Gaeilge na Mumhan

THE FUTURE TENSE	An Aimsir Fháistineach	THE CONDITIONAL MOOD	An Modh Coinníollach
rithfead*		(do) rithfinn	
*rithfir	ní rithfidh	(do) rithfeá	ní rithfeadh
rithfidh sé	an rithfidh?	(do) rithfeadh sé	an rithfeadh?
rithfidh sí	go rithfidh	(do) rithfeadh sí	go rithfeadh
*rithfeam	ná rithfidh	(do) rithfimíst	ná rithfeadh
rithfidh sibh		(do) rithfeadh sibh	
*rithfid	a rithfidh	(do) rithfidíst	
rithfear		(do) rithfí	

Standard Irish: An Caighdeán Oifigiúil

THE IMPERFECT TENSE	An Aimsir Ghnáthchaite	The Imperative Mood	The Present Subjunctive
rithinn		rithim	go rithe mé
riteá	ní ritheadh	rith	go rithe tú
ritheadh sé	an ritheadh?	ritheadh sé	go rithe sé
ritheadh sí	go ritheadh	ritheadh sí	go rithe sí
rithimis	nach ritheadh	rithimis	go rithimid
ritheadh sibh		rithigí	go rithe sibh
rithidís		rithidís	go rithe siad
rití		ritear	go ritear
		ná rith	nár rithe

Ulster Irish: Gaeilge Chúige Uladh

THE IMPERFECT TENSE	An Aimsir Ghnáthchaite	An Modh Ordaitheach	An Foshuiteach Láithreach
rithinn		rithim	go rithidh mé
ritheá	ní ritheadh	rith	go rithidh tú
ritheadh sé	(cha ritheadh)	ritheadh sé	go rithidh sé
ritheadh sí	an ritheadh?	ritheadh sí	go rithidh sí
rithimis[‡]	go ritheadh	rithimis[‡/fut]	go rithidh muid[†]
ritheadh sibh	nach ritheadh	rithigí[C]	go rithidh sibh
ritheadh siad	Ba ghnách le …	ritheadh siad	go rithidh siad
rití		ritear	go ritear
		ná rith	nár rithidh

Connaught Irish: Gaeilge Chonnacht

THE IMPERFECT TENSE	An Aimsir Ghnáthchaite	The Imperative Mood	The Present Subjunctive
rithinn		rithim	go rithe mé
riteá	ní ritheadh	rith	go rithe tú
ritheadh sé	an ritheadh?	ritheadh sé	go rithe sé
ritheadh sí	go ritheadh	ritheadh sí	go rithe sí
ritheadh muid	nach ritheadh	rithimid	go rithe muid
ritheadh sibh		*rithidh	go rithe sibh
rithidís[U]		rithidís	go rithe siad
rití[M]		ritear	go ritear
		ná rith	nár rithe

Munster Irish: Gaeilge na Mumhan

THE IMPERFECT TENSE	An Aimsir Ghnáthchaite	An Modh Ordaitheach	An Foshuiteach Láithreach
(do) rithinn		rithim	go rithead*
(do) riteá	ní ritheadh	rith	go rithir*
(do) ritheadh sé	an ritheadh?	ritheadh sé	go rithe sé
(do) ritheadh sí	go ritheadh	ritheadh sí	go rithe sí
(do) rithimíst	ná ritheadh	rithimíst	go ritheam*
(do) ritheadh sibh		rithíg[=C]*	go rithe sibh
(do) rithidíst		rithidíst	go rithid*
(do) rití		ritear	go ritear
		ná rith	nár rithe

80 **roinn** 'share, divide' **rann** *U* v.n. **roinnt; rann** v.adj. **roinnte; rannta**

Standard Irish: An Caighdeán Oifigiúil

THE PAST TENSE	An Aimsir Chaite
roinn mé	níor roinn
roinn tú	ar roinn?
roinn sé	gur roinn
roinn sí	nár roinn
roinneamar	níor roinneadh
roinn sibh	ar roinneadh?
roinn siad	gur roinneadh
roinneadh	nár roinneadh

THE PRESENT TENSE	An Aimsir Láithreach
roinnim	
roinneann tú	ní roinneann
roinneann sé	an roinneann?
roinneann sí	go roinneann
roinnimid	nach roinneann
roinneann sibh	
roinneann siad	a roinneann
roinntear	

Ulster Irish: Gaeilge Chúige Uladh

THE PAST TENSE	An Aimsir Chaite
rann mé	níor rann
rann tú	(char rann)
rann sé	ar rann?
rann sí	gur rann
rann muid[†]	nár rann
rann sibh	
rann siad	níor/ar rannadh
rannadh	gur/nár rannadh

THE PRESENT TENSE	An Aimsir Láithreach
rannaim	ní rannann
rannann tú	(cha rannann)
rannann sé	an rannann?
rannann sí	go rannann
rannann muid[†]	nach rannann
rannann sibh	
rannann siad	a rannas
ranntar	*vn* rann, *vadj* rannta

Connaught Irish: Gaeilge Chonnacht

THE PAST TENSE	An Aimsir Chaite
roinn mé[M]	níor roinn
roinn tú[M]	ar roinn?
roinn sé	gur roinn
roinn sí	nár roinn
roinn muid	níor roinneadh
roinn sibh	ar roinneadh?
roinneadar[U]	gur roinneadh
roinneadh	nár roinneadh

THE PRESENT TENSE	An Aimsir Láithreach
roinnim	
roinneann tú	ní roinneann
roinneann sé	an roinneann?
roinneann sí	go roinneann
roinneann muid	nach roinneann
roinneann sibh	
roinneann siad	a roinneanns
roinntear	

Munster Irish: Gaeilge na Mumhan

THE PAST TENSE	An Aimsir Chaite
(do) roinneas*	ní(or) roinn
(do) roinnis*	ar roinn?
(do) roinn sé	gur roinn
(do) roinn sí	nár roinn
(do) roinneamair*	níor roinneadh
(do) roinneabhair*	ar roinneadh?
(do) roinneadar	gur roinneadh
(do) roinneadh	nár roinneadh

THE PRESENT TENSE	An Aimsir Láithreach
roinnim	
roinneann tú	ní roinneann
roinneann sé	an roinneann?
roinneann sí	go roinneann
roinnimíd	ná roinneann
roinneann sibh	
*roinnid	a roinneann
roinntear	

80 **roinn** 'share, divide' **rann** *U* a.br. **roinnt; rann** aid.bhr. **roinnte; rannta**

Standard Irish: An Caighdeán Oifigiúil

THE FUTURE TENSE	An Aimsir Fháistineach
roinnfidh mé	
roinnfidh tú	ní roinnfidh
roinnfidh sé	an roinnfidh?
roinnfidh sí	go roinnfidh
roinnfimid	nach roinnfidh
roinnfidh sibh	
roinnfidh siad	a roinnfidh
roinnfear	

THE CONDITIONAL MOOD	An Modh Coinníollach
roinnfinn	
roinnfeá	ní roinnfeadh
roinnfeadh sé	an roinnfeadh?
roinnfeadh sí	go roinnfeadh
roinnfimis	nach roinnfeadh
roinnfeadh sibh	
roinnfidís	
roinnfí	

Ulster Irish: Gaeilge Chúige Uladh

THE FUTURE TENSE	An Aimsir Fháistineach
rannfaidh mé	ní rannfaidh
rannfaidh tú	(cha rannann)
rannfaidh sé	an rannfaidh?
rannfaidh sí	go rannfaidh
rannfaidh muid†	nach rannfaidh
rannfaidh sibh	
rannfaidh siad	a rannfas
rannfar	

THE CONDITIONAL MOOD	An Modh Coinníollach
rannfainn	
rannfá	ní rannfadh
rannfadh sé	(cha rannfadh)
rannfadh sí	an rannfadh?
rannfaimis‡	go rannfadh
rannfadh sibh	nach rannfadh
rannfadh siad	
rannfaí	

Connaught Irish: Gaeilge Chonnacht

THE FUTURE TENSE	An Aimsir Fháistineach
roinnfidh mé[M]	
roinnfidh tú[M]	ní roinnfidh
roinnfidh sé	an roinnfidh?
roinnfidh sí	go roinnfidh
roinnfidh muid	nach roinnfidh
roinnfidh sibh	
roinnfidh siad	a roinnfeas
roinnfear	

THE CONDITIONAL MOOD	An Modh Coinníollach
roinnfinn	
roinnfeá	ní roinnfeadh
roinnfeadh sé	an roinnfeadh?
roinnfeadh sí	go roinnfeadh
roinnfeadh muid	nach roinnfeadh
roinnfeadh sibh	
roinnfidís[U]	
roinnfí[M]	

Munster Irish: Gaeilge na Mumhan

THE FUTURE TENSE	An Aimsir Fháistineach
roinnfead*	
*roinnfir	ní roinnfidh
roinnfidh sé	an roinnfidh?
roinnfidh sí	go roinnfidh
*roinnfeam	ná roinnfidh
roinnfidh sibh	
*roinnfid	a roinnfidh
roinnfear	

THE CONDITIONAL MOOD	An Modh Coinníollach
(do) roinnfinn	
(do) roinnfeá	ní roinnfeadh
(do) roinnfeadh sé	an roinnfeadh?
(do) roinnfeadh sí	go roinnfeadh
(do) roinnfimíst	ná roinnfeadh
(do) roinnfeadh sibh	
(do) roinnfidíst	
(do) roinnfí	

80 **roinn** 'share, divide' **rann** *U* v.n. **roinnt; rann** v.adj. **roinnte; rannta**

Standard Irish: An Caighdeán Oifigiúil

THE IMPERFECT TENSE	An Aimsir Ghnáthchaite	The Imperative Mood	The Present Subjunctive
roinninn		roinnim	go roinne mé
roinnteá	ní roinneadh	roinn	go roinne tú
roinneadh sé	an roinneadh?	roinneadh sé	go roinne sé
roinneadh sí	go roinneadh	roinneadh sí	go roinne sí
roinnimis	nach roinneadh	roinnimis	go roinnimid
roinneadh sibh		roinnigí	go roinne sibh
roinnidís		roinnidís	go roinne siad
roinntí		roinntear	go roinntear
		ná roinn	nár roinne

Ulster Irish: Gaeilge Chúige Uladh

THE IMPERFECT TENSE	An Aimsir Ghnáthchaite	An Modh Ordaitheach	An Foshuiteach Láithreach
rannainn		rannaim	go rannaidh mé
rannthá	ní rannadh	rann	go rannaidh tú
rannadh sé	(cha rannadh)	rannadh sé	go rannaidh sé
rannadh sí	an rannadh?	rannadh sí	go rannaidh sí
rannaimis[‡]	go rannadh	rannaimis[‡/fut]	go rannaidh muid[†]
rannadh sibh	nach rannadh	rannaigí/rannaidh	go rannaidh sibh
rannadh siad	Ba ghnách le …	rannadh siad	go rannaidh siad
ranntaí		ranntar	go ranntar
		ná rann	nár rannaidh

Connaught Irish: Gaeilge Chonnacht

THE IMPERFECT TENSE	An Aimsir Ghnáthchaite	The Imperative Mood	The Present Subjunctive
roinninn		roinnim	go roinne mé
roinnteá	ní roinneadh	roinn	go roinne tú
roinneadh sé	an roinneadh?	roinneadh sé	go roinne sé
roinneadh sí	go roinneadh	roinneadh sí	go roinne sí
roinneadh muid	nach roinneadh	roinnimid	go roinne muid
roinneadh sibh		*roinnidh	go roinne sibh
roinnidís[U]		roinnidís	go roinne siad
roinntí[M]		roinntear	go roinntear
		ná roinn	nár roinne

Munster Irish: Gaeilge na Mumhan

THE IMPERFECT TENSE	An Aimsir Ghnáthchaite	An Modh Ordaitheach	An Foshuiteach Láithreach
(do) roinninn		roinnim	go roinnead*
(do) roinnteá	ní roinneadh	roinn	go roinnir*
(do) roinneadh sé	an roinneadh?	roinneadh sé	go roinne sé
(do) roinneadh sí	go roinneadh	roinneadh sí	go roinne sí
(do) roinnimíst	ná roinneadh	roinnimíst	go roinneam*
(do) roinneadh sibh		roinníg[=C*]	go roinne sibh
(do) roinnidíst		roinnidíst	go roinnid*
(do) roinntí		roinntear	go roinntear
		ná roinn	nár roinne

Standard Irish: An Caighdeán Oifigiúil

THE PAST TENSE	An Aimsir Chaite
shábháil mé	níor shábháil
shábháil tú	ar shábháil?
shábháil sé	gur shábháil
shábháil sí	nár shábháil
shábhálamar	níor sábháladh
shábháil sibh	ar sábháladh?
shábháil siad	gur sábháladh
sábháladh	nár sábháladh

THE PRESENT TENSE	An Aimsir Láithreach
sábhálaim	
sábhálann tú	ní shábhálann
sábhálann sé	an sábhálann?
sábhálann sí	go sábhálann
sábhálaimid	nach sábhálann
sábhálann sibh	
sábhálann siad	a shábhálann
sábháiltear	

Ulster Irish: Gaeilge Chúige Uladh

THE PAST TENSE	An Aimsir Chaite
shábháil mé	níor shábháil
shábháil tú	(char shábháil)
shábháil sé	ar shábháil?
shábháil sí	gur shábháil
shábháil muid[†]	nár shábháil
shábháil sibh	
shábháil siad	níor/ar sábháileadh
sábháileadh	gur/nár sábháileadh

THE PRESENT TENSE	An Aimsir Láithreach
sábháilim	ní shábháileann
sábháileann tú	(cha sábháileann)
sábháileann sé	an sábháileann?
sábháileann sí	go sábháileann
sábháileann muid[†]	nach sábháileann
sábháileann sibh	
sábháileann siad	a shábháileas
sábháiltear	

Connaught Irish: Gaeilge Chonnacht

THE PAST TENSE	An Aimsir Chaite
shábháil mé [M]	níor shábháil
shábháil tú [M]	ar shábháil?
shábháil sé	gur shábháil
shábháil sí	nár shábháil
shábháil muid	níor sábháladh
shábháil sibh	ar sábháladh?
shábháladar[U]	gur sábháladh
sábháladh	nár sábháladh

THE PRESENT TENSE	An Aimsir Láithreach
sábhálaim	
sábhálann tú	ní shábhálann
sábhálann sé	an sábhálann?
sábhálann sí	go sábhálann
sábhálann muid	nach sábhálann
sábhálann sibh	
sábhálann siad	a shábhálanns
sábháiltear	

Munster Irish: Gaeilge na Mumhan

THE PAST TENSE	An Aimsir Chaite
(do) shábhálas*	ní(or) shábháil
(do) shábhálais*	ar shábháil?
(do) shábháil sé	gur shábháil
(do) shábháil sí	nár shábháil
(do) shábhálamair*	*níor shábháladh
(do) shábhálabhair*	*ar shábháladh?
(do) shábháladar	*gur shábháladh
*(do) shábháladh	*nár shábháladh

THE PRESENT TENSE	An Aimsir Láithreach
sábhálaim	
sábhálann tú	ní shábhálann
sábhálann sé	an sábhálann?
sábhálann sí	go sábhálann
sábhálaimíd	ná sábhálann
sábhálann sibh	
*sábhálaid	a shábhálann
sábháiltear	

Standard Irish: An Caighdeán Oifigiúil

THE FUTURE TENSE	An Aimsir Fháistineach
sábhálfaidh mé	
sábhálfaidh tú	ní shábhálfaidh
sábhálfaidh sé	an sábhálfaidh?
sábhálfaidh sí	go sábhálfaidh
sábhálfaimid	nach sábhálfaidh
sábhálfaidh sibh	
sábhálfaidh siad	a shábhálfaidh
sábhálfar	

THE CONDITIONAL MOOD	An Modh Coinníollach
shábhálfainn	
shábhálfá	ní shábhálfadh
shábhálfadh sé	an sábhálfadh?
shábhálfadh sí	go sábhálfadh
shábhálfaimis	nach sábhálfadh
shábhálfadh sibh	
shábhálfaidís	
shábhálfaí	

Ulster Irish: Gaeilge Chúige Uladh

THE FUTURE TENSE	An Aimsir Fháistineach
sábháilfidh mé	ní shábháilfidh
sábháilfidh tú	(cha sábháileann)
sábháilfidh sé	an sábháilfidh?
sábháilfidh sí	go sábháilfidh
sábháilfidh muid†	nach sábháilfidh
sábháilfidh sibh	
sábháilfidh siad	a shábháilfeas
sábháilfear	

THE CONDITIONAL MOOD	An Modh Coinníollach
shábháilfinn	
shábháilfeá	ní shábháilfeadh
shábháilfeadh sé	(cha sábháilfeadh)
shábháilfeadh sí	an sábháilfeadh?
shábháilfimis‡	go sábháilfeadh
shábháilfeadh sibh	nach sábháilfeadh
shábháilfeadh siad	
shábháilfí	

Connaught Irish: Gaeilge Chonnacht

THE FUTURE TENSE	An Aimsir Fháistineach
sábhálfaidh mé[M]	
sábhálfaidh tú[M]	ní shábhálfaidh
sábhálfaidh sé	an sábhálfaidh?
sábhálfaidh sí	go sábhálfaidh
sábhálfaidh muid	nach sábhálfaidh
sábhálfaidh sibh	
sábhálfaidh siad	a shábhálfas
sábhálfar	

THE CONDITIONAL MOOD	An Modh Coinníollach
shábhálfainn	
shábhálfá	ní shábhálfadh
shábhálfadh sé	an sábhálfadh?
shábhálfadh sí	go sábhálfadh
shábhálfadh muid	nach sábhálfadh
shábhálfadh sibh	
shábhálfaidís[U]	
shábhálfaí[M]	

Munster Irish: Gaeilge na Mumhan

THE FUTURE TENSE	An Aimsir Fháistineach
sábhálfad*	
*sábhálfair	ní shábhálfaidh
sábhálfaidh sé	an sábhálfaidh?
sábhálfaidh sí	go sábhálfaidh
*sábhálfam	ná sábhálfaidh
sábhálfaidh sibh	
*sábhálfaid	a shábhálfaidh
sábhálfar	

THE CONDITIONAL MOOD	An Modh Coinníollach
(do) shábhálfainn	
(do) shábhálfá	ní shábhálfadh
(do) shábhálfadh sé	an sábhálfadh?
(do) shábhálfadh sí	go sábhálfadh
(do) shábhálfaimíst	ná sábhálfadh
(do) shábhálfadh sibh	
(do) shábhálfaidíst	
*(do) sábhálfaí	

Standard Irish: An Caighdeán Oifigiúil

THE IMPERFECT TENSE	An Aimsir Ghnáthchaite	The Imperative Mood	The Present Subjunctive
shábhálainn		sábhálaim	go sábhála mé
shábháilteá	ní shábháladh	sábháil	go sábhála tú
shábháladh sé	an sábháladh?	sábháladh sé	go sábhála sé
shábháladh sí	go sábháladh	sábháladh sí	go sábhála sí
shábhálaimis	nach sábháladh	sábhálaimis	go sábhálaimid
shábháladh sibh		sábhálaigí	go sábhála sibh
shábhálaidís		sábhálaidís	go sábhála siad
shábháiltí		sábháiltear	go sábháiltear
		ná sábháil	nár shábhála

Ulster Irish: Gaeilge Chúige Uladh

THE IMPERFECT TENSE	An Aimsir Ghnáthchaite	An Modh Ordaitheach	An Foshuiteach Láithreach
shábháilinn	ní shábháileadh	sábháilim	go sábháilidh mé
shábháiltheá	(cha sábháileadh)	sábháil	go sábháilidh tú
shábháileadh sé	an sábháileadh?	sábháileadh sé	go sábháilidh sé
shábháileadh sí	go sábháileadh	sábháileadh sí	go sábháilidh sí
shábháilimis‡	nach sábháileadh	sábháilimis‡/fut	go sábháilidh muid†
shábháileadh sibh		sábháiligí/sábháilidh	go sábháilidh sibh
shábháileadh siad	Ba ghnách le …	sábháileadh siad	go sábháilidh siad
shábháiltí		sábháiltear	go sábháiltear
		ná sábháil	nár shábháilidh

Connaught Irish: Gaeilge Chonnacht

THE IMPERFECT TENSE	An Aimsir Ghnáthchaite	The Imperative Mood	The Present Subjunctive
shábhálainn		sábhálaim	go sábhála mé
shábháilteá	ní shábháladh	sábháil	go sábhála tú
shábháladh sé	an sábháladh?	sábháladh sé	go sábhála sé
shábháladh sí	go sábháladh	sábháladh sí	go sábhála sí
shábháladh muid	nach sábháladh	sábhálaimid	go sábhála muid
shábháladh sibh		*sábhálaidh	go sábhála sibh
shábhálaidís[U]		sábhálaidís	go sábhála siad
shábháiltí[M]		sábháiltear	go sábháiltear
		ná sábháil	nár shábhála

Munster Irish: Gaeilge na Mumhan

THE IMPERFECT TENSE	An Aimsir Ghnáthchaite	An Modh Ordaitheach	An Foshuiteach Láithreach
(do) shábhálainn		sábhálaim	go sábhálad*
(do) shábháilteá	ní shábháladh	sábháil	go sábhálair*
(do) shábháladh sé	an sábháladh?	sábháladh sé	go sábhála sé
(do) shábháladh sí	go sábháladh	sábháladh sí	go sábhála sí
(do) shábhálaimíst	ná sábháladh	sábhálaimíst	go sábhálam*
(do) shábháladh sibh		sábhálaíg=C*	go sábhála sibh
(do) shábhálaidíst		sábhálaidíst	go sábhálaid*
*(do) sábháiltí		sábháiltear	go sábháiltear
		ná sábháil	nár shábhála

Standard Irish: An Caighdeán Oifigiúil

THE PAST TENSE	An Aimsir Chaite	THE PRESENT TENSE	An Aimsir Láithreach
scanraigh mé	níor scanraigh	scanraím	
scanraigh tú	ar scanraigh?	scanraíonn tú	ní scanraíonn
scanraigh sé	gur scanraigh	scanraíonn sé	an scanraíonn?
scanraigh sí	nár scanraigh	scanraíonn sí	go scanraíonn
scanraíomar	níor scanraíodh	scanraímid	nach scanraíonn
scanraigh sibh	ar scanraíodh?	scanraíonn sibh	
scanraigh siad	gur scanraíodh	scanraíonn siad	a scanraíonn
scanraíodh	nár scanraíodh	scanraítear	

Ulster Irish: Gaeilge Chúige Uladh

THE PAST TENSE	An Aimsir Chaite	THE PRESENT TENSE	An Aimsir Láithreach
scanraigh mé	níor scanraigh	scanraim	ní scanrann
scanraigh tú	(char scanraigh)	scanrann tú	(cha scanrann)
scanraigh sé	ar scanraigh?	scanrann sé	an scanrann?
scanraigh sí	gur scanraigh	scanrann sí	go scanrann
scanraigh muid†	nár scanraigh	scanrann muid†	nach scanrann
scanraigh sibh		scanrann sibh	
scanraigh siad	níor/ar scanradh	scanrann siad	a scanras
scanradh	gur/nár scanradh	scanraíthear	

Connaught Irish: Gaeilge Chonnacht

THE PAST TENSE	An Aimsir Chaite	THE PRESENT TENSE	An Aimsir Láithreach
scanraigh mé [M]	níor scanraigh	scanraím	
scanraigh tú [M]	ar scanraigh?	scanraíonn tú	ní scanraíonn
scanraigh sé	gur scanraigh	scanraíonn sé	an scanraíonn?
scanraigh sí	nár scanraigh	scanraíonn sí	go scanraíonn
scanraigh muid	níor scanraíodh	scanraíonn muid	nach scanraíonn
scanraigh sibh	ar scanraíodh?	scanraíonn sibh	
scanraíodar[U]	gur scanraíodh	scanraíonn siad	a scanraíonns
scanraíodh [U]	nár scanraíodh	scanraít(h)ear	

Munster Irish: Gaeilge na Mumhan

THE PAST TENSE	An Aimsir Chaite	THE PRESENT TENSE	An Aimsir Láithreach
(do) scanraíos*	ní(or) scanraigh	scanraím	
(do) scanraís*	ar scanraigh?	scanraíonn tú	ní scanraíonn
(do) scanraigh sé	gur scanraigh	scanraíonn sé	an scanraíonn?
(do) scanraigh sí	nár scanraigh	scanraíonn sí	go scanraíonn
(do) scanraíomair*	níor scanraíodh	scanraímíd	ná scanraíonn
(do) scanraíobhair*	ar scanraíodh?	scanraíonn sibh	
(do) scanraíodar	gur scanraíodh	*scanraíd	a scanraíonn
(do) scanraíodh	nár scanraíodh	scanraíotar*	

Standard Irish: An Caighdeán Oifigiúil

THE FUTURE TENSE	An Aimsir Fháistineach	THE CONDITIONAL MOOD	An Modh Coinníollach
scanróidh mé		scanróinn	
scanróidh tú	ní scanróidh	scanrófá	ní scanródh
scanróidh sé	an scanróidh?	scanródh sé	an scanródh?
scanróidh sí	go scanróidh	scanródh sí	go scanródh
scanróimid	nach scanróidh	scanróimis	nach scanródh
scanróidh sibh		scanródh sibh	
scanróidh siad	a scanróidh	scanróidís	
scanrófar		scanrófaí	

Ulster Irish: Gaeilge Chúige Uladh

THE FUTURE TENSE	An Aimsir Fháistineach	THE CONDITIONAL MOOD	An Modh Coinníollach
scanróchaidh mé	ní scanróchaidh	scanróchainn	
scanróchaidh tú	(cha scanrann)	scanrófá	ní scanróchadh
scanróchaidh sé	an scanróchaidh?	scanróchadh sé	(cha scanróchadh)
scanróchaidh sí	go scanróchaidh	scanróchadh sí	an scanróchadh?
scanróchaidh muid†	nach scanróchaidh	scanróchaimis‡	go scanróchadh
scanróchaidh sibh		scanróchadh sibh	nach scanróchadh
scanróchaidh siad	a scanróchas	scanróchadh siad	
scanrófar		scanrófaí	

Connaught Irish: Gaeilge Chonnacht

THE FUTURE TENSE	An Aimsir Fháistineach	THE CONDITIONAL MOOD	An Modh Coinníollach
scanróidh mé [M]		scanróinn	
scanróidh tú[M]	ní scanróidh	scanrófá	ní scanródh
scanróidh sé	an scanróidh?	scanródh sé	an scanródh?
scanróidh sí	go scanróidh	scanródh sí	go scanródh
scanróidh muid	nach scanróidh	scanródh muid	nach scanródh
scanróidh sibh		scanródh sibh	
scanróidh siad	a scanrós	scanróidís[U]	
scanrófar		scanrófaí[M]	

Munster Irish: Gaeilge na Mumhan

THE FUTURE TENSE	An Aimsir Fháistineach	THE CONDITIONAL MOOD	An Modh Coinníollach
scanród*		(do) scanróinn	
*scanróir	ní scanróidh	(do) scanrófá	ní scanródh
scanróidh sé	an scanróidh?	(do) scanródh sé	an scanródh?
scanróidh sí	go scanróidh	(do) scanródh sí	go scanródh
*scanróm	ná scanróidh	(do) scanróimíst	ná scanródh
scanróidh sibh		(do) scanródh sibh	
*scanróid	a scanróidh	(do) scanróidíst	
scanrófar		(do) scanrófaí	

Standard Irish: An Caighdeán Oifigiúil

THE IMPERFECT TENSE	An Aimsir Ghnáthchaite	The Imperative Mood	The Present Subjunctive
scanraínn		scanraím	go scanraí mé
scanraíteá	ní scanraíodh	scanraigh	go scanraí tú
scanraíodh sé	an scanraíodh?	scanraíodh sé	go scanraí sé
scanraíodh sí	go scanraíodh	scanraíodh sí	go scanraí sí
scanraímis	nach scanraíodh	scanraímis	go scanraímid
scanraíodh sibh		scanraígí	go scanraí sibh
scanraídís		scanraídís	go scanraí siad
scanraítí		scanraítear	go scanraítear
		ná scanraigh	nár scanraí

Ulster Irish: Gaeilge Chúige Uladh

THE IMPERFECT TENSE	An Aimsir Ghnáthchaite	An Modh Ordaitheach	An Foshuiteach Láithreach
scanrainn*		scanraim	go scanraí mé
scanraítheá	ní scanradh	scanraigh	go scanraí tú
scanradh sé*	(cha scanradh)	scanradh sé	go scanraí sé
scanradh sí*	an scanradh?	scanradh sí	go scanraí sí
scanraimis‡	go scanradh	scanraimis‡/fut	go scanraí muid†
scanradh sibh*	nach scanradh	scanraigíC	go scanraí sibh
scanradh siad*	Ba ghnách le …	scanradh siad	go scanraí siad
scanraíthí		scanraíthear	go scanraíthear
		ná scanraigh	nár scanraí

Connaught Irish: Gaeilge Chonnacht

THE IMPERFECT TENSE	An Aimsir Ghnáthchaite	The Imperative Mood	The Present Subjunctive
scanraínn		scanraím	go scanraí mé
scanraíteáM	ní scanraíodh	scanraigh	go scanraí tú
scanraíodh sé	an scanraíodh?	scanraíodh sé	go scanraí sé
scanraíodh sí	go scanraíodh	scanraíodh sí	go scanraí sí
scanraíodh muid	nach scanraíodh	scanraímid	go scanraí muid
scanraíodh sibh		*scanraighidh	go scanraí sibh
scanraídísU		scanraídís	go scanraí siad
scanraítíM		scanraít(h)ear	go scanraít(h)ear
		ná scanraigh	nár scanraí

Munster Irish: Gaeilge na Mumhan

THE IMPERFECT TENSE	An Aimsir Ghnáthchaite	An Modh Ordaitheach	An Foshuiteach Láithreach
(do) scanraínn		scanraím	go scanraíod*
*(do) scanraíotá	ní scanraíodh	scanraigh	go scanraír*
(do) scanraíodh sé	an scanraíodh?	scanraíodh sé	go scanraí sé
(do) scanraíodh sí	go scanraíodh	scanraíodh sí	go scanraí sí
(do) scanraímíst	ná scanraíodh	scanraímíst	go scanraíom*
(do) scanraíodh sibh		scanraíg=C*	go scanraí sibh
(do) scanraídíst		scanraídíst	go scanraíd*
(do) scanraíotaí		scanraíotar*	go scanraíotar*
		ná scanraigh	nár scanraí

83 **scaoil** 'shoot, loosen' v.n. **scaoileadh** v.adj. **scaoilte**

Standard Irish: An Caighdeán Oifigiúil

THE PAST TENSE	An Aimsir Chaite
scaoil mé	níor scaoil
scaoil tú	ar scaoil?
scaoil sé	gur scaoil
scaoil sí	nár scaoil
scaoileamar	níor scaoileadh
scaoil sibh	ar scaoileadh?
scaoil siad	gur scaoileadh
scaoileadh	nár scaoileadh

THE PRESENT TENSE	An Aimsir Láithreach
scaoilim	
scaoileann tú	ní scaoileann
scaoileann sé	an scaoileann?
scaoileann sí	go scaoileann
scaoilimid	nach scaoileann
scaoileann sibh	
scaoileann siad	a scaoileann
scaoiltear	

Ulster Irish: Gaeilge Chúige Uladh

THE PAST TENSE	An Aimsir Chaite
scaoil mé	níor scaoil
scaoil tú	(char scaoil)
scaoil sé	ar scaoil?
scaoil sí	gur scaoil
scaoil muid[†]	nár scaoil
scaoil sibh	
scaoil siad	níor/ar scaoileadh
scaoileadh	gur/nár scaoileadh

THE PRESENT TENSE	An Aimsir Láithreach
scaoilim	ní scaoileann
scaoileann tú	(cha scaoileann)
scaoileann sé	an scaoileann?
scaoileann sí	go scaoileann
scaoileann muid[†]	nach scaoileann
scaoileann sibh	
scaoileann siad	a scaoileas
scaoiltear	

Connaught Irish: Gaeilge Chonnacht

THE PAST TENSE	An Aimsir Chaite
scaoil mé [M]	níor scaoil
scaoil tú [M]	ar scaoil?
scaoil sé	gur scaoil
scaoil sí	nár scaoil
scaoil muid	níor scaoileadh
scaoil sibh	ar scaoileadh?
scaoileadar[U]	gur scaoileadh
scaoileadh	nár scaoileadh

THE PRESENT TENSE	An Aimsir Láithreach
scaoilim	
scaoileann tú	ní scaoileann
scaoileann sé	an scaoileann?
scaoileann sí	go scaoileann
scaoileann muid	nach scaoileann
scaoileann sibh	
scaoileann siad	a scaoileanns
scaoiltear	

Munster Irish: Gaeilge na Mumhan

THE PAST TENSE	An Aimsir Chaite
(do) scaoileas*	ní(or) scaoil
(do) scaoilis*	ar scaoil?
(do) scaoil sé	gur scaoil
(do) scaoil sí	nár scaoil
(do) scaoileamair*	níor scaoileadh
(do) scaoileabhair*	ar scaoileadh?
(do) scaoileadar	gur scaoileadh
(do) scaoileadh	nár scaoileadh

THE PRESENT TENSE	An Aimsir Láithreach
scaoilim	
scaoileann tú	ní scaoileann
scaoileann sé	an scaoileann?
scaoileann sí	go scaoileann
scaoilimíd	ná scaoileann
scaoileann sibh	
*scaoilid	a scaoileann
scaoiltear	

83 **scaoil** 'shoot, loosen' a.br. **scaoileadh** aid.bhr. **scaoilte**

Standard Irish: An Caighdeán Oifigiúil

THE FUTURE TENSE	An Aimsir Fháistineach
scaoilfidh mé	
scaoilfidh tú	ní scaoilfidh
scaoilfidh sé	an scaoilfidh?
scaoilfidh sí	go scaoilfidh
scaoilfimid	nach scaoilfidh
scaoilfidh sibh	
scaoilfidh siad	a scaoilfidh
scaoilfear	

THE CONDITIONAL MOOD	An Modh Coinníollach
scaoilfinn	
scaoilfeá	ní scaoilfeadh
scaoilfeadh sé	an scaoilfeadh?
scaoilfeadh sí	go scaoilfeadh
scaoilfimis	nach scaoilfeadh
scaoilfeadh sibh	
scaoilfidís	
scaoilfí	

Ulster Irish: Gaeilge Chúige Uladh

THE FUTURE TENSE	An Aimsir Fháistineach
scaoilfidh mé	
scaoilfidh tú	ní scaoilfidh
scaoilfidh sé	(cha scaoileann)
scaoilfidh sí	an scaoilfidh?
scaoilfidh muid[†]	go scaoilfidh
scaoilfidh sibh	nach scaoilfidh
scaoilfidh siad	a scaoilfeas
scaoilfear	

THE CONDITIONAL MOOD	An Modh Coinníollach
scaoilfinn	
scaoilfeá	ní scaoilfeadh
scaoilfeadh sé	(cha scaoilfeadh)
scaoilfeadh sí	an scaoilfeadh?
scaoilfimis[‡]	go scaoilfeadh
scaoilfeadh sibh	nach scaoilfeadh
scaoilfeadh siad	
scaoilfí	

Connaught Irish: Gaeilge Chonnacht

THE FUTURE TENSE	An Aimsir Fháistineach
scaoilfidh mé [M]	
scaoilfidh tú[M]	ní scaoilfidh
scaoilfidh sé	an scaoilfidh?
scaoilfidh sí	go scaoilfidh
scaoilfidh muid	nach scaoilfidh
scaoilfidh sibh	
scaoilfidh siad	a scaoilfeas
scaoilfear	

THE CONDITIONAL MOOD	An Modh Coinníollach
scaoilfinn	
scaoilfeá	ní scaoilfeadh
scaoilfeadh sé	an scaoilfeadh?
scaoilfeadh sí	go scaoilfeadh
scaoilfeadh muid	nach scaoilfeadh
scaoilfeadh sibh	
scaoilfidís[U]	
scaoilfí[M]	

Munster Irish: Gaeilge na Mumhan

THE FUTURE TENSE	An Aimsir Fháistineach
scaoilfead*	
*scaoilfir	ní scaoilfidh
scaoilfidh sé	an scaoilfidh?
scaoilfidh sí	go scaoilfidh
*scaoilfeam	ná scaoilfidh
scaoilfidh sibh	
*scaoilfid	a scaoilfidh
scaoilfear	

THE CONDITIONAL MOOD	An Modh Coinníollach
(do) scaoilfinn	
(do) scaoilfeá	ní scaoilfeadh
(do) scaoilfeadh sé	an scaoilfeadh?
(do) scaoilfeadh sí	go scaoilfeadh
(do) scaoilfimíst	ná scaoilfeadh
(do) scaoilfeadh sibh	
(do) scaoilfidíst	
(do) scaoilfí	

83 **scaoil** 'shoot, loosen' v.n. **scaoileadh** v.adj. **scaoilte**

Standard Irish: An Caighdeán Oifigiúil

THE IMPERFECT TENSE	An Aimsir Ghnáthchaite	The Imperative Mood	The Present Subjunctive
scaoilinn		scaoilim	go scaoile mé
scaoilteá	ní scaoileadh	scaoil	go scaoile tú
scaoileadh sé	an scaoileadh?	scaoileadh sé	go scaoile sé
scaoileadh sí	go scaoileadh	scaoileadh sí	go scaoile sí
scaoilimis	nach scaoileadh	scaoilimis	go scaoilimid
scaoileadh sibh		scaoiligí	go scaoile sibh
scaoilidís		scaoilidís	go scaoile siad
scaoiltí		scaoiltear	go scaoiltear
		ná scaoil	nár scaoile

Ulster Irish: Gaeilge Chúige Uladh

THE IMPERFECT TENSE	An Aimsir Ghnáthchaite	An Modh Ordaitheach	An Foshuiteach Láithreach
scaoilinn		scaoilim	go scaoilidh mé
scaoiltheá	ní scaoileadh	scaoil	go scaoilidh tú
scaoileadh sé	(cha scaoileadh)	scaoileadh sé	go scaoilidh sé
scaoileadh sí	an scaoileadh?	scaoileadh sí	go scaoilidh sí
scaoilimis[‡]	go scaoileadh	scaoilimis[‡/fut]	go scaoilidh muid[†]
scaoileadh sibh	nach scaoileadh	scaoiligí[C]	go scaoilidh sibh
scaoileadh siad	Ba ghnách le …	scaoileadh siad	go scaoilidh siad
scaoiltí		scaoiltear	go scaoiltear
		ná scaoil	nár scaoilidh

Connaught Irish: Gaeilge Chonnacht

THE IMPERFECT TENSE	An Aimsir Ghnáthchaite	The Imperative Mood	The Present Subjunctive
scaoilinn		scaoilim	go scaoile mé
scaoilteá	ní scaoileadh	scaoil	go scaoile tú
scaoileadh sé	an scaoileadh?	scaoileadh sé	go scaoile sé
scaoileadh sí	go scaoileadh	scaoileadh sí	go scaoile sí
scaoileadh muid	nach scaoileadh	scaoilimid	go scaoile muid
scaoileadh sibh		*scaoilidh	go scaoile sibh
scaoilidís[U]		scaoilidís	go scaoile siad
scaoiltí[M]		scaoiltear	go scaoiltear
		ná scaoil	nár scaoile

Munster Irish: Gaeilge na Mumhan

THE IMPERFECT TENSE	An Aimsir Ghnáthchaite	An Modh Ordaitheach	An Foshuiteach Láithreach
(do) scaoilinn		scaoilim	go scaoilead*
(do) scaoilteá	ní scaoileadh	scaoil	go scaoilir*
(do) scaoileadh sé	an scaoileadh?	scaoileadh sé	go scaoile sé
(do) scaoileadh sí	go scaoileadh	scaoileadh sí	go scaoile sí
(do) scaoilimíst	ná scaoileadh	scaoilimíst	go scaoileam*
(do) scaoileadh sibh		scaoilíg[=C]*	go scaoile sibh
(do) scaoilidíst		scaoilidíst	go scaoilid*
(do) scaoiltí		scaoiltear	go scaoiltear
		ná scaoil	nár scaoile

84 **scríobh** 'write' v.n. **scríobh** v.adj. **scríofa**

Standard Irish: An Caighdeán Oifigiúil

THE PAST TENSE	An Aimsir Chaite
scríobh mé	níor scríobh
scríobh tú	ar scríobh?
scríobh sé	gur scríobh
scríobh sí	nár scríobh
scríobhamar	níor scríobhadh
scríobh sibh	ar scríobhadh?
scríobh siad	gur scríobhadh
scríobhadh	nár scríobhadh

THE PRESENT TENSE	An Aimsir Láithreach
scríobhaim	
scríobhann tú	ní scríobhann
scríobhann sé	an scríobhann?
scríobhann sí	go scríobhann
scríobhaimid	nach scríobhann
scríobhann sibh	
scríobhann siad	a scríobhann
scríobhtar	

Ulster Irish: Gaeilge Chúige Uladh

THE PAST TENSE	An Aimsir Chaite
scríobh mé	níor scríobh
scríobh tú	(char scríobh)
scríobh sé	ar scríobh?
scríobh sí	gur scríobh
scríobh muid[†]	nár scríobh
scríobh sibh	
scríobh siad	níor/ar scríobhadh
scríobhadh	gur/nár scríobhadh

THE PRESENT TENSE	An Aimsir Láithreach
scríobhaim	ní scríobhann
scríobhann tú	(cha scríobhann)
scríobhann sé	an scríobhann?
scríobhann sí	go scríobhann
scríobhann muid[†]	nach scríobhann
scríobhann sibh	
scríobhann siad	a scríobhas
scríobhtar	

Connaught Irish: Gaeilge Chonnacht

THE PAST TENSE	An Aimsir Chaite
scríobh mé [M]	níor scríobh
scríobh tú [M]	ar scríobh?
scríobh sé	gur scríobh
scríobh sí	nár scríobh
scríobh muid	níor scríobhadh
scríobh sibh	ar scríobhadh?
scríobhadar[U]	gur scríobhadh
scríobhadh	nár scríobhadh

THE PRESENT TENSE	An Aimsir Láithreach
scríobhaim	
scríobhann tú	ní scríobhann
scríobhann sé	an scríobhann?
scríobhann sí	go scríobhann
scríobhann muid	nach scríobhann
scríobhann sibh	
scríobhann siad	a scríobhanns
scríobhtar	

Munster Irish: Gaeilge na Mumhan

THE PAST TENSE	An Aimsir Chaite
(do) scríobhas*	ní(or) scríobh
(do) scríobhais*	ar scríobh?
(do) scríobh sé	gur scríobh
(do) scríobh sí	nár scríobh
(do) scríobhamair*	níor scríobhadh
(do) scríobhabhair*	ar scríobhadh?
(do) scríobhadar	gur scríobhadh
(do) scríobhadh	nár scríobhadh

THE PRESENT TENSE	An Aimsir Láithreach
scríobhaim	
scríobhann tú	ní scríobhann
scríobhann sé	an scríobhann?
scríobhann sí	go scríobhann
scríobhaimíd	ná scríobhann
scríobhann sibh	
*scríobhaid	a scríobhann
scríobhtar	

Standard Irish: An Caighdeán Oifigiúil

THE FUTURE TENSE	An Aimsir Fháistineach
scríobhfaidh mé	
scríobhfaidh tú	ní scríobhfaidh
scríobhfaidh sé	an scríobhfaidh?
scríobhfaidh sí	go scríobhfaidh
scríobhfaimid	nach scríobhfaidh
scríobhfaidh sibh	
scríobhfaidh siad	a scríobhfaidh
scríobhfar	

THE CONDITIONAL MOOD	An Modh Coinníollach
scríobhfainn	
scríobhfá	ní scríobhfadh
scríobhfadh sé	an scríobhfadh?
scríobhfadh sí	go scríobhfadh
scríobhfaimis	nach scríobhfadh
scríobhfadh sibh	
scríobhfaidís	
scríobhfaí	

Ulster Irish: Gaeilge Chúige Uladh

THE FUTURE TENSE	An Aimsir Fháistineach
scríobhfaidh mé	
scríobhfaidh tú	ní scríobhfaidh
scríobhfaidh sé	(cha scríobhann)
scríobhfaidh sí	an scríobhfaidh?
scríobhfaidh muid†	go scríobhfaidh
scríobhfaidh sibh	nach scríobhfaidh
scríobhfaidh siad	a scríobhfas
scríobhfar	

THE CONDITIONAL MOOD	An Modh Coinníollach
scríobhfainn	
scríobhfá	ní scríobhfadh
scríobhfadh sé	(cha scríobhfadh)
scríobhfadh sí	an scríobhfadh?
scríobhfaimis‡	go scríobhfadh
scríobhfadh sibh	nach scríobhfadh
scríobhfadh siad	
scríobhfaí	

Connaught Irish: Gaeilge Chonnacht

THE FUTURE TENSE	An Aimsir Fháistineach
scríobhfaidh mé [M]	
scríobhfaidh tú[M]	ní scríobhfaidh
scríobhfaidh sé	an scríobhfaidh?
scríobhfaidh sí	go scríobhfaidh
scríobhfaidh muid	nach scríobhfaidh
scríobhfaidh sibh	
scríobhfaidh siad	a scríobhfas
scríobhfar	

THE CONDITIONAL MOOD	An Modh Coinníollach
scríobhfainn	
scríobhfá	ní scríobhfadh
scríobhfadh sé	an scríobhfadh?
scríobhfadh sí	go scríobhfadh
scríobhfadh muid	nach scríobhfadh
scríobhfadh sibh	
scríobhfaidís[U]	
scríobhfaí[M]	

Munster Irish: Gaeilge na Mumhan

THE FUTURE TENSE	An Aimsir Fháistineach
scríobhfad*	
*scríobhfair	ní scríobhfaidh
scríobhfaidh sé	an scríobhfaidh?
scríobhfaidh sí	go scríobhfaidh
*scríobhfam	ná scríobhfaidh
scríobhfaidh sibh	
*scríobhfaid	a scríobhfaidh
scríobhfar	

THE CONDITIONAL MOOD	An Modh Coinníollach
(do) scríobhfainn	
(do) scríobhfá	ní scríobhfadh
(do) scríobhfadh sé	an scríobhfadh?
(do) scríobhfadh sí	go scríobhfadh
(do) scríobhfaimíst	ná scríobhfadh
(do) scríobhfadh sibh	
(do) scríobhfaidíst	
(do) scríobhfaí	

84 **scríobh** 'write' v.n. **scríobh** v.adj. **scríofa**

Standard Irish: An Caighdeán Oifigiúil

THE IMPERFECT TENSE	An Aimsir Ghnáthchaite	The Imperative Mood	The Present Subjunctive
scríobhainn		scríobhaim	go scríobha mé
scríobhtá	ní scríobhadh	scríobh	go scríobha tú
scríobhadh sé	an scríobhadh?	scríobhadh sé	go scríobha sé
scríobhadh sí	go scríobhadh	scríobhadh sí	go scríobha sí
scríobhaimis	nach scríobhadh	scríobhaimis	go scríobhaimid
scríobhadh sibh		scríobhaigí	go scríobha sibh
scríobhaidís		scríobhaidís	go scríobha siad
scríobhtaí		scríobhtar	go scríobhtar
		ná scríobh	nár scríobha

Ulster Irish: Gaeilge Chúige Uladh

THE IMPERFECT TENSE	An Aimsir Ghnáthchaite	An Modh Ordaitheach	An Foshuiteach Láithreach
scríobhainn	ní scríobhadh	scríobhaim	go scríobhaidh mé
scríobhthá = scríofá	(cha scríobhadh)	scríobh	go scríobhaidh tú
scríobhadh sé	an scríobhadh?	scríobhadh sé	go scríobhaidh sé
scríobhadh sí	go scríobhadh	scríobhadh sí	go scríobhaidh sí
scríobhaimis[‡]	nach scríobhadh	scríobhaimis[‡/fut]	go scríobhaidh muid[†]
scríobhadh sibh		scríobhaigí[C]	go scríobhaidh sibh
scríobhadh siad	Ba ghnách le …	scríobhadh siad	go scríobhaidh siad
scríobhtaí		scríobhtar	go scríobhtar
		ná scríobh	nár scríobhaidh

Connaught Irish: Gaeilge Chonnacht

THE IMPERFECT TENSE	An Aimsir Ghnáthchaite	The Imperative Mood	The Present Subjunctive
scríobhainn		scríobhaim	go scríobha mé
scríobhtá	ní scríobhadh	scríobh	go scríobha tú
scríobhadh sé	an scríobhadh?	scríobhadh sé	go scríobha sé
scríobhadh sí	go scríobhadh	scríobhadh sí	go scríobha sí
scríobhadh muid	nach scríobhadh	scríobhaimid	go scríobha muid
scríobhadh sibh		*scríobhaidh	go scríobha sibh
scríobhaidís[U]		scríobhaidís	go scríobha siad
scríobhtaí[M]		scríobhtar	go scríobhtar
		ná scríobh	nár scríobha

Munster Irish: Gaeilge na Mumhan

THE IMPERFECT TENSE	An Aimsir Ghnáthchaite	An Modh Ordaitheach	An Foshuiteach Láithreach
(do) scríobhainn		scríobhaim	go scríobhad*
(do) scríobhtá	ní scríobhadh	scríobh	go scríobhair*
(do) scríobhadh sé	an scríobhadh?	scríobhadh sé	go scríobha sé
(do) scríobhadh sí	go scríobhadh	scríobhadh sí	go scríobha sí
(do) scríobhaimíst	ná scríobhadh	scríobhaimíst	go scríobham*
(do) scríobhadh sibh		scríobhaíg[=C*]	go scríobha sibh
(do) scríobhaidíst		scríobhaidíst	go scríobhaid*
(do) scríobhtaí		scríobhtar	go scríobhtar
		ná scríobh	nár scríobha

Standard Irish: An Caighdeán Oifigiúil

THE PAST TENSE	An Aimsir Chaite
sheachain mé	níor sheachain
sheachain tú	ar sheachain?
sheachain sé	gur sheachain
sheachain sí	nár sheachain
sheachnaíomar	níor seachnaíodh
sheachain sibh	ar seachnaíodh?
sheachain siad	gur seachnaíodh
seachnaíodh	nár seachnaíodh

THE PRESENT TENSE	An Aimsir Láithreach
seachnaím	
seachnaíonn tú	ní sheachnaíonn
seachnaíonn sé	an seachnaíonn?
seachnaíonn sí	go seachnaíonn
seachnaímid	nach seachnaíonn
seachnaíonn sibh	
seachnaíonn siad	a sheachnaíonn
seachnaítear	

Ulster Irish: Gaeilge Chúige Uladh

THE PAST TENSE	An Aimsir Chaite
sheachain mé	níor sheachain
sheachain tú	(char sheachain)
sheachain sé	ar sheachain?
sheachain sí	gur sheachain
sheachain muid†	nár sheachain
sheachain sibh	
sheachain siad	níor/ar seachnadh
seachnadh	gur/nár seachnadh

THE PRESENT TENSE	An Aimsir Láithreach
seachnaim	ní sheachnann
seachnann tú	(cha seachnann)
seachnann sé	an seachnann?
seachnann sí	go seachnann
seachnann muid†	nach seachnann
seachnann sibh	
seachnann siad	a sheachnas
seachantar	

Connaught Irish: Gaeilge Chonnacht

THE PAST TENSE	An Aimsir Chaite
sheachain mé [M]	níor sheachain
sheachain tú [M]	ar sheachain?
sheachain sé	gur sheachain
sheachain sí	nár sheachain
sheachain muid	níor seachnaíodh
sheachain sibh	ar seachnaíodh?
sheachnaíodar[U]	gur seachnaíodh
seachnaíodh [U]	nár seachnaíodh

THE PRESENT TENSE	An Aimsir Láithreach
seachnaím	
seachnaíonn tú	ní sheachnaíonn
seachnaíonn sé	an seachnaíonn?
seachnaíonn sí	go seachnaíonn
seachnaíonn muid	nach seachnaíonn
seachnaíonn sibh	
seachnaíonn siad	a sheachnaíonns
seachnaít(h)ear	

Munster Irish: Gaeilge na Mumhan

THE PAST TENSE	An Aimsir Chaite
(do) sheachnaíos*	ní(or) sheachain
(do) sheachnaís*	ar sheachain?
(do) sheachain sé	gur sheachain
(do) sheachain sí	nár sheachain
(do) sheachnaíomair*	*níor sheachnaíodh
(do) sheachnaíobhair*	*ar sheachnaíodh?
(do) sheachnaíodar	*gur sheachnaíodh
*(do) sheachnaíodh	*nár sheachnaíodh

THE PRESENT TENSE	An Aimsir Láithreach
seachnaím	
seachnaíonn tú	ní sheachnaíonn
seachnaíonn sé	an seachnaíonn?
seachnaíonn sí	go seachnaíonn
seachnaímíd	ná seachnaíonn
seachnaíonn sibh	
*seachnaíd	a sheachnaíonn
seachnaíotar*	

Standard Irish: An Caighdeán Oifigiúil

THE FUTURE TENSE	An Aimsir Fháistineach
seachnóidh mé	
seachnóidh tú	ní sheachnóidh
seachnóidh sé	an seachnóidh?
seachnóidh sí	go seachnóidh
seachnóimid	nach seachnóidh
seachnóidh sibh	
seachnóidh siad	a sheachnóidh
seachnófar	

THE CONDITIONAL MOOD	An Modh Coinníollach
sheachnóinn	
sheachnófá	ní sheachnódh
sheachnódh sé	an seachnódh?
sheachnódh sí	go seachnódh
sheachnóimis	nach seachnódh
sheachnódh sibh	
sheachnóidís	
sheachnófaí	

Ulster Irish: Gaeilge Chúige Uladh

THE FUTURE TENSE	An Aimsir Fháistineach
seachnóchaidh mé	ní sheachnóchaidh
seachnóchaidh tú	(cha seachnann)
seachnóchaidh sé	an seachnóchaidh?
seachnóchaidh sí	go seachnóchaidh
seachnóchaidh muid†	nach seachnóchaidh
seachnóchaidh sibh	
seachnóchaidh siad	a sheachnóchas
seachnófar	

THE CONDITIONAL MOOD	An Modh Coinníollach
sheachnóchainn	
sheachnófá	ní sheachnóchadh
sheachnóchadh sé	(cha seachnóchadh)
sheachnóchadh sí	an seachnóchadh?
sheachnóchaimis‡	go seachnóchadh
sheachnóchadh sibh	nach seachnóchadh
sheachnóchadh siad	
sheachnófaí	

Connaught Irish: Gaeilge Chonnacht

THE FUTURE TENSE	An Aimsir Fháistineach
seachnóidh mé[M]	
seachnóidh tú[M]	ní sheachnóidh
seachnóidh sé	an seachnóidh?
seachnóidh sí	go seachnóidh
seachnóidh muid	nach seachnóidh
seachnóidh sibh	
seachnóidh siad	a sheachnós
seachnófar	

THE CONDITIONAL MOOD	An Modh Coinníollach
sheachnóinn	
sheachnófá	ní sheachnódh
sheachnódh sé	an seachnódh?
sheachnódh sí	go seachnódh
sheachnódh muid	nach seachnódh
sheachnódh sibh	
sheachnóidís[U]	
sheachnófaí[M]	

Munster Irish: Gaeilge na Mumhan

THE FUTURE TENSE	An Aimsir Fháistineach
seachnód*	
*seachnóir	ní sheachnóidh
seachnóidh sé	an seachnóidh?
seachnóidh sí	go seachnóidh
*seachnóm	ná seachnóidh
seachnóidh sibh	
*seachnóid	a sheachnóidh
seachnófar	

THE CONDITIONAL MOOD	An Modh Coinníollach
(do) sheachnóinn	
(do) sheachnófá	ní sheachnódh
(do) sheachnódh sé	an seachnódh?
(do) sheachnódh sí	go seachnódh
(do) sheachnóimíst	ná seachnódh
(do) sheachnódh sibh	
(do) sheachnóidíst	
*(do) seachnófaí	

85 **seachain** 'avoid' v.n. **seachaint** v.adj. **seachanta**

Standard Irish: An Caighdeán Oifigiúil

THE IMPERFECT TENSE	An Aimsir Ghnáthchaite	The Imperative Mood	The Present Subjunctive
sheachnaínn		seachnaím	go seachnaí mé
sheachnaíteá	ní sheachnaíodh	seachain	go seachnaí tú
sheachnaíodh sé	an seachnaíodh?	seachnaíodh sé	go seachnaí sé
sheachnaíodh sí	go seachnaíodh	seachnaíodh sí	go seachnaí sí
sheachnaímis	nach seachnaíodh	seachnaímis	go seachnaímid
sheachnaíodh sibh		seachnaígí	go seachnaí sibh
sheachnaídís		seachnaídís	go seachnaí siad
sheachnaítí		seachnaítear	go seachnaítear
		ná seachain	nár sheachnaí

Ulster Irish: Gaeilge Chúige Uladh

THE IMPERFECT TENSE	An Aimsir Ghnáthchaite	An Modh Ordaitheach	An Foshuiteach Láithreach
sheachnainn	ní sheachnadh	seachnaim	go seachnaí mé
sheachnaítheá	(cha seachnadh)	seachain	go seachnaí tú
sheachnadh sé	an seachnadh?	seachnadh sé	go seachnaí sé
sheachnadh sí	go seachnadh	seachnadh sí	go seachnaí sí
sheachnaimis[‡]	nach seachnadh	seachnaimis[‡/fut]	go seachnaí muid[†]
sheachnadh sibh		seachnaigí	go seachnaí sibh
sheachnadh siad	Ba ghnách le …	seachnadh siad	go seachnaí siad
sheachnaíthí		seachantar	go seachantar
		ná seachain	nár sheachnaí

Connaught Irish: Gaeilge Chonnacht

THE IMPERFECT TENSE	An Aimsir Ghnáthchaite	The Imperative Mood	The Present Subjunctive
sheachnaínn		seachnaím	go seachnaí mé
sheachnaíteá[M]	ní sheachnaíodh	seachain	go seachnaí tú
sheachnaíodh sé	an seachnaíodh?	seachnaíodh sé	go seachnaí sé
sheachnaíodh sí	go seachnaíodh	seachnaíodh sí	go seachnaí sí
sheachnaíodh muid	nach seachnaíodh	seachnaímid	go seachnaí muid
sheachnaíodh sibh		*seachainidh	go seachnaí sibh
sheachnaídís[U]		seachnaídís	go seachnaí siad
sheachnaítí[M]		seachnaít(h)ear	go seachnaít(h)ear
		ná seachain	nár sheachnaí

Munster Irish: Gaeilge na Mumhan

THE IMPERFECT TENSE	An Aimsir Ghnáthchaite	An Modh Ordaitheach	An Foshuiteach Láithreach
(do) sheachnaínn		seachnaím	go seachnaíod*
(do) *sheachnaíotá	ní sheachnaíodh	seachain	go seachnaír*
(do) sheachnaíodh sé	an seachnaíodh?	seachnaíodh sé	go seachnaí sé
(do) sheachnaíodh sí	go seachnaíodh	seachnaíodh sí	go seachnaí sí
(do) sheachnaímíst	ná seachnaíodh	seachnaímíst	go seachnaíom*
(do) sheachnaíodh sibh		seachnaíg[=C]*	go seachnaí sibh
(do) sheachnaídíst		seachnaídíst	go seachnaíd*
*(do) seachnaíotaí		seachnaíotar*	go seachnaíotar*
		ná seachain	nár sheachnaí

86 **seas** 'stand' v.n. **seasamh** v.adj. **seasta**

Standard Irish: An Caighdeán Oifigiúil

THE PAST TENSE	An Aimsir Chaite
sheas mé	níor sheas
sheas tú	ar sheas?
sheas sé	gur sheas
sheas sí	nár sheas
sheasamar	níor seasadh
sheas sibh	ar seasadh?
sheas siad	gur seasadh
seasadh	nár seasadh

THE PRESENT TENSE	An Aimsir Láithreach
seasaim	
seasann tú	ní sheasann
seasann sé	an seasann?
seasann sí	go seasann
seasaimid	nach seasann
seasann sibh	
seasann siad	a sheasann
seastar	

Ulster Irish: Gaeilge Chúige Uladh

THE PAST TENSE	An Aimsir Chaite
sheasaigh mé	níor sheasaigh
sheasaigh tú	(char sheasaigh)
sheasaigh sé	ar sheasaigh?
sheasaigh sí	gur sheasaigh
sheasaigh muid†	nár sheasaigh
sheasaigh sibh	
sheasaigh siad	níor/ar seasadh
seasadh	gur/nár seasadh

THE PRESENT TENSE	An Aimsir Láithreach
seasaim	ní sheasann
seasann tú	(cha seasann)
seasann sé	an seasann?
seasann sí	go seasann
seasann muid†	nach seasann
seasann sibh	
seasann siad	a sheasas
seasaíthear	

Connaught Irish: Gaeilge Chonnacht

THE PAST TENSE	An Aimsir Chaite
sheas mé [M]	níor sheas
sheas tú [M]	ar sheas?
sheas sé	gur sheas
sheas sí	nár sheas
sheas muid	níor seasadh
sheas sibh	ar seasadh?
sheasadar[U]	gur seasadh
seasadh	nár seasadh

THE PRESENT TENSE	An Aimsir Láithreach
seasaim	
seasann tú	ní sheasann
seasann sé	an seasann?
seasann sí	go seasann
seasann muid	nach seasann
seasann sibh	
seasann siad	a sheasanns
seastar	

Munster Irish: Gaeilge na Mumhan

THE PAST TENSE	An Aimsir Chaite
(do) sheasas*	ní(or) sheas
(do) sheasais*	ar sheas?
(do) sheas sé	gur sheas
(do) sheas sí	nár sheas
(do) sheasamair*	*níor sheasadh
(do) sheasabhair*	*ar sheasadh?
(do) sheasadar	*gur sheasadh
*(do) sheasadh	*nár sheasadh

THE PRESENT TENSE	An Aimsir Láithreach
seasaim	
seasann tú	ní sheasann
seasann sé	an seasann?
seasann sí	go seasann
seasaimíd	ná seasann
seasann sibh	
*seasaid	a sheasann
seastar	

86 **seas** 'stand' a.br. **seasamh** aid.bhr. **seasta**

Standard Irish: An Caighdeán Oifigiúil

THE FUTURE TENSE	An Aimsir Fháistineach
seasfaidh mé	
seasfaidh tú	ní sheasfaidh
seasfaidh sé	an seasfaidh?
seasfaidh sí	go seasfaidh
seasfaimid	nach seasfaidh
seasfaidh sibh	
seasfaidh siad	a sheasfaidh
seasfar	

THE CONDITIONAL MOOD	An Modh Coinníollach
sheasfainn	
sheasfá	ní sheasfadh
sheasfadh sé	an seasfadh?
sheasfadh sí	go seasfadh
sheasfaimis	nach seasfadh
sheasfadh sibh	
sheasfaidís	
sheasfaí	

Ulster Irish: Gaeilge Chúige Uladh

THE FUTURE TENSE	An Aimsir Fháistineach
seasóchaidh mé	ní sheasóchaidh
seasóchaidh tú	(cha seasann)
seasóchaidh sé	an seasóchaidh?
seasóchaidh sí	go seasóchaidh
seasóchaidh muid[†]	nach seasóchaidh
seasóchaidh sibh	
seasóchaidh siad	a sheasóchas
seasófar	

THE CONDITIONAL MOOD	An Modh Coinníollach
sheasóchainn	
sheasófá	ní sheasóchadh
sheasóchadh sé	(cha seasóchadh)
sheasóchadh sí	an seasóchadh?
sheasóchaimis[‡]	go seasóchadh
sheasóchadh sibh	nach seasóchadh
sheasóchadh siad	
sheasófaí	

Connaught Irish: Gaeilge Chonnacht

THE FUTURE TENSE	An Aimsir Fháistineach
seasfaidh mé[M]	
seasfaidh tú[M]	ní sheasfaidh
seasfaidh sé	an seasfaidh?
seasfaidh sí	go seasfaidh
seasfaidh muid	nach seasfaidh
seasfaidh sibh	
seasfaidh siad	a sheasfas
seasfar	

THE CONDITIONAL MOOD	An Modh Coinníollach
sheasfainn	
sheasfá	ní sheasfadh
sheasfadh sé	an seasfadh?
sheasfadh sí	go seasfadh
sheasfadh muid	nach seasfadh
sheasfadh sibh	
sheasfaidís[U]	
sheasfaí[M]	

Munster Irish: Gaeilge na Mumhan

THE FUTURE TENSE	An Aimsir Fháistineach
seasfad*	
*seasfair	ní sheasfaidh
seasfaidh sé	an seasfaidh?
seasfaidh sí	go seasfaidh
*seasfam	ná seasfaidh
seasfaidh sibh	
*seasfaid	a sheasfaidh
seasfar	

THE CONDITIONAL MOOD	An Modh Coinníollach
(do) sheasfainn	
(do) sheasfá	ní sheasfadh
(do) sheasfadh sé	an seasfadh?
(do) sheasfadh sí	go seasfadh
(do) sheasfaimíst	ná seasfadh
(do) sheasfadh sibh	
(do) sheasfaidíst	
*(do) seasfaí	

Standard Irish: An Caighdeán Oifigiúil

THE IMPERFECT TENSE An Aimsir Ghnáthchaite		The Imperative Mood	The Present Subjunctive
sheasainn		seasaim	go seasa mé
sheastá	ní sheasadh	seas	go seasa tú
sheasadh sé	an seasadh?	seasadh sé	go seasa sé
sheasadh sí	go seasadh	seasadh sí	go seasa sí
sheasaimis	nach seasadh	seasaimis	go seasaimid
sheasadh sibh		seasaigí	go seasa sibh
sheasaidís		seasaidís	go seasa siad
sheastaí		seastar	go seastar
		ná seas	nár sheasa

Ulster Irish: Gaeilge Chúige Uladh

THE IMPERFECT TENSE An Aimsir Ghnáthchaite		An Modh Ordaitheach	An Foshuiteach Láithreach
sheasainn		seasaim	go seasaí mé *v* seasaidh
sheasaítheá	ní sheasadh	seasaigh	go seasaí tú
sheasadh sé	(cha seasadh)	seasadh sé	go seasaí sé
sheasadh sí	an seasadh?	seasadh sí	go seasaí sí
sheasaimis‡	go seasadh	seasaimis‡/fut	go seasaí muid†
sheasadh sibh	nach seasadh	seasaigí	go seasaí sibh
sheasadh siad	Ba ghnách le …	seasadh siad	go seasaí siad
sheasíthí		seasaíthear	go seasaíthear
		ná seasaigh	nár sheasaí

Connaught Irish: Gaeilge Chonnacht

THE IMPERFECT TENSE An Aimsir Ghnáthchaite		The Imperative Mood	The Present Subjunctive
sheasainn		seasaim	go seasa mé
sheastá	ní sheasadh	seas	go seasa tú
sheasadh sé	an seasadh?	seasadh sé	go seasa sé
sheasadh sí	go seasadh	seasadh sí	go seasa sí
sheasadh muid	nach seasadh	seasaimid	go seasa muid
sheasadh sibh		*seasaidh	go seasa sibh
sheasaidísU		seasaidís	go seasa siad
sheastaíM		seastar	go seastar
		ná seas	nár sheasa

Munster Irish: Gaeilge na Mumhan

THE IMPERFECT TENSE An Aimsir Ghnáthchaite		An Modh Ordaitheach	An Foshuiteach Láithreach
(do) sheasainn		seasaim	go seasad*
(do) sheastá	ní sheasadh	seas	go seasair*
(do) sheasadh sé	an seasadh?	seasadh sé	go seasa sé
(do) sheasadh sí	go seasadh	seasadh sí	go seasa sí
(do) sheasaimíst	ná seasadh	seasaimíst	go seasam*
(do) sheasadh sibh		seasaíg=C*	go seasa sibh
(do) sheasaidíst		seasaidíst	go seasaid*
*(do) seastaí		seastar	go seastar
		ná seas	nár sheasa

87 **sín** 'stretch' v.n. **síneadh** v.adj. **sínte**

Standard Irish: An Caighdeán Oifigiúil

THE PAST TENSE	An Aimsir Chaite	THE PRESENT TENSE	An Aimsir Láithreach
shín mé	níor shín	sínim	
shín tú	ar shín?	síneann tú	ní shíneann
shín sé	gur shín	síneann sé	an síneann?
shín sí	nár shín	síneann sí	go síneann
shíneamar	níor síneadh	sínimid	nach síneann
shín sibh	ar síneadh?	síneann sibh	
shín siad	gur síneadh	síneann siad	a shíneann
síneadh	nár síneadh	síntear	

Ulster Irish: Gaeilge Chúige Uladh

THE PAST TENSE	An Aimsir Chaite	THE PRESENT TENSE	An Aimsir Láithreach
shín mé	níor shín	sínim	ní shíneann
shín tú	(char shín)	síneann tú	(cha síneann)
shín sé	ar shín?	síneann sé	an síneann?
shín sí	gur shín	síneann sí	go síneann
shín muid[†]	nár shín	síneann muid[†]	nach síneann
shín sibh		síneann sibh	
shín siad	níor/ar síneadh	síneann siad	a shíneas
síneadh	gur/nár síneadh	síntear	

Connaught Irish: Gaeilge Chonnacht

THE PAST TENSE	An Aimsir Chaite	THE PRESENT TENSE	An Aimsir Láithreach
shín mé [M]	níor shín	sínim	
shín tú [M]	ar shín?	síneann tú	ní shíneann
shín sé	gur shín	síneann sé	an síneann?
shín sí	nár shín	síneann sí	go síneann
shín muid	níor síneadh	síneann muid	nach síneann
shín sibh	ar síneadh?	síneann sibh	
shíneadar[U]	gur síneadh	síneann siad	a shíneanns
síneadh	nár síneadh	síntear	

Munster Irish: Gaeilge na Mumhan

THE PAST TENSE	An Aimsir Chaite	THE PRESENT TENSE	An Aimsir Láithreach
(do) shíneas*	ní(or) shín	sínim	
(do) shínis*	ar shín?	síneann tú	ní shíneann
(do) shín sé	gur shín	síneann sé	an síneann?
(do) shín sí	nár shín	síneann sí	go síneann
(do) shíneamair*	*níor shíneadh	sínimíd	ná síneann
(do) shíneabhair*	*ar shíneadh?	síneann sibh	
(do) shíneadar	*gur shíneadh	*sínid	a shíneann
*(do) shíneadh	*nár shíneadh	síntear	

Standard Irish: An Caighdeán Oifigiúil

THE FUTURE TENSE	An Aimsir Fháistineach	THE CONDITIONAL MOOD	An Modh Coinníollach
sínfidh mé		shínfinn	
sínfidh tú	ní shínfidh	shínfeá	ní shínfeadh
sínfidh sé	an sínfidh?	shínfeadh sé	an sínfeadh?
sínfidh sí	go sínfidh	shínfeadh sí	go sínfeadh
sínfimid	nach sínfidh	shínfimis	nach sínfeadh
sínfidh sibh		shínfeadh sibh	
sínfidh siad	a shínfidh	shínfidís	
sínfear		shínfí	

Ulster Irish: Gaeilge Chúige Uladh

THE FUTURE TENSE	An Aimsir Fháistineach	THE CONDITIONAL MOOD	An Modh Coinníollach
sínfidh mé		shínfinn	
sínfidh tú	ní shínfidh	shínfeá	ní shínfeadh
sínfidh sé	(cha síneann)	shínfeadh sé	(cha sínfeadh)
sínfidh sí	an sínfidh?	shínfeadh sí	an sínfeadh?
sínfidh muid†	go sínfidh	shínfimis‡	go sínfeadh
sínfidh sibh	nach sínfidh	shínfeadh sibh	nach sínfeadh
sínfidh siad	a shínfeas	shínfeadh siad	
sínfear		shínfí	

Connaught Irish: Gaeilge Chonnacht

THE FUTURE TENSE	An Aimsir Fháistineach	THE CONDITIONAL MOOD	An Modh Coinníollach
sínfidh mé [M]		shínfinn	
sínfidh tú[M]	ní shínfidh	shínfeá	ní shínfeadh
sínfidh sé	an sínfidh?	shínfeadh sé	an sínfeadh?
sínfidh sí	go sínfidh	shínfeadh sí	go sínfeadh
sínfidh muid	nach sínfidh	shínfeadh muid	nach sínfeadh
sínfidh sibh		shínfeadh sibh	
sínfidh siad	a shínfeas	shínfidís[U]	
sínfear		shínfí[M]	

Munster Irish: Gaeilge na Mumhan

THE FUTURE TENSE	An Aimsir Fháistineach	THE CONDITIONAL MOOD	An Modh Coinníollach
sínfead*		(do) shínfinn	
*sínfir	ní shínfidh	(do) shínfeá	ní shínfeadh
sínfidh sé	an sínfidh?	(do) shínfeadh sé	an sínfeadh?
sínfidh sí	go sínfidh	(do) shínfeadh sí	go sínfeadh
*sínfeam	ná sínfidh	(do) shínfimíst	ná sínfeadh
sínfidh sibh		(do) shínfeadh sibh	
*sínfid	a shínfidh	(do) shínfidíst	
sínfear		*(do) sínfí	

Standard Irish: An Caighdeán Oifigiúil

THE IMPERFECT TENSE	An Aimsir Ghnáthchaite	The Imperative Mood	The Present Subjunctive
shíninn		sínim	go síne mé
shínteá	ní shíneadh	sín	go síne tú
shíneadh sé	an síneadh?	síneadh sé	go síne sé
shíneadh sí	go síneadh	síneadh sí	go síne sí
shínimis	nach síneadh	sínimis	go sínimid
shíneadh sibh		sínigí	go síne sibh
shínidís		sínidís	go síne siad
shíntí		síntear	go síntear
		ná sín	nár shíne

Ulster Irish: Gaeilge Chúige Uladh

THE IMPERFECT TENSE	An Aimsir Ghnáthchaite	An Modh Ordaitheach	An Foshuiteach Láithreach
shíninn		sínim	go sínidh mé
shíntheá	ní shíneadh	sín	go sínidh tú
shíneadh sé	(cha síneadh)	síneadh sé	go sínidh sé
shíneadh sí	an síneadh?	síneadh sí	go sínidh sí
shínimis[‡]	go síneadh	sínimis[‡/fut]	go sínidh muid[†]
shíneadh sibh	nach síneadh	sínigí[C]	go sínidh sibh
shíneadh siad	Ba ghnách le …	síneadh siad	go sínidh siad
shíntí		síntear	go síntear
		ná sín	nár shínidh

Connaught Irish: Gaeilge Chonnacht

THE IMPERFECT TENSE	An Aimsir Ghnáthchaite	The Imperative Mood	The Present Subjunctive
shíninn		sínim	go síne mé
shínteá	ní shíneadh	sín	go síne tú
shíneadh sé	an síneadh?	síneadh sé	go síne sé
shíneadh sí	go síneadh	síneadh sí	go síne sí
shíneadh muid	nach síneadh	sínimid	go síne muid
shíneadh sibh		*sínidh	go síne sibh
shínidís[U]		sínidís	go síne siad
shíntí[M]		síntear	go síntear
		ná sín	nár shíne

Munster Irish: Gaeilge na Mumhan

THE IMPERFECT TENSE	An Aimsir Ghnáthchaite	An Modh Ordaitheach	An Foshuiteach Láithreach
(do) shíninn		sínim	go sínead*
(do) shínteá	ní shíneadh	sín	go sínir*
(do) shíneadh sé	an síneadh?	síneadh sé	go síne sé
(do) shíneadh sí	go síneadh	síneadh sí	go síne sí
(do) shínimíst	ná síneadh	sínimíst	go síneam*
(do) shíneadh sibh		sínig[=C*]	go síne sibh
(do) shínidíst		sínidíst	go sínid*
*(do) síntí		síntear	go síntear
		ná sín	nár shíne

Standard Irish: An Caighdeán Oifigiúil

THE PAST TENSE	An Aimsir Chaite
shínigh mé	níor shínigh
shínigh tú	ar shínigh?
shínigh sé	gur shínigh
shínigh sí	nár shínigh
shíníomar	níor síníodh
shínigh sibh	ar síníodh?
shínigh siad	gur síníodh
síníodh	nár síníodh

THE PRESENT TENSE	An Aimsir Láithreach
sínim	
síníonn tú	ní shíníonn
síníonn sé	an síníonn?
síníonn sí	go síníonn
sínímid	nach síníonn
síníonn sibh	
síníonn siad	a shíníonn
sínítear	

Ulster Irish: Gaeilge Chúige Uladh

THE PAST TENSE	An Aimsir Chaite
shínigh mé	níor shínigh
shínigh tú	(char shínigh)
shínigh sé	ar shínigh?
shínigh sí	gur shínigh
shínigh muid†	nár shínigh
shínigh sibh	
shínigh siad	níor/ar síneadh
síneadh	gur/nár síneadh

THE PRESENT TENSE	An Aimsir Láithreach
sínim	ní shíneann
síneann tú	(cha síneann)
síneann sé	an síneann?
síneann sí	go síneann
síneann muid†	nach síneann
síneann sibh	
síneann siad	a shíneas
sínithear	

Connaught Irish: Gaeilge Chonnacht

THE PAST TENSE	An Aimsir Chaite
shínigh mé [M]	níor shínigh
shínigh tú [M]	ar shínigh?
shínigh sé	gur shínigh
shínigh sí	nár shínigh
shínigh muid	níor síníodh
shínigh sibh	ar síníodh?
shíníodar[U]	gur síníodh
síníodh [U]	nár síníodh

THE PRESENT TENSE	An Aimsir Láithreach
sínim	
síníonn tú	ní shíníonn
síníonn sé	an síníonn?
síníonn sí	go síníonn
síníonn muid	nach síníonn
síníonn sibh	
síníonn siad	a shíníonns
sínít(h)ear	

Munster Irish: Gaeilge na Mumhan

THE PAST TENSE	An Aimsir Chaite
(do) shíníos*	ní(or) shínigh
(do) shínís*	ar shínigh?
(do) shínigh sé	gur shínigh
(do) shínigh sí	nár shínigh
(do) shíníomair*	*níor shíníodh
(do) shíníobhair*	*ar shíníodh?
(do) shíníodar	*gur shíníodh
*(do) shíníodh	*nár shíníodh

THE PRESENT TENSE	An Aimsir Láithreach
sínim	
síníonn tú	ní shíníonn
síníonn sé	an síníonn?
síníonn sí	go síníonn
sínímid	ná síníonn
síníonn sibh	
*sínid	a shíníonn
síníotar*	

88 **sínigh** 'sign' a.br. **síniú** aid.bhr. **sínithe**

Standard Irish: An Caighdeán Oifigiúil

THE FUTURE TENSE	An Aimsir Fháistineach
síneoidh mé	
síneoidh tú	ní shíneoidh
síneoidh sé	an síneoidh?
síneoidh sí	go síneoidh
síneoimid	nach síneoidh
síneoidh sibh	
síneoidh siad	a shíneoidh
síneofar	

THE CONDITIONAL MOOD	An Modh Coinníollach
shíneoinn	
shíneofá	ní shíneodh
shíneodh sé	an síneodh?
shíneodh sí	go síneodh
shíneoimis	nach síneodh
shíneodh sibh	
shíneoidís	
shíneofaí	

Ulster Irish: Gaeilge Chúige Uladh

THE FUTURE TENSE	An Aimsir Fháistineach
síneochaidh mé	ní shíneochaidh
síneochaidh tú	(cha síneann)
síneochaidh sé	an síneochaidh?
síneochaidh sí	go síneochaidh
síneochaidh muid[†]	nach síneochaidh
síneochaidh sibh	
síneochaidh siad	a shíneochas
síneofar	

THE CONDITIONAL MOOD	An Modh Coinníollach
shíneochainn	
shíneofá	ní shíneochadh
shíneochadh sé	(cha síneochadh)
shíneochadh sí	an síneochadh?
shíneochaimis[‡]	go síneochadh
shíneochadh sibh	nach síneochadh
shíneochadh siad	
shíneofaí	

Connaught Irish: Gaeilge Chonnacht

THE FUTURE TENSE	An Aimsir Fháistineach
síneoidh mé [M]	
síneoidh tú[M]	ní shíneoidh
síneoidh sé	an síneoidh?
síneoidh sí	go síneoidh
síneoidh muid	nach síneoidh
síneoidh sibh	
síneoidh siad	a shíneos
síneofar	

THE CONDITIONAL MOOD	An Modh Coinníollach
shíneoinn	
shíneofá	ní shíneodh
shíneodh sé	an síneodh?
shíneodh sí	go síneodh
shíneodh muid	nach síneodh
shíneodh sibh	
shíneoidís[U]	
shíneofaí[M]	

Munster Irish: Gaeilge na Mumhan

THE FUTURE TENSE	An Aimsir Fháistineach
síneod*	
*síneoir	ní shíneoidh
síneoidh sé	an síneoidh?
síneoidh sí	go síneoidh
*síneom	ná síneoidh
síneoidh sibh	
*síneoid	a shíneoidh
síneofar	

THE CONDITIONAL MOOD	An Modh Coinníollach
(do) shíneoinn	
(do) shíneofá	ní shíneodh
(do) shíneodh sé	an síneodh?
(do) shíneodh sí	go síneodh
(do) shíneoimíst	ná síneodh
(do) shíneodh sibh	
(do) shíneoidíst	
*(do) síneofaí	

Standard Irish: An Caighdeán Oifigiúil

THE IMPERFECT TENSE	An Aimsir Ghnáthchaite	The Imperative Mood	The Present Subjunctive
shínínn		síním	go síní mé
shíníteá	ní shíníodh	sínigh	go síní tú
shíníodh sé	an síníodh?	síníodh sé	go síní sé
shíníodh sí	go síníodh	síníodh sí	go síní sí
shínímis	nach síníodh	sínímis	go sínímid
shíníodh sibh		sínígí	go síní sibh
shínídís		sínídís	go síní siad
shínítí		sínítear	go sínítear
		ná sínigh	nár shíní

Ulster Irish: Gaeilge Chúige Uladh

THE IMPERFECT TENSE	An Aimsir Ghnáthchaite	An Modh Ordaitheach	An Foshuiteach Láithreach
shíninn*	ní shíneadh	sínim	go síní mé
shínítheá	(cha síneadh)	sínigh	go síní tú
shíneadh sé*	an síneadh?	síneadh sé	go síní sé
shíneadh sí*	go síneadh	síneadh sí	go síní sí
shínimis[‡*]	nach síneadh	sínimis[‡/fut]	go síní muid[†]
shíneadh sibh*		sínigí	go síní sibh
shíneadh siad	Ba ghnách le …	síneadh siad	go síní siad
shíníthí		sínithear	go sínithear
		ná sínigh	nár shíní

Connaught Irish: Gaeilge Chonnacht

THE IMPERFECT TENSE	An Aimsir Ghnáthchaite	The Imperative Mood	The Present Subjunctive
shínínn		síním	go síní mé
shíníteá[M]	ní shíníodh	sínigh	go síní tú
shíníodh sé	an síníodh?	síníodh sé	go síní sé
shíníodh sí	go síníodh	síníodh sí	go síní sí
shíníodh muid	nach síníodh	sínímid	go síní muid
shíníodh sibh		*sínighidh	go síní sibh
shínídís[U]		sínídís	go síní siad
shínítí[M]		sínít(h)ear	go sínít(h)ear
		ná sínigh	nár shíní

Munster Irish: Gaeilge na Mumhan

THE IMPERFECT TENSE	An Aimsir Ghnáthchaite	An Modh Ordaitheach	An Foshuiteach Láithreach
(do) shínínn		síním	go síníod*
*(do) shíníotá	ní shíníodh	sínigh	go sínír*
(do) shíníodh sé	an síníodh?	síníodh sé	go síní sé
(do) shíníodh sí	go síníodh	síníodh sí	go síní sí
(do) shínímíst	ná síníodh	sínímíst	go síníom*
(do) shíníodh sibh		sínig[=C]*	go síní sibh
(do) shínídíst		sínídíst	go sínid*
*(do) síníotaí		síníotar*	go síníotar*
		ná sínigh	nár shíní

89 **siúil** 'walk, travel' v.n. **siúl** v.adj. **siúlta**

Standard Irish: An Caighdeán Oifigiúil

THE PAST TENSE	An Aimsir Chaite
shiúil mé	níor shiúil
shiúil tú	ar shiúil?
shiúil sé	gur shiúil
shiúil sí	nár shiúil
shiúlamar	níor siúladh
shiúil sibh	ar siúladh?
shiúil siad	gur siúladh
siúladh	nár siúladh

THE PRESENT TENSE	An Aimsir Láithreach
siúlaim	
siúlann tú	ní shiúlann
siúlann sé	an siúlann?
siúlann sí	go siúlann
siúlaimid	nach siúlann
siúlann sibh	
siúlann siad	a shiúlann
siúltar	

Ulster Irish: Gaeilge Chúige Uladh

THE PAST TENSE	An Aimsir Chaite
shiúil mé	níor shiúil
shiúil tú	(char shiúil)
shiúil sé	ar shiúil?
shiúil sí	gur shiúil
shiúil muid[†]	nár shiúil
shiúil sibh	
shiúil siad	níor/ar siúladh
siúladh	gur/nár siúladh

THE PRESENT TENSE	An Aimsir Láithreach
siúlaim	ní shiúlann
siúlann tú	(cha siúlann)
siúlann sé	an siúlann?
siúlann sí	go siúlann
siúlann muid[†]	nach siúlann
siúlann sibh	
siúlann siad	a shiúlas
siúltar	

Connaught Irish: Gaeilge Chonnacht

THE PAST TENSE	An Aimsir Chaite
shiúil mé [M]	níor shiúil
shiúil tú [M]	ar shiúil?
shiúil sé	gur shiúil
shiúil sí	nár shiúil
shiúil muid	níor siúladh
shiúil sibh	ar siúladh?
shiúladar[U]	gur siúladh
siúladh	nár siúladh

THE PRESENT TENSE	An Aimsir Láithreach
siúlaim	
siúlann tú	ní shiúlann
siúlann sé	an siúlann?
siúlann sí	go siúlann
siúlann muid	nach siúlann
siúlann sibh	
siúlann siad	a shiúlanns
siúltar	

Munster Irish: Gaeilge na Mumhan

THE PAST TENSE	An Aimsir Chaite
(do) shiúlas*	ní(or) shiúil
(do) shiúlais*	ar shiúil?
(do) shiúil sé	gur shiúil
(do) shiúil sí	nár shiúil
(do) shiúlamair*	*níor shiúladh
(do) shiúlabhair*	*ar shiúladh?
(do) shiúladar	*gur shiúladh
*(do) shiúladh	*nár shiúladh

THE PRESENT TENSE	An Aimsir Láithreach
siúlaim	
siúlann tú	ní shiúlann
siúlann sé	an siúlann?
siúlann sí	go siúlann
siúlaimíd	ná siúlann
siúlann sibh	
*siúlaid	a shiúlann
siúltar	

Standard Irish: An Caighdeán Oifigiúil

THE FUTURE TENSE	An Aimsir Fháistineach	THE CONDITIONAL MOOD	An Modh Coinníollach
siúlfaidh mé		shiúlfainn	
siúlfaidh tú	ní shiúlfaidh	shiúlfá	ní shiúlfadh
siúlfaidh sé	an siúlfaidh?	shiúlfadh sé	an siúlfadh?
siúlfaidh sí	go siúlfaidh	shiúlfadh sí	go siúlfadh
siúlfaimid	nach siúlfaidh	shiúlfaimis	nach siúlfadh
siúlfaidh sibh		shiúlfadh sibh	
siúlfaidh siad	a shiúlfaidh	shiúlfaidís	
siúlfar		shiúlfaí	

Ulster Irish: Gaeilge Chúige Uladh

THE FUTURE TENSE	An Aimsir Fháistineach	THE CONDITIONAL MOOD	An Modh Coinníollach
siúlfaidh mé		shiúlfainn	
siúlfaidh tú	ní shiúlfaidh	shiúlfá	ní shiúlfadh
siúlfaidh sé	(cha siúlann)	shiúlfadh sé	(cha siúlfadh)
siúlfaidh sí	an siúlfaidh?	shiúlfadh sí	an siúlfadh?
siúlfaidh muid†	go siúlfaidh	shiúlfaimis‡	go siúlfadh
siúlfaidh sibh	nach siúlfaidh	shiúlfadh sibh	nach siúlfadh
siúlfaidh siad	a shiúlfas	shiúlfadh siad	
siúlfar		shiúlfaí	

Connaught Irish: Gaeilge Chonnacht

THE FUTURE TENSE	An Aimsir Fháistineach	THE CONDITIONAL MOOD	An Modh Coinníollach
siúlfaidh mé[M]		shiúlfainn	
siúlfaidh tú[M]	ní shiúlfaidh	shiúlfá	ní shiúlfadh
siúlfaidh sé	an siúlfaidh?	shiúlfadh sé	an siúlfadh?
siúlfaidh sí	go siúlfaidh	shiúlfadh sí	go siúlfadh
siúlfaidh muid	nach siúlfaidh	shiúlfadh muid	nach siúlfadh
siúlfaidh sibh		shiúlfadh sibh	
siúlfaidh siad	a shiúlfas	shiúlfaidís[U]	
siúlfar		shiúlfaí[M]	

Munster Irish: Gaeilge na Mumhan

THE FUTURE TENSE	An Aimsir Fháistineach	THE CONDITIONAL MOOD	An Modh Coinníollach
siúlfad*		(do) shiúlfainn	
*siúlfair	ní shiúlfaidh	(do) shiúlfá	ní shiúlfadh
siúlfaidh sé	an siúlfaidh?	(do) shiúlfadh sé	an siúlfadh?
siúlfaidh sí	go siúlfaidh	(do) shiúlfadh sí	go siúlfadh
*siúlfam	ná siúlfaidh	(do) shiúlfaimíst	ná siúlfadh
siúlfaidh sibh		(do) shiúlfadh sibh	
*siúlfaid	a shiúlfaidh	(do) shiúlfaidíst	
siúlfar		*(do) siúlfaí	

89 siúil 'walk, travel' v.n. siúl v.adj. siúlta

Standard Irish: An Caighdeán Oifigiúil

THE IMPERFECT TENSE	An Aimsir Ghnáthchaite	The Imperative Mood	The Present Subjunctive
shiúlainn		siúlaim	go siúla mé
shiúltá	ní shiúladh	siúil	go siúla tú
shiúladh sé	an siúladh?	siúladh sé	go siúla sé
shiúladh sí	go siúladh	siúladh sí	go siúla sí
shiúlaimis	nach siúladh	siúlaimis	go siúlaimid
shiúladh sibh		siúlaigí	go siúla sibh
shiúlaidís		siúlaidís	go siúla siad
shiúltaí		siúltar	go siúltar
		ná siúil	nár shiúla

Ulster Irish: Gaeilge Chúige Uladh

THE IMPERFECT TENSE	An Aimsir Ghnáthchaite	An Modh Ordaitheach	An Foshuiteach Láithreach
shiúlainn		siúlaim	go siúlaidh mé
shiúlthá	ní shiúladh	siúil	go siúlaidh tú
shiúladh sé	(cha siúladh)	siúladh sé	go siúlaidh sé
shiúladh sí	an siúladh?	siúladh sí	go siúlaidh sí
shiúlaimis[‡]	go siúladh	siúlaimis[‡/fut]	go siúlaidh muid[†]
shiúladh sibh	nach siúladh	siúlaigí[C]	go siúlaidh sibh
shiúladh siad	Ba ghnách le …	siúladh siad	go siúlaidh siad
shiúltaí		siúltar	go siúltar
		ná siúil	nár shiúlaidh

Connaught Irish: Gaeilge Chonnacht

THE IMPERFECT TENSE	An Aimsir Ghnáthchaite	The Imperative Mood	The Present Subjunctive
shiúlainn		siúlaim	go siúla mé
shiúltá	ní shiúladh	siúil	go siúla tú
shiúladh sé	an siúladh?	siúladh sé	go siúla sé
shiúladh sí	go siúladh	siúladh sí	go siúla sí
shiúladh muid	nach siúladh	siúlaimid	go siúla muid
shiúladh sibh		*siúlaidh	go siúla sibh
shiúlaidís[U]		siúlaidís	go siúla siad
shiúltaí[M]		siúltar	go siúltar
		ná siúil	nár shiúla

Munster Irish: Gaeilge na Mumhan

THE IMPERFECT TENSE	An Aimsir Ghnáthchaite	An Modh Ordaitheach	An Foshuiteach Láithreach
(do) shiúlainn		siúlaim	go siúlad*
(do) shiúltá	ní shiúladh	siúil	go siúlair*
(do) shiúladh sé	an siúladh?	siúladh sé	go siúla sé
(do) shiúladh sí	go siúladh	siúladh sí	go siúla sí
(do) shiúlaimíst	ná siúladh	siúlaimíst	go siúlam*
(do) shiúladh sibh		siúlaíg[=C*]	go siúla sibh
(do) shiúlaidíst		siúlaidíst	go siúlaid*
*(do) siúltaí		siúltar	go siúltar
		ná siúil	nár shiúla

Standard Irish: An Caighdeán Oifigiúil

THE PAST TENSE	An Aimsir Chaite	THE PRESENT TENSE	An Aimsir Láithreach
smaoinigh mé	níor smaoinigh	smaoiním	
smaoinigh tú	ar smaoinigh?	smaoiníonn tú	ní smaoiníonn
smaoinigh sé	gur smaoinigh	smaoiníonn sé	an smaoiníonn?
smaoinigh sí	nár smaoinigh	smaoiníonn sí	go smaoiníonn
smaoiníomar	níor smaoiníodh	smaoinímid	nach smaoiníonn
smaoinigh sibh	ar smaoiníodh?	smaoiníonn sibh	
smaoinigh siad	gur smaoiníodh	smaoiníonn siad	a smaoiníonn
smaoiníodh	nár smaoiníodh	smaoinítear	

Ulster Irish: Gaeilge Chúige Uladh

THE PAST TENSE	An Aimsir Chaite	THE PRESENT TENSE	An Aimsir Láithreach
smaoitigh mé	níor smaoitigh	smaoitim	ní smaoiteann
smaoitigh tú	(char smaoitigh)	smaoiteann tú	(cha smaoiteann)
smaoitigh sé	ar smaoitigh?	smaoiteann sé	an smaoiteann?
smaoitigh sí	gur smaoitigh	smaoiteann sí	go smaoiteann
smaoitigh muid†	nár smaoitigh	smaoiteann muid†	nach smaoiteann
smaoitigh sibh		smaoiteann sibh	
smaoitigh siad	níor/ar smaoiteadh	smaoiteann siad	a smaoiteas
smaoiteadh	gur/nár smaoiteadh	smaoitíthear	*vn* smaoitiú

Connaught Irish: Gaeilge Chonnacht

THE PAST TENSE	An Aimsir Chaite	THE PRESENT TENSE	An Aimsir Láithreach
smaoinigh mé [M]	níor smaoinigh	smaoiním	
smaoinigh tú [M]	ar smaoinigh?	smaoiníonn tú	ní smaoiníonn
smaoinigh sé	gur smaoinigh	smaoiníonn sé	an smaoiníonn?
smaoinigh sí	nár smaoinigh	smaoiníonn sí	go smaoiníonn
smaoinigh muid	níor smaoiníodh	smaoiníonn muid	nach smaoiníonn
smaoinigh sibh	ar smaoiníodh?	smaoiníonn sibh	
smaoiníodar[U]	gur smaoiníodh	smaoiníonn siad	a smaoiníonns
smaoiníodh [U]	nár smaoiníodh	smaoinít(h)ear	

Munster Irish: Gaeilge na Mumhan

THE PAST TENSE	An Aimsir Chaite	THE PRESENT TENSE	An Aimsir Láithreach
(do) smaoiníos*	ní(or) smaoinigh	smaoiním	
(do) smaoinís*	ar smaoinigh?	smaoiníonn tú	ní smaoiníonn
(do) smaoinigh sé	gur smaoinigh	smaoiníonn sé	an smaoiníonn?
(do) smaoinigh sí	nár smaoinigh	smaoiníonn sí	go smaoiníonn
(do) smaoiníomair*	níor smaoiníodh	smaoinímíd	ná smaoiníonn
(do) smaoiníobhair*	ar smaoiníodh?	smaoiníonn sibh	
(do) smaoiníodar	gur smaoiníodh	*smaoiníd	a smaoiníonn
(do) smaoiníodh	nár smaoiníodh	smaoiníotar*	

Standard Irish: An Caighdeán Oifigiúil

THE FUTURE TENSE	An Aimsir Fháistineach	THE CONDITIONAL MOOD	An Modh Coinníollach
smaoineoidh mé		smaoineoinn	
smaoineoidh tú	ní smaoineoidh	smaoineofá	ní smaoineodh
smaoineoidh sé	an smaoineoidh?	smaoineodh sé	an smaoineodh?
smaoineoidh sí	go smaoineoidh	smaoineodh sí	go smaoineodh
smaoineoimid	nach smaoineoidh	smaoineoimis	nach smaoineodh
smaoineoidh sibh		smaoineodh sibh	
smaoineoidh siad	a smaoineoidh	smaoineoidís	
smaoineofar		smaoineofaí	

Ulster Irish: Gaeilge Chúige Uladh

THE FUTURE TENSE	An Aimsir Fháistineach	THE CONDITIONAL MOOD	An Modh Coinníollach
smaoiteochaidh mé	ní smaoiteochaidh	smaoiteochainn	
smaoiteochaidh tú	(cha smaoiteann)	smaoiteofá	ní smaoiteochadh
smaoiteochaidh sé	an smaoiteochaidh?	smaoiteochadh sé	(cha smaoiteochadh)
smaoiteochaidh sí	go smaoiteochaidh	smaoiteochadh sí	an smaoiteochadh?
smaoiteochaidh muid†	nach smaoiteochaidh	smaoiteochaimis‡	go smaoiteochadh
smaoiteochaidh sibh		smaoiteochadh sibh	nach smaoiteochadh
smaoiteochaidh siad	a smaoiteochas	smaoiteochadh siad	
smaoiteofar		smaoiteofaí	

Connaught Irish: Gaeilge Chonnacht

THE FUTURE TENSE	An Aimsir Fháistineach	THE CONDITIONAL MOOD	An Modh Coinníollach
smaoineoidh mé [M]		smaoineoinn	
smaoineoidh tú[M]	ní smaoineoidh	smaoineofá	ní smaoineodh
smaoineoidh sé	an smaoineoidh?	smaoineodh sé	an smaoineodh?
smaoineoidh sí	go smaoineoidh	smaoineodh sí	go smaoineodh
smaoineoidh muid	nach smaoineoidh	smaoineodh muid	nach smaoineodh
smaoineoidh sibh		smaoineodh sibh	
smaoineoidh siad	a smaoineos	smaoineoidís[U]	
smaoineofar		smaoineofaí[M]	

Munster Irish: Gaeilge na Mumhan

THE FUTURE TENSE	An Aimsir Fháistineach	THE CONDITIONAL MOOD	An Modh Coinníollach
smaoineod*		(do) smaoineoinn	
*smaoineoir	ní smaoineoidh	(do) smaoineofá	ní smaoineodh
smaoineoidh sé	an smaoineoidh?	(do) smaoineodh sé	an smaoineodh?
smaoineoidh sí	go smaoineoidh	(do) smaoineodh sí	go smaoineodh
*smaoineom	ná smaoineoidh	(do) smaoineoimíst	ná smaoineodh
smaoineoidh sibh		(do) smaoineodh sibh	
*smaoineoid	a smaoineoidh	(do) smaoineoidíst	
smaoineofar		(do) smaoineofaí	

Standard Irish: An Caighdeán Oifigiúil

THE IMPERFECT TENSE	An Aimsir Ghnáthchaite	The Imperative Mood	The Present Subjunctive
smaoinínn		smaoiním	go smaoiní mé
smaoiníteá	ní smaoiníodh	smaoinigh	go smaoiní tú
smaoiníodh sé	an smaoiníodh?	smaoiníodh sé	go smaoiní sé
smaoiníodh sí	go smaoiníodh	smaoiníodh sí	go smaoiní sí
smaoinímis	nach smaoiníodh	smaoinímis	go smaoinímid
smaoiníodh sibh		smaoinígí	go smaoiní sibh
smaoinídís		smaoinídís	go smaoiní siad
smaoinítí		smaoinítear	go smaoinítear
		ná smaoinigh	nár smaoiní

Ulster Irish: Gaeilge Chúige Uladh

THE IMPERFECT TENSE	An Aimsir Ghnáthchaite	An Modh Ordaitheach	An Foshuiteach Láithreach
smaoitinn	ní smaoiteadh	smaoitim	go smaoití mé
smaoitítheá	(cha smaoiteadh)	smaoitigh	go smaoití tú
smaoiteadh sé	an smaoiteadh?	smaoiteadh sé	go smaoití sé
smaoiteadh sí	go smaoiteadh	smaoiteadh sí	go smaoití sí
smaoitimis[‡]	nach smaoiteadh	smaoitimis[‡/fut]	go smaoití muid[†]
smaoiteadh sibh		smaoitigí	go smaoití sibh
smaoiteadh siad	Ba ghnách le …	smaoiteadh siad	go smaoití siad
smaoitíthí		smaoitíthear	go smaoitíthear
		ná smaoitigh	nár smaoití

Connaught Irish: Gaeilge Chonnacht

THE IMPERFECT TENSE	An Aimsir Ghnáthchaite	The Imperative Mood	The Present Subjunctive
smaoinínn		smaoiním	go smaoiní mé
smaoiníteá[M]	ní smaoiníodh	smaoinigh	go smaoiní tú
smaoiníodh sé	an smaoiníodh?	smaoiníodh sé	go smaoiní sé
smaoiníodh sí	go smaoiníodh	smaoiníodh sí	go smaoiní sí
smaoiníodh muid	nach smaoiníodh	smaoinímid	go smaoiní muid
smaoiníodh sibh		*smaoinighidh	go smaoiní sibh
smaoinídís[U]		smaoinídís	go smaoiní siad
smaoinítí[M]		smaoinít(h)ear	go smaoinít(h)ear
		ná smaoinigh	nár smaoiní

Munster Irish: Gaeilge na Mumhan

THE IMPERFECT TENSE	An Aimsir Ghnáthchaite	An Modh Ordaitheach	An Foshuiteach Láithreach
(do) smaoinínn		smaoiním	go smaoiníod*
*(do) smaoiníotá	ní smaoiníodh	smaoinigh	go smaoinír*
(do) smaoiníodh sé	an smaoiníodh?	smaoiníodh sé	go smaoiní sé
(do) smaoiníodh sí	go smaoiníodh	smaoiníodh sí	go smaoiní sí
(do) smaoinímíst	ná smaoiníodh	smaoinímíst	go smaoiníom*
(do) smaoiníodh sibh		smaoiníg[=C*]	go smaoiní sibh
(do) smaoinídíst		smaoinídíst	go smaoiníd*
(do) smaoiníotaí		smaoiníotar*	go smaoiníotar*
		ná smaoinigh	nár smaoiní

91 **socraigh** 'arrange, settle' v.n. **socrú** v.adj. **socraithe**

Standard Irish: An Caighdeán Oifigiúil

THE PAST TENSE	An Aimsir Chaite
shocraigh mé	níor shocraigh
shocraigh tú	ar shocraigh?
shocraigh sé	gur shocraigh
shocraigh sí	nár shocraigh
shocraíomar	níor socraíodh
shocraigh sibh	ar socraíodh?
shocraigh siad	gur socraíodh
socraíodh	nár socraíodh

THE PRESENT TENSE	An Aimsir Láithreach
socraím	
socraíonn tú	ní shocraíonn
socraíonn sé	an socraíonn?
socraíonn sí	go socraíonn
socraímid	nach socraíonn
socraíonn sibh	
socraíonn siad	a shocraíonn
socraítear	

Ulster Irish: Gaeilge Chúige Uladh

THE PAST TENSE	An Aimsir Chaite
shocraigh mé	níor shocraigh
shocraigh tú	(char shocraigh)
shocraigh sé	ar shocraigh?
shocraigh sí	gur shocraigh
shocraigh muid[†]	nár shocraigh
shocraigh sibh	
shocraigh siad	níor/ar socradh
socradh	gur/nár socradh

THE PRESENT TENSE	An Aimsir Láithreach
socraim	ní shocrann
socrann tú	(cha socrann)
socrann sé	an socrann?
socrann sí	go socrann
socrann muid[†]	nach socrann
socrann sibh	
socrann siad	a shocras
socraíthear	

Connaught Irish: Gaeilge Chonnacht

THE PAST TENSE	An Aimsir Chaite
shocraigh mé [M]	níor shocraigh
shocraigh tú [M]	ar shocraigh?
shocraigh sé	gur shocraigh
shocraigh sí	nár shocraigh
shocraigh muid	níor socraíodh
shocraigh sibh	ar socraíodh?
shocraíodar[U]	gur socraíodh
socraíodh [U]	nár socraíodh

THE PRESENT TENSE	An Aimsir Láithreach
socraím	
socraíonn tú	ní shocraíonn
socraíonn sé	an socraíonn?
socraíonn sí	go socraíonn
socraíonn muid	nach socraíonn
socraíonn sibh	
socraíonn siad	a shocraíonns
socraít(h)ear	

Munster Irish: Gaeilge na Mumhan

THE PAST TENSE	An Aimsir Chaite
(do) shocraíos*	ní(or) shocraigh
(do) shocraís*	ar shocraigh?
(do) shocraigh sé	gur shocraigh
(do) shocraigh sí	nár shocraigh
(do) shocraíomair*	*níor shocraíodh
(do) shocraíobhair*	*ar shocraíodh?
(do) shocraíodar	*gur shocraíodh
*(do) shocraíodh	*nár shocraíodh

THE PRESENT TENSE	An Aimsir Láithreach
socraím	
socraíonn tú	ní shocraíonn
socraíonn sé	an socraíonn?
socraíonn sí	go socraíonn
socraímíd	ná socraíonn
socraíonn sibh	
*socraíd	a shocraíonn
socraíotar*	

91 **socraigh** 'arrange, settle' a.br. **socrú** aid.bhr. **socraithe**

Standard Irish: An Caighdeán Oifigiúil

THE FUTURE TENSE	An Aimsir Fháistineach
socróidh mé	
socróidh tú	ní shocróidh
socróidh sé	an socróidh?
socróidh sí	go socróidh
socróimid	nach socróidh
socróidh sibh	
socróidh siad	a shocróidh
socrófar	

THE CONDITIONAL MOOD	An Modh Coinníollach
shocróinn	
shocrófá	ní shocródh
shocródh sé	an socródh?
shocródh sí	go socródh
shocróimis	nach socródh
shocródh sibh	
shocróidís	
shocrófaí	

Ulster Irish: Gaeilge Chúige Uladh

THE FUTURE TENSE	An Aimsir Fháistineach
socróchaidh mé	ní shocróchaidh
socróchaidh tú	(cha socrann)
socróchaidh sé	an socróchaidh?
socróchaidh sí	go socróchaidh
socróchaidh muid†	nach socróchaidh
socróchaidh sibh	
socróchaidh siad	a shocróchas
socrófar	

THE CONDITIONAL MOOD	An Modh Coinníollach
shocróchainn	
shocrófá	ní shocróchadh
shocróchadh sé	(cha socróchadh)
shocróchadh sí	an socróchadh?
shocróchaimis‡	go socróchadh
shocróchadh sibh	nach socróchadh
shocróchadh siad	
shocrófaí	

Connaught Irish: Gaeilge Chonnacht

THE FUTURE TENSE	An Aimsir Fháistineach
socróidh mé M	
socróidh túM	ní shocróidh
socróidh sé	an socróidh?
socróidh sí	go socróidh
socróidh muid	nach socróidh
socróidh sibh	
socróidh siad	a shocrós
socrófar	

THE CONDITIONAL MOOD	An Modh Coinníollach
shocróinn	
shocrófá	ní shocródh
shocródh sé	an socródh?
shocródh sí	go socródh
shocródh muid	nach socródh
shocródh sibh	
shocróidísU	
shocrófaíM	

Munster Irish: Gaeilge na Mumhan

THE FUTURE TENSE	An Aimsir Fháistineach
socród*	
*socróir	ní shocróidh
socróidh sé	an socróidh?
socróidh sí	go socróidh
*socróm	ná socróidh
socróidh sibh	
*socróid	a shocróidh
socrófar	

THE CONDITIONAL MOOD	An Modh Coinníollach
(do) shocróinn	
(do) shocrófá	ní shocródh
(do) shocródh sé	an socródh?
(do) shocródh sí	go socródh
(do) shocróimíst	ná socródh
(do) shocródh sibh	
(do) shocróidíst	
*(do) socrófaí	

91 **socraigh** 'arrange, settle' v.n. **socrú** v.adj. **socraithe**

Standard Irish: An Caighdeán Oifigiúil

THE IMPERFECT TENSE	An Aimsir Ghnáthchaite	The Imperative Mood	The Present Subjunctive
shocraínn		socraím	go socraí mé
shocraíteá	ní shocraíodh	socraigh	go socraí tú
shocraíodh sé	an socraíodh?	socraíodh sé	go socraí sé
shocraíodh sí	go socraíodh	socraíodh sí	go socraí sí
shocraímis	nach socraíodh	socraímis	go socraímid
shocraíodh sibh		socraígí	go socraí sibh
shocraídís		socraídís	go socraí siad
shocraítí		socraítear	go socraítear
		ná socraigh	nár shocraí

Ulster Irish: Gaeilge Chúige Uladh

THE IMPERFECT TENSE	An Aimsir Ghnáthchaite	An Modh Ordaitheach	An Foshuiteach Láithreach
shocrainn*		socraim	go socraí mé
shocraítheá	ní shocradh	socraigh	go socraí tú
shocradh sé*	(cha socradh)	socradh sé	go socraí sé
shocradh sí*	an socradh?	socradh sí	go socraí sí
shocraimis[‡]	go socradh	socraimis[‡/fut]	go socraí muid[†]
shocradh sibh*	nach socradh	socraigí[C]	go socraí sibh
shocradh siad*	Ba ghnách le ...	socradh siad	go socraí siad
shocraíthí		socraíthear	go socraíthear
		ná socraigh	nár shocraí

Connaught Irish: Gaeilge Chonnacht

THE IMPERFECT TENSE	An Aimsir Ghnáthchaite	The Imperative Mood	The Present Subjunctive
shocraínn		socraím	go socraí mé
shocraíteá[M]	ní shocraíodh	socraigh	go socraí tú
shocraíodh sé	an socraíodh?	socraíodh sé	go socraí sé
shocraíodh sí	go socraíodh	socraíodh sí	go socraí sí
shocraíodh muid	nach socraíodh	socraímid	go socraí muid
shocraíodh sibh		*socraighidh	go socraí sibh
shocraídís[U]		socraídís	go socraí siad
shocraítí[M]		socraít(h)ear	go socraít(h)ear
		ná socraigh	nár shocraí

Munster Irish: Gaeilge na Mumhan

THE IMPERFECT TENSE	An Aimsir Ghnáthchaite	An Modh Ordaitheach	An Foshuiteach Láithreach
(do) shocraínn		socraím	go socraíod*
*(do) shocraíotá	ní shocraíodh	socraigh	go socraír*
(do) shocraíodh sé	an socraíodh?	socraíodh sé	go socraí sé
(do) shocraíodh sí	go socraíodh	socraíodh sí	go socraí sí
(do) shocraímíst	ná socraíodh	socraímíst	go socraíom*
(do) shocraíodh sibh		socraíg[=C]*	go socraí sibh
(do) shocraídíst		socraídíst	go socraíd*
*(do) socraíotaí		socraíotar*	go socraíotar*
		ná socraigh	nár shocraí

Standard Irish: An Caighdeán Oifigiúil

THE PAST TENSE	An Aimsir Chaite	THE PRESENT TENSE	An Aimsir Láithreach
stampáil mé	níor stampáil	stampálaim	
stampáil tú	ar stampáil?	stampálann tú	ní stampálann
stampáil sé	gur stampáil	stampálann sé	an stampálann?
stampáil sí	nár stampáil	stampálann sí	go stampálann
stampálamar	níor stampáladh	stampálaimid	nach stampálann
stampáil sibh	ar stampáladh?	stampálann sibh	
stampáil siad	gur stampáladh	stampálann siad	a stampálann
stampáladh	nár stampáladh	stampáiltear	

Ulster Irish: Gaeilge Chúige Uladh

THE PAST TENSE	An Aimsir Chaite	THE PRESENT TENSE	An Aimsir Láithreach
stampáil mé	níor stampáil	stampáilim	ní stampáileann
stampáil tú	(char stampáil)	stampáileann tú	(cha stampáileann)
stampáil sé	ar stampáil?	stampáileann sé	an stampáileann?
stampáil sí	gur stampáil	stampáileann sí	go stampáileann
stampáil muid†	nár stampáil	stampáileann muid†	nach stampáileann
stampáil sibh		stampáileann sibh	
stampáil siad	níor/ar stampáileadh	stampáileann siad	a stampáileas
stampáileadh	gur/nár stampáileadh	stampáiltear	

Connaught Irish: Gaeilge Chonnacht

THE PAST TENSE	An Aimsir Chaite	THE PRESENT TENSE	An Aimsir Láithreach
stampáil mé [M]	níor stampáil	stampálaim	
stampáil tú [M]	ar stampáil?	stampálann tú	ní stampálann
stampáil sé	gur stampáil	stampálann sé	an stampálann?
stampáil sí	nár stampáil	stampálann sí	go stampálann
stampáil muid	níor stampáladh	stampálann muid	nach stampálann
stampáil sibh	ar stampáladh?	stampálann sibh	
stampáladar[U]	gur stampáladh	stampálann siad	a stampálanns
stampáladh	nár stampáladh	stampáiltear	

Munster Irish: Gaeilge na Mumhan

THE PAST TENSE	An Aimsir Chaite	THE PRESENT TENSE	An Aimsir Láithreach
(do) stampálas*	ní(or) stampáil	stampálaim	
(do) stampálais*	ar stampáil?	stampálann tú	ní stampálann
(do) stampáil sé	gur stampáil	stampálann sé	an stampálann?
(do) stampáil sí	nár stampáil	stampálann sí	go stampálann
(do) stampálamair*	níor stampáladh	stampálaimíd	ná stampálann
(do) stampálabhair*	ar stampáladh?	stampálann sibh	
(do) stampáladar	gur stampáladh	*stampálaid	a stampálann
(do) stampáladh	nár stampáladh	stampáiltear	

Standard Irish: An Caighdeán Oifigiúil

THE FUTURE TENSE	An Aimsir Fháistineach	THE CONDITIONAL MOOD	An Modh Coinníollach
stampálfaidh mé		stampálfainn	
stampálfaidh tú	ní stampálfaidh	stampálfá	ní stampálfadh
stampálfaidh sé	an stampálfaidh?	stampálfadh sé	an stampálfadh?
stampálfaidh sí	go stampálfaidh	stampálfadh sí	go stampálfadh
stampálfaimid	nach stampálfaidh	stampálfaimis	nach stampálfadh
stampálfaidh sibh		stampálfadh sibh	
stampálfaidh siad	a stampálfaidh	stampálfaidís	
stampálfar		stampálfaí	

Ulster Irish: Gaeilge Chúige Uladh

THE FUTURE TENSE	An Aimsir Fháistineach	THE CONDITIONAL MOOD	An Modh Coinníollach
stampáilfidh mé	ní stampáilfidh	stampáilfinn	
stampáilfidh tú	(cha stampáileann)	stampáilfeá	ní stampáilfeadh
stampáilfidh sé	an stampáilfidh?	stampáilfeadh sé	(cha stampáilfeadh)
stampáilfidh sí	go stampáilfidh	stampáilfeadh sí	an stampáilfeadh?
stampáilfidh muid†	nach stampáilfidh	stampáilfimis‡	go stampáilfeadh
stampáilfidh sibh		stampáilfeadh sibh	nach stampáilfeadh
stampáilfidh siad	a stampáilfeas	stampáilfeadh siad	
stampáilfear		stampáilfí	

Connaught Irish: Gaeilge Chonnacht

THE FUTURE TENSE	An Aimsir Fháistineach	THE CONDITIONAL MOOD	An Modh Coinníollach
stampálfaidh mé[M]		stampálfainn	
stampálfaidh tú[M]	ní stampálfaidh	stampálfá	ní stampálfadh
stampálfaidh sé	an stampálfaidh?	stampálfadh sé	an stampálfadh?
stampálfaidh sí	go stampálfaidh	stampálfadh sí	go stampálfadh
stampálfaidh muid	nach stampálfaidh	stampálfadh muid	nach stampálfadh
stampálfaidh sibh		stampálfadh sibh	
stampálfaidh siad	a stampálfas	stampálfaidís[U]	
stampálfar		stampálfaí[M]	

Munster Irish: Gaeilge na Mumhan

THE FUTURE TENSE	An Aimsir Fháistineach	THE CONDITIONAL MOOD	An Modh Coinníollach
stampálfad*		(do) stampálfainn	
*stampálfair	ní stampálfaidh	(do) stampálfá	ní stampálfadh
stampálfaidh sé	an stampálfaidh?	(do) stampálfadh sé	an stampálfadh?
stampálfaidh sí	go stampálfaidh	(do) stampálfadh sí	go stampálfadh
*stampálfam	ná stampálfaidh	(do) stampálfaimíst	ná stampálfadh
stampálfaidh sibh		(do) stampálfadh sibh	
*stampálfaid	a stampálfaidh	(do) stampálfaidíst	
stampálfar		(do) stampálfaí	

Standard Irish: An Caighdeán Oifigiúil

THE IMPERFECT TENSE	An Aimsir Ghnáthchaite	The Imperative Mood	The Present Subjunctive
stampálainn		stampálaim	go stampála mé
stampáilteá	ní stampáladh	stampáil	go stampála tú
stampáladh sé	an stampáladh?	stampáladh sé	go stampála sé
stampáladh sí	go stampáladh	stampáladh sí	go stampála sí
stampálaimis	nach stampáladh	stampálaimis	go stampálaimid
stampáladh sibh		stampálaigí	go stampála sibh
stampálaidís		stampálaidís	go stampála siad
stampáiltí		stampáiltear	go stampáiltear
		ná stampáil	nár stampála

Ulster Irish: Gaeilge Chúige Uladh

THE IMPERFECT TENSE	An Aimsir Ghnáthchaite	An Modh Ordaitheach	An Foshuiteach Láithreach
stampáilinn	ní stampáileadh	stampáilim	go stampáilidh mé
stampáiltheá	(cha stampáileadh)	stampáil	go stampáilidh tú
stampáileadh sé	an stampáileadh?	stampáileadh sé	go stampáilidh sé
stampáileadh sí	go stampáileadh	stampáileadh sí	go stampáilidh sí
stampáilimis[‡]	nach stampáileadh	stampáilimis[‡/fut]	go stampáilidh muid[†]
stampáileadh sibh		stampáiligí/stampáilidh	go stampáilidh sibh
stampáileadh siad	Ba ghnách le …	stampáileadh siad	go stampáilidh siad
stampáiltí		stampáiltear	go stampáiltear
		ná stampáil	nár stampáilidh

Connaught Irish: Gaeilge Chonnacht

THE IMPERFECT TENSE	An Aimsir Ghnáthchaite	The Imperative Mood	The Present Subjunctive
stampálainn		stampálaim	go stampála mé
stampáilteá	ní stampáladh	stampáil	go stampála tú
stampáladh sé	an stampáladh?	stampáladh sé	go stampála sé
stampáladh sí	go stampáladh	stampáladh sí	go stampála sí
stampáladh muid	nach stampáladh	stampálaimid	go stampála muid
stampáladh sibh		*stampálaidh	go stampála sibh
stampálaidís[U]		stampálaidís	go stampála siad
stampáiltí[M]		stampáiltear	go stampáiltear
		ná stampáil	nár stampála

Munster Irish: Gaeilge na Mumhan

THE IMPERFECT TENSE	An Aimsir Ghnáthchaite	An Modh Ordaitheach	An Foshuiteach Láithreach
(do) stampálainn		stampálaim	go stampálad*
(do) stampáilteá	ní stampáladh	stampáil	go stampálair*
(do) stampáladh sé	an stampáladh?	stampáladh sé	go stampála sé
(do) stampáladh sí	go stampáladh	stampáladh sí	go stampála sí
(do) stampálaimíst	ná stampáladh	stampálaimíst	go stampálam*
(do) stampáladh sibh		stampálaíg[=C]*	go stampála sibh
(do) stampálaidíst		stampálaidíst	go stampálaid*
(do) stampáiltí		stampáiltear	go stampáiltear
		ná stampáil	nár stampála

93 suigh 'sit' v.n. suí v.adj. suite

Standard Irish: An Caighdeán Oifigiúil

THE PAST TENSE	An Aimsir Chaite	THE PRESENT TENSE	An Aimsir Láithreach
shuigh mé	níor shuigh	suím	
shuigh tú	ar shuigh?	suíonn tú	ní shuíonn
shuigh sé	gur shuigh	suíonn sé	an suíonn?
shuigh sí	nár shuigh	suíonn sí	go suíonn
shuíomar	níor suíodh	suímid	nach suíonn
shuigh sibh	ar suíodh?	suíonn sibh	
shuigh siad	gur suíodh	suíonn siad	a shuíonn
suíodh	nár suíodh	suitear	

Ulster Irish: Gaeilge Chúige Uladh

THE PAST TENSE	An Aimsir Chaite	THE PRESENT TENSE	An Aimsir Láithreach
shuigh mé	níor shuigh	suím	ní shuíonn
shuigh tú	(char shuigh)	suíonn tú	(cha suíonn)
shuigh sé	ar shuigh?	suíonn sé	an suíonn?
shuigh sí	gur shuigh	suíonn sí	go suíonn
shuigh muid†	nár shuigh	suíonn muid†	nach suíonn
shuigh sibh		suíonn sibh	
shuigh siad	níor/ar suíodh	suíonn siad	a shuíos
suíodh	gur/nár suíodh	suitear	

Connaught Irish: Gaeilge Chonnacht

THE PAST TENSE	An Aimsir Chaite	THE PRESENT TENSE	An Aimsir Láithreach
shuigh mé [M]	níor shuigh	suím	
shuigh tú [M]	ar shuigh?	suíonn tú	ní shuíonn
shuigh sé	gur shuigh	suíonn sé	an suíonn?
shuigh sí	nár shuigh	suíonn sí	go suíonn
shuigh muid	níor suíodh	suíonn muid	nach suíonn
shuigh sibh	ar suíodh?	suíonn sibh	
shuíodar[U]	gur suíodh	suíonn siad	a shuíonns
suíodh	nár suíodh	suitear	

Munster Irish: Gaeilge na Mumhan

THE PAST TENSE	An Aimsir Chaite	THE PRESENT TENSE	An Aimsir Láithreach
(do) shuíos*	ní(or) shuigh	suím	
(do) shuís*	ar shuigh?	suíonn tú	ní shuíonn
(do) shuigh sé	gur shuigh	suíonn sé	an suíonn?
(do) shuigh sí	nár shuigh	suíonn sí	go suíonn
(do) shuíomair*	*níor shuíodh	suímíd	ná suíonn
(do) shuíobhair*	*ar shuíodh?	suíonn sibh	
(do) shuíodar	*gur shuíodh	*suíd	a shuíonn
*(do) shuíodh	*nár shuíodh	suitear	

93 **suigh** 'sit' a.br. **suí** aid.bhr. **suite**

Standard Irish: An Caighdeán Oifigiúil

THE FUTURE TENSE	An Aimsir Fháistineach
suífidh mé	
suífidh tú	ní shuífidh
suífidh sé	an suífidh?
suífidh sí	go suífidh
suífimid	nach suífidh
suífidh sibh	
suífidh siad	a shuífidh
suífear	

THE CONDITIONAL MOOD	An Modh Coinníollach
shuífinn	
shuífeá	ní shuífeadh
shuífeadh sé	an suífeadh?
shuífeadh sí	go suífeadh
shuífimis	nach suífeadh
shuífeadh sibh	
shuífidís	
shuífí	

Ulster Irish: Gaeilge Chúige Uladh

THE FUTURE TENSE	An Aimsir Fháistineach
suífidh mé	ní shuífidh
suífidh tú	(cha suíonn)
suífidh sé	an suífidh?
suífidh sí	go suífidh
suífidh muid[†]	nach suífidh
suífidh sibh	
suífidh siad	a shuífeas
suífear	

THE CONDITIONAL MOOD	An Modh Coinníollach
shuífinn	
shuífeá	ní shuífeadh
shuífeadh sé	(cha suífeadh)
shuífeadh sí	an suífeadh?
shuífimis[‡]	go suífeadh
shuífeadh sibh	nach suífeadh
shuífeadh siad	
shuífí	

Connaught Irish: Gaeilge Chonnacht

THE FUTURE TENSE	An Aimsir Fháistineach
suífidh mé[M]	
suífidh tú[M]	ní shuífidh
suífidh sé	an suífidh?
suífidh sí	go suífidh
suífidh muid	nach suífidh
suífidh sibh	
suífidh siad	a shuífeas
suífear	

THE CONDITIONAL MOOD	An Modh Coinníollach
shuífinn	
shuífeá	ní shuífeadh
shuífeadh sé	an suífeadh?
shuífeadh sí	go suífeadh
shuífeadh muid	nach suífeadh
shuífeadh sibh	
shuífidís[U]	
shuífí[M]	

Munster Irish: Gaeilge na Mumhan

THE FUTURE TENSE	An Aimsir Fháistineach
suífead*	
*suífir	ní shuífidh
suífidh sé	an suífidh?
suífidh sí	go suífidh
*suífeam	ná suífidh
suífidh sibh	
*suífid	a shuífidh
suífear	

THE CONDITIONAL MOOD	An Modh Coinníollach
(do) shuífinn	
(do) shuífeá	ní shuífeadh
(do) shuífeadh sé	an suífeadh?
(do) shuífeadh sí	go suífeadh
(do) shuífimíst	ná suífeadh
(do) shuífeadh sibh	
(do) shuífidíst	
*(do) suífí	

93 **suigh** 'sit' v.n. **suí** v.adj. **suite**

Standard Irish: An Caighdeán Oifigiúil

THE IMPERFECT TENSE	An Aimsir Ghnáthchaite	The Imperative Mood	The Present Subjunctive
shuínn		suím	go suí mé
shuiteá	ní shuíodh	suigh	go suí tú
shuíodh sé	an suíodh?	suíodh sé	go suí sé
shuíodh sí	go suíodh	suíodh sí	go suí sí
shuímis	nach suíodh	suímis	go suímid
shuíodh sibh		suígí	go suí sibh
shuídís		suídís	go suí siad
shuití		suitear	go suitear
		ná suigh	nár shuí

Ulster Irish: Gaeilge Chúige Uladh

THE IMPERFECT TENSE	An Aimsir Ghnáthchaite	An Modh Ordaitheach	An Foshuiteach Láithreach
shuínn	ní shuíodh	suím	go suí mé
shuítheá	(cha suíodh)	suigh	go suí tú
shuíodh sé	an suíodh?	suíodh sé	go suí sé
shuíodh sí	go suíodh	suíodh sí	go suí sí
shuímis[‡]	nach suíodh	suímis[‡/fut]	go suí muid[†]
shuíodh sibh		suígí	go suí sibh
shuíodh siad	Ba ghnách le …	suíodh siad	go suí siad
shuití		suitear	go suitear
		ná suigh	nár shuí

Connaught Irish: Gaeilge Chonnacht

THE IMPERFECT TENSE	An Aimsir Ghnáthchaite	The Imperative Mood	The Present Subjunctive
shuínn		suím	go suí mé
shuiteá	ní shuíodh	suigh	go suí tú
shuíodh sé	an suíodh?	suíodh sé	go suí sé
shuíodh sí	go suíodh	suíodh sí	go suí sí
shuíodh muid	nach suíodh	suímid	go suí muid
shuíodh sibh		*suídh	go suí sibh
shuídís[U]		suídís	go suí siad
shuití[M]		suitear	go suitear
		ná suigh	nár shuí

Munster Irish: Gaeilge na Mumhan

THE IMPERFECT TENSE	An Aimsir Ghnáthchaite	An Modh Ordaitheach	An Foshuiteach Láithreach
(do) shuínn		suím	go suíod*
(do) shuiteá	ní shuíodh	suigh	go suír*
(do) shuíodh sé	an suíodh?	suíodh sé	go suí sé
(do) shuíodh sí	go suíodh	suíodh sí	go suí sí
(do) shuímíst	ná suíodh	suímíst	go suíom*
(do) shuíodh sibh		suíg[=C*]	go suí sibh
(do) shuídíst		suídíst	go suíd*
*(do) suití		suitear	go suitear
		ná suigh	nár shuí

94 **tabhair** 'give' a.br. **tabhairt** aid.bhr. **tugtha**

Standard Irish: An Caighdeán Oifigiúil

THE PAST TENSE	An Aimsir Chaite		
thug mé	ar thug mé?	níor thug mé	
thug tú	ar thug tú?	níor thug tú	gur thug
thug sé	ar thug sé?	níor thug sé	
thug sí	ar thug sí?	níor thug sí	nár thug
thugamar	ar thugamar?	níor thugamar	
thug sibh	ar thug sibh?	níor thug sibh	
thug siad	ar thug siad?	níor thug siad	gur tugadh
tugadh	ar tugadh?	níor tugadh	nár tugadh

Ulster Irish: Gaeilge Chúige Uladh

THE PAST TENSE	An Aimsir Chaite		
thug mé	an dtug mé?	ní thug mé	cha dtug
thug tú	an dtug tú?	ní thug tú	
thug sé	an dtug sé?	ní thug sé	go dtug
thug sí	an dtug sí?	ní thug sí	
thug muid[†]	an dtug muid?[†]	ní thug muid[†]	nach dtug
thug sibh	an dtug sibh?	ní thug sibh	
thug siad	an dtug siad?	ní thug siad	gur tugadh
tugadh	ar tugadh?	níor tugadh	nár tugadh

Connaught Irish: Gaeilge Chonnacht

THE PAST TENSE	An Aimsir Chaite		
thug mé[M]	an dtug mé?	ní thug mé	
thug tú[M]	an dtug tú?	ní thug tú	go dtug
thug sé	an dtug sé?	ní thug sé	
thug sí	an dtug sí?	ní thug sí	nach dtug
thug muid	an dtug muid?	ní thug muid	
thug sibh	an dtug sibh?	ní thug sibh	
thugadar	an dtugadar?	ní thugadar	gur tugadh
tugadh	ar tugadh?	níor tugadh	nár tugadh

Munster Irish: Gaeilge na Mumhan

THE PAST TENSE	An Aimsir Chaite		
(do) thugas	ar thugas?	ní(or) thugas	
(do) thugais	ar thugais?	ní(or) thugais	gur thug
(do) thug sé	ar thug sé?	ní(or) thug sé	
(do) thug sí	ar thug sí?	ní(or) thug sí	nár thug
(do) thugamair*	ar thugamair?*	ní(or) thugamair*	*vadj* tug(a)tha,
(do) thugabhair	ar thugabhair?	ní(or) thugabhair	tabhartha
(do) thugadar	ar thugadar?	ní(or) thugadar	*gur thugadh
*(do) thugadh	*ar thugadh?	*níor thugadh	*nár thugadh

Standard Irish: An Caighdeán Oifigiúil

THE PRESENT TENSE	An Aimsir Láithreach		
tugaim	an dtugaim?	ní thugaim	
tugann tú	an dtugann tú?	ní thugann tú	go dtugann
tugann sé	an dtugann sé?	ní thugann sé	
tugann sí	an dtugann sí?	ní thugann sí	nach dtugann
tugaimid	an dtugaimid?	ní thugaimid	
tugann sibh	an dtugann sibh?	ní thugann sibh	a thugann
tugann siad	an dtugann siad?	ní thugann siad	go dtugtar
tugtar	an dtugtar?	ní thugtar	nach dtugtar

Ulster Irish: Gaeilge Chúige Uladh

THE PRESENT TENSE	An Aimsir Láithreach		
bheirim	an dtugaim?	ní thugaim	cha dtugann
bheir tú	an dtugann tú?	ní thugann tú	*var. dep.* tabhrann
bheir sé	an dtugann sé?	ní thugann sé	go dtugann
bheir sí	an dtugann sí?	ní thugann sí	nach dtugann
bheir muid†	an dtugann muid?†	ní thugann muid†	bheir *var* bheireann
bheir sibh	an dtugann sibh?	ní thugann sibh	a bheir
bheir siad	an dtugann siad?	ní thugann siad	go dtugtar
bheirtear	an dtugtar?	ní thugtar	nach dtugtar

Connaught Irish: Gaeilge Chonnacht

THE PRESENT TENSE	An Aimsir Láithreach		
tugaim	an dtugaim?	ní thugaim	tugaim *var indep* bheirim
tugann tú	an dtugann tú?	ní thugann tú	
tugann sé	an dtugann sé?	ní thugann sé	go dtugann
tugann sí	an dtugann sí?	ní thugann sí	nach dtugann
tugann muid	an dtugann muid?	ní thugann muid	
tugann sibh	an dtugann sibh?	ní thugann sibh	a thuganns
tugann siad	an dtugann siad?	ní thugann siad	go dtugtar
tugtar	an dtugtar?	ní thugtar	nach dtugtar

Munster Irish: Gaeilge na Mumhan

THE PRESENT TENSE	An Aimsir Láithreach		
tugaim	an dtugaim?	ní thugaim	tugaim *var indep* bheirim
tugann tú	an dtugann tú?	ní thugann tú	go dtugann
tugann sé	an dtugann sé?	ní thugann sé	
tugann sí	an dtugann sí?	ní thugann sí	nach dtugann
tugaimíd	an dtugaimíd?	ní thugaimíd	
tugann sibh	an dtugann sibh?	ní thugann sibh	a thugann
*tugaid (siad)	*an dtugaid (siad)?	*ní thugaid (siad)	go dtugtar
tugtar	an dtugtar?	ní thugtar	ná tugtar

94 **tabhair** 'give' a.br. **tabhairt** aid.bhr. **tugtha**

Standard Irish: An Caighdeán Oifigiúil

FUTURE TENSE	An Aimsir Fháistineach		
tabharfaidh mé	an dtabharfaidh mé?	ní thabharfaidh mé	
tabharfaidh tú	an dtabharfaidh tú?	ní thabharfaidh tú	go dtabharfaidh
tabharfaidh sé	an dtabharfaidh sé?	ní thabharfaidh sé	
tabharfaidh sí	an dtabharfaidh sí?	ní thabharfaidh sí	nach dtabharfaidh
tabharfaimid	an dtabharfaimid?	ní thabharfaimid	
tabharfaidh sibh	an dtabharfaidh sibh?	ní thabharfaidh sibh	a thabharfaidh
tabharfaidh siad	an dtabharfaidh siad?	ní thabharfaidh siad	go dtabharfar
tabharfar	an dtabharfar?	ní thabharfar	nach dtabharfar

Ulster Irish: Gaeilge Chúige Uladh

FUTURE TENSE	An Aimsir Fháistineach		
bhéarfaidh mé	an dtabharfaidh mé?	ní thabharfaidh mé	cha dtugann
bhéarfaidh tú	an dtabharfaidh tú?	ní thabharfaidh tú	
bhéarfaidh sé	an dtabharfaidh sé?	ní thabharfaidh sé	go dtabharfaidh
bhéarfaidh sí	an dtabharfaidh sí?	ní thabharfaidh sí	nach dtabharfaidh
bhéarfaidh muid[†]	an dtabharfaidh muid[†]?	ní thabharfaidh muid[†]	
bhéarfaidh sibh	an dtabharfaidh sibh?	ní thabharfaidh sibh	a bhéarfas
bhéarfaidh siad	an dtabharfaidh siad?	ní thabharfaidh siad	go dtabharfar
bhéarfar	an dtabharfar?	ní thabharfar	nach dtabharfar

Connaught Irish: Gaeilge Chonnacht

FUTURE TENSE	An Aimsir Fháistineach		
tiúrfaidh mé[M]	an dtiúrfaidh mé? [M]	ní thiúrfaidh mé[M]	*occas. indep* bhéarfaidh
tiúrfaidh tú[M]	an dtiúrfaidh tú? [M]	ní thiúrfaidh tú[M]	
tiúrfaidh sé	an dtiúrfaidh sé?	ní thiúrfaidh sé	go dtiúrfaidh
tiúrfaidh sí	an dtiúrfaidh sí?	ní thiúrfaidh sí	nach dtiúrfaidh
tiúrfaidh muid	an dtiúrfaidh muid?	ní thiúrfaidh muid	
tiúrfaidh sibh	an dtiúrfaidh sibh?	ní thiúrfaidh sibh	a thiúrfas
tiúrfaidh siad	an dtiúrfaidh siad?	ní thiúrfaidh siad	go dtiúrfar
tiúrfar	an dtiúrfar?	ní thiúrfar	nach dtiúrfar

Munster Irish: Gaeilge na Mumhan

FUTURE TENSE	An Aimsir Fháistineach		
*tabharfad	*an dtabharfad?	*ní thabharfad	tabharfaidh *var* túrfaidh
*tabharfair	*an dtabharfair?	*ní thabharfair	
tabharfaidh sé	an dtabharfaidh sé?	ní thabharfaidh sé	go dtabharfaidh
tabharfaidh sí	an dtabharfaidh sí?	ní thabharfaidh sí	ná tabharfaidh
*tabharfam	*an dtabharfam?	*ní thabharfam	
tabharfaidh sibh	an dtabharfaidh sibh?	ní thabharfaidh sibh	a thabharfaidh
*tabharfaid (siad)	*an dtabharfaid siad?	*ní thabharfaid siad	go dtabharfar
tabharfar	an dtabharfar?	*ní t(h)abharfar	ná tabharfar

Standard Irish: An Caighdeán Oifigiúil

CONDITIONAL MOOD	An Modh Coinníollach		
thabharfainn	an dtabharfainn?	ní thabharfainn	
thabharfá	an dtabharfá?	ní thabharfá	go dtabharfadh
thabharfadh sé	an dtabharfadh sé?	ní thabharfadh sé	
thabharfadh sí	an dtabharfadh sí?	ní thabharfadh sí	nach dtabharfadh
thabharfaimis	an dtabharfaimis?	ní thabharfaimis	
thabharfadh sibh	an dtabharfadh sibh?	ní thabharfadh sibh	
thabharfaidís	an dtabharfaidís?	ní thabharfaidís	go dtabharfaí
thabharfaí	an dtabharfaí?	ní thabharfaí	nach dtabharfaí

Ulster Irish: Gaeilge Chúige Uladh

CONDITIONAL MOOD	An Modh Coinníollach		
bhéarfainn	an dtabharfainn?	ní thabharfainn	cha dtabharfadh
bhéarfá	an dtabharfá?	ní thabharfá	
bhéarfadh sé	an dtabharfadh sé?	ní thabharfadh sé	go dtabharfadh
bhéarfadh sí	an dtabharfadh sí?	ní thabharfadh sí	
bhéarfaimis‡	an dtabharfaimis?‡	ní thabharfaimis‡	nach dtabharfadh
bhéarfadh sibh	an dtabharfadh sibh?	ní thabharfadh sibh	
bhéarfadh siad	an dtabharfadh siad?	ní thabharfadh siad	go dtabharfaí
bhéarfaí	an dtabharfaí?	ní thabharfaí	nach dtabharfaí

Connaught Irish: Gaeilge Chonnacht

CONDITIONAL MOOD	An Modh Coinníollach		
thiúrfainn[U]	an dtiúrfainn?	ní thiúrfainn	*var. indep* bhéarfadh
thiúrfá[U]	an dtiúrfá?	ní thiúrfá	
thiúrfadh sé[U]	an dtiúrfadh sé?	ní thiúrfadh sé	go dtiúrfadh
thiúrfadh sí[U]	an dtiúrfadh sí?	ní thiúrfadh sí	
thiúrfadh muid[U]	an dtiúrfadh muid?	ní thiúrfadh muid	nach dtiúrfadh
thiúrfadh sibh[U]	an dtiúrfadh sibh?	ní thiúrfadh sibh	
thiúrfaidís[U]	an dtiúrfaidís?	ní thiúrfaidís	go dtiúrfaí
thiúrfaí[U]	an dtiúrfaí?	ní thiúrfaí	nach dtiúrfaí

Munster Irish: Gaeilge na Mumhan

CONDITIONAL MOOD	An Modh Coinníollach		
thabharfainn	an dtabharfainn?	ní thabharfainn	thabharfadh = thúrfadh
thabharfá	an dtabharfá?	ní thabharfá	
thabharfadh sé	an dtabharfadh sé?	ní thabharfadh sé	go dtabharfadh
thabharfadh sí	an dtabharfadh sí?	ní thabharfadh sí	
thabharfaimíst	an dtabharfaimíst?	ní thabharfaimíst	ná tabharfadh
thabharfadh sibh	an dtabharfadh sibh?	ní thabharfadh sibh	
thabharfaidíst	an dtabharfaidíst?	ní thabharfaidíst	go dtabharfaí
*(do) tabharfaí	an dtabharfaí?	ní tabharfaí	ná tabharfaí

Standard Irish: An Caighdeán Oifigiúil

THE IMPERFECT TENSE	An Aimsir Ghnáthchaite	The Imperative Mood	The Present Subjunctive
thugainn		tugaim	go dtuga mé
thugtá	ní thugadh	tabhair	go dtuga tú
thugadh sé	an dtugadh?	tugadh sé	go dtuga sé
thugadh sí	go dtugadh	tugadh sí	go dtuga sí
thugaimis	nach dtugadh	tugaimis	go dtugaimid
thugadh sibh		tugaigí	go dtuga sibh
thugaidís		tugaidís	go dtuga siad
thugtaí		tugtar	go dtugtar
		ná tabhair	nár thuga

Ulster Irish: Gaeilge Chúige Uladh

THE IMPERFECT TENSE	An Aimsir Ghnáthchaite	An Modh Ordaitheach	An Foshuiteach Láithreach
bheirinn	ní thugadh	tugaim	go dtugaidh mé
bheirtheá	(cha dtugadh)	tabhair, tug, taéum	go dtugaidh tú
bheireadh sé		tugadh sé	go dtugaidh sé
bheireadh sí	an dtugadh?	tugadh sí	go dtugaidh sí
bheirimis[†]	go dtugadh	tugaimis[†]	go dtugaidh muid[†]
bheireadh sibh	nach dtugadh	tabhraigí/tugaigí[C]	go dtugaidh sibh
bheireadh siad	Ba ghnách le …	tugadh siad	go dtugaidh siad
bheirtí		tugtar	go dtugtar
		ná tabhair, ná tug	nár thugaidh

Connaught Irish: Gaeilge Chonnacht

THE IMPERFECT TENSE	An Aimsir Ghnáthchaite	The Imperative Mood	The Present Subjunctive
thugainn[U]		tugaim	go dtuga mé
thugtá	ní thugadh	tabhair	go dtuga tú
thugadh sé[U]	an dtugadh?	tugadh sé	go dtuga sé
thugadh sí	go dtugadh	tugadh sí	go dtuga sí
thugadh muid	nach dtugadh	tugadh muid	go dtuga muid
thugadh sibh		tugaidh*	go dtuga sibh
thugaidís		tugaidís	go dtuga siad
*tugtaí		tugtar	go dtugtar
		ná tabhair	nár thuga

Munster Irish: Gaeilge na Mumhan

THE IMPERFECT TENSE	An Aimsir Ghnáthchaite	An Modh Ordaitheach	An Foshuiteach Láithreach
thugainn		tugaim	go dtugad*
thugtá	ní thugadh	tabhair	go dtugair*
thugadh sé	an dtugadh?	tugadh sé	go dtuga sé
thugadh sí	go dtugadh	tugadh sí	go dtuga sí
thugaimíst	ná tugadh	tugaimíst	go dtugam*
thugadh sibh		tabhairídh, tugaídh*	go dtuga sibh
thugaidíst		tugaidíst	go dtugaid*
*(do) tugtaí		tugtar	go dtugtar
		ná tabhair	nár thuga

95 **tagair** 'refer' v.n. **tagairt** v.adj. **tagartha**

Standard Irish: An Caighdeán Oifigiúil

THE PAST TENSE	An Aimsir Chaite	THE PRESENT TENSE	An Aimsir Láithreach
thagair mé	níor thagair	tagraím	
thagair tú	ar thagair?	tagraíonn tú	ní thagraíonn
thagair sé	gur thagair	tagraíonn sé	an dtagraíonn?
thagair sí	nár thagair	tagraíonn sí	go dtagraíonn
thagraíomar	níor tagraíodh	tagraímid	nach dtagraíonn
thagair sibh	ar tagraíodh?	tagraíonn sibh	
thagair siad	gur tagraíodh	tagraíonn siad	a thagraíonn
tagraíodh	nár tagraíodh	tagraítear	

Ulster Irish: Gaeilge Chúige Uladh

THE PAST TENSE	An Aimsir Chaite	THE PRESENT TENSE	An Aimsir Láithreach
thagair mé	níor thagair	tagraim	ní thagrann
thagair tú	(char thagair)	tagrann tú	(cha dtagrann)
thagair sé	ar thagair?	tagrann sé	an dtagrann?
thagair sí	gur thagair	tagrann sí	go dtagrann
thagair muid†	nár thagair	tagrann muid†	nach dtagrann
thagair sibh		tagrann sibh	
thagair siad	níor/ar tagradh	tagrann siad	a thagras
tagradh	gur/nár tagradh	tagartar	

Connaught Irish: Gaeilge Chonnacht

THE PAST TENSE	An Aimsir Chaite	THE PRESENT TENSE	An Aimsir Láithreach
thagair mé [M]	níor thagair	tagraím	
thagair tú [M]	ar thagair?	tagraíonn tú	ní thagraíonn
thagair sé	gur thagair	tagraíonn sé	an dtagraíonn?
thagair sí	nár thagair	tagraíonn sí	go dtagraíonn
thagair muid	níor tagraíodh	tagraíonn muid	nach dtagraíonn
thagair sibh	ar tagraíodh?	tagraíonn sibh	
thagraíodar[U]	gur tagraíodh	tagraíonn siad	a thagraíonns
tagraíodh [U]	nár tagraíodh	tagraít(h)ear	

Munster Irish: Gaeilge na Mumhan

THE PAST TENSE	An Aimsir Chaite	THE PRESENT TENSE	An Aimsir Láithreach
(do) thagraíos*	ní(or) thagair	tagraím	
(do) thagraís*	ar thagair?	tagraíonn tú	ní thagraíonn
(do) thagair sé	gur thagair	tagraíonn sé	an dtagraíonn?
(do) thagair sí	nár thagair	tagraíonn sí	go dtagraíonn
(do) thagraíomair*	*níor thagraíodh	tagraímíd	ná tagraíonn
(do) thagraíobhair*	*ar thagraíodh?	tagraíonn sibh	
(do) thagraíodar	*gur thagraíodh	*tagraíd	a thagraíonn
*(do) thagraíodh	*nár thagraíodh	tagraíotar*	

Standard Irish: An Caighdeán Oifigiúil

THE FUTURE TENSE	An Aimsir Fháistineach
tagróidh mé	
tagróidh tú	ní thagróidh
tagróidh sé	an dtagróidh?
tagróidh sí	go dtagróidh
tagróimid	nach dtagróidh
tagróidh sibh	
tagróidh siad	a thagróidh
tagrófar	

THE CONDITIONAL MOOD	An Modh Coinníollach
thagróinn	
thagrófá	ní thagródh
thagródh sé	an dtagródh?
thagródh sí	go dtagródh
thagróimis	nach dtagródh
thagródh sibh	
thagróidís	
thagrófaí	

Ulster Irish: Gaeilge Chúige Uladh

THE FUTURE TENSE	An Aimsir Fháistineach
tagróchaidh mé	ní thagróchaidh
tagróchaidh tú	(cha dtagrann)
tagróchaidh sé	an dtagróchaidh?
tagróchaidh sí	go dtagróchaidh
tagróchaidh muid†	nach dtagróchaidh
tagróchaidh sibh	
tagróchaidh siad	a thagróchas
tagrófar	tagróchaidh *var* tagóraidh

THE CONDITIONAL MOOD	An Modh Coinníollach
thagróchainn	
thagrófá	ní thagróchadh
thagróchadh sé	(cha dtagróchadh)
thagróchadh sí	an dtagróchadh?
thagróchaimis‡	go dtagróchadh
thagróchadh sibh	nach dtagróchadh
thagróchadh siad	
thagrófaí	thagróchadh *var* thagóradh

Connaught Irish: Gaeilge Chonnacht

THE FUTURE TENSE	An Aimsir Fháistineach
tagróidh mé[M]	
tagróidh tú[M]	ní thagróidh
tagróidh sé	an dtagróidh?
tagróidh sí	go dtagróidh
tagróidh muid	nach dtagróidh
tagróidh sibh	
tagróidh siad	a thagrós
tagrófar	

THE CONDITIONAL MOOD	An Modh Coinníollach
thagróinn	
thagrófá	ní thagródh
thagródh sé	an dtagródh?
thagródh sí	go dtagródh
thagródh muid	nach dtagródh
thagródh sibh	
thagróidís[U]	
thagrófaí[M]	

Munster Irish: Gaeilge na Mumhan

THE FUTURE TENSE	An Aimsir Fháistineach
tagród*	
*tagróir	ní thagróidh
tagróidh sé	an dtagróidh?
tagróidh sí	go dtagróidh
*tagróm	ná tagróidh
tagróidh sibh	
*tagróid	a thagróidh
tagrófar	

THE CONDITIONAL MOOD	An Modh Coinníollach
(do) thagróinn	
(do) thagrófá	ní thagródh
(do) thagródh sé	an dtagródh?
(do) thagródh sí	go dtagródh
(do) thagróimíst	ná tagródh
(do) thagródh sibh	
(do) thagróidíst	
*(do) tagrófaí	

Standard Irish: An Caighdeán Oifigiúil

THE IMPERFECT TENSE	An Aimsir Ghnáthchaite	The Imperative Mood	The Present Subjunctive
thagraínn		tagraím	go dtagraí mé
thagraíteá	ní thagraíodh	tagair	go dtagraí tú
thagraíodh sé	an dtagraíodh?	tagraíodh sé	go dtagraí sé
thagraíodh sí	go dtagraíodh	tagraíodh sí	go dtagraí sí
thagraímis	nach dtagraíodh	tagraímis	go dtagraímid
thagraíodh sibh		tagraígí	go dtagraí sibh
thagraídís		tagraídís	go dtagraí siad
thagraítí		tagraítear	go dtagraítear
		ná tagair	nár thagraí

Ulster Irish: Gaeilge Chúige Uladh

THE IMPERFECT TENSE	An Aimsir Ghnáthchaite	An Modh Ordaitheach	An Foshuiteach Láithreach
thagrainn	ní thagradh	tagraim	go dtagraí mé
thagraítheá	(cha dtagradh)	tagair	go dtagraí tú
thagradh sé	an dtagradh?	tagradh sé	go dtagraí sé
thagradh sí	go dtagradh	tagradh sí	go dtagraí sí
thagraimis[‡]	nach dtagradh	tagraimis[‡/fut]	go dtagraí muid[†]
thagradh sibh		tagraigí[C]	go dtagraí sibh
thagradh siad	Ba ghnách le …	tagradh siad	go dtagraí siad
thagraíthí		tagartar	go dtagartar
		ná tagair	nár thagraí

Connaught Irish: Gaeilge Chonnacht

THE IMPERFECT TENSE	An Aimsir Ghnáthchaite	The Imperative Mood	The Present Subjunctive
thagraínn		tagraím	go dtagraí mé
thagraíteá[M]	ní thagraíodh	tagair	go dtagraí tú
thagraíodh sé	an dtagraíodh?	tagraíodh sé	go dtagraí sé
thagraíodh sí	go dtagraíodh	tagraíodh sí	go dtagraí sí
thagraíodh muid	nach dtagraíodh	tagraímid	go dtagraí muid
thagraíodh sibh		*tagraídh	go dtagraí sibh
thagraídís[U]		tagraídís	go dtagraí siad
thagraítí[M]		tagraít(h)ear	go dtagraít(h)ear
		ná tagair	nár thagraí

Munster Irish: Gaeilge na Mumhan

THE IMPERFECT TENSE	An Aimsir Ghnáthchaite	An Modh Ordaitheach	An Foshuiteach Láithreach
(do) thagraínn		tagraím	go dtagraíod*
(do) *thagraíotá	ní thagraíodh	tagair	go dtagraír*
(do) thagraíodh sé	an dtagraíodh?	tagraíodh sé	go dtagraí sé
(do) thagraíodh sí	go dtagraíodh	tagraíodh sí	go dtagraí sí
(do) thagraímíst	ná tagraíodh	tagraímíst	go dtagraíom*
(do) thagraíodh sibh		tagraíg[=C]*	go dtagraí sibh
(do) thagraídíst		tagraídíst	go dtagraíd*
*(do) tagraíotaí		tagraíotar*	go dtagraíotar*
		ná tagair	nár thagraí

96 taispeáin 'show'; spáin *M, C* v.n. taispeáint v.adj. taispeánta

Standard Irish: An Caighdeán Oifigiúil

THE PAST TENSE	An Aimsir Chaite
thaispeáin mé	níor thaispeáin
thaispeáin tú	ar thaispeáin?
thaispeáin sé	gur thaispeáin
thaispeáin sí	nár thaispeáin
thaispeánamar	níor taispeánadh
thaispeáin sibh	ar taispeánadh?
thaispeáin siad	gur taispeánadh
taispeánadh	nár taispeánadh

THE PRESENT TENSE	An Aimsir Láithreach
taispeánaim	
taispeánann tú	ní thaispeánann
taispeánann sé	an dtaispeánann?
taispeánann sí	go dtaispeánann
taispeánaimid	nach dtaispeánann
taispeánann sibh	
taispeánann siad	a thaispeánann
taispeántar	

Ulster Irish: Gaeilge Chúige Uladh

THE PAST TENSE	An Aimsir Chaite
thaiseáin mé	níor thaiseáin
thaiseáin tú	(char thaiseáin)
thaiseáin sé	ar thaiseáin?
thaiseáin sí	gur thaiseáin
thaiseáin muid[†]	nár thaiseáin
thaiseáin sibh	
thaiseáin siad	níor/ar taiseánadh
taiseánadh	gur/nár taiseánadh

THE PRESENT TENSE	An Aimsir Láithreach
taiseánaim	ní thaiseánann
taiseánann tú	(cha dtaiseánann)
taiseánann sé	an dtaiseánann?
taiseánann sí	go dtaiseánann
taiseánann muid[†]	nach dtaiseánann
taiseánann sibh	
taiseánann siad	a thaiseánas
taiseántar	*vn* taiseáint

Connaught Irish: Gaeilge Chonnacht

THE PAST TENSE	An Aimsir Chaite
spáin mé [M]	níor spáin
spáin tú [M]	ar spáin?
spáin sé	gur spáin
spáin sí	nár spáin
spáin muid	níor spáineadh
spáin sibh	ar spáineadh?
spáineadar[U]	gur spáineadh
spáineadh	nár spáineadh

THE PRESENT TENSE	An Aimsir Láithreach
spáinim	ní spáineann
spáineann tú	an spáineann?
spáineann sé	go spáineann
spáineann sí	nach spáineann
spáineann muid	
spáineann sibh	a spáineas
spáineann siad	
spáintear	

Munster Irish: Gaeilge na Mumhan

THE PAST TENSE	An Aimsir Chaite
(do) spáineas spáin mé	ní(or) spáin
(do) spáinis (do) spáin tú	ar spáin?
(do) spáin sé	gur spáin
(do) spáin sí	nár spáin
(do) spáineamair	níor spáineadh
(do) spáineabhair*	ar spáineadh?
(do) spáineadar	gur spáineadh
(do) spáineadh	nár spáineadh

THE PRESENT TENSE	An Aimsir Láithreach
spáinim	ní spáineann
spáineann tú	an spáineann?
spáineann sé	go spáineann
spáineann sí	ná spáineann
spáinimíd	
spáineann sibh	a spáineann
*spáinid	*vn* spáint
spáintear	*vadj* spáinte

96 **taispeáin** 'show'; **spáin** *M, C* a.br. **taispeáint** aid.bhr. **taispeánt**

Standard Irish: An Caighdeán Oifigiúil

THE FUTURE TENSE	An Aimsir Fháistineach
taispeánfaidh mé	
taispeánfaidh tú	ní thaispeánfaidh
taispeánfaidh sé	an dtaispeánfaidh?
taispeánfaidh sí	go dtaispeánfaidh
taispeánfaimid	nach dtaispeánfaidh
taispeánfaidh sibh	
taispeánfaidh siad	a thaispeánfaidh
taispeánfar	

THE CONDITIONAL MOOD	An Modh Coinníollach
thaispeánfainn	
thaispeánfá	ní thaispeánfadh
thaispeánfadh sé	an dtaispeánfadh?
thaispeánfadh sí	go dtaispeánfadh
thaispeánfaimis	nach dtaispeánfadh
thaispeánfadh sibh	
thaispeánfaidís	
thaispeánfaí	

Ulster Irish: Gaeilge Chúige Uladh

THE FUTURE TENSE	An Aimsir Fháistineach
taiseánfaidh mé	
taiseánfaidh tú	ní thaiseánfaidh
taiseánfaidh sé	(cha dtaiseánann)
taiseánfaidh sí	an dtaiseánfaidh?
taiseánfaidh muid[†]	go dtaiseánfaidh
taiseánfaidh sibh	nach dtaiseánfaidh
taiseánfaidh siad	a thaiseánfas
taiseánfar	

THE CONDITIONAL MOOD	An Modh Coinníollach
thaiseánfainn	
thaiseánfá	ní thaiseánfadh
thaiseánfadh sé	(cha dtaiseánfadh)
thaiseánfadh sí	an dtaiseánfadh?
thaiseánfaimis[‡]	go dtaiseánfadh
thaiseánfadh sibh	nach dtaiseánfadh
thaiseánfadh siad	
thaiseánfaí	

Connaught Irish: Gaeilge Chonnacht

THE FUTURE TENSE	An Aimsir Fháistineach
spáinfidh mé [M]	
spáinfidh tú[M]	ní spáinfidh
spáinfidh sé	an spáinfidh?
spáinfidh sí	go spáinfidh
spáinfidh muid	nach spáinfidh
spáinfidh sibh	
spáinfidh siad	a spáinfeas
spáinfear	

THE CONDITIONAL MOOD	An Modh Coinníollach
spáinfinn	
spáinfeá	ní spáinfeadh
spáinfeadh sé	an spáinfeadh?
spáinfeadh sí	go spáinfeadh
spáinfeadh muid	nach spáinfeadh
spáinfeadh sibh	
spáinfidís[U]	
spáinfí[M]	

Munster Irish: Gaeilge na Mumhan

THE FUTURE TENSE	An Aimsir Fháistineach
spáinfead*	
*spáinfir	ní spáinfidh
spáinfidh sé	an spáinfidh?
spáinfidh sí	go spáinfidh
*spáinfeam	ná spáinfidh
spáinfidh sibh	
*spáinfid	a spáinfidh
spáinfear	

THE CONDITIONAL MOOD	An Modh Coinníollach
(do) spáinfinn	
(do) spáinfeá	ní spáinfeadh
(do) spáinfeadh sé	an spáinfeadh?
(do) spáinfeadh sí	go spáinfeadh
(do) spáinfimíst	ná spáinfeadh
(do) spáinfeadh sibh	
(do) spáinfidíst	
*(do) spáinfí	

Standard Irish: An Caighdeán Oifigiúil

THE IMPERFECT TENSE	An Aimsir Ghnáthchaite	The Imperative Mood	The Present Subjunctive
thaispeánainn		taispeánaim	go dtaispeána mé
thaispeántá	ní thaispeánadh	taispeáin	go dtaispeána tú
thaispeánadh sé	an dtaispeánadh?	taispeánadh sé	go dtaispeána sé
thaispeánadh sí	go dtaispeánadh	taispeánadh sí	go dtaispeána sí
thaispeánaimis	nach dtaispeánadh	taispeánaimis	go dtaispeánaimid
thaispeánadh sibh		taispeánaigí	go dtaispeána sibh
thaispeánaidís		taispeánaidís	go dtaispeána siad
thaispeántaí		taispeántar	go dtaispeántar
		ná taispeáin	nár thaispeána

Ulster Irish: Gaeilge Chúige Uladh

THE IMPERFECT TENSE	An Aimsir Ghnáthchaite	An Modh Ordaitheach	An Foshuiteach Láithreach
thaiseánainn	ní thaiseánadh	taiseánaim	go dtaiseánaidh mé
thaiseánthá	(cha dtaiseánadh)	taiseáin	go dtaiseánaidh tú
thaiseánadh sé	an dtaiseánadh?	taiseánadh sé	go dtaiseánaidh sé
thaiseánadh sí	go dtaiseánadh	taiseánadh sí	go dtaiseánaidh sí
thaiseánaimis[‡]	nach dtaiseánadh	taiseánaimis[‡/fut]	go dtaiseánaidh muid[†]
thaiseánadh sibh		taiseánaigí /taiseánaidh	go dtaiseánaidh sibh
thaiseánadh siad	Ba ghnách le …	taiseánadh siad	go dtaiseánaidh siad
thaiseántaí		taiseántar	go dtaiseántar
		ná taiseáin	nár thaiseánaidh

Connaught Irish: Gaeilge Chonnacht

THE IMPERFECT TENSE	An Aimsir Ghnáthchaite	The Imperative Mood	The Present Subjunctive
spáininn		spáinim	go spáine mé
spáinteá	ní spáineadh	spáin	go spáine tú
spáineadh sé	an spáineadh?	spáineadh sé	go spáine sé
spáineadh sí	go spáineadh	spáineadh sí	go spáine sí
spáineadh muid	nach spáineadh	spáinimid	go spáine muid
spáineadh sibh		spáinidh/spáinigí	go spáine sibh
spáinidís[U]		spáinidís	go spáine siad
spáintí[M]		spáintear	go spáintear
		ná spáin	nár spáine

Munster Irish: Gaeilge na Mumhan

THE IMPERFECT TENSE	An Aimsir Ghnáthchaite	An Modh Ordaitheach	An Foshuiteach Láithreach
(do) spáininn		spáinim	go spáinead spáine mé
(do) spáinteá	ní spáineadh	spáin	go spáinir, go spáine tú
(do) spáineadh sé	an spáineadh?	spáineadh sé	go spáine sé
(do) spáineadh sí	go spáineadh	spáineadh sí	go spáine sí
(do) spáinimíst	ná spáineadh	spáinimíst	go spáineam go spáinimíd
(do) spáineadh sibh		spáiníg[=C], spáinigí	go spáine sibh
(do) spáinidíst		spáinidíst	go spáinid* go spáine siad
*(do) spáintí		spáintear	go spáintear
		ná spáin	nár spáine

Standard Irish: An Caighdeán Oifigiúil

THE PAST TENSE	An Aimsir Chaite
thaistil mé	níor thaistil
thaistil tú	ar thaistil?
thaistil sé	gur thaistil
thaistil sí	nár thaistil
thaistealaíomar	níor taistealaíodh
thaistil sibh	ar taistealaíodh?
thaistil siad	gur taistealaíodh
taistealaíodh	nár taistealaíodh

THE PRESENT TENSE	An Aimsir Láithreach
taistealaím	
taistealaíonn tú	ní thaistealaíonn
taistealaíonn sé	an dtaistealaíonn?
taistealaíonn sí	go dtaistealaíonn
taistealaímid	nach dtaistealaíonn
taistealaíonn sibh	
taistealaíonn siad	a thaistealaíonn
taistealaítear	

Ulster Irish: Gaeilge Chúige Uladh

THE PAST TENSE	An Aimsir Chaite
thaistil mé	níor thaistil
thaistil tú	(char thaistil)
thaistil sé	ar thaistil?
thaistil sí	gur thaistil
thaistil muid†	nár thaistil
thaistil sibh	
thaistil siad	níor/ar taistealadh
taistealadh	gur/nár taistealadh

THE PRESENT TENSE	An Aimsir Láithreach
taistealaim	ní thaistealann
taistealann tú	(cha dtaistealann)
taistealann sé	an dtaistealann?
taistealann sí	go dtaistealann
taistealann muid†	nach dtaistealann
taistealann sibh	
taistealann siad	a thaistealas
taistealtar	

Connaught Irish: Gaeilge Chonnacht

THE PAST TENSE	An Aimsir Chaite
thaistil mé [M]	níor thaistil
thaistil tú [M]	ar thaistil?
thaistil sé	gur thaistil
thaistil sí	nár thaistil
thaistil muid	níor taistealaíodh
thaistil sibh	ar taistealaíodh?
thaistealaíodar[U]	gur taistealaíodh
taistealaíodh [U]	nár taistealaíodh

THE PRESENT TENSE	An Aimsir Láithreach
taistealaím	
taistealaíonn tú	ní thaistealaíonn
taistealaíonn sé	an dtaistealaíonn?
taistealaíonn sí	go dtaistealaíonn
taistealaíonn muid	nach dtaistealaíonn
taistealaíonn sibh	
taistealaíonn siad	a thaistealaíonns
taistealaít(h)ear	

Munster Irish: Gaeilge na Mumhan

THE PAST TENSE	An Aimsir Chaite
(do) thaistealaíos*	ní(or) thaistil
(do) thaistealaís*	ar thaistil?
(do) thaistil sé	gur thaistil
(do) thaistil sí	nár thaistil?
(do) thaistealaíomair*	*níor thaistealaíodh
(do) thaistealaíobhair*	*ar thaistealaíodh?
(do) thaistealaíodar	*gur thaistealaíodh
*(do) thaistealaíodh	*nár thaistealaíodh

THE PRESENT TENSE	An Aimsir Láithreach
taistealaím	
taistealaíonn tú	ní thaistealaíonn
taistealaíonn sé	an dtaistealaíonn?
taistealaíonn sí	go dtaistealaíonn
taistealaímid	ná taistealaíonn
taistealaíonn sibh	
*taistealaíd	a thaistealaíonn
taistealaíotar*	

97 **taistil** 'travel' a.br. **taisteal** aid.bhr. **taistealta**

Standard Irish: An Caighdeán Oifigiúil

THE FUTURE TENSE	An Aimsir Fháistineach
taistealóidh mé	
taistealóidh tú	ní thaistealóidh
taistealóidh sé	an dtaistealóidh?
taistealóidh sí	go dtaistealóidh
taistealóimid	nach dtaistealóidh
taistealóidh sibh	
taistealóidh siad	a thaistealóidh
taistealófar	

THE CONDITIONAL MOOD	An Modh Coinníollach
thaistealóinn	
thaistealófá	ní thaistealódh
thaistealódh sé	an dtaistealódh?
thaistealódh sí	go dtaistealódh
thaistealóimis	nach dtaistealódh
thaistealódh sibh	
thaistealóidís	
thaistealófaí	

Ulster Irish: Gaeilge Chúige Uladh

THE FUTURE TENSE	An Aimsir Fháistineach
taistealóchaidh mé	ní thaistealóchaidh
taistealóchaidh tú	(cha dtaistealann)
taistealóchaidh sé	an dtaistealóchaidh?
taistealóchaidh sí	go dtaistealóchaidh
taistealóchaidh muid[†]	nach dtaistealóchaidh
taistealóchaidh sibh	
taistealóchaidh siad	a thaistealóchas
taistealófar	

THE CONDITIONAL MOOD	An Modh Coinníollach
thaistealóchainn	
thaistealófá	ní thaistealóchadh
thaistealóchadh sé	(cha dtaistealóchadh)
thaistealóchadh sí	an dtaistealóchadh?
thaistealóchaimis[‡]	go dtaistealóchadh
thaistealóchadh sibh	nach dtaistealóchadh
thaistealóchadh siad	
thaistealófaí	

Connaught Irish: Gaeilge Chonnacht

THE FUTURE TENSE	An Aimsir Fháistineach
taistealóidh mé[M]	
taistealóidh tú[M]	ní thaistealóidh
taistealóidh sé	an dtaistealóidh?
taistealóidh sí	go dtaistealóidh
taistealóidh muid	nach dtaistealóidh
taistealóidh sibh	
taistealóidh siad	a thaistealós
taistealófar	

THE CONDITIONAL MOOD	An Modh Coinníollach
thaistealóinn	
thaistealófá	ní thaistealódh
thaistealódh sé	an dtaistealódh?
thaistealódh sí	go dtaistealódh
thaistealódh muid	nach dtaistealódh
thaistealódh sibh	
thaistealóidís[U]	
thaistealófaí[M]	

Munster Irish: Gaeilge na Mumhan

THE FUTURE TENSE	An Aimsir Fháistineach
taistealód*	
*taistealóir	ní thaistealóidh
taistealóidh sé	an dtaistealóidh?
taistealóidh sí	go dtaistealóidh
*taistealóm	ná taistealóidh
taistealóidh sibh	
*taistealóid	a thaistealóidh
taistealófar	

THE CONDITIONAL MOOD	An Modh Coinníollach
(do) thaistealóinn	
(do) thaistealófá	ní thaistealódh
(do) thaistealódh sé	an dtaistealódh?
(do) thaistealódh sí	go dtaistealódh
(do) thaistealóimíst	ná taistealódh
(do) thaistealódh sibh	
(do) thaistealóidíst	
*(do) taistealófaí	

97 **taistil** 'travel' v.n. **taisteal** v.adj. **taistealta**

Standard Irish: An Caighdeán Oifigiúil

THE IMPERFECT TENSE	An Aimsir Ghnáthchaite	The Imperative Mood	The Present Subjunctive
thaistealaínn		taistealaím	go dtaistealaí mé
thaistealaíteá	ní thaistealaíodh	taistil	go dtaistealaí tú
thaistealaíodh sé	an dtaistealaíodh?	taistealaíodh sé	go dtaistealaí sé
thaistealaíodh sí	go dtaistealaíodh	taistealaíodh sí	go dtaistealaí sí
thaistealaímis	nach dtaistealaíodh	taistealaímis	go dtaistealaímid
thaistealaíodh sibh		taistealaígí	go dtaistealaí sibh
thaistealaídís		taistealaídís	go dtaistealaí siad
thaistealaítí		taistealaítear	go dtaistealaítear
		ná taistil	nár thaistealaí

Ulster Irish: Gaeilge Chúige Uladh

THE IMPERFECT TENSE	An Aimsir Ghnáthchaite	An Modh Ordaitheach	An Foshuiteach Láithreach
thaistealainn*		taistealaim	go dtaistealaí mé
thaistealaítheá	ní thaistealadh	taistil	go dtaistealaí tú
thaistealadh sé*	(cha dtaistealadh)	taistealadh sé	go dtaistealaí sé
thaistealadh sí*	an dtaistealadh?	taistealadh sí	go dtaistealaí sí
thaistealaimis[‡]	go dtaistealadh	taistealaimis[‡/fut]	go dtaistealaí muid[†]
thaistealadh sibh*	nach dtaistealadh	taistealaigí	go dtaistealaí sibh
thaistealadh siad*	Ba ghnách le …	taistealadh siad	go dtaistealaí siad
thaistealaíthí		taistealtar	go dtaistealtar
		ná taistil	nár thaistealaí

Connaught Irish: Gaeilge Chonnacht

THE IMPERFECT TENSE	An Aimsir Ghnáthchaite	The Imperative Mood	The Present Subjunctive
thaistealaínn		taistealaím	go dtaistealaí mé
thaistealaíteá[M]	ní thaistealaíodh	taistil	go dtaistealaí tú
thaistealaíodh sé	an dtaistealaíodh?	taistealaíodh sé	go dtaistealaí sé
thaistealaíodh sí	go dtaistealaíodh	taistealaíodh sí	go dtaistealaí sí
thaistealaíodh muid	nach dtaistealaíodh	taistealaímid	go dtaistealaí muid
thaistealaíodh sibh		*taistilidh[C]	go dtaistealaí sibh
thaistealaídís[U]		taistealaídís	go dtaistealaí siad
thaistealaítí[M]		taistealaít(h)ear	go dtaistealaít(h)ear
		ná taistil	nár thaistealaí

Munster Irish: Gaeilge na Mumhan

THE IMPERFECT TENSE	An Aimsir Ghnáthchaite	An Modh Ordaitheach	An Foshuiteach Láithreach
(do) thaistealaínn		taistealaím	go dtaistealaíod*
*(do) thaistealaíotá	ní thaistealaíodh	taistil	go dtaistealaír*
(do) thaistealaíodh sé	an dtaistealaíodh?	taistealaíodh sé	go dtaistealaí sé
(do) thaistealaíodh sí	go dtaistealaíodh	taistealaíodh sí	go dtaistealaí sí
(do) thaistealaímíst	ná taistealaíodh	taistealaímíst	go dtaistealaíom*
(do) thaistealaíodh sibh		taistealaíg[=C]*	go dtaistealaí sibh
(do) thaistealaídíst		taistealaídíst	go dtaistealaíd*
*(do) taistealaíotaí		taistealaíotar*	go dtaistealaíotar*
		ná taistil	nár thaistealaí

Standard Irish: An Caighdeán Oifigiúil

THE PAST TENSE	An Aimsir Chaite
thaitin mé	níor thaitin
thaitin tú	ar thaitin?
thaitin sé	gur thaitin
thaitin sí	nár thaitin
thaitníomar	níor taitníodh
thaitin sibh	ar taitníodh?
thaitin siad	gur taitníodh
taitníodh	nár taitníodh

THE PRESENT TENSE	An Aimsir Láithreach
taitním	
taitníonn tú	ní thaitníonn
taitníonn sé	an dtaitníonn?
taitníonn sí	go dtaitníonn
taitnímid	nach dtaitníonn
taitníonn sibh	
taitníonn siad	a thaitníonn
taitnítear	

Ulster Irish: Gaeilge Chúige Uladh

THE PAST TENSE	An Aimsir Chaite
thaitin mé	níor thaitin
thaitin tú	(char thaitin)
thaitin sé	ar thaitin?
thaitin sí	gur thaitin
thaitin muid†	nár thaitin
thaitin sibh	
thaitin siad	níor/ar taitneadh
taitneadh	gur/nár taitneadh

THE PRESENT TENSE	An Aimsir Láithreach
taitnim	ní thaitneann
taitneann tú	(cha dtaitneann)
taitneann sé	an dtaitneann?
taitneann sí	go dtaitneann
taitneann muid†	nach dtaitneann
taitneann sibh	
taitneann siad	a thaitneas
taiteantar	

Connaught Irish: Gaeilge Chonnacht

THE PAST TENSE	An Aimsir Chaite
thaitin mé [M]	níor thaitin
thaitin tú [M]	ar thaitin?
thaitin sé	gur thaitin
thaitin sí	nár thaitin
thaitin muid	níor taitníodh
thaitin sibh	ar taitníodh?
thaitníodar[U]	gur taitníodh
taitníodh [U]	nár taitníodh

THE PRESENT TENSE	An Aimsir Láithreach
taitním	
taitníonn tú	ní thaitníonn
taitníonn sé	an dtaitníonn?
taitníonn sí	go dtaitníonn
taitníonn muid	nach dtaitníonn
taitníonn sibh	
taitníonn siad	a thaitníonns
taitnít(h)ear	

Munster Irish: Gaeilge na Mumhan

THE PAST TENSE	An Aimsir Chaite
(do) thaitníos*	níor thaitin
(do) thaitnís*	ar thaitin?
(do) thaitin sé	gur thaitin
(do) thaitin sí	nár thaitin
(do) thaitníomair*	*níor thaitníodh
(do) thaitníobhair*	*ar thaitníodh?
(do) thaitníodar	*gur thaitníodh
*(do) thaitníodh	*nár thaitníodh

THE PRESENT TENSE	An Aimsir Láithreach
taitním	
taitníonn tú	ní thaitníonn
taitníonn sé	an dtaitníonn?
taitníonn sí	go dtaitníonn
taitnímíd	ná taitníonn
taitníonn sibh	
*taitníd	a thaitníonn
taitníotar*	

Standard Irish: An Caighdeán Oifigiúil

THE FUTURE TENSE	An Aimsir Fháistineach
taitneoidh mé	
taitneoidh tú	ní thaitneoidh
taitneoidh sé	an dtaitneoidh?
taitneoidh sí	go dtaitneoidh
taitneoimid	nach dtaitneoidh
taitneoidh sibh	
taitneoidh siad	a thaitneoidh
taitneofar	

THE CONDITIONAL MOOD	An Modh Coinníollach
thaitneoinn	
thaitneofá	ní thaitneodh
thaitneodh sé	an dtaitneodh?
thaitneodh sí	go dtaitneodh
thaitneoimis	nach dtaitneodh
thaitneodh sibh	
thaitneoidís	
thaitneofaí	

Ulster Irish: Gaeilge Chúige Uladh

THE FUTURE TENSE	An Aimsir Fháistineach
taitneochaidh mé	ní thaitneochaidh
taitneochaidh tú	(cha dtaitneann)
taitneochaidh sé	an dtaitneochaidh?
taitneochaidh sí	go dtaitneochaidh
taitneochaidh muid†	nach dtaitneochaidh
taitneochaidh sibh.	
taitneochaidh siad	a thaitneochas
taitneofar	

THE CONDITIONAL MOOD	An Modh Coinníollach
thaitneochainn	
thaitneofá	ní thaitneochadh
thaitneochadh sé	(cha dtaitneochadh)
thaitneochadh sí	an dtaitneochadh?
thaitneochaimis‡	go dtaitneochadh
thaitneochadh sibh	nach dtaitneochadh
thaitneochadh siad	
thaitneofaí	

Connaught Irish: Gaeilge Chonnacht

THE FUTURE TENSE	An Aimsir Fháistineach
taitneoidh mé[M]	
taitneoidh tú[M]	ní thaitneoidh
taitneoidh sé	an dtaitneoidh?
taitneoidh sí	go dtaitneoidh
taitneoidh muid	nach dtaitneoidh
taitneoidh sibh	
taitneoidh siad	a thaitneos
taitneofar	

THE CONDITIONAL MOOD	An Modh Coinníollach
thaitneoinn	
thaitneofá	ní thaitneodh
thaitneodh sé	an dtaitneodh?
thaitneodh sí	go dtaitneodh
thaitneodh muid	nach dtaitneodh
thaitneodh sibh	
thaitneoidís[U]	
thaitneofaí[M]	

Munster Irish: Gaeilge na Mumhan

THE FUTURE TENSE	An Aimsir Fháistineach
taitneod*	
*taitneoir	ní thaitneoidh
taitneoidh sé	an dtaitneoidh?
taitneoidh sí	go dtaitneoidh
*taitneom	ná taitneoidh
taitneoidh sibh	
*taitneoid	a thaitneoidh
taitneofar	

THE CONDITIONAL MOOD	An Modh Coinníollach
(do) thaitneoinn	
(do) thaitneofá	ní thaitneodh
(do) thaitneodh sé	an dtaitneodh?
(do) thaitneodh sí	go dtaitneodh
(do) thaitneoimíst	ná taitneodh
(do) thaitneodh sibh	
(do) thaitneoidíst	
*(do) taitneofaí	

Standard Irish: An Caighdeán Oifigiúil

THE IMPERFECT TENSE	An Aimsir Ghnáthchaite	The Imperative Mood	The Present Subjunctive
thaitnínn		taitním	go dtaitní mé
thaitníteá	ní thaitníodh	taitin	go dtaitní tú
thaitníodh sé	an dtaitníodh?	taitníodh sé	go dtaitní sé
thaitníodh sí	go dtaitníodh	taitníodh sí	go dtaitní sí
thaitnímis	nach dtaitníodh	taitnímis	go dtaitnímid
thaitníodh sibh		taitnígí	go dtaitní sibh
thaitnídís		taitnídís	go dtaitní siad
thaitnítí		taitnítear	go dtaitnítear
		ná taitin	nár thaitní

Ulster Irish: Gaeilge Chúige Uladh

THE IMPERFECT TENSE	An Aimsir Ghnáthchaite	An Modh Ordaitheach	An Foshuiteach Láithreach
thaitninn*	ní thaitneadh	taitnim	go dtaitní mé
thaitnítheá	(cha dtaitneadh)	taitin	go dtaitní tú
thaitneadh sé*	an dtaitneadh?	taitneadh sé	go dtaitní sé
thaitneadh sí*	go dtaitneadh	taitneadh sí	go dtaitní sí
thaitnimis[‡*]	nach dtaitneadh	taitnimis[‡/fut]	go dtaitní muid[†]
thaitneadh sibh*		taitnigí [C]	go dtaitní sibh
thaitneadh siad*	Ba ghnách le …	taitneadh siad	go dtaitní siad
thaitníthí		taiteantar	go dtaiteantar
		ná taitin	nár thaitní

Connaught Irish: Gaeilge Chonnacht

THE IMPERFECT TENSE	An Aimsir Ghnáthchaite	The Imperative Mood	The Present Subjunctive
thaitnínn		taitním	go dtaitní mé
thaitníteá[M]	ní thaitníodh	taitin	go dtaitní tú
thaitníodh sé	an dtaitníodh?	taitníodh sé	go dtaitní sé
thaitníodh sí	go dtaitníodh	taitníodh sí	go dtaitní sí
thaitníodh muid	nach dtaitníodh	taitnímid	go dtaitní muid
thaitníodh sibh		*taitnidh	go dtaitní sibh
thaitnídís[U]		taitnídís	go dtaitní siad
thaitnítí[M]		taitnít(h)ear	go dtaitnít(h)ear
		ná taitin	nár thaitní

Munster Irish: Gaeilge na Mumhan

THE IMPERFECT TENSE	An Aimsir Ghnáthchaite	An Modh Ordaitheach	An Foshuiteach Láithreach
(do) thaitnínn		taitním	go dtaitníod*
*(do) thaitníotá	ní thaitníodh	taitin	go dtaitnír*
(do) thaitníodh sé	an dtaitníodh?	taitníodh sé	go dtaitní sé
(do) thaitníodh sí	go dtaitníodh	taitníodh sí	go dtaitní sí
(do) thaitnímíst	ná taitníodh	taitnímíst	go dtaitníom*
(do) thaitníodh sibh		taitníg[=C]*	go dtaitní sibh
(do) thaitnídíst		taitnídíst	go dtaitníd*
*(do) taitníotaí		taitníotar*	go dtaitníotar*
		ná taitin	nár thaitní

Standard Irish: An Caighdeán Oifigiúil

THE PAST TENSE	An Aimsir Chaite		
tháinig mé	ar tháinig mé?	níor tháinig mé	
tháinig tú	ar tháinig tú?	níor tháinig tú	gur tháinig
tháinig sé	ar tháinig sé?	níor tháinig sé	
tháinig sí	ar tháinig sí?	níor tháinig sí	nár tháinig
thángamar	ar thángamar?	níor thángamar	
tháinig sibh	ar tháinig sibh?	níor tháinig sibh	
tháinig siad	ar tháinig siad?	níor tháinig siad	gur thángthas
thángthas	ar thángthas?	níor thángthas	nár thángthas

Ulster Irish: Gaeilge Chúige Uladh

THE PAST TENSE	An Aimsir Chaite		
tháinig mé	an dtáinig mé?	ní tháinig mé	cha dtáinig
tháinig tú	an dtáinig tú?	ní tháinig tú	go dtáinig
tháinig sé	an dtáinig sé?	ní tháinig sé	nach dtáinig
tháinig sí	an dtáinig sí?	ní tháinig sí	tháinig *pron* tháinic
tháinig muid†	an dtáinig muid?†	ní tháinig muid†	*vn* (a) theacht, ag teacht
tháinig sibh	an dtáinig sibh?	ní tháinig sibh	
tháinig siad	an dtáinig siad?	ní tháinig siad	go dtánagthas
thánagthas	an dtánagthas?	ní thánagthas	nach dtánagthas

Connaught Irish: Gaeilge Chonnacht

THE PAST TENSE	An Aimsir Chaite		
tháinig mé	an dtáinig mé?	ní tháinig mé	go dtáinig
tháinig tú[M]	an dtáinig tú?	ní tháinig tú	nach dtáinig
tháinig sé	an dtáinig sé?	ní tháinig sé	
tháinig sí	an dtáinig sí?	ní tháinig sí	*also* níor tháinig
tháinig muid	an dtáinig muid?	ní tháinig muid	ar/gur/nár tháinig
tháinig sibh	an dtáinig sibh?	ní tháinig sibh	*vn* thíocht; ag tíocht
tháinigeadar	an dtáinigeadar?	ní tháinigeadar	go dtáinigeadh gur th
tháinigeadh	an dtáinigeadh? ar tháinigeadh?	ní tháinigeadh níor th.	nach dtáinigeadh nár th.

Munster Irish: Gaeilge na Mumhan

THE PAST TENSE	An Aimsir Chaite		
(do) thánag*	ar thánag?	ní(or) thánag	*tháiníos *I came*
(do) tháinís*	ar tháinís?	ní(or) tháinís	
(do) tháinig sé	ar tháinig sé?	ní(or) tháinig sé	gur tháinig
(do) tháinig sí	ar tháinig sí?	ní(or) tháinig sí	
(do) thángamair*	ar thángamair?*	ní(or) thángamair*	nár tháinig
(do) thángabhair	ar thánagabhair?	ní(or) thánagabhair	
(do) thánadar	ar thánadar?	ní(or) thánadar	gur thánathas
(do) thánathas*	ar thánathas?	*níor thánathas	nár thánathas

Standard Irish: An Caighdeán Oifigiúil

THE PRESENT TENSE	An Aimsir Láithreach		
tagaim	an dtagaim?	ní thagaim	
tagann tú	an dtagann tú?	ní thagann tú	go dtagann
tagann sé	an dtagann sé?	ní thagann sé	
tagann sí	an dtagann sí?	ní thagann sí	nach dtagann
tagaimid	an dtagaimid?	ní thagaimid	
tagann sibh	an dtagann sibh?	ní thagann sibh	a thagann
tagann siad	an dtagann siad?	ní thagann siad	go dtagtar
tagtar	an dtagtar?	ní thagtar	nach dtagtar

Ulster Irish: Gaeilge Chúige Uladh

THE PRESENT TENSE	An Aimsir Láithreach		
tigim	an dtigim?	ní thigim	cha dtig
tig tú	an dtig tú?	ní thig tú	go dtig
tig sé	an dtig sé?	ní thig sé	*var* tigeann sé, thig sé
tig sí	an dtig sí?	ní thig sí	nach dtig
tig muid†	an dtig muid†?	ní thig muid†	
tig sibh	an dtig sibh?	ní thig sibh	a thig
tig siad	an dtig siad?	ní thig siad	go dtigtear
tigtear	an dtigtear?	ní thigtear	nach dtigtear

Connaught Irish: Gaeilge Chonnacht

THE PRESENT TENSE	An Aimsir Láithreach		
teagaim	an dteagaim?	ní theagaim	*also* tigim,
teagann tú	an dteagann tú?	ní theagann tú	tigeann tú *etc*
teagann sé	an dteagann sé?	ní theagann sé	go dteagann
teagann sí	an dteagann sí?	ní theagann sí	nach dteagann
teagann muid	an dteagann muid?	ní theagann muid	
teagann sibh	an dteagann sibh?	ní theagann sibh	a theaganns
teagann siad	an dteagann siad?	ní theagann siad	go dteagtar
teagtar	an dteagtar?	ní theagtar	nach dteagtar

Munster Irish: Gaeilge na Mumhan

THE PRESENT TENSE	An Aimsir Láithreach		
tagaim	an dtagaim?	ní thagaim	
tagann tú	an dtagann tú?	ní thagann tú	go dtagann
tagann sé	an dtagann sé?	ní thagann sé	
tagann sí	an dtagann sí?	ní thagann sí	nach dtagann
tagaimíd	an dtagaimíd?	ní thagaimíd	
tagann sibh	an dtagann sibh?	ní thagann sibh	a thagann
*tagaid (siad)	*an dtagaid (siad)?	*ní thagaid (siad)	go dtagtar
tagtar	an dtagtar?	ní thagtar	ná tagtar

99 **tar** 'come' a.br. **teacht** aid.bhr. **tagtha**

Standard Irish: An Caighdeán Oifigiúil

THE FUTURE TENSE	An Aimsir Fháistineach
tiocfaidh mé	
tiocfaidh tú	ní thiocfaidh
tiocfaidh sé	an dtiocfaidh?
tiocfaidh sí	go dtiocfaidh
tiocfaimid	nach dtiocfaidh
tiocfaidh sibh	
tiocfaidh siad	a thiocfaidh
tiocfar	

THE CONDITIONAL MOOD	An Modh Coinníollach
thiocfainn	
thiocfá	ní thiocfadh
thiocfadh sé	an dtiocfadh?
thiocfadh sí	go dtiocfadh
thiocfaimis	nach dtiocfadh
thiocfadh sibh	
thiocfaidís	
thiocfaí	

Ulster Irish: Gaeilge Chúige Uladh

THE FUTURE TENSE	An Aimsir Fháistineach
tiocfaidh mé	ní thiocfaidh
tiocfaidh tú	(cha dtig)
tiocfaidh sé	an dtiocfaidh?
tiocfaidh sí	go dtiocfaidh
tiocfaidh muid[†]	nach dtiocfaidh
tiocfaidh sibh	
tiocfaidh siad	a thiocfas
tiocfar	

THE CONDITIONAL MOOD	An Modh Coinníollach
thiocfainn	
thiocfá	ní thiocfadh
thiocfadh sé	(cha dtiocfadh)
thiocfadh sí	an dtiocfadh?
thiocfaimis[‡]	go dtiocfadh
thiocfadh sibh	nach dtiocfadh
thiocfadh siad	
thiocfaí	

Connaught Irish: Gaeilge Chonnacht

THE FUTURE TENSE	An Aimsir Fháistineach
tiocfaidh mé [M]	*var* tiuca
tiocfaidh tú[M]	ní thiocfaidh
tiocfaidh sé	an dtiocfaidh?
tiocfaidh sí	go dtiocfaidh
tiocfaidh muid	nach dtiocfaidh
tiocfaidh sibh	
tiocfaidh siad	a thiocfas
tiocfar	

THE CONDITIONAL MOOD	An Modh Coinníollach
thiocfainn	
thiocfá	ní thiocfadh
thiocfadh sé	an dtiocfadh?
thiocfadh sí	go dtiocfadh
thiocfadh muid	nach dtiocfadh
thiocfadh sibh	
thiocfaidís[U]	
thiocfaí[M]	

Munster Irish: Gaeilge na Mumhan

THE FUTURE TENSE	An Aimsir Fháistineach
tiocfad*	
*tiocfair	ní thiocfaidh
tiocfaidh sé	an dtiocfaidh?
tiocfaidh sí	go dtiocfaidh
*tiocfam	ná tiocfaidh
tiocfaidh sibh	
*tiocfaid (siad)	a thiocfaidh
tiocfar	

THE CONDITIONAL MOOD	An Modh Coinníollach
(do) thiocfainn	*var* thiucfadh
(do) thiocfá	ní thiocfadh
(do) thiocfadh sé	an dtiocfadh?
(do) thiocfadh sí	go dtiocfadh
(do) thiocfaimíst	ná tiocfadh
(do) thiocfadh sibh	
(do) thiocfaidíst	
*(do) tiocfaí	

99 **tar** 'come' v.n. **teacht** v.adj. **tagtha**

Standard Irish: An Caighdeán Oifigiúil

THE IMPERFECT TENSE	An Aimsir Ghnáthchaite	The Imperative Mood	The Present Subjunctive
thagainn		tagaim	go dtaga mé
thagtá	ní thagadh	tar	go dtaga tú
thagadh sé	an dtagadh?	tagadh sé	go dtaga sé
thagadh sí	go dtagadh	tagadh sí	go dtaga sí
thagaimis	nach dtagadh	tagaimis	go dtagaimid
thagadh sibh		tagaigí	go dtaga sibh
thagaidís		tagaidís	go dtaga siad
thagtaí		tagtar	go dtagtar
		ná tar	nár thaga

Ulster Irish: Gaeilge Chúige Uladh

THE IMPERFECT TENSE	An Aimsir Ghnáthchaite	An Modh Ordaitheach	An Foshuiteach Láithreach
thiginn	ní thigeadh	tigim	go dtigidh mé
thigtheá	(cha dtigeadh)	tar / gabh / goitse	go dtigidh tú
thigeadh sé	an dtigeadh?	taradh/tigeadh sé	go dtigidh sé
thigeadh sí	go dtigeadh	taradh sí	go dtigidh sí
thigimis[†]	nach dtigeadh	taraimis[†]	go dtigidh muid[†]
thigeadh sibh		taraigí/gabhaigí, goitsigí	go dtigidh sibh
thigeadh siad	Ba ghnách le …	taradh siad	go dtigidh siad
thigtí		tagtar	go dtigtear
		ná tar / ná gabh	nár thigidh

Connaught Irish: Gaeilge Chonnacht

THE IMPERFECT TENSE	An Aimsir Ghnáthchaite	The Imperative Mood	The Present Subjunctive
theagainn[U]	ní theagadh	teagaim	go dteaga mé[U]
theagtá	an dteagadh?	teara / teaga	go dteaga tú[U]
theagadh sé[U]	go dteagadh	teagadh sé	go dteaga sé[U]
theagadh sí[U]	nach dteagadh	teagadh sí	go dteaga sí[U]
theagadh muid[U]		teagadh muid	go dteaga muid[U]
theagadh sibh[U]		tearaigí/teagaí	go dteaga sibh[U]
theagaidís		teagaidís	go dteaga siad[U]
theagtaí		teagtar	go dteagtar[U]
		ná teara / ná teaga	nár theaga[U]

Munster Irish: Gaeilge na Mumhan

THE IMPERFECT TENSE	An Aimsir Ghnáthchaite	An Modh Ordaitheach	An Foshuiteach Láithreach
thagainn	ní thagadh	tagaim	go dtagad*
thagtá	an dtagadh?	tair	go dtagair*
thagadh sé	go dtagadh	tagadh sé	go dtaga sé
thagadh sí	ná tagadh	tagadh sí	go dtaga sí
thagaimíst		tagaimíst	go dtagam*
thagadh sibh		tagaídh, tairídh*	go dtaga sibh
thagaidíst		tagaidíst	go dtagaid (siad)*
*(do) tagtaí		tagtar	go dtagtar
		ná tair	nár thaga

Standard Irish: An Caighdeán Oifigiúil

THE PAST TENSE	An Aimsir Chaite
tharraing mé	níor tharraing
tharraing tú	ar tharraing?
tharraing sé	gur tharraing
tharraing sí	nár tharraing
tharraingíomar	níor tarraingíodh
tharraing sibh	ar tarraingíodh?
tharraing siad	gur tarraingíodh
tarraingíodh	nár tarraingíodh

THE PRESENT TENSE	An Aimsir Láithreach
tarraingím	
tarraingíonn tú	ní tharraingíonn
tarraingíonn sé	an dtarraingíonn?
tarraingíonn sí	go dtarraingíonn
tarraingímid	nach dtarraingíonn
tarraingíonn sibh	
tarraingíonn siad	a tharraingíonn
tarraingítear	

Ulster Irish: Gaeilge Chúige Uladh

THE PAST TENSE	An Aimsir Chaite
tharraing mé	níor tharraing
tharraing tú	(char tharraing)
tharraing sé	ar tharraing?
tharraing sí	gur tharraing
tharraing muid†	nár tharraing
tharraing sibh	
tharraing siad	níor/ar tairrngeadh
tairrngeadh	gur/nár tairrngeadh

THE PRESENT TENSE	An Aimsir Láithreach
tairrngim	ní thairrngeann
tairrngeann tú	(cha dtairrngeann)
tairrngeann sé	an dtairrngeann?
tairrngeann sí	go dtairrngeann
tairrngeann muid†	nach dtairrngeann
tairrngeann sibh	
tairrngeann siad	a thairrngeas
tairrngíthear	*vadj* tairrnídh

Connaught Irish: Gaeilge Chonnacht

THE PAST TENSE	An Aimsir Chaite
tharraing mé [M]	níor tharraing
tharraing tú [M]	ar tharraing?
tharraing sé	gur tharraing
tharraing sí	nár tharraing
tharraing muid	níor tairrngíodh
tharraing sibh	ar tairrngíodh?
tharraingíodar[U]	gur tairrngíodh
tairrngíodh [U]	nár tairrngíodh

THE PRESENT TENSE	An Aimsir Láithreach
tairrngím	
tairrngíonn tú	ní thairrngíonn
tairrngíonn sé	an dtairrngíonn?
tairrngíonn sí	go dtairrngíonn
tairrngíonn muid	nach dtairrngíonn
tairrngíonn sibh	
tairrngíonn siad	a thairrngíonns
tairrngít(h)ear	

Munster Irish: Gaeilge na Mumhan

THE PAST TENSE	An Aimsir Chaite
(do) thairrigíos*	ní(or) thairrig
(do) thairrigís*	ar thairrig?
(do) thairrig sé	gur thairrig
(do) thairrig sí	nár thairrig
(do) thairrigíomair -ar	níor t(h)airrigíodh
(do) thairrigíobhair*	ar t(h)airrigíodh?
(do) thairrigíodar	gur t(h)airrigíodh
(do) t(h)airrigíodh	nár t(h)airrigíodh

THE PRESENT TENSE	An Aimsir Láithreach
tairrigím	
tairrigíonn tú	ní thairrigíonn
tairrigíonn sé	an dtairrigíonn?
tairrigíonn sí	go dtairrigíonn
tairrigímíd	ná tairrigíonn
tairrigíonn sibh	
*tairrigíd	a thairrigíonn
tairrigíotar*	

Standard Irish: An Caighdeán Oifigiúil

THE FUTURE TENSE	An Aimsir Fháistineach	THE CONDITIONAL MOOD	An Modh Coinníollach
tarraingeoidh mé		tharraingeoinn	
tarraingeoidh tú	ní tharraingeoidh	tharraingeofá	ní tharraingeodh
tarraingeoidh sé	an dtarraingeoidh?	tharraingeodh sé	an dtarraingeodh?
tarraingeoidh sí	go dtarraingeoidh	tharraingeodh sí	go dtarraingeodh
tarraingeoimid	nach dtarraingeoidh	tharraingeoimis	nach dtarraingeodh
tarraingeoidh sibh		tharraingeodh sibh	
tarraingeoidh siad	a tharraingeoidh	tharraingeoidís	
tarraingeofar		tharraingeofaí	

Ulster Irish: Gaeilge Chúige Uladh

THE FUTURE TENSE	An Aimsir Fháistineach	THE CONDITIONAL MOOD	An Modh Coinníollach
tairrngeochaidh mé	ní thairrngeochaidh	thairrngeochainn	ní thairrngeochadh
tairrngeochaidh tú	(cha dtairrngeann)	thairrngeofá	cha dtairrngeochadh
tairrngeochaidh sé	an dtairrngeochaidh?	thairrngeochadh sé	an dtairrngeochadh?
tairrngeochaidh sí	go dtairrngeochaidh	thairrngeochadh sí	go dtairrngeochadh
tairrngeochaidh muid†	nach dtairrngeochaidh	thairrngeochaimis‡	nach dtairrngeochadh
tairrngeochaidh sibh		thairrngeochadh sibh	
tairrngeochaidh siad	a thairrngeochas	thairrngeochadh siad	
tairrngeofar		thairrngeofaí	

Connaught Irish: Gaeilge Chonnacht

THE FUTURE TENSE	An Aimsir Fháistineach	THE CONDITIONAL MOOD	An Modh Coinníollach
tairrngeoidh mé[M]		thairrngeoinn	
tairrngeoidh tú[M]	ní thairrngeoidh	thairrngeofá	ní thairrngeodh
tairrngeoidh sé	an dtairrngeoidh?	thairrngeodh sé	an dtairrngeodh?
tairrngeoidh sí	go dtairrngeoidh	thairrngeodh sí	go dtairrngeodh
tairrngeoidh muid	nach dtairrngeoidh	thairrngeodh muid	nach dtairrngeodh
tairrngeoidh sibh		thairrngeodh sibh	
tairrngeoidh siad	a thairrngeos	thairrngeoidís[U]	
tairrngeofar		thairrngeofaí[M]	

Munster Irish: Gaeilge na Mumhan

THE FUTURE TENSE	An Aimsir Fháistineach	THE CONDITIONAL MOOD	An Modh Coinníollach
tairriceod*		(do) thairriceoinn	
*tairriceoir	ní thairriceoidh	(do) thairriceofá	ní thairriceodh
tairriceoidh sé	an dtairriceoidh?	(do) thairriceodh sé	an dtairriceodh?
tairriceoidh sí	go dtairriceoidh	(do) thairriceodh sí	go dtairriceodh
*tairriceom	ná tairriceoidh	(do) thairriceoimíst	ná tairriceodh
tairriceoidh sibh		(do) thairriceodh sibh	
*tairriceoid	a thairriceoidh	(do) thairriceoidíst	
tairriceofar		*(do) tairriceofaí	

Standard Irish: An Caighdeán Oifigiúil

THE IMPERFECT TENSE	An Aimsir Ghnáthchaite	The Imperative Mood	The Present Subjunctive
tharraingínn		tarraingím	go dtarraingí mé
tharraingíteá	ní tharraingíodh	tarraing	go dtarraingí tú
tharraingíodh sé	an dtarraingíodh?	tarraingíodh sé	go dtarraingí sé
tharraingíodh sí	go dtarraingíodh	tarraingíodh sí	go dtarraingí sí
tharraingímis	nach dtarraingíodh	tarraingímis	go dtarraingímid
tharraingíodh sibh		tarraingígí	go dtarraingí sibh
tharraingídís		tarraingídís	go dtarraingí siad
tharraingítí		tarraingítear	go dtarraingítear
		ná tarraing	nár tharraingí

Ulster Irish: Gaeilge Chúige Uladh

THE IMPERFECT TENSE	An Aimsir Ghnáthchaite	An Modh Ordaitheach	An Foshuiteach Láithreach
thairrnginn*	ní thairrngeadh	tairrngim	go dtairrngí mé
thairrngítheá	(cha dtairrngeadh)	tarraing	go dtairrngí tú
thairrngeadh sé*	an dtairrngeadh?	tairrngeadh sé	go dtairrngí sé
thairrngeadh sí*	go dtairrngeadh	tairrngeadh sí	go dtairrngí sí
thairrngimis‡*	nach dtairrngeadh	tairrngimis‡/fut	go dtairrngí muid†
thairrngeadh sibh*		tairrngigí C	go dtairrngí sibh
thairrngeadh siad	Ba ghnách le …	tairrngeadh siad	go dtairrngí siad
thairrngíthí		tairrngíthear	go dtairrngíthear
		ná tarraing	nár thairrngí

Connaught Irish: Gaeilge Chonnacht

THE IMPERFECT TENSE	An Aimsir Ghnáthchaite	The Imperative Mood	The Present Subjunctive
thairrngínn		tairrngím	go dtairrngí mé
thairrngíteá M	ní thairrngíodh	tarraing	go dtairrngí tú
thairrngíodh sé	an dtairrngíodh?	tairrngíodh sé	go dtairrngí sé
thairrngíodh sí	go dtairrngíodh	tairrngíodh sí	go dtairrngí sí
thairrngíodh muid	nach dtairrngíodh	tairrngímid	go dtairrngí muid
thairrngíodh sibh		*tairrngidh	go dtairrngí sibh
thairrngídís U		tairrngídís	go dtairrngí siad
thairrngítí M		tairrngít(h)ear	go dtairrngít(h)ear
		ná tarraing	nár thairrngí

Munster Irish: Gaeilge na Mumhan

THE IMPERFECT TENSE	An Aimsir Ghnáthchaite	An Modh Ordaitheach	An Foshuiteach Láithreach
(do) thairrigínn		tairrigím	go dtairrigíod –gí mé
*(do) thairrigíotá	ní thairrigíodh	tairrig	go dtairrigír –gí tú
(do) thairrigíodh sé	an dtairrigíodh?	tairrigíodh sé	go dtairrigí sé
(do) thairrigíodh sí	go dtairrigíodh	tairrigíodh sí	go dtairrigí sí
(do) thairrigímíst	ná tairrigíodh	tairrigímíst	go dtairrigíom –gímíd
(do) thairrigíodh sibh		*tairrigíg, tairrigídh	go dtairrigí sibh
(do) thairrigídíst		tairrigídíst	go dtairrigíd* –gí siad
*(do) tarraigíotaí		tairrigíotar*	go dtairrigíotar*
		ná tairrig	nár thairrigí

101 teann 'tighten' v.n. **teannadh** v.adj. **teanntta**

Standard Irish: An Caighdeán Oifigiúil

THE PAST TENSE	An Aimsir Chaite
theann mé	níor theann
theann tú	ar theann?
theann sé	gur theann
theann sí	nár theann
theannamar	níor teannadh
theann sibh	ar teannadh?
theann siad	gur teannadh
teannadh	nár teannadh

THE PRESENT TENSE	An Aimsir Láithreach
teannaim	
teannann tú	ní theannann
teannann sé	an dteannann?
teannann sí	go dteannann
teannaimid	nach dteannann
teannann sibh	
teannann siad	a theannann
teanntar	

Ulster Irish: Gaeilge Chúige Uladh

THE PAST TENSE	An Aimsir Chaite
theann mé	níor theann
theann tú	(char theann)
theann sé	ar theann?
theann sí	gur theann
theann muid[†]	nár theann
theann sibh	
theann siad	níor/ar teannadh
teannadh	gur/nár teannadh

THE PRESENT TENSE	An Aimsir Láithreach
teannaim	ní theannann
teannann tú	(cha dteannann)
teannann sé	an dteannann?
teannann sí	go dteannann
teannann muid[†]	nach dteannann
teannann sibh	
teannann siad	a theannas
teanntar	

Connaught Irish: Gaeilge Chonnacht

THE PAST TENSE	An Aimsir Chaite
theann mé [M]	níor theann
theann tú [M]	ar theann?
theann sé	gur theann
theann sí	nár theann
theann muid	níor teannadh
theann sibh	ar teannadh?
theannadar[U]	gur teannadh
teannadh	nár teannadh

THE PRESENT TENSE	An Aimsir Láithreach
teannaim	
teannann tú	ní theannann
teannann sé	an dteannann?
teannann sí	go dteannann
teannann muid	nach dteannann
teannann sibh	
teannann siad	a theannanns
teanntar	

Munster Irish: Gaeilge na Mumhan

THE PAST TENSE	An Aimsir Chaite
(do) theannas*	ní(or) theann
(do) theannais*	ar theann?
(do) theann sé	gur theann
(do) theann sí	nár theann
(do) theannamair*	*níor theannadh
(do) theannabhair*	*ar theannadh?
(do) theannadar	*gur theannadh
*(do) theannadh	*nár theannadh

THE PRESENT TENSE	An Aimsir Láithreach
teannaim	
teannann tú	ní theannann
teannann sé	an dteannann?
teannann sí	go dteannann
teannaimíd	ná teannann
teannann sibh	
*teannaid	a theannann
teanntar	

Standard Irish: An Caighdeán Oifigiúil

THE FUTURE TENSE	An Aimsir Fháistineach	THE CONDITIONAL MOOD	An Modh Coinníollach
teannfaidh mé		theannfainn	
teannfaidh tú	ní theannfaidh	theannfá	ní theannfadh
teannfaidh sé	an dteannfaidh?	theannfadh sé	an dteannfadh?
teannfaidh sí	go dteannfaidh	theannfadh sí	go dteannfadh
teannfaimid	nach dteannfaidh	theannfaimis	nach dteannfadh
teannfaidh sibh		theannfadh sibh	
teannfaidh siad	a theannfaidh	theannfaidís	
teannfar		theannfaí	

Ulster Irish: Gaeilge Chúige Uladh

THE FUTURE TENSE	An Aimsir Fháistineach	THE CONDITIONAL MOOD	An Modh Coinníollach
teannfaidh mé		theannfainn	
teannfaidh tú	ní theannfaidh	theannfá	ní theannfadh
teannfaidh sé	(cha dteannann)	theannfadh sé	(cha dteannfadh)
teannfaidh sí	an dteannfaidh?	theannfadh sí	an dteannfadh?
teannfaidh muid†	go dteannfaidh	theannfaimis‡	go dteannfadh
teannfaidh sibh	nach dteannfaidh	theannfadh sibh	nach dteannfadh
teannfaidh siad	a theannfas	theannfadh siad	
teannfar		theannfaí	

Connaught Irish: Gaeilge Chonnacht

THE FUTURE TENSE	An Aimsir Fháistineach	THE CONDITIONAL MOOD	An Modh Coinníollach
teannfaidh mé [M]		theannfainn	
teannfaidh tú[M]	ní theannfaidh	theannfá	ní theannfadh
teannfaidh sé	an dteannfaidh?	theannfadh sé	an dteannfadh?
teannfaidh sí	go dteannfaidh	theannfadh sí	go dteannfadh
teannfaidh muid	nach dteannfaidh	theannfadh muid	nach dteannfadh
teannfaidh sibh		theannfadh sibh	
teannfaidh siad	a theannfas	theanfaidís[U]	
teannfar		theannfaí[M]	

Munster Irish: Gaeilge na Mumhan

THE FUTURE TENSE	An Aimsir Fháistineach	THE CONDITIONAL MOOD	An Modh Coinníollach
teannfad*		(do) theannfainn	
*teannfair	ní theannfaidh	(do) theannfá	ní theannfadh
teannfaidh sé	an dteannfaidh?	(do) theannfadh sé	an dteannfadh?
teannfaidh sí	go dteannfaidh	(do) theannfadh sí	go dteannfadh
*teannfam	ná teannfaidh	(do) theannfaimíst	ná teannfadh
teannfaidh sibh		(do) theannfadh sibh	
*teannfaid	a theannfaidh	(do) theannfaidíst	
teannfar		*(do) teannfaí	

Standard Irish: An Caighdeán Oifigiúil

THE IMPERFECT TENSE	An Aimsir Ghnáthchaite	The Imperative Mood	The Present Subjunctive
theannainn		teannaim	go dteanna mé
theanntá	ní theannadh	teann	go dteanna tú
theannadh sé	an dteannadh?	teannadh sé	go dteanna sé
theannadh sí	go dteannadh	teannadh sí	go dteanna sí
theannaimis	nach dteannadh	teannaimis	go dteannaimid
theannadh sibh		teannaigí	go dteanna sibh
theannaidís		teannaidís	go dteanna siad
theanntaí		teanntar	go dteanntar
		ná teann	nár theanna

Ulster Irish: Gaeilge Chúige Uladh

THE IMPERFECT TENSE	An Aimsir Ghnáthchaite	An Modh Ordaitheach	An Foshuiteach Láithreach
theannainn	ní theannadh	teannaim	go dteannaidh mé
theannthá	(cha dteannadh)	teann	go dteannaidh tú
theannadh sé	an dteannadh?	teannadh sé	go dteannaidh sé
theannadh sí	go dteannadh	teannadh sí	go dteannaidh sí
theannaimis[‡]	nach dteannadh	teannaimis[‡/fut]	go dteannaidh muid[†]
theannadh sibh		teannaigí[C]	go dteannaidh sibh
theannadh siad	Ba ghnách le …	teannadh siad	go dteannaidh siad
theanntaí		teanntar	go dteanntar
		ná teann	nár theannaidh

Connaught Irish: Gaeilge Chonnacht

THE IMPERFECT TENSE	An Aimsir Ghnáthchaite	The Imperative Mood	The Present Subjunctive
theannainn		teannaim	go dteanna mé
theanntá	ní theannadh	teann	go dteanna tú
theannadh sé	an dteannadh?	teannadh sé	go dteanna sé
theannadh sí	go dteannadh	teannadh sí	go dteanna sí
theannadh muid	nach dteannadh	teannaimid	go dteanna muid
theannadh sibh		*teannaidh	go dteanna sibh
theannaidís[U]		teannaidís	go dteanna siad
theanntaí[M]		teanntar	go dteanntar
		ná teann	nár theanna

Munster Irish: Gaeilge na Mumhan

THE IMPERFECT TENSE	An Aimsir Ghnáthchaite	An Modh Ordaitheach	An Foshuiteach Láithreach
(do) theannainn		teannaim	go dteannad*
(do) theanntá	ní theannadh	teann	go dteannair*
(do) theannadh sé	an dteannadh?	teannadh sé	go dteanna sé
(do) theannadh sí	go dteannadh	teannadh sí	go dteanna sí
(do) theannaimíst	ná teannadh	teannaimíst	go dteannam*
(do) theannadh sibh		teannaíg[=C]*	go dteanna sibh
(do) theannaidíst		teannaidíst	go dteannaid*
*(do) teanntaí		teanntar	go dteanntar
		ná teann	nár theanna

Standard Irish: An Caighdeán Oifigiúil

THE PAST TENSE	An Aimsir Chaite		
chuaigh mé	an ndeachaigh mé?	ní dheachaigh mé	
chuaigh tú	an ndeachaigh tú?	ní dheachaigh tú	go ndeachaigh
chuaigh sé	an ndeachaigh sé?	ní dheachaigh sé	
chuaigh sí	an ndeachaigh sí?	ní dheachaigh sí	nach ndeachaigh
chuamar	an ndeachamar?	ní dheachamar	
chuaigh sibh	an ndeachaigh sibh?	ní dheachaigh sibh	
chuaigh siad	an ndeachaigh siad?	ní dheachaigh siad	go ndeachthas
chuathas	an ndeachthas?	ní dheachthas	nach ndeachthas

Ulster Irish: Gaeilge Chúige Uladh

THE PAST TENSE	An Aimsir Chaite		
chuaigh mé	an dteachaidh mé?	ní theachaidh mé	cha dteachaidh
chuaigh tú	an dteachaidh tú?	ní theachaidh tú	go dteachaidh
chuaigh sé	an dteachaidh sé?	ní theachaidh sé	
chuaigh sí	an dteachaidh sí?	ní theachaidh sí	nach dteachaidh
chuaigh muid†	an dteachaidh muid?†	ní theachaidh muid†	*var vn* dhul, ghoil, choil
chuaigh sibh	an dteachaidh sibh?	ní theachaidh sibh	ag goil
chuaigh siad	an dteachaidh siad?	ní theachaidh siad	go dteachthas
chuathas	an dteachthas?	ní theachthas	nach dteachthas

Connaught Irish: Gaeilge Chonnacht

THE PAST TENSE	An Aimsir Chaite		
chuaigh mé /chuas	an ndeachaigh mé?	ní dheachaigh mé	
chuaigh tú /chuais	an ndeachaigh tú?	ní dheachaigh tú	go ndeachaigh
chuaigh sé	an ndeachaigh sé?	ní dheachaigh sé	
chuaigh sí	an ndeachaigh sí?	ní dheachaigh sí	nach ndeachaigh
chuaigh muid	an ndeachaigh muid?	ní dheachaigh muid	
chuaigh sibh	an ndeachaigh sibh?	ní dheachaigh sibh	*vn* ghoil; ag goil
chuadar	an ndeachadar?	ní dheachadar	go ndeachadh
chuadh[M]	an ndeachadh?	ní dheachadh	nach ndeachadh

Munster Irish: Gaeilge na Mumhan

THE PAST TENSE	An Aimsir Chaite		
(do) chuas	ar chuas?	ní(or) chuas	*var dep* ní dheaghaigh etc
(do) chuais	ar chuais?	ní(or) chuais	gur chuaigh
(do) chuaigh sé	ar chuaigh sé?	ní(or) chuaigh sé	
(do) chuaigh sí	ar chuaigh sí?	ní(or) chuaigh sí	nár chuaigh
(do) chuamair*	ar chuamair?	ní(or) chuamair	
(do) chuabhair	ar chuabhair?	ní(or) chuabhair	*vn* dul, ag dul
(do) chuadar	ar chuadar?	ní(or) chuadar	gur chuatha(r)s
*/(do) chuathars[C]	ar chuatha(r)s?	níor chuatha(r)s	nár chuatha(r)s

Standard Irish: An Caighdeán Oifigiúil

THE PRESENT TENSE	An Aimsir Láithreach		
téim	an dtéim?	ní théim	
téann tú	an dtéann tú?	ní théann tú	go dtéann
téann sé	an dtéann sé?	ní théann sé	
téann sí	an dtéann sí?	ní théann sí	nach dtéann
téimid	an dtéimid?	ní théimid	
téann sibh	an dtéann sibh?	ní théann sibh	a théann
téann siad	an dtéann siad?	ní théann siad	go dtéitear
téitear	an dtéitear?	ní théitear	nach dtéitear

Ulster Irish: Gaeilge Chúige Uladh

THE PRESENT TENSE	An Aimsir Láithreach		
téim, théim	an dtéim?	ní théim	cha dtéann
*théid tú	an dtéann tú?	ní théann tú	go dtéann
*théid sé	an dtéann sé?	ní théann sé	
*théid sí	an dtéann sí?	ní théann sí	nach dtéann
*théid muid†	an dtéann muid?†	ní théann muid†	
*théid sibh	an dtéann sibh?	ní théann sibh	a théann/ a théid
*théid siad	an dtéann siad?	ní théann siad	go dtéithear
téithear, théithear	an dtéithear?	ní théithear	nach dtéithear

Connaught Irish: Gaeilge Chonnacht

THE PRESENT TENSE	An Aimsir Láithreach		
téim	an dtéim?	ní théim	
téann tú	an dtéann tú?	ní théann tú	go dtéann
téann sé	an dtéann sé?	ní théann sé	
téann sí	an dtéann sí?	ní théann sí	nach dtéann
téann muid	an dtéann muid?	ní théann muid	
téann sibh	an dtéann sibh?	ní théann sibh	a théanns
téann siad	an dtéann siad?	ní théann siad	go dtéitear
téitear	an dtéitear?	ní théitear	nach dtéitear

Munster Irish: Gaeilge na Mumhan

THE PRESENT TENSE	An Aimsir Láithreach		
téim	an dtéim?	ní théim	
téann tú	an dtéann tú?	ní théann tú	go dtéann
téann sé	an dtéann sé?	ní théann sé	
téann sí	an dtéann sí?	ní théann sí	ná téann
téimíd	an dtéimíd?	ní théimíd	
téann sibh	an dtéann sibh?	ní théann sibh	a théann
*téid (siad)	an dtéid siad?	ní théid siad	go dtéitear
téitear	an dtéitear?	ní théitear	ná téitear

102 **téigh / gabh** 'go' a.br. **dul / dhul** aid.bhr. **dulta**

Standard Irish: An Caighdeán Oifigiúil

THE FUTURE TENSE	An Aimsir Fháistineach
rachaidh mé	
rachaidh tú	ní rachaidh
rachaidh sé	an rachaidh?
rachaidh sí	go rachaidh
rachaimid	nach rachaidh
rachaidh sibh	
rachaidh siad	a rachaidh
rachfar	

THE CONDITIONAL MOOD	An Modh Coinníollach
rachainn	
rachfá	ní rachadh
rachadh sé	an rachadh?
rachadh sí	go rachadh
rachaimis	nach rachadh
rachadh sibh	
rachaidís	
rachfaí	

Ulster Irish: Gaeilge Chúige Uladh

THE FUTURE TENSE	An Aimsir Fháistineach
rachaidh mé	
rachaidh tú	ní rachaidh
rachaidh sé	(cha dtéann)
rachaidh sí	an rachaidh?
rachaidh muid[†]	go rachaidh
rachaidh sibh	nach rachaidh
rachaidh siad	a rachas
rachfar	

THE CONDITIONAL MOOD	An Modh Coinníollach
rachainn	
rachfá	ní rachadh
rachadh sé	(cha rachadh)
rachadh sí	an rachadh?
rachaimis[‡]	go rachadh
rachadh sibh	nach rachadh
rachadh siad	
rachfaí	

Connaught Irish: Gaeilge Chonnacht

THE FUTURE TENSE	An Aimsir Fháistineach
rachaidh mé / rachad	
rachaidh tú / rachair	ní rachaidh
rachaidh sé	an rachaidh?
rachaidh sí	go rachaidh
rachaidh muid	nach rachaidh
rachaidh sibh	
rachaidh siad	a rachas
rachfar	

THE CONDITIONAL MOOD	An Modh Coinníollach
rachainn	
rachfá	ní rachadh
rachadh sé	an rachadh?
rachadh sí	go rachadh
rachadh muid	nach rachadh
rachadh sibh	
rachaidís[U]	
rachfaí[M]	

Munster Irish: Gaeilge na Mumhan

THE FUTURE TENSE	An Aimsir Fháistineach
raghad raghaidh mé	
raghair raghaidh tú	ní raghaidh
raghaidh sé	an raghaidh?
raghaidh sí	go raghaidh
raghaimíd ragham	ná raghaidh
raghaidh sibh	
raghaid raghaidh siad	a raghaidh
raghfar	

THE CONDITIONAL MOOD	An Modh Coinníollach
(do) raghainn	
(do) raghfá	ní raghadh
(do) raghadh sé	an raghadh?
(do) raghadh sí	go raghadh
(do) raghaimíst	ná raghadh
(do) raghadh sibh	
(do) raghaidíst	
*(do) raghfaí	

Standard Irish: An Caighdeán Oifigiúil

THE IMPERFECT TENSE	An Aimsir Ghnáthchaite	The Imperative Mood	The Present Subjunctive
théinn		téim	go dté mé
théiteá	ní théadh	téigh	go dté tú
théadh sé	an dtéadh?	téadh sé	go dté sé
théadh sí	go dtéadh	téadh sí	go dté sí
théimis	nach dtéadh	téimis	go dtéimid
théadh sibh		téigí	go dté sibh
théidís		téidís	go dté siad
théití		téitear	go dtéitear
		ná téigh	nár thé

Ulster Irish: Gaeilge Chúige Uladh

THE IMPERFECT TENSE	An Aimsir Ghnáthchaite	An Modh Ordaitheach	An Foshuiteach Láithreach
théinn		téim	go dté mé go dtéighidh
théitheá	ní théadh	téigh /gabh	go dté tú
théadh sé	(cha dtéadh)	téadh sé	go dté sé
théadh sí	an dtéadh?	téadh sí	go dté sí
théimis[‡]	go dtéadh	téimis[‡/fut]	go dté muid[†]
théadh sibh	nach dtéadh	téigí /gabhaigí	go dté sibh
théadh siad	Ba ghnách le … dhul/ghoil	téadh siad	go dté siad
théití		téitear	go dtéitear
		ná téigh/ná gabh	nár thé

Connaught Irish: Gaeilge Chonnacht

THE IMPERFECT TENSE	An Aimsir Ghnáthchaite	The Imperative Mood	The Present Subjunctive
théinn		téim	go dté mé
théiteá	ní théadh	téirigh, téighre, gabh	go dté tú
théadh sé	an dtéadh?	téadh sé	go dté sé
théadh sí	go dtéadh	téadh sí	go dté sí
théadh muid	nach dtéadh	téimid	go dté muid
théadh sibh		*téirigí, gabhaidh	go dté sibh
théidís[U]		téidís	go dté siad
théití		téitear	go dtéitear
		ná téirigh *etc*	nár thé

Munster Irish: Gaeilge na Mumhan

THE IMPERFECT TENSE	An Aimsir Ghnáthchaite	An Modh Ordaitheach	An Foshuiteach Láithreach
(do) théinn		téim	go dtéad*
(do) théiteá	ní théadh	téir(e)	go dtéir*
(do) théadh sé	an dtéadh?	téadh sé	go dté sé
(do) théadh sí	go dtéadh	téadh sí	go dté sí
(do) théimíst	ná téadh	téanam/téimíst	go dtéam*
(do) théadh sibh		téig[=C*]	go dté sibh
(do) théidíst		téidíst	go dtéid*
*(do) téití		téitear	go dtéitear
		ná téir(e)	nár thé

103 **tiomáin** 'drive' v.n. **tiomáint** v.adj. **tiománta**

Standard Irish: An Caighdeán Oifigiúil

THE PAST TENSE	An Aimsir Chaite
thiomáin mé	níor thiomáin
thiomáin tú	ar thiomáin?
thiomáin sé	gur thiomáin
thiomáin sí	nár thiomáin
thiomáineamar	níor tiomáineadh
thiomáin sibh	ar tiomáineadh?
thiomáin siad	gur tiomáineadh
tiomáineadh	nár tiomáineadh

THE PRESENT TENSE	An Aimsir Láithreach
tiomáinim	
tiomáineann tú	ní thiomáineann
tiomáineann sé	an dtiomáineann?
tiomáineann sí	go dtiomáineann
tiomáinimid	nach dtiomáineann
tiomáineann sibh	
tiomáineann siad	a thiomáineann
tiomáintear	

Ulster Irish: Gaeilge Chúige Uladh

THE PAST TENSE	An Aimsir Chaite
thiomáin mé	níor thiomáin
thiomáin tú	(char thiomáin)
thiomáin sé	ar thiomáin?
thiomáin sí	gur thiomáin
thiomáin muid[†]	nár thiomáin
thiomáin sibh	
thiomáin siad	níor/ar tiomáineadh
tiomáineadh	gur/nár tiomáineadh

THE PRESENT TENSE	An Aimsir Láithreach
tiomáinim	ní thiomáineann
tiomáineann tú	(cha dtiomáineann)
tiomáineann sé	an dtiomáineann?
tiomáineann sí	go dtiomáineann
tiomáineann muid[†]	nach dtiomáineann
tiomáineann sibh	
tiomáineann siad	a thiomáineas
tiomáintear	

Connaught Irish: Gaeilge Chonnacht

THE PAST TENSE	An Aimsir Chaite
thiomáin mé [M]	níor thiomáin
thiomáin tú [M]	ar thiomáin?
thiomáin sé	gur thiomáin
thiomáin sí	nár thiomáin
thiomáin muid	níor tiomáineadh
thiomáin sibh	ar tiomáineadh?
thiomáineadar[U]	gur tiomáineadh
tiomáineadh	nár tiomáineadh

THE PRESENT TENSE	An Aimsir Láithreach
tiomáinim	
tiomáineann tú	ní thiomáineann
tiomáineann sé	an dtiomáineann?
tiomáineann sí	go dtiomáineann
tiomáineann muid	nach dtiomáineann
tiomáineann sibh	
tiomáineann siad	a thiomáineanns
tiomáintear	

Munster Irish: Gaeilge na Mumhan

THE PAST TENSE	An Aimsir Chaite
(do) thiomáineas*	ní(or) thiomáin
(do) thiomáinis*	ar thiomáin?
(do) thiomáin sé	gur thiomáin
(do) thiomáin sí	nár thiomáin
(do) thiomáineamair*	*níor thiomáineadh
(do) thiomáineabhair*	*ar thiomáineadh?
(do) thiomáineadar	*gur thiomáineadh
*(do) thiomáineadh	*nár thiomáineadh

THE PRESENT TENSE	An Aimsir Láithreach
tiomáinim	
tiomáineann tú	ní thiomáineann
tiomáineann sé	an dtiomáineann?
tiomáineann sí	go dtiomáineann
tiomáinimíd	ná tiomáineann
tiomáineann sibh	
*tiomáinid	a thiomáineann
tiomáintear	

Standard Irish: An Caighdeán Oifigiúil

THE FUTURE TENSE	An Aimsir Fháistineach
tiomáinfidh mé	
tiomáinfidh tú	ní thiomáinfidh
tiomáinfidh sé	an dtiomáinfidh?
tiomáinfidh sí	go dtiomáinfidh
tiomáinfimid	nach dtiomáinfidh
tiomáinfidh sibh	
tiomáinfidh siad	a thiomáinfidh
tiomáinfear	

THE CONDITIONAL MOOD	An Modh Coinníollach
thiomáinfinn	
thiomáinfeá	ní thiomáinfeadh
thiomáinfeadh sé	an dtiomáinfeadh?
thiomáinfeadh sí	go dtiomáinfeadh
thiomáinfimis	nach dtiomáinfeadh
thiomáinfeadh sibh	
thiomáinfidís	
thiomáinfí	

Ulster Irish: Gaeilge Chúige Uladh

THE FUTURE TENSE	An Aimsir Fháistineach
tiomáinfidh mé	
tiomáinfidh tú	ní thiomáinfidh
tiomáinfidh sé	(cha dtiomáineann)
tiomáinfidh sí	an dtiomáinfidh?
tiomáinfidh muid†	go dtiomáinfidh
tiomáinfidh sibh	nach dtiomáinfidh
tiomáinfidh siad	a thiomáinfeas
tiomáinfear	

THE CONDITIONAL MOOD	An Modh Coinníollach
thiomáinfinn	
thiomáinfeá	ní thiomáinfeadh
thiomáinfeadh sé	(cha dtiomáinfeadh)
thiomáinfeadh sí	an dtiomáinfeadh?
thiomáinfimis‡	go dtiomáinfeadh
thiomáinfeadh sibh	nach dtiomáinfeadh
thiomáinfeadh siad	
thiomáinfí	

Connaught Irish: Gaeilge Chonnacht

THE FUTURE TENSE	An Aimsir Fháistineach
tiomáinfidh mé [M]	
tiomáinfidh tú[M]	ní thiomáinfidh
tiomáinfidh sé	an dtiomáinfidh?
tiomáinfidh sí	go dtiomáinfidh
tiomáinfidh muid	nach dtiomáinfidh
tiomáinfidh sibh	
tiomáinfidh siad	a thiomáinfeas
tiomáinfear	

THE CONDITIONAL MOOD	An Modh Coinníollach
thiomáinfinn	
thiomáinfeá	ní thiomáinfeadh
thiomáinfeadh sé	an dtiomáinfeadh?
thiomáinfeadh sí	go dtiomáinfeadh
thiomáinfeadh muid	nach dtiomáinfeadh
thiomáinfeadh sibh	
thiomáinfidís[U]	
thiomáinfí[M]	

Munster Irish: Gaeilge na Mumhan

THE FUTURE TENSE	An Aimsir Fháistineach
tiomáinfead*	
*tiomáinfir	ní thiomáinfidh
tiomáinfidh sé	an dtiomáinfidh?
tiomáinfidh sí	go dtiomáinfidh
*tiomáinfeam	ná tiomáinfidh
tiomáinfidh sibh	
*tiomáinfid	a thiomáinfidh
tiomáinfear	

THE CONDITIONAL MOOD	An Modh Coinníollach
(do) thiomáinfinn	
(do) thiomáinfeá	ní thiomáinfeadh
(do) thiomáinfeadh sé	an dtiomáinfeadh?
(do) thiomáinfeadh sí	go dtiomáinfeadh
(do) thiomáinfimíst	ná tiomáinfeadh
(do) thiomáinfeadh sibh	
(do) thiomáinfidíst	
*(do) tiomáinfí	

Standard Irish: An Caighdeán Oifigiúil

THE IMPERFECT TENSE	An Aimsir Ghnáthchaite	The Imperative Mood	The Present Subjunctive
thiomáininn		tiomáinim	go dtiomáine mé
thiomáinteá	ní thiomáineadh	tiomáin	go dtiomáine tú
thiomáineadh sé	an dtiomáineadh?	tiomáineadh sé	go dtiomáine sé
thiomáineadh sí	go dtiomáineadh	tiomáineadh sí	go dtiomáine sí
thiomáinimis	nach dtiomáineadh	tiomáinimis	go dtiomáinimid
thiomáineadh sibh		tiomáinigí	go dtiomáine sibh
thiomáinidís		tiomáinidís	go dtiomáine siad
thiomáintí		tiomáintear	go dtiomáintear
		ná tiomáin	nár thiomáine

Ulster Irish: Gaeilge Chúige Uladh

THE IMPERFECT TENSE	An Aimsir Ghnáthchaite	An Modh Ordaitheach	An Foshuiteach Láithreach
thiomáininn		tiomáinim	go dtiomáinidh mé
thiomáintheá	ní thiomáineadh	tiomáin	go dtiomáinidh tú
thiomáineadh sé	(cha dtiomáineadh)	tiomáineadh sé	go dtiomáinidh sé
thiomáineadh sí	an dtiomáineadh?	tiomáineadh sí	go dtiomáinidh sí
thiomáinimis[‡]	go dtiomáineadh	tiomáinimis[‡/fut]	go dtiomáinidh muid[†]
thiomáineadh sibh	nach dtiomáineadh	tiomáinigí[C]	go dtiomáinidh sibh
thiomáineadh siad	Ba ghnách le …	tiomáineadh siad	go dtiomáinidh siad
thiomáintí		tiomáintear	go dtiomáintear
		ná tiomáin	nár thiomáinidh

Connaught Irish: Gaeilge Chonnacht

THE IMPERFECT TENSE	An Aimsir Ghnáthchaite	The Imperative Mood	The Present Subjunctive
thiomáininn		tiomáinim	go dtiomáine mé
thiomáinteá	ní thiomáineadh	tiomáin	go dtiomáine tú
thiomáineadh sé	an dtiomáineadh?	tiomáineadh sé	go dtiomáine sé
thiomáineadh sí	go dtiomáineadh	tiomáineadh sí	go dtiomáine sí
thiomáineadh muid	nach dtiomáineadh	tiomáinimid	go dtiomáine muid
thiomáineadh sibh		*tiomáinidh	go dtiomáine sibh
thiomáinidís[U]		tiomáinidís	go dtiomáine siad
thiomáintí[M]		tiomáintear	go dtiomáintear
		ná tiomáin	nár thiomáine

Munster Irish: Gaeilge na Mumhan

THE IMPERFECT TENSE	An Aimsir Ghnáthchaite	An Modh Ordaitheach	An Foshuiteach Láithreach
(do) thiomáininn		tiomáinim	go dtiomáinead*
(do) thiomáinteá	ní thiomáineadh	tiomáin	go dtiomáinir*
(do) thiomáineadh sé	an dtiomáineadh?	tiomáineadh sé	go dtiomáine sé
(do) thiomáineadh sí	go dtiomáineadh	tiomáineadh sí	go dtiomáine sí
(do) thiomáinimíst	ná tiomáineadh	tiomáinimíst	go dtiomáineam*
(do) thiomáineadh sibh		tiomáiníg[=C]*	go dtiomáine sibh
(do) thiomáinidíst		tiomáinidíst	go dtiomáinid*
*(do) tiomáintí		tiomáintear	go dtiomáintear
		ná tiomáin	nár thiomáine

Standard Irish: An Caighdeán Oifigiúil

THE PAST TENSE	An Aimsir Chaite
thit mé	níor thit
thit tú	ar thit?
thit sé	gur thit
thit sí	nár thit
thiteamar	níor titeadh
thit sibh	ar titeadh?
thit siad	gur titeadh
titeadh	nár titeadh

THE PRESENT TENSE	An Aimsir Láithreach
titim	
titeann tú	ní thiteann
titeann sé	an dtiteann?
titeann sí	go dtiteann
titimid	nach dtiteann
titeann sibh	
titeann siad	a thiteann
titear	

Ulster Irish: Gaeilge Chúige Uladh

THE PAST TENSE	An Aimsir Chaite
thit mé	níor thit
thit tú	(char thit)
thit sé	ar thit?
thit sí	gur thit
thit muid†	nár thit
thit sibh	
thit siad	níor/ar titeadh
titeadh	gur/nár titeadh

THE PRESENT TENSE	An Aimsir Láithreach
titim	ní thiteann
titeann tú	(cha dtiteann)
titeann sé	an dtiteann?
titeann sí	go dtiteann
titeann muid†	nach dtiteann
titeann sibh	
titeann siad	a thiteas
titear	

Connaught Irish: Gaeilge Chonnacht

THE PAST TENSE	An Aimsir Chaite
thit mé [M]	níor thit
thit tú [M]	ar thit?
thit sé	gur thit
thit sí	nár thit
thit muid	níor titeadh
thit sibh	ar titeadh?
thiteadar[U]	gur titeadh
titeadh	nár titeadh

THE PRESENT TENSE	An Aimsir Láithreach
titim	
titeann tú	ní thiteann
titeann sé	an dtiteann?
titeann sí	go dtiteann
titeann muid	nach dtiteann
titeann sibh	
titeann siad	a thiteanns
titear	

Munster Irish: Gaeilge na Mumhan

THE PAST TENSE	An Aimsir Chaite
(do) thiteas*	ní(or) thit
(do) thitis*	ar thit?
(do) thit sé	gur thit
(do) thit sí	nár thit
(do) thiteamair*	*níor thiteadh
(do) thiteabhair*	*ar thiteadh?
(do) thiteadar	*gur thiteadh
*(do) thiteadh	*nár thiteadh

THE PRESENT TENSE	An Aimsir Láithreach
titim	
titeann tú	ní thiteann
titeann sé	an dtiteann?
titeann sí	go dtiteann
titimíd	ná titeann
titeann sibh	
*titid	a thiteann
titear	

104 **tit** 'fall' a.br. **titim** aid.bhr. **tite**

Standard Irish: An Caighdeán Oifigiúil

THE FUTURE TENSE	An Aimsir Fháistineach
titfidh mé	
titfidh tú	ní thitfidh
titfidh sé	an dtitfidh?
titfidh sí	go dtitfidh
titfimid	nach dtitfidh
titfidh sibh	
titfidh siad	a thitfidh
titfear	

THE CONDITIONAL MOOD	An Modh Coinníollach
thitfinn	
thitfeá	ní thitfeadh
thitfeadh sé	an dtitfeadh?
thitfeadh sí	go dtitfeadh
thitfimis	nach dtitfeadh
thitfeadh sibh	
thitfidís	
thitfí	

Ulster Irish: Gaeilge Chúige Uladh

THE FUTURE TENSE	An Aimsir Fháistineach
titfidh mé	
titfidh tú	ní thitfidh
titfidh sé	(cha dtiteann)
titfidh sí	an dtitfidh?
titfidh muid[†]	go dtitfidh
titfidh sibh	nach dtitfidh
titfidh siad	a thitfeas
titfear	

THE CONDITIONAL MOOD	An Modh Coinníollach
thitfinn	
thitfeá	ní thitfeadh
thitfeadh sé	(cha dtitfeadh)
thitfeadh sí	an dtitfeadh?
thitfimis[‡]	go dtitfeadh
thitfeadh sibh	nach dtitfeadh
thitfeadh siad	
thitfí	

Connaught Irish: Gaeilge Chonnacht

THE FUTURE TENSE	An Aimsir Fháistineach
titfidh mé [M]	
titfidh tú[M]	ní thitfidh
titfidh sé	an dtitfidh?
titfidh sí	go dtitfidh
titfidh muid	nach dtitfidh
titfidh sibh	
titfidh siad	a thitfeas
titfear	

THE CONDITIONAL MOOD	An Modh Coinníollach
thitfinn	
thitfeá	ní thitfeadh
thitfeadh sé	an dtitfeadh?
thitfeadh sí	go dtitfeadh
thitfeadh muid	nach dtitfeadh
thitfeadh sibh	
thitfidís[U]	
thitfí[M]	

Munster Irish: Gaeilge na Mumhan

THE FUTURE TENSE	An Aimsir Fháistineach
titfead*	
*titfir	ní thitfidh
titfidh sé	an dtitfidh?
titfidh sí	go dtitfidh
*titfeam	ná titfidh
titfidh sibh	
*titfid	a thitfidh
titfear	

THE CONDITIONAL MOOD	An Modh Coinníollach
(do) thitfinn	
(do) thitfeá	ní thitfeadh
(do) thitfeadh sé	an dtitfeadh?
(do) thitfeadh sí	go dtitfeadh
(do) thitfimíst	ná titfeadh
(do) thitfeadh sibh	
(do) thitfidíst	
*(do) titfí	

Standard Irish: An Caighdeán Oifigiúil

THE IMPERFECT TENSE	An Aimsir Ghnáthchaite	The Imperative Mood	The Present Subjunctive
thitinn		titim	go dtite mé
thiteá	ní thiteadh	tit	go dtite tú
thiteadh sé	an dtiteadh?	titeadh sé	go dtite sé
thiteadh sí	go dtiteadh	titeadh sí	go dtite sí
thitimis	nach dtiteadh	titimis	go dtitimid
thiteadh sibh		titigí	go dtite sibh
thitidís		titidís	go dtite siad
thití		titear	go dtitear
		ná tit	nár thite

Ulster Irish: Gaeilge Chúige Uladh

THE IMPERFECT TENSE	An Aimsir Ghnáthchaite	An Modh Ordaitheach	An Foshuiteach Láithreach
thitinn		titim	go dtitidh mé
thitheá	ní thiteadh	tit	go dtitidh tú
thiteadh sé	(cha dtiteadh)	titeadh sé	go dtitidh sé
thiteadh sí	an dtiteadh?	titeadh sí	go dtitidh sí
thitimis[‡]	go dtiteadh	titimis[‡/fut]	go dtitidh muid[†]
thiteadh sibh	nach dtiteadh	titigí[C]	go dtitidh sibh
thiteadh siad	Ba ghnách le …	titeadh siad	go dtitidh siad
thití		titear	go dtitear
		ná tit	nár thitidh

Connaught Irish: Gaeilge Chonnacht

THE IMPERFECT TENSE	An Aimsir Ghnáthchaite	The Imperative Mood	The Present Subjunctive
thitinn		titim	go dtite mé
thiteá	ní thiteadh	tit	go dtite tú
thiteadh sé	an dtiteadh?	titeadh sé	go dtite sé
thiteadh sí	go dtiteadh	titeadh sí	go dtite sí
thiteadh muid	nach dtiteadh	titimid	go dtite muid
thiteadh sibh		*titidh	go dtite sibh
thitidís[U]		titidís	go dtite siad
thití[M]		titear	go dtitear
		ná tit	nár thite

Munster Irish: Gaeilge na Mumhan

THE IMPERFECT TENSE	An Aimsir Ghnáthchaite	An Modh Ordaitheach	An Foshuiteach Láithreach
(do) thitinn		titim	go dtitead*
(do) thiteá	ní thiteadh	tit	go dtitir*
(do) thiteadh sé	an dtiteadh?	titeadh sé	go dtite sé
(do) thiteadh sí	go dtiteadh	titeadh sí	go dtite sí
(do) thitimíst	ná titeadh	titimíst	go dtiteam*
(do) thiteadh sibh		titíg[=C]*	go dtite sibh
(do) thitidíst		titidíst	go dtitid*
*(do) tití		titear	go dtitear
		ná tit	nár thite

105 **tóg** 'lift, rear, take'; **tóig** *C* v.n. **tógáil** v.adj. **tógtha**

Standard Irish: An Caighdeán Oifigiúil

THE PAST TENSE	An Aimsir Chaite
thóg mé	níor thóg
thóg tú	ar thóg?
thóg sé	gur thóg
thóg sí	nár thóg
thógamar	níor tógadh
thóg sibh	ar tógadh?
thóg siad	gur tógadh
tógadh	nár tógadh

THE PRESENT TENSE	An Aimsir Láithreach
tógaim	
tógann tú	ní thógann
tógann sé	an dtógann?
tógann sí	go dtógann
tógaimid	nach dtógann
tógann sibh	
tógann siad	a thógann
tógtar	

Ulster Irish: Gaeilge Chúige Uladh

THE PAST TENSE	An Aimsir Chaite
thóg mé	níor thóg
thóg tú	(char thóg)
thóg sé	ar thóg?
thóg sí	gur thóg
thóg muid[†]	nár thóg
thóg sibh	
thóg siad	níor/ar tógadh
tógadh	gur/nár tógadh

THE PRESENT TENSE	An Aimsir Láithreach
tógaim	ní thógann
tógann tú	(cha dtógann)
tógann sé	an dtógann?
tógann sí	go dtógann
tógann muid[†]	nach dtógann
tógann sibh	
tógann siad	a thógas
tógtar	

Connaught Irish: Gaeilge Chonnacht

THE PAST TENSE	An Aimsir Chaite
thóig mé [M]	níor thóig
thóig tú [M]	ar thóig?
thóig sé	gur thóig
thóig sí	nár thóig
thóig muid	níor tóigeadh
thóig sibh	ar tóigeadh?
thóigeadar[U]	gur tóigeadh
tóigeadh	nár tóigeadh

THE PRESENT TENSE	An Aimsir Láithreach
tóigim	
tóigeann tú	ní thóigeann
tóigeann sé	an dtóigeann?
tóigeann sí	go dtóigeann
tóigeann muid	nach dtóigeann
tóigeann sibh	
tóigeann siad	a thóigeanns
tóigtear	*vn* tóigeáil*

Munster Irish: Gaeilge na Mumhan

THE PAST TENSE	An Aimsir Chaite
(do) thógas*	ní(or) thóg
(do) thógais*	ar thóg?
(do) thóg sé	gur thóg
(do) thóg sí	nár thóg
(do) thógamair*	*níor thógadh
(do) thógabhair*	*ar thógadh?
(do) thógadar	*gur thógadh
*(do) thógadh	*nár thógadh

THE PRESENT TENSE	An Aimsir Láithreach
tógaim	
tógann tú	ní thógann
tógann sé	an dtógann?
tógann sí	go dtógann
tógaimíd	ná tógann
tógann sibh	
*tógaid	a thógann
tógtar	

Standard Irish: An Caighdeán Oifigiúil

THE FUTURE TENSE	An Aimsir Fháistineach
tógfaidh mé	
tógfaidh tú	ní thógfaidh
tógfaidh sé	an dtógfaidh?
tógfaidh sí	go dtógfaidh
tógfaimid	nach dtógfaidh
tógfaidh sibh	
tógfaidh siad	a thógfaidh
tógfar	

THE CONDITIONAL MOOD	An Modh Coinníollach
thógfainn	
thógfá	ní thógfadh
thógfadh sé	an dtógfadh?
thógfadh sí	go dtógfadh
thógfaimis	nach dtógfadh
thógfadh sibh	
thógfaidís	
thógfaí	

Ulster Irish: Gaeilge Chúige Uladh

THE FUTURE TENSE	An Aimsir Fháistineach
tógfaidh mé	
tógfaidh tú	ní thógfaidh
tógfaidh sé	(cha dtógann)
tógfaidh sí	an dtógfaidh?
tógfaidh muid†	go dtógfaidh
tógfaidh sibh	nach dtógfaidh
tógfaidh siad	a thógfas
tógfar	

THE CONDITIONAL MOOD	An Modh Coinníollach
thógfainn	
thógfá	ní thógfadh
thógfadh sé	(cha dtógfadh)
thógfadh sí	an dtógfadh?
thógfaimis‡	go dtógfadh
thógfadh sibh	nach dtógfadh
thógfadh siad	
thógfaí	

Connaught Irish: Gaeilge Chonnacht

THE FUTURE TENSE	An Aimsir Fháistineach
tóigfidh mé / tóigfead	
tóigfidh tú / tóigfir	ní thóigfidh
tóigfidh sé	an dtóigfidh?
tóigfidh sí	go dtóigfidh
tóigfidh muid	nach dtóigfidh
tóigfidh sibh	
tóigfidh siad	a thóigfeas
tóigfear	

THE CONDITIONAL MOOD	An Modh Coinníollach
thóigfinn	
thóigfeá	ní thóigfeadh
thóigfeadh sé	an dtóigfeadh?
thóigfeadh sí	go dtóigfeadh
thóigfeadh muid	nach dtóigfeadh
thóigfeadh sibh	
thóigfidís[U]	
thóigfí[M]	

Munster Irish: Gaeilge na Mumhan

THE FUTURE TENSE	An Aimsir Fháistineach
tógfad*	
*tógfair	ní thógfaidh
tógfaidh sé	an dtógfaidh?
tógfaidh sí	go dtógfaidh
*tógfam	ná tógfaidh
tógfaidh sibh	
*tógfaid	a thógfaidh
tógfar	

THE CONDITIONAL MOOD	An Modh Coinníollach
(do) thógfainn	
(do) thógfá	ní thógfadh
(do) thógfadh sé	an dtógfadh?
(do) thógfadh sí	go dtógfadh
(do) thógfaimíst	ná tógfadh
(do) thógfadh sibh	
(do) thógfaidíst	
*(do) tógfaí	

105 **tóg** 'lift, rear, take'; **tóig** *C* v.n. **tógáil** v.adj. **tógtha**

Standard Irish: An Caighdeán Oifigiúil

THE IMPERFECT TENSE	An Aimsir Ghnáthchaite	The Imperative Mood	The Present Subjunctive
thógainn		tógaim	go dtóga mé
thógtá	ní thógadh	tóg	go dtóga tú
thógadh sé	an dtógadh?	tógadh sé	go dtóga sé
thógadh sí	go dtógadh	tógadh sí	go dtóga sí
thógaimis	nach dtógadh	tógaimis	go dtógaimid
thógadh sibh		tógaigí	go dtóga sibh
thógaidís		tógaidís	go dtóga siad
thógtaí		tógtar	go dtógtar
		ná tóg	nár thóga

Ulster Irish: Gaeilge Chúige Uladh

THE IMPERFECT TENSE	An Aimsir Ghnáthchaite	An Modh Ordaitheach	An Foshuiteach Láithreach
thógainn	ní thógadh	tógaim	go dtógaidh mé
thógthá	(cha dtógadh)	tóg	go dtógaidh tú
thógadh sé	an dtógadh?	tógadh sé	go dtógaidh sé
thógadh sí	go dtógadh	tógadh sí	go dtógaidh sí
thógaimis‡	nach dtógadh	tógaimis‡/fut	go dtógaidh muid†
thógadh sibh		tógaigí / tógaidh	go dtógaidh sibh
thógadh siad	Ba ghnách le …	tógadh siad	go dtógaidh siad
thógtaí		tógtar	go dtógtar
		ná tóg	nár thógaidh

Connaught Irish: Gaeilge Chonnacht

THE IMPERFECT TENSE	An Aimsir Ghnáthchaite	The Imperative Mood	The Present Subjunctive
thóiginn		tóigim	go dtóige mé
thóigteá	ní thóigeadh	tóig	go dtóige tú
thóigeadh sé	an dtóigeadh?	tóigeadh sé	go dtóige sé
thóigeadh sí	go dtóigeadh	tóigeadh sí	go dtóige sí
thóigeadh muid	nach dtóigeadh	tóigimid	go dtóige muid
thóigeadh sibh		*tóigidh	go dtóige sibh
thóigidísU		tóigidís	go dtóige siad
thóigtíM		tóigtear	go dtóigtear
		ná tóig	nár thóige

Munster Irish: Gaeilge na Mumhan

THE IMPERFECT TENSE	An Aimsir Ghnáthchaite	An Modh Ordaitheach	An Foshuiteach Láithreach
(do) thógainn		tógaim	go dtógad*
(do) thógtá	ní thógadh	tóg	go dtógair*
(do) thógadh sé	an dtógadh?	tógadh sé	go dtóga sé
(do) thógadh sí	go dtógadh	tógadh sí	go dtóga sí
(do) thógaimíst	ná tógadh	tógaimíst	go dtógam*
(do) thógadh sibh		tógaíg = tógaidh*	go dtóga sibh
(do) thógaidíst		tógaidíst	go dtógaid*
*(do) tógtaí		tógtar	go dtógtar
		ná tóg	nár thóga

Standard Irish: An Caighdeán Oifigiúil

THE PAST TENSE	An Aimsir Chaite	THE PRESENT TENSE	An Aimsir Láithreach
thosaigh mé	níor thosaigh	tosaím	
thosaigh tú	ar thosaigh?	tosaíonn tú	ní thosaíonn
thosaigh sé	gur thosaigh	tosaíonn sé	an dtosaíonn?
thosaigh sí	nár thosaigh	tosaíonn sí	go dtosaíonn
thosaíomar	níor tosaíodh	tosaímid	nach dtosaíonn
thosaigh sibh	ar tosaíodh?	tosaíonn sibh	
thosaigh siad	gur tosaíodh	tosaíonn siad	a thosaíonn
tosaíodh	nár tosaíodh	tosaítear	

Ulster Irish: Gaeilge Chúige Uladh

THE PAST TENSE	An Aimsir Chaite	THE PRESENT TENSE	An Aimsir Láithreach
thoisigh mé	níor thoisigh	toisim	ní thoiseann
thoisigh tú	(char thoisigh)	toiseann tú	(cha dtoiseann)
thoisigh sé	ar thoisigh?	toiseann sé	an dtoiseann?
thoisigh sí	gur thoisigh	toiseann sí	go dtoiseann
thoisigh muid†	nár thoisigh	toiseann muid†	nach dtoiseann
thoisigh sibh		toiseann sibh	
thoisigh siad	níor/ar toiseadh	toiseann siad	a thoiseas
toiseadh	gur/nár toiseadh	toisíthear	*vn* toiseacht

Connaught Irish: Gaeilge Chonnacht

THE PAST TENSE	An Aimsir Chaite	THE PRESENT TENSE	An Aimsir Láithreach
thosaigh mé /thosaíos	níor thosaigh	tosaím	
thosaigh tú / thosaís	ar thosaigh?	tosaíonn tú	ní thosaíonn
thosaigh sé	gur thosaigh	tosaíonn sé	an dtosaíonn?
thosaigh sí	nár thosaigh	tosaíonn sí	go dtosaíonn
thosaigh muid	níor tosaíodh	tosaíonn muid	nach dtosaíonn
thosaigh sibh	ar tosaíodh?	tosaíonn sibh	
thosaíodar*	gur tosaíodh	tosaíonn siad	a thosaíonns
tosaíodh	nár tosaíodh	tosaít(h)ear	

Munster Irish: Gaeilge na Mumhan

THE PAST TENSE	An Aimsir Chaite	THE PRESENT TENSE	An Aimsir Láithreach
(do) thosnaíos*	ní(or) thosnaigh	tosnaím	
(do) thosnaís*	ar thosnaigh?	tosnaíonn tú	ní thosnaíonn
(do) thosnaigh sé	gur thosnaigh	tosnaíonn sé	an dtosnaíonn?
(do) thosnaigh sí	nár thosnaigh	tosnaíonn sí	go dtosnaíonn
(do) thosnaíomair -mar	níor t(h)osnaíodh	tosnaímíd	ná tosnaíonn
(do) thosnaíobhair*	ar t(h)osnaíodh?	tosnaíonn sibh	
(do) thosnaíodar	gur t(h)osnaíodh	*tosnaíd	a thosnaíonn
(do) t(h)osnaíodh	nár t(h)osnaíodh	tosnaíotar*	*vn* tosnú

Standard Irish: An Caighdeán Oifigiúil

THE FUTURE TENSE	An Aimsir Fháistineach	THE CONDITIONAL MOOD	An Modh Coinníollach
tosóidh mé		thosóinn	
tosóidh tú	ní thosóidh	thosófá	ní thosódh
tosóidh sé	an dtosóidh?	thosódh sé	an dtosódh?
tosóidh sí	go dtosóidh	thosódh sí	go dtosódh
tosóimid	nach dtosóidh	thosóimis	nach dtosódh
tosóidh sibh		thosódh sibh	
tosóidh siad	a thosóidh	thosóidís	
tosófar		thosófaí	

Ulster Irish: Gaeilge Chúige Uladh

THE FUTURE TENSE	An Aimsir Fháistineach	THE CONDITIONAL MOOD	An Modh Coinníollach
toiseochaidh mé	ní thoiseochaidh	thoiseochainn	
toiseochaidh tú	(cha dtoiseann)	thoiseofá	ní thoiseochadh
toiseochaidh sé	an dtoiseochaidh?	thoiseochadh sé	(cha dtoiseochadh)
toiseochaidh sí	go dtoiseochaidh	thoiseochadh sí	an dtoiseochadh?
toiseochaidh muid†	nach dtoiseochaidh	thoiseochaimis‡	go dtoiseochadh
toiseochaidh sibh		thoiseochadh sibh	nach dtoiseochadh
toiseochaidh siad	a thoiseochas	thoiseochadh siad	
toiseofar		thoiseofaí	

Connaught Irish: Gaeilge Chonnacht

THE FUTURE TENSE	An Aimsir Fháistineach	THE CONDITIONAL MOOD	An Modh Coinníollach
tosóidh mé / tosód		thosóinn	
tosóidh tú / tosóir	ní thosóidh	thosófá	ní thosódh
tosóidh sé	an dtosóidh?	thosódh sé	an dtosódh?
tosóidh sí	go dtosóidh	thosódh sí	go dtosódh
tosóidh muid	nach dtosóidh	thosódh muid	nach dtosódh
tosóidh sibh		thosódh sibh	
tosóidh siad	a thosós	thosóidís	
tosófar		thosófaí[M]	

Munster Irish: Gaeilge na Mumhan

THE FUTURE TENSE	An Aimsir Fháistineach	THE CONDITIONAL MOOD	An Modh Coinníollach
tosnód*		(do) thosnóinn	
*tosnóir	ní thosnóidh	(do) thosnófá	ní thosnódh
tosnóidh sé	an dtosnóidh?	(do) thosnódh sé	an dtosnódh?
tosnóidh sí	go dtosnóidh	(do) thosnódh sí	go dtosnódh
*tosnóm	ná tosnóidh	(do) thosnóimíst	ná tosnódh
tosnóidh sibh		(do) thosnódh sibh	
*tosnóid	a thosnóidh	(do) thosnóidíst	
tosnófar		*(do) tosnófaí	

106 **tosaigh** 'begin, start' v.n. **tosú** v.adj. **tosaithe**

Standard Irish: An Caighdeán Oifigiúil

THE IMPERFECT TENSE	An Aimsir Ghnáthchaite	The Imperative Mood	The Present Subjunctive
thosaínn		tosaím	go dtosaí mé
thosaíteá	ní thosaíodh	tosaigh	go dtosaí tú
thosaíodh sé	an dtosaíodh?	tosaíodh sé	go dtosaí sé
thosaíodh sí	go dtosaíodh	tosaíodh sí	go dtosaí sí
thosaímis	nach dtosaíodh	tosaímis	go dtosaímid
thosaíodh sibh		tosaígí	go dtosaí sibh
thosaídís		tosaídís	go dtosaí siad
thosaítí		tosaítear	go dtosaítear
		ná tosaigh	nár thosaí

Ulster Irish: Gaeilge Chúige Uladh

THE IMPERFECT TENSE	An Aimsir Ghnáthchaite	An Modh Ordaitheach	An Foshuiteach Láithreach
thoisinn*	ní thoiseadh	toisim	go dtoisí mé
thoisítheá	(cha dtoiseadh)	toisigh	go dtoisí tú
thoiseadh sé*	an dtoiseadh?	toiseadh sé	go dtoisí sé
thoiseadh sí*	go dtoiseadh	toiseadh sí	go dtoisí sí
thoisimis‡*	nach dtoiseadh	toisimis[‡/fut]	go dtoisí muid[†]
thoiseadh sibh*		toisigí	go dtoisí sibh
thoiseadh siad	Ba ghnách le …	toiseadh siad	go dtoisí siad
thoisíthí		toisíthear	go dtoisíthear
		ná toisigh	nár thoisí

Connaught Irish: Gaeilge Chonnacht

THE IMPERFECT TENSE	An Aimsir Ghnáthchaite	The Imperative Mood	The Present Subjunctive
thosaínn		tosaím	go dtosaí mé
thosaíteá[M]	ní thosaíodh	tosaigh	go dtosaí tú
thosaíodh sé	an dtosaíodh?	tosaíodh sé	go dtosaí sé
thosaíodh sí	go dtosaíodh	tosaíodh sí	go dtosaí sí
thosaíodh muid	nach dtosaíodh	tosaímid	go dtosaí muid
thosaíodh sibh		*tosaighidh	go dtosaí sibh
thosaídís		tosaídís	go dtosaí siad
thosaítí[M]		tosaít(h)ear	go dtosaít(h)ear
		ná tosaigh	nár thosaí

Munster Irish: Gaeilge na Mumhan

THE IMPERFECT TENSE	An Aimsir Ghnáthchaite	An Modh Ordaitheach	An Foshuiteach Láithreach
(do) thosnaínn		tosnaím	go dtosnaíod -naí mé
*(do) thosnaíotá	ní thosnaíodh	tosnaigh	go dtosnaír go dtosnaí tú
(do) thosnaíodh sé	an dtosnaíodh?	tosnaíodh sé	go dtosnaí sé
(do) thosnaíodh sí	go dtosnaíodh	tosnaíodh sí	go dtosnaí sí
(do) thosnaímíst	ná tosnaíodh	tosnaímíst	go dtosnaíom –naímíd
(do) thosnaíodh sibh		tosnaíg < tosnaighidh*	go dtosnaí sibh
(do) thosnaídíst		tosnaídíst	go dtosnaíd –naí siad
*(do) tosnaíotaí		tosnaíotar*	go dtosnaíotar*
		ná tosnaigh	nár thosnaí

107 **trácht** 'mention' v.n. **trácht** v.adj. **tráchta**

Standard Irish: An Caighdeán Oifigiúil

THE PAST TENSE	An Aimsir Chaite
thrácht mé	níor thrácht
thrácht tú	ar thrácht?
thrácht sé	gur thrácht
thrácht sí	nár thrácht
thráchtamar	níor tráchtadh
thrácht sibh	ar tráchtadh?
thrácht siad	gur tráchtadh
tráchtadh	nár tráchtadh

THE PRESENT TENSE	An Aimsir Láithreach
tráchtaim	
tráchtann tú	ní thráchtann
tráchtann sé	an dtráchtann?
tráchtann sí	go dtráchtann
tráchtaimid	nach dtráchtann
tráchtann sibh	
tráchtann siad	a thráchtann
tráchtar	

Ulster Irish: Gaeilge Chúige Uladh

THE PAST TENSE	An Aimsir Chaite
thrácht mé	níor thrácht
thrácht tú	(char thrácht)
thrácht sé	ar thrácht?
thrácht sí	gur thrácht
thrácht muid[†]	nár thrácht
thrácht sibh	
thrácht siad	níor/ar tráchtadh
tráchtadh	gur/nár tráchtadh

THE PRESENT TENSE	An Aimsir Láithreach
tráchtaim	ní thráchtann
tráchtann tú	(cha dtráchtann)
tráchtann sé	an dtráchtann?
tráchtann sí	go dtráchtann
tráchtann muid[†]	nach dtráchtann
tráchtann sibh	
tráchtann siad	a thráchtas
tráchtar	

Connaught Irish: Gaeilge Chonnacht

THE PAST TENSE	An Aimsir Chaite
thrácht mé [M]	níor thrácht
thrácht tú [M]	ar thrácht?
thrácht sé	gur thrácht
thrácht sí	nár thrácht
thrácht muid	níor tráchtadh
thrácht sibh	ar tráchtadh?
thráchtadar[U]	gur tráchtadh
tráchtadh	nár tráchtadh

THE PRESENT TENSE	An Aimsir Láithreach
tráchtaim	
tráchtann tú	ní thráchtann
tráchtann sé	an dtráchtann?
tráchtann sí	go dtráchtann
tráchtann muid	nach dtráchtann
tráchtann sibh	
tráchtann siad	a thráchtanns
tráchtar	

Munster Irish: Gaeilge na Mumhan

THE PAST TENSE	An Aimsir Chaite
(do) thráchtas*	ní(or) thrácht
(do) thráchtais*	ar thrácht?
(do) thrácht sé	gur thrácht
(do) thrácht sí	nár thrácht
(do) thráchtamair*	*níor thráchtadh
(do) thráchtabhair*	*ar thráchtadh?
(do) thráchtadar	*gur thráchtadh
*(do) thráchtadh	*nár thráchtadh

THE PRESENT TENSE	An Aimsir Láithreach
tráchtaim	
tráchtann tú	ní thráchtann
tráchtann sé	an dtráchtann?
tráchtann sí	go dtráchtann
tráchtaimíd	ná tráchtann
tráchtann sibh	
*tráchtaid	a thráchtann
tráchtar	

107 **trácht** 'mention' a.br. **trácht** aid.bhr. **tráchta**

Standard Irish: An Caighdeán Oifigiúil

THE FUTURE TENSE	An Aimsir Fháistineach
tráchtfaidh mé	
tráchtfaidh tú	ní thráchtfaidh
tráchtfaidh sé	an dtráchtfaidh?
tráchtfaidh sí	go dtráchtfaidh
tráchtfaimid	nach dtráchtfaidh
tráchtfaidh sibh	
tráchtfaidh siad	a thráchtfaidh
tráchtfar	

THE CONDITIONAL MOOD	An Modh Coinníollach
thráchtfainn	
thráchtfá	ní thráchtfadh
thráchtfadh sé	an dtráchtfadh?
thráchtfadh sí	go dtráchtfadh
thráchtfaimis	nach dtráchtfadh
thráchtfadh sibh	
thráchtfaidís	
thráchtfaí	

Ulster Irish: Gaeilge Chúige Uladh

THE FUTURE TENSE	An Aimsir Fháistineach
tráchtfaidh mé	
tráchtfaidh tú	ní thráchtfaidh
tráchtfaidh sé	(cha dtráchtann)
tráchtfaidh sí	an dtráchtfaidh?
tráchtfaidh muid[†]	go dtráchtfaidh
tráchtfaidh sibh	nach dtráchtfaidh
tráchtfaidh siad	a thráchtfas
tráchtfar	

THE CONDITIONAL MOOD	An Modh Coinníollach
thráchtfainn	
thráchtfá	ní thráchtfadh
thráchtfadh sé	(cha dtráchtfadh)
thráchtfadh sí	an dtráchtfadh?
thráchtfaimis[‡]	go dtráchtfadh
thráchtfadh sibh	nach dtráchtfadh
thráchtfadh siad	
thráchtfaí	

Connaught Irish: Gaeilge Chonnacht

THE FUTURE TENSE	An Aimsir Fháistineach
tráchtfaidh mé [M]	
tráchtfaidh tú[M]	ní thráchtfaidh
tráchtfaidh sé	an dtráchtfaidh?
tráchtfaidh sí	go dtráchtfaidh
tráchtfaidh muid	nach dtráchtfaidh
tráchtfaidh sibh	
tráchtfaidh siad	a thráchtfas
tráchtfar	

THE CONDITIONAL MOOD	An Modh Coinníollach
thráchtfainn	
thráchtfá	ní thráchtfadh
thráchtfadh sé	an dtráchtfadh?
thráchtfadh sí	go dtráchtfadh
thráchtfadh muid	nach dtráchtfadh
thráchtfadh sibh	
thráchtfaidís[U]	
thráchtfaí[M]	

Munster Irish: Gaeilge na Mumhan

THE FUTURE TENSE	An Aimsir Fháistineach
tráchtfad*	
*tráchtfair	ní thráchtfaidh
tráchtfaidh sé	an dtráchtfaidh?
tráchtfaidh sí	go dtráchtfaidh
*tráchtfam	ná tráchtfaidh
tráchtfaidh sibh	
*tráchtfaid	a thráchtfaidh
tráchtfar	

THE CONDITIONAL MOOD	An Modh Coinníollach
(do) thráchtfainn	
(do) thráchtfá	ní thráchtfadh
(do) thráchtfadh sé	an dtráchtfadh?
(do) thráchtfadh sí	go dtráchtfadh
(do) thráchtfaimíst	ná tráchtfadh
(do) thráchtfadh sibh	
(do) thráchtfaidíst	
*(do) tráchtfaí	

Standard Irish: An Caighdeán Oifigiúil

THE IMPERFECT TENSE	An Aimsir Ghnáthchaite	The Imperative Mood	The Present Subjunctive
thráchtainn		tráchtaim	go dtráchta mé
thráchtá	ní thráchtadh	trácht	go dtráchta tú
thráchtadh sé	an dtráchtadh?	tráchtadh sé	go dtráchta sé
thráchtadh sí	go dtráchtadh	tráchtadh sí	go dtráchta sí
thráchtaimis	nach dtráchtadh	tráchtaimis	go dtráchtaimid
thráchtadh sibh		tráchtaigí	go dtráchta sibh
thráchtaidís		tráchtaidís	go dtráchta siad
thráchtaí		tráchtar	go dtráchtar
		ná trácht	nár thráchta

Ulster Irish: Gaeilge Chúige Uladh

THE IMPERFECT TENSE	An Aimsir Ghnáthchaite	An Modh Ordaitheach	An Foshuiteach Láithreach
thráchtainn	ní thráchtadh	tráchtaim	go dtráchtaidh mé
thráchtá	(cha dtráchtadh)	trácht	go dtráchtaidh tú
thráchtadh sé	an dtráchtadh?	tráchtadh sé	go dtráchtaidh sé
thráchtadh sí	go dtráchtadh	tráchtadh sí	go dtráchtaidh sí
thráchtaimis[‡]	nach dtráchtadh	tráchtaimis[‡/fut]	go dtráchtaidh muid[†]
thráchtadh sibh		tráchtaigí[C]	go dtráchtaidh sibh
thráchtadh siad	Ba ghnách le …	tráchtadh siad	go dtráchtaidh siad
thráchtaí		tráchtar	go dtráchtar
		ná trácht	nár thráchtaidh

Connaught Irish: Gaeilge Chonnacht

THE IMPERFECT TENSE	An Aimsir Ghnáthchaite	The Imperative Mood	The Present Subjunctive
thráchtainn		tráchtaim	go dtráchta mé
thráchtá	ní thráchtadh	trácht	go dtráchta tú
thráchtadh sé	an dtráchtadh?	tráchtadh sé	go dtráchta sé
thráchtadh sí	go dtráchtadh	tráchtadh sí	go dtráchta sí
thráchtadh muid	nach dtráchtadh	tráchtaimid	go dtráchta muid
thráchtadh sibh		*tráchtaidh	go dtráchta sibh
thráchtaidís[U]		tráchtaidís	go dtráchta siad
thráchtaí[M]		tráchtar	go dtráchtar
		ná trácht	nár thráchta

Munster Irish: Gaeilge na Mumhan

THE IMPERFECT TENSE	An Aimsir Ghnáthchaite	An Modh Ordaitheach	An Foshuiteach Láithreach
(do) thráchtainn		tráchtaim	go dtráchtad*
(do) thráchtá	ní thráchtadh	trácht	go dtráchtair*
(do) thráchtadh sé	an dtráchtadh?	tráchtadh sé	go dtráchta sé
(do) thráchtadh sí	go dtráchtadh	tráchtadh sí	go dtráchta sí
(do) thráchtaimíst	ná tráchtadh	tráchtaimíst	go dtráchtam*
(do) thráchtadh sibh		tráchtaíg[=C*]	go dtráchta sibh
(do) thráchtaidíst		tráchtaidíst	go dtráchtaid*
*(do) tráchtaí		tráchtar	go dtráchtar
		ná trácht	nár thráchta

Standard Irish: An Caighdeán Oifigiúil

THE PAST TENSE	An Aimsir Chaite	THE PRESENT TENSE	An Aimsir Láithreach
thriomaigh mé	níor thriomaigh	triomaím	
thriomaigh tú	ar thriomaigh?	triomaíonn tú	ní thriomaíonn
thriomaigh sé	gur thriomaigh	triomaíonn sé	an dtriomaíonn?
thriomaigh sí	nár thriomaigh	triomaíonn sí	go dtriomaíonn
thriomaíomar	níor triomaíodh	triomaímid	nach dtriomaíonn
thriomaigh sibh	ar triomaíodh?	triomaíonn sibh	
thriomaigh siad	gur triomaíodh	triomaíonn siad	a thriomaíonn
triomaíodh	nár triomaíodh	triomaítear	

Ulster Irish: Gaeilge Chúige Uladh

THE PAST TENSE	An Aimsir Chaite	THE PRESENT TENSE	An Aimsir Láithreach
thriomaigh mé	níor thriomaigh	triomaim	ní thriomann
thriomaigh tú	(char thriomaigh)	triomann tú	(cha dtriomann)
thriomaigh sé	ar thriomaigh?	triomann sé	an dtriomann?
thriomaigh sí	gur thriomaigh	triomann sí	go dtriomann
thriomaigh muid†	nár thriomaigh	triomann muid†	nach dtriomann
thriomaigh sibh		triomann sibh	
thriomaigh siad	níor/ar triomadh	triomann siad	a thriomas
triomadh	gur/nár triomadh	triomaíthear	

Connaught Irish: Gaeilge Chonnacht

THE PAST TENSE	An Aimsir Chaite	THE PRESENT TENSE	An Aimsir Láithreach
thriomaigh mé [M]	níor thriomaigh	triomaím	
thriomaigh tú [M]	ar thriomaigh?	triomaíonn tú	ní thriomaíonn
thriomaigh sé	gur thriomaigh	triomaíonn sé	an dtriomaíonn?
thriomaigh sí	nár thriomaigh	triomaíonn sí	go dtriomaíonn
thriomaigh muid	níor triomaíodh	triomaíonn muid	nach dtriomaíonn
thriomaigh sibh	ar triomaíodh?	triomaíonn sibh	
thriomaíodar[U]	gur triomaíodh	triomaíonn siad	a thriomaíonns
triomaíodh [U]	nár triomaíodh	triomaít(h)ear	

Munster Irish: Gaeilge na Mumhan

THE PAST TENSE	An Aimsir Chaite	THE PRESENT TENSE	An Aimsir Láithreach
(do) thriomaíos*	ní(or) thriomaigh	triomaím	
(do) thriomaís*	ar thriomaigh?	triomaíonn tú	ní thriomaíonn
(do) thriomaigh sé	gur thriomaigh	triomaíonn sé	an dtriomaíonn?
(do) thriomaigh sí	nár thriomaigh	triomaíonn sí	go dtriomaíonn
(do) thriomaíomair*	*níor thriomaíodh	triomaímíd	ná triomaíonn
(do) thriomaíobhair*	*ar thriomaíodh?	triomaíonn sibh	
(do) thriomaíodar	*gur thriomaíodh	*triomaíd	a thriomaíonn
*(do) thriomaíodh	*nár thriomaíodh	triomaíotar*	

Standard Irish: An Caighdeán Oifigiúil

THE FUTURE TENSE	An Aimsir Fháistineach
triomóidh mé	
triomóidh tú	ní thriomóidh
triomóidh sé	an dtriomóidh?
triomóidh sí	go dtriomóidh
triomóimid	nach dtriomóidh
triomóidh sibh	
triomóidh siad	a thriomóidh
triomófar	

THE CONDITIONAL MOOD	An Modh Coinníollach
thriomóinn	
thriomófá	ní thriomódh
thriomódh sé	an dtriomódh?
thriomódh sí	go dtriomódh
thriomóimis	nach dtriomódh
thriomódh sibh	
thriomóidís	
thriomófaí	

Ulster Irish: Gaeilge Chúige Uladh

THE FUTURE TENSE	An Aimsir Fháistineach
triomóchaidh mé	ní thriomóchaidh
triomóchaidh tú	(cha dtriomann)
triomóchaidh sé	an dtriomóchaidh?
triomóchaidh sí	go dtriomóchaidh
triomóchaidh muid†	nach dtriomóchaidh
triomóchaidh sibh	
triomóchaidh siad	a thriomóchas
triomófar	

THE CONDITIONAL MOOD	An Modh Coinníollach
thriomóchainn	
thriomófá	ní thriomóchadh
thriomóchadh sé	(cha dtriomóchadh)
thriomóchadh sí	an dtriomóchadh?
thriomóchaimis‡	go dtriomóchadh
thriomóchadh sibh	nach dtriomóchadh
thriomóchadh siad	
thriomófaí	

Connaught Irish: Gaeilge Chonnacht

THE FUTURE TENSE	An Aimsir Fháistineach
triomóidh mé [M]	
triomóidh tú[M]	ní thriomóidh
triomóidh sé	an dtriomóidh?
triomóidh sí	go dtriomóidh
triomóidh muid	nach dtriomóidh
triomóidh sibh	
triomóidh siad	a thriomós
triomófar	

THE CONDITIONAL MOOD	An Modh Coinníollach
thriomóinn	
thriomófá	ní thriomódh
thriomódh sé	an dtriomódh?
thriomódh sí	go dtriomódh
thriomódh muid	nach dtriomódh
thriomódh sibh	
thriomóidís[U]	
thriomófaí[M]	

Munster Irish: Gaeilge na Mumhan

THE FUTURE TENSE	An Aimsir Fháistineach
triomód*	
*triomóir	ní thriomóidh
triomóidh sé	an dtriomóidh?
triomóidh sí	go dtriomóidh
*triomóm	ná triomóidh
triomóidh sibh	
*triomóid	a thriomóidh
triomófar	

THE CONDITIONAL MOOD	An Modh Coinníollach
(do) thriomóinn	
(do) thriomófá	ní thriomódh
(do) thriomódh sé	an dtriomódh?
(do) thriomódh sí	go dtriomódh
(do) thriomóimíst	ná triomódh
(do) thriomódh sibh	
(do) thriomóidíst	
*(do) triomófaí	

Standard Irish: An Caighdeán Oifigiúil

THE IMPERFECT TENSE	An Aimsir Ghnáthchaite	The Imperative Mood	The Present Subjunctive
thriomaínn		triomaím	go dtriomaí mé
thriomaíteá	ní thriomaíodh	triomaigh	go dtriomaí tú
thriomaíodh sé	an dtriomaíodh?	triomaíodh sé	go dtriomaí sé
thriomaíodh sí	go dtriomaíodh	triomaíodh sí	go dtriomaí sí
thriomaímis	nach dtriomaíodh	triomaímis	go dtriomaímid
thriomaíodh sibh		triomaígí	go dtriomaí sibh
thriomaídís		triomaídís	go dtriomaí siad
thriomaítí		triomaítear	go dtriomaítear
		ná triomaigh	nár thriomaí

Ulster Irish: Gaeilge Chúige Uladh

THE IMPERFECT TENSE	An Aimsir Ghnáthchaite	An Modh Ordaitheach	An Foshuiteach Láithreach
thriomainn*		triomaim	go dtriomaí mé
thriomaítheá	ní thriomadh	triomaigh	go dtriomaí tú
thriomadh sé*	(cha dtriomadh)	triomadh sé	go dtriomaí sé
thriomadh sí*	an dtriomadh?	triomadh sí	go dtriomaí sí
thriomaimis‡	go dtriomadh	triomaimis[‡/fut]	go dtriomaí muid†
thriomadh sibh*	nach dtriomadh	triomaigí[C]	go dtriomaí sibh
thriomadh siad*	Ba ghnách le …	triomadh siad	go dtriomaí siad
thriomaíthí		triomaíthear	go dtriomaíthear
		ná triomaigh	nár thriomaí

Connaught Irish: Gaeilge Chonnacht

THE IMPERFECT TENSE	An Aimsir Ghnáthchaite	The Imperative Mood	The Present Subjunctive
thriomaínn		triomaím	go dtriomaí mé
thriomaíteá[M]	ní thriomaíodh	triomaigh	go dtriomaí tú
thriomaíodh sé	an dtriomaíodh?	triomaíodh sé	go dtriomaí sé
thriomaíodh sí	go dtriomaíodh	triomaíodh sí	go dtriomaí sí
thriomaíodh muid	nach dtriomaíodh	triomaímid	go dtriomaí muid
thriomaíodh sibh		*triomaighidh	go dtriomaí sibh
thriomaídís[U]		triomaídís	go dtriomaí siad
thriomaítí[M]		triomaít(h)ear	go dtriomaít(h)ear
		ná triomaigh	nár thriomaí

Munster Irish: Gaeilge na Mumhan

THE IMPERFECT TENSE	An Aimsir Ghnáthchaite	An Modh Ordaitheach	An Foshuiteach Láithreach
(do) thriomaínn		triomaím	go dtriomaíod*
*(do) thriomaíotá	ní thriomaíodh	triomaigh	go dtriomaír*
(do) thriomaíodh sé	an dtriomaíodh?	triomaíodh sé	go dtriomaí sé
(do) thriomaíodh sí	go dtriomaíodh	triomaíodh sí	go dtriomaí sí
(do) thriomaímíst	ná triomaíodh	triomaímíst	go dtriomaíom*
(do) thriomaíodh sibh		triomaíg[=C]*	go dtriomaí sibh
(do) thriomaídíst		triomaídíst	go dtriomaíd*
*(do) triomaíotaí		triomaíotar*	go dtriomaíotar*
		ná triomaigh	nár thriomaí

109 **tuig** 'understand' v.n. **tuiscint; tuigbheáil** *U* v.adj. **tuigthe**

Standard Irish: An Caighdeán Oifigiúil

THE PAST TENSE	An Aimsir Chaite
thuig mé	níor thuig
thuig tú	ar thuig?
thuig sé	gur thuig
thuig sí	nár thuig
thuigeamar	níor tuigeadh
thuig sibh	ar tuigeadh?
thuig siad	gur tuigeadh
tuigeadh	nár tuigeadh

THE PRESENT TENSE	An Aimsir Láithreach
tuigim	
tuigeann tú	ní thuigeann
tuigeann sé	an dtuigeann?
tuigeann sí	go dtuigeann
tuigimid	nach dtuigeann
tuigeann sibh	
tuigeann siad	a thuigeann
tuigtear	

Ulster Irish: Gaeilge Chúige Uladh

THE PAST TENSE	An Aimsir Chaite
thuig mé	níor thuig
thuig tú	(char thuig)
thuig sé	ar thuig?
thuig sí	gur thuig
thuig muid†	nár thuig
thuig sibh	
thuig siad	níor/ar tuigeadh
tuigeadh	gur/nár tuigeadh

THE PRESENT TENSE	An Aimsir Láithreach
tuigim	ní thuigeann
tuigeann tú	(cha dtuigeann)
tuigeann sé	an dtuigeann?
tuigeann sí	go dtuigeann
tuigeann muid†	nach dtuigeann
tuigeann sibh	
tuigeann siad	a thuigeas
tuigtear	

Connaught Irish: Gaeilge Chonnacht

THE PAST TENSE	An Aimsir Chaite
thuig mé [M]	níor thuig
thuig tú [M]	ar thuig?
thuig sé	gur thuig
thuig sí	nár thuig
thuig muid	níor tuigeadh
thuig sibh	ar tuigeadh?
thuigeadar[U]	gur tuigeadh
tuigeadh	nár tuigeadh

THE PRESENT TENSE	An Aimsir Láithreach
tuigim	
tuigeann tú	ní thuigeann
tuigeann sé	an dtuigeann?
tuigeann sí	go dtuigeann
tuigeann muid	nach dtuigeann
tuigeann sibh	
tuigeann siad	a thuigeanns
tuigtear	

Munster Irish: Gaeilge na Mumhan

THE PAST TENSE	An Aimsir Chaite
(do) thuigeas*	ní(or) thuig
(do) thuigis*	ar thuig?
(do) thuig sé	gur thuig
(do) thuig sí	nár thuig
(do) thuigeamair*	*níor thuigeadh
(do) thuigeabhair*	*ar thuigeadh?
(do) thuigeadar	*gur thuigeadh
*(do) thuigeadh	*nár thuigeadh

THE PRESENT TENSE	An Aimsir Láithreach
tuigim	
tuigeann tú	ní thuigeann
tuigeann sé	an dtuigeann?
tuigeann sí	go dtuigeann
tuigimíd	ná tuigeann
tuigeann sibh	
*tuigid	a thuigeann
tuigtear	

Standard Irish: An Caighdeán Oifigiúil

THE FUTURE TENSE	An Aimsir Fháistineach
tuigfidh mé	
tuigfidh tú	ní thuigfidh
tuigfidh sé	an dtuigfidh?
tuigfidh sí	go dtuigfidh
tuigfimid	nach dtuigfidh
tuigfidh sibh	
tuigfidh siad	a thuigfidh
tuigfear	

THE CONDITIONAL MOOD	An Modh Coinníollach
thuigfinn	
thuigfeá	ní thuigfeadh
thuigfeadh sé	an dtuigfeadh?
thuigfeadh sí	go dtuigfeadh
thuigfimis	nach dtuigfeadh
thuigfeadh sibh	
thuigfidís	
thuigfí	

Ulster Irish: Gaeilge Chúige Uladh

THE FUTURE TENSE	An Aimsir Fháistineach
tuigfidh mé	
tuigfidh tú	ní thuigfidh
tuigfidh sé	(cha dtuigeann)
tuigfidh sí	an dtuigfidh?
tuigfidh muid†	go dtuigfidh
tuigfidh sibh	nach dtuigfidh
tuigfidh siad	a thuigfeas
tuigfear	

THE CONDITIONAL MOOD	An Modh Coinníollach
thuigfinn	
thuigfeá	ní thuigfeadh
thuigfeadh sé	(cha dtuigfeadh)
thuigfeadh sí	an dtuigfeadh?
thuigfimis‡	go dtuigfeadh
thuigfeadh sibh	nach dtuigfeadh
thuigfeadh siad	
thuigfí	

Connaught Irish: Gaeilge Chonnacht

THE FUTURE TENSE	An Aimsir Fháistineach
tuigfidh mé [M]	
tuigfidh tú[M]	ní thuigfidh
tuigfidh sé	an dtuigfidh?
tuigfidh sí	go dtuigfidh
tuigfidh muid	nach dtuigfidh
tuigfidh sibh	
tuigfidh siad	a thuigfeas
tuigfear	

THE CONDITIONAL MOOD	An Modh Coinníollach
thuigfinn	
thuigfeá	ní thuigfeadh
thuigfeadh sé	an dtuigfeadh?
thuigfeadh sí	go dtuigfeadh
thuigfeadh muid	nach dtuigfeadh
thuigfeadh sibh	
thuigfidís[U]	
thuigfí[M]	

Munster Irish: Gaeilge na Mumhan

THE FUTURE TENSE	An Aimsir Fháistineach
tuigfead*	
*tuigfir	ní thuigfidh
tuigfidh sé	an dtuigfidh?
tuigfidh sí	go dtuigfidh
*tuigfeam	ná tuigfidh
tuigfidh sibh	
*tuigfid	a thuigfidh
tuigfear	

THE CONDITIONAL MOOD	An Modh Coinníollach
(do) thuigfinn	
(do) thuigfeá	ní thuigfeadh
(do) thuigfeadh sé	an dtuigfeadh?
(do) thuigfeadh sí	go dtuigfeadh
(do) thuigfimíst	ná tuigfeadh
(do) thuigfeadh sibh	
(do) thuigfidíst	
*(do) tuigfí	

Standard Irish: An Caighdeán Oifigiúil

THE IMPERFECT TENSE	An Aimsir Ghnáthchaite	The Imperative Mood	The Present Subjunctive
thuiginn		tuigim	go dtuige mé
thuigteá	ní thuigeadh	tuig	go dtuige tú
thuigeadh sé	an dtuigeadh?	tuigeadh sé	go dtuige sé
thuigeadh sí	go dtuigeadh	tuigeadh sí	go dtuige sí
thuigimis	nach dtuigeadh	tuigimis	go dtuigimid
thuigeadh sibh		tuigigí	go dtuige sibh
thuigidís		tuigidís	go dtuige siad
thuigtí		tuigtear	go dtuigtear
		ná tuig	nár thuige

Ulster Irish: Gaeilge Chúige Uladh

THE IMPERFECT TENSE	An Aimsir Ghnáthchaite	An Modh Ordaitheach	An Foshuiteach Láithreach
thuiginn		tuigim	go dtuigidh mé
thuigtheá	ní thuigeadh	tuig	go dtuigidh tú
thuigeadh sé	(cha dtuigeadh)	tuigeadh sé	go dtuigidh sé
thuigeadh sí	an dtuigeadh?	tuigeadh sí	go dtuigidh sí
thuigimis[‡]	go dtuigeadh	tuigimis[‡/fut]	go dtuigidh muid[†]
thuigeadh sibh	nach dtuigeadh	tuigigí[C]	go dtuigidh sibh
thuigeadh siad	Ba ghnách le ...	tuigeadh siad	go dtuigidh siad
thuigtí		tuigtear	go dtuigtear
		ná tuig	nár thuigidh

Connaught Irish: Gaeilge Chonnacht

THE IMPERFECT TENSE	An Aimsir Ghnáthchaite	The Imperative Mood	The Present Subjunctive
thuiginn		tuigim	go dtuige mé
thuigteá	ní thuigeadh	tuig	go dtuige tú
thuigeadh sé	an dtuigeadh?	tuigeadh sé	go dtuige sé
thuigeadh sí	go dtuigeadh	tuigeadh sí	go dtuige sí
thuigeadh muid	nach dtuigeadh	tuigimid	go dtuige muid
thuigeadh sibh		*tuigidh	go dtuige sibh
thuigidís[U]		tuigidís	go dtuige siad
thuigtí[M]		tuigtear	go dtuigtear
		ná tuig	nár thuige

Munster Irish: Gaeilge na Mumhan

THE IMPERFECT TENSE	An Aimsir Ghnáthchaite	An Modh Ordaitheach	An Foshuiteach Láithreach
(do) thuiginn		tuigim	go dtuigead*
(do) thuigteá	ní thuigeadh	tuig	go dtuigir*
(do) thuigeadh sé	an dtuigeadh?	tuigeadh sé	go dtuige sé
(do) thuigeadh sí	go dtuigeadh	tuigeadh sí	go dtuige sí
(do) thuigimíst	ná tuigeadh	tuigimíst	go dtuigeam*
(do) thuigeadh sibh		tuigíg[=C*]	go dtuige sibh
(do) thuigidíst		tuigidíst	go dtuigid*
*(do) tuigtí		tuigtear	go dtuigtear
		ná tuig	nár thuige

Standard Irish: An Caighdeán Oifigiúil

THE PAST TENSE	An Aimsir Chaite
thuirsigh mé	níor thuirsigh
thuirsigh tú	ar thuirsigh?
thuirsigh sé	gur thuirsigh
thuirsigh sí	nár thuirsigh
thuirsíomar	níor tuirsíodh
thuirsigh sibh	ar tuirsíodh?
thuirsigh siad	gur tuirsíodh
tuirsíodh	nár tuirsíodh

THE PRESENT TENSE	An Aimsir Láithreach
tuirsím	
tuirsíonn tú	ní thuirsíonn
tuirsíonn sé	an dtuirsíonn?
tuirsíonn sí	go dtuirsíonn
tuirsímid	nach dtuirsíonn
tuirsíonn sibh	
tuirsíonn siad	a thuirsíonn
tuirsítear	

Ulster Irish: Gaeilge Chúige Uladh

THE PAST TENSE	An Aimsir Chaite
thuirsigh mé	níor thuirsigh
thuirsigh tú	(char thuirsigh)
thuirsigh sé	ar thuirsigh?
thuirsigh sí	gur thuirsigh
thuirsigh muid[†]	nár thuirsigh
thuirsigh sibh	
thuirsigh siad	níor/ar tuirseadh
tuirseadh	gur/nár tuirseadh

THE PRESENT TENSE	An Aimsir Láithreach
tuirsim	ní thuirseann
tuirseann tú	(cha dtuirseann)
tuirseann sé	an dtuirseann?
tuirseann sí	go dtuirseann
tuirseann muid[†]	nach dtuirseann
tuirseann sibh	
tuirseann siad	a thuirseas
tuirsíthear	

Connaught Irish: Gaeilge Chonnacht

THE PAST TENSE	An Aimsir Chaite
thuirsigh mé [M]	níor thuirsigh
thuirsigh tú [M]	ar thuirsigh?
thuirsigh sé	gur thuirsigh
thuirsigh sí	nár thuirsigh
thuirsigh muid	níor tuirsíodh
thuirsigh sibh	ar tuirsíodh?
thuirsíodar[U]	gur tuirsíodh
tuirsíodh [U]	nár tuirsíodh

THE PRESENT TENSE	An Aimsir Láithreach
tuirsím	
tuirsíonn tú	ní thuirsíonn
tuirsíonn sé	an dtuirsíonn?
tuirsíonn sí	go dtuirsíonn
tuirsíonn muid	nach dtuirsíonn
tuirsíonn sibh	
tuirsíonn siad	a thuirsíonns
tuirsít(h)ear	

Munster Irish: Gaeilge na Mumhan

THE PAST TENSE	An Aimsir Chaite
(do) thuirsíos*	ní(or) thuirsigh
(do) thuirsís*	ar thuirsigh?
(do) thuirsigh sé	gur thuirsigh
(do) thuirsigh sí	nár thuirsigh
(do) thuirsíomair*	*níor thuirsíodh
(do) thuirsíobhair*	*ar thuirsíodh?
(do) thuirsíodar	*gur thuirsíodh
*(do) thuirsíodh	*nár thuirsíodh

THE PRESENT TENSE	An Aimsir Láithreach
tuirsím	
tuirsíonn tú	ní thuirsíonn
tuirsíonn sé	an dtuirsíonn?
tuirsíonn sí	go dtuirsíonn
tuirsímíd	ná tuirsíonn
tuirsíonn sibh	
*tuirsíd	a thuirsíonn
tuirsíotar*	

110 **tuirsigh** 'tire, exhaust a.br. **tuirsiú** aid.bhr. **tuirsithe**

Standard Irish: An Caighdeán Oifigiúil

THE FUTURE TENSE	An Aimsir Fháistineach	THE CONDITIONAL MOOD	An Modh Coinníollach
tuirseoidh mé		thuirseoinn	
tuirseoidh tú	ní thuirseoidh	thuirseofá	ní thuirseodh
tuirseoidh sé	an dtuirseoidh?	thuirseodh sé	an dtuirseodh?
tuirseoidh sí	go dtuirseoidh	thuirseodh sí	go dtuirseodh
tuirseoimid	nach dtuirseoidh	thuirseoimis	nach dtuirseodh
tuirseoidh sibh		thuirseodh sibh	
tuirseoidh siad	a thuirseoidh	thuirseoidís	
tuirseofar		thuirseofaí	

Ulster Irish: Gaeilge Chúige Uladh

THE FUTURE TENSE	An Aimsir Fháistineach	THE CONDITIONAL MOOD	An Modh Coinníollach
tuirseochaidh mé	ní thuirseochaidh	thuirseochainn	
tuirseochaidh tú	(cha dtuirseann)	thuirseofá	ní thuirseochadh
tuirseochaidh sé	an dtuirseochaidh?	thuirseochadh sé	(cha dtuirseochadh)
tuirseochaidh sí	go dtuirseochaidh	thuirseochadh sí	an dtuirseochadh?
tuirseochaidh muid†	nach dtuirseochaidh	thuirseochaimis‡	go dtuirseochadh
tuirseochaidh sibh		thuirseochadh sibh	nach dtuirseochadh
tuirseochaidh siad	a thuirseochas	thuirseochadh siad	
tuirseofar		thuirseofaí	

Connaught Irish: Gaeilge Chonnacht

THE FUTURE TENSE	An Aimsir Fháistineach	THE CONDITIONAL MOOD	An Modh Coinníollach
tuirseoidh mé [M]		thuirseoinn	
tuirseoidh tú[M]	ní thuirseoidh	thuirseofá	ní thuirseodh
tuirseoidh sé	an dtuirseoidh?	thuirseodh sé	an dtuirseodh?
tuirseoidh sí	go dtuirseoidh	thuirseodh sí	go dtuirseodh
tuirseoidh muid	nach dtuirseoidh	thuirseodh muid	nach dtuirseodh
tuirseoidh sibh		thuirseodh sibh	
tuirseoidh siad	a thuirseos	thuirseoidís[U]	
tuirseofar		thuirseofaí[M]	

Munster Irish: Gaeilge na Mumhan

THE FUTURE TENSE	An Aimsir Fháistineach	THE CONDITIONAL MOOD	An Modh Coinníollach
tuirseod*		(do) thuirseoinn	
*tuirseoir	ní thuirseoidh	(do) thuirseofá	ní thuirseodh
tuirseoidh sé	an dtuirseoidh?	(do) thuirseodh sé	an dtuirseodh?
tuirseoidh sí	go dtuirseoidh	(do) thuirseodh sí	go dtuirseodh
*tuirseom	ná tuirseoidh	(do) thuirseoimíst	ná tuirseodh
tuirseoidh sibh		(do) thuirseodh sibh	
*tuirseoid	a thuirseoidh	(do) thuirseoidíst	
tuirseofar		*(do) tuirseofaí	

110 **tuirsigh** 'tire, exhaust v.n. **tuirsiú** v.adj. **tuirsithe**

Standard Irish: An Caighdeán Oifigiúil

THE IMPERFECT TENSE	An Aimsir Ghnáthchaite	The Imperative Mood	The Present Subjunctive
thuirsínn		tuirsím	go dtuirsí mé
thuirsíteá	ní thuirsíodh	tuirsigh	go dtuirsí tú
thuirsíodh sé	an dtuirsíodh?	tuirsíodh sé	go dtuirsí sé
thuirsíodh sí	go dtuirsíodh	tuirsíodh sí	go dtuirsí sí
thuirsímis	nach dtuirsíodh	tuirsímis	go dtuirsímid
thuirsíodh sibh		tuirsígí	go dtuirsí sibh
thuirsídís		tuirsídís	go dtuirsí siad
thuirsítí		tuirsítear	go dtuirsítear
		ná tuirsigh	nár thuirsí

Ulster Irish: Gaeilge Chúige Uladh

THE IMPERFECT TENSE	An Aimsir Ghnáthchaite	An Modh Ordaitheach	An Foshuiteach Láithreach
thuirsinn*	ní thuirseadh	tuirsim	go dtuirsí mé
thuirsítheá	(cha dtuirseadh)	tuirsigh	go dtuirsí tú
thuirseadh sé*	an dtuirseadh?	tuirseadh sé	go dtuirsí sé
thuirseadh sí*	go dtuirseadh	tuirseadh sí	go dtuirsí sí
thuirsimis[‡*]	nach dtuirseadh	tuirsimis[‡/fut]	go dtuirsí muid[†]
thuirseadh sibh*		tuirsigí	go dtuirsí sibh
thuirseadh siad	Ba ghnách le …	tuirseadh siad	go dtuirsí siad
thuirsíthí		tuirsíthear	go dtuirsíthear
		ná tuirsigh	nár thuirsí

Connaught Irish: Gaeilge Chonnacht

THE IMPERFECT TENSE	An Aimsir Ghnáthchaite	The Imperative Mood	The Present Subjunctive
thuirsínn		tuirsím	go dtuirsí mé
thuirsíteá[M]	ní thuirsíodh	tuirsigh	go dtuirsí tú
thuirsíodh sé	an dtuirsíodh?	tuirsíodh sé	go dtuirsí sé
thuirsíodh sí	go dtuirsíodh	tuirsíodh sí	go dtuirsí sí
thuirsíodh muid	nach dtuirsíodh	tuirsímid	go dtuirsí muid
thuirsíodh sibh		*tuirsighidh	go dtuirsí sibh
thuirsídís[U]		tuirsídís	go dtuirsí siad
thuirsítí[M]		tuirsít(h)ear	go dtuirsít(h)ear
		ná tuirsigh	nár thuirsí

Munster Irish: Gaeilge na Mumhan

THE IMPERFECT TENSE	An Aimsir Ghnáthchaite	An Modh Ordaitheach	An Foshuiteach Láithreach
(do) thuirsínn		tuirsím	go dtuirsíod*
*(do) thuirsíotá	ní thuirsíodh	tuirsigh	go dtuirsír*
(do) thuirsíodh sé	an dtuirsíodh?	tuirsíodh sé	go dtuirsí sé
(do) thuirsíodh sí	go dtuirsíodh	tuirsíodh sí	go dtuirsí sí
(do) thuirsímíst	ná tuirsíodh	tuirsímíst	go dtuirsíom*
(do) thuirsíodh sibh		tuirsíg[=C*]	go dtuirsí sibh
(do) thuirsídíst		tuirsídíst	go dtuirsíd*
*(do) tuirsíotaí		tuirsíotar*	go dtuirsíotar*
		ná tuirsigh	nár thuirsí

111 **ullmhaigh** 'prepare' v.n. **ullmhú** v.adj. **ullmhaithe**

Standard Irish: An Caighdeán Oifigiúil

THE PAST TENSE	An Aimsir Chaite
d'ullmhaigh mé	níor ullmhaigh
d'ullmhaigh tú	ar ullmhaigh?
d'ullmhaigh sé	gur ullmhaigh
d'ullmhaigh sí	nár ullmhaigh
d'ullmhaíomar	níor ullmhaíodh
d'ullmhaigh sibh	ar ullmhaíodh?
d'ullmhaigh siad	gur ullmhaíodh
ullmhaíodh	nár ullmhaíodh

THE PRESENT TENSE	An Aimsir Láithreach
ullmhaím	ní ullmhaíonn
ullmhaíonn tú	an ullmhaíonn?
ullmhaíonn sé	go n-ullmhaíonn
ullmhaíonn sí	nach n-ullmhaíonn
ullmhaímid	
ullmhaíonn sibh	a ullmhaíonn
ullmhaíonn siad	
ullmhaítear	

Ulster Irish: Gaeilge Chúige Uladh

THE PAST TENSE	An Aimsir Chaite
d'ullmhaigh mé	níor ullmhaigh
d'ullmhaigh tú	(char ullmhaigh)
d'ullmhaigh sé	ar ullmhaigh?
d'ullmhaigh sí	gur ullmhaigh
d'ullmhaigh muid[†]	nár ullmhaigh
d'ullmhaigh sibh	
d'ullmhaigh siad	níor/ar hullmhadh
hullmhadh	gur/nár hullmhadh

THE PRESENT TENSE	An Aimsir Láithreach
ullmhaim	ní ullmhann
ullmhann tú	(chan ullmhann)
ullmhann sé	an ullmhann?
ullmhann sí	go n-ullmhann
ullmhann muid[†]	nach n-ullmhann
ullmhann sibh	
ullmhann siad	a ullmhas
ullmhaíthear	

Connaught Irish: Gaeilge Chonnacht

THE PAST TENSE	An Aimsir Chaite
d'ullmhaigh mé [M]	níor ullmhaigh
d'ullmhaigh tú [M]	ar ullmhaigh?
d'ullmhaigh sé	gur ullmhaigh
d'ullmhaigh sí	nár ullmhaigh
d'ullmhaigh muid	níor hullmhaíodh
d'ullmhaigh sibh	ar hullmhaíodh?
d'ullmhaíodar[U]	gur hullmhaíodh
hullmhaíodh [U]	nár hullmhaíodh

THE PRESENT TENSE	An Aimsir Láithreach
ullmhaím	ní ullmhaíonn
ullmhaíonn tú	an ullmhaíonn?
ullmhaíonn sé	go n-ullmhaíonn
ullmhaíonn sí	nach n-ullmhaíonn
ullmhaíonn muid	
ullmhaíonn sibh	a ullmhaíonns
ullmhaíonn siad	
ullmhait(h)ear	

Munster Irish: Gaeilge na Mumhan

THE PAST TENSE	An Aimsir Chaite
dh'ullmhaíos*	*ní(or) dh'ullmhaigh
dh'ullmhais*	ar ullmhaigh?
*dh'ullmhaigh sé	gur ullmhaigh
*dh'ullmhaigh sí	nár ullmhaigh
dh'ullmhaíomair*	níor hullmhaíodh*
dh'ullmhaíobhair*	ar hullmhaíodh?*
*dh'ullmhaíodar	gur hullmhaíodh*
*do hullmhaíodh d(h)'ullmhaíodh	nár hullmhaíodh*

THE PRESENT TENSE	An Aimsir Láithreach
ullmhaím	ní ullmhaíonn
ullmhaíonn tú	(ní dh'ullmhaíonn)
ullmhaíonn sé	an ullmhaíonn?
ullmhaíonn sí	go n-ullmhaíonn
ullmhaímíd	ná hullmhaíonn
ullmhaíonn sibh	
*ullmhaíd	a ullmhaíonn
ullmhaíotar*	

Standard Irish: An Caighdeán Oifigiúil

THE FUTURE TENSE	An Aimsir Fháistineach
ullmhóidh mé	
ullmhóidh tú	ní ullmhóidh
ullmhóidh sé	an ullmhóidh?
ullmhóidh sí	go n-ullmhóidh
ullmhóimid	nach n-ullmhóidh
ullmhóidh sibh	
ullmhóidh siad	a ullmhóidh
ullmhófar	

THE CONDITIONAL MOOD	An Modh Coinníollach
d'ullmhóinn	
d'ullmhófá	ní ullmhódh
d'ullmhódh sé	an ullmhódh?
d'ullmhódh sí	go n-ullmhódh
d'ullmhóimis	nach n-ullmhódh
d'ullmhódh sibh	
d'ullmhóidís	
d'ullmhófaí	

Ulster Irish: Gaeilge Chúige Uladh

THE FUTURE TENSE	An Aimsir Fháistineach
ullmhóchaidh mé	ní ullmhóchaidh
ullmhóchaidh tú	(chan ullmhann)
ullmhóchaidh sé	an ullmhóchaidh?
ullmhóchaidh sí	go n-ullmhóchaidh
ullmhóchaidh muid†	nach n-ullmhóchaidh
ullmhóchaidh sibh	
ullmhóchaidh siad	a ullmhóchas
ullmhófar	

THE CONDITIONAL MOOD	An Modh Coinníollach
d'ullmhóchainn	
d'ullmhófá	ní ullmhóchadh
d'ullmhóchadh sé	(chan ullmhóchadh)
d'ullmhóchadh sí	an ullmhóchadh?
d'ullmhóchaimis‡	go n-ullmhóchadh
d'ullmhóchadh sibh	nach n-ullmhóchadh
d'ullmhóchadh siad	
d'ullmhófaí	

Connaught Irish: Gaeilge Chonnacht

THE FUTURE TENSE	An Aimsir Fháistineach
ullmhóidh mé [M]	
ullmhóidh tú[M]	ní ullmhóidh
ullmhóidh sé	an ullmhóidh?
ullmhóidh sí	go n-ullmhóidh
ullmhóidh muid	nach n-ullmhóidh
ullmhóidh sibh	
ullmhóidh siad	a ullmhós
ullmhófar	

THE CONDITIONAL MOOD	An Modh Coinníollach
d'ullmhóinn	
d'ullmhófá	ní ullmhódh
d'ullmhódh sé	an ullmhódh?
d'ullmhódh sí	go n-ullmhódh
d'ullmhódh muid	nach n-ullmhódh
d'ullmhódh sibh	
d'ullmhóidís[U]	
d'ullmhófaí[M]	

Munster Irish: Gaeilge na Mumhan

THE FUTURE TENSE	An Aimsir Fháistineach
ullmhód*	ní ullmhóidh
*ullmhóir	(ní dh'ullmhóidh)
ullmhóidh sé	an ullmhóidh?
ullmhóidh sí	go n-ullmhóidh
*ullmhóm	ná hullmhóidh
ullmhóidh sibh	
*ullmhóid	a ullmhóidh
ullmhófar	

THE CONDITIONAL MOOD	An Modh Coinníollach
*dh'ullmhóinn	ní ullmhódh
*dh'ullmhófá	(ní dh'ullmhódh)
*dh'ullmhódh sé	an ullmhódh?
*dh'ullmhódh sí	go n-ullmhódh
*dh'ullmhóimíst	ná hullmhódh
*dh'ullmhódh sibh	
*dh'ullmhóidíst	
*(do) hullmhófaí	

Standard Irish: An Caighdeán Oifigiúil

THE IMPERFECT TENSE	An Aimsir Ghnáthchaite	The Imperative Mood	The Present Subjunctive
d'ullmhaínn		ullmhaím	go n-ullmhaí mé
d'ullmhaíteá	ní ullmhaíodh	ullmhaigh	go n-ullmhaí tú
d'ullmhaíodh sé	an ullmhaíodh?	ullmhaíodh sé	go n-ullmhaí sé
d'ullmhaíodh sí	go n-ullmhaíodh	ullmhaíodh sí	go n-ullmhaí sí
d'ullmhaímis	nach n-ullmhaíodh	ullmhaímis	go n-ullmhaímid
d'ullmhaíodh sibh		ullmhaígí	go n-ullmhaí sibh
d'ullmhaídís		ullmhaídís	go n-ullmhaí siad
d'ullmhaítí		ullmhaítear	go n-ullmhaítear
		ná hullmhaigh	nár ullmhaí

Ulster Irish: Gaeilge Chúige Uladh

THE IMPERFECT TENSE	An Aimsir Ghnáthchaite	An Modh Ordaitheach	An Foshuiteach Láithreach
d'ullmhainn*		ullmhaim	go n-ullmhaí mé
d'ullmhaítheá	ní ullmhadh	ullmhaigh	go n-ullmhaí tú
d'ullmhadh sé*	(chan ullmhadh)	ullmhadh sé	go n-ullmhaí sé
d'ullmhadh sí*	an ullmhadh?	ullmhadh sí	go n-ullmhaí sí
d'ullmhaimis[‡*]	go n-ullmhadh	ullmhaimis[‡/fut]	go n-ullmhaí muid[†]
d'ullmhadh sibh*	nach n-ullmhadh	ullmhaigí	go n-ullmhaí sibh
d'ullmhadh siad*	Ba ghnách le …	ullmhadh siad	go n-ullmhaí siad
d'ullmhaíthí		ullmhaíthear	go n-ullmhaíthear
		ná hullmhaigh	nár ullmhaí

Connaught Irish: Gaeilge Chonnacht

THE IMPERFECT TENSE	An Aimsir Ghnáthchaite	The Imperative Mood	The Present Subjunctive
d'ullmhaínn		ullmhaím	go n-ullmhaí mé
d'ullmhaíteá[M]	ní ullmhaíodh	ullmhaigh	go n-ullmhaí tú
d'ullmhaíodh sé	an ullmhaíodh?	ullmhaíodh sé	go n-ullmhaí sé
d'ullmhaíodh sí	go n-ullmhaíodh	ullmhaíodh sí	go n-ullmhaí sí
d'ullmhaíodh muid	nach n-ullmhaíodh	ullmhaímid	go n-ullmhaí muid
d'ullmhaíodh sibh		*ullmhaighidh	go n-ullmhaí sibh
d'ullmhaídís[U]		ullmhaídís	go n-ullmhaí siad
d'ullmhaítí[M]		ullmhait(h)ear	go n-ullmhait(h)ear
		ná hullmhaigh	nár ullmhaí

Munster Irish: Gaeilge na Mumhan

THE IMPERFECT TENSE	An Aimsir Ghnáthchaite	An Modh Ordaitheach	An Foshuiteach Láithreach
*dh'ullmhaínn	ní ullmhaíodh	ullmhaím	go n-ullmhaíod*
*dh'ullmhaíotá	(ní dh'ullmhaíodh)	ullmhaigh	go n-ullmhaír*
*dh'ullmhaíodh sé	an ullmhaíodh?	ullmhaíodh sé	go n-ullmhaí sé
*dh'ullmhaíodh sí	go n-ullmhaíodh	ullmhaíodh sí	go n-ullmhaí sí
*dh'ullmhaímíst	ná hullmhaíodh	ullmhaímíst	go n-ullmhaíom*
*dh'ullmhaíodh sibh		ullmhaíg[=C*]	go n-ullmhaí sibh
*dh'ullmhaídíst		ullmhaídíst	go n-ullmhaíd*
*(do) hullmhaíotaí		ullmhaíotar*	go n-ullmhaíotar*
		ná hullmhaigh	nár ullmhaí

An struchtúr: *Is bádóir é.* 'He is a boatman.'

THE PRESENT TENSE An Aimsir Láithreach

Is bádóir mé.	Ní bádóir é.
Is bádóir thú.	(Chan bádóir é.)
Is bádóir é.	An bádóir é? ➣ Is ea./Ní hea.
Is bádóir í.	Deir sé gur bádóir é.
Is bádóirí sinn ... muid.	Deir sé nach bádóir é.
Is bádóirí sibh.	Ní hé *etc*
Is bádóirí iad.	gur > gurb é *etc lch/p.* 399

An struchtúr: *Bádóir atá ann.* 'He is a boatman.'

THE PRESENT TENSE An Aimsir Láithreach

Bádóir atá ionam.	Ní bádóir atá ann.
Bádóir atá ionat.	(Chan bádóir atá ann.)
Bádóir atá ann.	An bádóir atá ann? ➣ Is ea./Ní hea.
Bádóir atá inti.	Deir sé gur bádóir atá ann.
Bádóirí atá ionainn.	Deir sé nach bádóir atá ann.
Bádóirí atá ionaibh.	
Bádóirí atá iontu.	

An struchtúr: *Bádóir is ea é.* 'He is a boatman.'

THE PRESENT TENSE An Aimsir Láithreach

Bádóir is ea mé.	Ní bádóir is ea é.
Bádóir is ea thú.	
Bádóir is ea é.	An bádóir is ea é? ➣ Is ea./Ní hea.
Bádóir is ea í.	Deir sé gur bádóir is ea é.
Bádóirí is ea sinn ... muid.	Deir sé nach bádóir is ea é.
Bádóirí is ea sibh.	
Bádóirí is ea iad.	

An struchtúr: *Tá sé ina bhádóir.* 'He is a boatman.'

THE PRESENT TENSE An Aimsir Láithreach

Tá mé i mo bhádóir. Táim im bhádóir. *M*	Níl sé ina bhádóir.
Tá tú i do bhádóir. Tánn tú id bhádóir. *M*	(Chan fhuil sé ina bhádóir.)
Tá sé ina bhádóir.	An bhfuil sé ina bhádóir? ➣ Tá./Níl.
Tá sí ina bádóir.	Deir sé go bhfuil sé ina bhádóir.
Táimid inár mbádóirí. Tá sinn ...	Deir sé nach bhfuil sé ina bhádóir.
Tá sibh in bhur mbádóirí.	Deir(eann) sé ná fuil sé ina bhádóir. *M*
Tá siad ina mbádóirí.	

An struchtúr: *Ba bhádóir é.* 'He was a boatman.'

THE PAST TENSE* + consonants (except f-)	An Aimsir Chaite• + consain (seachas f-)
Ba bhádóir mé.	Níor bhádóir é.
Ba bhádóir thú.	(Char bhádóir é.)
Ba bhádóir é.	Ar bhádóir é? ➛ B'ea./Níorbh ea. Badh ea.
Ba bhádóir í.	Dúirt sé gur bhádóir é. Dúirt sé go mba bhádóir é.
Ba bhádóirí sinn ... muid.	Dúirt sé nár bhádóir é.
Ba bhádóirí sibh.	
Ba bhádóirí iad.	

An struchtúr: *Bádóir a bhí ann.* 'He was a boatman.'

THE PAST TENSE/THE CONDITIONAL MOOD	An Aimsir Chaite/An Modh Coinníollach	
Bádóir a bhí ionam.	Ní bádóir a bhí ann.	Níor bhádóir a bhí ann.
Bádóir a bhí ionat.	(Chan bádóir a bhí ann.)	(Char bhádóir a bhí ann.)
Bádóir a bhí ann.	An bádóir a bhí ann? ➛ Is ea./Ní hea.	Ar bhádóir a bhí ann? ➛ B'ea./Níorbh ea.
Bádóir a bhí inti	Dúirt sé gur bádóir a bhí ann.	Dúirt sé gur bhádóir a bhí ann.
Bádóirí a bhí ionainn.	Dúirt sé nach bádóir a bhí ann.	Dúirt sé nár bhádóir a bhí ann.
Bádóirí a bhí ionaibh.		
Bádóirí a bhí iontu.		

An struchtúr: *Bádóir ab ea é.* 'He was a boatman.'

THE PAST TENSE/THE CONDITIONAL MOOD	An Aimsir Chaite/An Modh Coinníollach	
Bádóir ab ea mé.	Ní bádóir ab ea é.	Níor bhádóir ab ea é.
Bádóir ab ea thú.		
Bádóir ab ea é.	An bádóir ab ea é? ➛ Is ea./Ní hea.	Ar bhádóir ab ea é? ➛ B'ea./Níorbh ea.
Bádóir ab ea í.	Dúirt sé gur bádóir ab ea é.	Dúirt sé gur bhádóir ab ea é.
Bádóirí ab ea sinn ... muid.	Dúirt sé nach bádóir ab ea é.	Dúirt sé nár bhádóir ab ea é.
Bádóirí ab ea sibh.		
Bádóirí ab ea iad.		

An struchtúr: *Bhí sé ina bhádóir.* 'He was a boatman.'

THE PAST TENSE/THE CONDITIONAL MOOD	An Aimsir Chaite/An Modh Coinníollach
Bhí mé i mo bhádóir. (Do) bhíos im bhádóir. *M*	Bhí sé ina bhádóir.
Bhí tú i do bhádóir. (Do) bhís id bhádóir. *M*	(Cha raibh sé ina bhádóir.)
Bhí sé ina bhádóir.	An raibh sé ina bhádóir? ➛ Bhí./Ní raibh.
Bhí sí ina bádóir.	Dúirt sé go raibh sé ina bhádóir.
Bhí muid inár mbádóirí. Bhí sinn .. Bhíomair ..	Dúirt sé nach raibh sé ina bhádóir.
Bhí sibh in bhur mbádóirí.	Dúirt sé ná raibh sé ina bhádóir
Bhí siad ina mbádóirí.	

•past tense *or* conditional mood, *an aimsir chaite* nó *an modh coinníollach*

An struchtúr: *Ba ailtire é.* 'He was an architect.'

THE PAST TENSE + vowels an Aimsir Chaite + gutaí	
B'ailtire mé.	Níorbh ailtire é.
B'ailtire thú.	(Charbh ailtire é.)
B'ailtire é.	Arbh ailtire é? ➛B'ea./Níorbh ea. Badh ea.
B'ailtire í.	Dúirt sé gurbh ailtire é. ... go mb'ailtire é.
B'ailtirí sinn ... muid.	Dúirt sé nárbh ailtire é.
B'ailtirí sibh.	
B'ailtirí iad.	

An struchtúr: *B'fhearr leis ...* 'He preferred .../ would prefer ...'

THE PAST TENSE/THE CONDITIONAL + f- / An Aimsir Chaite/Coinníollach + f-	
B'fhearr liom.	Níorbh fhearr leis.
B'fhearr leat.	(Charbh fhearr leis.)
B'fhearr leis.	Arbh fhearr leis? ➛B'fhearr./Níorbh fhearr.
B'fhearr léi.	Dúirt sé gurbh fhearr leis. ... go mb'fhearr
B'fhearr linn.	Dúirt sé nárbh fhearr leis. ... nach mb'fhearr
B'fhearr libh.	
B'fhearr leo.	

Notes/*Nótaí*

Ní + h roimh ghuta/**Ní + h** before vowel: **Ní hé, ní hí, ní hea, ní hiad.**

Ní hailtire é *nó* Ní ailtire é. 'He is not an architect'.

gur > gurb: + gurb é, gurb í, gurb ea, gurb iad

Ba dhochtúir/shiúinéir/thiománaí é. 'He was a doctor/joiner/driver' = **Ba dochtúir/siúinéir/tiománaí é.** (*U*, *C*).

An struchtúr cinnte: *Is mise an bádóir.* 'I am the boatman.'

THE PRESENT TENSE An Aimsir Láithreach		
Is mise an bádóir.		Ní mise an bádóir.
Is tusa an bádóir..		(Chan mise an bádóir.)
Is eisean an bádóir.	Is é an bádóir é.	An mise an bádóir? ➛Is tú./Ní tú.
Is ise an bádóir.	Is í an bádóir í.	Deir sé gur mise an bádóir.
Is muidne na bádóirí.	Is sinne na bádóirí.	Deir sé nach mise an bádóir .
Is sibhse na bádóirí.		An eisean an bádóir? ➛Is é./Ní hé.
Is iadsan na bádóirí.	Is iad na bádóirí iad.	An é an bádóir é? ➛Is é./Ní hé.

THE PAST TENSE An Aimsir Chaite		
Ba mise an bádóir.		Níor mise an bádóir.
Ba tusa an bádóir.		(Char mise an bádóir.)
B'eisean an bádóir.	B'é an bádóir é.	Ar mise an bádóir? ➛ Ba tú./Níor tú.
B'ise an bádóir.	B'í an bádóir í.	Deir sé gur mise an bádóir.
Ba muidne na bádóirí.	Ba sinne na	Deir sé nár mise an bádóir .
Ba sibhse na bádóirí.		Arbh eisean an bádóir? ➛ B'é./Níorbh é.
B'iadsan na bádóirí.	B'iad na bádóirí iad.	Arbh é an bádóir é? ➛ B'é./Níorbh é.

NOTES TO THE KEY VERBS: *NÓTAÍ DO NA hEOCHAIRBHRIATHRA*

1 abair 'say' an irregular verb. *CO* 63-4, *GGBC* §368, *NIG* 108.
U Wagner (1959: §399), Hamilton (1974: 199-200), Lucas (1979: §539), Hughes (1994: 650, 8.5).
C de Bhaldraithe (1953: §213), *Airneán* II §71, Hamilton (1970: 210), Ó hUiginn (1994: 589, 5,12), Ó Curnáin (2007: III, 1116-20).
M Sjoestedt-Jonval (1938: §184), Ó Sé (2000: §540), Ua Súilleabháin (1994: 529, 8.71).
The dep. forms *abróchaidh,* fut., and *abróchadh*, condit. (*U*), may be heard as *abóraidh* 'will say' and *abóradh* 'would say', e.g. Wagner (1959: §399). Independent *deir-*, *déar-* may be heard as dep. forms, *ní their-*, *ní dheir-*, e.g. *ní théarfaidh/ní theirfidh* 'will not say', *ní théarfadh/ní theirfeadh* 'would not say'. In Connaught de Bhaldraithe (1953: §536) notes the loss of *d-* in forms such as: *ní eireann* 'does not say', *ní éarfaidh* 'will not say', *ní éarfadh* 'would not say', *ní eireadh* 'used not to say'. Variant forms in independent: *deir* 'says' and *abraíonn* 'says', *déarfaidh*, *abróidh* 'will say', *déarfadh*, *d'abródh* 'would say', *deireadh*, *d'abraíodh* 'used to say' etc. In Munster, dependent form *abrann* may also appear as *abraíonn*. Fut. dep *abróidh*, condit. *d'abródh*. For unsycnopated imperative *abairíodh* see Ó Sé (2000: 286-7). See *LASID* i 393 '(I heard) what you said' – *cad é a dúirt tú* (*U*), *céard a dúirt tú* (*C*) and *cad dúrais/dúirt tú* (*M*). Notes also 204 'it was said' – *húradh/dúradh*. Pres. *deir* may also be widely heard as *deireann*.
2 aithin 'recognise'. Syncopated verb (second conjugation, slender), see **Guide to the Index §11**.
3 aithris 'recite'. Belongs to a group of verbs which do not syncopate but uses 2nd conjugation endings, see **Guide to the Index §13**.
3 amharc 'look'. 1st conjugation broad, see **Guide to the Index §5**. Note Ulster Irish has 2nd conjugation endings in future and conditional, *amharcóchaidh/d'amharcóchadh*. LASID i 126 shows *amharc* 'to look' (*U*, *C*) – with U pronunciation *amhanc* in places - yet *dearcadh, breathnú* (*C*), *féachaint* (*C*, *M*).
5 at 'swell'. 1st conjugation broad, see **Guide to the Index §5**. Any suffixes in *–t* mean that *–tt-* > *–t-* (e.g. *d'atá* 'you used to swell', rather than *d'attá*; *ata* 'swollen' (< *atta*). Note Ulster Irish has 2nd conjugation endings in future and conditional, *atóchaidh/d'atóchadh*.
6 athraigh 'change'. 2nd conjugation broad, see **Guide to the Index §8**.
7 báigh 'drown'. Belongs to a group of verbs: **báigh** 'drown' (**7**), **brúigh** 'bruise' (**15**), **cruaigh** 'harden' (**25**), **dóigh** 'burn' (**31**), **feoigh** 'decay' (**41**), see **Guide to the Index §14**. See *LASID* i 282 (you) will be drowned', *báifear* (*U*), *báifíor* (*C*), *báfar* (*M*).
8 bailigh 'gather, collect'. 2nd conjugation slender, see **Guide to the Index §8**.
9 bain 'cut, reap, win'. 1st conjugation slender, see **Guide to the Index §5**. In *U* this verb means 'win', e.g. *Bhain sé an cluiche.* 'He won the game', as opposed to *Bhuaigh sé an cluiche.* (*M*).
10 beannaigh 'bless'. 2nd conjugation broad, see **Guide to the Index §8**.
11 beir 'bear'. *CO* 61-2, *GGBC* §369, *NIG* 108.
U Wagner (1959: §397), Hamilton (1974: 198-9), Lucas (1979: §531), Hughes (1994: 649-50, 8.4).
C de Bhaldraithe (1953: §214), *Airneán* II §72, Hamilton (1970: 212), Ó hUiginn (1994: 590, 5.13). Ó Curnáin (2007: III, 1120-22).
M Sjoestedt-Jonval (1938: §182), Ó Sé (2000: §536), Ua Súilleabháin (1994: 527, 8,67).
See *LASID* i 258 'was caught', *rugadh/beireadh* (*U*), *rugadh/gabhadh/ceapadh* (*C*), *beireadh/rugadh* (M). All three dialects have past forms in *rug* and *bheir*, see McGonagle (1988).
12 bí 'be' an irregular verb. See also *copula* (**112**). On ***bí*** see *CO* 70-1, *GGBC* §370, *NIG* 112.
U Wagner (1959: §408), Hamilton (1974: 207-9), Lucas (1979: §542), Hughes (1994: 648, 8.2).
C de Bhaldraithe (1953: §211), *Airneán* II §70, Hamilton (1970: 208), Ó hUiginn (1994: 594-6, 5.22), Ó Curnáin (2007: III, 1122-33).
M Sjoestedt-Jonval (1938: §180), Ó Sé (2000: §§530-5), Ua Súilleabháin (1994: 533, 8.79).
See *LASID* i 250 'he is afraid' for *tá* (*U*, *C*, *M*) and aspirated *thá* in parts of *M*. *LASID* i 142 'what is on your mind?' *cad é atá ...?* (*U*), *céard tá* (*C*) and *cad tá/cad athá* (*M*); *LASID* i 244 for: 'how are you?' *cad é mar atá?* (*U*); *cén chaoi a bhfuil tú?* (*C*); *conas tá(nn) tú?*, ... *athá tú?* plus archaic 2 sg. pres. *conas (a)taoi?* (*M*).
13 bog 'move'. 1st conjugation broad, see **Guide to the Index §5**.
14 bris 'break'. 1st conjugation slender, see **Guide to the Index §5**.

15 brúigh 'push'. See notes to **7 báigh** and **Guide to the Index §14**.

16 caill 'lose'. 1st conjugation slender, see **Guide to the Index §5**.

17 caith 'throw, wear, spend'. 1st conjugation slender, see **Guide to the Index §5**. Any suffixes in *–t* mean that *–tht-* > *–t-* (e.g. *chaiteá* 'you used to throw', rather than *chaithteá*; *caite* 'thrown' (< *caithte*).

18 cas 'twist, turn'. 1st conjugation broad, see **Guide to the Index §5**.

19 ceangail 'tie'. Syncopated verb (second conjugation, broad), see **Guide to the Index §11**. *LASID* i 15 for 1sg. fut.

20 ceannaigh 'buy'. 2nd conjugation broad, see **Guide to the Index §8**. See *LASID* i 51 for 1st sg. future.

21 cloígh 'defeat'. Belongs to a special category of verbs, see *GGBC* §361.

22 clois = cluin 'hear', an irregular verb. *CO* 62, *GGBC* §371, *NIG* 108-9.

U Wagner (1959: §398), Hamilton (1974: 193-4), Lucas (1979: §532), Hughes (1994: 654, 8.12).

C de Bhaldraithe (1953: §215), *Airneán* II §73, Hamilton (1970: 210), Ó hUiginn (1994: 50-1, 5.14). Ó Curnáin (2007: III, 1133-35).

M Sjoestedt-Jonval (1938: §191), Ó Sé (2000: §538), Ua Súilleabháin (1994: 527-8, 8.68).

On the split between *cluin* (north) and *clois* (south), see McGonagle (1989). See *LASID* i 119 for verbal noun, and 118 for 'did you hear?' – with variance between *an gcuala* and *ar chuala*. Also noteworthy is that *mothaigh* and *airigh* are also used in place of this verb.

23 codail 'sleep'. Syncopated verb (second conjugation, broad), see **Guide to the Index §11**. May also be heard as *codlaigh* 'sleep', i.e. 2nd conjugation broad.

24 coinnigh 'keep'. 2nd conjugation slender, see **Guide to the Index §8**.

25 cruaigh 'harden'. See notes to **7 báigh** and **Guide to the Index §14**.

26 cuir 'put'. 1st conjugation slender, see **Guide to the Index §5**. See *LASID* i 193 for future autonomous, '(he) will be buried', *cuirfear* (*U*, *M*), *cuirfear/cuirfíor* (*C*).

27 dathaigh 'colour'. 2nd conjugation broad, see **Guide to the Index §8**.

28 déan 'do, make', an irregular verb. *CO* 62-3, *GGBC* §372, *NIG* 109.

U Wagner (1959: §403), Hamilton (1974: 205-6), Lucas (1979: §§533-4), Hughes (1994: 652-3).

C de Bhaldraithe (1953: §216), *Airneán* II §74, Hamilton (1970: 211-2), Ó hUiginn (1994: 591, 5.15), Ó Curnáin (2007: III, 1135-1141).

M Sjoestedt-Jonval (1938: §189), Ó Sé (2000: §539), Ua Súilleabháin (1994: 529, 8.70).

See *LASID* i 254 for verbal noun, 241 'he made' (*rinn, U, rinne, C, (do) dhein, M*), 256 'he makes' (*ghní/ghníonn, U, díonann, C, d(e)ineann M*).

29 díol 'sell'. 1st conjugation broad, see **Guide to the Index §5**. Verb also has meaning 'pay' in *U* rather than *íoc*. See *LASID* i 1 'I sold'.

30 dírigh 'straighten'. 2nd conjugation slender, see **Guide to the Index §8**.

31 dóigh 'burn'. See notes to **7 báigh** and **Guide to the Index §14**.

32 druid = dún 'close, shut'. The verb *druid* is 1st conjugation slender, see **Guide to the Index §5**, and is widely used in *U*. The verb *dún* is 1st conjugation broad, see **Guide to the Index §5**, and is used in *C* and *M*.

33 eagraigh 'organise'. 2nd conjugation broad, see **Guide to the Index §8**.

34 éirigh 'get up'. 2nd conjugation broad, see **Guide to the Index §8**. See *LASID* i 232, for *ag írí*, *U*, as opposed to *ag éirí*, *C*, *M*.

35 éist 'listen'. 1st conjugation slender, see **Guide to the Index §5**. Any suffixes in *–t* mean that *–tt-* > *- t-* (e.g. *d'éisteá* 'you used to listen', rather than *d'éistteá*; *éiste* 'listened' (< *éistte*). Some dialects, fut. and condit. may appear as 2nd conjugation *éisteoidh/d'éisteodh* etc.

36 fág 'leave'. 1st conjugation broad, see **Guide to the Index §5**. A future (and conditional) form may also be heard as **fuígfidh** 'will leave', (and **d'fhuígfeadh** 'would leave') *U*. In *C* past tense *d'fhága sé* (< *d'fhágaibh*) may be heard, e.g. Ó Curnáin (2007: III, 1168).

37 faigh 'get'. Irregular verb. *CO* 64-5, *GGBC* §373, *NIG* 109-10.

U Wagner (1959: §402), Hamilton (1974: 194-5), Lucas (1979: §535), Hughes (1994: 651-2, 8.7).

C de Bhaldraithe (1953: §217), *Airneán* II §75, Hamilton (1970: 209-10), Ó hUiginn (1994: 591-2), Ó Curnáin (2007: III, 1141-48).

M Sjoestedt-Jonval (1938: §187), Ó Sé (2000: §541), Ua Súilleabháin (1994: 530, 8.72).

See *LASID* i 298 ('he died suddenly') for past tense (*fuair sé, U, C, M*). *LASID* i 77 ('was found') provides

past autonomous (*fuaras, U, frítheadh, C, (do) fuarthas, fuarag M*). *LASID* i 86 'you will get' provides 2nd sg. fut. In future and conditional by-forms may be heard as *ní gheobhaidh* and *ní gheobhadh*. In *M* an independent form in the present is sometimes (albeit rarely) heard: *gheibhim, gheibheann tú, gheibheann sé, gheibheann sí, gheibhimid, gheibheann sibh, gheibheann siad.*
38 fan 'wait'. 1st conjugation broad, see **Guide to the Index §5**. A future (and conditional) form may also be heard as *fanóchaidh* 'will stay', (and *d'fhanóchadh* 'would stay'). *LASID* i 238 shows as *ag fanacht/fanúint* 'waiting', as well as *ag feitheamh* and *ag fuireacht.*
39 fás 'grow'. 1st conjugation broad, see **Guide to the Index §5**.
40 feic 'see', Irregular verb. *CO* 65-6, *GGBC* §374, *NIG* 110.
U Wagner (1959: §410), Hamilton (1974: 201-2), Lucas (1979: §536), Hughes (1994: 651, 8.6).
C de Bhaldraithe (1953: §218), *Airneán* II §76, Hamilton (1970: 211), Ó hUiginn (1994: 592, 5.17), Ó Curnáin (2007: III, 1148-50).
M Sjoestedt-Jonval (1938: §190), Ó Sé (2000: §537), Ua Súilleabháin (1994: 528, 8.69).
LASID i 123 provides 1st sg. future 'I shall see' - *tchífidh mé, U, feicfidh mé, C, cífidh mé/cífead* and *chífidh mé/chífead, M.*
41 feoigh 'decay, rot, wither'. See notes to **7 báigh** and **Guide to the Index §14**.
42 fiafraigh 'ask, inquire'. 2nd conjugation broad, see **Guide to the Index §8**. Past may also be heard as *d'fhiafair*, i.e. a syncopated verb like *freagair* (*47*).
43 fill 'return' (**pill**, *U*). 1st conjugation slender, see Index §5. *LASID* i 278 shows the distribution between *fill* (*C, M*) and *pill* (*U*).
44 fliuch 'wet, soak'. 1st conjugation slender, see **Guide to the Index §5**. Note that *fl-* does not have *d'* in independent of past, conditional and imperfect, i.e. *fhliuch* 'wet', *fhliuchfadh* 'would wet', *fhliuchadh* 'used to wet', as opposed to *d'fhás* 'grew', *d'fhásfadh* 'would grow', *d'fhásadh* 'used to grow'.
45 foghlaim 'learn'. Belongs to a group of verbs which do not syncopate but uses 2nd conjugation endings, see **Guide to the Index §13**. A form *feoghlaim* can be heard for *foghlaim* (*U, C*). Also *feoghlaim**n**eochaidh* srl. with intrusive *n.*
46 foilsigh 'publish'. 2nd conjugation slender, see **Guide to the Index §8**.
47 freagair 'answer'. A syncopated verb (second conjugation, broad), see **Guide to the Index §11**.
48 freastail 'answer, reply'. Belongs to a group of verbs which do not syncopate but uses 2nd conjugation endings, see **Guide to the Index §13**.
49 glan 'clean'. 1st conjugation broad, see **Guide to the Index §5**.
50 géill 'yield'. 1st conjugation slender, see **Guide to the Index §5**.
51 goirtigh 'pickle'. 2nd conjugation slender, see **Guide to the Index §8**.
52 gortaigh 'hurt, injure'. 2nd conjugation broad, see **Guide to the Index §8**.
53 iarr 'ask, request'. 1st conjugation broad, see **Guide to the Index §5**.
54 imigh 'leave, go off'. 2nd conjugation slender, see **Guide to the Index §8**. For verbal adjective, see *LASID* i 225 *imithe/imídh* (*C*), *(i)mithe* (*M*) and *ar shiúl* (*U*).
55 imir 'play (game)'. A syncopated verb (second conjugation, slender), see **Guide to the Index §11**. As well as future forms *imreoidh/imreochaidh* (and conditional *d'imreodh/d'imreochadh*) one can also hear *imeoraidh* 'will play' (and *d'imeoradh* 'would play') – see notes to *abair* (*1*).
56 inis 'tell'. A syncopated verb (second conjugation, slender), see **Guide to the Index §11**. Note Munster forms *nis* (< *inis*).
57 iompair 'carry'. A syncopated verb (second conjugation, broad), see **Guide to the Index §11**. Verb also heard as *iomchair* (*C*, de Bhaldraithe 1953: 350).
58 ionsaigh 'attack'. 2nd conjugation broad, see **Guide to the Index §8**.
59 ith 'eat'. Irregular verb. *CO* 66-7, *GGBC* §375, *NIG* 110-1.
U Wagner (1959: §405), Hamilton (1974: 195-7), Lucas (1979: §530), Hughes (1994: 654, 8.12).
C de Bhaldraithe (1953: §219), *Airneán* II §77, Hamilton (1970: 210-11), Ó hUiginn (1994: 594, 5.21), Ó Curnáin (2007: III, 1151).
M Sjoestedt-Jonval (1938: §196), Ó Sé (2000: §543), Ua Súilleabháin (1994: 531, 8.74). *LASID* i 91 'did you eat?' shows *ar ith tú?* (*U, C*), *ar (dh)ithis?, ar dh'ith tú?* (*M*), plus *ar uaidh tú?* points 22-28, Co. Clare and Sth Galway from the Old Irish perfect, see Thurneysen (1946: §689) and Ó Tuathail (1940). The future/ conditional stem *íos-* may also spread to present, giving *íosann* 'eats'. Note *LASID* i 102 '(give me

something) to eat' for *le hithe* (*U*) and *le n-ithe* (*C*, *M*).
60 labhair 'speak'. A syncopated verb (second conjugation, broad), see **Guide to the Index §11**. Note Ulster and Munster forms show 1st conjugation endings. For Connaught see de Bhaldraithe (1953) and Ó Curnáin (2007: iv 2520).
61 las 'light'. 1st conjugation broad, see **Guide to the Index §5**.
62 léigh 'read'. Belongs to a category of verbs (incl. *pléigh* 'discuss', *spréigh* 'spread'), see **Guide to the Index §16**.
64 maraigh 'kill'. 2nd conjugation broad, see **Guide to the Index §8**. In Ulster, verb is 1st conjugation broad, *marbh*, with irregular future (*muirbhfidh*) and conditional (*mhuirbhfeadh*). See *LASID* i 37 for past and future, plus 281 for past autonomous.
65 meath 'decay, rot'. 1st conjugation broad, see **Guide to the Index §5**. Any suffixes in *–t* mean that *–tht-* > *–t-* (e.g. *mheatá* 'you used to decay', rather than *mheathtá*; *meata* 'decayed' (< *meathta*).
66 mill 'destroy, ruin'. 1st conjugation slender, see **Guide to the Index §5**.
67 mínigh 'explain'. 2nd conjugation slender, see **Guide to the Index §8**.
68 mionnaigh 'swear'. 2nd conjugation broad, see **Guide to the Index §8**.
69 mol 'praise'. 1st conjugation broad, see **Guide to the Index §5**.
70 múscail = dúisigh 'wake'. The verb *múscail*, used mainly in *U* (and pronounced with a short *u*, i.e *muscail*) is a syncopated verb (second conjugation, broad), see **Guide to the Index §11**, or **ceangail 19**. The verb *dúisigh* is 2nd conjugation slender, see **Guide to the Index §8**. See *LASID* i 152 '(I was) awake' for … *muscailte* (with short *u*, in Ulster) and … *i mo dhúiseacht* elsewhere.
71 neartaigh 'strengthen'. 2nd conjugation broad, see **Guide to the Index §8**.
72 nigh 'wash'. The verbs **nigh** 'wash' (**72**), **suigh** 'sit' (**93**) – and **luigh** 'lie', **guigh** 'pray', **bligh** 'milk' – belong to a category of monosyllabic verbs ending in **–igh**, see **Guide to the Index §15**.
73 oil 'rear, educate'. 1st conjugation slender, see **Guide to the Index §5**.
74 ól 'drink'. 1st conjugation broad, see **Guide to the Index §5**.
75 ordaigh 'order'. 2nd conjugation broad, see **Guide to the Index §8**.
76 oscail = foscail 'open'. A syncopated verb (second conjugation, broad), see **Guide to the Index §11**. See *LASID* i, 146 for *foscailte* 'open' in Ulster and N. Connaught, and *oscailte* S. Connaught and Munster.
77 pacáil 'pack'. The verbs **pacáil** 'pack' (**77**), **sábháil** 'save' (**81**) and **stampáil** 'stamp' (**92**) belong to a special category of verbs in **–(e)áil**, see **Guide to the Index §17**.
78 pós 'marry'. 1st conjugation broad, see **Guide to the Index §5**. *LASID* i 192 '(they) will be married' shows *pósfar* (*U*, *M* and parts of *C*) yet *pósfaíor* (*C*).
79 rith 'run'. 1st conjugation slender, see **Guide to the Index §5**. Any suffixes in *–t* mean that *–tht-* > *–t-* (e.g. *riteá* 'you used to run', rather than *rithteá*; *rite* 'run' (< *rithte*). Variant verbal nouns *ag reathaigh, ag reáchtáil, ag riuth* etc. Variant v.adj. *reaite, reáchtáilte*.
80 roinn/rann 'divide, share'. The form *roinn* (*CO*) is 1st conjugation slender, see **Guide to the Index §5**. The form *rann*, 1st conjugation broad is used in Ulster, see *LASID* i 274 'dividing' for *rann* (*U*), *roinn(t)/rann* (*C*) and *roinnt* (*M*).
81 sábháil 'save'. The verbs **pacáil** 'pack' (**77**), **sábháil** 'save' (**81**) and **stampáil** 'stamp' (**92**) belong to a special category of verbs in **–(e)áil**, see **Guide to the Index §17**.
82 scanraigh 'scare, frighten'. 2nd conjugation broad, see **Guide to the Index §8**. Note *sc-* is never aspirated.
83 scaoil loosen, shoot'. 1st conjugation slender, see **Guide to the Index §5**. Note *sc-* is never aspirated.
84 scríobh 'write'. 1st conjugation broad, see **Guide to the Index §5**. Note *sc-* is never aspirated.
85 seachain 'avoid'. A syncopated verb (second conjugation, broad), see **Guide to the Index §11**.
86 seas 'stand'. 1st conjugation broad, see **Guide to the Index §5**. Occurs as *seasaigh*, 2nd conj. broad in Ulster.
87 sín 'stretch'. 1st conjugation slender, see **Guide to the Index §5**.
88 sínigh 'sign'. 2nd conjugation slender, see **Guide to the Index §8**.
89 siúil 'walk'. Although stem is slender, this verb (and **tiomáin** 'drive', **103**) uses suffixes for 1st conjugation broad, see **Guide to the Index §5**.

90 smaoinigh 'think'. 2nd conjugation slender, see **Guide to the Index §8**. Note *sm-* is never aspirated. Heard as *smaoitigh* (*U*).
91 socraigh 'settle, arrange'. 2nd conjugation broad, see **Guide to the Index §8**.
92 stampáil 'stamp'. The verbs **pacáil** 'pack' (**77**), **sábháil** 'save' (**81**) and **stampáil** 'stamp' (**92**) belong to a special category of verbs in **–(e)áil**, see **Guide to the Index §17**. Note *st-* is never aspirated.
93 suigh 'sit'. The verbs **nigh** 'wash' (**72**), **suigh** 'sit' (**93**) – and **luigh** 'lie', **guigh** 'pray', **bligh** 'milk' – belong to a category of monosyllabic verbs ending in **–igh**, see **Guide to the Index §15**. *LASID* i 155 shows 1st sg.
94 tabhair 'give'. Irregular verb. *CO* 69-70, *GGBC* §376, *NIG* 111.
U Wagner (1959: §396), Hamilton (1974: 197-8), Lucas (1979: §540), Hughes (1994: 648, 8.3).
C de Bhaldraithe (1953: §222), *Airneán* II §78, Hamilton (1970: 210), Ó hUiginn (1994: 592, 5.18), Ó Curnáin (2007: III, 1152-55).
M Sjoestedt-Jonval (1938: §183), Ó Sé (2000: §547), Ua Súilleabháin (1994: 532, 8.78).
LASID i 285, 'I did not notice', shows 1sg. negative of the past tense: *cha dtug mé, ní thug mé, níor thug mé* (*U*), *níor thug mé (ní thug mé)* (*C*), *níor thugas (ní thugas)*, *níor thug mé* (*M*). *LASID* i 299 '(I will eat) whatever you give me' shows: ... *a bhéarfas tú ..., a bhéarfaidh tú* (*U, C*), *a thabharfas tú/a thabharfaidh tú* (*C*), *a thabharfaidh tú* (*M*). The stem *bhéar-* for future and conditional may also be heard as *bheir-*. A variant dependent form may be *tabhrann (tabhaireann)* for *tugann* pres., *ní thabhradh* (for *ni thugadh* 'used not to give') etc.
95 tagair 'refer'. A syncopated verb (second conjugation, broad), see **Guide to the Index §11**.
96 taispeáin 'show'. Although stem is slender, this verb (and **siúil** 'walk', **89**) uses suffixes for 1st conjugation broad, see **Guide to the Index §5**. The verb may also be shortened to *spáin*, e.g. *ná spáinis* Ó Sé (2000: §710), *spáinifidh mé* Ó Sé (2000: §419) - my own spellings, based on phonetics text, are [ˈkɑnəeːv nɑː sbɑːnˊiʃ] *canathaobh nár thaispeáinis ...?*, 'why did you not show?', [sbɑːnˊhɪ mˊeː ɣotˊʃɪ nˊiʃ e] *taispeánfaidh mé duit anois é*. 'I will show it to you now'. Wagner (1959: §387). In Ulster the *–p-* disappears, *taiseáint* 'to show', e.g. Wagner (1959: §387). *LASID* i 295 'show me', shows *tais(p)eáin, taisteáin* (*U*), *taispeáin, spáin* (*C*), *spáin, taispeáin* (*M*). For Connaught, see also Ó Curnáin (2007: III, 1173).
97 taistil 'travel'. Belongs to a group of verbs which do not syncopate but uses 2nd conjugation endings, see **Guide to the Index §13**.
98 taitin 'shine'. A syncopated verb (second conjugation, broad), see **Guide to the Index §11**. *LASID* i 230, shows *ag taitneamh* 'shining' for W. Munster (and *ag soilsiú, U*, plus *scaladh* etc., *C*). The verb is commonly used with *le* to mean: *thaitin sé liom* 'I enjoyed it' (lit. 'it shone with me'). See Wagner (1959: §388).
99 tar 'come'. Irregular verb. *CO* 67-8, *GGBC* §377, *NIG* 111.
U Wagner (1959: §412), Hamilton (1974: 202-3), Lucas (1979: §541), Hughes (1994: 653-4, 8.10).
C de Bhaldraithe (1953: §220), *Airneán* II §79, Hamilton (1970: 208-9), Ó hUiginn (1994: 594, 5.20), Ó Curnáin (2007: III, 1155-61).
M Sjoestedt-Jonval (1938: §192), Ó Sé (2000: §545), Ua Súilleabháin (1994: 531, 8.77).
The verb *gabh* may often appear for *tar* (especially as an imperative). *LASID* i 242 'why did you not come', 243 'he comes', 157 'that he will not come', 296 'he used to come', 241 'coming'.
100 tarraing 'pull'. Belongs to a group of verbs which do not syncopate, in *CO*, but uses 2nd conjugation endings, see **Guide to the Index §13**. In *U* and *C* the stem may be syncopated when endings are added.
See Wagner (1959: §386), *U*, de Bhaldraithe (1953: 385, *tairrngím, C*) and Ó Sé (2000: §522) for *tarraig, M*.
101 teann 'tighten'. 1st conjugation broad, see **Guide to the Index §5**.
102 téigh 'go'. Irregular verb. *CO* 68-9, *GGBC* §378, *NIG* 112.
U Wagner (1959: §411), Hamilton (1974: 204-5), Lucas (1979: §537), Hughes (1994: 653, 8.9).
C de Bhaldraithe (1953: §221), *Airneán* II §80, Hamilton (1970: 209), Ó hUiginn (1994: 593, 5.19), Ó Curnáin (2007: III, 1161-67).
M Sjoestedt-Jonval (1938: §193), Ó Sé (2000: §546), Ua Súilleabháin (1994: 532, 8.77).
LASID i 198 '(people) did not go' shows *ní theachaidh, cha dteachaidh* (*U*), *ní dheachaigh (níor chuaigh,*

níor ghabh) (C), níor chuaigh, ní dheaghaigh (M). de Bhaldraithe (1953: 115, n. 1) observes that *tiocfaidh/thiocfadh* and *gabhfaidh/ghabhfadh* are more common for 'will go/would go' than *rachaidh/rachadh (C)*. *LASID* i 294 'if you went' has *dá dtéitheá/dá rachfá (U), dá dtéitheá/dá ngabhfá/dá rachfá (C), dá dtéiteá/-feá, dá rachfá (M)*. *LASID* i 121 'before I go' has *sula/sulmá dté mé (U), sula/shula dté mé/ngabhfaidh mé/shuldá rachas mé* etc. *(C), sara/shara dtéim/raghad/dté mé /rachaidh mé (M)*.
103 tiomáin 'drive'. 1st conjugation slender, **Guide to the Index §5**. *Tiomáilt C*, de Bhaldraithe (1953: 385).
104 tit 'fall'. 1st conjugation slender, **Guide to the Index §5**. Any suffixes in *–t* mean that *–tt-* > *–t-* (e.g. *thiteá* 'you used to fall', rather than *thitteá*; *tite* 'fallen' (< *titte*). Variously spelt as *tuit*.
105 tóg 'lift, rear, take'. 1st conjugation broad, *CO, U* and *M*, 1st conjugation slender, *C*, i.e. *tóig*, see de Bhaldraithe (1953: 389).
106 tosaigh 'start, begin'. 2nd conjugation broad, see **Guide to the Index §8**. The verb varies greatly in dialects, *toisigh/túsaigh, U*, and *tosnaigh, M*. For variant suffixes between M, C and U the reader should keep the stems *tosn-*, *tos-* and *tois-* respectively.
107 trácht 'mention'. 1st conjugation broad, **Guide to the Index §5**. Any suffixes in *–t* mean that *–tt-* > *–t-* (e.g. *thráchtá* 'you used to mention', rather than *thráchttá*; *tráchta* 'mentioned' (< *tráchtta*).
108 triomaigh dry'. 2nd conjugation broad, see **Guide to the Index §8**.
109 tuig 'understand'. 1st conjugation slender, **Guide to the Index §5**.
110 tuirsigh 'tire' 2nd conjugation slender, see **Guide to the Index §8**.
111 ullmhaigh 'prepare'. 2nd conjugation broad, see **Guide to the Index §8**.
112 is the copula - see also **12 bí** 'be'. On *is*, see *CO* 80-81, *GGBC* §§379-81, *NIG* 113-5.
U Ó Searcaigh (1939: 225-39). Hamilton (1974: 207), Lucas (1979: §§544-76), Hughes (1994: 657).
C de Bhaldraithe (1953: §§195-210), *Airneán* II §81, Hamilton (1970: 208), Ó hUiginn (1994: 595), Ó Curnáin (2007: iv, 2518).
M Sjoestedt-Jonval (1938: §§146-55), Ó Sé (2000: §§663-82), Ua Súilleabháin (1994: 534-5, 8.83-87).

REVISON FOR THE KEY ACTIVE AND AUTONOMOUS VERBAL FORMS

1. Take a stem (e.g. **bain** 'reap' or **ól** 'drink') and supply the verbal noun, the verbal adjective (using the Index if necessary). Then supply the 3 sg. m. active for the independent and autonomous forms of the past, present, future, conditional, imperfect, imperative and the present subjunctive. If you use **bain**, or **ól**, your answers should read as in the tables below:

DUL SIAR DON BHRIATHAR GHNÍOMHACH AGUS DON tSAORBHRIATHAR

1. Togh gas, ar nós **bain** 'reap' nó **ól** 'drink', agus aimsigh (ón Innéacs más gá) an t–ainm briathartha agus an aidiacht bhriathartha. Ina dhiaidh sin, scríobh amach an 3ú pearsa fhirinscneach uatha den fhoirm neamhspleách sa ghníomhach agus sa tsaorbhriathar den aimsir chaite, láithreach, fháistineach, den mhodh choinníollach, den aimsir ghnáthchaite, den mhodh ordaitheach agus den mhodh fhoshuiteach, aimsir láithreach. Do na briathra **bain** agus **ól**, bheifí ag súil leis na freagraí thíos:

stem **bain**	vn **baint**	vadj **bainte**
	3 sg active	autonomous
past	**bhain sé**	**baineadh**
pres	**baineann sé**	**baintear**
fut	**bainfidh sé**	**bainfear**
condit	**bhainfeadh sé**	**bhainfí**
imperf	**bhaineadh sé**	**bhaintí**
impve	**baineadh sé**	**baintear**
pr subj	**go mbaine sé**	**go mbaintear**

gas **ól**	a.br. **ól**	aid.bhr. **ólta**
	3u.f. gníomhach	saorbhriathar
caite	**d'ól sé**	**óladh hóladh**
láithr.	**ólann sé**	**óltar**
fáist.	**ólfaidh sé**	**ólfar**
m.coinn	**d'ólfadh sé**	**d'ólfaí**
g.chaite	**d'óladh sé**	**d'óltaí**
m.ord.	**óladh sé**	**óltar**
foshuit.	**go n-óla sé**	**go n-óltar**

2. Write the forms above as negative forms: *Scríobh amach na foirmeacha diúltacha:*

stem **bain**	vn **baint**	vadj **bainte**
	3 sg active	autonomous
past	**níor bhain sé**	**níor baineadh**
pres	**ní bhaineann sé**	**ní bhaintear**
fut	**ní bhainfidh sé**	**ní bhainfear**
condit	**ní bhainfeadh sé**	**ní bhainfí**
imperf	**ní bhaineadh sé**	**ní bhaintí**
impve	**ná baineadh sé**	**ná baintear**
pr subj	**nár bhaine sé**	**nár bhaintear**

gas **ól**	a.br. **ól**	aid.bhr. **ólta**
	3u.f. gníomhach	saorbhriathar
caite	**níor ól sé**	**níor óladh hól-.**
láithr.	**ní ólann sé**	**ní óltar**
fáist.	**ní ólfaidh sé**	**ní ólfar**
m.coinn	**ní ólfadh sé**	**ní ólfaí**
g.chaite	**ní óladh sé**	**ní óltaí**
m.ord.	**ná hóladh sé**	**ná hóltar**
foshuit.	**nár óla sé**	**nár óltar**

3. Repeat exercises 1 & 2 for the following verbs: *Déan mar an gcéanna do na briathra a leanas:*

Regular Verbs: *Briathra Rialta*

1 **crom** 'bend' 2 **glac** 'take' 3 **fás** 'grow' 4 **measc** 'mix'
5 **creid** 'believe' 6 **buail** 'hit, strike' 7 **éist** 'listen' 8 **bruith** 'boil'
9 **ceadaigh** 'permit' 10 **aontaigh** 'agree' 11 **fostaigh** 'employ' 12 **saothraigh** 'earn'
13 **imigh** 'go off' 14 **cuidigh** 'help' 15 **feidhmigh** 'act' 16 **deimhnigh** 'certify'
17 **ceangail** 'tie' 18 **fógair** 'announce' 19 **oscail** 'open' 20 **seachain** 'avoid'
21 **imir** 'play' 22 **cuimil** 'rub' 23 **dóigh** 'burn' 24 **luaigh** 'mention'
25 **pléigh** 'discuss' 26 **guigh** 'pray' 27 **cóipeáil** 'copy' 28 **easpórtáil** 'export'
29 **foghlaim** 'learn' 30 **tarraing** 'pull' 31 **aithris** 'recite' 32 **aithin** 'recognise'
33 **siúil** 'walk' 34 **taispeáin** 'show' 35 **tiomáin** 'drive' 36 **cloígh** 'defeat'

Irregular Verbs: *Briathra Mírialta*

1 **abair** 'say' 2 **beir** 'bear' 3 **bí** 'be' 4 **clois/cluin** 'hear'
5 **déan** 'do, make' 6 **faigh** 'get' 7 **feic** 'see' 8 **ith** 'eat'
9 **tabhair** 'give' 10 **tar** 'come' 11 **teigh** 'go'

TREOIR DON INNÉACS

§1 Treoir don léitheoir

Sa leabhar seo réimnítear 111 briathar (nó 'eochairbhriathar') ina n-iomláine .i. 11 briathar mírialta, 100 sampla de phríomhaicmí na mbriathra rialta - agus roinnt samplaí den chopail (112). Tá uimhir ag siúl le gach briathar atá sna táblaí agus ní gá don léitheoir ach dhul go dtí an tábla cuí leis an bhriathar áirithe sin a fheiceáil. Le cois tháblaí na mbriathra, tá timpeall 3300 briathar eile san innéacs (.i. iomlán na mbriathra atá le fáil in *FGB*)[1] agus, i gcolún a sé, ceanglaítear na briathra seo le heochairbhriathar atá le fáil sna táblaí.

§2 Leagtar an t-innéacs amach mar a leanas:

gas/fréamh		*aimsir láithreach*	*ainm briathartha*	*aidiacht bhriathartha*	*briathar gaolta*
cíor	*comb, examine*	cíorann	cíoradh	cíortha	cas

Insíonn an méid thuas dúinn go bhfuil an briathar *cíor* ar aon dul leis an bhriathar *cas* agus go bhfeidhmneoidh *cas* mar mhúnla ag *cíor*, .i. má amharctar ar *cas* sna tablaí beidh go leor eolais ag an léitheoir le *cíor* a réimniú ach *cíor* (nó *chíor*, *gcíor*) a chur in áit *cas* (nó *chas*, *gcas*) i ngach aimsir agus modh.

colún 1 Tugtar gas (nó fréamh) an bhriathair sa chéad cholún, .i. an 2ú pearsa uimhir uatha den mhodh ordaitheach. Tá an fhoirm seo mar bhunchloch do réimniú na mbriathra rialta sa Ghaeilge – fch **réimnithe na mbriathra rialta §§3-12** thíos.

colún 2 Tugtar míniú i mBéarla ar gach briathar sa cholún seo. Ní féidir (cheal spáis) gach ciall a liostáil sa cholún seo, ach moltar don léitheoir atá ar lorg réimse na céille a bhaineann le briathar áirithe ar bith dhul chuig *Foclóir Gaeilge-Béarla* (*FGB*).

colún 3 Tugtar lomfhoirm don aimsir láithreach anseo ar an ábhar go dtugann an fhoirm seo leid don léitheoir fá chúpla rud atá fíorthábhachtach:

(i) tugann sé barúil den fhoirceann a bheas de dhíth le tromlach na mbriathra a réimniú, nó má bhaineann an briathar leis an 1ú nó an 2ú réimniú, beidh an léitheoir ábalta an t–eolas sna táblaí thíos a úsáid maidir leis an 3ú pearsa den ghníomhach:

1ú réimniú leathan

láithreach	*fáistineach*	*coinníollach*	*gnáthchaite*	*ordaitheach*	*foshuiteach*
-ann	**-faidh**	**-fadh**	**-adh**	**-adh**	**-a**

1ú réimniú caol

láithreach	*fáistineach*	*coinníollach*	*gnáthchaite*	*ordaitheach*	*foshuiteach*
-eann	**-fidh**	**-feadh**	**-eadh**	**-eadh**	**-e**

2ú réimniú leathan

láithreach	*fáistineach*	*coinníollach*	*gnáthchaite*	*ordaitheach*	*foshuiteach*
-aíonn	**-óidh**	**-ódh**	**-aíodh**	**-aíodh**	**-aí**

2ú réimniú caol

láithreach	*fáistineach*	*coinníollach*	*gnáthchaite*	*ordaitheach*	*foshuiteach*
-íonn	**-eoidh**	**-eodh**	**-íodh**	**-íodh**	**-í**

(ii) Lena chois siúd, léiríonn foirm na haimsire láithrí an dóigh a ngiorraítear gas an bhriathair má chuirtear foirceann leis, m.sh. *ceannaigh* > *ceann-*, *coinnigh* > *coinn-* srl. (fch **gas fada** agus **gas gearr §8** agus **§11** thíos).

GUIDE TO THE INDEX

§1 Reader's guide

In this book 111 verbs (or 'key verbs') are conjugated in full, i.e. the 11 irregular verbs, 100 examples of the main categories of regular verb - plus samples of the copula (112). Each verb conjugated in the tables is numbered and the reader need only go to the relevant table to see that particular verb. In addition to the verb tables, approximately 3300 other verbs are listed in the index (i.e. all of the verbs in Ó Dónaill's dictionary, *FGB*)[1] and in column 6 of the index, all of these verbs are linked to a key verb.

§2 The index is set out as follows:

stem		*present tense*	*verbal noun*	*verbal adjective*	*verb type*
cíor	*comb, examine*	cíorann	cíoradh	cíortha	cas

The above tells us that the verb *cíor* belongs to the same category as *cas* and that *cas* will serve as a model for *cíor*, i.e. if the table containing *cas* is consulted there will be enough information there to enable the reader to conjugate *cíor* by simply placing *cíor* (or *chíor*, *gcíor*) for *cas* (or *chas*, *gcas*) in every tense and mood.

Column 1 The stem of the verb is provided in the first column, i.e. the 2nd person singular of the imperative mood. This form serves as a building block for the conjugation of the verb in modern Irish – see **conjugations of the regular verb**, **§§3-12** below.

Column 2 An English meaning is provided for each verb in this column. Space does not permit the provision of each nuance, but the reader wishing to avail of the full range of meaning for any particular verb should consult Ó Dónaill's dictionary (*FGB*).

Column 3 The bare form of the present tense is provided here on the grounds that this form provides the reader with several important clues:

(i) it provides a clue as to the suffix which will be needed to conjugate the majority of verbs, for if a verb belongs to the 1st or 2nd conjugation, the reader will be able to use the information given in the tables below to determine the 3rd person of the active:

1st conjugation broad

present	*future*	*conditional*	*imperfect*	*imperative*	*pres. subjunctive*
-ann	**-faidh**	**-fadh**	**-adh**	**-adh**	**-a**

1st conjugation slender

present	*future*	*conditional*	*imperfect*	*imperative*	*pres. subjunctive*
-eann	**-fidh**	**-feadh**	**-eadh**	**-eadh**	**-e**

2nd conjugation broad

present	*future*	*conditional*	*imperfect*	*imperative*	*pres. subjunctive*
-aíonn	**-óidh**	**-ódh**	**-aíodh**	**-aíodh**	**-aí**

2nd conjugation slender

present	*future*	*conditional*	*imperfect*	*imperative*	*pres. subjunctive*
-íonn	**-eoidh**	**-eodh**	**-íodh**	**-íodh**	**-í**

(ii) In addition to the above, the form of the present indicates how the stem of a verb may be shortened if a suffix is added, e.g. *ceannaigh* 'buy' > *ceann-*, *coinnigh* 'keep' > *coinn-* etc. (**long stem** and **short stem §8** and **§11**).

colún 4 Tugtar an t-ainm briathartha anseo. Tá dhá fhoirm ar leith de gach briathar atá fíorthábhachtach ag foghlaimeoir .i. gas an bhriathair agus an t-ainm briathartha. Tiocfaidh an léitheoir ar an dá phíosa eolais sin go héascaí san innéacs seo – rud atá ina bhuntáiste mhór - agus ba cheart breathnú ar an ghné seo mar chuid bhunúsach d'úsáid an leabhair seo.
Níorbh fhéidir an briathar a rangú de réir fhoirm an ainm bhriathartha (ó tharla an oiread sin mírialtachta agus éagsúlachta ag baint leis an fhoirm áirithe seo, fch an **Réamhrá**) ach tá baint lárnach ag an ainm briathartha le struchtúr na Gaeilge. Baintear ollúsáid as an ainm briathartha mar infinideach agus thig aimsirí áirithe foirfe agus timchainteacha mar seo a lua mar shamplaí:

Tá sé (díreach) i ndiaidh an teach a ghlanadh.	He has (only) just cleaned the house.
Tá sé (díreach) tar éis an teach a ghlanadh.	He has (only) just cleaned the house.
Tá sé ar tí an teach a ghlanadh.	He is about to clean the house.
Tá sé ag brath an teach a ghlanadh.	He is about to clean the house.
Tá sé chun an teach a ghlanadh.	He intends to clean the house.

colún 5 Tugtar an aidiacht bhriathartha anseo. Tá baint lárnach ag an fhoirm seo leis an fhoirfe sa Ghaeilge, le húsáid an bhriathair *bí* + an aidiacht bhriathartha + *ag,* mar shampla:

Tá sé déanta agam.	'I have done it.'
Bhí sé déanta agam.	'I had done it.'

Gheofar cur síos ar fhoircinn na haidiachta briathartha seo sa **Réamhrá.**

colún 6 Más eochairbhriathar atá i gceist tabharfar uimhir an bhriathair áirithe sin sna táblaí, m.sh. *cas* **18**, *suigh* **93** srl. Murab eochairbhriathar atá ann tabharfar ainm eochairbhriathair a bheas mar bhunmhúnla ag an bhriathar áirithe sin, m.sh. *cas* do *cíor* (**§2** thuas).

§3 réimnithe na mbriathra rialta: an chéad réimniú agus an dara réimniú.
Tá dhá phríomhréimiú (nó dhá phríomhghrúpa) den bhriathar rialta .i. an chéad réimniú (**§5**) agus an dara réimniú (**§8**).

§4 leathan (*a*, *o*, *u*) agus caol (*e*, *i*)
Baistear gutaí 'leathana' ar *a, o, u* (.i. na gutaí cúil) agus gutaí 'caola' ar *e* agus *i* (.i. na gutaí tosaigh).
Más é *a*, *o* nó *u* an guta deiridh sa ghas (i mbriathra a bhaineann leis an chéad réimniú), baistear **gas leathan** ar an ghas sin (m.sh. **cas** 'twist', **díol** 'sell' nó **cum**'compose').
Más é *i* an guta deiridh sa ghas, baistear **gas caol** air sin (m.sh. **caill** 'lose', **lig** 'let').

Comhlíonann na foircinn **–ann**, **-faidh, -fadh** srl. an riail 'leathan le leathan' (.i. *a*, *o*, *u* taobh le *a*, *o*, *u*), m.sh.

casann	twists	**casfaidh**	will twist	**chasfadh**	would twist
díolann	sells	**díolfaidh**	will sell	**dhíolfadh**	would sell
dúnann	closes	**dúnfaidh**	will close	**dhúnfadh**	would close

Comlíonann na foircinn **–eann**, **-fidh, -feadh** srl. an riail 'caol le caol' .i. (*e*, *i* taobh le *e*, *i*), m.sh.

cailleann	loses	**caillfidh**	will lose	**chaillfeadh**	would lose
ligeann	lets	**ligfidh**	will let	**ligfeadh**	would let

Is ar an ghuta deiridh sa 'ghas ghearr' atá leithne agus caoile na mbriathra as an 2ú réimniú agus na mbriathra coimrithe ag brath, fch **§§8-10** (agus **§§11-12**).

column 4 The verbal noun is given here. It is crucial for the learner to know two verbal forms in particular, i.e. the stem and the verbal noun. The learner has easy access to these two pieces of information in the index – a great plus, and this aspect should be regarded as a fundamental use to be made of this book.
The verb could not be categorised according to the verbal noun (given the great irregularity and variety associated with it, see **Introduction**) but the verbal noun is central to the structure of Irish. It is widely used as an infinitive and certain perfect, and other periphrastic or compound tenses such as the following can be cited as examples:

Tá sé (díreach) i ndiaidh an teach a ghlanadh. He has (only) just cleaned the house.
Tá sé (díreach) tar éis an teach a ghlanadh. He has (only) just cleaned the house.
Tá sé ar tí an teach a ghlanadh. He is about to clean the house.
Tá sé ag brath an teach a ghlanadh. He is about to clean the house.
Tá sé chun an teach a ghlanadh. He intends to clean the house.

column 5 The verbal adjective (or past participle) is given here. This form is central to the formation of the perfect tenses, in the combination the verb *bí* 'be' + verbal adjective + the preposition *ag* 'at', as in:

Tá sé déanta agam. 'I have done it.'
Bhí sé déanta agam. 'I had done it.'

The suffixes associated with this form are discussed in the **Introduction**.

column 6 If the verb is a key verb the number at which that verb occurs in the tables is given, e.g. *cas* **18**, *suigh* **93** etc. If it is not a key verb then the name of the verb which will serve as a basic model for that particular verb will be given, e.g. *cas* for *cíor* (**§2** above).

§3 the conjugations of the regular verb: the first and second conjugation

There are two main conjugations (or categories) of regular verb in Irish, i.e. the first conjugation (**§5**) and the second conjugation (**§8**).

§4 broad (*a, o, u*) and slender (*e, i*)

The (back) vowels *a, o, u* are described as 'broad' vowels and the (front) vowels *e* and *i* as 'slender' vowels.
If *a, o* or *u* is the final vowel in the stem (for verbs belonging to the 1st conjugation), this is called a **broad stem** (e.g. **cas** 'twist', **díol** 'sell' or **cum**'compose').
If *i* is the final vowel, this is called a **slender stem** (e.g. **caill** 'lose', **lig** 'let').

The suffixes **–ann, -faidh, -fadh** etc. maintain the rule 'broad with broad' (i.e. *a, o, u* beside *a, o, u*):

casann	twists	**casfaidh**	will twist	**chasfadh**	would twist
díolann	sells	**díolfaidh**	will sell	**dhíolfadh**	would sell
dúnann	closes	**dúnfaidh**	will close	**dhúnfadh**	would close

The suffixes **–eann, -fidh, -feadh** maintain the rule 'slender with slender' (.i.e. *e, i* beside *e, i*), e.g.

cailleann	loses	**caillfidh**	will lose	**chaillfeadh**	would lose
ligeann	lets	**ligfidh**	will let	**ligfeadh**	would let

The way to determine broad or slender stems for 2nd conjugation (and syncopated) verbs is based on the last vowel in the 'short' stems, see **§§8-10** (and **§11-12**).

§5 an chéad réimniú, leathan agus caol[2]

Bunús na mbriathra rialta a bhfuil gas aonsiollach acu baineann siad leis an chéad réimniú, m.sh. **bog** 'move', nó **bris** 'break'.[3] Sa leabhar seo toghadh na briathra a leanas mar shamplaí den chéad réimniú leathan agus caol:

an chéad réimniú leathan		**an chéad réimniú caol**	
amharc	look	**bain**	take, win
at	swell	**bris**	break
bog	move	**caill**	lose
cas	twist	**caith**	throw
díol	sell	**cuir**	put
dún	close	**druid**	close
fág	leave	**éist**	listen
fan	wait	**fill/pill**	return
fás	grow	**géill**	yield
fliuch	wet	**lig**	let
glan	clean	**mill**	destroy
iarr	ask	**oil**	rear
las	light	**rith**	run
meath	decay	**roinn**	divide
mol	praise	**scaoil**	loosen
ól	drink	**sín**	stretch
pós	marry	**tiomáin**	drive
scríobh	write	**tit**	fall
seas	stand	**tuig**	understand
teann	tighten		
tóg	lift		
trácht	mention		

Nóta: Cé go bhfuil gas caol ag na briathra **siúil** 'walk' agus **taispeáin** 'show' (**shiúil** 'walked', **thaispeáin** 'showed'), leathnaítear gas na mbriathra seo nuair a chuirtear foircinn leo, m.sh. **siúlann** 'walks', **siúlfaidh** 'will walk'; **taispeánann** 'shows', **taispeánfaidh** 'will show'.

§6 1ú réimniú leathan

Réimnítear **bog** 'move' mar a leanas sna haimsirí agus sna modhanna seo nuair a chuirtear foirceann leis:

láithreach	*fáistineach*	*coinníollach*	*gnáthchaite*	*ordaitheach*	*foshuiteach*
bog**ann** moves	bog**faidh** will move	b**h**og**fadh** would move	b**h**og**adh** used to move	bog**adh** let move	bog**a** may move

§7 1ú réimniú caol

Réimnítear **bris** 'break' mar a leanas:

láithreach	*fáistineach*	*coinníollach*	*gnáthchaite*	*ordaitheach*	*foshuiteach*
bris**eann** breaks	bris**fidh** will break	b**h**ris**feadh** would break	b**h**ris**eadh** used to break	bris**eadh** let break	bris**e** may break

§8 an dara réimniú[4]

Is iad na briathra déshiollacha (nó ilsiollacha) a chríochnaíonn in **–igh** an aicme is coitianta a bhaineas leis an dara réimniú, m.sh. **ceannaigh** 'buy' nó **coinnigh** 'keep'.

Sa leabhar seo toghadh na briathra a leanas mar shamplaí den dara réimniú leathan agus caol:

§5 the first conjugation, broad and slender[2]

Most verbs with a single syllable in the stem belong to the first conjugation, e.g. **bog** 'move', or **bris** 'break'.[3] In this book the following verbs have been selected as examples of 1st conjugation broad and slender:

first conjugation broad		first conjugation slender	
amharc	look	**bain**	take, win
at	swell	**bris**	break
bog	move	**caill**	lose
cas	twist	**caith**	throw
díol	sell	**cuir**	put
dún	close	**druid**	close
fág	leave	**éist**	listen
fan	wait	**fill/pill**	return
fás	grow	**géill**	yield
fliuch	wet	**lig**	let
glan	clean	**mill**	destroy
iarr	ask	**oil**	rear
las	light	**rith**	run
meath	decay	**roinn**	divide
mol	praise	**scaoil**	loosen
ól	drink	**sín**	stretch
pós	marry	**tiomáin**	drive
scríobh	write	**tit**	fall
seas	stand	**tuig**	understand
teann	tighten		
tóg	lift		
trácht	mention		

Note: Although the verbs **siúil** 'walk' and **taispeáin** 'show' have slender stems (**shiúil** 'walked', **thaispeáin** 'showed'), the stems are broadened when suffixes are added, e.g. **siúlann** 'walks', **siúlfaidh** 'will walk'; **taispeánann** 'shows', **taispeánfaidh** 'will show'.

§6 1st conjugation broad

The verb **bog** 'move' is conjugated as below when suffixes are added for the various tenses and moods:

present	*future*	*conditional*	*imperfect*	*imperative*	*pres. subjunctive.*
bog**ann** moves	bog**faidh** will move	b**h**og**fadh** would move	b**h**og**adh** used to move	bog**adh** let move	bog**a** may move

§7 1st conjugation slender

The verb **bris** 'break' is conjugated as follows:

present	*future*	*conditional*	*imperfect*	*imperative*	*pres. subjunctive*
bris**eann** breaks	bris**fidh** will break	b**h**ris**feadh** would break	b**h**ris**eadh** used to break	bris**eadh** let break	bris**e** may break

§8 the second conjugation[4]

Verbs of two syllables (or more) which end in **–igh** are the most common type belonging to the second conjugation, e.g. **ceannaigh** 'buy' or **coinnigh** 'keep'. In this book the following have been chosen as examples of second conjugation verbs, broad and slender:

an dara réimniú leathan *–aigh*			an dara réimniú caol *-igh*		
gas fada	*gas gearr*		*gas fada*	*gas gearr*	
athraigh	**athr-**	change	**bailigh**	**bail-**	collect
beannaigh	**beann-**	bless	**coinnigh**	**coinn-**	keep
ceannaigh	**ceann-**	buy	**cruinnigh**	**cruinn-**	gather
dathaigh	**dath-**	colour	**dírigh**	**dír-**	straighten
eagraigh	**eagr-**	organise	**dúisigh**	**dúis-**	awaken
fiafraigh	**fiafr-**	ask	**éirigh**	**éir-**	get up
ionsaigh	**ions-**	attack	**foilsigh**	**foils-**	publish
maraigh	**mar-**	kill	**imigh**	**im-**	leave
mionnaigh	**mionn-**	swear	**mínigh**	**mín-**	explain
neartaigh	**neart-**	strengthen	**sínigh**	**sín-**	sign
ordaigh	**ord-**	order	**maoinigh**	**smaoin-**	think
scanraigh	**scanr-**	frighten	**tuirsigh**	**tuirs-**	tire
socraigh	**socr-**	arrange			
tosaigh	**tos-**	begin			
triomaigh	**triom-**	dry			
ullmhaigh	**ullmh-**	prepare			

§9 gas fada agus gas gearr

Le briathra as an dara réimniú is féidir breathnú orthu mar bhriathra a bhfuil dhá ghas (nó dhá fhréamh) acu, .i. gas fada agus gas gearr.

Is ionann **an gas fada** agus an dara pearsa uimhir uatha den mhodh ordaitheach, m.sh. **ceannaigh** 'buy', **coinnigh** 'keep'. Muna gcuirtear foirceann leis an bhriathar, fanann an gas fada, m.sh. **cheannaigh sé** 'he bought' agus **choinnigh sí** 'she kept'.

Má chuirtear foirceann leis na briathra seo, cailltear an **–aigh** nó an **–igh** ag an deireadh agus cuirtear an foirceann leis an ghas ghiorraithe, .i. **ceann-** agus **coinn-** (**§8** thuas).

§10 2ú réimniú leathan

Réimnítear **ceannaigh** 'buy' mar a leanas sna haimsirí agus sna modhanna seo nuair a chuirtear foirceann leis an ghas ghiorraithe **ceann-**:

láithreach	*fáistineach*	*coinníollach*	*gnáthchaite*	*ordaitheach*	*foshuiteach*
ceann**aíonn** buys	ceann**óidh** will buy	**ch**eann**ódh** would buy	**ch**eann**aíodh** used to buy	ceann**aíodh** let buy	ceann**aí** may buy

2ú réimniú caol

Réimnítear **coinnigh** 'keep' mar a leanas nuair a chuirtear foirceann leis an ghas ghiorraithe **coinn-**:

láithreach	*fáistineach*	*coinníollach*	*gnáthchaite*	*ordaitheach*	*foshuiteach*
coinn**íonn** keeps	coinn**eoidh** will keep	**ch**oinn**eodh** would keep	**ch**oinn**íodh** used to keep	coinn**íodh** let keep	coinn**í** may keep

§11 na briathra coimrithe[5]

Baistear briathar coimrithe ar bhriathar a bhfuil níos mó ná siolla amháin sa ghas agus más críoch dó **–il**, **-in**, **-ir** nó **–is**. Sa leabhar seo toghadh na briathra a leanas mar shamplaí de na briathra coimrithe (leathan agus caol):

the second conjugation broad *–aigh*			the second conjugation slender *-igh*		
long stem	*short stem*		*long stem*	*short stem*	
athraigh	**athr-**	change	**bailigh**	**bail-**	collect
beannaigh	**beann-**	bless	**coinnigh**	**coinn-**	keep
ceannaigh	**ceann-**	buy	**cruinnigh**	**cruinn-**	gather
dathaigh	**dath-**	colour	**dírigh**	**dír-**	straighten
eagraigh	**eagr-**	organise	**dúisigh**	**dúis-**	awaken
fiafraigh	**fiafr-**	ask	**éirigh**	**éir-**	get up
ionsaigh	**ions-**	attack	**foilsigh**	**foils-**	publish
maraigh	**mar-**	kill	**imigh**	**im-**	leave
mionnaigh	**mionn-**	swear	**mínigh**	**mín-**	explain
neartaigh	**neart-**	strengthen	**sínigh**	**sín-**	sign
ordaigh	**ord-**	order	**maoinigh**	**smaoin-**	think
scanraigh	**scanr-**	frighten	**tuirsigh**	**tuirs-**	tire
socraigh	**socr-**	arrange			
tosaigh	**tos-**	begin			
triomaigh	**triom-**	dry			
ullmhaigh	**ullmh-**	prepare			

§9 long stem and short stem

Verbs belonging to the second conjugation can be regarded as verbs which have two stems, i.e. a long stem and a short stem.

The long stem is the same as the second singular of the imperative mood, e.g. **ceannaigh** 'buy', **coinnigh** 'keep'. If a suffix is not added to the verb then the stem remains long, e.g. **cheannaigh sé** 'he bought' and **choinnigh sí** 'she kept'. If a suffix is added to these verbs, the **–aigh**, or **–igh**, is lost at the end and a suffix is added to the short stem, i.e. **ceann-** and **coinn-** (**§8** above).

§10 2nd conjugation broad

The verb **ceannaigh** 'buy' is conjugated as below when suffixes are added to the short stem **ceann-** for the various tenses and moods:

present	*future*	*conditional*	*imperfect*	*imperative*	*pres. subjunctive*
ceann**aíonn** buys	ceann**óidh** will buy	c**h**eann**ódh** would buy	c**h**eann**aíodh** used to buy	ceann**aíodh** let buy	ceann**aí** may buy

2nd conjugation slender

The verb **coinnigh** 'keep' is conjugated as follows when suffixes are added to the short stem **coinn-** for the various tenses and moods:

present	*future*	*conditional*	*imperfect*	*imperative*	*pres. subjunctive*
coinn**íonn** keeps	coinn**eoidh** will keep	c**h**oinn**eodh** would keep	c**h**oinn**íodh** used to keep	coinn**íodh** let keep	coinn**í** may keep

§11 the syncopated verbs[5]

Verbs of more than one syllable ending in **–il**, **-in**, **-ir** or **–is** are mostly 'syncopated verbs'. In this book the following verbs have been selected as examples of syncopated verbs (broad and slender):

briathra coimrithe an dara réimniú leathan			briathra coimrithe an dara réimniú caol		
gas fada	*gas gearr*		*gas fada*	*gas gearr*	
ceangail	**ceangl-**	tie	**aithin**	**aithn-**	recognise
codail	**codl-**	sleep	**imir**	**imr-**	play
freagair	**freagr-**	answer	**inis**	**ins-**	tell
iompair	**iompr-**	carry	**taitin**	**taitn-**	shine
labhair	**labhr-**	speak			
múscail	**múscl-**	awaken			
oscail	**oscl-**	open			
seachain	**seachn-**	avoid			
tagair	**tagr-**	refer			

Arís eile úsáidtear an gas fada nuair nach gcuirtear foirceann leis an ghas, m.sh. **ceangail** 'tie' (**cheangail sé** 'he tied') agus **imir** 'play' (**d'imir sé** 'he played').
Má chuirtear foirceann leis na briathra seo, cailltear (nó 'coimrítear') an **ai** (nó an **i**) ag deireadh an ghais fhada (.i. **ceangl-** agus **imr-**) agus réimnítear na gasanna mar a leanas:

§12 briathar coimrithe leathan

láithreach	*fáistineach*	*coinníollach*	*gnáthchaite*	*ordaitheach*	*foshuiteach*
ceangl**aíonn** ties	ceangl**óidh** will tie	**ch**eangl**ódh** would tie	**ch**eangl**aíodh** used to tie	ceangl**aíodh** let tie	ceangl**aí** may tie

briathar coimrithe caol

láithreach	*fáistineach*	*coinníollach*	*gnáthchaite*	*ordaitheach*	*foshuiteach*
imr**íonn** plays	imr**eoidh** will play	d'imr**eodh** would play	d'imr**íodh** used to play	imr**íodh** let play	imr**í** may play

§13 Nóta: Ní choimrítear na heochairbhriathra a leanas (sa Chaighdeán): **aithris** 'recite' (**3**), **foghlaim** 'learn' (**45**), **freastail** 'attend' (**48**), **taistil** 'travel' (**97**), agus **tarraing** 'pull' (**100**).

§14 aonsiollaigh in *–igh* agus an chéad réimniú
Tá roinnt eochairbhriathra a bhfuil siolla amháin sa ghas agus a chríochnaíonn in **–igh**. Tá rialacha difriúla ag baint le cuid de na briathra seo.

báigh 'drown' (**7**) **brúigh** 'bruise' (**15**) **cruaigh** 'harden' (**25**)
dóigh 'burn' (**31**) **feoigh** 'decay' (**41**)[6]

Bíonn siad leathan nuair a chuirtear foirceann dar tús **–f-** leo agus caol nuair a chuirtear foirceann dar tús **–t-** leo – mar a fheicfear ó na foirmeacha den tsaorbhriathar san aimsir láithreach sa dara colún den tábla thíos agus san aidiacht bhriathartha, **báite**:

láithreach	*saorbhriathar*	*fáistineach*	*coinníollach*	*gnáthchaite*	*ordaitheach*	*foshuiteach*
bánn,	**báitear**	**báfaidh**	**bháfadh**	**bhádh**	**bádh**	**bá**
brúnn	**brúitear**	**brúfaidh**	**bhrúfadh**	**bhrúdh**	**brúdh**	**brú**
cruann	**cruaitear**	**cruafaidh**	**chruafadh**	**chruadh**	**cruadh**	**crua**
dónn	**dóitear**	**dófaidh**	**dhófadh**	**dhódh**	**dódh**	**dó**
feonn	**feoitear**	**feofaidh**	**d'fheofadh**	**d'fheodh**	**feodh**	**feo**

San innéacs (de réir mar atá an spás ar fáil) tugtar an aimsir fháistineach de na briathra seo, taobh leis an láithreach, i gcolún a trí, m.sh. **feáigh** 'fathom' **feánn**; **feáfaidh**.

§15 nigh 'wash' (**72**), **suigh** 'sit' (**93**) - mar aon le briathra mar **luigh** 'lie', **guigh** 'pray', **bligh** 'milk':[7] Tugtar faoi deara gur **i** atá ann roimh *–t*, msh **nite** 'washed'.

syncopated verbs the second conjugation broad *–aigh*			syncopated verbs the second conjugation slender *-igh*		
long stem	*short stem*		*long stem*	*short stem*	
ceangail	**ceangl-**	tie	**aithin**	**aithn-**	recognise
codail	**codl-**	sleep	**imir**	**imr-**	play
freagair	**freagr-**	answer	**inis**	**ins-**	tell
iompair	**iompr-**	carry	**taitin**	**taitn-**	shine
labhair	**labhr-**	speak			
múscail	**múscl-**	awaken			
oscail	**oscl-**	open			
seachain	**seachn-**	avoid			
tagair	**tagr-**	refer			

Once again the long stem is used when no suffix is added to the stem, e.g. **ceangail** 'tie' (**cheangail sé** 'he tied') and **imir** 'play' (**d'imir sé** 'he played').
If a suffix is added to these verbs, the **ai** (or **i**) at the end of the long stem is lost (or 'syncopated'), hence **ceangl-** and **imr-** as short stems and these short stems are conjugated as follows:

§12 syncopated verb, broad stem

present	*future*	*conditional*	*imperfect*	*imperative*	*pres. subj.*
ceangl**aíonn** ties	ceangl**óidh** will tie	c**h**eangl**ódh** would tie	c**h**eangl**aíodh** used to tie	ceangl**aíodh** let tie	ceangl**aí** may tie

syncopated verb, slender stem

present	*future*	*conditional*	*imperfect*	*imperative*	*pres. subj.*
imr**íonn** plays	imr**eoidh** will play	d'imr**eodh** would play	d'imr**íodh** used to play	imr**íodh** let play	imr**í** may play

§13 Note: The following key verbs are not syncopated (in Standard Irish): **aithris** 'recite' (**3**), **foghlaim** 'learn' (**45**), **freastail** 'attend' (**48**), **taistil** 'travel' (**97**), and **tarraing** 'pull' (**100**).

§14 monosyllables ending in *–igh* and the first conjugation
Some key verbs have only one syllable and end in **–igh**. There are varying rules for these verbs.

báigh 'drown' (**7**) **brúigh** 'bruise' (**15**) **cruaigh** 'harden' (**25**)
dóigh 'burn' (**31**) **feoigh** 'decay' (**41**)[6]

They are broad when a suffix beginning in **f-** is added and slender when a suffix beginning in **t-** is added – as may be seen from the present autonomous in the 2nd column of the table below, or in the verbal adjective **báite** 'drowned':

present	*pres. auton.*	*future*	*conditional*	*imperfect*	*imperative*	*pres. subj.*
bánn,	**báitear**	**báfaidh**	**bháfadh**	**bhádh**	**bádh**	**bá**
brúnn	**brúitear**	**brúfaidh**	**bhrúfadh**	**bhrúdh**	**brúdh**	**brú**
cruann	**cruaitear**	**cruafaidh**	**chruafadh**	**chruadh**	**cruadh**	**crua**
dónn	**dóitear**	**dófaidh**	**dhófadh**	**dhódh**	**dódh**	**dó**
feonn	**feoitear**	**feofaidh**	**d'fheofadh**	**d'fheodh**	**feodh**	**feo**

In the index (space permitting) the future is provided, alongside the present in column 3, e.g. **feáigh** 'fathom' **feánn**; **feáfaidh**.

§15 nigh 'wash' (**72**), **suigh** 'sit' (**93**) – as well as verbs such as **luigh** 'lie', **guigh** 'pray', **bligh** 'milk':[7]

láithreach	*saorbhriathar*	*fáistineach*	*coinníollach*	*gnáthchaite*	*ordaitheach*	*foshuiteach*
níonn	**nitear**	**nífidh**	**nífeadh**	**níodh**	**níodh**	**ní**
suíonn	**suitear**	**suífidh**	**shuífeadh**	**shuíodh**	**suíodh**	**suí**

§16 léigh 'read' (**62**) - mar aon le **pléigh** 'discuss', **spréigh** 'spread', **téigh** 'warm':[8]

láithreach	*saorbhriathar*	*fáistineach*	*coinníollach*	*gnáthchaite*	*ordaitheach*	*foshuiteach*
léann	**léitear**	**léifidh**	**léifeadh**	**léadh**	**léadh**	**lé**

§17 pacáil 'pack' (**77**), **sábháil** 'save' (**81**), **stampáil** 'stamp' (**92**):[9] Tugtar faoi deara go mbíonn an gas caol roimh *t* (cosúil le §14 thuas), msh. **pácáiltear** 'is packed', **pácáilte** 'packed' srl.

láithreach	*saorbhriathar*	*fáistineach*	*coinníollach*	*gnáthchaite*	*ordaitheach*	*foshuiteach*
pacálann	**pacáiltear**	**pacálfaidh**	**phacálfadh**	**phacáladh**	**pacáladh**	**pacála**

§18 *caitear* srl., .i. *-th* agus *–t* ag deireadh gais sa 1ú réimniú

Nuair a chuirtear foirceann dar tús **t-** le briathar ar bith a bhfuil **–th** nó **–t** ag deireadh an ghais, scríobhtar **–tht-** agus **–tt-** mar **–t-**, m.sh.:

caitear 'is worn'	(in áit **caithtear**)
d'éisteá 'you used to listen'	(in áit **d'éistteá**)

Ba cheart don léitheoir breathnú sna táblaí ar na briathra: **at** 'swell' (**5**), **caith** 'throw' (**17**), **éist** 'listen' (**35**), **meath** 'decay' (**65**), **trácht** 'mention' (**107**).

§19 na briathra mírialta

Is iad seo a leanas na príomhbhriathra mírialta:

abair	say	(**1**)	**déan**	do	(**28**)	**tabhair**	give	(**94**)
beir	bear	(**11**)	**faigh**	get	(**37**)	**tar**	come	(**99**)
bí	be	(**12**)	**feic**	see	(**40**)	**téigh**	go	(**102**)
clois/cluin	hear	(**22**)	**ith**	eat	(**59**)			

D'fhéadfaí a lua go bhfuil mírialtacht ag baint le roinnt briathra eile sna canúintí, m.sh. **marbh** 'kill' i dTír Chonaill (**maraigh** *CO*); **tóig** 'lift' i gConnachtaibh (**tóg** *CO*); nó **nis** 'tell' i gCúige Mumhan (**inis** *CO*), ach gheofar an t-eolas sin sna táblaí.

§20 foirmeacha coibhnesta in *–s* sa láithreach agus san fháistineach

San aimsir láithreach agus san aimsir fháistineach tugtar samplaí de na foirmeacha speisialta coibhneasta a chríochnaíonn in *–s*, leaganacha a úsáidtear go forleathan in Ultaibh agus i gConnachtaibh:

CO, M		*U*	*C*
an fear a bhriseann **an fear a bhrisfidh**	the man who breaks the man who will break	**an fear a bhriseas** **an fear a bhrisfeas**	**an fear a bhriseanns** **an fear a bhrisfeas**

§21 na caochluithe tosaigh[10]

Déantar na briathra a réimniú sa ghníomhach agus sa tsaorbhriathar. Comh maith leis sin, tugtar samplaí de na briathra gníomhacha i ndiaidh na bhfoirmeacha de na míreanna is coitianta a thagann rompu:

níor, ar, gur, nár	san aimsir chaite
ní, an, go, nach	san aimsir láithreach, fháistineach, ghnáthchaite, sa mhodh choinníollach agus san aimsir chaite do roinnt briathra mírialta
ná	sa mhodh ordaitheach (agus **ná** i gCúige Mumhan, in áit **nach** *CO*)
go, nár	sa mhodh fhoshuiteach, aimsir láithreach[11]

present	*pres. auton.*	*future*	*conditional*	*imperfect*	*imperative*	*pres. subj.*
níonn **suíonn**	**nitear** **suitear**	**nífidh** **suífidh**	**nífeadh** **shuífeadh**	**níodh** **shuíodh**	**níodh** **suíodh**	**ní** **suí**

§16 léigh 'read' (**62**) - mar aon le **pléigh** 'discuss', **spréigh** 'spread', **téigh** 'warm':[8]

present	*pres. auton.*	*future*	*conditional*	*imperfect*	*imperative*	*pres. subj*
léann	**léitear**	**léifidh**	**léifeadh**	**léadh**	**léadh**	**lé**

§17 pacáil 'pack' (**77**), **sábháil** 'save' (**81**), **stampáil** 'stamp' (**92**):[9] Note how the stem is made slender before *t* (as in §14 above), eg. **pácáiltear** 'is packed', **pácáilte** 'packed' etc.

present	*pres. auton.*	*future*	*conditional*	*imperfect*	*imperative*	*pres. subj*
pacálann	**pacáiltear**	**pacálfaidh**	**phacálfadh**	**phacáladh**	**pacáladh**	**pacála**

§18 *caitear* etc., i.e. *-th* and *–t* at the end of 1st conjugation stems

When a suffix beginning in **t-** is added to any verb whose stem ends in **–th** or **–t**, **-tht-** and **–tt-** are written as single **–t-**, e.g.

caitear 'is worn'	(instead of **caithtear**)
d'éisteá 'you used to listen'	(instead of **d'éistteá**)

The reader should check in the tables for the verbs: **at** 'swell' (**5**), **caith** 'throw' (**17**), **éist** 'listen' (**35**), **meath** 'decay' (**65**), **trácht** 'mention' (**107**).

§19 the irregular verbs

The following are the main irregular verbs:

abair	say	(**1**)	**déan**	do	(**28**)	**tabhair**	give	(**94**)
beir	bear	(**11**)	**faigh**	get	(**37**)	**tar**	come	(**99**)
bí	be	(**12**)	**feic**	see	(**40**)	**téigh**	go	(**102**)
clois/cluin	hear	(**22**)	**ith**	eat	(**59**)			

It could be said that some other regular verbs occur as irregular in certain dialects, e.g. **marbh** 'kill' (U, **maraigh**, CO); **tóig** 'lift' (C, **tóg** *CO*); or **nis** 'tell' (M, **inis** *CO*), but full information will be found in the tables.

§20 relative forms in *–s* in the present and future

Examples are given, in the present and future, of the special relative forms which end in *–s*, forms which regularly occur in Ulster and Connaught:

CO, M		*U*	*C*
an fear a bhriseann **an fear a bhrisfidh**	the man who breaks the man who will break	**an fear a bhriseas** **an fear a bhrisfeas**	**an fear a bhriseanns** **an fear a bhrisfeas**

§21 the initial mutations[10]

The verbs are conjugated in the active and the autonomous (or impersonal/passive). In addition, examples are given of the active verb after some of the most common forms of preverbal particles such as:

níor, **ar**, **gur**, **nár**	past tense
ní, **an**, **go**, **nach**	the present, future, imperfect tenses, the conditional mood and in the past tense of some irregulars
ná	the imperative mood (plus **ná** in Muntser, as opposed to **nach** *CO*)
go, **nár**	in the present subjunctive[11]

Cuirtear na foirmeacha seo ar fáil le cuidiú agus treoir a thabhairt maidir leis an chaochlú chuí tosaigh ar cóir a úsáid i ndiaidh gach foirme, gné a bhíonn go minic ina constaic ag an fhoghlaimeoir – mura mbí an t-eolas seo in easnamh ar fad air. Táthar ag súil go gcuideoidh a leithéid de chur i láthair leis an fhoghlaimeoir theacht isteach ar chóras na gcaochluithe tosaigh ar bhealach níos éascaí ar an ábhar go bhfuil séimhiú, urú agus *h* roimh ghuta de dhlúth agus d'inneach i ngréasán na Gaeilge.

§22 séimhiú, urú agus *h* roimh ghuta
Seo achoimre ar na hathruithe a tharlaíonn i gcás na gcaochluithe tosaigh – fad agus a bhaineann siad le réimniú na mbriathra de:

	bunfhoirm	foirm chaochlaithe
séimhiú	*b, c, d, f, g, m, p, s, t*	***bh**, c**h**, d**h**, f**h**, g**h**, m**h**, p**h**, s**h**, t**h***
urú	*b, c, d, f, g, p, t*	***m**b, **g**c, **n**d, **bh**f, **n**g, **b**p, **d**t*
	a, e, i, o, u	***n-**a, **n-**e, **n-**i, **n-**o, **n-**u*[12]
***h* roimh ghuta**	*a, e, i, o, u*	***h**a, **h**e, **h**i, **h**o, **h**u*

§23 túslitreacha nach gcaochlaítear
Tá roinnt consan ann nach gcaochlaítear in am ar bith:

h-, l-, n, r-	***h**ata **l**eathan, **n**éata, **r**ighin*
sc-, sm-, sp-, st-	***Sc**read an **sm**aolach agus **st**ad an **sp**ealadóir.*

na caochluithe tosaigh sa ghníomhach de ghnáthbhriathra[13]

§24 séimhiú
Leanann séimhiú na míreanna a leanas:

níor, ar, gur, nár	sa ghníomhach den aimsir chaite,
ní	gach aimsir agus modh[xiv]
nár	sa mhodh fhoshuiteach, aimsir láithreach.

§25 urú Leanann urú na míreanna a leanas:

an, go, nach	gach aimsir agus modh

§26 *h* roimh ghuta Cuirtear **h** roimh ghuta i ndiaidh

ná	sa mhodh ordaitheach (agus **ná** *M*, in áit **nach** *CO*)

§27 na caochluithe tosaigh sa tsaorbhriathar

Sa Chaighdeán Oifigiúil ní leanann aon chaochlú tosaigh **níor**, **ar**, **gur** agus **nár** i saorbhriathar na haimsire caite.[15] Sna canúintí ní thig aon athrú ar chonsan ach cuirtear **h** roimh ghuta:

gníomhach *active*		**saorbhriathar** *autonomous* *CO, U, C, M*[16]	
thóg sé	he lifted	**Tógadh é.**	It was lifted.
níor t<u>h</u>óg sé	he did not lift	**Níor tógadh é.**	It was not lifted.
ar t<u>h</u>óg sé?	did he lift?	**Ar tógadh é?**	Was it lifted?
gur t<u>h</u>óg sé	that he lifted	**... gur tógadh é.**	... that it was lifted.
nár t<u>h</u>óg sé	that he did not lift	**... nár tógadh é.**	... that it was not lifted.

gníomhach *active*		**saorbhriathar** *autonomous* *CO*		*U, C, M*
d'ól sé	he drank	**Óladh é.**	It was drunk.	**hÓladh é.**
níor ól sé	he did not drink	**Níor óladh é.**	It was not drunk.	**Níor hóladh é.**
ar ól sé?	did he drink?	**Ar óladh é?**	Was it drunk?	**Ar hóladh é?**
gur ól sé	that he drank	**gur óladh é.**	that it was drunk.	**gur hóladh é.**
nár ól sé	that he did not drink	**nár óladh é.**	that it was not drunk.	**nár hóladh é.**

These preverbal forms are provided to help and advise as to the appropriate initial mutation (or change at the start of the word) which should be used after each particle, a feature which can often confuse the learner. It is hoped that such a presentation will help the learner familiarise him/herself with the system of initial mutations in a convenient way, given the fact that aspiration, eclipsis and *h* before a vowel are integral parts of Irish grammar.

§22 aspiration, eclipsis and *h* before a vowel
The following is a résumé of the changes which occur as a result of the mutations – as far as the verbal system is concerned:

	primary form of initial	mutated form of intitial
aspiration	*b, c, d, f, g, m, p, s, t*	***bh, ch, dh, fh, gh, mh, ph, sh, th***
eclipsis	*b, c, d, f, g, p, t*	***mb, gc, nd, bhf, ng, bp, dt***
	a, e, i, o, u	***n-a, n-e, n-i, n-o, n-u***[12]
***h* before vowel**	*a, e, i, o, u*	***ha, he, hi, ho, hu***

§23 initials which never change
Some consonants never undergo any changes at the start of words:

h-, l-, n, r-	***He likes noodles and, rice.***
sc-, sm-, sp-, st-	***Scallions smell spicy in stew.***

initial mutations of ordinary verbs[13] in the active

§24 aspiration occurs after the following particles:

níor, ar, gur, nár	past tense (active only),
ní	every mood and tense[14]
nár	present subjunctive.

§25 eclipsis occurs after the following particles:

an, go, nach	every mood and tense

§26 *h* before vowel occurs after

ná	in the imperative mood (plus **ná** in Munster, as opposed to **nach** *CO*)

§27 initial mutations in the autonomous
In the Official Standard no mutation occurs after **níor**, **ar**, **gur** and **nár** in the past tense of the autonomous (impersonal/passive).[15] In the dialects consonants are not affected but **h** is placed before vowels:

gníomhach *active*		**saorbhriathar** *autonomous* *CO, U, C, M*[16]	
thóg sé	he lifted	**Tógadh é.**	It was lifted.
níor thóg sé	he did not lift	**Níor tógadh é.**	It was not lifted.
ar thóg sé?	did he lift?	**Ar tógadh é?**	Was it lifted?
gur thóg sé	that he lifted	**... gur tógadh é.**	... that it was lifted.
nár thóg sé	that he did not lift	**... nár tógadh é.**	... that it was not lifted.

gníomhach *active*		**saorbhriathar** *autonomous*		
		CO		*U, C, M*
d'ól sé	he drank	**Óladh é.**	It was drunk.	**hÓladh é.**
níor ól sé	he did not drink	**Níor óladh é.**	It was not drunk.	**Níor hóladh é.**
ar ól sé?	did he drink?	**Ar óladh é?**	Was it drunk?	**Ar hóladh é?**
gur ól sé	that he drank	**gur óladh é.**	that it was drunk.	**gur hóladh é.**
nár ól sé	that he did not drink	**nár óladh é.**	that it was not drunk.	**nár hóladh é.**

§28 Sna haimsirí agus sna modhanna eile is iondúil gurb ionann an caochlú tosaigh a leanann an fhoirm den ghníomhach agus an fhoirm den tsaorbhriathar sa Chaighdeán agus i gCúige Uladh. I gCúige Mumhan agus i gConnachtaibh is féidir sin a bheith amhlaidh, nó is féidir gan séimhiú (agus fiú *h* roimh ghuta a bheith ann) san fhoirm neamhspleách den tsaorbhriathar sa mhodh choinníollach agus san aimsir ghnáthchaite, agus i ndiaidh **ní** (i ngach aimsir agus modh).[17]

CO, U		*M*
bhrisfí	would be broken	**(do) brisfí**
bhristí	used to be broken	**(do) bristí**
d'ólfaí	would be drunk	**(do) hólfaí**
d'óltaí	used to be drunk	**(do) hóltaí**
ní bhristear	is not broken	**ní bristear**

§29 crostagairtí san innéacs agus na caochluithe tosaigh

Leagtar an t-innéacs (i gcolún 1) amach in ord na haibítre síos fríd, ó thús go deireadh. I gcolún 6 luaitear an briathar **coinnigh** 'keep' (**24**) leis na briathra **ceistigh** 'question', **cinntigh** 'certify' srl. de thairbhe go mbaineann siad triúr leis an 2ú réimniú chaol agus go mbeidh idir fhoircinn (**-íodh**, **-eoidh, -eodh** srl.) agus chaochluithe tosaigh (**c-**. **ch-**, **gc-**) ar aon dul le chéile.

Déantar crostagairtí mar seo do thromlach mhór na gcásanna ach níorbh fhéidir cloí leis an choinbhinsiún seo i ngach uile chás, agus tugadh tús aite do chrostagairt do bhriathar a mbeadh na foircinn mar an gcéanna i gcásanna mar:

eiseachaid 'extradite'

crostagairt **siúil** de thairbhe go leathnaítear an gas nuair a tháitear foirceann agus gur **eiseachadann** 'extradites', **eiseachadfaidh** 'will extradite', **d'eiseachadfadh** 'would extradite' srl. atá ann, ar aon dul le **siúlann** 'walks', **siúlfaidh** 'will walk', **shiúlfadh** 'would walk'.

athphléigh 'rediscuss'

crostagairt **léigh** 'read' (**62**) de thairbhe go mbeidh na foircinn mar **athphléann** 'rediscusses', **athphléifidh** 'will rediscuss', **d'athphléifeadh** 'would rediscuss' srl., ar aon dul le **léann**, **léifidh** agus **léifeadh**.

§30 I gcásanna briathra dar tús guta (nó *f-*, seachas *fl-*) a bhfuil crostagairt do bhriathar dar tús consain ag dul leo, moltar don fhoghlaimeoir na caochluithe tosaigh a chinntiú i dtábla briathair a thosaíonn le guta (nó *f-*) - cuimhnítear fosta go mbeidh na caochluithe (.i. *d'*, *h* nó *n-*) mar an gcéanna do gach ceann de na cúig gutaí (*a*, *e*, *i*, *o*, *u*).

§31 I gcás briathra dar tús **h-**, **l-**, **n-**, **r-**, **sc-**, **sm-**, **sp-** agus **st-** déantar crostagairtí do bhriathra a bhfuil na foircinn chéanna acu agus nach n-athraítear an túslitir atá acu de bharr caochlaithe, m.sh. **las** 'light' (**61**) mar mhúnla ag briathra as an 1ú réimniú leathan a thosaíonn le **r-** (**réab** 'tear', **róst** 'roast' srl.). Ní bhíonn aon chaochlú ach oiread i gcás na ndornán briathra a thosaíonn le *v-* nó *x-*.

I gcás **p-**, moltar don fhoghlaimeoir na foircinn a leanstan ón chrostagairt (m.sh. na foircinn do **ceannaigh** 'buy' (**20**) i gcás an bhriathair **plódaigh** 'throng') ach na caochluithe tosaigh a chinntiú ón bhriathar **pós** 'marry' (**78**).

§32 na caochluithe tosaigh don chopail

Tá difríocht idir na caochluithe tosaigh a bhíonn i gceist do ghnáthbhriathra agus don chopail (**is**, 112). Cuireann **ní** séimhiú ar ghnáthbhriathra ach ní bhíonn aon athrú ar chonsan i ndiaidh **ní** na copaile. Cuireann **an** agus **nach** urú ar ghnáthbhriathra, ní bhíonn aon athrú ann sa chopail:

an chopail			*gnáthbhriathra*		
ní$^{\emptyset}$ /**ní**^{h}	**Ní bád é.**	It is not a boat.	**ní**^{smh}	**ní bhriseann**	does not break
an$^{\emptyset}$	**An bád é?**	Is it a boat?	**an**^{urú}	**an mbriseann sé?**	does (it) break?
gur$^{\emptyset}$	**Deir sé gur bád é.**	He says that it is a boat.	**go**^{urú}	**Deir sé go mbriseann sé.**	He says that he breaks.
nach$^{\emptyset}$	**Deir sé nach bád é.**	He says that it is not a boat.	**nach**^{urú}	**Deir sé nach mbriseann sé.**	He says that he does not break.

§28 In the other tenses and moods the mutations are the same for the active and autonomous forms of the verb in the Standard and in Ulster Irish. In Connaught and Munster these may be the case, or **h** can be placed before a vowel (and consonants unaspirated) in the independent form of the autonomous in the conditional and imperfect, and after **ní** (all moods and tenses):[17]

CO, U		*M*
bhrisfí	would be broken	**(do) brisfí**
bhristí	used to be broken	**(do) bristí**
d'ólfaí	would be drunk	**(do) hólfaí**
d'óltaí	used to be drunk	**(do) hóltaí**
ní bhristear	is not broken	**ní bristear**

§29 cross-referencing in the index and the initial mutations

Column 1 of the index is completely alphabetical. In column 6 the verbs **ceistigh** 'question', **cinntigh** 'certify' etc. are referred to **coinnigh** 'keep' (**24**) as all three verbs belong to the 2nd conjugation slender which means that both the suffixes (**-íodh, -eoidh, -eodh** etc.) and the initial mutations (**c-**. **ch-**, **gc-**) will be identical. Cross references such as these are done for the vast majority of cases but this convention could not be followed throughout and priority had to given to verbs whose suffixes would have been the same, as in the following:

eiseachaid 'extradite'
cross-reference **siúil** as the stem is broadened when a suffix is added, e.g. **eiseachadann** 'extradites', **eiseachadfaidh** 'will extradite', **d'eiseachadfadh** 'would extradite' etc., similar to **siúlann** 'walks', **siúlfaidh** 'will walk', **shiúlfadh** 'would walk'.
athphléigh 'rediscuss'
cross-reference **léigh** 'read' (**62**) as the suffixes, such as **athphléann** 'rediscusses', **athphléifidh** 'will rediscuss', **d'athphléifeadh** 'would redicsuss' etc., are indentical to **léann**, **léifidh** and **léifeadh**.

§30 In the cases of verbs beginning in a vowel (or *f-*, except *fl-*) which are cross-referred to a verb which begins with a consonant, the learner should check the initial mutations in the table of a verb beginning with a vowel (or *f-*) – it should also be remembered that the mutations for vowels (i.e. *d'*, *h* or *n-*) will be the same for all five vowels (*a*, *e*, *i*, *o*, *u*).

§31 In the case of verbs beginning with **h-**, **l-**, **n-**, **r-**, **sc-**, **sm-**, **sp-** and **st-** these are cross-referred to verbs whose suffixes are identical and whose initial consonants are never mutated, e.g. **las** 'light' (**61**) also serves as a model for the 1st conjugation broad for a verb beginning in **r-** (**réab** 'tear', **róst** 'roast' etc.). In the case of the few verbs beginning in *v-* or *x-* no mutations occur.
In the case of **p-**, it is recommended that the learner follow the suffixes from the cross-reference (e.g. **ceannaigh** 'buy' **20**, in the case of the verb **plódaigh** 'throng') but verifies the initial mutations from the verb **pós** 'marry' (**78**).

§32 the initial mutations for the copula

There is a difference between the initial mutations for ordinary verbs and the copula (**is**, 112). **Ní** aspirates ordinary verbs but consonants are not changed following **ní** of the copula. **An** and **nach** eclipse ordinary verbs but there is no change for the copula:

the copula			*ordinary verbs*		
ní^{Ø} /**ní**^{h}	**Ní bád é.**	It is not a boat.	**ní**^{smh}	**ní bhriseann**	does not break
an^{Ø}	**An bád é?**	Is it a boat?	**an**^{urú}	**an mbriseann sé?**	does (it) break?
gur^{Ø}	**Deir sé gur bád é.**	He says that it is a boat.	**go**^{urú}	**Deir sé go mbriseann sé.**	He says that he breaks.
nach^{Ø}	**Deir sé nach bád é.**	He says that it is not a boat.	**nach**^{urú}	**Deir sé nach mbriseann sé.**	He says that he does not break.

§33 briathra a bhfuil níos mó ná réimniú amháin acu

Tarlaíonn, anois agus arís, go mbíonn leaganacha malartacha ag briathra in *FGB*. Sna cásanna seo déantar tagairt d'eochairbhriathra difriúla:[18]

clampaigh / clampáil	*clamp*	clampaíonn / clampálann	clampú / clampáil	clampaithe / clampáilte	ceannaigh / pacáil

§34 mionsamplaí de bhriathra nach bhfuil réimniú iomlán curtha ar fáil dóibh

Tá mionaicmí briathra nach réimnítear ina n-iomláine, ach sna cásanna seo cuirtear leaganacha den fháistineach, den choinníollach agus den ghnáthchaite ar fáil i líne bhreise san innéacs, msh.:

adhain	*kindle*	adhnann	adhaint	adhainte
		adhanfaidh	d'adhanfadh	d'adhanadh

Is briathra coimrithe atá i gceist anseo ach amháin go gcuirtear foirceann an chéad réimnithe leo.

Seo samplaí eile:

adhair 'adore, worship' (*adhrann*), *athadhain* 'rekindle' (*athadhnann*), *damhain* 'tame, subdue' (*damhnann*), *dioghail* 'avenge' (*díoghlann*), *dionghaibh* 'ward off' (*diongbhann*), *imdheaghail* 'defend' (*imdheaghlann*), *ionnail* 'wash, bathe' (*ionlann*), *sleabhac* 'droop, fade' (*sleabhcann*), *spadhar* 'enrage' (*spadhrann*), *toghail* 'sack, destroy' (*toghlann*), *torchair* 'fall, lay low' (*torchrann*).

Samplaí caola: *fuighill* 'utter, pronounce' (*fuighleann*), *imdheighil* 'distinguish' (*imdheighleann*), *saighid* 'incite, provoke' (*saighdeann*), *tafainn* 'bark' (*taifneann*).

Tá roinnt samplaí eile ann nach gcoimrítear ach a gcuirtear foircinn an dara réimniú leo: *lorg* 'search for' (*lorgaíonn*), *súraic* 'suck (down)' (*súraicíonn)* agus *gogail* 'gobble, cackle' – a leathnaítear – (*gogalaíonn*).

§35 briathra a bhfuil gasanna an-fhada acu

Nuair a bhíonn gas an-fhada ag briathar giorraítear san innéacs é sa dóigh is go bhfanfaidh sé taobh istigh den cholún, m.sh. *craobhscaoil* 'broadcast':

gas		*láithreach*	*ainm briathartha.*	*aidiacht bhr.*	*briathar gaolta*
craobhscaoil	*broadcast*	c.scaoileann	c.scaoileadh	craobhscaoilte	cuir

[1] I nGaeilge na Mumhan cluintear an fhoirm **n'fheadar** 'I do not know', san aimsir láithreach don chuid is mó (Sjoestedt-Jonval 1933: 148; Ó Sé 2000: 304-5, Ua Súilleabháin 1994: 533-4). Seo an t-aon sampla amháin de bhriathar dhiúscartach sa Nua-Ghaeilge, .i. briathar a bhfuil cuma shaorbhriathair air ach atá gníomhach (fch Laidin **confiteor** 'I confess'). Bhíodh briathra diúscartacha níb fhairsinge i ré na Sean-Ghaeilge, ach hathmhúnlaíodh a mbunús ar ghnáthbhriathra gníomhacha. Seo foirmeacha samplacha do Chúige Mumhan:

n'fheadar	I do not know	**n'fheadramair**	we do not know
n'fheadraís	you do not know	**n'fheadrabhair**	you (*pl*) do not know
n'fheadair sé	he does not know	**n'fheadradar,**	they do not know
n'fheadair sí	she does not know	**n'fheadair siad**	

Ceisteach **an bhfeadraís?** 'do you know?', **sin rud ná feadair** 'that is something I do not know'. Sa 1ú uatha, is féidir **n'fheadar mé** a chluinstean.

[2] *CO* 47-8, *GGBC* §356, *NIG* 95-7.

U Wagner (1959: §312-50), Hamilton (1974: 215-7), Lucas (1979: §§447-82), Hughes (1994: 637-47).

C de Bhaldraithe (1953: §174), Ó hUiginn (1994: 587-9).

M Sjoestedt-Jonval (1938: §172), Ó Sé (2000: §511), Ua Súilleabháin (1994: 514-24).

[3] Má chríochnaíonn briathar aonsiollach in **–igh** beidh pléigh sa bhreis de dhíth (fch **roinnt briathra as an chéad réimniú dar críoch *–igh* §§14-16** thíos). Tá roinnt briathar déshiollach le cur sa reicneáil ansin fosta, mar shampla **taispeáin** 'show' (**96**) agus **tiomáin** 'drive' (**103**) – thig na samplaí eile a lua fosta: *coimhéad* 'watch (over)', *foilseán* 'exhibit', *foirceann* 'terminate', *grineall* 'sound, fathom', *imirc* 'migrate', *leibhéal* 'level', *meallac* 'stroll', *painéal* 'panel', *paistéar* 'pasturize', *siofón* 'siphon', *siséal* 'chisel', *taiscéal* 'explore', *teagasc* 'teach'.

§33 verbs with more than one conjugation

It happens, from time to time, that verbs in *FGB* have variant forms. In such cases, references are provided to a different key verb for each variant:[18]

clampaigh / clampáil	*clamp*	clampaíonn / clampálann	clampú / clampáil	clampaithe / clampáilte	ceannaigh / pacáil

§34 minority verbs for which a full paradigm has not been provided

Some classes of verbs, small in number, are not conjugated in full, but in such cases versions of the future, conditional and imperfect are provided as an extra line in the index, e.g.

adhain	*kindle*	adhnann	adhaint	adhainte
		adhanfaidh	d'adhanfadh	d'adhanadh

These verbs are syncopated verbs except that suffixes for the 1st conjugation are added.

Further examples include:

adhair 'adore, worship' (*adhrann*), *athadhain* 'rekindle' (*athadhnann*), *damhain* 'tame, subdue' (*damhnann*), *díoghail* 'avenge' (*díoghlann*), *dionghaibh* 'ward off' (*diongbhann*), *imdheaghail* 'defend' (*imdheaghlann*), *ionnail* 'wash, bathe' (*ionlann*), *sleabhac* 'droop, fade' (*sleabhcann*), *spadhar* 'enrage' (*spadhrann*), *toghail* 'sack, destroy' (*toghlann*), *torchair* 'fall, lay low' (*torchrann*).

Examples of slender verbs: *fuighill* 'utter, pronounce' (*fuighleann*), *imdheighil* 'distinguish' (*imdheighleann*), *saighid* 'incite, provoke' (*saighdeann*), *tafainn* 'bark' (*taifneann*).

A few examples occur of verbs which are not syncopated and which have second conjugation suffixes: *lorg* 'search for' (*lorgaíonn*), *súraic* 'suck (down)' (*súraicíonn)* and *gogail* 'gobble, cackle' – which is broadened – (*gogalaíonn*).

§35 verbs with long stems

When a verb has an exceedingly long stem it may be shortened in the index to maintain column width, e.g. *craobhscaoil* 'broadcast':

stem		*present tense*	*verbal noun*	*verbal adjective*	*verb type*
craobhscaoil	*broadcast*	c.scaoileann	c.scaoileadh	craobhscaoilte	cuir

---

[1] In Munster Irish the old verb **n'fheadar** 'I do not know' is still preserved, mainly in the present (Sjoestedt-Jonval 1933: 148; Ó Sé 2000: 304-5, Ua Súilleabháin 1994: 533-4). This is the only example surviving in modern Irish of a deponent verb, i.e. a verb which looks passive but is actually active (compare Latin **confiteor** 'I confess'). Deponent verbs were more common in Old Irish but all have now been remodelled as active verbs. The forms for Munster are:

n'fheadar	I do not know	**n'fheadramair**	we do not know
n'fheadraís	you do not know	**n'fheadrabhair**	you (*pl*) do not know
n'fheadair sé	he does not know	**n'fheadradar,**	they do not know
n'fheadair sí	she does not know	**n'fheadair siad**	

Interrogative **an bhfeadraís?** 'do you know?', **sin rud ná feadair** 'that is something I do not know'. In the 1st singular **n'fheadar mé** may also be heard.

[2] *CO* 47-8, *GGBC* §356, *NIG* 95-7.

U Wagner (1959: §312-50), Hamilton (1974: 215-7), Lucas (1979: §§447-82), Hughes (1994: 637-47).

C de Bhaldraithe (1953: §174), Ó hUiginn (1994: 587-9).

M Sjoestedt-Jonval (1938: §172), Ó Sé (2000: §511), Ua Súilleabháin (1994: 514-24).

[3] If a verb of one syllable ends in **–igh** some extra discussion is called for (see **some verbs from the 1st conjugation ending in *–igh* §§14-16** below). There are also some verbs with two syllables in their stems which belong to the 1st conjugation, e.g. **taispeáin** 'show' **(96)** and **tiomáin** 'drive' **(103)** in addition to: *coimhéad* 'watch (over)', *foilseán* 'exhibit', *foirceann* 'terminate', *grineall* 'sound, fathom', *imirc* 'migrate', *leibhéal* 'level', *meallac* 'stroll', *painéal* 'panel', *paistéar* 'pasturize', *siofón* 'siphon', *siséal* 'chisel', *taiscéal* 'explore', *teagasc* 'teach'.

[4] *CO* 56-7, *GGBC* §363, *NIG* 101-3.
U Wagner (1959: §§352-3), Hamilton (1974: 212-5), Lucas (1979: §§447-82), Hughes (1994: 637-47).
C de Bhaldraithe (1953: §189), Ó hUiginn (1994: 587-9).
M Sjoestedt-Jonval (1938: §173), Ó Sé (2000: §518), Ua Súilleabháin (1994: 514-24).
[5] *CO* 57-9, *GGBC* §§365-6, *NIG* 104-6.
U Wagner (1959: §§362-5), Hamilton (1974: 210-2), Lucas (1979: §§447-82), Hughes (1994: 637-47).
C de Bhaldraithe (1953: §190), Ó hUiginn (1994: 587-9).
M Sjoestedt-Jonval (1938: §173), Ó Sé (2000: §523), Ua Súilleabháin (1994: 514-24).
[6] *CO* 51-2, *GGBC* §359, *NIG* 98-9;
U Wagner (1959: §§321), Lucas (1979: §§447-82);
C de Bhaldraithe (1953: 302, *báidhim*, 332, *dóigh*);
M Ó Sé (2000: §523).
[7] *CO* 53-2, *GGBC* §362, *NIG* 100; *U* Wagner (1959: §344), Lucas (1979: §§447-82);
C de Bhaldraithe (1953: 348, *guidhim*, 384, *suidhim*);
M Ó Sé (2000: §514). Baineann **cloígh** 'defeat' (**21**) le haicme ar leith, fch, m.sh. **cloítear** 'is defeated' ach **nitear** 'is washed (**nigh**)'. *GGBC* §361, *CO* 55.
[8] *CO* 53-5, *GGBC* §360, *NIG* 98; *U* Wagner (1959: §328), Lucas (1979: §§447-82); *M* Ó Sé (2000: §513).
[9] *CO* 49-8, *GGBC* §357. *U* Wagner (1959: §350), Hamilton (1974: 209-10), *C* de Bhaldraithe (1953: §194). *M* Ó Sé (2000: §517).
[10] *CO* 82-92, *GGBC* §§51-84, *NIG* 12-24, *U* Ó Searcaigh (1939: §§388-415), Lucas (1979: 3-40), *C* de Bhaldraithe (1953: 257-292). Hughes (2001a).
[11] D'fhéadfaí míreanna eile mar **sula** 'before', **muna/mura** 'unless' a lua, agus is féidir a rá fosta go mbíonn claonadh ann an aimsir fháistineach, nó fiu an aimsir láithreach a úsáid in áit an mhodha fhoshuitigh, aimsir láithreach, m.sh. **Ól deoch sula n-imí tú.** 'Take a drink before you go' – nó **... sula a n-imeoidh tú**, **... sula n-imíonn tú**. Fch *LASID* i 121 'before I go'.
[12] I ndiaidh na míre ceistí *an*, ní chuirtear *n-* roimh ghuta, m.sh. *go n-ólann sé*, *nach n-ólann sé* ach *an ólann sé?* Is urú 'neamhghutach' atá i gceist i gcás *an* – fch Hughes (2001a: 216).
[13] Do na caochluithe tosaigh a leanann foirmeacha na copaile (**is**, 112) fch **§32**.
[14] Eisceachtaí le fáil sna briathra *abair* 'say' (**1** – *ní dúirt* 'did not say', *ní deir* 'does not say' srl.) agus *faigh* 'get' (**37** - *ní bhfuair* 'did not get', *ní bhfaighidh* 'will not get' srl.).
[15] Is é sin má bhíonn litriú an tsaorbhriathair san aimsir chaite ar aon dul le foirm ghníomhach na haimsire gnáthchaite, m.sh. *briseadh* 'was broken', *ceannaíodh* 'was bought' srl. os coinne *bhriseadh* 'used to break', *cheannaíodh* 'used to buy'. Oibríonn seo d'iomlán na mbriathra rialta agus do chuid de na briathra mírialta, m.sh. *tugadh* 'was given' (*thugadh* 'used to give'), *(h)itheadh* 'was eaten' (*d'itheadh* 'used to eat'). Sna briathra mírialta nuair nach ionann foirmeacha den tsaorbhriathar sa chaite agus gníomhach na haimsire gnáthchaite, cuirtear séimhiú ar an tsaorbhraithar, m.sh. *bhíothas* 'was' (*bhíodh* 'used to be'), *chuathas* 'went' (*théadh* 'used to go') srl.
[16] Is féidir séimhiú a bheith i gcuid de Chúige Mumhan, m.sh. **Thógadh é.** 'It was lifted' nó **Tógadh é**.
[17] Fch *Airneán* II lch. 31 agus Ua Súilleabháin (1994: 518-9).
[18] Éiríonn a leithéid de mhalartú níos minice sna canúintí, scrúdaítear, msh., na foirmeacha den fháistineach (agus den choinníollach) de na briathra *amharc, éist* agus *fan* i gCúige Uladh (*amharcóchaidh, éisteochaidh, fanóchaidh*) in áit *amharcfaidh*, *éistfidh*, *fanfaidh* CO.

[4] *CO* 56-7, *GGBC* §363, *NIG* 101-3.
U Wagner (1959: §§352-3), Hamilton (1974: 212-5), Lucas (1979: §§447-82), Hughes (1994: 637-47).
C de Bhaldraithe (1953: §189), Ó hUiginn (1994: 587-9).
M Sjoestedt-Jonval (1938: §173), Ó Sé (2000: §518), Ua Súilleabháin (1994: 514-24).
[5] *CO* 57-9, *GGBC* §§365-6, *NIG* 104-6.
U Wagner (1959: §§362-5), Hamilton (1974: 210-2), Lucas (1979: §§447-82), Hughes (1994: 637-47).
C de Bhaldraithe (1953: §190), Ó hUiginn (1994: 587-9).
M Sjoestedt-Jonval (1938: §173), Ó Sé (2000: §523), Ua Súilleabháin (1994: 514-24).
[6] *CO* 51-2, *GGBC* §359, *NIG* 98-9; *U* Wagner (1959: §§321), Lucas (1979: §§447-82); *C* de Bhaldraithe (1953: 302, *báidhim*, 332, *dóigh*); *M* Ó Sé (2000: §523).
[7] *CO* 53-2, *GGBC* §362, *NIG* 100;
U Wagner (1959: §344), Lucas (1979: §§447-82);
C de Bhaldraithe (1953: 348, *guidhim*, 384, *suidhim*);
M Ó Sé (2000: §514).The verb **cloígh** 'defeat' (**21**) le belongs to a separate verbal category, e.g.. **cloítear** 'is defeated' but **nitear** 'is washed (-nigh)'. *GGBC* §361, *CO* 55.
[8] *CO* 53-5, *GGBC* §360, *NIG* 98;
U Wagner (1959: §328), Lucas (1979: §§447-82); *M* Ó Sé (2000: §513).
[9] *CO* 49-8, *GGBC* §357. *U* Wagner (1959: §350), Hamilton (1974: 209-10), *C* de Bhaldraithe (1953: §194). *M* Ó Sé (2000: §517).
[10] *CO* 82-92, *GGBC* §§51-84, *NIG* 12-24, *U* Ó Searcaigh (1939: §§388-415), Lucas (1979: 3-40), *C* de Bhaldraithe (1953: 257-292). Hughes (2001a).
[11] Other particles could be mentioned such as **sula** 'before', **muna/mura** 'unless', and it can also be said that the future, or even the present, tense is used in place of the present subjunctive, e.g. **Ól deoch sula n-imí tú.** 'Take a drink before you go' – or **... sula a n-imeoidh tú**, **... sula n-imíonn tú**. See *LASID* i 121 'before I go'.
[12] Following the interrogative particle *an*, *n-* is not prefixed before a vowel, e.g. *go n-ólann sé*, *nach n-ólann sé* but *an ólann sé?* In the case of *an*, I describe this as 'nonvocalic' eclipsis - see Hughes (2001a: 216).
[13] For the mutations which follow the copula (**is**, 112) see **§32**.
[14] Notable exceptions in the verbs *abair* 'say' (**1** – *ní dúirt* 'did not say', *ni deir* 'does not say' etc.), *faigh* 'get', (**37** - *ní bhfuair* 'did not get', *ní bhfaighidh* 'will not get' etc.).
[15] That is if the past autonomous is spelt the same as the active form of the imperfect, e.g. *briseadh* 'was broken', *ceannaíodh* 'was bought' etc. as opposed to *bhriseadh* 'used to break', *cheannaíodh* 'used to buy'. This holds true for all regular verbs and for some irregular verbs, e.g. *tugadh* 'was given' (*thugadh* 'used to give'), *(h)itheadh* 'was eaten' (*d'itheadh* 'used to eat'). When the form of the past autonomous for irregular verbs is not the same as the active of the imperfect, the past autonomous is aspirated, e.g. *bhíothas* 'was' (*bhíodh* 'used to be'), *chuathas* 'went' (*théadh* 'used to go') etc.
[16] Some Munster dialects aspirate the past autonomous, e.g. **Thógadh é.** 'It was lifted' or vary this with **Tógadh é**.
[17]See *Airneán* II p. 31 and Ua Súilleabháin (1994: 518-9).
[18] Such variation is more widespread in the dialects, see for example the Ulster future - and conditional - forms for *amharc, éist* and *fan* (*amharcóchaidh, éisteochaidh, fanóchaidh* as opposed to Standard *amharcfaidh*, *éistfidh*, *fanfaidh*.

abair *irreg.*	***say***	**deir**	**rá**	**ráite**	**1**
ábhraigh	*fester*	ábhraíonn	ábhrú	ábhraithe	athraigh
achainigh	*entreat*	achainíonn	achainí	achainithe	éirigh
achair	*beseech*	achraíonn	achairt	achartha	oscail
achoimrigh	*summarize*	achoimríonn	achoimriú	achoimrithe	éirigh
achomharc	*appeal*	achomharcann	achomharc	achomharctha	amharc
achtaigh	*enact, decree*	achtaíonn	achtú	achtaithe	athraigh
achtáil	*actualize*	achtálann	achtáil	achtáilte	pacáil
aclaigh	*limber, flex*	aclaíonn	aclú	aclaithe	athraigh
adamhaigh	*atomize*	adamhaíonn	adamhú	adamhaithe	athraigh
adhain	*kindle*	adhnann	adhaint	adhainte	lch 423
		adhanfaidh	d'adhanfadh	d'adhanadh	p. 423
adhair	*adore, worship*	adhrann	adhradh	adhartha	lch 423
		adhrfaidh	d'adhrfadh	d'adhradh	p. 423
adhaltranaigh	*adulterate*	adhaltranaíonn	adhaltranú	adhaltranaithe	athraigh
adharcáil	*horn, gore*	adharcálann	adharcáil	adharcáilte	pacáil
adhfhuathaigh	*dread, abhor*	adhfhuathaíonn	adhfhuathú	adhfhuathaithe	athraigh
adhlaic	*bury*	adhlacann	adhlacadh	adhlactha	siúil
adhmhill	*destroy utterly*	adhmhilleann	adhmhilleadh	adhmhillte	oil
adhmhol	*extol, eulogize*	adhmholann	adhmholadh	adhmholta	ól
adhnáirigh	*disgrace*	adhnáiríonn	adhnáiriú	adhnáirithe	éirigh
admhaigh	*admit*	admhaíonn	admháil	admhaithe	athraigh
aeraigh	*aerate*	aeraíonn	aerú	aeraithe	athraigh
aeráil	*aerate*	aerálann	aeráil	aeráilte	pacáil
aeroiriúnaigh	*air-condition*	aeroiriúnaíonn	aeroiriúnú	aeroiriúnaithe	athraigh
agaigh	*space out*	agaíonn	agú	agaithe	athraigh
agaill	*interview*	agallann	agallamh	agaillte	siúil
agair	*plead, entreat*	agraíonn	agairt	agartha	iompair
aghloit	*deface*	aghloiteann	aghlot	aghloite	tit
agóid	*protest*	agóideann	agóid	agóidte	oil
aibhligh	*scintillate*	aibhlíonn	aibhliú	aibhlithe	éirigh
áibhligh	*magnify*	áibhlíonn	áibhliú	áibhlithe	éirigh
aibhsigh	= taibhsigh	aibhsíonn	aibhsiú	aibhsithe	éirigh
aibigh	*ripen, mature*	aibíonn	aibiú	aibithe	éirigh
aiceannaigh	*accentuate*	aiceannaíonn	aiceannú	aiceannaithe	athraigh
aicmigh	*classify*	aicmíonn	aicmiú	aicmithe	éirigh
aifir	*rebuke*	aifríonn	aifirt	aifeartha	imir
aigéadaigh	*acidify*	aigéadaíonn	aigéadú	aigéadaithe	athraigh
aighnigh	*submit*	aighníonn	aighniú	aighnithe	éirigh
ailínigh	*align*	ailíníonn	ailíniú	ailínithe	éirigh
ailléidigh	*allude*	ailléidíonn	ailléidiú	ailléidithe	éirigh
áilligh	*beautify*	áillíonn	áilliú	áillithe	éirigh
ailsigh	*cancerate*	ailsíonn	ailsiú	ailsithe	éirigh
ailtéarnaigh	*alternate*	ailtéarnaíonn	ailtéarnú	ailtéarnaithe	athraigh
aimpligh	*amplify*	aimplíonn	aimpliú	aimplithe	éirigh
aimridigh	*sterilize*	aimridíonn	aimridiú	aimridithe	éirigh
aimsigh	*aim, locate*	aimsíonn	aimsiú	aimsithe	éirigh
ainéal	*anneal*	ainéalann	ainéaladh	ainéalta	ól
ainic	*protect*	ainiceann	anacal	anaicthe	oil
ainimhigh	*disfigure*	ainimhíonn	ainimhiú	ainimhithe	éirigh
ainligh	*guide*	ainlíonn	ainliú	ainlithe	éirigh
ainmnigh	*name*	ainmníonn	ainmniú	ainmnithe	éirigh
air	*plough*	arann	ar	airthe	ól + siúil
airbheartaigh	*purport* jur.	airbheartaíonn	airbheartú	airbheartaithe	athraigh
aireachasaigh	*watch over*	aireachasaíonn	aireachasú	aireachasaithe	athraigh
airgeadaigh	*electroplate*	airgeadaíonn	airgeadú	airgeadaithe	athraigh
airigh	*perceive*	airíonn	aireachtáil	airithe	éirigh
áirigh	*count, reckon*	áiríonn	áireamh	áirithe	éirigh
áirithigh	*ensure*	áirithíonn	áirithiú	áirithithe	éirigh
aisbhreathnaigh	*look back*	aisbhreathnaíonn	aisbhreathnú	aisbhreathnaithe	athraigh

stem/root	*English*	*present tense*	*verbal noun*	*verbal adjective*	*verb type*
aisc	*seek, preen*	aisceann	aisceadh	aiscthe	oil
aischéimnigh	*regress*	aischéimníonn	aischéimniú	aischéimnithe	éirigh
aischuir	*restore*	aischuireann	aischur	aischurtha	oil + cuir
aiséirigh	*rise again*	aiséiríonn	aiséirí	aiséirithe	éirigh
aisfhuaimnigh	*reverberate*	aisfhuaimníonn	aisfhuaimniú	aisfhuaimnithe	éirigh
aisghabh	*retake, recover*	aisghabhann	aisghabháil	aisghafa	ól
aisghair	*abrogate, repeal*	aisghaireann	aisghairm	aisghairthe	oil
aisghníomhaigh	*retroact*	aisghníomhaíonn	aisghníomhú	aisghníomhaithe	athraigh
aisig	*restore, vomit*	aiseagann	aiseag	aiseagtha	ól + siúil
aisíoc	*repay, refund*	aisíocann	aisíoc	aisíoctha	ól
aisiompaigh	*reverse*	aisiompaíonn	aisiompú	aisiompaithe	athraigh
aisléasaigh	*lease back*	aisléasaíonn	aisléasú	aisléasaithe	athraigh
aisléim	*recoil*	aisléimeann	aisléim	aisléimthe	oil
aisling	*see in dream*	aislingeann	aisling	aislingthe	oil
aistarraing	*withdraw*	aistarraingeann	aistarraingt	aistarraingthe	oil
aistrigh	*move, translate*	aistríonn	aistriú	aistrithe	éirigh
aitheasc	*address* (court)	aitheascann	aitheasc	aitheasctha	siúil
aithin	***recognize***	**aithníonn**	**aithint**	**aitheanta**	**2**
aithisigh	*slur, defame*	aithisíonn	aithisiú	aithisithe	éirigh
aithris	***recite***	**aithrisíonn**	**aithris**	**aithriste**	**3**
áitigh	*occupy*	áitíonn	áitiú	áitithe	éirigh
áitrigh	*inhabit*	áitríonn	áitriú	áitrithe	éirigh
allasaigh	*sweat* (metal)	allasaíonn	allasú	allasaithe	athraigh
allmhairigh	*import*	allmhairíonn	allmhairiú	allmhairithe	éirigh
alp	*devour*	alpann	alpadh	alptha	ól
alt	*articulate*	altann	alt	alta	at
altaigh	*give thanks*	altaíonn	altú	altaithe	athraigh
altramaigh	*foster*	altramaíonn	altramú	altramaithe	athraigh
amharc	***look***	**amharcann**	**amharc**	**amharctha**	**4**
amhastraigh	*bark*	amhastraíonn	amhastrach amhastráil	amhastraithe	athraigh
amplaigh	*be greedy for*	amplaíonn	amplú	amplaithe	athraigh
anailísigh	*analyze*	anailísíonn	anailísiú	anailísithe	éirigh
análaigh	*breathe*	análaíonn	análú	análaithe	athraigh
anbhainnigh	*enfeeble*	anbhainníonn	anbhainniú	anbhainnithe	éirigh
anluchtaigh	*overload*	anluchtaíonn	anluchtú	anluchtaithe	athraigh
annáil	*record*	annálann	annáladh	annálta	pacáil
ansmachtaigh	*bully*	ansmachtaíonn	ansmachtú	ansmachtaithe	athraigh
aoirigh	*sheperd, herd*	aoiríonn	aoireacht	aoireachta	éirigh
aol	*whitewash*	aolann	aoladh	aolta	ól
aoldathaigh	*whitewash*	aoldathaíonn	aoldathú	aoldathaithe	athraigh
aom	*attract*	aomann	aomadh	aomtha	ól
aonraigh	*isolate*	aonraíonn	aonrú	aonraithe	athraigh
aontaigh	*agree, unite*	aontaíonn	aontú	aontaithe	athraigh
aor	*satirize*	aorann	aoradh, aor	aortha	ól
aosaigh	*(come of) age*	aosaíonn	aosú	aosaithe	athraigh
aothaigh	*pass crisis*	aothaíonn	aothú	aothaithe	athraigh
árachaigh	*insure*	árachaíonn	árachú	árachaithe	athraigh
ardaigh	*raise, ascend*	ardaíonn	ardú	ardaithe	athraigh
arg	*destroy, pilage*	argann	argain	argtha	ól
argóin	*argue*	argónann	argóint	argóinte	siúil
armáil	*arm*	armálann	armáil	armáilte	pacáil
armónaigh	*harmonize*	armónaíonn	armónú	armónaithe	athraigh
ársaigh	*grow old*	ársaíonn	ársú	ársaithe	athraigh
ársaigh	*tell*	ársaíonn	ársaí	ársaithe	athraigh
asáitigh	*dislodge*	asáitíonn	asáitiú	asáitithe	éirigh
asanálaigh	*exhale*	asanálaíonn	asanálú	asanálaithe	athraigh
asbheir	*deduce*	asbheireann	asbheirt	asbheirte	oil
ascain	*proceed, go to*	ascnaíonn	ascnamh	ascnaithe	iompair
ascalaigh	*oscillate*	ascalaíonn	ascalú	ascalaithe	athraigh
aslaigh	*induce*	aslaíonn	aslach	aslaithe	athraigh

aslonnaigh	*evacuate*	aslonnaíonn	aslonnú	aslonnaithe	athraigh
astaigh	*emit*	astaíonn	astú	astaithe	athraigh
asúigh	*absorb, aspirate*	asúnn; asúfaidh	asú	asúite	brúigh
at	***swell***	**atann**	**at**	**ata**	**5**
atáirg	*reproduce*	atáirgeann	atáirgeadh	atáirgthe	oil
ataispeáin	*reappear*	ataispeánann	ataispeáint	ataispeánta	tasipeáin
atarlaigh	*recur*	atarlaíonn	atarlú	atarlaithe	athraigh
atarraing	*attract*	atarraingíonn	atarraingt	atarraingthe	tarraing
atáthaigh	*reweld, coalesce*	atáthaíonn	atáthú	atáite	athraigh
atéigh	*reheat*	atéann	atéamh	atéite	léigh
ateilg	*recast*	ateilgeann	ateilgean	ateilgthe	oil
athachtaigh	*re-enact*	athachtaíonn	athachtú	athachtaithe	athraigh
athadhain	*rekindle*	athadhnann	athadhaint	athadhainte	lch 423
		athadhanfaidh	d'athadhanfadh	d'athadhanadh	p. 423
athadhlaic	*reinter*	athadhlacann	athadhlacadh	athadhlactha	siúil
athaimsigh	*rediscover*	athaimsíonn	athaimsiú	athaimsithe	éirigh
athainmnigh	*rename*	athainmníonn	athainmniú	athainmnithe	éirigh
atháitigh	*reoccupy*	atháitíonn	atháitiú	atháitithe	éirigh
athallmhairigh	*reimport*	athallmhairíonn	athallmhairiú	athallmhairithe	éirigh
athaontaigh	*reunite*	athaontaíonn	athaontú	athaontaithe	athraigh
atharmáil	*rearm*	atharmálann	atharmáil	atharmáilte	pacáil
athbheoigh	*revive*	athbheonn	athbheochan	athbheochanta	feoigh
athbhreithnigh	*review, revise*	athbhreithníonn	athbhreithniú	athbhreithnithe	éirigh
athbhris	*break again*	athbhriseann	athbhriseadh	athbhriste	oil + bris
athbhuail	*beat again*	athbhuaileann	athbhualadh	athbhuailte	oil
athbhunaigh	*re-establish*	athbhunaíonn	athbhunú	athbhunaithe	athraigh
athchas	*turn again*	athchasann	athchasadh	athchasta	ól, cas
athcheangail	*refasten*	athcheanglaíonn	athcheangal	athcheangailte	oscail + ceangáil
athcheannaigh	*repurchase*	athcheannaíonn	athcheannach	athcheannaithe	athraigh + ceannaigh
athcheap	*reappoint*	athcheapann	athcheapadh	athcheaptha	ól
athcheartaigh	*revise, re-amend*	athcheartaíonn	athcheartú	athcheartaithe	athraigh
athcheistigh	*re-examine*	athcheistíonn	athcheistiú	athcheistithe	éirigh
athchlampaigh	*reclamp*	athchlampaíonn	athchlampú	athchlampaithe	athraigh
athchlóigh	*reprint*	athchlónn	athchló	athchlóite	dóigh
athchlúdaigh	*re-cover*	athchlúdaíonn	athchlúdach	athchlúdaithe	athraigh
athchnuchair	*refoot*	athchnuchraíonn	athchnuchairt	athchnuchartha	iompair
athchogain	*ruminate*	athchognaíonn	athchogaint	athchoganta	iompair
athchóipeáil	*recopy*	athchóipeálann	athchóipeáil	athchóipeáilte	pacáil
athchóirigh	*rearrange*	athchóiríonn	athchóiriú	athchóirithe	éirigh
athchomhair	*re-count*	athchomhaireann	athchomhaireamh	athchomhairthe	oil
athchomhairligh	*dissuade*	athchomhairlíonn	athchomhairliú	athchomhairlithe	éirigh
athchorpraigh	*re-incorporate*	athchorpraíonn	athchorprú	athchorpraithe	athraigh
athchraol	*retransmit*	athchraolann	athchraoladh	athchraolta	ól
athchruaigh	*reharden*	athchruann	athchruachan	athchruaite	fuaigh
athchrúigh	*remilk*	athchrúnn	athchrú	athchrúite	brúigh
athchruinnigh	*reassemble*	athchruinníonn	athchruinniú	athchruinnithe	éirigh
athchruthaigh	*reshape*	athchruthaíonn	athchruthú	athchruthaithe	athraigh
athchuir	*replant, remand*	athchuireann	athchur	athchurtha	oil + cuir
athchum	*reconstruct*	athchumann	athchumadh	athchumtha	ól
athdháil	*redistribute*	athdháileann	athdháileadh	athdháilte	oil
athdhathaigh	*re-dye, repaint*	athdhathaíonn	athdhathú	athdhathaithe	athraigh
athdhéan	*redo, remake*	athdhéanann	athdhéanamh	athdhéanta	ól
athdhearbhaigh	*re-affirm*	athdhearbhaíonn	athdhearbhú	athdhearbhaithe	athraigh
athdheilbhigh	*reshape*	athdheilbhíonn	athdheilbhiú	athdheilbhithe	éirigh
athdheimhnigh	*reassure*	athdheimhníonn	athdheimhniú	athdheimhnithe	éirigh
athdheisigh	*remand, reset*	athdheisíonn	athdheisiú	athdheisithe	éirigh
athdhílsigh	*revest*	athdhílsíonn	athdhílsiú	athdhílsithe	éirigh
athdhíol	*resell*	athdhíolann	athdhíol	athdhíolta	ól + díol
athdhíon	*re-roof*	athdhíonann	athdhíonadh	athdhíonta	ól + dúisigh
athdhúisigh	*reawake*	athdhúisíonn	athdhúiseacht	athdhúisithe	éirigh
atheagraigh	*rearrange, edit*	atheagraíonn	atheagrú	atheagraithe	athraigh

stem/root	*English*	*present tense*	*verbal noun*	*verbal adjective*	*verb type*
athéirigh	*rise again*	athéiríonn	athéirí	athéirithe	éirigh
atheisigh	*reissue*	atheisíonn	atheisiúint	atheisithe	éirigh
athéist	*rehear*	athéisteann	athéisteacht	athéiste	éist
athfhaghair	*retemper* metal	athfhaghraíonn	athfhaghairt	athfhaghartha	iompair
athfheidhmigh	*refunction*	athfheidhmíonn	athfheidhmiú	athfheidhmithe	éirigh
athfheistigh	*recloth, fit*	athfheistíonn	athfheistiú	athfheistithe	éirigh
athfhill	*recur, refold*	athfhilleann	athfhilleadh	athfhillte	oil
athfhoilsigh	*republish*	athfhoilsíonn	athfhoilsiú	athfhoilsithe	éirigh
athfhostaigh	*re-employ*	athfhostaíonn	athfhostú	athfhostaithe	athraigh
athfhuaimnigh	*resound*	athfhuaimníonn	athfhuaimniú	athfhuaimnithe	éirigh
athghabh	*retake, recover*	athghabhann	athghabháil	athghafa	ól
athghair	*recall, repeal*	athghaireann	athghairm	athghairthe	oil
athghéaraigh	*resharpen*	athghéaraíonn	athghéarú	athghéaraithe	athraigh
athghéill	*resubmit*	athghéilleann	athghéilleadh	athghéillte	oil + géill
athghin	*regenerate*	athghineann	athghiniúint	athghinte	oil
athghlan	*reclean*	athghlanann	athghlanadh	athghlanta	ól + glan
athghlaoigh	*recall*	athghlaonn	athghlaoch	athghlaoite	feoigh
athghléas	*refit*	athghléasann	athghléasadh	athghléasta	ól
athghnóthaigh	*regain*	athghnóthaíonn	athghnóthú	athghnóthaithe	athraigh
athghoin	*rewound*	athghoineann	athghoin	athghonta	oil
athghor	*reheat*	athghorann	athghoradh	athghortha	ól
athghreamaigh	*refasten*	athghreamaíonn	athghreamú	athghreamaithe	athraigh
athghríosaigh	*rekindle*	athghríosaíonn	athghríosú	athghríosaithe	athraigh
athghróig	*refoot* turf	athghróigeann	athghróigeadh	athghróigthe	oil
athghrúpáil	*regroup*	athghrúpálann	athghrúpáil	athghrúpáilte	pacáil
athimir	*replay*	athimríonn	athimirt	athimeartha	imir
athinis	*retell*	athinsíonn	athinsint /-inse	athinste	inis
athiompaigh	*turn back*	athiompaíonn	athiompú	athiompaithe	athraigh
athiontráil	*re-enter*	athiontrálann	athiontráil	athiontráilte	pacáil
athlas	*relight, inflame*	athlasann	athlasadh	athlasta	ól
athleag	*re-lay*	athleagann	athleagan	athleagtha	ól
athleáigh	*remelt*	athleánn	athleá	athleáite	báigh
athleasaigh	*reamend*	athleasaíonn	athleasú	athleasaithe	athraigh
athléigh	*reread*	athléann	athléamh	athléite	léigh
athléirigh	*revive*	athléiríonn	athléiriú	athléirithe	éirigh
athlíneáil	*reline*	athlíneálann	athlíneáil	athlíneáilte	pacáil
athlíon	*refill*	athlíonann	athlíonadh	athlíonta	ól
athliostáil	*re-enlist*	athliostálann	athliostáil	athliostáilte	pacáil
athluaigh	*reiterate*	athluann	athlua	athluaite	fuaigh
athluchtaigh	*reload, recharge*	athluchtaíonn	athluchtú	athluchtaithe	athraigh
athmhaisigh	*redecorate*	athmhaisíonn	athmhaisiú	athmhaisithe	éirigh
athmhúnlaigh	*remould*	athmhúnlaíonn	athmhúnlú	athmhúnlaithe	athraigh
athmhúscail	*reawake*	athmhúsclaíonn	athmhúscailt	athmhúscailte	oscail, múscail
athnasc	*reclasp*	athnascann	athnascadh	athnasctha	ól
athneartaigh	*reinforce*	athneartaíonn	athneartú	athneartaithe	athraigh
athnuaigh	*renew*	athnuann, afaidh	athnuachan	athnuaite	fuaigh
athonnmhairigh	*re-export*	athonnmhairíonn	athonnmhairiú	athonnmhairithe	éirigh
athordaigh	*re-order*	athordaíonn	athordú	athordaithe	athraigh
athoscail	*reopen*	athosclaíonn	athoscailt	athoscailte	oscail
athphéinteáil	*repaint*	athphéinteálann	athphéinteáil	athphéinteáilte	pacáil
athphlandáil	*replant*	athphlandálann	athphlandáil	athphlandáilte	pacáil
athphléigh	*rediscuss*	athphléann	athphlé	athphléite	léigh
athphós	*remarry*	athphósann	athphósadh	athphósta	ól + fás
athphreab	*rebound*	athphreabann	athphreabadh	athphreabtha	ól
athphriontáil	*reprint*	athphriontálann	athphriontáil	athphriontáilte	pacáil
athraigh	***change***	**athraíonn**	**athrú**	**athraithe**	**6**
athraon	*refract*	athraonann	athraonadh	athraonta	ól
athreoigh	*regelate*	athreonn	athreo	athreoite	feoigh
athriar	*readminister*	athriarann	athriar	athriartha	ól
athrígh	*dethrone*	athríonn	athrí	athríthe	cloígh
athroinn	*reapportion*	athroinneann	athroinnt	athroinnte	oil + roinn

gas/fréamh	Béarla	aimsir láithreach	ainm briathartha	aidiacht bhr.	briathar gaolta
athrómhair	*redig*	athrómhraíonn	athrómhar	athrómhartha	iompair
athscag	*refilter*	athscagann	athscagadh	athscagtha	ól
athscinn	*recoil*	athscinneann	athscinneadh	athscinnte	oil
athscríobh	*rewrite*	athscríobhann	athscríobh	athscríofa	ól, scríobh
athscrúdaigh	*re-examine*	athscrúdaíonn	athscrúdú	athscrúdaithe	athraigh
athshamhlaigh	*imagine afresh*	athshamhlaíonn	athshamhlú	athshamhlaithe	athraigh
athshaothraigh	*recultivate*	athshaothraíonn	athshaothrú	athshaothraithe	athraigh
athsheachaid	*replevy, relay*	athsheachadann	athsheachadadh	athsheachaidte	siúil
athsheol	*readdress*	athsheolann	athsheoladh	athsheolta	ól
athshlánaigh	*rehabilitate*	athshlánaíonn	athshlánú	athshlánaithe	athraigh
athshluaistrigh	*reshovel*	athshluaistríonn	athshluaistriú	athshluaistrithe	éirigh
athshnaidhm	*reknot*	a.shnaidhmeann	a.shnaidhmeadh	athshnaidhmthe	oil
athshocraigh	*rearrange*	athshocraíonn	athshocrú	athshocraithe	athraigh
athsholáthraigh	*replenish*	athsholáthraíonn	athsholáthar	athsholáthraithe	athraigh
athshon	*resonate*	athshonann	athshonadh	athshonta	ól
athshuaith	*remix/shuffle*	athshuaitheann	athshuaitheadh	athshuaite	caith
athshúigh	*reabsorb*	athshúnn	athshú	athshúite	brúigh
athspreag	*reincite*	athspreagann	athspreagadh	athspreagtha	ól
athspréigh	*respread*	athspréann	athspré	athspréite	léigh
athstóraigh	*re-store*	athstóraíonn	athstórú	athstóraithe	athraigh
atíolaic	*rebestow*	atíolacann	atíolacadh	atíolactha	siúil
ationóil	*reconvene*	ationólann	ationól	ationólta	siúil
atit	*relapse*	atiteann	atitim	atite	éist + tit
atóg	*rebuild, retake*	atógann	atógáil	atógtha	ól
atogh	*re-elect*	atoghann	atoghadh	atofa	ól
atosaigh	*recommence*	atosaíonn	atosú	atosaithe	athraigh + tosaigh
atrácht	*retread*	atráchtann	atráchtadh	atráchta	trácht
atreabh	*replough*	atreabhann	atreabhadh	atreafa	ól
atriail	*retry*	atriaileann	atriail	atriailte	oil
babhláil	*bowl*	babhlálann	babhláil	babhláilte	pacáil
babhtáil	*exhange, swop*	babhtálann	babhtáil	babhtáilte	pacáil
bac	*hinder*	bacann	bacadh	bactha	bog
bácáil	*bake*	bácálann	bácáil	bácáilte	pacáil
bachlaigh	*bud*	bachlaíonn	bachlú	bachlaithe	beannaigh
badráil	*bother*	badrálann	badráil	badráilte	pacáil
bagair	*threaten*	bagraíonn	bagairt	bagartha	ceangail
baghcatáil	*boycott*	baghcatálann	baghcatáil	baghcatáilte	pacáil
baiceáil	*back*	baiceálann	baiceáil	baiceáilte	pacáil
baig	*bag, heap*	baigeann	baigeadh	baigthe	bris
báigh	***drown***	**bánn**	**bá**	**báite**	**7**
bailc	*pour down*	balcann	balcann	balctha	siúil
bailigh	***gather, collect***	**bailíonn**	**bailiú**	**bailithe**	**8**
bain	*cut, take, win*	**baineann**	**baint**	**bainte**	**9**
baist	*baptize, name*	baisteann	baisteadh	baiste	tit
báistigh	*rain*	báistíonn	báisteach	báistithe	bailigh
balbhaigh	*silence*	balbhaíonn	balbhú	balbhaithe	beannaigh
ballastaigh	*ballast*	ballastaíonn	ballastú	ballastaithe	beannaigh
ballbhasc	*maim*	ballbhascann	ballbhascadh	ballbhasctha	bog
balsamaigh	*embalm*	balsamaíonn	balsamú	balsamaithe	beannaigh
bánaigh	*desert, whiten*	bánaíonn	bánú	bánaithe	beannaigh
bancáil	*bank*	bancálann	bancáil	bancáilte	pacáil
bannaigh	*bail*	bannaíonn	bannú	bannaithe	beannaigh
baoiteáil	*bait*	baoiteálann	baoiteáil	baoiteáilte	pacáil
barántaigh	*warrant*	barántaíonn	barántú	barántaithe	beannaigh
barr[1]	*top*	barrann	barradh	barrtha	bog
barr[2]	*hinder*	barrann	barradh	barrtha	bog
barrchaolaigh	*taper*	barrchaolaíonn	barrchaolú	barrchaolaithe	beannaigh
barrdhóigh	*singe*	bardhónn	barrdhó	barrdhóite	dóigh
barriompaigh	*turn about*	barriompaíonn	barriompú	barriompaithe	beannaigh
barrloisc	*singe*	barrloisceann	barrloscadh	barrloiscthe	bris

stem/root	*English*	*present tense*	*verbal noun*	*verbal adjective*	*verb type*
barúil	*think*	barúlann	barúil	barúlta	siúil
básaigh	*die*	básaíonn	bású	básaithe	beannaigh
basc	*bash*	bascann	bascadh	basctha	bog
baslaigh	*baste beat*	baslaíonn	baslú	baslaithe	beannaigh
batáil	*pole*	batalánn	batáil	batáilte	pacáil
batráil	*batter*	batrálann	batráil	batráilte	pacáil
beachtaigh	*correct*	beachtaíonn	beachtú	beachtaithe	beannaigh
beagaigh	*diminish*	beagaíonn	beagú	beagaithe	beannaigh
bealaigh	*grease*	bealaíonn	bealú	bealaithe	beannaigh
béalraigh	*(spread) gossip*	béalraíonn	béalrú	béalraithe	beannaigh
beangaigh	*graft*	beangaíonn	beangú	beangaithe	beannaigh
beannaigh	***bless***	**beannaíonn**	**beannú**	**beannaithe**	**10**
bearnaigh	*breach*	bearnaíonn	bearnú	bearnaithe	beannaigh
bearr	*clip, trim, cut*	bearrann	bearradh	bearrtha	bog
beartaigh	*cast, decide*	beartaíonn	beartú	beartaithe	beannaigh
beathaigh	*feed, nourish*	beathaíonn	beathú	beathaithe	beannaigh
beibheal	*bevel*	beibhealann	beibhealadh	beibhealta	bog
béic	*yell, shout*	béiceann	béiceadh *U* ag béicfigh	béicthe	bris
beir	***bear, carry***	**beireann**	**breith**	**beirthe**	**11**
beirigh	*boil*	beiríonn	beiriú	beirithe	bailigh
beoghearr	*vivisect*	beoghearrann	beoghearradh	beoghearrtha	bog
beoghoin	*wound*	beoghonann	beoghoin	beoghonta	siúil *cf* goin
beoigh	*animate*	beonn	beochan	beoite	feoigh
beophian	*tantalize*	beophianann	beophianadh	beophianta	bog
bí	***be***	**tá/bíonn**	**bheith**	**-**	**12**
biathaigh	*feed*	biathaíonn	biathú	biathaithe	beannaigh
bíog	*chirp*	bíogann	bíogadh	bíogtha	bog
bior-róst	*spitroast*	bior-róstann	bior-róstadh	bior-rósta	bog
bioraigh	*sharpen*	bioraíonn	biorú	bioraithe	beannaigh
biotúmanaigh	*bituminize*	biotúmanaíonn	biotúmanú	biotúmanaithe	beannaigh
bisigh	*improve*	bisíonn	bisiú	bisithe	bailigh
bladair	*cajole*	bladraíonn	bladar	bladartha	ceangail
bladhair	*shout, bellow*	bladhraíonn	bladhradh	bladhartha	ceangail
bladhm	*flame, flare up*	bladhmann	bladhmadh	bladhmtha	bog
blais	*taste*	blaiseann	blaiseadh	blaiste	bris
blaistigh	*season* (food)	blaistíonn	blaistiú	blaistithe	bailigh
blaosc	*puff, inflate*	blaoscann	blaoscadh	blaosctha	bog
blaoscrúisc	*scalp*	blaoscrúisceann	blaoscrúscadh	blaoscrúiscthe	bris
blásaigh	*bloom* phot.	blásaíonn	blású	blásaithe	beannaigh
bláthaigh	*blossom, bloom*	bláthaíonn	bláthú	bláthaithe	beannaigh
bláthnaigh	*beautify, smooth*	bláthnaíonn	bláthnú	bláthnaithe	beannaigh
bleaisteáil	*bleech*	bleaisteálann	bleaisteáil	bleaisteáilte	pacáil
bligh	*milk*	blíonn	blí	blite	nigh
blocáil	*block*	blocálann	blocáil	blocáilte	pacáil
blogh	*shatter*	bloghann	bloghadh	bloghta	bog
blosc	*crack, explode*	bloscann	bloscadh	blosctha	bog
bobáil	*bob, trim*	bobálann	bobáil	bobáilte	pacáil
bocáil	*toss*	bocálann	bocáil	bocáilte	pacáil
bochtaigh	*impoverish*	bochtaíonn	bochtú	bochtaithe	beannaigh
bocsáil	*box*	bocsálann	bocsáil	bocsáilte	pacáil
bodhair	*deafen*	bodhraíonn	bodhradh	bodhartha	ceangail
bodhraigh	*deafen*	bodhraíonn	bodhrú	bodhraithe	beannaigh
bog	***move***	**bogann**	**bogadh**	**bogtha**	**13**
bogaigéadaigh	*acidulate*	bogaigéadaíonn	bogaigéadú	bogaigéadaithe	beannaigh
boilscigh	*bulge, inflate*	boilscíonn	boilsciú	boilscithe	bailigh
bolaigh	*smell, scent*	bolaíonn	bolú	bolaithe	beannaigh
bolcáinigh	*vulcanize*	bolcáiníonn	bolcáiniú	bolcáinithe	bailigh
bolg	*bulge*	bolgann	bolgadh	bolgtha	bog
boltáil	*bolt*	boltálann	boltáil	boltáilte	pacáil
boltanaigh	*smell, scent*	boltanaíonn	boltanú	boltanaithe	beannaigh

gas/fréamh	*Béarla*	*aimsir láithreach*	*ainm briathartha*	*aidiacht bhr.*	*briathar gaolta*
bombardaigh	*bombard*	bombardaíonn	bombardú	bombardaithe	beannaigh
bonnaigh	*walk, trot*	bonnaíonn	bonnú	bonnaithe	beannaigh
borbaigh	*get angry*	borbaíonn	borbú	borbaithe	beannaigh
bordáil	*board*	bordálann	bordáil	bordáilte	pacáil
borr	*swell, increase*	borrann	borradh	borrtha	bog
brácáil	*harrow*	brácálann	brácáil	brácáilte	pacáil
bradaigh	*steal, pilfer*	bradaíonn	bradú	bradaithe	beannaigh
braich	*malt*	brachann	brachadh	brachta	siúil
braigeáil	*brag*	braigeálann	braigeáil	braigeáilte	pacáil
braith	*feel, perceive*	braitheann	brath	braite	caith
brandáil	*brand*	brandálann	brandáil	brandáilte	pacáil
brásáil	*embrace*	brásálann	brásáil	brásáilte	pacáil
breab	*bribe*	breabann	breabadh	breabtha	bog
breabhsaigh	*perk up*	breabhsaíonn	breabhsú	breabhsaithe	beannaigh
breac	*speckle*	breacann	breacadh	breactha	bog
bréadaigh	*braid*	bréadaíonn	bréadú	bréadaithe	beannaigh
bréag	*cajole, coax*	bréagann	bréagadh	bréagtha	bog
bréagnaigh	*contradict*	bréagnaíonn	bréagnú	bréagnaithe	beannaigh
bréan	*pollute, putrify*	bréanann	bréanadh	bréanta	bog
breáthaigh	*beautify*	breáthaíonn	breáthú	breáthaithe	beannaigh
breathnaigh	*look, observe*	breathnaíonn	breathnú	breathnaithe	beannaigh, **4** *C*
bréid	*patch*	bréideann	bréideadh	bréidte	bris
breisigh	*increase, add to*	breisíonn	breisiú	breisithe	bailigh
breithnigh	*adjudge*	breithníonn	breithniú	breithnithe	bailigh
bréitseáil	*breach, vomit*	bréitseálann	bréitseáil	bréitseáilte	pacáil
breoigh	*sicken, enfeeble*	breonn	breo	breoite	feoigh
breoslaigh	*fuel*	breoslaíonn	breoslú	breoslaithe	beannaigh
briog	*prick, provoke*	briogann	briogadh	briogtha	bog
brionnaigh	*forge*	brionnaíonn	brionnú	brionnaithe	beannaigh
brioscaigh	*crisp*	brioscaíonn	brioscú	brioscaithe	beannaigh
bris	***break***	**briseann**	**briseadh**	**briste**	**14**
broc	*mess up*	brocann	brocadh	broctha	bog
broic (le)	*tolerate*	broiceann	broiceadh	broicthe	bris
broicéadaigh	*brocade*	broicéadaíonn	broicéadú	broicéadaithe	beannaigh
broid	*prod, nudge*	broideann	broideadh	broidte	bris
bróidnigh	*embroider*	bróidníonn	bróidniú	bróidnithe	bailigh
broim	*fart*	bromann	bromadh	bromtha	siúil
bróitseáil	*broach*	bróitseálann	bróitseáil	bróitseáilte	pacáil
brón	*greive*	brónann	brónadh	brónta	bog
bronn, pronn *U*	*grant, bestow*	bronnann	bronnadh	bronnta	bog
brostaigh	*hasten, urge*	brostaíonn	brostú	brostaithe	beannaigh
brúcht	*belch, burp*	brúchtann	brúchtadh	brúchta	trácht
brúidigh	*brutalize*	brúidíonn	brúidiú	brúidithe	bailigh
brúigh	***press***	**brúnn**	**brú**	**brúite**	**15**
bruíon	*fight, quarrel*	bruíonann	bruíon	bruíonta	bog
brúisc	*crush, crunch*	brúisceann	brúscadh	brúiscthe	bris
bruiseáil	*brush*	bruiseálann	bruiseáil	bruiseáilte	pacáil
bruith	*boil*	bruitheann	bruith	bruite	caith
bruithnigh	*smelt*	bruithníonn	bruithniú	bruithnithe	bailigh
buac	*lixiviate*	buacann	buacadh	buactha	bog
buaigh	*win*	buann	buachan	buaite	cruaigh
buail	*hit, beat, strike*	buaileann	bualadh	buailte	bris
buain	*reap*	buanann	buain	buainte	siúil
buair	*grieve, vex*	buaireann	buaireamh	buartha	bris
bualtaigh	*smear dung on*	bualtaíonn	bualtú	bualtaithe	beannaigh
buamáil	*bomb*	buamálann	buamáil	buamáilte	pacáil
buanaigh	*perpetuate*	buanaíonn	buanú	buanaithe	beannaigh
búcláil	*buckle*	búclálann	búcláil	búcláilte	pacáil
buidéalaigh	*bottle*	buidéalaíonn	buidéalú	buidéalaithe	beannaigh
buígh	*yellow, tan*	buíonn	buíochan	buíte	cloígh

stem/root	*English*	*present tense*	*verbal noun*	*verbal adjective*	*verb type*
buinnigh	*shoot up, gush*	buinníonn	buinniú	buinnithe	bailigh
buíochasaigh	*thank*	buíochasaíonn	buíochasú	buíochasaithe	beannaigh
búir	*bellow, roar*	búireann	búireach	búirthe	bris
buiséad	*budget*	buiséadann	buiséadadh	buiséadta	bog
bunaigh	*establish*	bunaíonn	bunú	bunaithe	beannaigh
burdáil	*beat, trounce*	burdálann	burdáil	burdáilte	pacáil
burláil	*bundle*	burlálann	burláil	burláilte	pacáil
cabáil	*out-argue*	cabálann	cabáil	cabáilte	pacáil
cabhair	*help*	cabhraíonn	cabhradh	cabhartha	codail
cabhraigh	*help*	cabhraíonn	cabhrú	cabhraithe	ceannaigh
cáblaigh	*cable*	cáblaíonn	cáblú	cáblaithe	ceannaigh
cac	*shit, excrete*	cacann	cac	cactha	cas
cácáil	*caulk*	cácálann	cácáil	cácáilte	pacáil
cadhail	*coil, pile*	caidhlíonn	caidhleadh	caidhilte	taitin
caibeáil	*'kib', dibble*	caibeálann	caibeáil	caibeáilte	pacáil
caidéalaigh	*pump out*	caidéalaíonn	caidéalú	caidéalaithe	ceannaigh
caidrigh	*befriend*	caidríonn	caidriú	caidrithe	coinnigh
caígh	*weep, lament*	caíonn	caí	caíte	cloígh
caighdeánaigh	*standardise*	caighdeánaíonn	caighdeánú	caighdeánaithe	ceannaigh
cailcigh	*calcify*	cailcíonn	cailciú	cailcithe	coinnigh
cailcínigh	*calcine*	cailcíníonn	cailcíniú	cailcínithe	coinnigh
cailg	*bite, sting*	cailgeann	cailgeadh	cailgthe	caill
cáiligh	*qualify*	cáilíonn	cáiliú	cáilithe	coinnigh
caill	***lose***	**cailleann**	**cailleadh**	**caillte**	**16**
cáin	*fine, condemn*	cáineann	cáineadh	cáinte	caill
cainníochtaigh	*quantify*	cainníochtaíonn	cainníochtú	cainníochtaithe	ceannaigh
cáinsigh	*scold*	cáinsíonn	cáinsiú	cáinsithe	coinnigh
caintigh	*speak, address*	caintíonn	caintiú	caintithe	coinnigh
caipitligh	*capitalize*	caipitlíonn	caipitliú	caipitlithe	coinnigh
cairéalaigh	*quarry*	cairéalaíonn	cairéalú	cairéalaithe	ceannaigh
cairtfhostaigh	*charter*	cairtfhostaíonn	cairtfhostú	cairtfhostaithe	ceannaigh
caisligh	*castle (chess)*	caislíonn	caisliú	caislithe	coinnigh
caisnigh	*frizz, curl*	caisníonn	caisniú	caisnithe	coinnigh
caith	*wear, spend, throw*	**caitheann**	**caitheamh**	**caite**	**17**
cáith	*winnow, spray*	cáitheann	cáitheadh	cáite	caith
cáithigh	*belittle, revile*	cáithíonn	cáithiú	cáithithe	coinnigh
caithreáil	*tangle*	caithreálann	caithreáil	caithreáilte	pacáil
caithréimigh	*triumph*	caithréimíonn	caithréimiú	caithréimithe	coinnigh
caithrigh	*reach puberty*	caithríonn	caithriú	caithrithe	coinnigh
caiticeasmaigh	*catechize*	caiticeasmaíonn	caiticeasmú	caiticeasmaithe	ceannaigh
calabraigh	*calibrate*	calabraíonn	calabrú	calabraithe	ceannaigh
calaigh	*berth*	calaíonn	calú	calaithe	ceannaigh
calc	*caulk, cake*	calcann	calcadh	calctha	cas
calmaigh	*strengthen*	calmaíonn	calmú	calmaithe	ceannaigh
cam	*bend, distort*	camann	camadh	camtha	cas
camhraigh	*become tainted*	camhraíonn	camhrú	camhraithe	ceannaigh
campáil	*camp*	campálann	campáil	campáilte	pacáil
can	*sing, chant*	canann	canadh	canta	cas
cánáil	*cane*	cánálann	cánáil	cánáilte	pacáil
canálaigh	*canalize*	canálaíonn	canálú	canálaithe	ceannaigh
cancraigh	*vex, annoy*	cancraíonn	cancrú	cancraithe	ceannaigh
cannaigh	*can*	cannaíonn	cannú	cannaithe	ceannaigh
canónaigh	*canonize*	canónaíonn	canónú	canónaithe	ceannaigh
cantáil	*grab, devour*	cantálann	cantáil	cantáilte	pacáil
caoch	*dazzle, wink*	caochann	caochadh	caochta	cas
caochfháithimigh	*slip-hem*	c.fháithimíonn	c.fháithimiú	c.fháithimithe	coinnigh
caoin	*cry, keen,*	caoineann	caoineadh	caointe	cuir
caoithigh	*suit*	caoithíonn	caoithiú	caoithithe	coinnigh

caolaigh	*slenderize*	caolaíonn	caolú	caolaithe	ceannaigh
caomhnaigh	*preserve*	caomhnaíonn	caomhnú	caomhnaithe	ceannaigh
car	*love*	carann	carthain	cartha	cas
caradaigh	*befriend*	caradaíonn	caradú	caradaithe	ceannaigh
carbólaigh	*carbolize*	carbólaíonn	carbólú	carbólaithe	ceannaigh
carbónaigh	*carbonize*	carbónaíonn	carbónú	carbónaithe	ceannaigh
carbraigh	*carbuerate*	carbraíonn	carbrú	carbraithe	ceannaigh
carcraigh	*incarerate*	carcraíonn	carcrú	carcraithe	ceannaigh
cardáil	*card, discuss*	cardálann	cardáil	cardáilte	pacáil
carn	*heap, pile*	carnann	carnadh	carntha	cas
cart	*tan, clear out*	cartann	cartadh	carta	trácht
cas	***twist, wind***	**casann**	**casadh**	**casta**	**18**
cásaigh	*deplore*	cásaíonn	cású	cásaithe	ceannaigh
cásáil	*encase, case*	cásálann	cásáil	cásáilte	pacáil
casaoid	*complain*	casaoideann	casaoid	casaoidte	cuir
casiompaigh	*retrograde*	casiompaíonn	casiompú	casiompaithe	ceannaigh
casmhúnlaigh	*spin*	casmhúnlaíonn	casmhúnlú	casmhúnlaithe	ceannaigh
catalaigh	*catalyze*	catalaíonn	catalú	catalaithe	ceannaigh
cathaigh	*battle, tempt*	cathaíonn	cathú	cathaithe	ceannaigh
ceadaigh	*permit, allow*	ceadaíonn	ceadú	ceadaithe	ceannaigh
céadcheap	*invent, rough-hew*	céadcheapann	céadcheapadh	céadcheaptha	cas
céadfaigh	*sense*	céadfaíonn	céadfú	céadfaithe	ceannaigh
ceadúnaigh	*license*	ceadúnaíonn	ceadúnú	ceadúnaithe	ceannaigh
cealaigh	*cancel*	cealaíonn	cealú	cealaithe	ceannaigh
cealg	*beguile, lull*	cealgann	cealgadh	cealgtha	cas
ceangail	***tie, bind***	**ceanglaíonn**	**ceangal**	**ceangailte**	**19**
ceannaigh	***buy***	**ceannaíonn**	**ceannach**	**ceannaithe**	**20**
céannaigh	*identify*	céannaíonn	céannú	céannaithe	ceannaigh
ceannchogain	*nibble, gnaw*	ceannchognaíonn	ceannchogaint	ceannchoganta	ceangail
ceansaigh	*appease, control*	ceansaíonn	ceansú	ceansaithe	ceannaigh
ceantáil	*auction*	ceantálann	ceantáil	ceantáilte	pacáil
ceap	*invent, think*	ceapann	ceapadh	ceaptha	cas
cearnaigh	*square*	cearnaíonn	cearnú	cearnaithe	ceannaigh
ceartaigh	*correct*	ceartaíonn	ceartú	ceartaithe	ceannaigh
céas	*crucify, torment*	céasann	céasadh	céasta	cas
céaslaigh	*paddle (boat)*	céaslaíonn	céaslú	céaslaithe	ceannaigh
ceasnaigh	*complain*	ceasnaíonn	ceasnú	ceasnaithe	ceannaigh
ceil	*hide, conceal*	ceileann	ceilt	ceilte	cuir
ceiliúir	*warble, sing, celebrate*	ceiliúrann	ceiliúradh	ceiliúrtha	siúil
céimnigh	*step, graduate*	céimníonn	céimniú	céimnithe	coinnigh
ceirtleáil	*wind into ball*	ceirtleálann	ceirtleáil	ceirtleáilte	pacáil
ceis	*grumble*	ceiseann	ceasacht	ceiste	cuir
ceistigh	*question*	ceistíonn	ceistiú	ceistithe	coinnigh
ciallaigh	*mean, signify*	ciallaíonn	ciallú	ciallaithe	ceannaigh
ciap	*harass, annoy*	ciapann	ciapadh	ciaptha	cas
ciar	*wax*	ciarann	ciaradh	ciartha	cas
ciceáil	*kick*	ciceálann	ciceáil	ciceáilte	sabháil
cigil	*tickle*	ciglíonn	cigilt	cigilte	taitin
cimigh	*make captive*	cimíonn	cimiú	cimithe	coinnigh
cin	*spring, descend*	cineann	cineadh	cinte	cuir
cineach	*devolve* jur	cineachann	cineachadh	cineachta	cas
cinn	*decide, decree*	cinneann	cinneadh	cinnte	cuir
cinn	*step, surpass*	cinneann	cinneadh	cinnte	cuir
cinnir	*lead by the head*	cinnríonn	cinnireacht	cinneartha	imir
cinntigh	*make certain*	cinntíonn	cinntiú	cinntithe	coinnigh
ciondáil	*ration*	ciondálann	ciondáil	ciondáilte	pacáil
cionroinn	*apportion*	cionroinneann	cionroinnt	cionroinnte	cuir
ciontaigh	*blame, accuse*	ciontaíonn	ciontú	ciontaithe	ceannaigh
cíor	*comb, examine*	cíorann	cíoradh	cíortha	cas

stem/root	*English*	*present tense*	*verbal noun*	*verbal adjective*	*verb type*
ciorclaigh	*(en)circle*	ciorclaíonn	ciorclú	ciorclaithe	ceannaigh
cíorláil	*comb, rummage*	cíorlálann	cíorláil	cíorláilte	pacáil
ciorraigh	*cut, hack, maim*	ciorraíonn	ciorrú	ciorraithe	ceannaigh
cíosaigh	*(pay) rent (for)*	cíosaíonn	cíosú	cíosaithe	ceannaigh
cis *stand on,*	*restrain*	ciseann	ciseadh	ciste	cuir
cistigh	*encyst*	cistíonn	cistiú	cistithe	coinnigh
ciúáil	*queue*	ciúálánn	ciúáil	ciúáilte	pacáil
ciúbaigh	*cube*	ciúbaíonn	ciúbú	ciúbaithe	ceannaigh
ciúnaigh	*calm, quieten*	ciúnaíonn	ciúnú	ciúnaithe	ceannaigh
clab	*devour*	clabann	clabadh	clabtha	cas
clabhtáil	*clout*	clabhtálann	clabhtáil	clabhtáilte	pacáil
cladáil	*heap*	cladálann	cladáil	cladáilte	pacáil
clag	*clack, clatter*	clagann	clagadh	clagtha	cas
claidh	*dig*	claidheann	claidhe	claidhte	cuir
clamhair	*pull hair/skin off*	clamhraíonn	clamhairt	clamhartha	ceangail
clampaigh / clampáil	*clamp*	clampaíonn / clampálann	clampú / clampáil	clampaithe / clampáilte	ceannaigh / pacáil
clannaigh	*procreate, plant*	clannaíonn	clannú	clannaithe	ceannaigh
claochlaigh	*mutate*	claochlaíonn	claochlú	claochlaithe	ceannaigh
claon	*incline, slant*	claonann	claonadh	claonta	cas
claonmharaigh	*mortify*	claonmharaíonn	claonmharú	claonmharaithe	ceannaigh
cláraigh	*regestir, enrol*	cláraíonn	clárú	cláraithe	ceannaigh
clasaigh	*channel, trench*	clasaíonn	clasú	clasaithe	ceannaigh
clasaigh	*coax*	clasaíonn	clasú	clasaithe	ceannaigh
clasánaigh	*gully* (soil)	clasánaíonn	clasánú	clasánaithe	ceannaigh
cleacht	*practise*	cleachtann	cleachtadh	cleachta	trácht
cleitigh	*preen, fledge*	cleitíonn	cleitiú	cleitithe	coinnigh
cliath	*harrow*	cliathann	cliathadh	cliata	meath
cliceáil	*click*	cliceálann	cliceáil	cliceáilte	pacáil
climir	*strip* milch cow	climríonn	climirt	climeartha	taitin
cling	*clink, tinkle*	clingeann	clingeadh	clingthe	cuir
clíomaigh	*acclimatize*	clíomaíonn	clíomú	clíomaithe	ceannaigh
clip	*prick, tease*	clipeann	clipeadh	clipthe	cuir
clis	*jump, start(le)*	cliseann	cliseadh	cliste	cuir
clíth	*copulate*	clítheann	clítheadh	clite	caith, nigh
clóbhuail	*type*	clóbhuaileann	clóbhualadh	clóbhuailte	buail
cloch	*stone*	clochann	clochadh	clochta	cas
clochraigh	*petrify*	clochraíonn	clochrú	clochraithe	ceannaigh
cló-eagraigh	*compose*	cló-eagraíonn	cló-eagrú	cló-eagraithe	ceannaigh
clog	*blister*	clogann	clogadh	clogtha	cas
clóigh	*tame*	clónn	cló	clóite	dóigh
clóigh	*print*	clónn	cló	clóite	dóigh
cloígh	***defeat***	**cloíonn**	**cloí**	**cloíte**	**21**
cloígh	*cleave, adhere*	cloíonn, cloífidh	cloí	cloíte	cloígh
clóirínigh	*chlorinate*	clóiríníonn	clóiríniú	clóirínithe	coinnigh
clois = cluin	***hear***	**cloiseann**	**cloisteáil**	**cloiste**	**22**
clóscríobh	*type(write)*	clóscríobhann	clóscríobh	clóscríofa	cas
clothaigh	*praise, extol*	clothaíonn	clothú	clothaithe	ceannaigh
clúdaigh	*cover*	clúdaíonn	clúdach	clúdaithe	ceannaigh
cluich	*chase, harry*	cluicheann	cluicheadh	cluichte	cuir
cluicheáil	*pilfer, steal*	cluicheálann	cluicheáil	cluicheáilte	pacáil
cluimhrigh	*pluck, spruce up*	cluimhríonn	cluimhriú	cluimhrithe	coinnigh
cluin = clois	***hear***	**cluineann**	**cluinstean**	**cluinte**	**22**
clúmhill	*slander*	clúmhilleann	clúmhilleadh	clúmhillte	cuir
clutharaigh	*shelter*	clutharaíonn	clutharú	clutharaithe	ceannaigh
cnádaigh	*smoulder*	cnádaíonn	cnádú	cnádaithe	ceannaigh
cnag	*knock, strike*	cnagann	cnagadh	cnagtha	cas
cnagbheirigh	*parboil*	cnagbheiríonn	cnagbheiriú	cnagbheirithe	coinnigh
cnagbhruith	*parboil*	c.bhruitheann	cnagbhruith	cnagbhruite	caith
cnaígh	*gnaw, corrode*	cnaíonn	cnaí	cnaíte	cloígh

gas/fréamh	Béarla	aimsir láithreach	ainm briathartha	aidiacht bhr.	briathar gaolta
cnámhaigh	*ossify*	cnámhaíonn	cnámhú	cnámhaithe	ceannaigh
cnámhair	*suck*	cnámhraíonn	cnáimhreadh	cnámhartha	ceangail
cnámhghoin	*wound (to bone)*	c.ghoineann	cnámhghoin	cnámhghonta	cuir
cnap	*heap, knock*	cnapann	cnapadh	cnaptha	cas
cnead	*pant, groan*	cneadann	cneadach	cneadta	cas
cneáigh	*wound*	cneánn, cneáfaidh	cneá	cneáite	báigh
cneasaigh	*cicatrize, heal*	cneasaíonn	cneasú	cneasaithe	ceannaigh
cniog	*rap, blow, stir*	cniogann	cniogadh	cniogtha	cas
cniotáil	*knit*	cniotálann	cniotáil	cniotáilte	pacáil
cnuáil	*lag*	cnuálann	cnuáil	cnuáilte	pacáil
cnuasaigh	*collect, gather*	cnuasaíonn	cnuasach	cnuasaithe	ceannaigh
cnuchair	*foot* (turf)	cnuchraíonn	cnuchairt	cnuchartha	ceangail
cobhsaigh	*stabilize*	cobhsaíonn	cobhsú	cobhsaithe	ceannaigh
coc	*cock* (hay)	cocann	cocadh	coctha	cas
cocáil	*cock, point*	cocálann	cocáil	cocáilte	pacáil
cócaráil	*cook*	cócarálann	cócaráil	cócaráilte	pacáil
cochlaigh	*enlose, cuddle*	cochlaíonn	cochlú	cochlaithe	ceannaigh
códaigh	*codify*	códaíonn	códú	códaithe	ceannaigh
codail	***sleep***	**codlaíonn**	**codladh**	**codalta**	**23**
codánaigh	*fractionate*	codánaíonn	codánú	codánaithe	ceannaigh
codhnaigh	*master, control*	codhnaíonn	codhnú	codhnaithe	ceannaigh
cogain	*chew, gnaw*	cognaíonn	cogaint	coganta	codail
cogairsigh	*marshal*	cogairsíonn	cogairsiú	cogairsithe	coinnigh
coibhseanaigh	*confess*	coibhseanaíonn	coibhseanú	coibhseanaithe	ceannaigh
coiceáil	*goffer*	coiceálann	coiceáil	coiceáilte	pacáil
coigeartaigh	*rectify, adjust*	coigeartaíonn	coigeartú	coigeartaithe	ceannaigh
coigil	*spare, rake fire*	coiglíonn	coigilt	coigilte	taitin
coigistigh	*confiscate*	coigistíonn	coigistiú	coigistithe	coinnigh
coiligh	*tread* (cock)	coilíonn	coiliú	coilithe	coinnigh
coilínigh	*colonize*	coilíníonn	coilíniú	coilínithe	coinnigh
coill	*geld, despoil*	coilleann	coilleadh	coillte	caill
coilltigh	*afforest*	coilltíonn	coilltiú	coilltithe	coinnigh
coimeád	*keep, observe*	coimeádann	coimeád	coimeádta	cas
cóimeáil	*assemble*	cóimeálann	cóimeáil	cóimeáilte	pacáil
coimhéad	*watch over*	coimhéadann	coimhéad	coimhéadta	cas
cóimheas	*compare, collate*	cóimheasann	cóimheas	cóimheasta	cas
cóimheasc	*coalesce*	cóimheascann	cóimheascadh	cóimheasctha	cas
cóimhiotalaigh	*alloy*	cóimhiotalaíonn	cóimhiotalú	cóimhiotalaithe	ceannaigh
coimhthigh	*estrange*	coimhthíonn	coimhthiú	coimhthithe	coinnigh
coimpir	*conceive*	coimpríonn	coimpeart	coimpeartha	taitin
coimrigh	*sum up*	coimríonn	coimriú	coimrithe	coinnigh
coinbhéartaigh	*convert*	coinbhéartaíonn	coinbhéartú	coinbhéartaithe	ceannaigh
coinbhéirsigh	*converge*	coinbhéirsíonn	coinbhéirsiú	coinbhéirsithe	coinnigh
coincheap	*conceive*	coincheapann	coincheapadh	coincheaptha	cas
coincréitigh	*concrete*	coincréitíonn	coincréitiú	coincréitithe	coinnigh
cóineartaigh	*confirm*	cóineartaíonn	cóineartú	cóineartaithe	ceannaigh
coinnealbháigh	*excommunicate*	coinnealbhánn	coinnealbhá	coinnealbháite	báigh
coinnigh	***keep, maintain***	**coinníonn**	**coinneáil**	**coinnithe**	**24**
coinscríobh	*conscript*	coinscríobhann	coinscríobh	coinscríofa	cas
coinsínigh	*consign*	coinsíníonn	coinsíniú	coinsínithe	coinnigh
coip	*ferment, froth*	coipeann	coipeadh	coipthe	cuir
cóipeáil	*copy*	cóipeálann	cóipeáil	cóipeáilte	pacáil
cóipeáil	*cope*	cóipeálann	cóipeáil	cóipeáilte	cóipeáil
coir	*tire, exhaust*	coireann	cor	cortha	caill
coirb	*corrupt*	coirbeann	coirbeadh	coirbthe	caill
coirbéal	*corbel*	coirbéaleann	coirbéaladh	coirbéalta	cas
cóireáil	*treat* (med.)	cóireálann	cóireáil	cóireáilte	pacáil
coirigh	*accuse*	coiríonn	coiriú	coirithe	coinnigh
cóirigh	*repair, arrange*	cóiríonn	cóiriú	cóirithe	coinnigh
coirnigh	*tonsure*	coirníonn	coirniú	coirnithe	coinnigh

stem/root	English	present tense	verbal noun	verbal adjective	verb type
coirtigh	*tan, coat*	coirtíonn	coirtiú	coirtithe	coinnigh
coisc	*prevent, restrain*	coisceann	cosc	coiscthe	cuir
coisigh	*walk, go on foot*	coisíonn	coisíocht	coisithe	coinnigh
coisric	*bless*	coisriceann	coisreacan	coisricthe	caill
comáil	*tie together*	comálann	comáil	comáilte	pacáil
comardaigh	*equate*	comardaíonn	comardú	comardaithe	ceannaigh
comhaill	*fulfill, perform*	comhallann	comhall	comhallta	siúil
comhair	*count, calculate*	comhraíonn	comhaireamh	comhairthe	codail
comhairligh	*advise, counsel*	comhairlíonn	comhairliú	comhairlithe	coinnigh
cómhalartaigh	*reciprocate*	cómhalartaíonn	cómhalartú	cómhalartaithe	ceannaigh
comhaontaigh	*unite, agree*	comhaontaíonn	comhaontú	comhaontaithe	ceannaigh
comhardaigh	*equalise, balance*	comhardaíonn	comhardú	comhardaithe	ceannaigh
comharthaigh	*signify, designate*	comharthaíonn	comharthú	comharthaithe	ceannaigh
comhathraigh	*vary*	comhathraíonn	comhathrú	comhathraithe	ceannaigh
comhbhailigh	*aggregate*	comhbhailíonn	comhbhailiú	comhbhailithe	coinnigh
comhbheartaigh	*concert*	comhbheartaíonn	comhbheartú	comhbheartaithe	ceannaigh
comhbhrúigh	*compress*	comhbhrúnn	comhbhrú	comhbhrúite	brú
comhbhuail	*strike in unison*	comhbhuaileann	comhbhualadh	comhbhuailte	buail
comhcheangail	*bind, join*	c.cheanglaíonn	comhcheangal	comhcheangailte	ceangail
comhchlaon	*converge*	comhchlaonann	comhchlaonadh	comhchlaonta	cas
comhchoirigh	*recriminate*	comhchoiríonn	comhchoiriú	comhchoirithe	coinnigh
comhchruinnigh	*assemble*	c.chruinníonn	comhchruinniú	comhchruinnithe	coinnigh, cruinnigh
comhchuingigh	*conjugate* (biol.)	comhchuingíonn	comhchuingiú	comhchuingithe	coinnigh
comhdaigh	*file*	comhdaíonn	comhdú	comhdaithe	ceannaigh
comhdhéan	*make up*	comhdhéanann	comhdhéanamh	comhdhéanta	cas
comhdhearbhaigh	*corroborate*	c.dhearbhaíonn	comhdhearbhú	c.dhearbhaithe	ceannaigh
comhdhlúthaigh	*press, compact*	c.dhlúthaíonn	comhdhlúthú	comhdhlúthaithe	ceannaigh
comhéignigh	*coerce*	comhéigníonn	comhéigniú	comhéignithe	coinnigh
comhfhadaigh	*justify* (typ.)	comhfhadaíonn	comhfhadú	comhfhadaithe	ceannaigh
comhfháisc	*compress*	comhfháisceann	comhfháscadh	comhfháiscthe	cuir
comhfhortaigh	*console*	comhfhortaíonn	comhfhortú	comhfhortaithe	ceannaigh
comhfhreagair	*correspond*	c.fhreagraíonn	comhfhreagairt	comhfhreagartha	ceangail
comhghaolaigh	*correlate*	comhghaolaíonn	comhghaolú	comhghaolaithe	ceannaigh
comhghlasáil	*interlock*	comhghlasálann	comhghlasáil	comhghlasáilte	pacáil
comhghléas	*tune in*	comhghléasann	comhghléasadh	comhghléasta	cas
comhghreamaigh	*cohere*	c.ghreamaíonn	comhghreamú	c.ghreamaithe	ceannaigh
comhghríosaigh	*incite, agitate*	c.ghríosaíonn	comhghríosú	c.ghríosaithe	ceannaigh
comhlánaigh	*complete*	comhlánaíonn	comhlánú	comhlánaithe	ceannaigh
comhleáigh	*fuse* (metall.)	comhleánn	comhleá	comhleáite	báigh
comhlínigh	*collimate*	comhlíníonn	comhlíniú	comhlínithe	coinnigh
comhlíon	*fulfill*	comhlíonann	comhlíonadh	comhlíonta	cas
comhoibrigh	*co-operate*	comhoibríonn	comhoibriú	comhoibrithe	coinnigh
comhoiriúnaigh	*harmonize*	c.oiriúnaíonn	comhoiriúnú	comhoiriúnaithe	ceannaigh
comhordaigh	*co-ordinate*	comhordaíonn	comhordú	comhordaithe	ceannaigh
comhordanáidigh	*co-ordinate*	c.ordanáidíonn	comhordanáidiú	c.ordanáidithe	coinnigh
comhraic	*encounter*	comhraiceann / comhraicíonn	comhrac	comhraicthe	cuir / coinnigh
comhréitigh	*compromise*	comhréitíonn	comhréiteach	comhréitithe	coinnigh
comhrialaigh	*regulate*	comhrialaíonn	comhrialú	comhrialaithe	ceannaigh
comhrianaigh	*contour*	comhrianaíonn	comhrianú	comhrianaithe	ceannaigh
comhshamhlaigh	*assimilate*	c.shamhlaíonn	comhshamhlú	c.shamhlaithe	ceannaigh
comhshínigh	*countersign*	comhshíníonn	comhshíniú	comhshínithe	coinnigh
comhshnaidhm	*intertwine*	c.shnaidhmeann	c.shnaidhmeadh	c.shnaidhmthe	cuir
comhshóigh	*convert*	comhshónn	comhshó	comhshóite	dóigh
comhshuigh	*compound*	comhshuíonn	comhshuí	comhshuite	suigh
comhthacaigh	*corroborate*	comhthacaíonn	comhthacú	comhthacaithe	ceannaigh
comhtharlaigh	*coincide*	comhtharlaíonn	comhtharlú	comhtharlaithe	ceannaigh
comhtharraing	*pull in unison*	c.tharraingíonn	comhtharraingt	c.tharraingthe	tarraing
comhtháthaigh	*coalesce*	comhtháthaíonn	comhtháthú	comhtháthaithe	ceannaigh
comhthiomsaigh	*associate*	c.thiomsaíonn	comhthiomsú	comhthiomsaithe	ceannaigh

gas/fréamh	*Béarla*	*aimsir láithreach*	*ainm briathartha*	*aidiacht bhr.*	*briathar gaolta*
comhthit	*coincide*	comhthiteann	comhthitim	comhthite	tit
comhthiúin	*tune*	comhthiúnann	comhthiúnadh	comhthiúnta	siúil
comhthogh	*co-opt*	comhthoghann	comhthoghadh	comhthofa	cas
comóir	*convene*	comórann	comóradh	comórtha	siúil
comthaigh	*associate*	comthaíonn	comthú	comthaithe	ceannaigh
cónaigh	*dwell, reside*	cónaíonn	cónaí	cónaithe	ceannaigh
conáil	*perish, freeze*	conálann	conáil	conáilte	pacáil
cónaisc	*connect*	cónaisceann	cónascadh	cónasctha	cuir
conclúidigh	*conclude*	conclúidíonn	conclúidiú	conclúidithe	coinnigh
conducht	*conduct*	conduchtann	conduchtadh	conduchta	trácht
conlaigh	*glean, gather*	conlaíonn	conlú	conlaithe	ceannaigh
connaigh	*accustom*	connaíonn	connú	connaithe	ceannaigh
conraigh	*contract*	conraíonn	conrú	conraithe	ceannaigh
consaigh	*miss*	consaíonn	consú	consaithe	ceannaigh
conspóid	*argue, dispute*	conspóideann	conspóid	conspóidte	cuir
construáil	*construe*	construálann	construáil	construáilte	pacáil
cor	*turn*	corann	coradh	cortha	cas
corb	*corrupt, deprave*	corbann	corbadh	corbtha	cas
corcáil	*cork*	corcálann	corcáil	corcáilte	pacáil
corcraigh	*(die) purple*	corcraíonn	corcrú	corcraithe	ceannaigh
cordaigh	*cord*	cordaíonn	cordú	cordaithe	ceannaigh
corn	*roll, coil*	cornann	cornadh	corntha	cas
corónaigh	*crown*	corónaíonn	corónú	corónaithe	ceannaigh
corpraigh	*incorporate*	corpraíonn	corprú	corpraithe	ceannaigh
corracaigh	*coo*	corracaíonn	corracú	corracaithe	ceannaigh
corraigh	*move, stir*	corraíonn	corrú	corraithe	ceannaigh
cosain	*defend, cost*	cosnaíonn	cosaint	cosanta	codail
coscair	*cut up, thaw*	coscraíonn	coscairt	coscartha	codail
costáil	*cost*	costálann	costáil	costáilte	pacáil
cóstáil	*coast*	cóstálann	cóstáil	cóstáilte	pacáil
cosúlaigh	*liken*	cosúlaíonn	cosúlú	cosúlaithe	ceannaigh
cothaigh	*feed, sustain*	cothaíonn	cothú	cothaithe	ceannaigh
cothromaigh	*level, equalize*	cothromaíonn	cothromú	cothromaithe	ceannaigh
crág	*chelate*	crágann	crágadh	crágtha	cas
crágáil	*claw, paw*	crágálann	crágáil	crágáilte	pacáil
craiceáil	*crack*	craiceálann	craiceáil	craiceáilte	pacáil
cráigh	*vex, torment*	cránn; cráfaidh	crá	cráite	báigh
cráin	*suck*	cráineann	cráineadh	cráinte	cuir
cráindóigh	*smoulder*	cráindónn	cráindó	cráindóite	dóigh
crampáil	*cramp*	crampálann	crampáil	crampáilte	pacáil
crandaigh	*stunt*	crandaíonn	crandú	crandaithe	ceannaigh
cranraigh	*beome knotty*	cranraíonn	cranrú	cranraithe	ceannaigh
craobhaigh	*branch, expand*	craobhaíonn	craobhú	craobhaithe	ceannaigh
craobhscaoil	*broadcast*	c.scaoileann	c.scaoileadh	craobhscaoilte	cuir
craol	*announce*	craolann	craoladh	craolta	cas
craosfholc	*gargle*	craosfholcann	craosfholcadh	craosfholctha	cas
crap	*contract, shrink*	crapann	crapadh	craptha	cas
craplaigh	*fetter, cripple*	craplaíonn	craplú	craplaithe	ceannaigh
creach	*plunder, raid*	creachann	creachadh	creachta	cas
créachtaigh	*gash, wound*	créachtaíonn	créachtú	créachtaithe	ceannaigh
créam	*cremate*	créamann	créamadh	créamtha	cas
crean	*obtain, bestow*	creanann	creanadh	creanta	cas
creath	*tremble*	creathann	creathadh	creata	meath
creathnaigh	*termble, quake*	creathnaíonn	creathnú	creathnaithe	ceannaigh
creid	*believe*	creideann	creidiúint /creidbheáil *U*	creidte	cuir
creidiúnaigh	*accredit*	creidiúnaíonn	creidiúnú	creidiúnaithe	ceannaigh
creim	*gnaw, corrode*	creimeann	creimeadh	creimthe	cuir
creimneáil	*tack, baste*	creimneálann	creimneáil	creimneáilte	pacáil

stem/root	*English*	*present tense*	*verbal noun*	*verbal adjective*	*verb type*
creimseáil	*nibble*	creimseálann	creimseáil	creimseáilte	pacáil
cré-umhaigh	*bronze*	cré-umhaíonn	cré-umhú	cré-umhaithe	ceannaigh
criathraigh	*sieve, winnow*	criathraíonn	criathrú	criathraithe	ceannaigh
crinn	*contend with*	crinneann	crinneadh	crinnte	cuir
críochaigh	*demarcate*	críochaíonn	críochú	críochaithe	ceannaigh
críochnaigh	*finish, complete*	críochnaíonn	críochnú	críochnaithe	ceannaigh
críon	*age, wither*	críonann	críonadh	críonta	cas
crioslaigh	*girdle, enclose*	crioslaíonn	crioslú	crioslaithe	ceannaigh
criostalaigh	*crsytallize*	criostalaíonn	criostalú	criostalaithe	ceannaigh
crith	*tremble, shake*	critheann	crith	crite	caith
crithlonraigh	*shimmer*	crithlonraíonn	crithlonrú	crithlonraithe	ceannaigh
croch	*hang*	crochann	crochadh	crochta	cas
cróiseáil	*crochet*	cróiseálann	cróiseáil	cróiseáilte	pacáil
croith	*shake*	croitheann	croitheadh	croite	caith
crom	*bend*	cromann	cromadh	cromtha	cas
crómchneasaigh	*chrome-plate*	c.chneasaíonn	crómchneasú	crómchneasaithe	ceannaigh
crómleasaigh	*chrome-tan*	crómleasaíonn	crómleasú	crómleasaithe	ceannaigh
cronaigh /crothnaigh	*miss*	cronaíonn /crothnaíonn	cronú /crothnú	cronaithe /crothnaithe	ceannaigh
crónaigh	*tan, darken*	crónaíonn	crónú	crónaithe	ceannaigh
cros	*cross, forbid*	crosann	crosadh	crosta	cas
crosáil	*cross*	crosálann	crosáil	crosáilte	pacáil
croscheistigh	*cross-question*	croscheistíonn	croscheistiú	croscheistithe	coinnigh
crosghrean	*cross-hatch*	crosghreanann	crosghreanadh	crosghreanta	cas
crosphóraigh	*cross-breed*	crosphóraíonn	crosphórú	crosphóraithe	ceannaigh
cros-síolraigh	*intercross*	cros-síolraíonn	cros-síolrú	cros-síolraithe	ceannaigh
cros-toirchigh	*cross-fertilize*	cros-toirchíonn	cros-toirchiú	cros-toirchithe	coinnigh
cruach	*stack, pile*	cruachann	cruachadh	cruachta	cas
cruaigh	***harden***	**cruann**	**cruachan**	**cruaite**	**25**
cruan	*enamel*	cruanann	cruanadh	cruanta	cas
cruashádráil	*hard-solder*	cruashádrálann	cruashádráil	cruashádráilte	pacáil
crúbáil	*claw, paw*	crúbálann	crúbáil	crúbáilte	pacáil
crúcáil	*hook, clutch*	crúcálann	crúcáil	crúcáilte	pacáil
crúigh	*milk*	crúnn; crúfaidh	crú	crúite	brúigh
crúigh	*shoe a horse*	crúnn; crúfaidh	crú	crúite	brúigh
cruinnigh	***gather, collect***	**cruinniú**	**cruinníonn**	**cruinnithe**	**bailigh**
crústaigh	*pelt*	crústaíonn	crústú	crústaithe	ceannaigh
crústáil	*drub, belabour*	crústálann	crústáil	crústáilte	pacáil
cruthaigh	*create, prove*	cruthaíonn	cruthú	cruthaithe	ceannaigh
cuach	*bundle, wrap*	cuachann	cuachadh	cuachta	cas
cuaileáil	*coil*	cuaileálann	cuaileáil	cuaileáilte	pacáil
cuailligh	*stud*	cuaillíonn	cuailliú	cuaillithe	coinnigh
cuar	*curve*	cuarann	cuaradh	cuartha	cas
cuardaigh *Std*	*search*	cuardaíonn	cuardach	cuardaithe	ceannaigh
= cuartaigh *U*	*search*	cuartaíonn	cuartú	cuartaithe	ceannaigh
cúb	*coop, bend*	cúbann	cúbadh	cúbtha	cas
cúbláil	*juggle*	cúblálann	cúbláil	cúbláilte	pacáil
cuibhrigh	*bind, fetter*	cuibhríonn	cuibhriú	cuibhrithe	coinnigh
cuideachtaigh	*bring together,*	cuideachtaíonn	cuideachtú	cuideachtaithe	ceannaigh
cuidigh	*associate, help*	cuidíonn	cuidiú	cuidithe	coinnigh
cúigleáil	*cheat, embezzle*	cúigleálann	cúigleáil	cúigleáilte	pacáil
cuileáil	*discard, reject*	cuileálann	cuileáil	cuileáilte	pacáil
cuilteáil	*quilt*	cuilteálann	cuilteáil	cuilteáilte	pacáil
cuimhnigh	*remember*	cuimhníonn	cuimhniú	cuimhnithe	coinnigh
cuimil	*rub*	cuimlíonn	cuimilt	cuimilte	taitin
cuimsigh	*comprehend*	cuimsíonn	cuimsiú	cuimsithe	coinnigh
cuingigh	*yoke, pair*	cuingíonn	cuingiú	cuingithe	coinnigh
cuingrigh	*yoke, pair*	cuingríonn	cuingriú	cuingrithe	coinnigh

cúinneáil	*corner*	cúinneálann	cúinneáil	cúinneáilte	pacáil
cuir	***put, sow***	**cuireann**	**cur**	**curtha**	**26**
cúisigh	*accuse, charge*	cúisíonn	cúisiú	cúisithe	coinnigh
cuisligh	*flow, pipe*	cuislíonn	cuisliú	cuislithe	coinnigh
cuisnigh	*refrigerate*	cuisníonn	cuisniú	cuisnithe	coinnigh
cúitigh	*compensate*	cúitíonn	cúiteamh	cúitithe	coinnigh
cúlaigh	*reverse, retreat*	cúlaíonn	cúlú	cúlaithe	ceannaigh
cúláil	*back*	cúlálann	cúláil	cúláilte	pacáil
cúlcheadaigh	*connive*	cúlcheadaíonn	cúlcheadú	cúlcheadaithe	ceannaigh
cúlchlóigh	*perfect* (typ.)	cúlchlónn	cúlchló	cúlchlóite	dóigh
cúléist	*eaves-drop*	cúléisteann	cúléisteacht	cúléiste	éist
cúlghair	*revoke*	cúlghaireann	cúlghairm	cúlghairthe	cuir
cúlghearr	*back-bite*	cúlghearrann	cúlghearradh	cúlghearrtha	cas
cúliompaigh	*turn back*	cúliompaíonn	cúliompú	cúliompaithe	ceannaigh
cúlsleamhnaigh	*backslide*	c.sleamhnaíonn	cúlsleamhnú	cúlsleamhnaithe	ceannaigh
cúltort	*back-fire*	cúltortann	cúltortadh	cúltorta	trácht
cum	*compose*	cumann	cumadh	cumtha	cas
cumaisc	*mix, blend*	cumascann	cumascadh	cumaiscthe	siúil
cumasaigh	*enable*	cumasaíonn	cumasú	cumasaithe	ceannaigh
cumhachtaigh	*empower*	cumhachtaíonn	cumhachtú	cumhachtaithe	ceannaigh
cumhdaigh	*cover, protect*	cumhdaíonn	cumhdach	cumhdaithe	ceannaigh
cumhraigh	*perfume*	cumhraíonn	cumhrú	cumhraithe	ceannaigh
cumhsanaigh	*rest, repose*	cumhsanaíonn	cumhsanú	cumhsanaithe	ceannaigh
cumhscaigh	*move, stir*	cumhscaíonn	cumhscú	cumhscaithe	ceannaigh
cúnaigh	*help*	cúnaíonn	cúnamh	cúnaithe	ceannaigh
cúnantaigh	*covenant*	cúnantaíonn	cúnantú	cúnantaithe	ceannaigh
cúngaigh	*narrow*	cúngaíonn	cúngú	cúngaithe	ceannaigh
cuntais	*count*	cuntasann	cuntas	cuntaiste	siúil
cúpláil	*couple, unite*	cúplálann	cúpláil	cúpláilte	pacáil
cúr	*chastise, scourge*	cúrann	cúradh	cúrtha	cas
cúrsaigh	*reprimand*	cúrsaíonn	cúrsú	cúrsaithe	ceannaigh
cúrsáil	*cruise, course*	cúrsálann	cúrsáil	cúrsáilte	pacáil
dáil	*allot, bestow*	dáileann	dáil	dálta	druid
daingnigh	*fortify*	daingníonn	daingniú	daingnithe	dírigh
dall	*blind, darken*	dallann	dalladh	dallta	díol
dallraigh	*blind, dazzle*	dallraíonn	dallrú	dallraithe	dathaigh
damascaigh	*damascene*	damascaíonn	damascú	damascaithe	dathaigh
dambáil	*dam*	dambálann	dambáil	dambáilte	pacáil
dámh	*concede, allow*	dámhann	dámhachtain	dáfa	díol
damhain	*tame, subdue*	damhnann	damhnadh	damhainte	lch 423
		damhnfaidh	dhamhnfadh	dhamhnadh	p. 423
damhnaigh	*materialize*	damhnaíonn	damhnú	damhnaithe	dathaigh
damhsaigh	*dance*	damhsaíonn	damhsú	damhsaithe	dathaigh
damnaigh	*damn*	damnaíonn	damnú	damnaithe	dathaigh
dánaigh	*give, bestow*	dánaíonn	dánú	dánaithe	dathaigh
daoirsigh	*raise price*	daoirsíonn	daoirsiú	daoirsithe	dírigh
daonnaigh	*humanize*	daonnaíonn	daonnú	daonnaithe	dathaigh
daor	*enslave, condemn*	daorann	daoradh	daortha	díol
daorbhasc	*maul severely*	daorbhascann	daorbhascadh	daorbhasctha	díol
dátaigh	*date*	dátaíonn	dátú	dátaithe	dathaigh
/ dátáil		/ dátálann	/ dátáil	/ dátáilte	/ pacáil
dath	*allocate*	dathann	dathadh	daite	meath
dathaigh	***colour***	**dathaíonn**	**dathú**	**dathaithe**	**27**
deachaigh	*decimate*	deachaíonn	deachú	deachaithe	dathaigh
deachair	*differentiate*	deachraíonn	deachrú	deachraithe	codail
deachtaigh	*dictate, indite*	deachtaíonn	deachtú	deachtaithe	dathaigh
deachúlaigh	*decimilize*	deachúlaíonn	deachúlú	deachúlaithe	dathaigh
déadail	*dare*	déadlaíonn	déadladh	déadlaithe	codail

stem/root	English	present tense	verbal noun	verbal adjective	verb type
déaduchtaigh	*deduce*	déaduchtaíonn	déaduchtú	déaduchtaithe	dathaigh
dealagáidigh	*delegate*	dealagáidíonn	dealagáidiú	dealagáidithe	dírigh
dealaigh	*part, differentiate*	dealaíonn	dealú	dealaithe	dathaigh
dealbhaigh	*impoverish*	dealbhaíonn	dealbhú	dealbhaithe	dathaigh
dealbhaigh	*sculpt, fashion*	dealbhaíonn	dealbhú	dealbhaithe	dathaigh
dealraigh	*shine, illuminate*	dealraíonn	dealramh	dealraithe	dathaigh
déan	***do, make***	**déanann**	**déanamh**	**déanta**	**28**
deann	*colour, paint*	deannann	deannadh	deannta	díol
dear	*design, draw*	dearann	dearadh	deartha	díol
dear	*renounce*	dearann	dearadh	deartha	díol
dearbhaigh	*confirm*	dearbhaíonn	dearbhú	dearbhaithe	dathaigh
dearbháil	*test, check*	dearbhálann	dearbháil	dearbháilte	pacáil
dearbhasc	*affirm*	dearbhascann	dearbhascadh	dearbhasctha	díol
dearc	*look*	dearcann	dearcadh	dearctha	díol
dearg	*redden, light*	deargann	deargadh	deargtha	díol
dearlaic	*grant, bestow*	dearlacann	dearlacadh	dearlaicthe	siúil
dearmad	*forget*	dearmadann	dearmad	dearmadta	díol
dearnáil	*darn*	dearnálann	dearnáil	dearnáilte	pacáil
dearóiligh	*debase*	dearóilíonn	dearóiliú	dearóilithe	dírigh
dearscnaigh	*excel, transcend*	dearscnaíonn	dearscnú	dearscnaithe	dathaigh
deasaigh	*dress, prepare*	deasaíonn	deasú	deasaithe	dathaigh
deasc	*precipitate*	deascann	deascadh	deasctha	díol
deataigh	*smoke*	deataíonn	deatú	deataithe	dathaigh
deifnídigh	*define*	deifnídíonn	deifnídiú	deifnídithe	dírigh
deifrigh	*hurry, hasten*	deifríonn	deifriú	deifrithe	dírigh
deighil	*separate*	deighlíonn	deighilt	deighilte	taitin
deil	*turn on lathe*	deileann	deileadh	deilte	druid
deilbhigh	*frame, fashion*	deilbhíonn	deilbhiú	deilbhithe	dírigh
déileáil	*deal*	déileálann	déileáil	déileáilte	pacáil
deimhneasc	*aver* (jur)	deimhneascann	deimhneascadh	deimhneasctha	díol
deimhnigh	*certify, assure*	deimhníonn	deimhniú	deimhnithe	dírigh
deisigh	*mend, repair*	deisíonn	deisiú	deisithe	dírigh
deoch	*immerse, cover*	deochann	deochadh	deochta	díol
deonaigh	*grant*	deonaíonn	deonú	deonaithe	dathaigh
déroinn	*bisect*	déroinneann	déroinnt	déroinnte	druid
dí-adhlaic	*disinter, exhume*	dí-adhlacann	dí-adhlacadh	dí-adhlactha	siúil
dí-agair	*non-suit* (jur)	dí-agraíonn	dí-agairt	dí-agartha	codail
dí-armáil	*disarm*	dí-armálann	dí-armáil	dí-armáilte	pacáil
dí-eaglaisigh	*secularize*	dí-eaglaisíonn	dí-eaglaisiú	dí-eaglaisithe	dírigh
dí-ocsaídigh	*deoxidize*	dí-ocsaídíonn	dí-ocsaídiú	dí-ocsaídithe	dírigh
dí-ocsaiginigh	*deoxygenate*	dí-ocsaiginíonn	dí-ocsaiginiú	dí-ocsaiginithe	dírigh
dí-oighrigh	*de-ice*	dí-oighríonn	dí-oighriú	dí-oighrithe	dírigh
dí-shainoidhrigh	*disentail*	dí-shainoidhríonn	dí-shainoidhriú	dí-shainoidhrithe	dírigh
diagaigh	*deify*	diagaíonn	diagú	diagaithe	dathaigh
diailigh	*dial*	diailíonn	diailiú	diailithe	dírigh
diall	*incline, decline*	diallann	dialladh	diallta	díol
diamhaslaigh	*blaspheme*	diamhaslaíonn	diamhaslú	diamhaslaithe	dathaigh
diamhraigh	*darken, obscure*	diamhraíonn	diamhrú	diamhraithe	dathaigh
dianaigh	*intensify*	dianaíonn	dianú	dianaithe	dathaigh
dianscaoil	*decompose*	dianscaoileann	dianscaoileadh	dianscaoilte	druid
diansir	*importune*	diansireann	diansireadh	diansirthe	druid
diasraigh	*glean*	diasraíonn	diasrú	diasraithe	dathaigh
díbh	*dismiss*	díbheann	díbheadh	dífe	druid
díbharraigh	*disbarr*	díbharraíonn	díbharrú	díbharraithe	dathaigh
dibhéirsigh	*diverge*	dibhéirsíonn	dibhéirsiú	dibhéirsithe	dírigh
díbholaigh	*deodorize*	díbholaíonn	díbholú	díbholaithe	dathaigh
díbholg	*deflate*	díbholgann	díbholgadh	díbholgtha	díol
díbhunaigh	*disestablish*	díbhunaíonn	díbhunú	díbhunaithe	dathaigh
díbir	*banish, exile*	díbríonn	díbirt	díbeartha	taitin

gas/fréamh	Béarla	aimsir láithreach	ainm briathartha	aidiacht bhr.	briathar gaolta
díbligh	*debilitate*	díblíonn	díbliú	díblithe	dírigh
dícháiligh	*disqualify*	dícháilíonn	dícháiliú	dícháilithe	dírigh
dícharbónaigh	*decarbonize*	dícharbónaíonn	dícharbónú	dícharbónaithe	dathaigh
dícheadaigh	*disallow*	dícheadaíonn	dícheadú	dícheadaithe	dathaigh
dícheangail	*untie, detach*	dícheanglaíonn	dícheangal	dícheangailte	ceangail
dícheann	*behead*	dícheannann	dícheannadh	dícheannta	díol
/ dícheannaigh	*behead*	/ dícheannaíonn	/ dícheannú	/ dícheannaithe	/ dathaigh
dícheil	*conceal, secrete*	dícheileann	dícheilt	dícheilte	druid, ceil
díchnámhaigh	*bone, fillet*	díchnámhaíonn	díchnámhú	díchnámhaithe	dathaigh
díchódaigh	*decode*	díchódaíonn	díchódú	díchódaithe	dathaigh
díchóimeáil	*dismantle*	díchóimeálann	díchóimeáil	díchóimeáilte	pacáil
díchoisric	*deconsecrate*	díchoisriceann	díchoisreacan	díchoisricthe	druid
díchollaigh	*disembody*	díchollaíonn	díchollú	díchollaithe	dathaigh
díchónasc	*diconnect*	díchónascann	díchónascadh	díchónasctha	díol
díchorn	*unwind*	díchornann	díchornadh	díchornta	díol
díchorónaigh	*dethrone*	díchorónaíonn	díchorónú	díchorónaithe	dathaigh
díchreid	*disbelieve*	díchreideann	díchreidiúint	díchreidte	druid, creid
díchreidiúnaigh	*discredit*	díchreidiúnaíonn	díchreidiúnú	díchreidiúnaithe	dathaigh
díchruthaigh	*disprove*	díchruthaíonn	díchruthú	díchruthaithe	dathaigh
díchuir	*expel, eject*	díchuireann	díchur	díchurtha	druid, cuir
díchum	*deform, distort*	díchumann	díchumadh	díchumtha	díol
dídhaoinigh	*depopulate*	dídhaoiníonn	dídhaoiniú	dídhaoinithe	dírigh
dífháisc	*decompress*	dífháisceann	dífháscadh	dífháiscthe	druid
dífhéaraigh	*depasture*	dífhéaraíonn	dífhéarú	dífhéaraithe	dathaigh
dífhoraoisigh	*deforest*	dífhoraoisíonn	dífhoraoisiú	dífhoraoisithe	dírigh
dífhostaigh	*disemploy*	dífhostaíonn	dífhostú	dífhostaithe	dathaigh
difreáil	*differentiate*	difreálann	difreáil	difreáilte	pacáil
difrigh	*differ, dissent*	difríonn	difriú	difrithe	dírigh
díghalraigh	*disinfect*	díghalraíonn	díghalrú	díghalraithe	dathaigh
díghreamaigh	*unstick*	díghreamaíonn	díghreamú	díghreamaithe	dathaigh
díhiodráitigh	*dehydrate*	díhiodráitíonn	díhiodráitiú	díhiodráitithe	dírigh
díláithrigh	*displace*	díláithríonn	díláithriú	díláithrithe	dírigh
díláraigh	*decentralize*	díláraíonn	dílárú	díláraithe	dathaigh
díleáigh	*dissolve, digest*	díleánn; díleáfaidh	díleá	díleáite	báigh
díligh	*deluge*	dílíonn	díliú	dílithe	dírigh
dílódáil	*unload*	dílódálann	dílódáil	dílódáilte	pacáil
dílsigh	*vest, pledge*	dílsíonn	dílsiú	dílsithe	dírigh
díluacháil	*devalue*	díluachálann	díluacháil	díluacháilte	pacáil
díluchtaigh	*discharge, unload*	díluchtaíonn	díluchtú	díluchtaithe	dathaigh
dímhaighnéadaigh	*demagnetize*	dímhaighnéadaíonn	dímhaighnéadú	dimhaighnéadaithe	dathaigh
dímhignigh	*condemn*	dímhigníonn	dímhigniú	dímhignithe	dírigh
dímhíleataigh	*demilitarize*	dímhíleataíonn	dímhíleatú	dímhíleataithe	dathaigh, neartaigh
dímhol	*dispraise*	dímholann	dímholadh	dímholta	díol, mol
dímhonaigh	*demonetize*	dímhonaíonn	dímhonú	dímhonaithe	dathaigh
dínádúraigh	*denature*	dínádúraíonn	dínádúrú	dínádúraithe	dathaigh
dínáisiúnaigh	*denationalize*	dínáisiúnaíonn	dínáisiúnú	dínáisiúnaithe	dathaigh
dínasc	*disconnect*	dínascann	dínascadh	dínasctha	díol
díneartaigh	*enfeeble*	díneartaíonn	díneartú	díneartaithe	dathaigh
ding	*dint, wedge*	dingeann	dingeadh	dingthe	druid
ding	*wedge*	dingeann	dingeadh	dingthe	druid
dínítriginigh	*denitrify*	dínítriginíonn	dínítriginiú	dínítriginithe	dírigh
díobh	*extinguish*	díobhann	díobhadh	díofa	díol
díobháil	*injure, harm*	díobhálann	díobháil	díobháilte	pacáil
díochlaon	*decline*	díochlaonann	díochlaonadh	díochlaonta	díol
diogáil	*dock, trim*	diogálann	diogáil	diogáilte	pacáil
díoghail	*avenge, punish*	díoghlann díoghlfaidh	díoghail dhíoghlfadh	díoghailte dhíoghladh	lch 423 p. 423
díol	***sell***	**díolann**	**díol**	**díolta**	**29**
díolaim	*compile, glean*	díolaimíonn / díolaimeann	díolaim	díolaimthe	foghlaim / druid

stem/root	*English*	*present tense*	*verbal noun*	*verbal adjective*	*verb type*
díolmhaigh	*exempt*	díolmhaíonn	díolmhú	díolmhaithe	dathaigh
díolmhainigh	*free, exempt*	díolmhainíonn	díolmhainiú	díolmhainithe	dírigh
diomail	*waste, squander*	diomlaíonn	diomailt	diomailte	codail
díon	*protect, shelter*	díonann	díonadh	díonta	díol
diongaibh	*ward off, repel*	diongbhann	diongbháil	diongbháilte	lch 423
		diongbhfaidh	dhiongbhfadh	dhiongbhadh	p. 423
díorthaigh	*derive*	díorthaíonn	díorthú	díorthaithe	dathaigh
diosc	*disect*	dioscann	dioscadh	diosctha	díol
díosc	*creak, grate*	díoscann	díoscadh	díosctha	díol
díoscarnaigh	*creak, grind*	díoscarnaíonn	díoscarnach	díoscarnaithe	dathaigh
díospóid	*dispute*	díospóideann	díospóid	díospóidte	druid
díotáil	*indict*	díotálann	díotáil	díotáilte	pacáil
díotáil	*progress*	díotálann	díotáil	díotáilte	pacáil
díotchúisigh	*arraign*	díotchúisíonn	díotchúisiú	díotchúisíthe	dírigh
díothaigh	*destroy*	díothaíonn	díothú	díothaithe	dathaigh
dipeáil	*dip*	dipeálann	dipeáil	dipeáilte	pacáil
díphacáil	*unpack*	díphacálann	díphacáil	díphacáilte	pacáil
dípholaraigh	*depolarize*	dípholaraíonn	dípholarú	dípholaraithe	dathaigh
díraon	*diffract*	díraonann	díraonadh	díraonta	díol
dírátaigh	*derate*	dírátaíonn	dírátú	dírátaithe	dathaigh
díréitigh	*disarrange*	díréitíonn	díréitiú	díréitithe	dírigh
díreoigh	*defrost*	díreonn; díreofaidh	díreo	díreoite	feoigh
dírigh	***straighten***	**díríonn**	**díriú**	**dírithe**	**30**
díscaoil	*unloose, disperse*	díscaoileann	díscaoileadh	díscaoilte	druid
díscigh	*dry up, drain*	díscíonn	dísciú	díscithe	dírigh
díscoir	*unloose*	díscoireann	díscor	díscotha	druid, scóir
díscríobh	*write off*	díscríobhann	díscríobh	díscríofa	díol
díshamhlaigh	*dissimilate*	díshamhlaíonn	díshamhlú	díshamhlaithe	dathaigh
díshealbhaigh	*dispossess, evict*	díshealbhaíonn	díshealbhú	díshealbhaithe	dathaigh
díshioc	*defrost*	díshiocann	díshioc	díshioctha	díol
díshlóg	*demobilize*	díshlógann	díshlógadh	díshlógtha	díol
díshraith	*derate*	díshraitheann	díshraitheadh	díshraite	caith
díshrian	*decontrol*	díshrianann	díshrianadh	díshrianta	díol
dísigh	*pair*	dísíonn	dísiú	dísithe	dírigh
dísligh	*dice*	díslíonn	dísliú	díslithe	dírigh
díspeag	*despise, belittle*	díspeagann	díspeagadh	díspeagtha	díol
díthiomsaigh	*dissociate*	díthiomsaíonn	díthiomsú	díthiomsaithe	dathaigh
dithneasaigh	*hasten, hurry*	dithneasaíonn	dithneasú	dithneasaithe	dathaigh
díthochrais	*unwind*	díthochraiseann	díthochras	díthochraiste	druid
díthruailligh	*decontaminate*	díthruaillíonn	díthruailliú	díthruaillithe	dírigh
diúg	*drain, suck*	diúgann	diúgadh	diúgtha	díol
diúl	*suck*	diúlann	diúl	diúlta	díol
diúltaigh	*refuse*	diúltaíonn	diúltú	diúltaithe	dathaigh
/ diúlt		diúltann	diúltadh	diúlta	/ trácht
diúraic	*cast, project*	diúracann	diúracadh	diúractha	siúil
diurnaigh	*drain, swallow*	diurnaíonn	diurnú	diurnaithe	dathaigh
/diurn/ diurnáil		diurnann *srl.*	diurnadh/diurnáil	diurnta/diurnáithe	/ díol / pacáil
diúscair	*dispose of*	diúscraíonn	diúscairt	diúscartha	codail
dlaoithigh	*tress (hair)*	dlaoithíonn	dlaoithiú	dlaoithithe	dírigh
dligh	*be entitled to*	dlíonn	dlí	dlite	nigh
dlisteanaigh	*legitimate*	dlisteanaíonn	dlisteanú	dlisteanaithe	dathaigh
dluigh	*cleave, divide*	dluíonn	dluí	dluite	suigh
dlúthaigh	*compact*	dlúthaíonn	dlúthú	dlúthaithe	dathaigh
dochraigh	*harm, prejudice*	dochraíonn	dochrú	dochraithe	dathaigh
docht	*tighten, bind*	dochtann	dochtadh	dochta	trácht
dóibeáil	*daub*	dóibeálann	dóibeáil	dóibeáilte	pacáil
doicheallaigh	*be unwilling*	doicheallaíonn	doicheallú	doicheallaithe	dathaigh
dóigh	***burn***	**dónn**	**dó**	**dóite**	**31**
doilbh	*form, fabricate*	doilbheann	doilbheadh	doilfe	druid

gas/fréamh	*Béarla*	*aimsir láithreach*	*ainm briathartha*	*aidiacht bhr.*	*briathar gaolta*
doiléirigh	*darken*	doiléiríonn	doiléiriú	doiléirithe	dírigh
doimhnigh	*obscure*	doimhníonn	doimhniú	doimhnithe	dírigh
doir	*bull*	doireann	dor	dortha	druid
doirt	*spill, pour*	doirteann	doirteadh	doirte	tit
dol	*loop, net*	dolann	doladh	dolta	díol
domheanmnaigh	*dispirit*	domheanmnaíonn	domheanmnú	domheanmnaithe	dathaigh
donaigh	*aggravate*	donaíonn	donú	donaithe	dathaigh
donnaigh	*brown, tan*	donnaíonn	donnú	donnaithe	dathaigh
dópáil	*dope*	dópálann	dópáil	dópáilte	pacáil
dorchaigh	*darken*	dorchaíonn	dorchú	dorchaithe	dathaigh
dord	*hum, buzz*	dordann	dordadh	dordta	díol
dornáil	*fist, box*	dornálann	dornáil	dornáilte	pacáil
draenáil	*(dig) drain*	draenálann	draenáil	draenáilte	pacáil
drámaigh	*dramatize*	drámaíonn	drámú	drámaithe	dathaigh
dramhail	*trample*	dramhlaíonn	dramhailt	dramhailte	codail
drann	*grin, snarl*	drannann	drannadh	drannta	díol
drantaigh	*snarl, growl*	drantaíonn	drantú	drantaithe	dathaigh
draoibeáil	*besplatter*	draoibeálann	draoibeáil	draoibeáilte	pacáil
dreach	*make up*	dreachann	dreachadh	dreachta	díol
dréachtaigh	*draft*	dréachtaíonn	dréachtú	dréachtaithe	dathaigh
dreap	*climb*	dreapann	dreapadh	dreaptha	díol
dreasaigh	*incite, urge on*	dreasaíonn	dreasú	dreasaithe	dathaigh
dreideáil	*dredge*	dreideálann	dreideáil	dreideáilte	pacáil
dréim	*climb, ascend*	dréimeann	dréim	dréimthe	druid
dreoigh	*decompose*	dreonn; dreofaidh	dreo	dreoite	feoigh
driog	*distil*	driogann	driogadh	driogtha	díol
drithligh	*sparkle, glitter*	drithlíonn	drithliú	drithlithe	dírigh
droimscríobh	*endorse*	d.scríobhann	droimscríobh	droimscríofa	díol
drugáil	*drug*	drugálann	drugáil	drugáilte	pacáil
druid	***close, shut***	**druideann**	**druidim (drud)**	**druidte**	**32**
druileáil	*drill*	druileálann	druileáil	druileáilte	pacáil
duaithnigh	*obscure*	duaithníonn	duaithniú	duaithnithe	dírigh
dual	*twine, braid*	dualann	dualadh	dualta	díol
dúbail	*double*	dúblaíonn	dúbailt	dúbailte	codail
dubhaigh	*blacken, darken*	dubhaíonn	dúchan	dubhaithe	dathaigh
dúbláil	*second distil*	dúblálann	dúbláil	dúbláilte	pacáil
duilligh	*foliate*	duillíonn	duilliú	duillithe	dírigh
dúisigh	***(a)wake, arouse***	**dúisíonn**	**dúiseacht**	**dúisithe**	**múscail 70, dírigh**
dúlaigh	*desire*	dúlaíonn	dúlú	dúlaithe	dathaigh
dúloisc	*char*	dúloisceann	dúloscadh	dúloiscthe	druid
dúmhál	*blackmail*	dúmhálann	dúmháladh	dúmhálta	díol
dumpáil	*dump*	dumpálann	dumpáil	dumpáilte	pacáil
dún	***close, shut***	**dúnann**	**dúnadh**	**dúnta**	**32, *see* druid, díol**
dúnmharaigh	*murder*	dúnmharaíonn	dúnmharú	dúnmharaithe	maraigh
durdáil	*coo*	durdálann	durdáil	durdáilte	pacáil
dustáil	*dust*	dustálann	dustáil	dustáilte	pacáil
eachtraigh	*set forth*	eachtraíonn	eachtrú	eachtraithe	eagraigh
eachtraigh	*relate, narrate*	eachtraíonn	eachtraí	eachtraithe	eagraigh
éadaigh	*clothe*	éadaíonn	éadú	éadaithe	eagraigh
eadarbhuasaigh	*flutter, soar*	eadarbhuasaíonn	eadarbhuasú	eadarbhuasaithe	eagraigh
éadlúthaigh	*rarefy*	éadlúthaíonn	éadlúthú	éadlúthaithe	eagraigh
eadóirsigh	*naturalize*	eadóirsíonn	eadóirsiú	eadóirsithe	éirigh
eadránaigh	*arbitrate*	eadránaíonn	eadránú	eadránaithe	eagraigh
éadromaigh	*lighten*	éadromaíonn	éadromú	éadromaithe	eagraigh
éaduchtaigh	*educe*	éaduchtaíonn	éaduchtú	éaduchtaithe	eagraigh
éag	*die (out)*	éagann	éag/éagadh	éagtha	ól
éagaoin	*moan, lament*	éagaoineann	éagaoineadh	éagaointe	oil
eaglaigh	*fear*	eaglaíonn	eaglú	eaglaithe	eagraigh

stem/root	English	present tense	verbal noun	verbal adjective	verb type
eagnaigh	*grow wise*	eagnaíonn	eagnú	eagnaithe	eagraigh
éagnaigh	*complain*	éagnaíonn	éagnach	éagnaithe	eagraigh
éagóirigh / éagóir	*wrong*	éagóiríonn / éagóireann	éagóiriú / éagóireadh	éagóirithe / éagóirthe	éirigh / oil
éagothromaigh	*unbalance*	éagothromaíonn	éagothromú	éagothromaithe	eagraigh
eagraigh	***organize***	**eagraíonn**	**eagrú**	**eagraithe**	**33**
éagsúlaigh	*diversify*	éagsúlaíonn	éagsúlú	éagsúlaithe	eagraigh
éagumasaigh	*incapicitate*	éagumasaíonn	éagumasú	éagumasaithe	eagraigh
éalaigh	*escape, elude*	éalaíonn	éalú	éalaithe	eagraigh
eamhnaigh	*double, sprout*	eamhnaíonn	eamhnú	eamhnaithe	eagraigh
eangaigh	*notch, indent*	eangaíonn	eangú	eangaithe	eagraigh
éar	*refuse*	éarann	éaradh	éartha	ól
earb	*(en)trust*	earbann	earbadh	earbtha	ól
earcaigh	*recruit*	earcaíonn	earcú	earcaithe	eagraigh
earrachaigh	*vernalize*	earrachaíonn	earrachú	earrachaithe	eagraigh
easáitigh	*displace*	easáitíonn	easáitiú	easáitithe	éirigh
easanálaigh	*exhale*	easanálaíonn	easanálú	easanálaithe	eagraigh
easaontaigh	*disagree*	easaontaíonn	easaontú	easaontaithe	eagraigh
easbhrúigh	*thrust out*	easbhrúnn	easbhrú	easbhrúite	brúigh
éascaigh	*facilitate*	éascaíonn	éascú	éascaithe	eagraigh
eascainigh	*curse, swear*	eascainíonn	eascainí	eascainithe	éirigh
eascair	*spring, sprout*	eascraíonn	eascairt	eascartha	iompair
eascoiteannaigh	*ostracize*	eascoiteannaíonn	eascoiteannú	eascoiteannaithe	eagraigh
easlánaigh	*become sick*	easlánaíonn	easlánú	easlánaithe	eagraigh
easmail	*reproach, abuse*	easmalann	easmailt	easmailte	siúil
easonóraigh	*dishonour*	easonóraíonn	easonórú	easonóraithe	eagraigh
easpórtáil	*export*	easpórtálann	easpórtáil	easpórtáilte	pacáil
easraigh	*litter, strew*	easraíonn	easrú	easraithe	eagraigh
eibligh	*emulsify*	eiblíonn	eibliú	eiblithe	éirigh
éidigh	*dress, clothe*	éidíonn	éidiú	éidithe	éirigh
éigh	*cry out, scream*	éann	éamh	éite	léigh
éigiontaigh	*acquit, absolve*	éigiontaíonn	éigiontú	éigiontaithe	eagraigh
éignigh	*compel, violate*	éigníonn	éigniú	éignithe	éirigh
éiligh	*claim, complain*	éilíonn	éileamh	éilithe	éirigh
éilligh	*corrupt, defile*	éillíonn	éilliú	éillithe	éirigh
éimigh	*refuse, deny*	éimíonn	éimiú	éimithe	éirigh
éinirtigh	*enfeeble*	éinirtíonn	éinirtiú	éinirtithe	éirigh
éirigh	***rise***	**éiríonn**	**éirí**	**éirithe**	**34**
éirnigh	*dispense*	éirníonn	éirniú	éirnithe	éirigh
eis	*exist*	eiseann	eiseadh	eiste	oil
eisc	*excise*	eisceann	eisceadh	eiscthe	oil
eiscrigh	*form ridges*	eiscríonn	eiscriú	eiscrithe	éirigh
eiscríobh	*escribe*	eiscríobhann	eiscríobh	eiscríofa	ól + scríobh
eiseachaid	*extradite*	eiseachadann	eiseachadadh	eiseachadta	siúil
eiseamláirigh	*exemplify*	eiseamláiríonn	eiseamláiriú	eiseamláirithe	éirigh
eiséat	*escheat*	eiséatann	eiséatadh	eiséata	at
eisfhear	*excrete*	eisfhearann	eisfhearadh	eisfheartha	ól
eisiacht	*eject*	eisiachtann	eisiachtain	eisiachta	at
eisiaigh	*exclude*	eisiann; eisiafaidh	eisiamh	eisiata	fuaigh
eisigh	*issue*	eisíonn	eisiúint	eisithe	éirigh
eisil	*flow out*	eisileann	eisileadh	eisilte	oil
eisleath	*effuse*	eisleathann	eisleathadh	eisleata	meath
eislig	*egest*	eisligeann	eisligean	eisligthe	oil
eispéirigh	*experience*	eispéiríonn	eispéiriú	eispéirithe	éirigh
eisreachtaigh	*proscribe, ban*	eisreachtaíonn	eisreachtú	eisreachtaithe	eagraigh
eisréidh	*disperse*	eisréann	eisréadh	eisréite	léigh
eisréimnigh	*diverge*	eisréimníonn	eisréimniú	eisréimnithe	éirigh
éist	***listen***	**éisteann**	**éisteacht**	**éiste**	**35**
eistearaigh	*esterify*	eistearaíonn	eistearú	eistearaithe	eagraigh

gas/fréamh	*Béarla*	*aimsir láithreach*	*ainm briathartha*	*aidiacht bhr.*	*briathar gaolta*
eistréat	*estreat*	eistréatann	eistréatadh	eistréata	at
eitigh	*refuse*	eitíonn	eiteach	eitithe	éirigh
eitil	*fly*	eitlíonn	eitilt	eitilte	imir
eitrigh	*furrow, groove*	eitríonn	eitriú	eitrithe	éirigh
eitseáil	*etch*	eitseálann	eitseáil	eitseáilte	pacáil
fabhraigh	*develop, form*	fabhraíonn	fabhrú	fabhraithe	fiafraigh
fabhraigh	*favour*	fabhraíonn	fabhrú	fabhraithe	fiafraigh
fachtóirigh	*factorize*	fachtóiríonn	fachtóiriú	fachtóirithe	foilsigh
fadaigh	*kindle*	fadaíonn	fadú	fadaithe	fiafraigh
fadaigh	*lengthen*	fadaíonn	fadú	fadaithe	fiafraigh
fadhbh	*spoil, strip*	fadhbhann	fadhbhadh	faofa	fás
fág	***leave***	**fágann**	**fágáil**	**fágtha**	**36**
faghair	*fire, incite*	faghraíonn	faghairt	faghartha	(f)oscail
faichill	*be careful of*	faichilleann	faichill	faichillte	fill
faigh	***get***	**faigheann**	**fáil**	**faighte**	**37**
failligh	*neglect, omit*	faillíonn	failliú	faillithe	foilsigh
failp	*whip, strike*	failpeann	failpeadh	failpthe	fill
fáiltigh	*rejoice, welcome*	fáiltíonn	fáiltiú	fáiltithe	foilsigh
fáinnigh	*ring, encircle*	fáinníonn	fáinniú	fáinnithe	foilsigh
fair	*watch, wake*	faireann	faire	fairthe	fill
fáir	*roost*	fáireann	fáireadh	fáirthe	fill
fairsingigh	*widen, extend*	fairsingíonn	fairsingiú	fairsingithe	foilsigh
fáisc	*wring, squeeze*	fáisceann	fáscadh	fáiscthe	fill
faisnéis	*recount, inquire*	faisnéiseann	faisnéis	faisnéiste	fill
fáistinigh	*prophesy*	fáistiníonn	fáistiniú	fáistinithe	foilsigh
fálaigh	*fence, enclose*	fálaíonn	fálú	fálaithe	fiafraigh
fallaingigh	*drape*	fallaingíonn	fallaingiú	fallaingithe	foilsigh
falsaigh	*falsify*	falsaíonn	falsú	falsaithe	fiafraigh
fan	***wait, stay***	**fanann**	**fanacht**	**fanta**	**38**
fánaigh	*disperse*	fánaíonn	fánú	fánaithe	fiafraigh
fannaigh	*weaken*	fannaíonn	fannú	fannaithe	fiafraigh
faobhraigh	*sharpen, whet*	faobhraíonn	faobhrú	faobhraithe	fiafraigh
faoileáil	*wheel, spin*	faoileálann	faoileáil	faoileáilte	pacáil
faoisc	*shell, parboil*	faoisceann	faoisceadh	faoiscthe	fill
faomh	*accept, agree to*	faomhann	faomhadh	faofa	fás
faon	*lay flat*	faonann	faonadh	faonta	fás
/ faonaigh		faonaíonn	faonú	faonaithe	/ fiafraigh
fás	***grow***	**fásann**	**fás**	**fásta**	**39**
fásaigh	*lay watse, empty*	fásaíonn	fású	fásaithe	fiafraigh
fáthmheas	*diagnose*	fáthmheasann	fáthmheas	fáthmheasta	fás
feabhsaigh	*improve*	feabhsaíonn	feabhsú	feabhsaithe	fiafraigh
feac	*bend*	feacann	feac	feactha	fás
féach	*look, try*	féachann	féachaint	féachta	fás, **amharc 4** *M*
féad	*be able to*	féadann	féadachtáil	féadta	fás
feagánaigh	*chase, hunt*	feagánaíonn	feagánú	feagánaithe	fiafraigh
feáigh	*fathom*	feánn; feáfaidh	feá	feáite	báigh
feall	*betray*	feallann	fealladh	feallta	fás
feallmharaigh	*assassinate*	feallmharaíonn	feallmharú	feallmharaithe	fiafraigh
feamnaigh	*apply seaweed*	feamnaíonn	feamnú	feamnaithe	fiafraigh
feann	*skin, flay*	feannann	feannadh	feannta	fás
fear	*pour, grant*	fearann	fearadh	feartha	fás
fearastaigh	*equip, furnish*	fearastaíonn	fearastú	fearastaithe	fiafraigh
feargaigh	*anger, irritate*	feargaíonn	feargú	feargaithe	fiafraigh
féastaigh	*feast*	féastaíonn	féastú	féastaithe	fiafraigh
feic	***see***	**feiceann (tchí** *U* **c(h)í** *M***)**	**feiscint /feiceáil** *U*	**feicthe**	**40**
féichiúnaigh	*debit*	féichiúnaíonn	féichiúnú	féichiúnaithe	fiafraigh

stem/root	*English*	*present tense*	*verbal noun*	*verbal adjective*	*verb type*
feidhligh	*endure*	feidhlíonn	feidhliú	feidhlithe	foilsigh
feidhmigh	*function, act*	feidhmíonn	feidhmiú	feidhmithe	foilsigh
feighil	*watch, tend*	feighlíonn	feighil	feighilte	imir
feil	*suit*	feileann	feiliúint	feilte	fill
feiltigh	*felt*	feiltíonn	feiltiú	feiltithe	foilsigh
féinphailnigh	*self-polinate*	féinphailníonn	féinphailniú	féinphailnithe	foilsigh
feir	*house* (carp.)	feireann	feireadh	feirthe	fill
feistigh	*adjust, moor*	feistíonn	feistiú	feistithe	foilsigh
feith	*observe, wait*	feitheann	feitheamh	feite	fás + caith
féithigh	*calm, smooth*	féithíonn	féithiú	féithithe	foilsigh
feochraigh	*become angry*	feochraíonn	feochrú	feochraithe	fiafraigh
feoigh	***wither***	**feonn**	**feo**	**feoite**	**41**
fiach	*hunt, chase*	fiachann	fiach	fiachta	fás
fiafraigh	***ask, inquire***	**fiafraíonn**	**fiafraí**	**fiafraithe**	**42**
fialaigh	*veil, screen*	fialaíonn	fialú	fialaithe	fiafraigh
fianaigh	*attest, testify*	fianaíonn	fianú	fianaithe	fiafraigh
fiar	*slant, veer*	fiarann	fiaradh	fiartha	fás
figh	*weave*	fíonn	fí	fite	nigh
fill = pill *U*	***return, turn up***	**filleann**	**filleadh**	**fillte**	**43**
filléadaigh	*fillet*	filléadaíonn	filléadú	filléadaithe	fiafraigh
fíneáil	*fine*	fíneálann	fíneáil	fíneáilte	pacáil
fínigh	*decay*	fíníonn	fíniú	fínithe	foilsigh
fionn	*whiten*	fionnann	fionnadh	fionnta	fás
fionn	*ascertain*	fionnann	fionnadh	fionnta	fás
fionnuaraigh	*cool, freshen*	fionnuaraíonn	fionnuarú	fionnuaraithe	fiafraigh
fionraigh	*wait, suspend*	fionraíonn	fionraí	fionraithe	fiafraigh
fíoraigh	*figure, outline*	fíoraíonn	fíorú	fíoraithe	fiafraigh
fíoraigh	*verify*	fíoraíonn	fíorú	fíoraithe	fiafraigh
fíordheimhnigh	*authenticate*	f.dheimhníonn	fíordheimhniú	fíordheimhnithe	foilsigh
fiosaigh	*know*	fiosaíonn	fiosú	fiosaithe	fiafraigh
fiosraigh	*investigate*	fiosraíonn	fiosrú	fiosraithe	fiafraigh
fírinnigh	*justify*	fírinníonn	fírinniú	fírinnithe	foilsigh
fithisigh	*orbit*	fithisíonn	fithisiú	fithisithe	foilsigh
fiuch	*boil*	fiuchann	fiuchadh	fiuchta	fás
fleadhaigh	*feast, carouse*	fleadhaíonn	fleadhú	fleadhaithe	fiafraigh
flípeáil	*trounce*	flípeálann	flípeáil	flípeáilte	pacáil
fliuch	***wet***	**fliuchann**	**fliuchadh**	**fliuchta**	**44**
flosc	*excite*	floscann	floscadh	flosctha	fliuch
fluairídigh	*flouridate*	fluairídíonn	fluairídiú	fluairídithe	fliuch + foilsigh
flúirsigh	*make abundant*	flúirsíonn	flúirsiú	flúirsithe	fliuch + foilsigh
fo-eagraigh	*sub-edit*	fo-eagraíonn	fo-eagrú	fo-eagraithe	fiafraigh
fo-ghlac	*subsume*	fo-ghlacann	fo-ghlacadh	fo-ghlactha	fás
fo-ordaigh	*subordinate*	fo-ordaíonn	fo-ordú	fo-ordaithe	fiafraigh
fo-rangaigh	*subclassify*	fo-rangaíonn	fo-rangú	fo-rangaithe	fiafraigh
fóbair	*fall upon, attack*	fóbraíonn	fóbairt	fóbartha	oscail
fócasaigh	*focus*	fócasaíonn	fócasú	fócasaithe	fiafraigh
fócht	*ask, inquire*	fóchtann	fóchtadh	fóchta	at
fódaigh	*bank with sods*	fódaíonn	fódú	fódaithe	fiafraigh
fodháil	*distribute*	fodháileann	fodháileadh	fodháilte	fill
fofhostaigh	*sub-employ*	fofhostaíonn	fofhostú	fofhostaithe	fiafraigh
fógair	*announce*	fógraíonn	fógairt	fógartha	freagair
foghlaigh	*plunder*	foghlaíonn	foghlú	foghlaithe	fiafraigh
foghlaim	***learn, teach***	**foghlaimíonn**	**foghlaim**	**foghlamtha**	**45**
foghraigh	*pronounce*	foghraíonn	foghrú	foghraithe	fiafraigh
foighnigh	*have patience*	foighníonn	foighneamh	foighnithe	foilsigh
foilseán	*exhibit*	foilseánann	foilseánadh	foilseánta	fás
foilsigh	***publish***	**foilsíonn**	**foilsiú**	**foilsithe**	**46**
fóin	*serve, be of use*	fónann	fónamh	fónta	siúil
foinsigh	*spring forth*	foinsíonn	foinsiú	foinsithe	foilsigh

gas/fréamh	Béarla	aimsir láithreach	ainm briathartha	aidiacht bhr.	briathar gaolta
fóir	*help, suit*	fóireann	fóirithint	fóirthe	fill
foirb	*knurl*	foirbeann	foirbeadh	foirbthe	fill
foirceann	*terminate*	foirceannann	foirceannadh	foirceanta	fás
foirfigh	*perfect, mature*	foirfíonn	foirfiú	foirfithe	foilsigh
foirgnigh	*construct*	foirgníonn	foirgniú	foirgnithe	foilsigh
fóirigh	*face, clamp*	fóiríonn	fóiriú	fóirithe	foilsigh
foirmigh	*form, take shape*	foirmíonn	foirmiú	foirmithe	foilsigh
foithnigh	*shelter*	foithníonn	foithniú	foithnithe	foilsigh
fol	*moult*	folann	foladh	folta	fás
folaigh	*hide conceal*	folaíonn	folú	folaithe	fiafraigh
folc	*bath, wash*	folcann	folcadh	folctha	fás
folean	*follow*	foleanann	foleanúint	foleanta	fás
folig	*sublet*	foligeann	foligean	foligthe	fill
folíon	*supplement*	folíonann	folíonadh	folíonta	fás
follúnaigh	*rule, sustain*	follúnaíonn	follúnú	follúnaithe	fiafraigh
folmhaigh	*empty, evacuate*	folmhaíonn	folmhú	folmhaithe	fiafraigh
foloisc	*scorch, singe*	foloisceann	foloscadh	foloiscthe	fill
fómhais	*tax*	fómhasann	fómhas	fómhasta	siúil
fonsaigh	*hoop, gird*	fonsaíonn	fonsú	fonsaithe	fiafraigh
foráil	*command, urge*	forálann	foráil	foráilte	pacáil
forasaigh	*ground*	forasaíonn	forasú	forasaithe	fiafraigh
forbair	*develop*	forbraíonn	forbairt	forbartha	freagair
forbheirigh	*boil over*	forbheiríonn	forbheiriú	forbheirithe	foilsigh
forcáil	*fork*	forcálann	forcáil	forcáilte	pacáil
forchéimnigh	*proceed*	forchéimníonn	forchéimniú	forchéimnithe	foilsigh
forchlóigh	*overprint*	forchlónn	forchló	forchlóite	dóigh
forchneasaigh	*cicatrize*	forchneasaíonn	forchneasú	forchneasaithe	fiafraigh
forchoimeád	*reserve* (jur)	forchoimeádann	forchoimeád	forchoimeádta	fás
forchoimhéad	*watch, guard*	f.choimhéadann	forchoimhéad	forchoimhéadta	fás
forchuimil	*rub together*	forchuimlíonn	forchuimilt	forchuimilte	imir
fordhearg	*redden*	fordheargann	fordheargadh	fordheargtha	fás
fordhing	*press, thrust*	fordhingeann	fordhingeadh	fordhingthe	fill
fordhóigh	*scorch, singe*	fordhónn	fordhó	fordhóite	dóigh
fordhubhaigh	*darken, obscure*	fordhubhaíonn	fordhúchan	fordhubhaithe	fiafraigh
foréignigh	*force, compel*	foréigníonn	foréigniú	foréignithe	foilsigh
foréiligh	*request*	foréilíonn	foréileamh	foréilithe	foilsigh
forfhill	*overfold*	forfhilleann	forfhilleadh	forfhillte	fill
forfhuaraigh	*supercool*	forfhuaraíonn	forfhuarú	forfhuaraithe	fiafraigh
forghabh	*seize, usurp*	forghabhann	forghabháil	forghafa	fás
forghair	*convoke*	forghaireann	forghairm	forghairthe	fill
forghéill	*forfeit*	forghéilleann	forghéilleadh	forghéillte	fill + géill
forghníomhaigh	*execute* (jur)	forghníomhaíonn	forghníomhú	forghníomhaithe	fiafraigh
forghoin	*wound severly*	forghoineann	forghoin	forghonta	fill
forghrádaigh	*pro-grade*	forghrádaíonn	forghrádú	forghrádaithe	fiafraigh
foriaigh	*close, fasten*	foriann; foriafaidh	foriamh	foriata	feoigh
forlámhaigh	*dominate*	forlámhaíonn	forlámhú	forlámhaithe	fiafraigh
forleag	*overlay*	forleagann	forleagan	forleagtha	fás
forléas	*demise*	forléasann	forléasadh	forléasta	fás
forleath	*broadcast*	forleathann	forleathadh	forleata	meath
forleathnaigh	*extend, expand*	forleathnaíonn	forleathnú	forleathnaithe	fiafraigh
forléirigh	*construe*	forléiríonn	forléiriú	forléirithe	foilsigh
forlíon	*overfill*	forlíonann	forlíonadh	forlíonta	fás
forloisc	*enkindle, sear*	forloisceann	forloscadh	forloiscthe	fill
forluigh	*overlap*	forluíonn	forluí	forluite	suigh
formhéadaigh	*magnify*	formhéadaíonn	formhéadú	formhéadaithe	fiafraigh
formheas	*approve*	formheasann	formheas	formheasta	fás
formhol	*extol, eulogize*	formholann	formholadh	formholta	fás
formhúch	*smother, stifle*	formhúchann	formhúchadh	formhúchta	fás
formhuinigh	*endorse*	formhuiníonn	formhuiniú	formhuinithe	foilsigh

stem/root	*English*	*present tense*	*verbal noun*	*verbal adjective*	*verb type*
foróGair	*forewarn*	forógraíonn	forógairt	forógartha	freagair
foroinn	*subdivide*	foroinneann	foroinnt	foroinnte	fill + roinn
forordaigh	*pre-ordain*	forordaíonn	forordú	forordaithe	fiafraigh + ordaigh
fórsáil	*force*	fórsálann	fórsáil	fórsáilte	pacáil
forscaoil	*loose, release*	forscaoileann	forscaoileadh	forscaoilte	fill + scaoil
forsceith	*overflow*	forsceitheann	forsceitheadh	forsceite	caith
forshuigh	*super(im)pose*	forshuíonn	forshuí	forshuite	suigh
fortaigh	*aid, succour*	fortaíonn	fortacht	fortaithe	fiafraigh
forthacht	*half-choke*	forthachtann	forthachtadh	forthachta	at
forthairg	*tender*	forthairgeann	forthairiscint	forthairgthe	fill
forthéigh	*super-heat*	forthéann	forthéamh	forthéite	léigh
foruaisligh	*ennoble, exalt*	foruaislíonn	foruaisliú	foruaislithe	foilsigh
forualaigh	*overload*	forualaíonn	forualú	forualaithe	fiafraigh
fosaigh	*steady, stabilize*	fosaíonn	fosú	fosaithe	fiafraigh
foscain	*winnow*	foscanann	foscnamh	foscnafa	siúil + fill
foscríobh	*subscribe*	foscríobhann	foscríobhadh	foscríofa	fás + scríobh
fostaigh	*employ*	fostaíonn	fostú	fostaithe	fiafraigh
fothaigh	*found/establish*	fothaíonn	fothú	fothaithe	fiafraigh
fothainigh	*shelter, screen*	fothainíonn	fothainiú	fothainithe	foilsigh
fothraig	*bathe, dip*	fothragann	fothragadh	fothragtha	siúil + fás
frainceáil	*frank*	frainceálann	frainceáil	frainceáilte	pacáil
frámaigh	*frame*	frámaíonn	frámú	frámaithe	fiafraigh
frapáil	*prop*	frapálann	frapáil	frapáilte	fiafraigh
frasaigh	*shower*	frasaíonn	frasú	frasaithe	fiafraigh
freagair	***answer***	**freagraíonn**	**freagairt**	**freagartha**	**47**
fréamhaigh	*root*	fréamhaíonn	fréamhú	fréamhaithe	fiafraigh
freang	*wrench, contort*	freangann	freangadh	freangtha	fás
freasaigh	*react*	freasaíonn	freasú	freasaithe	fiafraigh
freaschuir	*reverse*	freaschuireann	freaschur	freaschurtha	fill
freastail	***attend***	**freastalaíonn**	**freastal**	**freastailte**	**48**
frioch	*fry*	friochann	friochadh	friochta	fás
friotaigh	*resist*	friotaíonn	friotú	friotaithe	fiafraigh
frioithail	*attend, minister*	friothálann	friotháil	friotháilte	pacáil
frisnéis	*refute, rebut*	frisnéiseann	frisnéis	frisnéiste	fill
fritháirigh	*set off* (book-k)	fritháiríonn	fritháireamh	fritháirithe	foilsigh
frithbheartaigh	*counteract*	f.bheartaíonn	frithbheartú	frithbheartaithe	fiafraigh
frithbhuail	*recoil*	frithbhuaileann	frithbhualadh	frithbhuailte	fill
frithchaith	*reflect*	frithchaitheann	frithchaitheamh	frithchaite	fás + caith
frithéiligh	*counter-claim*	frithéilíonn	frithéileamh	frithéilithe	foilsigh
frithgheall	*underwrite*	frithgheallann	frithghealladh	frithgheallta	fás
frithghníomhaigh	*react*	f.ghníomhaíonn	frithghníomhú	f.ghníomhaithe	fiafraigh
frithingigh	*reciprocate*	frithingíonn	frithingiú	frithingithe	foilsigh
frithionsaigh	*counter-attack*	frithionsaíonn	frithionsaí	frithionsaithe	fiafraigh
frithmháirseáil	*countermarch*	f.mháirseálann	frithmháirseáil	f.mháirseáilte	pacáil
frithráigh	*contradict*	frithránn	frithrá	frithráite	báigh
frithsheiptigh	*anticepticize*	frithsheiptíonn	frithsheiptiú	frithsheiptithe	foilsigh
frithsheol	*reverse*	frithsheolann	frithsheoladh	frithsheolta	fás
frithshuigh	*set against*	frithshuíonn	frithshuí	frithshuite	suigh
frithspréigh	*reverberate*	frithspréann	frithspré	frithspréite	léigh
fruiligh	*engage, hire*	fruilíonn	fruiliú	fruilithe	foilsigh
fuadaigh	*abduct, kidnap*	fuadaíonn	fuadach	fuadaithe	fiafraigh
fuaidrigh	*stray, suspend*	fuaidríonn	fuaidreamh	fuaidrithe	foilsigh
fuaigh	*sew, bind*	fuann, fuafaidh	fuáil	fuaite	cruaigh
fuaimnigh	*pronounce*	fuaimníonn	fuaimniú	fuaimnithe	foilsigh
fuaraigh	*cool, chill*	fuaraíonn	fuarú	fuaraithe	fiafraigh
fuascail	*deliver, solve*	fuasclaíonn	fuascailt	fuascailte	(f)oscail
fuathaigh	*hate*	fuathaíonn	fuathú	fuathaithe	fiafraigh
fuighill	*utter, pronounce*	fuighleann fuighlfidh	fuigheall d'fhuighlfeadh	fuighillte d'fhuighleadh	lch 423 p. 423

fuiligh	*(cause to) bleed*	fuilíonn	fuiliú	fuilithe	foilsigh
fuill	*add to, increase*	fuilleann	fuilleamh	fuillte	fill
fuin	*cook, knead*	fuineann	fuineadh	fuinte	fill
fuin	*set (of sun)*	fuineann	fuineadh	fuinte	fill
fuinnmhigh	*energize*	fuinnmhíonn	fuinnmhiú	fuinnmhithe	foilsigh
fuipeáil	*whip*	fuipeálann	fuipeáil	fuipeáilte	pacáil
fuirigh	*wait, delay*	fuiríonn	fuireach(t)	fuirithe	foilsigh
fuirs	*harrow*	fuirseann	fuirseadh	fuirste	fill
/ fuirsigh	*harrow*	fuirsíonn	fuirsiú	fuirsithe	/ foilsigh
fulaing	*suffer, endure*	fulaingíonn	fulaingt	fulaingthe	foghlaim
gabh	*take, accept*	gabhann	gabháil	gafa	glan
gabhlaigh	*fork, branch out*	gabhlaíonn	gabhlú	gabhlaithe	gortaigh
gad	*take away*	gadann	gad	gadta	glan
Gaelaigh	*Gaelicize*	Gaelaíonn	Gaelú	Gaelaithe	gortaigh
gág	*crack, chap*	gágann	gágadh	gágtha	glan
gaibhnigh	*forge*	gaibhníonn	gaibhniú	gaibhnithe	goirtigh
gaibhnigh	*impound*	gaibhníonn	gaibhniú	gaibhnithe	goirtigh
gainnigh	*scale (fish)*	gainníonn	gainniú	gainnithe	goirtigh
gair	*call, invoke*	gaireann	gairm	gairthe	géill
gáir	*shout, laugh*	gáireann	gáire	gáirthe	géill
gairdigh	*rejoice*	gairdíonn	gairdiú	gairdithe	goirtigh
gairidigh	*shorten*	gairidíonn	gairidiú	gairidithe	goirtigh
gairnisigh	*garnish*	gairnisíonn	gairnisiú	gairnisithe	goirtigh
gais	*gush*	gaiseann	gaiseadh	gaiste	géill
gaistigh	*trap, ensare*	gaistíonn	gaistiú	gaistithe	goirtigh
galaigh	*vapourize*	galaíonn	galú	galaithe	gortaigh
galbhánaigh	*galvanize*	galbhánaíonn	galbhánú	galbhánaithe	gortaigh
galldaigh	*anglicize*	galldaíonn	galldú	galldaithe	gortaigh
gallúnaigh	*saponify*	gallúnaíonn	gallúnú	gallúnaithe	gortaigh
galraigh	*infect*	galraíonn	galrú	galraithe	gortaigh
galstobh	*braise*	galstobhann	galstobhadh	galstofa	glan
gannaigh	*become scarce*	gannaíonn	gannú	gannaithe	gortaigh
gaothraigh	*fan, flutter*	gaothraíonn	gaothrú	gaothraithe	gortaigh
garbhaigh	*roughen*	garbhaíonn	garbhú	garbhaithe	gortaigh
garbhshnoigh	*rough-hew*	garbhshnoíonn	garbhshnoí	garbhshnoite	suigh
garbhtheilg	*rough-cast*	garbhtheilgeann	garbhtheilgean	garbhtheilgthe	géill
gardáil	*guard*	gardálann	gardáil	gardáilte	pacáil
gargaigh	*make harsh*	gargaíonn	gargú	gargaithe	gortaigh
gargraisigh	*gargle*	gargraisíonn	gargraisiú	gargraisithe	goirtigh
gásaigh	*gas*	gásaíonn	gású	gásaithe	gortaigh
/ gásáil		/ gásálann	/ gásáil	/ gásáilte	/ pacáil
gathaigh	*gaff*	gathaíonn	gathú	gathaithe	gortaigh
/ gatháil		gathálann	gatháil	gatháilte	/ pacáil
gathaigh	*sting, radiate*	gathaíonn	gathú	gathaithe	gortaigh
geab	*talk, chatter*	geabann	geabadh	geabtha	glan
geafáil	*gaff*	geafálann	geafáil	geafáilte	pacáil
géagaigh	*branch out*	géagaíonn	géagú	géagaithe	gortaigh
geal	*whiten*	gealann	gealadh	gealta	glan
geal-leasaigh	*taw*	geal-leasaíonn	geal-leasú	geal-leasaithe	gortaigh
geall	*promise, pledge*	geallann	gealladh	geallta	glan
geallearb	*pawn*	geallearbann	geallearbadh	geallearbtha	glan
geamhraigh	*spring, sprout*	geamhraíonn	geamhrú	geamhraithe	gortaigh
géaraigh	*sharpen*	géaraíonn	géarú	géaraithe	gortaigh

stem/root	English	present tense	verbal noun	verbal adjective	verb type
gearán	*complain*	gearánann	gearán	gearánta	glan
gearr	*cut, shorten*	gearrann	gearradh	gearrtha	glan
gearrchiorcad	*short-circuit*	g.chiorcadann	g.chiorcadadh	gearrchiorcadta	glan
geil	*graze*	geileann	geilt	geilte	géill
géill	***yield, submit***	**géilleann**	**géilleadh, géillstean *U***	**géillte**	**49**
géim	*low, bellow*	géimeann	géimneach	géimthe	géill
geimhligh	*fetter, chane*	geimhlíonn	geimhliú	geimhlithe	goirtigh
geimhrigh	*hibernate*	geimhríonn	geimhriú	geimhrithe	goirtigh
géis	*cry out, roar*	géiseann	géiseacht	géiste	géill
geit	*jump, start*	geiteann	geiteadh	geite	tit
geoidligh	*yodel*	geoidlíonn	geoidliú	geoidlithe	goirtigh
gibir	*dribble*	gibríonn	gibreacht	gibeartha	taitin
gin	*beget*	gineann	giniúint	ginte	géill
ginidigh	*germinate*	ginidíonn	ginidiú	ginidithe	goirtigh
giob	*pick, pluck*	giobann	giobadh	giobtha	glan
gíog	*cheep, chirp*	gíogann	gíogadh	gíogtha	glan
giolc	*beat, cane*	giolcann	giolcadh	giolctha	glan
giolc	*tweet, chirp*	giolcann	giolcadh	giolctha	glan
giollaigh	*guide, tend*	giollaíonn	giollú	giollaithe	gortaigh
giorraigh	*shorten*	giorraíonn	giorrú	giorraithe	gortaigh
giortaigh	*shorten*	giortaíonn	giortú	giortaithe	gortaigh
giortáil	*gird, tuck up*	giortálann	giortáil	giortáilte	pacáil
giosáil	*fizz, ferment*	giosálann	giosáil	giosáilte	pacáil
giotaigh	*break in bits*	giotaíonn	giotú	giotaithe	gortaigh
giúmaráil	*humour*	giúmarálann	giúmaráil	giúmaráilte	pacáil
glac	*take, accept*	glacann	glacadh	glactha	glan
glaeigh	*glue*	glaeann	glae	glaeite	báigh
glam	*bark, howl*	glamann	glamaíl	glamtha	glan
glám	*grab, clutch*	glámann	glámadh, -máil	glámtha	glan
glámh	*satirize, revile*	glámhann	glámhadh	gláfa	glan
glan	***clean***	**glanann**	**glanadh**	**glanta**	**50**
glaoigh	*call*	glaonn, glaofaidh	glaoch	glaoite	báigh
glasaigh	*become green*	glasaíonn	glasú	glasaithe	gortaigh
glasáil	*lock*	glasálann	glasáil	glasáilte	pacáil
gleadhair	*beat, pummel*	gleadhraíonn	gleadhradh	gleadhartha	ceangail
glean	*stick, adhere*	gleanann	gleanúint	gleanta	glan
gléas	*adjust, dress*	gléasann	gléasadh	gléasta	glan
gléasaistrigh	*transpose*	gléasaistríonn	gléasaistriú	gléasaistrithe	goirtigh
gléghlan	*clarify*	gléghlanann	gléghlanadh	gléghlanta	glan
gleois	*babble, chatter*	gleoiseann	gleoiseadh	gleoiste	géill
glicrínigh	*glycerinate*	glicríníonn	glicríniú	glicrínithe	goirtigh
gligleáil	*clink*	gligleálann	gligleáil	gligleáilte	pacáil
glinneáil	*wind*	glinneálann	glinneáil	glinneáilte	pacáil
glinnigh	*fix, secure*	glinníonn	glinniú	glinnithe	goirtigh
glinnigh	*scrutinize*	glinníonn	glinniú	glinnithe	goirtigh
gliúáil	*glue*	gliúálann	gliúáil	gliúáilte	pacáil
gloinigh	*vitrify, glaze*	gloiníonn	gloiniú	gloinithe	goirtigh
glóirigh	*glorify*	glóiríonn	glóiriú	glóirithe	goirtigh
glónraigh	*glaze*	glónraíonn	glónrú	glónraithe	gortaigh
glóraigh	*voice, vocalize*	glóraíonn	glórú	glóraithe	gortaigh
glórmharaigh	*glorify*	glórmharaíonn	glórmharú	glórmharaithe	gortaigh
glóthaigh	*gel*	glóthaíonn	glóthú	glóthaithe	gortaigh

gluais	*move, proceed*	gluaiseann	gluaiseacht	gluaiste	géill
glúinigh	*branch out*	glúiníonn	glúiniú	glúinithe	goirtigh
gnáthaigh	*frequent*	gnáthaíonn	gnáthú	gnáthaithe	gortaigh
gnéithigh	*regain, mend*	gnéithíonn	gnéithiú	gnéithithe	goirtigh
gníomhachtaigh	*activate*	gníomhachtaíonn	gníomhachtú	gníomhachtaithe	gortaigh
gníomhaigh	*act* (agency)	gníomhaíonn	gníomhú	gníomhaithe	gortaigh
gnóthaigh	*earn, labour*	gnóthaíonn	gnóthú	gnóthaithe	gortaigh
gob	*protrude*	gobann	gobadh	gobtha	glan
góchum	*counterfeit*	góchumann	góchumadh	góchumtha	glan
gófráil	*goffer*	gófrálann	gófráil	gófráilte	pacáil
gogail	*gobble, cackle*	gogalaíonn	gogal	gogailte	lch 423
		gogalóidh	ghogalódh	ghogalaíodh	p. 423
goil	*cry*	goileann	gol	goilte	géill
goiligh	*gut* (fish)	goilíonn	goiliú	goilithe	goirtigh
goill	*greive, hurt*	goilleann	goilleadh	goillte	géill
goin	*wound, slay*	goineann	goin	gonta	géill
goin	*win outright*	goineann	goint	gointe	géill
goirtigh	***salt, pickle***	**goirtíonn**	**goirtiú**	**goirtithe**	**51**
gor	*brood, clock*	gorann	goradh	gortha	glan
gormaigh	*colour blue*	gormaíonn	gormú	gormaithe	gortaigh
gortaigh	***hurt, injure***	**gortaíonn**	**gortú**	**gortaithe**	**52**
gortghlan	*clear weeds*	gortghlanann	gortghlanadh	gortghlanta	glan
gotháil	*gesticulate*	gothálann	gotháil	gotháilte	pacáil
grabáil	*grab*	grabálann	grabáil	grabáilte	pacáil
grábháil	*engrave, grave*	grábhálann	grábháil	grábháilte	pacáil
grádaigh	*grade*	grádaíonn	grádú	grádaithe	gortaigh
graf	*sketch, graph*	grafann	grafadh	graftha	glan
graifnigh	*ride* (horse)	graifníonn	graifniú	graifnithe	goirtigh
gráigh	*love*	gránn, gráfaidh	grá	gráite	báigh
gráinigh	*hate, abhor*	gráiníonn	gráiniú	gráinithe	goirtigh
gráinnigh	*grain, granulate*	gráinníonn	gráinniú	gráinnithe	goirtigh
gráinseáil	*feed on grain*	gráinseálann	gráinseáil	gráinseáilte	pacáil
gránaigh	*granulate*	gránaíonn	gránú	gránaithe	gortaigh
grátáil	*grate*	grátálann	grátáil	grátáilte	pacáil
gread	*thrash, drub*	greadann	greadadh	greadta	glan
greagnaigh	*pave, stud*	greagnaíonn	greagnú	greagnaithe	gortaigh
greamaigh	*stick, attach*	greamaíonn	greamú	greamaithe	gortaigh
grean	*engrave*	greanann	greanadh	greanta	glan
greannaigh	*irritate, ruffle*	greannaíonn	greannú	greannaithe	gortaigh
gréasaigh	*ornament*	gréasaíonn	gréasú	gréasaithe	gortaigh
greasáil	*beat, trounce*	greasálann	greasáil	greasáilte	pacáil
gréisc	*grease*	gréisceann	gréisceadh	gréiscthe	géill
grian	*sun*	grianann	grianadh	grianta	glan
grianraigh	*insolate*	grianraíonn	grianrú	grianraithe	gortaigh
grinnbhreathnaigh	*scrutinize*	g.bhreathnaíonn	grinnbhreathnú	grinnbhreathnaithe	gortaigh
grinndearc	*scrutinize*	grinndearcann	grinndearcadh	grinndearctha	glan
grinneall	*sound, fathom*	grinneallann	grinnealladh	grinneallta	glan
grinnigh	*scrutinize*	grinníonn	grinniú	grinnithe	goirtigh
grinnscrúdaigh	*scrutinize*	grinnscrúdaíonn	grinnscrúdú	grinnscrúdaithe	gortaigh
griog	*tease, annoy*	griogann	griogadh	griogtha	glan
grioll	*broil, quarrel*	griollann	griolladh	griollta	glan
gríosaigh	*fire, incite*	gríosaíonn	gríosú	gríosaithe	gortaigh
gríosc	*broil, grill*	gríoscann	gríoscadh	gríosctha	glan
/ gríoscáil		/gríoscálann	/ gríoscáil	/ gríoscáilte	/ pacáil
griotháil	*grunt*	griothálann	griotháil	griotháilte	pacáil
grod	*quicken, urge on*	grodann	grodadh	grodta	glan
grodloisc	*deflagrate*	grodloisceann	grodloscadh	grodloiscthe	géill
gróig	*foot (turf)*	gróigeann	gróigeadh	gróigthe	géill

stem/root	*English*	*present tense*	*verbal noun*	*verbal adjective*	*verb type*
gruamaigh	*become gloomy*	gruamaíonn	gruamú	gruamaithe	gortaigh
grúdaigh	*brew*	grúdaíonn	grúdú	grúdaithe	gortaigh
grúntái	*sound* (naut.)	grúntálann	grúntáil	grúntáilte	pacáil
grúpáil	*group*	grúpálann	grúpáil	grúpáilte	pacáil
guailleáil	*shoulder*	guailleálann	guailleáil	guailleáilte	pacáil
guairigh	*bristle*	guairíonn	guairiú	guairithe	goirtigh
gualaigh	*char*	gualaíonn	gualú	gualaithe	gortaigh
guigh	*pray*	guíonn	guí	guite	suigh
guilbnigh	*peck*	guilbníonn	guilbniú	guilbnithe	goirtigh
guilmnigh	*calumniate*	guilmníonn	guilmniú	guilmnithe	goirtigh
gúistigh	*gouge*	gúistíonn	gúistiú	gúistithe	goirtigh
gumaigh	*gum*	gumaíonn	gumú	gumaithe	gortaigh
guthaigh	*voice, vocalize*	guthaíonn	guthú	guthaithe	gortaigh
haicleáil	*hackle*	haicleálann	haicleáil	haicleáilte	pacáil
haigleáil	*haggle*	haigleálann	haigleáil	haigleáilte	pacáil
hapáil	*hop*	hapálann	hapáil	hapáilte	pacáil
Heilléanaigh	*Hellenize*	Heilléanaíonn	Heilléanú	Heilléanaithe	neartaigh
hibridigh	*hybridize*	hibridíonn	hibridiú	hibridithe	smaoinigh
hidrealaigh	*hydrolize*	hidrealaíonn	hidrealú	hidrealaithe	neartaigh
hidriginigh	*hydrogenate*	hidriginíonn	hidriginiú	hidriginithe	smaoinigh
híleáil	*heel*	híleálann	híleáil	híleáilte	pacáil
hinigh	*henna*	hiníonn	hiniú	hinithe	smaoinigh
hiodráitigh	*hydrate*	hiodráitíonn	hiodráitiú	hiodráitithe	smaoinigh
hiopnóisigh	*hynotize*	hiopnóisíonn	hiopnóisiú	hiopnóisithe	smaoinigh
iacht	*cry, groan*	iachtann	iachtadh	iachta	at
iadaigh	*iodize*	iadaíonn	iadú	iadaithe	ionsaigh
iadáitigh	*iodate*	iadáitíonn	iadáitiú	iadáitithe	imigh
iaigh	*close, enclose*	iann; iafaidh	iamh	iata	fuaigh
ianaigh	*ionize*	ianaíonn	ianú	ianaithe	ionsaigh
iarchuir	*defer, postpone*	iarchuireann	iarchur	iarchurtha	cuir
iardhátaigh	*post-date*	iardhátaíonn	iardhátú	iardhátaithe	ionsaigh
iarnaigh	*put in irons*	iarnaíonn	iarnú	iarnaithe	ionsaigh
iarnáil	*iron, smooth*	iarnálann	iarnáil	iarnáilte	pacáil
iarr	***ask, request***	**iarrann**	**iarraidh**	**iarrtha**	**53**
iasc	*fish*	iascann	iascach	iasctha	iarr
ibh	*drink*	ibheann	ibhe	ife	oil
idéalaigh	*idealize*	idéalaíonn	idéalú	idéalaithe	ionsaigh
ídigh	*use (up)*	ídíonn	ídiú	ídithe	imigh
idir-roinn	*partition*	idir-roinneann	idir-roinnt	idir-roinnte	oil + roinn
idircheart	*interpret, discuss*	idircheartеann	idircheartadh	idirchearta	oil + at
idirchuir	*interpose*	idirchuireann	idirchur	idirchurtha	oil + cuir
idirdhealaigh	*differentiate*	idirdhealaíonn	idirdhealú	idirdhealaithe	ionsaigh
idirdhuilligh	*interleave*	idirdhuillíonn	idirdhuilliú	idirdhuillithe	imigh
idirfhigh	*interweave*	idirfhíonn	idirfhí	idirfhite	oil + nigh
idirghabh	*intervene*	idirghabhann	idirghabháil	idirghafa	iarr
idirláimhsigh	*intermeddle*	idirláimhsíonn	idirláimhsiú	idirláimhsithe	imigh
idirleath	*diffuse*	idirleathann	idirleathadh	idirleata	meath
idirlínigh	*interline*	idirlíníonn	idirlíniú	idirlínithe	imigh
idirmhalartaigh	*interchange*	idirmhalartaíonn	idirmhalartú	idirmhalartaithe	ionsaigh
idirscar	*part, divorce*	idirscarann	idirscaradh	idirscartha	iarr
idirscoir	*interrupt*	idirscoireann	idirscor	idirscortha	oil
idirshuigh	*interpose*	idirshuíonn	idirshuí	idirshuite	suigh
ilchóipeáil	*manifold*	ilchóipeálann	ilchóipeáil	ilchóipeáilte	pacáil
íligh	*oil*	ílíonn	íliú	ílithe	imigh
imaistrigh	*transmigrate*	imaistríonn	imaistriú	imaistrithe	imigh

gas/fréamh	Béarla	aimsir láithreach	ainm briathartha	aidiacht bhr.	briathar gaolta
imchas	*rotate*	imchasann	imchasadh	imchasta	iarr
imchéimnigh	*circumvent*	imchéimníonn	imchéimniú	imchéimnithe	imigh
imchlóigh	*return, revert*	imchlónn	imchló	imchlóite	dóigh
imchlúdaigh	*envelop*	imchlúdaíonn	imchlúdú	imchlúdaithe	ionsaigh
imchosain	*defend*	imchosnaíonn	imchosaint	imchosanta	iompair
imchroith	*sprinkle*	imchroitheann	imchroitheadh	imchroite	caith
imdháil	*distribute*	imdháileann	imdháileadh	imdháilte	oil
imdheaghail	*defend, parry*	imdheaghlann imdheaghlfaidh	imdheaghal d'imdheaghlfadh	imdheaghailte d'imdheaghladh	lch 423 p. 423
imdhealaigh	*separate*	imdhealaíonn	imdhealú	imdhealaithe	ionsaigh
imdhearg	*cause to blush*	imdheargann	imdheargadh	imdheargtha	iarr
imdheighil	*distinguish*	imdheighleann imdheighlfidh	imdheighilt d'imdheighlfeadh	imdheighilte d'imdheighleadh	lch 423 p. 423
imdhíon	*immunize*	imdhíonann	imdhíonadh	imdhíonta	iarr
imdhruid	*encompass*	imdhruideann	imdhruidim	imdhruidte	oil
imeaglaigh	*intimidate*	imeaglaíonn	imeaglú	imeaglaithe	ionsaigh
imeasc	*integrate*	imeascann	imeascadh	imeasctha	iarr
imghabh	*avoid, evade*	imghabhann	imghabháil	imghafa	iarr
imghlan	*cleanse, purify*	imghlanann	imghlanadh	imghlanta	iarr
imigh	***go away, leave***	**imíonn**	**imeacht**	**imithe/ar shiúl *U***	**54**
imir	***play (game)***	**imríonn**	**imirt**	**imeartha**	**55**
imirc	*migrate*	imirceann	imirceadh	imircthe	oil
imlínigh	*outline*	imlíníonn	imlíniú	imlínithe	imigh
imloisc	*singe*	imloisceann	imloscadh	imloiscthe	oil
imoibrigh	*react* (Chem.)	imoibríonn	imoibriú	imoibrithe	imigh
imphléasc	*collapse*	imphléascann	imphléascadh	imphléasctha	iarr
impigh	*beseech, entreat*	impíonn	impí	impithe	imigh
impleachtaigh	*imply*	impleachtaíonn	impleachtú	impleachtaithe	ionsaigh
imrothlaigh	*revolve*	imrothlaíonn	imrothlú	imrothlaithe	ionsaigh
imscaoil	*scatter*	imscaoileann	imscaoileadh	imscaoilte	oil
imscar	*spread about*	imscarann	imscaradh	imscartha	iarr
imscríobh	*circumscribe*	imscríobhann	imscríobh	imscríofa	iarr
imscrúdaigh	*investigate*	imscrúdaíonn	imscrúdú	imscrúdaithe	ionsaigh
imshocraigh	*compound*	imshocraíonn	imshocrú	imshocraithe	ionsaigh + socraigh
imshuigh	*encompass*	imshuíonn	imshuí	imshuite	suigh
imthairg	*bid*	imthairgeann	imthairiscint	imthairgthe	oil
imtharraing	*gravitate*	imtharraingíonn	imtharraingt	imtharraingthe	tarraing
imtheorannaigh	*intern*	imtheorannaíonn	imtheorannú	imtheorannaithe	ionsaigh
imthnúth	*covet, envy*	imthnúthann	imthnúthadh	imthnúta	meath
imthreascair	*wrestle, contend*	imthreascraíonn	imthreascairt	imthreascartha	iompair
inbhéartaigh	*invert*	inbhéartaíonn	inbhéartú	inbhéartaithe	ionsaigh
inchreach	*reprove, rebuke*	inchreachann	inchreachadh	inchreachta	iarr
indibhidigh	*individuate*	indibhidíonn	indibhidiú	indibhidithe	imigh
ineirgigh	*energize*	ineirgíonn	ineirgiú	ineirgithe	imigh
infeirigh	*infer*	infeiríonn	infeiriú	infeirithe	imigh
infheistigh	*invest*	infheistíonn	infheistiú	infheistithe	imigh
infhill	*enfold, entwine*	infhilleann	infhilleadh	infhillte	oil
inghreim	*prey upon, persecute*	inghreimeann / inghreamann	inghreimeadh / inghreamadh	inghreimthe / inghreamtha	oil / iarr + siúl
ingnigh	*tear, pick*	ingníonn	ingniú	ingnithe	imigh
iniaigh	*enclose, include*	iniann; iniafaidh	iniamh	iniata	fuaigh
inis	***tell***	**insíonn**	**insint/ inse**	**inste**	**56**
inísligh	*humble, abase*	iníslíonn	inísliú	iníslithe	imigh
iniúch	*scrutinize*	iniúchann	iniúchadh	iniúchta	iarr
inleag	*inlay*	inleagann	inleagadh	inleagtha	iarr
innéacsaigh	*index*	innéacsaíonn	innéacsú	innéacsaithe	ionsaigh
inneallfhuaigh	*machine-sew*	inneallfhuann	inneallfhuáil	inneallfhuaite	fuaigh
inneallghrean	*engine-turn*	inneallghreanann	inneallghreanadh	inneallghreanta	iarr

stem/root	English	present tense	verbal noun	verbal adjective	verb type
innill	*arrange, plot*	inlíonn, inleoidh	inleadh	innealta	imir
inniúlaigh	*capacitate*	inniúlaíonn	inniúlú	inniúlaithe	ionsaigh
inphléasc	*implode*	inphléascann	inphléascadh	inphléasctha	iarr
inréimnigh	*converge*	inréimníonn	inréimniú	inréimnithe	imigh
insamhail / insamhlaigh	*liken, imitate*	insamhlaíonn / insamhlaíonn	insamhladh / insamhlú	insamhalta / insamhlaithe	codail / ionsaigh
inscríobh	*inscribe*	inscríobhann	inscríobh	inscríofa	iarr + scríobh
insealbhaigh	*invest, install*	insealbhaíonn	insealbhú	insealbhaithe	ionsaigh
inseamhnaigh	*inseminate*	inseamhnaíonn	inseamhnú	inseamhnaithe	ionsaigh
insil	*instil, infuse*	insileann	insileadh	insilte	oil
insíothlaigh	*infiltrate*	insíothlaíonn	insíothlú	insíothlaithe	ionsaigh
insligh	*insulate*	inslíonn	insliú	inslithe	imigh
insteall	*inject*	insteallann	instealladh	insteallta	iarr
insuigh	*plug in*	insuíonn	insuí	insuite	suigh
íobair	*sacrifice*	íobraíonn	íobairt	íobartha	iompair
íoc	*pay*	íocann	íoc	íoctha	iarr
íoc	*heal, cure*	íocann	íoc	íoctha	iarr
íocleasaigh	*medicate, dress*	íocleasaigh	íocleasú	íocleasaithe	ionsaigh
iodálaigh	*italicize*	iodálaíonn	iodálú	iodálaithe	ionsaigh
íograigh	*sensitize*	íograíonn	íogrú	íograithe	ionsaigh
iolraigh	*multiply*	iolraíonn	iolrú	iolraithe	ionsaigh
iomadaigh	*multiply*	iomadaíonn	iomadú	iomadaithe	ionsaigh
iomáin	*drive, hurl*	iomáineann	iomáint	iomáinte	oil + tiomáin
iomair	*row (boat)*	iomraíonn	iomramh	iomartha	iompair
iomalartaigh	*commute*	iomalartaíonn	iomalartú	iomalartaithe	ionsaigh
iomardaigh	*reproach*	iomardaíonn	iomardú	iomardaithe	ionsaigh
iombháigh	*submerse*	iombhánn	iombhá	iombháite	báigh
iomdhaigh	*increase*	iomdhaíonn	iomdhú	iomdhaithe	ionsaigh
iomlaisc	*roll about*	iomlascann	iomlascadh	iomlasctha	siúil
iomlánaigh	*complete*	iomlánaíonn	iomlánú	iomlánaithe	oil
iomlaoidigh	*fluctuate*	iomlaoidíonn	iomlaoidiú	iomlaoidithe	imigh
iomluaigh	*stir, discuss*	iomluann	iomlua	iomluaite	fuaigh
iompaigh	*turn, avert*	iompaíonn	iompú	iompaithe	ionsaigh
iompair	***carry, transport***	**iompraíonn**	**iompar**	**iompartha**	**57**
iompórtáil	*import*	iompórtálann	iompórtáil	iompórtáilte	pacáil
iomráidh	*report, mention*	iomránn	iomrá	iomráite	báigh
ion-análaigh	*inhale*	ion-análaíonn	ion-análú	ion-análaithe	ionsaigh
ionaclaigh	*inoculate*	ionaclaíonn	ionaclú	ionaclaithe	ionsaigh
ionadaigh	*position*	ionadaíonn	ionadú	ionadaithe	ionsaigh
íonaigh	*purify*	íonaíonn	íonú	íonaithe	ionsaigh
ionannaigh	*equate*	ionannaíonn	ionannú	ionannaithe	ionsaigh
ionchoirigh	*incriminate*	ionchoiríonn	ionchoiriú	ionchoirithe	imigh
ionchollaigh	*incarnate*	ionchollaíonn	ionchollú	ionchollaithe	ionsaigh
ionchorpraigh	*incorporate*	ionchorpraíonn	ionchorprú	ionchorpraithe	ionsaigh
ionchúisigh	*prosecute*	ionchúisíonn	ionchúisiú	ionchúisithe	imigh
ionduchtaigh	*induce*	ionduchtaíonn	ionduchtú	ionduchtaithe	ionsaigh
ionghabh	*ingest*	ionghabhann	ionghabháil	ionghafa	iarr
ionghair	*herd, watch*	ionghaireann	ionghaire	ionghairthe	oil
íonghlan	*purify*	íonghlanann	íonghlanadh	íonghlanta	iarr
ionnail	*wash, bathe*	ionlann ionlfaidh	ionladh d'ionlfadh	ionnalta d'ionladh	lch 423 p. 423
ionnarb	*banish, exile*	ionnarbann	ionnarbadh	ionnarbtha	iarr
ionradaigh	*irridate*	ionradaíonn	ionradú	ionradaithe	ionsaigh
ionramháil	*handle, manage*	ionramhálann	ionramháil	ionramháilte	pacáil
ionsáigh	*insert, intrude*	ionsánn	ionsá	ionsáite	báigh
ionsaigh	***attack***	**ionsaíonn**	**ionsaí**	**ionsaithe**	**58**
ionsoilsigh	*illuminate*	ionsoilsíonn	ionsoilsiú	ionsoilsithe	imigh
ionsorchaigh	*brighten*	ionsorchaíonn	ionsorchú	ionsorchaithe	ionsaigh

gas/fréamh	*Béarla*	*aimsir láithreach*	*ainm briathartha*	*aidiacht bhr.*	*briathar gaolta*
ionstraimigh	*instrument*	ionstraimíonn	ionstraimiú	ionstraimithe	imigh
ionsúigh	*absorb*	ionsúnn	ionsú	ionsúite	brúigh
ionsuigh	*plug in*	ionsuíonn	ionsuí	ionsuite	suigh
iontaisigh	*fossilize*	iontaisíonn	iontaisiú	iontaisithe	imigh
iontonaigh	*intone*	iontonaíonn	iontonú	iontonaithe	ionsaigh
iontráil	*enter*	iontrálann	iontráil	iontráilte	pacáil
íoschéimnigh	*step-down*	íoschéimníonn	íoschéimniú	íoschéimnithe	imigh
íospair	*ill-treat, ill-use*	íospraíonn	íospairt	íospartha	iompair
irisigh	*gazette*	irisíonn	irisiú	irisithe	imigh
is	***the copula***				**112**
ísligh	*lower*	íslíonn	ísliú	íslithe	imigh
ith	***eat***	**itheann**	**ithe**	**ite**	**59**
labáil	*lob*	labálann	labáil	labáilte	stampáil
labhair	***speak***	**labhraíonn**	**labhairt**	**labhartha**	**60**
ládáil	*lade* (ship)	ládálann	ládáil	ládáilte	stampáil
lagaigh	*weaken*	lagaíonn	lagú	lagaithe	scanraigh
laghdaigh	*reduce*	laghdaíonn	laghdú	laghdaithe	scanraigh
láib	*spatter*	láibeann	láibeadh	láibthe	lig
Laidinigh	*Latinize*	Laidiníonn	Laidiniú	Laidinithe	smaoinigh
láidrigh	*strengthen*	láidríonn	láidriú	láidrithe	smaoinigh
láigh	*dawn*	lánn, láfaidh	láchan	láite	báigh
láimhseáil	*handle, manage*	láimhseálann	láimhseáil	láimhseáilte	stampáil
láimhsigh	*handle, manage*	láimhsíonn	láimhsiú	láimhsithe	smaoinigh
lainseáil	*launch*	lainseálann	lainseáil	lainseáilte	stampáil
láist	*leach,wash away*	láisteann	láisteadh	láiste	tit
láithrigh	*appear, present*	láithríonn	láithriú	láithrithe	smaoinigh
láithrigh	*demolish*	láithríonn	láithriú	láithrithe	smaoinigh
lámhach	*shoot*	lámhachann	lámhach(adh)	lámhachta	las
lamháil	*allow, permit*	lamhálann	lamháil	lamháilte	stampáil
lámhscaoil	*free, manumit*	lámhscaoileann	lámhscaoileadh	lámhscaoilte	lig + scaoil
lánaigh	*fill out*	lánaíonn	lánú	lánaithe	scanraigh
lannaigh	*laminate, scale*	lannaíonn	lannú	lannaithe	scanraigh
lansaigh	*lance*	lansaíonn	lansú	lansaithe	scanraigh
lánscoir	*dissolve*	lánscoireann	lánscor	lánscortha	lig
laobh	*bend, pervert*	laobhann	laobhadh	laofa	las
laoidh	*narrate as a lay*	laoidheann	laoidheadh	laoidhte	lig
láraigh	*centralize*	láraíonn	lárú	láraithe	scanraigh
las	***light***	**lasann**	**lasadh**	**lasta**	**61**
lasc	*lash, whip*	lascann	lascadh	lasctha	las
lascainigh	*discount*	lascainíonn	lascainiú	lascainithe	smaoinigh
lastáil	*lade, load*	lastálann	lastáil	lastáilte	stampáil
leabaigh	*(em)bed, set*	leabaíonn	leabú	leabaithe	scanraigh
leabhlaigh	*libel*	leabhlaíonn	leabhlú	leabhlaithe	scanraigh
leabhraigh	*stretch, extend*	leabhraíonn	leabhrú	leabhraithe	scanraigh
leabhraigh	*swear*	leabhraíonn	leabhrú	leabhraithe	scanraigh
leacaigh	*flatten, crush*	leacaíonn	leacú	leacaithe	scanraigh
leachtaigh	*liquefy*	leachtaíonn	leachtú	leachtaithe	scanraigh
leadair	*smite, beat*	leadraíonn	leadradh	leadartha	codail
leadhb	*tear in strips*	leadhbann	leadhbadh	leadhbtha	las
leadhbair	*belabour, beat*	leadhbraíonn	leadhbairt	leadhbartha	codail
leag	*knock down*	leagann	leagan	leagtha	las
leáigh	*melt*	leánn; leáfaidh	leá	leáite	báigh
leamh	*render impotent*	leamhann	leamhadh	leafa	las
leamhsháinnigh	*stalemate*	leamhsháinníonn	leamhsháinniú	leamhsháinnithe	smaoinigh
lean	*follow, pursue*	leanann	leanúint /-nstan	leanta	las
leang	*strike, slap*	leangann	leangadh	leangtha	las

stem/root	*English*	*present tense*	*verbal noun*	*verbal adjective*	*verb type*
léarscáiligh	*map*	léarscáilíonn	léarscáiliú	léarscáilithe	smaoinigh
léas	*welt, flog*	léasann	léasadh	léasta	las
leasaigh	*improve*	leasaíonn	leasú	leasaithe	scanraigh
léasaigh	*lease, farm out*	léasaíonn	léasú	léasaithe	scanraigh
leaschraol	*relay*	leaschraolann	leaschraoladh	leaschraolta	las
leath	*spread, halve*	leathann	leathadh	leata	meath
leathnaigh	*widen*	leathnaíonn	leathnú	leathnaithe	scanraigh
leibhéal	*level*	leibhéalann	leibhéaladh	leibhéalta	las
leictreachlóigh	*electrotype*	leictreachlónn	leictreachló	leictreachlóite	dóigh
leictrealaigh	*electrolyse*	leictrealaíonn	leictrealú	leictrealaithe	scanraigh
leictreaphlátáil	*electroplate*	leictreaphlátálann	leictreaphlátáil	leictreaphlátáilte	stampáil
leictrigh	*electrify*	leictríonn	leictriú	leictrithe	smaoinigh
léigh	***read***	**léann**	**léamh**	**léite**	**62**
leigheas	*cure*	leigheasann	leigheas	leigheasta	las
léim	*leap, jump*	léimeann	léim / léimneach	léimthe	lig
léirbhreithnigh	*review*	léirbhreithníonn	léirbhreithniú	léirbhreithnithe	smaoinigh
léirchruthaigh	*demonstrate*	léirchruthaíonn	léirchruthú	léirchruthaithe	scanraigh
léirghlan	*clarify*	léirghlanann	léirghlanadh	léirghlanta	las
léirghoin	*wound badly*	léirghoineann	léirghoin	léirghonta	lig
léirigh	*make clear*	léiríonn	léiriú	léirithe	smaoinigh
léirigh	*beat down*	léiríonn	léiriú	léirithe	smaoinigh
léirmhínigh	*explain fully*	léirmhíníonn	léirmhíniú	léirmhínithe	smaoinigh
léirscríobh	*engross*	léirscríobhann	léirscríobh	léirscríofa	las
léirscrios	*destroy*	léirscriosann	léirscriosadh	léirscriosta	las
léirsigh	*demonstrate*	léirsíonn	léirsiú	léirsithe	smaoinigh
léirsmaoinigh	*consider*	léirsmaoiníonn	léirsmaoiniú	léirsmaoinithe	smaoinigh
leitheadaigh	*spread*	leitheadaíonn	leitheadú	leitheadaithe	scanraigh
leithghabh	*appropriate*	leithghabhann	leithghabháil	leithghafa	las
leithlisigh	*isolate*	leithlisíonn	leithlisiú	leithlisithe	smaoinigh
leithreasaigh	*appropriate*	leithreasaíonn	leithreasú	leithreasaithe	scanraigh
leithroinn	*allot*	leithroinneann	leithroinnt	leithroinnte	lig + roinn
leithscar	*segregate*	leithscarann	leithscaradh	leithscartha	las
leoidh	*cut off, hack*	leonn; leofaidh	leodh	leoite	feoigh
leomh	*dare, presume*	leomhann	leomhadh	leofa	las
leon	*sprain*	leonann	leonadh	leonta	las
liath	*(bceome) grey*	liathann	liathadh	liata	meath
lig	***let, permit***	**ligeann**	**ligean/ligint**	**ligthe**	**63**
ligh	*lick, fawn on*	líonn	lí	lite	nigh
lignigh	*lignify*	ligníonn	ligniú	lignithe	smaoinigh
líneáil	*line*	líneálann	líneáil	líneáilte	stampáil
ling	*leap, spring*	lingeann	lingeadh	lingthe	lig
línigh	*line, delineate*	líníonn	líniú	línithe	smaoinigh
linseáil	*lynch*	linseálann	linseáil	linseáilte	stampáil
liobair	*tear, scold*	liobraíonn	liobairt	liobartha	codail
líomh	*grind, sharpen*	líomhann	líomhadh	líofa	las
líomhain	*allege*	líomhnaíonn	líomhaint	líomhainte	codail
líon	*fill*	líonann	líonadh	líonta	las
líontánaigh	*reticulate*	líontánaíonn	líontánú	líontánaithe	scanraigh
liostaigh	*list, enumerate*	liostaíonn	liostú	liostaithe	scanraigh
liostáil	*list*	liostálann	liostáil	liostáilte	stampáil
lísigh	*lyse*	lísíonn	lísiú	lísithe	smaoinigh
liteagraf	*lithograph*	liteagrafann	liteagrafadh	liteagrafa	las
litrigh	*spell*	litríonn	litriú	litrithe	smaoinigh
liúdráil	*beat, trounce*	liúdrálann	liúdráil	liúdráilte	stampáil
liúigh	*yell, shout*	liúnn; liúfaidh	liú	liúite	brúigh
liúr	*beat, trounce*	liúrann	liúradh	liúrtha	las
lobh	*rot, decay*	lobhann	lobhadh	lofa	las

gas/fréamh	Béarla	aimsir láithreach	ainm briathartha	aidiacht bhr.	briathar gaolta
loc	*pen, enclose*	locann	locadh	loctha	las
loc	*pluck*	locann	locadh	loctha	las
locáil	*localize*	locálann	locáil	locáilte	stampáil
locair	*plane, smooth*	locraíonn	locrú	locraithe	codail
lochair	*tear, afflict*	lochraíonn	lochradh	lochartha	codail
lochtaigh	*fault, blame*	lochtaíonn	lochtú	lochtaithe	scanraigh
lódáil	*load*	lódálann	lódáil	lódáilte	stampáil
lodair	*cover with mud*	lodraíonn	lodairt	lodartha	codail
lóg	*wail, lament*	lógann	lógadh	lógtha	las
logh	*remit, forgive*	loghann	loghadh	loghtha	las
loic	*flinch, shirk*	loiceann	loiceadh	loicthe	lig
loighcigh	*logicize*	loighcíonn	loighciú	loighcithe	smaoinigh
loingsigh	*banish, exile*	loingsíonn	loingsiú	loingsithe	smaoinigh
loisc	*burn, scorch*	loisceann	loscadh	loiscthe	lig
lóisteáil	*lodge*	lóisteálann	lóisteáil	lóisteáilte	stampáil
loit	*hurt, injure*	loiteann	lot	loite	tit
lom	*lay bare, strip*	lomann	lomadh	lomtha	las
lomair	*shear, fleece*	lomraíonn	lomairt	lomartha	codail
lomlíon	*fill to brim*	lomlíonann	lomlíonadh	lomlíonta	las
lónaigh	*supply, hoard*	lónaíonn	lónú	lónaithe	scanraigh
long	*swallow, eat*	longann	longadh	longtha	las
lonnaigh	*stay, settle*	lonnaíonn	lonnú	lonnaithe	scanraigh
lonnaigh	*become angry*	lonnaíonn	lonnú	lonnaithe	scanraigh
lonraigh	*shine*	lonraíonn	lonrú	lonraithe	scanraigh
lorg	*search for*	lorgaíonn	lorg	lorgtha	lch 423
		lorgóidh	lorgódh	lorgaíodh	p. 423
luacháil	*value, evaluate*	luachálann	luacháil	luacháilte	stampáil
luaidh	*traverse*	luann; luafaidh	luadh	luaite	fuaigh
luaigh	*mention*	luann; luafaidh	lua	luaite	fuaigh
luainigh	*move quickly*	luainíonn	luainiú	luainithe	smaoinigh
luaithrigh	*sprinkle ash*	luaithríonn	luaithriú	luaithrithe	smaoinigh
luasc	*swing, oscillate*	luascann	luascadh	luasctha	las
luasghéaraigh	*accelerate*	luasghéaraíonn	luasghéarú	luasghéaraithe	scanraigh
luasmhoilligh	*decelerate*	luasmhoillíonn	luasmhoilliú	luasmhoillithe	smaoinigh
luathaigh	*quicken*	luathaíonn	luathú	luathaithe	scanraigh
luathbhruith	*spatchcock*	luathbhruitheann	luathbhruith	luathbhruite	caith
lúb	*bend, loop*	lúbann	lúbadh	lúbtha	las
lúbáil	*link*	lúbálann	lúbáil	lúbáilte	stampáil
lúcháirigh	*rejoice*	lúcháiríonn	lúcháiriú	lúcháirithe	smaoinigh
luchtaigh	*charge, load*	luchtaíonn	luchtú	luchtaithe	scanraigh
luigh	*lie down*	luíonn; luífidh	luí	luite	suigh
luigh	*swear*	luíonn; luífidh	luighe	luite	suigh
luisnigh	*blush, glow*	luisníonn	luisniú	luisnithe	smaoinigh
lútáil	*fawn, adore*	lútálann	lútáil	lútáilte	stampáil
macadamaigh	*macadamize*	macadamaíonn	macadamú	macadamaithe	mionnaigh
macasamhlaigh	*reproduce, copy*	macasamhlaíonn	macasamhlú	macasamhlaithe	mionnaigh
máchailigh	*harm, disfigure*	máchailíonn	máchailiú	máchailithe	mínigh
machnaigh	*marvel, reflect*	machnaíonn	machnamh	machnaithe	mionnaigh
macht	*kill, slaughter*	machtann	machtadh	machta	trácht
maidhm	*burst, defeat*	madhmann	madhmadh	madhmtha	siúil
maígh	*state, claim*	maíonn	maíomh	maíte	cloígh
maighnéadaigh	*magnetize*	maighnéadaíonn	maighnéadú	maighnéadaithe	mionnaigh
mainnigh	*default*	mainníonn	mainniú	mainnithe	mínigh
mair	*live, last*	maireann	maireachtáil /mairstean *U*	martha	mill
maircigh	*gall*	maircíonn	mairciú	maircithe	mínigh

stem/root	*English*	*present tense*	*verbal noun*	*verbal adjective*	*verb type*
máirseáil	*march, parade*	máirseálann	máirseáil	máirseáilte	pacáil
maisigh	*decorate, adorn*	maisíonn	maisiú	maisithe	mínigh
maistrigh	*churn*	maistríonn	maistriú	maistrithe	mínigh
máistrigh	*master*	máistríonn	máistreacht	máistrithe	mínigh
maith	*forgive, pardon*	maitheann	maitheamh	maite	caith
máithrigh	*mother, bear*	máithríonn	máithriú	máithrithe	mínigh
malartaigh	*exchange*	malartaíonn	malartú	malartaithe	mionnaigh
malgamaigh	*amalgamate*	malgamaíonn	malgamú	malgamaithe	mionnaigh
mallaigh	*curse*	mallaíonn	mallú	mallaithe	mionnaigh
mámáil	*gather in handfuls*	mámálann	mámáil	mámáilte	pacáil
mantaigh	*bite into, indent*	mantaíonn	mantú	mantaithe	mionnaigh
maoinigh	*finance, endow*	maoiníonn	maoiniú	maoinithe	mínigh
maolaigh	*(make) bald*	maolaíonn	maolú	maolaithe	mionnaigh
maolánaigh	*buffer*	maolánaíonn	maolánú	maolánaithe	mionnaigh
maoscail	*wade*	maosclaíonn	maoscal	maoscailte	ceangail, muscail
maothaigh	*soften, moisture*	maothaíonn	maothú	maothaithe	mionnaigh
maothlaigh	*mellow*	maothlaíonn	maothlú	maothlaithe	mionnaigh
mapáil	*map*	mapálann	mapáil	mapáilte	pacáil
mapáil	*mop*	mapálann	mapáil	mapáilte	pacáil
maraigh; marbh *U*	***kill***	**maraíonn**	**marú**	**maraithe**	**64**
marbhsháinnigh	*checkmate*	m.sháinníonn	marbhsháinniú	marbhsháinnithe	mínigh
marcaigh	*ride*	marcaíonn	marcaíocht	marcaithe	mionnaigh
marcáil	*mark*	marcálann	marcáil	marcáilte	pacáil
margaigh	*market*	margaíonn	margú	margaithe	mionnaigh
marlaigh	*fertilize, marl*	marlaíonn	marlú	marlaithe	mionnaigh
marmaraigh	*marble, mottle*	marmaraíonn	marmarú	marmaraithe	mionnaigh
martraigh	*martyr, maim*	martraíonn	martrú	martraithe	mionnaigh
masc	*mask*	mascann	mascadh	masctha	mol
maslaigh	*insult, strain*	maslaíonn	maslú	maslaithe	mionnaigh
meabhlaigh	*shame, deceive*	meabhlaíonn	meabhlú	meabhlaithe	mionnaigh
meabhraigh	*recall, reflect*	meabhraíonn	meabhrú	meabhraithe	mionnaigh
méadaigh	*increase*	méadaíonn	méadú	méadaithe	mionnaigh
méadraigh	*metricate*	méadraíonn	méadrú	méadraithe	mionnaigh
meáigh	*weigh, measure*	meánn; meáfaidh	meá	meáite	báigh
meaisínigh	*machine*	meaisíníonn	meaisíniú	meaisínithe	mínigh
meaitseáil	*match*	meaitseálann	meaitseáil	meaitseáilte	pacáil
méalaigh	*humble*	méalaíonn	méalú	méalaithe	mionnaigh
meall	*charm, entice*	meallann	mealladh	meallta	mol
meallac	*saunter, stroll*	meallacann	meallacadh	meallactha	mol
meánaigh	*centre*	meánaíonn	meánú	meánaithe	mionnaigh
meánchoimrigh	*syncopate*	meánchoimríonn	meánchoimriú	meánchoimrithe	mínigh
meang	*lop, prune*	meangann	meangadh	meangtha	mol
meanmnaigh	*cheer, plan*	meanmnaíonn	meanmnú	meanmnaithe	mionnaigh
mearaigh	*derange*	mearaíonn	mearú	mearaithe	mionnaigh
méaraigh	*finger, fiddle*	méaraíonn	méarú	méaraithe	mionnaigh
meas	*estimate*	measann	meas	measta	mol
measc	*mix, blend*	meascann	meascadh	measctha	mol
measraigh	*feed with mast*	measraíonn	measrú	measraithe	mionnaigh
measraigh	*moderate*	measraíonn	measrú	measraithe	mionnaigh
measúnaigh	*asess, assay*	measúnaíonn	measúnú	measúnaithe	mionnaigh
meath	***decay, fail***	**meathann**	**meath**	**meata/meaite**	**65**
méathaigh	*fatten*	méathaíonn	méathú	méathaithe	mionnaigh
meathlaigh	*decline, decay*	meathlaíonn	meathlú	meathlaithe	mionnaigh
meicnigh	*mechanize*	meicníonn	meicniú	meicnithe	mínigh
meidhrigh	*elate, enliven*	meidhríonn	meidhriú	meidhrithe	mínigh
meil	*grind, eat, talk*	meileann	meilt	meilte	mill
meirbhligh	*weaken*	meirbhlíonn	meirbhliú	meirbhlithe	mínigh

gas/fréamh	Béarla	aimsir láithreach	ainm briathartha	aidiacht bhr.	briathar gaolta
meirdrigh	*prostitute*	meirdríonn	meirdriú	meirdrithe	mínigh
meirgigh	*rust*	meirgíonn	meirgiú	meirgithe	mínigh
meirsirigh	*mercerize*	meirsiríonn	meirsiriú	meirsirithe	mínigh
meirtnigh	*weaken*	meirtníonn	meirtniú	meirtnithe	mínigh
meiteamorfaigh	*metamorphose*	meiteamorfaíonn	meiteamorfú	meiteamorfaithe	mionnaigh
meitibiligh	*metabolize*	meitibilíonn	meitibiliú	meitibilithe	mínigh
meitiligh	*methylate*	meitilíonn	meitiliú	meitilithe	mínigh
mí-iompair	*misconduct*	mí-iompraíonn	mí-iompar	mí-iompartha	iompair
miadhaigh	*honour*	miadhaíonn	miadhú	miadhaithe	mionnaigh
mianaigh	*desire*	mianaíonn	mianú	mianaithe	mionnaigh
mianraigh	*mineralize*	mianraíonn	mianrú	mianraithe	mionnaigh
mianrill	*jig*	mianrilleann	mianrilleadh	mianrillte	mill
míchóirigh	*disarrange*	míchóiríonn	míchóiriú	míchóirithe	mínigh
míchomhairligh	*misadvise*	míchomhairlíonn	míchomhairliú	míchomhairlithe	mínigh
míchumasaigh	*disable*	míchumasaíonn	míchumasú	míchumasaithe	mionnaigh
mídhílsigh	*misappropriate*	mídhílsíonn	mídhílsiú	mídhílsithe	mínigh
mífhuaimnigh	*mispronounce*	mífhuaimníonn	mífhuaimniú	mífhuaimnithe	mínigh
mílitrigh	*mis-spell*	mílitríonn	mílitriú	mílitrithe	mínigh
mill	***destroy, ruin***	**milleann**	**milleadh**	**millte**	**66**
milleánaigh	*blame, censure*	milleánaíonn	milleánú	milleánaithe	mionnaigh
milsigh	*sweeten*	milsíonn	milsiú	milsithe	mínigh
mím	*mime*	mímeann	mímeadh	mímthe	mill
mímheas	*misjudge*	mímheasann	mímheas	mímheasta	mol
mímhínigh	*misexplain*	mímhíníonn	mímhíniú	mímhínithe	mínigh
mímhisnigh	*discourage*	mímhisníonn	mímhisniú	mímhisnithe	mínigh
mímhol	*dispraise*	mímholann	mímholadh	mímholta	mol
mineastráil	*administer*	mineastrálann	mineastráil	mineastráilte	pacáil
mínghlan	*refine*	mínghlanann	mínghlanadh	mínghlanta	mol
minicigh	*frequent*	minicíonn	miniciú	minicithe	mínigh
mínigh	***explain***	**míníonn**	**míniú**	**mínithe**	**67**
mínmheil	*grind down*	mínmheileann	mínmheilt	mínmheilte	mill
míntírigh	*reclaim (land)*	míntíríonn	míntíriú	míntírithe	mínigh
míog	*cheep*	míogann	míogadh	míogtha	mol
mionaigh	*pulverise, mince*	mionaíonn	mionú	mionaithe	mionnaigh
mionathraigh	*modify slightly*	mionathraíonn	mionathrú	mionathraithe	mionnaigh
mionbhreac	*stipple*	mionbhreacann	mionbhreacadh	mionbhreactha	mol
mionbhrúigh	*crush, crumble*	mionbhrúnn	mionbhrú	mionbhrúite	brúigh
miondealaigh	*separate in detail*	miondealaíonn	miondealú	miondealaithe	mionnaigh
miondíol	*retail*	miondíolann	miondíol	miondíolta	mol + díol
mionghearr	*cut fine, chop*	mionghearrann	mionghearradh	mionghearrtha	mol
miongraigh	*crumble, gnaw*	miongraíonn	miongrú	miongraithe	mionnaigh
mionleasaigh	*amend slightly*	mionleasaíonn	mionleasú	mionleasaithe	mionnaigh
mionnaigh	***swear***	**mionnaíonn**	**mionnú**	**mionnaithe**	**68**
mionroinn	*divide in lots*	mionroinneann	mionroinnt	mionroinnte	mill + roinn
mionsaothraigh	*work out in detail*	mionsaothraíonn	mionsaothrú	mionsaothraithe	mionnaigh
mionscag	*fine-filter*	mionscagann	mionscagadh	mionscagtha	mol
mionscrúdaigh	*scrutinize*	mionscrúdaíonn	mionscrúdú	mionscrúdaithe	mionnaigh
mionteagasc	*brief*	mionteagascann	mionteagasc	mionteagasctha	mol
míostraigh	*menstruate*	míostraíonn	míostrú	míostraithe	mionnaigh
miotaigh	*bite, pinch*	miotaíonn	miotú	miotaithe	mionnaigh
miotalaigh	*metallize*	miotalaíonn	miotalú	miotalaithe	mionnaigh
mírialaigh	*misrule*	mírialaíonn	mírialú	mírialaithe	mionnaigh
míriar	*mismanage*	míriarann	míriaradh	míriartha	mol
mírigh	*phrase*	míríonn	míriú	mírithe	mínigh
míshásaigh	*displease*	míshásaíonn	míshásamh	míshásaithe	mionnaigh
mísheol	*misdirect*	mísheolann	mísheoladh	mísheolta	mol
misnigh	*encourage*	misníonn	misniú	misnithe	mínigh

mítéaraigh	*mitre*	mítéaraíonn	mítéarú	mítéaraithe	mionnaigh
míthreoraigh	*misdirect*	míthreoraíonn	míthreorú	míthreoraithe	mionnaigh
modhnaigh	*modulate*	modhnaíonn	modhnú	modhnaithe	mionnaigh
modraigh	*darken, muddy*	modraíonn	modrú	modraithe	mionnaigh
mogallaigh	*mesh, enmesh*	mogallaíonn	mogallú	mogallaithe	mionnaigh
móidigh	*vow*	móidíonn	móidiú	móidithe	mínigh
moilligh	*delay*	moillíonn	moilliú	moillithe	mínigh
moirigh	*water*	moiríonn	moiriú	moirithe	mínigh
moirtísigh	*mortise*	moirtísíonn	moirtísiú	moirtísithe	mínigh
moirtnigh	*mortify*	moirtníonn	moirtniú	moirtnithe	mínigh
mol	***praise***	**molann**	**moladh**	**molta**	**69**
monaplaigh	*monopolize*	monaplaíonn	monaplú	monaplaithe	mionnaigh
monaraigh	*manufacture*	monaraíonn	monarú	monaraithe	mionnaigh
mór	*magnify, exalt*	mórann	móradh	mórtha	mol
morg	*corrupt*	morgann	morgadh	morgtha	mol
morgáistigh	*mortgage*	morgáistíonn	morgáistiú	morgáistithe	mínigh
mótaraigh	*motorize*	mótaraíonn	mótarú	mótaraithe	mionnaigh
mothaigh	*feel, hear*	mothaíonn	mothú, -thachtáil	mothaithe	mionnaigh
mothallaigh	*tousle*	mothallaíonn	mothallú	mothallaithe	mionnaigh
múch	*smother, put out*	múchann	múchadh	múchta	mol
múchghlan	*fumigate*	múchghlanann	múchghlanadh	múchghlanta	mol + glan
mudh	*ruin, destroy*	mudhann	mudhadh	mudhta	mol
/ mudhaigh		/ mudhaíonn	/ mudhú	/ mudhaithe	/ mionnaigh
múin	*teach, instruct*	múineann	múineadh	múinte	mill
muinigh	*trust in, rely on*	muiníonn	muiniú	muinithe	mínigh
muinnigh	*call, summon*	muinníonn	muinniú	muinnithe	mínigh
muirearaigh	*charge* (jur)	muirearaíonn	muirearú	muirearaithe	mionnaigh
muirligh	*munch*	muirlíonn	muirliú	muirlithe	mínigh
muirnigh	*fondle, cherish*	muirníonn	muirniú	muirnithe	mínigh
mumaigh	*mummify*	mumaíonn	mumú	mumaithe	mionnaigh
mún	*urinate*	múnann	mún	múnta	mol
mungail	*chew, munch*	munglaíonn	mungailt	mungailte	ceangail
múnlaigh	*mould, cast*	múnlaíonn	múnlú	múnlaithe	mionnaigh
múr	*wall in, immure*	múrann	múradh	múrtha	mol
múr	*raze, demolish*	múrann	múradh	múrtha	mol
múráil	*moor (vessel)*	múrálann	múráil	múráilte	pacáil
múscail, muscail *U*	***wake, awake***	**músclaíonn**	**múscailt**	**múscailte**	**70,** ***var*** **dúisigh**
náirigh	*shame*	náiríonn	náiriú	náirithe	smaoinigh
náisiúnaigh	*nationalize*	náisiúnaíonn	náisiúnú	náisiúnaithe	neartaigh
naomhaigh	*sanctify, hallow*	naomhaíonn	naomhú	naomhaithe	neartaigh
naomhainmnigh	*canonize*	naomhainmníonn	naomhainmniú	naomhainmnithe	smaoinigh
nasc	*tie, bind*	nascann	nascadh	nasctha	las
neadaigh	*nest*	neadaíonn	neadú	neadaithe	neartaigh
néalaigh	*sublimate*	néalaíonn	néalú	néalaithe	neartaigh
neamhbhailigh	*invalidate*	neamhbhailíonn	neamhbhailiú	neamhbhailithe	smaoinigh
neamhchothromaigh	*unbalance*	neamhchothromaíonn	neamhchothromú	neamhchothromaithe	neartaigh
neamhnigh	*nullify*	neamhníonn	neamhniú	neamhnithe	smaoinigh
neartaigh	***strengthen***	**neartaíonn**	**neartú**	**neartaithe**	**71**
neasaigh	*approximate*	neasaíonn	neasú	neasaithe	neartaigh
neodraigh	*neutralize*	neodraíonn	neodrú	neodraithe	neartaigh
niamh	*brighten*	niamhann	niamhadh	niafa	las
/ niamhaigh		/ niamhaíonn	/ niamhú	/ niamhaithe	/ neartaigh
niamhghlan	*burnish*	niamhghlanann	niamhghlanadh	niamhghlanta	las + glan
niciligh	*nickel*	niciliónn	niciliú	nicilithe	smaoinigh
nicilphlátáil	*nickel-plate*	nicilphlátálann	nicilphlátáil	nicilphlátáilte	stampáil
nigh	***wash***	**níonn**	**ní**	**nite**	**72**

gas/fréamh	Béarla	aimsir láithreach	ainm briathartha	aidiacht bhr.	briathar gaolta
nimhigh	*poison*	nimhíonn	nimhiú	nimhithe	smaoinigh
nocht	*bare, uncover*	nochtann	nochtadh	nochta	trácht
nódaigh	*graft, transplant*	nódaíonn	nódú	nódaithe	neartaigh
nog	*nog*	nogann	nogadh	nogtha	las
nótáil	*note*	nótálann	nótáil	nótáilte	stampáil
núicléataigh	*nucleate*	núicléataíonn	núicléatú	núicléataithe	neartaigh
ob	*refuse, shun*	obann	obadh	obtha	ól
ócáidigh	*use*	ócáidíonn	ócáidiú	ócáidithe	éirigh
oclúidigh	*occlude*	oclúidíonn	oclúidiú	oclúidithe	éirigh
ócraigh	*ochre*	ócraíonn	ócrú	ócraithe	ordaigh
ocsaídigh	*oxidize*	ocsaídíonn	ocsaídiú	ocsaídithe	éirigh
ocsaiginigh	*oxygenate*	ocsaiginíonn	ocsaiginiú	ocsaiginithe	éirigh
odhraigh	*make dun*	odhraíonn	odhrú	odhraithe	ordaigh
ofráil	*offer*	ofrálann	ofráil	ofráilte	pacáil
oibrigh	*operate, work*	oibríonn	oibriú	oibrithe	éirigh
oidhrigh	*bequeath*	oidhríonn	oidhriú	oidhrithe	éirigh
oighrigh	*ice, congeal*	oighríonn	oighriú	oighrithe	éirigh
oil	***nourish, rear***	**oileann**	**oiliúint**	**oilte**	**73**
oir	*suit, fit*	oireann	oiriúint	oirthe	oil
oirircigh	*exalt, dignify*	oirircíonn	oirirciú	oirircithe	éirigh
oiris	*stay, wait, delay*	oiriseann	oiriseamh	oiriste	oil
oiriúnaigh	*fit, adapt*	oiriúnaíonn	oiriúnú	oiriúnaithe	ordaigh
oirmhinnigh	*honour, revere*	oirmhinníonn	oirmhinniú	oirmhinnithe	éirigh
oirnéal	*decorate*	oirnéalann	oirnéaladh	oirnéalta	ól
oirnigh	*ordain*	oirníonn	oirniú	oirnithe	éirigh
oirnigh	*cut in bits*	oirníonn	oirniú	oirnithe	éirigh
ól	***drink***	**ólann**	**ól**	**ólta**	**74**
olaigh	*oil, annoint*	olaíonn	olú	olaithe	ordaigh
/ oláil		/ olálann	/ oláil	/ oláilte	/ pacáil
ollaigh	*enlarge*	ollaíonn	ollú	ollaithe	ordaigh
olltáirg	*mass-produce*	olltáirgeann	olltáirgeadh	olltáirgthe	oil
onnmhairigh	*export*	onnmhairíonn	onnmhairiú	onnmhairithe	éirigh
onóraigh	*honour*	onóraíonn	onórú	onóraithe	ordaigh
óraigh	*gild*	óraíonn	órú	óraithe	ordaigh
orchraigh	*wither, decay*	orchraíonn	orchrú	orchraithe	ordaigh
ordaigh	***order***	**ordaíonn**	**ordú**	**ordaithe**	**75**
orlaigh	*sledge, hammer*	orlaíonn	orlú	orlaithe	ordaigh
ornáidigh	*ornament*	ornáidíonn	ornáidiú	ornáidithe	éirigh
ornaigh	*adorn, array*	ornaíonn	ornú	ornaithe	ordaigh
órphlátáil	*gold-plate*	órphlátálann	órphlátáil	órphlátáilte	pacáil
oscail /foscail	***open***	**osclaíonn**	**oscailt**	**oscailte**	**76**
osnaigh	*sigh*	osnaíonn	osnaíl	osnaithe	ordaigh
othrasaigh	*ulcerate*	othrasaíonn	othrasú	othrasaithe	ordaigh
ózónaigh	*ozonize*	ózónaíonn	ózónú	ózónaithe	ordaigh
pábháil	*pave*	pábhálann	pábháil	pábháilte	pacáil
pacáil	***pack***	**pacálann**	**pacáil**	**pacáilte**	**77**
pailnigh	*pollinate*	pailníonn	pailniú	pailnithe	coinnigh
painéal	*panel*	painéalann	painéaladh	painéalta	pós
páirceáil	*park*	páirceálann	páirceáil	páirceáilte	pacáil
páirtigh	*share*	páirtíonn	páirtiú	páirtithe	coinnigh
páisigh	*torment*	páisíonn	páisiú	páisithe	coinnigh
paisteáil	*patch*	paisteálann	paisteáil	paisteáilte	pacáil
paistéar	*pasturize*	paistéarann	paistéaradh	paistéartha	pós
paitinnigh	*patent*	paitinníonn	paitinniú	paitinnithe	coinnigh
palataigh	*palatalize*	palataíonn	palatú	palataithe	ceannaigh

stem/root	English	present tense	verbal noun	verbal adjective	verb type
pánáil	*pawn*	pánálann	pánáil	pánáilte	pacáil
páráil	*pare*	párálann	páráil	páráilte	pacáil
parsáil	*parse*	parsálann	parsáil	parsáilte	pacáil
pasáil	*tread, trample*	pasálann	pasáil	pasáilte	pacáil
pasáil	*pass*	pasálann	pasáil	pasáilte	pacáil
péac	*sprout, shoot*	péacann	péacadh	péactha	pós
peacaigh	*sin*	peacaíonn	peacú	peacaithe	ceannaigh
pearsanaigh	*(im)personate*	pearsanaíonn	pearsanú	pearsanaithe	ceannaigh
pearsantaigh	*personify*	pearsantaíonn	pearsantú	pearsantaithe	ceannaigh
péinteáil	*paint*	péinteálann	péinteáil	péinteáilte	pacáil
péireáil	*pair*	péireálann	péireáil	péireáilte	pacáil
péirseáil	*flog*	péirseálann	péirseáil	péirseáilte	pacáil
pian	*pain, punish*	pianann	pianadh	pianta	pós
piardáil	*ransack*	piardálann	piardáil	piardáilte	pacáil
pic	*(coat with) pitch*	piceann	piceadh	picthe	bris
picéadaigh	*picket*	picéadaíonn	picéadú	picéadaithe	pacáil
píceáil	*pike, pitchfork*	píceálann	píceáil	píceáilte	pacáil
píceáil	*peek*	píceálann	píceáil	píceáilte	pacáil
picil	*pickle*	picileann	picilt	picilte	bris
pincigh	*push, thrust*	pincíonn	pinciú	pincithe	coinnigh
píob	*hoarsen*	píobann	píobadh	píobtha	pós
pioc	*pick*	piocann	piocadh	pioctha	pós
píolótaigh	*pilot*	píolótaíonn	píolótú	píolótaithe	ceannaigh
pionnáil	*pin*	pionnálann	pionnáil	pionnáilte	pacáil
pionósaigh	*penalize, punish*	pionósaíonn	pionósú	pionósaithe	ceannaigh
píosáil	*piece together*	píosálann	píosáil	píosáilte	pacáil
pitseáil	*pitch*	pitseálann	pitseáil	pitseáilte	pacáil
plab	*plop, slam*	plabann	plabadh	plabtha	pós
plac	*gobble, guzzle*	placann	placadh	plactha	pós
pláigh	*plague*	plánn; pláfaidh	plá	pláite	báigh
plánáil	*plane*	plánálann	plánáil	plánáilte	pacáil
planc	*beat, pommel*	plancann	plancadh	planctha	pós
plancghaibhnigh	*drop-forge*	p.ghaibhníonn	plancghaibhniú	plancghaibhnithe	coinnigh
plandaigh	*plant* (hort.)	plandaíonn	plandú	plandaithe	ceannaigh
plandáil	*plant, colonize*	plandálann	plandáil	plandáilte	pacáil
plástráil	*plaster*	plástrálann	plástráil	plástráilte	pacáil
plátáil	*plate*	plátálann	plátáil	plátáilte	pacáil
platanaigh	*platinize*	platanaíonn	platanú	platanaithe	ceannaigh
pléadáil	*plead, wrangle*	pléadálann	pléadáil	pléadáilte	pacáil
pleanáil	*plan*	pleanálann	pleanáil	pleanáilte	pacáil
pléasc	*explode, burst*	pléascann	pléascadh	pléasctha	pós
pléatáil	*pleat*	pléatálann	pléatáil	pléatáilte	pacáil
pléigh	*discuss*	pléann	plé	pléite	léigh
plódaigh	*crowd, throng*	plódaíonn	plódú	plódaithe	ceannaigh
pluc	*puff out, bulge*	plucann	plucadh	pluctha	pós
plucáil	*pluck, swindle*	plucálann	plucáil	plucáilte	pacáil
plúch	*smother*	plúchann	plúchadh	plúchta	pós
plúraigh	*effloresce*	plúraíonn	plúrú	plúraithe	ceannaigh
pocáil	*strike, puck*	pocálann	pocáil	pocáilte	pacáil
pocléim	*buck-jump*	pocléimeann	pocléimneach	pocléimthe	bris
podsalaigh	*podzolize*	podsalaíonn	podsalú	podsalaithe	ceannaigh
póg	*kiss*	pógann	pógadh	pógtha	pós
poibligh	*make public*	poiblíonn	poibliú	poiblithe	coinnigh
póilínigh	*police*	póilíníonn	póilíniú	póilínithe	coinnigh
pointeáil	*point*	pointeálann	pointeáil	pointeáilte	pacáil
pointeáil	*fix, appoint*	pointeálann	pointeáil	pointeáilte	pacáil
poit	*poke, nudge*	poiteann	poiteadh	poite	tit

gas/fréamh	Béarla	aimsir láithreach	ainm briathartha	aidiacht bhr.	briathar gaolta
polaraigh	*polarize*	polaraíonn	polarú	polaraithe	ceannaigh
poll	*puncture, pierce*	pollann	polladh	pollta	pós
poncaigh	*punctuate, dot*	poncaíonn	poncú	poncaithe	ceannaigh
poncloisc	*cauterize*	poncloisceann	poncloscadh	poncloiscthe	bris
póraigh	*grow from seed*	póraíonn	pórú	póraithe	ceannaigh
portaigh	*steep (flax)*	portaíonn	portú	portaithe	ceannaigh
pós	***marry***	**pósann**	**pósadh**	**pósta**	**78**
postaigh	*(appoint to) post*	postaíonn	postú	postaithe	ceannaigh
postáil	*post, mail*	postálann	postáil	postáilte	pacáil
postaláidigh	*postulate*	postaláidíonn	postaláidiú	postaláidithe	coinnigh
potbhiathaigh	*spoon-feed*	potbhiathaíonn	potbhiathú	potbhiathaithe	ceannaigh
práib	*daub*	práibeann	práibeadh	práibthe	bris
pramsáil	*prance, frolic*	pramsálann	pramsáil	pramsáilte	pacáil
pramsáil	*crunch, gobble*	pramsálann	pramsáil	pramsáilte	pacáil
prapáil	*prepare, titivate*	prapálann	prapáil	prapáilte	pacáil
prásáil	*braze, foist*	prásálann	prásáil	prásáilte	pacáil
preab	*start, bound*	preabann	preabadh	preabtha	pós
préach	*perish* (cold)	préachann	préachadh	préachta	pós
preasáil	*press, conscript*	preasálann	preasáil	preasáilte	pacáil
preasáil	*press*	preasálann	preasáil	preasáilte	pacáil
prímeáil	*prime*	príméalann	príméail	príméailte	pacáil
prioc	*prick, prod*	priocann	priocadh	prioctha	pós
priontáil	*print*	priontálann	priontáil	priontáilte	pacáil
príosúnaigh	*imprison*	príosúnaíonn	príosúnú	príosúnaithe	ceannaigh
profaigh	*proof*	profaíonn	profú	profaithe	ceannaigh
próiseáil	*process*	próiseálann	próiseáil	próiseáilte	pacáil
próisigh	*process*	próisíonn	próisiú	próisithe	coinnigh
prólaiféaraigh	*proliferate*	prólaiféaraíonn	prólaiféarú	prólaiféaraithe	ceannaigh
promh	*prove, test*	promhann	promhadh	profa	pós
púdraigh	*pulverize*	púdraíonn	púdrú	púdraithe	ceannaigh
púdráil	*(apply) powder*	púdrálann	púdráil	púdráilte	pacáil
puinseáil	*punch*	puinseálann	puinseáil	puinseáilte	pacáil
púitseáil	*rumage*	púitseálann	púitseáil	púitseáilte	pacáil
pulc	*stuff, gorge*	pulcann	pulcadh	pulctha	pós
pumpáil	*pump*	pumpálann	pumpáil	pumpáilte	pós
pupaigh	*pupate*	pupaíonn	pupú	pupaithe	pacáil
purgaigh	*purge*	purgaíonn	purgú	purgaithe	ceannaigh
purparaigh	*purple*	purparaíonn	purparú	purparaithe	ceannaigh
racáil	*rack, beat*	racálann	racáil	racáilte	stampáil
rácáil	*rake*	rácálann	rácáil	rácáilte	stampáil
rad	*give, frolic*	radann	radadh	radta	las
radaigh	*radiate*	radaíonn	radú	radaithe	neartaigh
rádlaigh	*lap-joint*	rádlaíonn	rádlú	rádlaithe	neartaigh
raiceáil	*wreck*	raiceálann	raiceáil	raiceáilte	stampáil
raifleáil	*raffle*	raifleálann	raifleáil	raifleáilte	stampáil
rámhaigh	*row (boat)*	rámhaíonn	rámhaíocht	rámhaithe	neartaigh
ramhraigh	*fatten*	ramhraíonn	ramhrú	ramhraithe	neartaigh
rangaigh	*classify, grade*	rangaíonn	rangú	rangaithe	neartaigh
rannpháirtigh	*participate*	rannpháirtíonn	rannpháirtiú	rannpháirtithe	smaoinigh
ransaigh	*ransack*	ransaíonn	ransú	ransaithe	neartaigh
raonáil	*range*	raonálann	raonáil	raonáilte	stampáil
rapáil	*rap*	rapálann	rapáil	rapáilte	stampáil
rásáil	*race, groove*	rásálann	rásáil	rásáilte	stampáil
raspáil	*rasp*	raspálann	raspáil	raspáilte	stampáil
rátáil	*rate*	rátálann	rátáil	rátáilte	stampáil
rathaigh	*prosper, thrive*	rathaíonn	rathú	rathaithe	neartaigh
rathaigh	*perceive*	rathaíonn	rathú	rathaithe	neartaigh

stem/root	English	present tense	verbal noun	verbal adjective	verb type
ráthaigh	*guarantee*	ráthaíonn	ráthú	ráthaithe	neartaigh
ráthaigh	*shoal (fish)*	ráthaíonn	ráthaíocht	ráthaithe	neartaigh
réab	*tear, burst*	réabann	réabadh	réabtha	las
reachtaigh	*legislate*	reachtaíonn	reachtú	reachtaithe	neartaigh
réadaigh	*make real*	réadaíonn	réadú	réadaithe	neartaigh
réadtiomnaigh	*devise*	réadtiomnaíonn	réadtiomnú	réadtiomnaithe	neartaigh
réal	*manifest*	réal	réaladh	réalta	las
réamhaithris	*predict, foretell*	réamhaithrisíonn	réamhaithris	réamhaithriste	tarraing
réamhbheartaigh	*premeditate*	r.bheartaíonn	réamhbheartú	r.bheartaithe	neartaigh
réamhcheap	*preconceive*	réamhcheapann	réamhcheapadh	réamhcheaptha	las
réamhchinn	*predestine*	réamhchinneann	réamhchinneadh	réamhchinnte	roinn + cuir
réamhchinntigh	*predetermine*	réamhchinntíonn	réamhchinntiú	réamhchinntithe	smaoinigh
réamhdhátaigh	*antedate*	réamhdhátaíonn	réamhdhátú	réamhdhátaithe	neartaigh
réamhdhéan	*prefabricate*	réamhdhéanann	réamhdhéanamh	réamhdhéanta	las
réamhfhíoraigh	*prefigure*	réamhfhíoraíonn	réamhfhíorú	réamhfhíoraithe	neartaigh
réamhghabh	*anticipate*	réamhghabhann	réamhghabháil	réamhghafa	las
réamhghiorraigh	*foreshorten*	r.ghiorraíonn	réamhghiorrú	réamhghiorraithe	neartaigh
réamhinis	*predict*	réamhinsíonn	réamhinsint	réamhinste	inis
réamhíoc	*prepay*	réamhíocann	réamhíoc	réamhíoctha	las
réamhleag	*premise*	réamhleagann	réamhleagan	réamhleagtha	las
réamhordaigh	*pre-ordinate*	réamhordaíonn	réamhordú	réamhordaithe	neartaigh
réamhshocraigh	*pre-arrange*	réamhshocraíonn	réamhshocrú	réamhshocraithe	neartaigh
réamhtheilg	*precast*	réamhtheilgeann	réamhtheilgean	réamhtheilgthe	roinn
réasúnaigh	*reason*	réasúnaíonn	réasúnú	réasúnaithe	neartaigh
réchas	*twist slowly*	réchasann	réchasadh	réchasta	las + cas
reic	*sell, trade*	reiceann	reic	reicthe	roinn + cuir
réimnigh	*conjugate*	réimníonn	réimniú	réimnithe	smaoinigh
reith	*rut, tup*	reitheann	reitheadh	reite	rith
réitigh	*smooth, settle*	réitíonn	réiteach	réitithe	smaoinigh
reoigh	*freeze*	reonn; reofaidh	reo	reoite	feoigh
réscaip	*diffuse* (light)	réscaipeann	réscaipeadh	réscaipthe	roinn
riagh	*rack, torture*	riaghann	riaghadh	riaghtha	las
rialaigh	*rule, govern*	rialaíonn	rialú	rialaithe	neartaigh
riall	*rend, tear*	riallann	rialladh	riallta	las
rianaigh	*trace, gauge*	rianaíonn	rianú	rianaithe	neartaigh
riar	*administer*	riarann	riar	riartha	las
riastáil	*flog, furrow*	riastálann	riastáil	riastáilte	stampáil
rib	*snare*	ribeann	ribeadh	ribthe	roinn + cuir
rigeáil	*rig*	rigeálann	rigeáil	rigeáilte	stampáil
righ	*stretch, tauten*	ríonn, rífidh	ríochan	rite	nigh
rígh	*enthrone*	ríonn, rífidh	rí	ríthe	cloígh
righnigh	*toughen*	righníonn	righniú	righnithe	smaoinigh
rill	*riddle, sieve*	rilleann	rilleadh	rillte	roinn + cuir
rinc	*dance*	rinceann	rince	rincthe	roinn + cuir
rindreáil	*render*	rindreálann	rindreáil	rindreáilte	stampáil
rinseáil	*rinse*	rinseálann	rinseáil	rinseáilte	stampáil
riochtaigh	*adapt, condition*	riochtaíonn	riochtú	riochtaithe	neartaigh
ríomh	*count, reckon*	ríomhann	ríomhadh	ríofa	las
ríonaigh	*queen (chess)*	ríonaíonn	ríonú	ríonaithe	neartaigh
rionn	*carve, engrave*	rionnann	rionnadh	rionnta	las
rith	***run***	**ritheann**	**rith**	**rite**	**79**
robáil	*rob*	robálann	robáil	robáilte	stampáil
róbáil	*robe*	róbálann	róbáil	róbáilte	stampáil
roc	*wrinkle, crease*	rocann	rocadh	roctha	las
rod	*rot*	rodann	rodadh	rodta	las
ródáil	*moor, anchor*	ródálann	ródáil	ródáilte	stampáil
róghearr	*over-cut*	róghearrann	róghearradh	róghearrtha	las
roghnaigh	*choose, select*	roghnaíonn	roghnú	roghnaithe	smaoinigh

gas/fréamh	*Béarla*	*aimsir láithreach*	*ainm briathartha*	*aidiacht bhr.*	*briathar gaolta*
roinn, rann *U*	***divide***	**roinneann**	**roinnt**	**roinnte**	**80**
rois	*unravel, tear*	roiseann	roiseadh	roiste	roinn + cuir
roisínigh	*resin*	roisíníonn	roisíniú	roisínithe	smaoinigh
roll	*roll*	rollann	rolladh	rollta	las
rollaigh	*enrol, empanel*	rollaíonn	rollú	rollaithe	neartaigh
róluchtaigh	*overload*	róluchtaíonn	róluchtú	róluchtaithe	neartaigh
rómhair	*dig (ground)*	rómhraíonn	rómhar	rómhartha	codail
rop	*thrust, stab*	ropann	ropadh	roptha	las
róshealbhaigh	*overhold*	róshealbhaíonn	róshealbhú	róshealbhaithe	neartaigh
róst	*roast*	róstann	róstadh	rósta	trácht
rothaigh	*cycle*	rothaíonn	rothaíocht	rothaithe	neartaigh
rothlaigh	*rotate, whirl*	rothlaíonn	rothlú	rothlaithe	neartaigh
ruadhóigh	*scorch*	ruadhónn	ruadhó	ruadhóite	dóigh
ruaig	*chase*	ruaigeann	ruaigeadh	ruaigthe	roinn + cuir
ruaigh	*redden*	ruann; ruafaidh	ruachan	ruaite	fuaigh
ruaimnigh	*dye red*	ruaimníonn	ruaimniú	ruaimnithe	smaoinigh
rualoisc	*scorch*	rualoisceann	rualoscadh	rualoiscthe	roinn + cuir
rubaraigh	*rubberize*	rubaraíonn	rubarú	rubaraithe	neartaigh
rúisc	*bark, strip*	rúisceann	rúscadh	rúiscthe	roinn + cuir
ruithnigh	*illuminate*	ruithníonn	ruithniú	ruithnithe	smaoinigh
rúnscríobh	*cipher*	rúnscríobhann	rúnscríobh	rúnscríofa	scríobh
rútáil	*root*	rútálann	rútáil	rútáilte	stampáil
sábh	*saw*	sábhann	sábhadh	sáfa	seas
sábháil	***save***	**sábhálann**	**sábháil**	**sábháilte**	**81**
sac	*sack, bag, pack*	sacann	sacadh	sactha	seas
sacáil	*sack, dismiss*	sacálann	sacáil	sacáilte	sábháil
sadhlasaigh	*ensilage*	sadhlasaíonn	sadhlasú	sadhlasaithe	socraigh
sádráil	*solder*	sádrálann	sádráil	sádráilte	sábháil
saibhrigh	*enrich*	saibhríonn	saibhriú	saibhrithe	sínigh
saibhseáil	*test depth*	saibhseálann	saibhseáil	saibhseáilte	sábháil
saigh	*go towards*	saigheann	saighe	saighte	bris
sáigh	*thrust, stab*	sánn; sáfaidh	sá / sáthadh	sáite	báigh
saighid	*incite, provoke*	saighdeann	saighdeadh	saighdte	lch 423
		saighdfidh	shaighdfeadh	shaighdeadh	p. 423
saighneáil	*sign*	saighneálann	saighneáil	saighneáilte	sábháil
saighneáil	*shine*	saighneálann	saighneáil	saighneáilte	sábháil
saill	*salt, cure*	sailleann	sailleadh	saillte	sín
sáimhrigh	*quieten, smooth*	sáimhríonn	sáimhriú	sáimhrithe	sínigh
sainaithin	*identify*	sainaithníonn	sainaithint	sainaitheanta	aithin
sainigh	*specify, define*	sainíonn	sainiú	sainithe	sínigh
sainmhínigh	*define*	sainmhíníonn	sainmhíniú	sainmhínithe	sínigh
sáinnigh	*trap, check*	sáinníonn	sáinniú	sáinnithe	sínigh
sainoidhrigh	*entail*	sainoidhríonn	sainoidhriú	sainoidhrithe	sínigh
sáirsingigh	*press, force*	sáirsingíonn	sáirsingiú	sáirsingithe	sínigh
sáithigh	*sate, satiate*	sáithíonn	sáithiú	sáithithe	sínigh
salaigh	*dirty, defile*	salaíonn	salú	salaithe	socraigh
sámhaigh	*clam, get sleepy*	sámhaíonn	sámhú	sámhaithe	socraigh
samhailchomharthaigh	*symbolize, typify*	samhailchomharthaíonn	samhailchomharthú	samhailchomharthaithe	socraigh
samhlaigh	*imagine*	samhlaíonn	samhlú	samhlaithe	socraigh
samhraigh	*(pass) summer*	samhraíonn	samhrú	samhraithe	socraigh
sampláil	*sample*	samplálann	sampláil	sampláilte	sábháil
sann	*assign*	sannann	sannadh	sannta	seas
santaigh	*covet, desire*	santaíonn	santú	santaithe	socraigh
saobh	*slant, twist*	saobhann	saobhadh	saofa	seas
saoirsigh	*work* stone etc.	saoirsíonn	saoirsiú	saoirsithe	sínigh
saoirsigh	*cheapen*	saoirsíonn	saoirsiú	saoirsithe	sínigh
saolaigh	*be born*	saolaíonn	saolú	saolaithe	socraigh

stem/root	*English*	*present tense*	*verbal noun*	*verbal adjective*	*verb type*
saorghlan	*purge, purify*	saorghlanann	saorghlanadh	saorghlanta	seas
saothraigh	*earn, toil*	saothraíonn	saothrú	saothraithe	socraigh
sáraigh	*violate, thwart*	sáraíonn	sárú	sáraithe	socraigh
sársháithigh	*supersaturate*	sársháithíonn	sársháithiú	sársháithithe	sínigh
sárthadhaill	*osculate*	sárthadhlaíonn	sárthadhall	sárthadhallta	seachain
sásaigh	*satisfy*	sásaíonn	sásamh	sásta	socraigh
satail	*tramp*	satlaíonn	satailt	satailte	seachain
scab *U = scaip*	*scatter*	scabann	scabadh	scabtha	scríobh
scag	*strain, filter*	scagann	scagadh	scagtha	scríobh
scagdhealaigh	*dialyse*	scagdhealaíonn	scagdhealú	scagdhealaithe	scanraigh
scáin	*crack, split*	scáineann	scáineadh	scáinte	scaoil
scaip	*scatter*	scaipeann	scaipeadh	scaipthe	scaoil
/ scab *U*		/ scabann	/ scabadh	/ scabtha	scríobh
scaird	*squirt, gush*	scairdeann	scairdeadh	scairdte	scaoil
scairt	*call*	scairteann	scairteadh, ag scairtigh *U*	scairte	tit
scal	*burst out, flash*	scalann	scaladh	scalta	scríobh
scálaigh	*scale*	scálaíonn	scálú	scálaithe	scanraigh
scall	*scald, scold*	scallann	scalladh	scallta	scríobh
scamallaigh	*cloud (over)*	scamallaíonn	scamallú	scamallaithe	scanraigh
scamh	*peel, scale*	scamhann	scamhadh	scafa	scríobh
scan	*scan*	scanann	scanadh	scanta	scríobh
scannalaigh	*scandalize*	scannalaíonn	scannalú	scannalaithe	scanraigh
scannánaigh	*film*	scannánaíonn	scannánú	scannánaithe	scanraigh
scanraigh	***scare, frighten***	**scanraíonn**	**scanrú**	**scanraithe**	**82**
scaob	*scoop*	scaobann	scaobadh	scaobtha	scríobh
scaoil	***loose(n), shoot***	**scaoileann**	**scaoileadh**	**scaoilte**	**83**
scar	*part, separate*	scarann	scaradh, -rúint	scartha	scríobh
scarbháil	*crust, harden*	scarbhálann	scarbháil	scarbháilte	stampáil
scarshiúntaigh	*splice*	scarshiúntaíonn	scarshiúntú	scarshiúntaithe	scanraigh
scátáil	*skate*	scátálann	scátáil	scátáilte	stampáil
scáthaigh	*shade, screen*	scáthaíonn	scáthú	scáthaithe	scanraigh
scáthcheil	*screen*	scáthcheileann	scáthcheilt	scáthcheilte	scaoil
scáthlínigh	*shade*	scáthlíníonn	scáthlíniú	scáthlínithe	smaoinigh
scead	*cut patch in*	sceadann	sceadadh	sceadta	scríobh
scéalaigh	*relate*	scéalaíonn	scéalú	scéalaithe	scanraigh
scealp	*splinter, flake*	scealpann	scealpadh	scealptha	scríobh
sceamh	*yelp, squeal*	sceamhann	sceamhadh	sceafa	scríobh
scean	*knife, stab*	sceanann	sceanadh	sceanta	scríobh
sceathraigh	*spew, spawn*	sceathraíonn	sceathrú	sceathraithe	scanraigh
sceimhligh	*terrorize*	sceimhlíonn	sceimhliú	sceimhlithe	smaoinigh
sceith	*vomit, spawn*	sceitheann	sceitheadh	sceite	stampáil
sceitseáil	*sketch*	sceitseálann	sceitseáil	sceitseáilte	rith
sceoigh	*wither, wilt*	sceonn, sceofaidh	sceo	sceoite	feoigh
sciáil	*ski*	sciálann	sciáil	sciáilte	stampáil
sciamhaigh	*beautify*	sciamhaíonn	sciamhú	sciamhaithe	scanraigh
sciath	*screen*	sciathann	sciathadh	sciata	meath
scil	*shell, chatter*	scileann	scileadh	scilte	scaoil
scillig	*shell, husk*	scilligeann	scilligeadh	scilligthe	tuig
scimeáil	*skim*	scimeálann	scimeáil	scimeáilte	stampáil
scimpeáil	*skimp*	scimpeálann	scimpeáil	scimpeáilte	stampáil
scinceáil	*pour off, decant*	scinceálann	scinceáil	scinceáilte	stampáil
scinn	*start, spring*	scinneann	scinneadh	scinnte	scaoil
sciob	*snatch*	sciobann	sciobadh	sciobtha	scríobh
scioll	*enucleate, scold*	sciollann	sciolladh	sciollta	scríobh
sciomair	*scour, scrub*	sciomraíonn	sciomradh	sciomartha	seachain
sciorr	*slip, slide*	sciorrann	sciorradh	sciorrtha	scríobh
sciortáil	*skirt*	sciortáil	sciortálann	sciortáilte	stampáil

gas/fréamh	Béarla	aimsir láithreach	ainm briathartha	aidiacht bhr.	briathar gaolta
sciot	*snip, clip, crop*	sciotann	sciotadh	sciota	trácht
scipeáil	*skip*	scipeálann	scipeáil	scipeáilte	stampáil
scirmisigh / scirmiseáil	*skirmish*	scirmisíonn / scirmiseálann	scirmisiú / scirmiseáil	scirmisithe / scirmiseáilte	smaoinigh /stampáil
scíthigh	*become tired*	scíthíonn	scíthiú	scíthithe	smaoinigh
sciúch / sciúchaigh	*throttle*	sciúchann / sciúchaíonn	sciúchadh / sciúchú	sciúchta / sciúchaithe	scríobh / scanraigh
sciúr	*scour, lash*	sciúrann	sciúradh	sciúrtha	scríobh
sciurd	*rush, dart*	sciurdann	sciurdadh	sciurdta	scríobh
sciúrsáil	*scourge, flog*	sciúrsálann	sciúrsáil	sciúrsáilte	stampáil
sclamh	*snap at, abuse*	sclamhann	sclamhadh	sclafa	scríobh
sclár	*cut up, tear*	sclárann	scláradh	sclártha	scríobh
sclog	*gulp, gasp*	sclogann	sclogadh	sclogtha	scríobh
scobail	*scutch*	scoblaíonn	scobladh	scobailte	seachain
scóig	*throttle*	scóigeann	scóigeadh	scóigthe	scaoil
scoilt	*split*	scoilteann	scoilteadh	scoilte	tit + scaoil
scoir	*unyoke*	scoireann	scor	scortha	scaoil
scoith	*cut off, wean*	scoitheann	scoitheadh	scoite	caith + scaoil
scol	*call, shout*	scolann	scoladh	scolta	scríobh
scól	*scald*	scólann	scóladh	scólta	scríobh
scolbáil	*scallop*	scolbálann	scolbáil	scolbáilte	stampáil
scon	*strip, fleece*	sconann	sconadh	sconta	scríobh
scor	*slash, slice*	scorann	scoradh	scortha	scríobh
scoráil	*release*	scorálann	scoráil	scoráilte	stampáil
scóráil	*score*	scórálann	scóráil	scóráilte	stampáil
scoth-thriomaigh	*rough-dry clothes*	scoth-thriomaíonn	scoth-thriomú	scoth-thriomaithe	scanraigh
scótráil	*hack, mangle*	scótrálann	scótráil	scótráilte	stampáil
scrábáil	*scrawl, scratch*	scrábálann	scrábáil	scrábáilte	stampáil
scrabh	*scratch, scrape*	scrabhann	scrabhadh	scrafa	scríobh
scraith	*strip sward*	scraitheann	scrathadh	scraite	caith + scaoil
scréach	*screech, shriek*	scréachann	scréachach	scréachta	scríobh
scread	*scream*	screadann	screadach	screadta	scríobh
screamhaigh	*encrust, fur*	screamhaíonn	screamhú	screamhaithe	scanraigh
screamhchruaigh	*case-harden*	screamhchruann	s.chruachan	screamhchruaite	fuaigh
scríob	*scrape*	scríobann	scríobadh	scríobtha	scríobh
scríobh	***write***	**scríobhann**	**scríobh**	**scríofa**	**84**
scrios	*destroy, ruin*	scriosann	scriosadh	scriosta	scríobh
scriúáil	*screw*	scriúálann	scriúáil	scriúáilte	stampáil
scrobh	*scramble* (egg)	scrobhann	scrobhadh	scrofa	scríobh
scrúd	*try, torment*	scrúdann	scrúdadh	scrúdta	scríobh
scrúdaigh	*examine*	scrúdaíonn	scrúdú	scrúdaithe	scanraigh
scuab	*brush*	scuabann	scuabadh	scuabtha	scríobh
scuch	*go, depart*	scuchann	scuchadh	scuchta	scríobh
scuitseáil	*scutch*	scuitseálann	scuitseáil	scuitseáilte	stampáil
seachaid	*deliver, pass*	seachadann	seachadadh	seachadta	siúil
seachain	***avoid, evade***	**seachnaíonn**	**seachaint**	**seachanta**	**85**
seachránaigh	*go astray, err*	seachránaíonn	seachránú	seachránaithe	socraigh
seachródaigh	*shunt*	seachródaíonn	seachródú	seachródaithe	socraigh
seachthreoraigh	*by-pass*	seachthreoraíonn	seachthreorú	seachthreoraithe	socraigh
seachtraigh	*exteriorize*	seachtraíonn	seachtrú	seachtraithe	socraigh
sead	*blow, wheeze*	seadann	seadadh	seadta	seas
seadaigh	*settle (down)*	seadaíonn	seadú	seadaithe	socraigh
seadánaigh	*parasitize*	seadánaíonn	seadánú	seadánaithe	socraigh
séalaigh	*seal*	séalaíonn	séalú	séalaithe	socraigh
sealbhaigh	*possess, gain*	sealbhaíonn	sealbhú	sealbhaithe	socraigh
seamaigh	*rivet*	seamaíonn	seamú	seamaithe	socraigh
séamáil	*rabbet, groove*	séamálann	séamáil	séamáilte	sábháil
seamhraigh	*hurry, bustle*	seamhraíonn	seamhrú	seamhraithe	socraigh

stem/root	English	present tense	verbal noun	verbal adjective	verb type
séan	*mark with sign*	séanann	séanadh	séanta	seas
séan	*deny, refuse*	séanann	séanadh	séanta	seas
seangaigh	*slim, grow thin*	seangaíonn	seangú	seangaithe	socraigh
seansáil	*chance, risk*	seansálann	seansáil	seansáilte	sábháil
seapán	*Japan(ize)*	seapánann	seapánadh	seapánta	seas
searbhaigh	*sour, embitter*	searbhaíonn	searbhú	searbhaithe	socraigh
searg	*waste, wither*	seargann	seargadh	seargtha	seas
searn	*order, array*	searnann	searnadh	searntha	seas
searr	*stretch, extend*	searrann	searradh	searrtha	seas
seas	***stand, last, keep***	**seasann**	**seasamh**	**seasta**	**86**
seiceáil	*check*	seiceálann	seiceáil	seiceáilte	sábháil
séid	*blow*	séideann	séideadh	séidte	sín
seiftigh	*devise, provide*	seiftíonn	seiftiú	seiftithe	sínigh
seilg	*hunt, chase*	seilgeann	seilg	seilgthe	sín
seiligh	*spit*	seilíonn	seiliú	seilithe	sínigh
séimhigh	*thin, aspirate*	séimhíonn	séimhiú	séimhithe	sínigh
seinn	*play* (music)	seinneann	seinm	seinnte	sín
seirbheáil	*serve*	seirbheálann	seirbheáil	seirbheáilte	sábháil
seithigh	*skin*	seithíonn	seithiú	seithithe	sínigh
seol	*sail, send*	seolann	seoladh	seolta	seas
siabhair	*bewitch*	siabhraíonn	siabhradh	siabhartha	seachain
sil	*drip, drop*	sileann	sileadh	silte	sín
síl	*think, consider*	síleann	síleadh, -lstean	sílte	sín
sil-leag	*deposit* (geol.)	sil-leagann	sil-leagan	sil-leagtha	seas
silicigh	*silicify*	silicíonn	siliciú	silicithe	sínigh
sill	*look, glance*	silleann	silleadh	sillte	sín
simpligh	*simplify*	simplíonn	simpliú	simplithe	sínigh
sín	***stretch***	**síneann**	**síneadh**	**sínte**	**87**
sincigh	*zincify*	sincíonn	sinciú	sincithe	sínigh
sindeacáitigh	*syndicate*	sindeacáitíonn	sindeacáitiú	sindeacáitithe	sínigh
sínigh	***sign***	**síníonn**	**síniú**	**sínithe**	**88**
sintéisigh	*synthesize*	sintéisíonn	sintéisiú	sintéisithe	sínigh
síob	*drift, lift*	síobann	síobadh	síobtha	seas
sioc	*freeze*	siocann	sioc	sioctha	seas
siofón	*siphon*	siofónann	siofónadh	siofónta	seas
síog	*streak, cancel*	síogann	síogadh	síogtha	seas
síogaigh	*fail, fade away*	síogaíonn	síogú	síogaithe	socraigh
síolaigh	*seed, sow*	síolaíonn	síolú	síolaithe	socraigh
síolchuir	*sow, propogate*	síolchuireann	síolchur	síolchurtha	cuir
siolp	*suck, milk dry*	siolpann	siolpadh	siolptha	seas
síolraigh	*breed*	síolraíonn	síolrú	síolraithe	socraigh
siombalaigh	*symbolize*	siombalaíonn	siombalú	siombalaithe	socraigh
sioncóipigh	*syncopate*	sioncóipíonn	sioncóipiú	sioncóipithe	sínigh
sioncrónaigh	*synchronize*	sioncrónaíonn	sioncrónú	sioncrónaithe	socraigh
sionsaigh	*delay, linger*	sionsaíonn	sionsú	sionsaithe	socraigh
síoraigh	*perpetuate*	síoraíonn	síorú	síoraithe	socraigh
siorc	*jerk*	siorcann	siorcadh	siorctha	seas
siortaigh	*ransack, search*	siortaíonn	siortú	siortaithe	socraigh
siortáil	*mistreat*	siortálann	siortáil	siortáilte	sábháil
sios	*hiss*	siosann	siosadh	siosta	seas
siosc	*cut, clip*	sioscann	sioscadh	siosctha	seas
siosc	*sizzle, whisper*	sioscann	sioscadh	siosctha	seas
siostalaigh	*hackle*	siostalaíonn	siostalú	siostalaithe	socraigh
síothaigh	*pacify*	síothaíonn	síothú	síothaithe	socraigh
síothlaigh	*strain, settle*	síothlaíonn	síothlú	síothlaithe	socraigh
sir	*transverse, ask*	sireann	sireadh	sirthe	sín
siséal	*chisel*	siséalann	siséaladh	siséalta	seas
siúcraigh	*saccharify, sugar*	siúcraíonn	siúcrú	siúcraithe	socraigh

gas/fréamh	Béarla	aimsir láithreach	ainm briathartha	aidiacht bhr.	briathar gaolta
siúil	***walk, travel***	**siúlann**	**siúl**	**siúlta**	**89**
siúnt	*shunt*	siúntann	siúntadh	siúnta	trácht
siúntaigh	*joint*	siúntaíonn	siúntú	siúntaithe	socraigh
/siúntáil, siundáil		/ siúntálann	/ siúntáil	/ siúntáilte	/sábháil
slac	*bat*	slacann	slacadh	slactha	seas
slachtaigh	*finish, tidy*	slachtaíonn	slachtú	slachtaithe	socraigh
slad	*raid, plunder*	sladann	slad	sladta	seas
slaidh	*smite, slay*	slaidheann	slaidhe	slaidhte	sín
slaiseáil	*slash, lash*	slaiseálann	slaiseáil	slaiseáilte	sábháil
slám	*tease (wool)*	slámann	slámadh	slámtha	seas
slámáil	*pluck, gather*	slámálann	slámáil	slámáilte	sábháil
slánaigh	*make whole*	slánaíonn	slánú	slánaithe	socraigh
slaod	*mow down*	slaodann	slaodadh	slaodta	seas
slaon	*tease (wool)*	slaonann	slaonadh	slaonta	seas
slat	*beat with rod*	slatann	slatadh	slata	trácht
slatáil	*beat with rod*	slatálann	slatáil	slatáilte	sábháil
sleabhac	*droop, fade*	sleabhcann	sleabhcadh	sleabhctha	lch 423
	become limp	sleabhcfaidh	shleabhcfadh	shleabhcadh	p. 423
sleacht	*cut down, fell*	sleachtann	sleachtadh	sleachta	trácht
sléacht	*kneel, genuflect*	sléachtann	sléachtadh	sléachta	trácht
sleáigh	*spear*	sleánn; sleáfaidh	sleá	sleáite	báigh
sleamhnaigh	*slip, slide*	sleamhnaíonn	sleamhnú	sleamhnaithe	socraigh
sliacht	*sleek, stroke*	sliachtann	sliachtadh	sliachta	trácht
sligh	*cut down, fell*	slíonn	slí	slite	suigh
slíob	*rub, smooth*	slíobann	slíobadh	slíobtha	seas
slíoc	*sleek, smooth*	slíocann	slíocadh	slíoctha	seas
sliochtaigh	*lick clean*	sliochtaíonn	sliochtú	sliochtaithe	socraigh
slíom	*smooth, polish*	slíomann	slíomadh	slíomtha	seas
sliop	*snatch*	sliopann	sliopadh	slioptha	seas
slis	*beetle, beat*	sliseann	sliseadh	sliste	sín
slócht	*hoarsen*	slóchtann	slóchtadh	slóchta	trácht
slog	*swallow*	slogann	slogadh	slogtha	seas
slóg	*mobilize*	slógann	slógadh	slógtha	seas
sloinn	*tell, state name*	sloinneann	sloinneadh	sloinnte	sín
sluaisteáil	*shovel, scoop*	sluaisteálann	sluaisteáil	sluaisteáilte	sábháil
sluaistrigh	*earth, mould*	sluaistríonn	sluaistriú	sluaistrithe	sínigh
smachtaigh	*control, restrain*	smachtaíonn	smachtú	smachtaithe	scanraigh
smailc	*gobble, puff*	smailceann	smailceadh	smailcthe	scaoil
smailc	*smack*	smailceann	smailceadh	smailcthe	scaoil
smálaigh	*tarnish, stain*	smálaíonn	smálú	smálaithe	scanraigh
smaoinigh	***think***	**smaoiníonn**	**smaoineamh**	**smaoinithe**	**90**
smeach	*flip, flick, gasp*	smeachann	smeachadh	smeachta	scríobh
smeadráil	*smear, daub*	smeadrálann	smeadráil	smeadráilte	stampáil
smear	*smear, smudge*	smearann	smearadh	smeartha	scríobh
sméid	*wink, signal*	sméideann	sméideadh	sméidte	scaoil
smid	*dress, make-up*	smideann	smideadh	smidte	scaoil
smíocht	*smite, wallop*	smíochtann	smíochtadh	smíochta	trácht
smiog	*pass out, die*	smiogann	smiogadh	smiogtha	scríobh
smiot	*hit, smite*	smiotann	smiotadh	smiota	trácht
smíst	*pound, cudgel*	smísteann	smísteadh	smíste	tit
smol	*blight*	smolann	smoladh	smolta	scríobh
smúdáil	*smooth, iron*	smúdálann	smúdáil	smúdáilte	stampáil
smuigleáil	*smuggle*	smuigleálann	smuigleáil	smuigleáilte	stampáil
smúitigh	*becloud, darken*	smúitíonn	smúitiú	smúitithe	smaoinigh
smúr	*sniff*	smúrann	smúradh	smúrtha	scríobh
smut	*truncate*	smutann	smutadh	smuta	trácht
snaidhm	*knot, entwine*	snaidhmeann	snaidhmeadh	snaidhmthe	sín
snáith	*sip*	snáitheann	snáthadh	snáite	caith

stem/root	*English*	*present tense*	*verbal noun*	*verbal adjective*	*verb type*
snáithigh	*grain*	snáithíonn	snáithiú	snáithithe	sínigh
snamh	*peel*	snamhann	snamhadh	snafa	seas
snámh	*swim, crawl*	snámhann	snámh	snáfa	seas
snap	*snap, snatch*	snapann	snapadh	snaptha	seas
snasaigh	*polish, gloss*	snasaíonn	snasú	snasaithe	socraigh
snigeáil	*snuff out, die*	snigeálann	snigeáil	snigeáilte	sábháil
snigh	*pour down*	sníonn	sní	snite	suigh
sniog	*milk dry, drain*	sniogann	sniogadh	sniogtha	seas
sníomh	*spin, twist*	sníomhann	sníomh	sníofa	seas
snoigh	*cut, hew*	snoíonn; snoífidh	snoí	snoite	suigh
socht	*become silent*	sochtann	sochtadh	sochta	trácht
socraigh	***settle, arrange***	**socraíonn**	**socrú**	**socraithe**	**91**
soifnigh	*snivel, whine*	soifníonn	soifniú	soifnithe	sínigh
sóigh	*mutate*	sónn; sófaidh	só	sóite	dóigh
soiléirigh	*clarify*	soiléiríonn	soiléiriú	soiléirithe	sínigh
soilsigh	*shine*	soilsíonn	soilsiú	soilsithe	sínigh
soinnigh	*press, force*	soinníonn	soinniú	soinnithe	sínigh
sóinseáil	*change*	sóinseálann	sóinseáil	sóinseáilte	sábháil
soiprigh	*nestle, snuggle*	soipríonn	soipriú	soiprithe	sínigh
soirbhigh	*make easy*	soirbhíonn	soirbhiú	soirbhithe	sínigh
soiscéalaigh	*preach gospel*	soiscéalaíonn	soiscéalú	soiscéalaithe	socraigh
sóisialaigh	*socialize*	sóisialaíonn	sóisialú	sóisialaithe	socraigh
soladaigh	*solidify*	soladaíonn	soladú	soladaithe	socraigh
sólásaigh	*console, cheer*	sólásaíonn	sólású	sólásaithe	socraigh
soláthair	*provide*	soláthraíonn	soláthar	soláthartha	seachain
sollúnaigh	*solemnize*	sollúnaíonn	sollúnú	sollúnaithe	socraigh
soncáil	*thrust, nudge*	soncálann	soncáil	soncáilte	sábháil
sondáil	*sound*	sondálann	sondáil	sondáilte	sábháil
sonn	*impale, press*	sonnann	sonnadh	sonnta	seas
sonraigh	*specify, notice*	sonraíonn	sonrú	sonraithe	socraigh
sop	*light with straw*	sopann	sopadh	soptha	seas
sorchaigh	*light, enlighten*	sorchaíonn	sorchú	sorchaithe	socraigh
sórtáil	*sort*	sórtálann	sórtáil	sórtáilte	sábháil
spadhar	*enrage*	spadhrann spadhrfaidh	spadhradh spadhrfadh	spadhartha spadhradh	lch 423 p. 423
spágáil	*walk clumsily*	spágálann	spágáil	spágáilte	stampáil
spaill	*check, rebuke*	spailleann	spailleadh	spaillte	scaoil
spairn	*fight, spar*	spairneann	spairneadh	spairnthe	scaoil
spall	*scorch, shrivel*	spallann	spalladh	spallta	scríobh
spallaigh	*gallet*	spallaíonn	spallú	spallaithe	scanraigh
spalp	*burst forth*	spalpann	spalpadh	spalptha	scríobh
spáráil	*spare*	spárálann	spáráil	spáráilte	stampáil
sparr	*bar, bolt, secure*	sparrann	sparradh	sparrtha	scríobh
spásáil	*space*	spásálann	spásáil	spásáilte	stampáil
speach	*kick, recoil*	speachann	speachadh	speachta	scríobh
speal	*mow, scythe*	spealann	spealadh	spealta	scríobh
spear	*spear, pierce*	spearann	spearadh	speartha	scríobh
spéiceáil	*knock stiff*	spéiceálann	spéiceáil	spéiceáilte	stampáil
speir	*hamstring*	speireann	speireadh	speirthe	scaoil
spíceáil	*spike, nail*	spíceálann	spíceáil	spíceáilte	stampáil
spídigh	*revile, slander*	spídíonn	spídiú	spídithe	smaoinigh
spíon	*tease, comb*	spíonann	spíonadh	spíonta	scríobh
spionn	*animate, enliven*	spionnann	spionnadh	spionnta	scríobh
spíosraigh	*spice, flavour*	spíosraíonn	spíosrú	spíosraithe	scanraigh
spladhsáil	*splice*	spladhsálann	spladhsáil	spladhsáilte	stampáil
splanc	*flash, spark*	splancann	splancadh	splanctha	scríobh
spléach	*glance*	spléachann	spléachadh	spléachta	scríobh
spleantráil	*splinter, chip*	spleantrálann	spleantráil	spleantráilte	stampáil

spoch	*castrate, geld*	spochann	spochadh	spochta	scríobh
spól	*cut into joints*	spólann	spóladh	spólta	scríobh
spor	*spur, incite*	sporann	sporadh	sportha	scríobh
spóraigh	*sporulate*	spóraíonn	spórú	spóraithe	scanraigh
spotáil	*spot, locate*	spotálann	spotáil	spotáilte	stampáil
spraeáil	*spray*	spraeálann	spraeáil	spraeáilte	stampáil
spréach	*spark*	spréachann	spréachadh	spréachta	scríobh
spreachallaigh	*spatter, sprinkle*	spreachallaíonn	spreachallú	spreachallaithe	scanraigh
spreag	*urge, inspire*	spreagann	spreagadh	spreagtha	scríobh
spréigh	*spread*	spréann	spré / spréadh	spréite	léigh
sprioc	*mark out, stake*	spriocann	spriocadh	sprioctha	scríobh
spriúch	*lash out, kick*	spriúchann	spriúchadh	spriúchta	scríobh
spruigeáil	*sprig, embroider*	spruigeálann	spruigeáil	spruigeáilte	stampáil
sprúill	*crumble*	sprúilleann	sprúilleadh	sprúillte	scaoil
spúinseáil	*sponge*	spúinseálann	spúinseáil	spúinseáilte	stampáil
srac	*pull, tear*	sracann	sracadh	sractha	seas
sraithrannaigh	*ordinate*	sraithrannaíonn	sraithrannú	sraithrannaithe	socraigh
sram	*discharge, run*	sramann	sramadh	sramtha	seas
srann	*snore, wheeze*	srannann	srannadh	srannta	seas
sraoill	*flog, tear apart*	sraoilleann	sraoilleadh	sraoillte	sín
sraon	*pull, drag*	sraonann	sraonadh	sraonta	seas
srathaigh	*stratify*	srathaíonn	srathú	srathaithe	socraigh
srathnaigh	*spread*	srathnaíonn	srathnú	srathnaithe	socraigh
srathraigh	*harness*	srathraíonn	srathrú	srathraithe	socraigh
sreabh	*stream, flow*	sreabhann	sreabhadh	sreafa	seas
sreang	*drag, wrench*	sreangann	sreangadh	sreangtha	seas
sreangaigh	*wire*	sreangaíonn	sreangú	sreangaithe	socraigh
sreangtharraing	*wire-draw*	s.tharraingeann	sreangtharraingt	s.tharraingthe	tarraing
srian	*bridle, curb*	srianann	srianadh	srianta	seas
sroich	*reach*	sroicheann	sroicheadh	sroichte	sín
sroighill = sraoill	*scourge*	sroighlíonn	sroighleadh	sroigheallta	taitin
sruthaigh	*stream, flow*	sruthaíonn	sruthú	sruthaithe	socraigh
sruthlaigh	*rinse, flush*	sruthlaíonn	sruthlú	sruthlaithe	socraigh
stad	*stop, halt, stay*	stadann	stad	stadta	scríobh
stáirseáil	*starch*	stáirseálann	stáirseáil	stáirseáilte	stampáil
stáitsigh	*stage*	stáitsíonn	stáitsiú	stáitsithe	smaoinigh
stálaigh	*season, toughen*	stálaíonn	stálú	stálaithe	scanraigh
stalc	*set, harden*	stalcann	stalcadh	stalctha	scríobh
stampáil	***stamp***	**stampálann**	**stampáil**	**stampáilte**	**92**
stán	*stare*	stánann	stánadh	stánta	scríobh
stánaigh	*tin, coat with t.*	stánaíonn	stánú	stánaithe	scanraigh
stánáil	*beat, trounce*	stánálann	stánáil	stánáilte	stampáil
stang	*dowel*	stangann	stangadh	stangtha	scríobh
stang	*bend, sag*	stangann	stangadh	stangtha	scríobh
stánphlátáil	*tin-plate*	stánphlátálann	stánphlátáil	stánphlátáilte	stampáil
staon	*abstain, desist*	staonann	staonadh	staonta	scríobh
stápláil	*staple*	stáplálann	stápláil	stápláilte	stampáil
stéagaigh	*season (wood)*	stéagaíonn	stéagú	stéagaithe	scanraigh
steall	*splash, pour*	steallann	stealladh	steallta	scríobh
steanc	*squirt, splash*	steancann	steancadh	steanctha	scríobh
steiriligh	*sterilize*	steirilíonn	steiriliú	steirilithe	smaoinigh
stiall	*strip, slice*	stiallann	stialladh	stiallta	scríobh
stíleáil	*style*	stíleálann	stíleáil	stíleáilte	stampáil
stíligh	*stylize*	stílíonn	stíliú	stílithe	smaoinigh
stiúg	*expire, perish*	stiúgann	stiúgadh	stiúgtha	scríobh
stiúir	*direct, steer*	stiúrann	stiúradh	stiúrtha	siúil + scríobh
stobh	*stew*	stobhann	stobhadh	stofa	scríobh
stócáil	*stoke*	stócálann	stócáil	stócáilte	stampáil

stem/root	*English*	*present tense*	*verbal noun*	*verbal adjective*	*verb type*
stóinsigh	*make staunch*	stóinsíonn	stóinsiú	stóinsithe	smaoinigh
stoith	*pull, uproot*	stoitheann	stoitheadh	stoite	caith + scaoil
stoithin	*tousle (hair)*	stoithníonn	stoithneadh	stoithinte	taitin
stoll	*tear, rend*	stollann	stolladh	stollta	scríobh
stolp	*become stodgy*	stolpann	stolpadh	stolptha	scríobh
stop	*stop, halt, stay*	stopann	stopadh	stoptha	scríobh
stóráil	*store*	stórálann	stóráil	stóráilte	stampáil
straeáil	*go astray*	straeálann	straeáil	straeáilte	stampáil
straidhneáil	*strain*	straidhneálann	straidhneáil	straidhneáilte	stampáil
straidhpeáil	*stripe*	straidhpeálann	straidhpeáil	straidhpeáilte	stampáil
strapáil	*strap*	strapálann	strapáil	strapáilte	stampáil
streachail	*pull, struuggle*	streachlaíonn	streachailt	streachailte	seachain
stríoc	*strike, lower*	stríocann	stríocadh	stríoctha	scríobh
stróic	*stroke, tear*	stróiceann	stróiceadh	stróicthe	scaoil
stroighnigh	*cement*	stroighníonn	stroighniú	stroighnithe	smaoinigh
stromp	*stiffen, harden*	strompann	strompadh	stromptha	scríobh
struipeáil	*strip*	struipeálann	struipeáil	struipeáilte	stampáil
strustuirsigh	*fatigue*	strustuirsíonn	strustuirsiú	strustuirsithe	smaoinigh
stuáil	*stow, pack*	stuálann	stuáil	stuáilte	scaoil
stuamaigh	*calm down*	stuamaíonn	stuamú	stuamaithe	scanraigh
stuc	*stook (corn)*	stucann	stucadh	stuctha	scríobh
stumpáil	*stump*	stumpálann	stumpáil	stumpáilte	stampáil
suaimhnigh	*quiet, pacify*	suaimhníonn	suaimhniú	suaimhnithe	sínigh
suaith	*mix, knead*	suaitheann	suaitheadh	suaite	caith + seas
suaithnigh	*indicate*	suaithníonn	suaithniú	suaithnithe	sínigh
suanbhruith	*simmer*	suanbhruitheann	suanbhruith	suanbhruite	caith + seas
suaraigh	*demean*	suaraíonn	suarú	suaraithe	socraigh
subhaigh	*rejoice*	subhaíonn	subhú	subhaithe	socraigh
substain	*subsist*	substaineann	substaineadh	substainte	sín
súigh	*absorb, suck*	súnn, súfaidh	sú	súite	brúigh
suigh	***sit***	**suíonn**	**suí**	**suite**	**93**
suimeáil	*integrate*	suimeálann	suimeáil	suimeáilte	sábháil
suimigh	*add (figures)*	suimíonn	suimiú	suimithe	sínigh
suimintigh	*cement*	suimintíonn	suimintiú	suimintithe	sínigh
súisteáil	*flail, thrash*	súisteálann	súisteáil	súisteáilte	sábháil
suiteáil	*instal*	suiteálann	suiteáil	suiteáilte	sábháil
sulfáitigh	*sulphate*	sulfáitíonn	sulfáitiú	sulfáitithe	sínigh
suncáil	*sink, invest*	suncálann	suncáil	suncáilte	sábháil
súraic	*suck (down)*	súraicíonn	súrac	súraicthe	tarraing
		súraiceoidh	shúraiceodh	shúraicíodh	lch 423
					p. 423
tabhaigh	*earn, desrve*	tabhaíonn	tabhú	tabhaithe	triomaigh
tabhair	***give***	**tugann**	**tabhairt**	**tugtha**	**94**
táblaigh	*tabulate, table*	táblaíonn	táblú	táblaithe	triomaigh
tacaigh	*support, back*	tacaíonn	tacú	tacaithe	triomaigh
tacair	*glean, gather*	tacraíonn	tacar	tacartha	tagair
tacht	*choke, strangle*	tachtann	tachtadh	tachta	trácht
tácláil	*tackle*	táclálann	tácláil	tácláilte	pacáil
tacmhaing	*reach, extend*	tacmhaingeann	tacmhang	tacmhaingthe	tuig
tadhaill	*contact, touch*	tadhlaíonn	tadhall	tadhalta	tagair
tafainn	*bark*	taifneann	tafann	tafannta	lch 423
		taifnfidh	thaifnfeadh	thaifneadh	p. 423
tagair	***refer, allude***	**tagraíonn**	**tagairt**	**tagartha**	**95**
taibhrigh	*dream, show*	taibhríonn	taibhreamh	taibhrithe	tuirsigh
taibhsigh	*loom, appear*	taibhsíonn	taibhsiú	taibhsithe	tuirsigh
taifead	*record*	taifeadann	taifeadadh	taifeadta	teann
taifigh *see* taithmhigh	*analyse*	taifíonn	taifiú	taifithe	tuirsigh

taighd	*poke, probe*	taighdeann	taighde	taighdte	tuig
táinsigh	*reproach*	táinsíonn	táinseamh	táinsithe	tuirsigh
táir	*demean*	táireann	táireadh	táirthe	tuig
tairbhigh	*benefit, profit*	tairbhíonn	tairbhiú	tairbhigh	tuirsigh
tairg	*offer, attempt*	tairgeann	tairiscint	tairgthe	tuig
táirg	*produce*	táirgeann	táirgeadh	táirgthe	tuig
tairis	*stop, stay*	tairiseann	tairiseamh	tairiste	bris
tairisnigh	*trust, rely on*	tairisníonn	tairisniú	tairisnithe	tuirsigh
tairneáil	*nail*	tairneálann	tairneáil	tairneáilte	pacáil
tairngir	*foretell, promise*	tairngríonn	tairngreacht	tairngirthe	taitin
taisc	*lay up, store*	taisceann	taisceadh	taiscthe	tuig
taiscéal	*explore*	taiscéalann	taiscéaladh	taiscéalta	teann
taisealbh	*assign, ascribe*	taisealbhann	taisealbhadh	taisealfa	teann
taisligh	*deliquesce*	taislíonn	taisliú	taislithe	tuirsigh
taispeáin	***show***	**taispeánann**	**taispeáint**	**taispeánta**	**96**
taisrigh	*damp, moisten*	taisríonn	taisriú	taisrithe	tuirsigh
taistil	***travel***	**taistealaíonn**	**taisteal**	**taistealta**	**97**
taithigh	*frequent*	taithíonn	taithiú	taithithe	tuirsigh
taithmhigh	*dissolve, annul*	taithmhíonn	taithmheach	taithmhithe	tuirsigh
taitin	***shine***	**taitníonn**	**taitneamh**	**taitnithe**	**98**
tál	*yield milk*	tálann	tál	tálta	teann
tall	*take away, lop*	tallann	talladh	tallta	teann
talmhaigh	*dig (oneself) in*	talmhaíonn	talmhú	talmhaithe	triomaigh
támáil	*make sluggish*	támálann	támáil	támáilte	pacáil
tamhain	*truncate*	tamhnaíonn	tamhnamh	tamhanta	tagair
tanaigh	*thin, dilute*	tanaíonn	tanú	tanaithe	triomaigh
taobhaigh	*approach, trust*	taobhaíonn	taobhú	taobhaithe	triomaigh
taobhrian	*offset*	taobhrianann	taobhrianadh	taobhrianta	teann
taom	*pour off, bail*	taomann	taomadh	taomtha	teann
taosaigh	*paste*	taosaíonn	taosú	taosaithe	triomaigh
taosc	*bail, pump out*	taoscann	taoscadh	taosctha	teann
tapaigh	*quicken, grasp*	tapaíonn	tapú	tapaithe	triomaigh
tapáil	*tap*	tapálann	tapáil	tapáilte	pacáil
tar	***come***	**tagann (tig)**	**teacht /theacht**	**tagtha**	**99**
tarathraigh	*bore with auger*	tarathraíonn	tarathrú	tarathraithe	triomaigh
tarcaisnigh	*scorn, affront*	tarcaisníonn	tarcaisniú	tarcaisnithe	tuirsigh
tarchéimnigh	*transcend*	tarchéimníonn	tarchéimniú	tarchéimnithe	tuirsigh
tarchuir	*remit, refer*	tarchuireann	tarchur	tarchurtha	cuir
tarfhuaigh	*overcast*	tarfhuann	tarfhuáil	tarfhuaite	fuaigh
tarlaigh	*happen, occur*	tarlaíonn	tarlú	tarlaithe	triomaigh
tarlaigh	*haul, garner*	tarlaíonn	tarlú	tarlaithe	triomaigh
tarráil	*tar*	tarrálann	tarráil	tarráilte	pacáil
tarraing	***pull, draw***	**tarraingíonn**	**tarraingt**	**tarraingthe**	**100**
tarramhacadamaigh	*tarmacadam*	tarramhacadamaíonn	tarramhacadamú	tarramhacadamaithe	triomaigh
tarrtháil	*rescue, deliver*	tarrthálann	tarrtháil	tarrtháilte	pacáil
tarscaoil	*waive*	tarscaoileann	tarscaoileadh	tarscaoilte	scaoil
tástáil	*taste, sample*	tástálann	tástáil	tástáilte	pacáil
táthaigh	*weld, unite*	táthaíonn	táthú	táthaithe	triomaigh
tathantaigh	*urge, incite*	tathantaíonn	tathantú	tathantaithe	triomaigh
tathaoir	*find fault with*	tathaoireann	tathaoir	tathaoirthe	tuig
tatuáil	*tattoo*	tatuálann	tatuáil	tatuáilte	pacáil
teacht	*hold, enjoy*	teachtann	teachtadh	teachta	trácht
téacht	*freeze, congeal*	téachtann	téachtadh	téachta	trácht
teagasc	*teach, instruct*	teagascann	teagasc	teagasctha	teann
teaglamaigh	*collect, combine*	teaglamaíonn	teaglamú	teaglamaithe	triomaigh
teagmhaigh	*chance, meet*	teagmhaíonn	teagmháil	teagmhaithe	triomaigh
téaltaigh	*creep, slink*	téaltaíonn	téaltú	téaltaithe	triomaigh
teangaigh	*tongue*	teangaíonn	teangú	teangaithe	triomaigh

stem/root	*English*	*present tense*	*verbal noun*	*verbal adjective*	*verb type*
teanglaigh	*joggle*	teanglaíonn	teanglú	teanglaithe	triomaigh
teann	***tighten***	**teannann**	**teannadh**	**teannta**	**101**
teanntaigh	*hem in, corner*	teanntaíonn	teanntú	teanntaithe	triomaigh
tearcaigh	*decrease*	tearcaíonn	tearcú	tearcaithe	triomaigh
tearmannaigh	*harbour*	tearmannaíonn	tearmannú	tearmannaithe	triomaigh
téarnaigh	*come out of*	téarnaíonn	téarnamh	téarnaithe	triomaigh
teasairg	*save, rescue*	teasargann	teasargan	teasargtha	siúil
teasc	*cut off, lop*	teascann	teascadh	teasctha	teann
teasdíon	*insulate*	teasdíonann	teasdíonadh	teasdíonta	teann
teastaigh	*want, need*	teastaíonn	teastáil	teastaithe	triomaigh
teibigh	*abstract*	teibíonn	teibiú	teibithe	tuirsigh
téigh	***go***	**téann**	**dul (dhul/ghoil)**	**dulta**	**102**
téigh	*heat, warm*	téann; téifidh	téamh	téite	léigh
teilg	*throw, cast*	teilgeann	teilgean	teilgthe	tuig
teilifísigh	*televise*	teilifísíonn	teilifísiú	teilifísithe	tuirsigh
teimhligh	*darken, stain*	teimhlíonn	teimhliú	teimhlithe	tuirsigh
teinn	*cut, break open*	teinneann	teinm	teinnte	tuig
teip	*fail*	teipeann	teip	teipthe	tuig
teisteáil	*test*	teisteálann	teisteáil	teisteáilte	pacáil
teistigh	*depose*	teistíonn	teistiú	teistithe	tuirsigh
teith	*run away, flee*	teitheann	teitheadh	teite	caith
teorannaigh	*delimit, limit*	teorannaíonn	teorannú	teorannaithe	triomaigh
tíáil	*tee* (golf)	tíálann	tíáil	tíáilte	pacáil
tiarnaigh	*rule, dominate*	tiarnaíonn	tiarnú	tiarnaithe	triomaigh
tibh	*touch, laugh*	tibheann	tibheadh	tife	tuig
ticeáil	*tick, tick off*	ticeálann	ticeáil	ticeáilte	pacáil
til	*control, rule*	tileann	tileadh	tilte	tuig
timpeallaigh	*go round, belt*	timpeallaíonn	timpeallú	timpeallaithe	triomaigh
timpeallghearr	*circumcise*	t.ghearrann	t.ghearradh	t.ghearrtha	teann
tinneasnaigh	*hurry, urge on*	tinneasnaíonn	tinneasnú	tinneasnaithe	triomaigh
tinnigh	*make sore*	tinníonn	tinniú	tinnithe	tuirsigh
tíolaic	*bestow, dedicate*	tíolacann	tíolacadh	tíolactha	siúil
tiomáin	***drive***	**tiomáineann**	**tiomáint**	**tiomáinte**	**103**
tiomain	*swear*	tiomnann	tiomaint	tiomanta	= tiomnaigh
tiomairg	*bring together*	tiomargann	tiomargadh	tiomargtha	siúil
tiomnaigh	*bequeath*	tiomnaíonn	tiomnú	tiomnaithe	triomaigh
tiompáil	*thump, butt*	tiompálann	tiompáil	tiompáilte	pacáil
tiomsaigh	*accumulate*	tiomsaíonn	tiomsú	tiomsaithe	triomaigh, iompaigh
tionlaic	*accompany*	tionlacann	tionlacan	tionlactha	siúil
tionnabhair	*fall asleep*	tionnabhraíonn	tionnabhradh	tionnabhartha	tagair
tionóil	*collect, covene*	tionólann	tionól	tionólta	siúil
tionscain	*begin, initiate*	tionscnaíonn	tionscnamh	tionscanta	tagair
tionsclaigh	*industrialize*	tionsclaíonn	tionsclú	tionsclaithe	triomaigh
tiontaigh	*turn, convert*	tiontaíonn	tiontú	tiontaithe	triomaigh
tíopáil	*(determine) type*	tíopálann	tíopáil	tíopáilte	pacáil
tíor	*dry up, parch*	tíorann	tíoradh	tíortha	teann
tirimghlan	*dry-clean*	tirimghlanann	tirimghlanadh	tirimghlanta	teann + glan
tit	***fall***	**titeann**	**titim**	**tite**	**104**
tiubhaigh	*thicken*	tiubhaíonn	tiubhú	tiubhaithe	triomaigh
tiúin	*tune*	tiúnann	tiúnadh	tiúnta	siúil
tláthaigh	*allay, appease*	tláthaíonn	tláthú	tláthaithe	triomaigh
tlúáil	*ripple (flax)*	tlúálann	tlúáil	tlúáilte	pacáil
tnáith	*weary, exhaust*	tnáitheann	tnáitheadh	tnáite	caith
tnúth	*envy*	tnúthann	tnúth	tnúite	trácht
tóch	*dig, root*	tóchann	tóchadh	tóchta	teann
tochail	*dig, excavate*	tochlaíonn	tochailt	tochailte	tagair
tochais	*scratch*	tochasann	tochas	tochasta	siúil
tochrais	*wind thread*	tochrasann	tochras	tochrasta	siúil

gas/fréamh	Béarla	aimsir láithreach	ainm briathartha	aidiacht bhr.	briathar gaolta
tochsail	*distrain*	tochslaíonn	tochsal	tochsalta	tagair
tóg, tóig *C*	***lift, rear, take***	**tógann**	**tógáil**	**tógtha**	**105**
togair	*desire, choose*	tograíonn	togradh	togartha	tagair
togh	*choose, select*	toghann	toghadh	tofa	teann
toghail	*sack, destroy*	toghlann	toghail	toghailte	lch 423
		toghlfaidh	thoghlfadh	thoghladh	p. 423
toghair	*summon*	toghaireann	toghairm	toghairthe	tuig
toghluais	*move, abort*	toghluaiseann	toghluasacht	toghluaiste	tuig
toibhigh	*levy, collect*	toibhíonn	tobhach	toibhithe	tuirsigh
toiligh	*agree, consent*	toilíonn	toiliú	toilithe	tuirsigh
toill	*fit, find room*	toilleann	toilleadh	toillte	tuig
toimhdigh	*think, presume*	toimhdíonn	toimhdiú	toimhdithe	tuirsigh
toirbhir	*deliver, present*	toirbhríonn	toirbhirt	toirbhearta	taitin
toirchigh	*make pregnant*	toirchíonn	toirchiú	toirchithe	tuirsigh
toirmisc	*prohibit, forbid*	toirmisceann	toirmeasc	toirmiscthe	tuig
/ toirmeascaigh		/ toirmeascaíonn	/ toirmeascú	/ toirmeascaithe	/ triomaigh
toitrigh	*fumigate*	toitríonn	toitriú	toitrithe	tuirsigh
tolg	*attack, thrust*	tolgann	tolgadh	tolgtha	teann
toll	*bore, pierce*	tollann	tolladh	tollta	teann
tomhaidhm	*erupt*	tomhadhmann	tomhadhmadh	tomhadhmtha	siúil
tomhail	*eat, consume*	tomhlaíonn	tomhailt	tomhailte	tagair
tomhais	*measure, guess*	tomhaiseann	tomhas	tomhaiste	tuig
tonach	*wash* (the dead)	tonachann	tonachadh	tonachta	teann
tonaigh	*tone*	tonaíonn	tonú	tonaithe	triomaigh
tonn	*billow, gush*	tonnann	tonnadh	tonnta	teann
tonnchrith	*vibrate, quiver*	tonnchritheann	tonnchrith	tonnchrite	caith
tóraigh	*pursue, track*	tóraíonn	tóraíocht	tóraithe	triomaigh
torchair	*fall, lay low*	torchrann	torchradh	torchartha	lch 423
		torchrfaidh	thorchrfadh	thorchradh	p. 423
tornáil	*tack, zig-zag*	tornálann	tornáil	tornáilte	pacáil
tórraigh	*wake* (dead)	tórraíonn	tórramh	tórraithe	triomaigh
torthaigh	*fruit, fructify*	torthaíonn	torthú	torthaithe	triomaigh
tosaigh, toisigh *U*	***begin, start***	**tosaíonn**	**tosú (toiseacht)**	**tosaithe**	**106**
tosáil	*toss*	tosálann	tosáil	tosáilte	pacáil
tost	*become silent*	tostann	tostadh	tosta	trácht
/ tostaigh		/ tostaíonn	/ tostú	/ tostaithe	/ triomaigh
tóstáil	*toast*	tóstálann	tóstáil	tóstáilte	pacáil
tothlaigh	*desire, crave*	tothlaíonn	tothlú	tothlaithe	triomaigh
trácht	***mention***	**tráchtann**	**trácht**	**tráchta**	**107**
trácht	*journey, travel*	tráchtann	trácht	tráchta	trácht
traenáil	*train*	traenálann	traenáil	traenáilte	pacáil
tráigh	*ebb, subside*	tránn; tráfaidh	trá	tráite	báigh
trampáil	*tramp*	trampálann	trampáil	trampáilte	pacáil
traoch	*subdue, exhaust*	traochann	traochadh	traochta	teann
traoith	*abate, subside*	traoitheann	traoitheadh	traoite	caith
traost	*lay low*	traostann	traostadh	traosta	trácht
trasnaigh	*cross, traverse*	trasnaíonn	trasnú	trasnaithe	triomaigh
trasuigh	*transpose*	trasuíonn	trasuí	trasuite	suigh
tráthail	*exploit*	tráthálann	tráthail	tráthailte	pacáil
treabh	*plough*	treabhann	treabhadh	treafa	teann
treaghd	*pierce, wound*	treaghdann	treaghdadh	treaghdta	teann
treáigh	*penetrate*	treánn; treáfaidh	treá	treáite	báigh
trealmhaigh	*fit out, equip*	trealmhaíonn	trealmhú	trealmhaithe	triomaigh
treamhnaigh	*curdle*	treamhnaíonn	treamhnú	treamhnaithe	triomaigh
treapáin	*trepan*	treapánann	treapánadh	treapánta	taispeáin
treascair	*overthrow*	treascraíonn	treascairt	treascartha	tagair
tréaslaigh	*congratulate*	tréaslaíonn	tréaslú	tréaslaithe	triomaigh
trébhliantaigh	*perennate*	trébhliantaíonn	trébhliantú	trébhliantaithe	triomaigh

stem/root	*English*	*present tense*	*verbal noun*	*verbal adjective*	*verb type*
tréghalaigh	*transpire*	tréghalaíonn	tréghalú	tréghalaithe	triomaigh
tréig	*abandon*	tréigeann	tréigean, - tréigbheáil	tréigthe	tuig
treisigh	*reinforce*	treisíonn	treisiú	treisithe	tuirsigh
tréithrigh	*characterize*	tréithríonn	tréithriú	tréithrithe	tuirsigh
treoraigh	*guide, direct*	treoraíonn	treorú	treoraithe	triomaigh
treoráil	*sight* Artill.	treorálann	treoráil	treoráilte	pacáil
treoshuigh	*orientate*	treoshuíonn	treoshuí	treoshuite	suigh
tréthál	*transude*	tréthálann	tréthál	tréthálta	teann
triail	*try, test*	triaileann	triail	triailte	tuig
/ triáil		/ triálann	/ triáil	/ triáilte	/ pacáil
triall	*journey, travel*	triallann	triall	triallta	teann
triantánaigh	*triangulate*	triantánaíonn	triantánú	triantánaithe	triomaigh
trilsigh	*braid, sparkle*	trilsíonn	trilsiú	trilsithe	tuirsigh
trinseáil	*trench, bury*	trinseálann	trinseáil	trinseáilte	pacáil
triomaigh	***dry***	**triomaíonn**	**triomú**	**triomaithe**	**108**
triosc	*interrupt*	trioscann	triosc	triosctha	teann
tríroinn	*trisect*	tríroinneann	tríroinnt	tríroinnte	tuig + roinn
trochlaigh	*decay, profane*	trochlaíonn	trochlú	trochlaithe	triomaigh
/ trochail		/ trochlaíonn	/ trochailt	/ trochailte	/ tagair
troid	*fight, quarrel*	troideann	troid	troidte	tuig
troisc	*fast, abstain*	troisceann	troscadh	troiscthe	tuig
tromaigh	*become heavier*	tromaíonn	tromú	tromaithe	triomaigh
truaigh	*make lean*	truann; truafaidh	trua	truaite	fuaigh
truailligh	*corrupt, pollute*	truaillíonn	truailliú	truaillithe	tuirsigh
truaillmheasc	*adulterate*	truaillmheascann	truaillmheascadh	truaillmheasctha	teann
truipeáil	*trip, kick*	truipeálann	truipeáil	truipeáilte	pacáil
truncáil	*pack, throng*	truncálann	truncáil	truncáilte	pacáil
trusáil	*truss, tuck*	trusálann	trusáil	trusáilte	pacáil
trust	*trust*	trustann	trustadh	trusta	trácht
tuaigh	*chop (with axe)*	tuann; tuafaidh	tua	tuaite	fuaigh
tuairimigh	*conjecture*	tuairimíonn	tuairimiú	tuairimithe	tuirsigh
tuairiscigh	*report*	tuairiscíonn	tuairisciú	tuairiscithe	tuirsigh
tuairteáil	*pound, thump*	tuairteálann	tuairteáil	tuairteáilte	pacáil
tuar	*augur, forbode*	tuarann	tuar	tuartha	teann
tuar	*bleach, whiten*	tuarann	tuar	tuartha	teann
tuargain	*pound, batter*	tuairgníonn	tuargaint	tuargainte	taitin
tuaslaig	*solve, dissolve*	tuaslagann	tuaslagadh	tuaslagtha	siúil
tuasláitigh	*solvate*	tuasláitíonn	tuasláitiú	tuasláitithe	tuirsigh
tuathaigh	*laicize*	tuathaíonn	tuathú	tuathaithe	triomaigh
tubh	*touch, accuse*	tubhann	tubha, tubhadh	tufa	teann
tuig	***understand***	**tuigeann**	**tuiscint** **tuigbheáil** *U*	**tuigthe**	**109**
tuil	*flood, flow*	tuileann	tuile, tuileadh	tuilte	tuig
tuil	*fall asleep*	tuileann	tuileadh	tuilte	tuig
tuill	*earn, deserve*	tuilleann	tuilleamh	tuillte	tuig
tuilsoilsigh	*floodlight*	tuilsoilsíonn	tuilsoilsiú	tuilsoilsithe	tuirsigh
tuirling	*descend, alight*	tuirlingíonn	tuirlingt	tuirlingthe	tarraing
tuirsigh	***tire, fatigue***	**tuirsíonn**	**tuirsiú**	**tuirsithe**	**110**
túisigh	*incense* church	túisíonn	túisiú	túisithe	tuirsigh
tuisligh	*stumble, trip*	tuislíonn	tuisliú	tuislithe	tuirsigh
tuismigh	*beget, engender*	tuismíonn	tuismiú	tuismithe	tuirsigh
tum	*dive, immerse*	tumann	tumadh	tumtha	teann
túschan	*intone*	túschanann	túschanadh	túschanta	teann
uachtaigh	*will, bequeath*	uachtaíonn	uachtú	uachtaithe	ullmhaigh
uaim	*join together*	uamann	uamadh	uamtha	siúil + ól
uaisligh	*ennoble, exalt*	uaislíonn	uaisliú	uaislithe	éirigh
ualaigh	*load, burden*	ualaíonn	ualú	ualaithe	ullmhaigh

gas/fréamh	Béarla	aimsir láithreach	ainm briathartha	aidiacht bhr.	briathar gaolta
uamhnaigh	*frighten*	uamhnaíonn	uamhnú	uamhnaithe	ullmhaigh
uaschéimnigh	*step up*	uaschéimníonn	uaschéimniú	uaschéimnithe	éirigh
uathaigh	*lessen*	uathaíonn	uathú	uathaithe	ullmhaigh
uathfhuaimnigh	*cipher* organ	uathfhuaimníonn	uathfhuaimniú	uathfhuaimnithe	éirigh
ubhsceith	*ovulate*	ubhsceitheann	ubhsceitheadh	ubhsceite	caith + ól
úc	*full, tuck*	úcann	úcadh	úctha	ól
uchtaigh	*adopt*	uchtaíonn	uchtú	uchtaithe	ullmhaigh
údaraigh	*authorize*	údaraíonn	údarú	údaraithe	ullmhaigh
úim	*harness*	úmann	úmadh	úmtha	siúil + ól
uimhrigh	*number*	uimhríonn	uimhriú	uimhrithe	éirigh
uirísligh	*humble, abase*	uiríslíonn	uirísliú	uiríslithe	éirigh
uiscigh	*water, irrigate*	uiscíonn	uisciú	uiscithe	éirigh
ullmhaigh	***prepare***	**ullmhaíonn**	**ullmhú**	**ullmhaithe**	**111**
umhlaigh	*humble, submit*	umhlaíonn	umhlú	umhlaithe	ullmhaigh
ung	*annoint*	ungann	ungadh	ungtha	ól
uraigh	*eclipse*	uraíonn	urú	uraithe	ullmhaigh
úraigh	*freshen*	úraíonn	úrú	úraithe	ullmhaigh
urbhac	*estop*	urbhacann	urbhac	urbhactha	ól
urbhearnaigh / urbhearn	*breach, impair*	urbhearnaíonn / urbhearnann	urbhearnú / urbhearnadh	urbhearnaithe / urbhearnta	ullmhaigh / ól
urbhruith	*decot*	urbhruitheann	urbhruith	urbhruite	caith + ól
urchoill	*inhibit*	urchoilleann	urchoilleadh	urchoillte	oil
urchoisc	*bar* jur.	urchoisceann	urchosc	urchoiscthe	oil
urghabh	*seize*	urghabhann	urghabháil	urghafa	ól
urghair	*prohibit*	urghaireann	urghaire	urghairthe	oil
urghairdigh	*gladden, rejoice*	urghairdíonn	urghairdiú	urghairdithe	éirigh
urghráinigh	*loathe, terrify*	urghráiníonn	urghráiniú	urghráinithe	éirigh
urlaic	*vomit*	urlacann	urlacan	urlactha	siúil + ól
urmhais / urmhaisigh	*aim at, hit*	urmhaiseann / urmhaisíonn	urmhaise -sin / urmhaisiú	urmhaiste / urmhaisithe	oil / éirigh
urraigh	*go surety for*	urraíonn	urrú	urraithe	ullmhaigh
urramaigh	*revere, observe*	urramaíonn	urramú	urramaithe	ullmhaigh
urscaoil	*discharge*	urscaoileann	urscaoileadh	urscaoilte	oil + scaoil
urscart	*clean out, clear*	urscartann	urscartadh	urscarta	at
úsáid	*use*	úsáideann	úsáid	úsáidte	oil
úsc	*ooze, exude*	úscann	úscadh	úsctha	ól
vacsaínigh	*vaccinate*	vacsaíníonn	vacsaíniú	vacsaínithe	smaoinigh
válsáil	*waltz*	válsálann	válsáil	válsáilte	pacáil
vótáil	*vote*	vótálann	vótáil	vótáilte	pacáil
X-ghathaigh	*X-ray*	X-ghathaíonn	X-ghathú	X-ghathaithe	neartaigh

An Litríocht Reigiúnach *Regional Literature*

§1 Ní thig, 'cheal spáis, liosta iomlán a sholáthar den litríocht reigiúnach, nó d'fhoinsí a phléann canúintí Ghaeilge na hÉireann, ach féachtar anseo le cuid de na príomhfhoinsí a lua a thabharfaidh barúil agus treoir don léitheoir. Déantar, fosta, iarracht foinsí a lua don fhoghlaimeoir agus don litríocht reigiúnach a mbeidh leagan Béarla i gceist.

§1 Space does not permit the provision of a comprehensive list of regional literature, or of materials which deal with Irish dialects, nevertheless an attempt will be made here to provide a list of some key sources which will point the reader in this direction. Sources are mentioned for the learner and for regional literature for which English translations are available.

Cúrsaí d'fhoghlaimeoirí: *Beginners' courses*

Ulster Irish

A.J. Hughes *Bunchomhrá Gaeilge/Basic Conversational Irish* (Belfast 2002). Book plus 2 CDs.

Connaught Irish

M. Ó Siadhail, M. 1980: *Learning Irish* (Dublin). Book plus tapes.

Munster Irish

S.Ó Siail & D.Ó Sé *Teach Yourself Irish.* (London) Book plus tapes.

An Chanúineolaíocht: *Dialectology*

O'Rahilly, T.F. 1932: *Irish Dialects Past and Present* (Dublin).

LASID i H. Wagner *Linguistic Atlas and Survey of Irish Dialects* volume 1 maps (Dublin 1958).

Stair na Gaeilge in ómós do Pádraig Ó Fiannachta in eagar ag Kim McCone, Damian McManus, Cathal Ó hÁinle, Nicholas Williams, Liam Breatnach (Coláiste Phádraig, Maigh Nuad).

Gaeilge Chúige Uladh: *Ulster Irish*

Ó Searcaigh (1925 & 1939) *LASID iv*, Ó Dochartaigh (1987), Hughes (1994).

Deisceart Chontae Dhún na nGall *South Donegal*

Wagner (1959), Ó hEochaidh (1955), Uí Bheirn (1989), Ó Néill (1974 & 1975).

Lár Chontae Dhún na nGall *Mid-Donegal*

Quiggin (1906), Ó hEochaidh & Wagner (1963), Ó Catháin (1985).

Tuaisceart Chontae Dhún na nGall *North Donegal*

Sommerfelt (1922 & 1965), Ó Searcaigh (1925 & 1939), Hamilton (1974), Lucas (1979 & 1986), Evans (1969 & 1972).

Gaeilge Chúige Chonnacht: *Connaught Irish*

LASID iii, Ó hUiginn (1994), Ó Máille (1927).

Contae na Gaillimhe *County Galway*

Finck (1889), de Bhaldraithe (1945, 1953 & 1985), de Búrca (1966), Ó Máille (1973), *Airneán*, Ó Maolaithe (1954), Neilsen (1983), Ó Catháin (1990), Ó Curnáin (2007).

Contae Mhaigh Eo *County Mayo*

de Búrca (1958), Mhac an Fhailigh (1968 & 1977), Hamilton (1967 & 1970), Stockman (1974), Lavin (1956-7 & 1958), Dillon (1973).

Gaeilge na Mumhan: *Munster Irish*

LASID ii, Ua Súilleabháin (1994: 479).

Contae Chiarraí *County Kerry*

Sjoestedt-Jonval (1931 & 1938), Ó Sé (2000), Wagner & Mac Congáil (1983), Ó hÓgáin (1984), Nic Pháidín (1987), Ó Duilearga (1948).

Contae Chorcaí *County Cork*

Ó Cuív (1944 & 1947), Ua Súilleabháin (1988), Ó Buachalla (1962), Ó Floinn (1935), Ó Cróinín (1971, 1980, 1982 & 1985), Ó Síothcháin C. & S. (1943).

Contae Phort Láirge *County Waterford*

Breatnach (1947 & 1961), Ó hAirt (1988), Sheehan (1944).

Contae an Chláir *County Clare*

Holmer (1962). Mac Cluin (1940), Ó Duilearga (1982).

An Litríocht Reigiúnach: *Regional Literature*

Téacsanna samplacha as Cúige Uladh: ***Sample Texts from Ulster***

Ó Grianna, S. 1979: *Nuair a Bhí Mé Óg* - an chéad eagrán 1942 (Baile Átha Cliath).
When I Was Young Séamas Ó Grianna, translated A.J. Hughes (Dublin, 2001).
Mac Gabhann, Micí *Rotha Mór an tSaoil* (Baile Átha Cliath).
Hard Road to the Klondyke translated V. Iremonger (London, 1962).
Mac Grianna, Seosamh *An Druma Mór* (Baile Átha Cliath).
The Big Drum translated by A.J. Hughes (forthcoming, Ben Madigan Press, 2008).
Ó hEochaidh, S, Ní Néill, M. & Ó Catháin, S. (eds) *Síscéalta ó Thír Chonaill: Fairy Legends from Donegal* (Dublin, 1977).
Ó Catháin, S. 1985: *Uair an Chloig Cois Teallaigh/An Hour by the Hearth* (Dublin).
Homecoming / An bealach 'na bhaile, selected poems/rogha dánta, Cathal Ó Searcaigh (Indreabhán, Conamara, Cló Iar-Chonnachta, 1993) réamhrá le / introduction by Lillis Ó Laoire.
Out in the open Cathal Ó Searcaigh, translations by Frank Sewell (Cló Iar-Chonnachta 1997).

Téacsanna samplacha as Cúige Chonnacht: *Sample Texts from Connaught*

Ó Conaire, Pádraic *Deoraíocht* (Baile Átha Cliath).
Exile, Pádraic Ó Conaire, translated from the Irish by Gearailt Mac Eoin (Indreabhán, Cló Iar-Chonnachta, 1994). First published in Irish, as *Deoraidheacht*, in 1910.
The road to Bright City, and other stories, Máirtín Ó Cadhain, translated from the Irish by Eoghan Ó Tuairisc (Swords, Knocksedan House, Swords, Co. Dublin, Poolbeg Press, 1981).
Selected poems, Tacar Dánta, Máirtín Ó Direáin, selected and translated by Tomás Mac Siomóin, Douglas Sealy (Newbridge, Co. Kildare, Goldsmith, 1984). Goldsmith dual language 3, parallel Irish text and English translation.
Mac Giollarnáth, S. 1939: *Peadar Chois Fhairrge* (Baile Átha Cliath).
Mac Giollarnáth, S. 1941: *Annála Beaga ó Iorras Aithneach* (Baile Átha Cliath).
de Bhaldraithe, T. (eag.) *Seanchas Thomais Laighléis* (Baile Átha Cliath 1977).
Pedersen, H. & Munch-Pedersen, O. *Scéalta Mháirtín Neile* (Baile Átha Cliath, 1994).

Téacsanna samplacha as Cúige Mumhan: *Sample Texts from Munster*

Ua Laoghaire, P. 1904: *Séadna* (Baile Átha Cliath).
Séadna Peter O'Leary (An tAthair Peadar) translated by Cyril and Kit Ó Céirín (Glendale, Dublin).
Ua Laoghaire, P. 1915: *Mo Sgéal Féin* (Baile Átha Cliath).
My Own Story, by Peter O'Leary a translation by Cyril T. Ó Ceirin (Cork, Mercier Press, 1970).
Ó Criomthain, Tomás 1929: *An tOileánach* (Baile Átha Cliath).
The Islandman Tomas O'Crohan, translated from the Irish by Robin Flower (Oxford, Oxford University Press, 1978).
Island cross-talk, pages from a diary, Tomas O'Crohan, translated from the Irish by Tim Enright (Oxford, Oxford University Press, 1986). Translation of, *Allagar na hInise.*
Twenty years a-growing, Maurice O'Sullivan, rendered from the original Irish with a preface by Moya Llewelyn Davies and George Thomson, with an introductory note by E.M. Forster (Oxford, Oxford University Press, 1983). This translation originally published, 1953. Translation of *Fiche bliain ag fás* Muiris Ó Súilleabháin.
Peig, tuairisc a thug Peig Sayers ar imeachtaí a beatha féin, Máire Ní Chinnéide, a d'ullmhaigh an chéad eagrán. Baile Átha Cliath (c/o Talbot Press, 89 Talbot St., Dublin 1), Comhlacht Oideachais na hÉireann, (1970). Originally published, Baile Átha Cliath, Clólucht an Talbóidigh, 1936.
Peig, the autobiography of Peig Sayers of the Great Blasket Island translated into English by Bryan MacMahon. Introd. by Eoin McKiernan. Illus. by Catriona O'Connor (Syracuse, N.Y.), Syracuse University Press, 1974. First published 1973, by the Talbot Press, Dublin
Pharaoh's daughter Nuala Ní Dhomhnaill (Oldcastle, Gallery Press, 1990). New and selected poems in Irish with translations into English by thirteen Irish writers.
The Astrakhan cloak Nuala Ní Dhomhnaill, [with translations into English by Paul Muldoon] (Oldcastle, Co. Meath, Gallery Books,1992). Irish text with parallel English translations.
Rogha Dánta Nuala Ní Dhomhnaill, translations by Michael Hartnett (Raven Arts Press, Dublin 1988).

Samplaí den tseanchló Ghaelach agus den tseanlitriú
Samplaí de'n t-seanċlóḋ Ġaeḋealaċ ⁊ de'n tseanlitriuġaḋ

Sular tháinig an *Caighdeán Oifigiúil* ar an fhód in 1958, ba ghnách an seanchló Gaelach agus an seanlitriú a bheith in úsáid. Seo an cló agus an litriú atá le fáil i bhfolcóir Uí Dhuinnín agus i mbunús na leabhar a foilsíodh sa chéad leath den 20ú aois – agus ar aghaidh, anois agus arís, go dtí na 1970í. Seo a leanas an aibítir:

a A, b B, c C, d D, e E, f F, g G, h H, i I, l L, m M, n N, o O, p P, ʀ (ɼ) R, s (ſ) S, t T, u U

Taobh amuigh den mhalartú idir ʀ agus ɼ do **r**, agus s agus ſ do **s**, níl de dheacracht na litreacha a aithint ach amháin na litreacha séimhithe. Dá mbeadh **h** ag fíorthús focail, scríobhtaí é, m.sh. **hata** 'hat', dá dtigeadh **h** i ndiaidh na litreacha a leanas scríobhtaí an siombal"˙" (.i. ponc) os cionn na litreach le **h** a chur in iúl:

bh, ch, dh, fh, gh, mh, ph, sh, th = ḃ, ċ, ḋ, ḟ, ġ, ṁ, ṗ, ṡ (ẛ), ṫ

Bhaistí '**b**-séimhithe', '**c**-séimhithe' srl. ar **bh**, **ch** srl., agus daoine ag litriú focal gos ard. Tá tábla ar an chéad leathanach eile a thugann samplaí den tseanlitriú mar léiriú ginearálta ar chuid de na dóigheanna a ndeachaigh na hathruithe sa litriú i bhfeidhm ar chóras na mbriathra. Tá cur síos níos iomláine ar na hathruithe a cuireadh i bhfeidhm ag dul ón tseanlitriú go dtí an litriú úr in *Gramadach na Gaeilge agus Litriú na Gaeilge: An Caighdeán Oifigiúil* (*CO*). Do stair na gcineálacha eagsúla cló, fch McGuinne (1992).

Examples of the old Gaelic script and old spelling

Before the publication of *The Official Standard* in 1958, the old Gaelic script and old spelling were in use. This is the print and the orthography used in Dinneen's dictionary and in most of the books published in the first half of the 20th century – and, sporadically, until the 1970s. The alphabet is as follows:

a A, b B, c C, d D, e E, f F, g G, h H, i I, l L, m M, n N, o O, p P, ʀ (ɼ) R, s (ſ) S, t T, u U

Apart from the interchange between ʀ and ɼ for **r**, and s and ſ for **s**, it is quite easy to recognise the letters apart from those which are aspirated. If **h** occurred at the very beginning of a word it was written, e.g. **hata** 'hat', if, however, it came after the following letters then a dot, i.e. the symbol"˙"(Irish *ponc*), used to be written on top of the letter to indicate **h**:

bh, ch, dh, fh, gh, mh, ph, sh, th = ḃ, ċ, ḋ, ḟ, ġ, ṁ, ṗ, ṡ (ẛ), ṫ

When spelling words in Irish people would often say '**b**-séimhithe', '**c**-séimhithe' ('aspirated **b**', 'aspirated **c**' etc.) for **bh**, **ch** etc. A table is provided on the next page as a general indication of some of the ways in which the changes in the orthography affected the verbal system. A more comprehensive account of the changes implemented from the old to the new spelling is provided in *Gramadach na Gaeilge agus Litriú na Gaeilge: An Caighdeán Oifigiúil* (*CO*). For the development of typefaces in Irish, see McGuinne (1992).

an sean-ċlóḋ ⁊ an sean-litriuġaḋ *the old print & the old spelling*	**an cló Rómhánach & an seanlitriú** ***Roman print & the old spelling***	**an cló Rómhánach & an litriú nua** ***Roman print & the new spelling***	
ċuaiḋ	**chuaidh**	**chuaigh**	went
ṡiuḃail	**shiubhail**	**shiúil**	walked
duḃairt	**dubhairt**	**dúirt**	said
ceannaiġeaḋ	**ceannaigheadh**	**ceannaíodh**	was/were bought
léiġeaḋ	**léigheadh**	**léadh**	was/were read
ceannaiġeann	**ceannaigheann**	**ceannaíonn**	buys
coinniġeann	**coinnigheann**	**coinníonn**	keeps
léiġeann	**léigheann**	**léann**	reads
suiḋeann	**suidheann**	**suíonn**	sits
suiḋfiḋ	**suidhfidh**	**suífidh**	will sit
ceannóiḋ	**ceannóidh**	**ceannóidh**	will buy
(ceannóċaiḋ)	**(ceannóchaidh)**	**(ceannóchaidh)**	
léiġfiḋ	**léighfidh**	**léifidh**	will read
d'ḟoġlaimeoḋ	**d'fhoghlaimeodh**	**d'fhoghlaimeodh**	would learn
(d'ḟoġlaimeoċaḋ)	**(d'fhoghlaimeochadh)**	**(d'fhoghlaimeochadh)**	
ṡuiḋfeaḋ	**shuidhfeadh**	**shuífeadh**	would sit
ṡiuḃalfaḋ	**shiubhalfadh**	**shiúlfadh**	would walk
d'aṫraiġeaḋ	**d'athraigheadh**	**d'athraíodh**	used to change
ċeannaiġeaḋ	**cheannaigheadh**	**cheannaíodh**	used to buy
ċruinniġeaḋ	**chruinnigheadh**	**chruinníodh**	used to gather
ṡuiḋeaḋ	**shuidheadh**	**shuíodh**	used to sit
ṫéiġeaḋ	**théigheadh**	**théadh**	used to go
ceannaiġeaḋ sé	**ceannaigheadh sé**	**ceannaíodh sé**	let him buy
éiriġeaḋ sí	**éirigheadh sí**	**éiríodh sí**	let her get up
go gceannaiġe sé	**go gceannaighe sé**	**go gceannaí sé**	may he buy
nár aiṫḃriḋ Dia	**nár aithbhridh Dia**	**nár aifrí Dia**	may God not rebuke
marcaiḋeaċt	**marcaidheacht**	**marcaíocht**	to ride
suiḋe	**suidhe**	**suí**	to sit
éirġe	**éirghe**	**éirí**	to get up
cruinniuġaḋ	**cruinniughadh**	**cruinniú**	to gather
faġáil	**fagháil**	**fáil**	to get
fágáil	**fágáil**	**fágáil**	to leave
scríoḃṫa	**scríobhtha**	**scríofa**	written
ceannaiġṫe	**ceannaighthe**	**ceannaithe**	bought
naoṁṫa	**naomhtha**	**naofa**	holy

Foilseacháin eile ó Chlólann Bheann Mhadagáin:

Bunchomhrá Gaeilge ***Basic Conversational Irish***

A.J. Hughes

Leabhar 92 lch (210 mm x 29.7 mm) + 2 dlúthdhiosca
Clólann Bheann Mhadagáin 2002. ISBN 0-9542834-1-4

- Dírithe ar an bhunfhoghlaimeoir neamhspleách nó ar bhun- nó meánrang.
- Téacsanna Gaeilge agus aistriucháin Bhéarla.
- Béim ar an bhunchomhrá laethúil agus ar an teanga phraiticiúil.
- 17 caibidil agus 113 comhrá – bunaithe ar thairseach phraiticiúil an Chomhphobail Eorpaigh.
- Foclóir Gaeilge-Béarla agus innéacs gramadaí ar chúl an leabhair.
- 2 dlúthdhiosca de chainteoirí Gaeltachta ag dul leis an leabhar.

Luach d'orduithe fríd an phost:

Stg£15.00 (UK agus Éire) Stg£16.00 (An Eoraip) Stg£18.00 (aon áit eile).

Trialacha Tuigbheála: ***Comprehension Tests***

A.J. Hughes

Leabhar 192 lch (A5) + 2 dlúthdhiosca.
Clólann Bheann Mhadagáin 2008 (atheagrán). ISBN 0-0-9542834-3-0

- Dírithe ar an mheán- agus ar an ardrang.
- 22 téacs de Ghaeilge nádúrtha chomhaimseartha móide 8 rannóg ceisteanna do gach téacs.
- Cur síos gramadúil ar an ainmfhocal agus ar an bhriathar.
- Foclóir Gaeilge-Béarla (Gaeilge-Gaeilge) ar chúl.
- 2 dlúthdhiosca de chainteoirí Gaeltachta ag dul leis an leabhar.

Luach d' orduithe fríd an phost:

Stg£23.00 (UK agus Éire) Stg£24.00 (An Eoraip) Stg£25.00 (aon áit eile).

Le Theacht

Leabhar Laghdaithe Bhriathra na Gaeilge: ***The Abridged Irish Verb Book***
A.J. Hughes — Leabhar A5 c. 480 pp 2008/9

The Big Drum: Aistriúchán den úrscéal *An Druma Mór* le Seosamh Mac Grianna.
Aistriúchán Béarla agus aiste ar Mhac Grianna, A.J. Hughes — Leabhar 2008/9

Seachtó Sliocht Gaeilge: ***70 Irish Passages***
A.J. Hughes — Leabhar + dlúthdhioscaí 2008/9

Orduithe ó *Clólann Bheann Mhadagáin*
516 Bóthar Aontroma,
Béal Feirste,
BT15 5GG,
Tuaisceart Éireann

Suíomh idirlín **www.benmadiganpress.com** Ríomhphost **bmp@benmadiganpress.com**

Other publications from Ben Madigan Press